GEORG CHRISTOPH
LICHTENBERG

SCHRIFTEN UND BRIEFE

Kommentar zu Band III

Carl Hanser Verlag

Herausgegeben von Wolfgang Promies

ISBN 3 446 11675 3 Ln
ISBN 3 446 11803 9 Ld

© 1974 Carl Hanser Verlag, München

Inhalt

Kommentar
- Aufsätze gelehrten und gemeinnützigen Inhalts 7
- Streitschriften. 82
- Unterhaltsame Aufsätze 139
- Miszellaneen 225
- Entwürfe 231
- Fragmente von Erzählungen 283
- Gedichte, Stammbuchsprüche, Fabeln 299
- Ausführliche Erklärung der Hogarthischen Kupferstiche . . 318

Zum vorliegenden Band 444
Lektürehinweise 446
- A. Zur Verweistechnik 446
- B. Abkürzungen 447
- C. Verzeichnis der häufig und verkürzt zitierten Publikationen 448

Personenregister zum Textband 451

Aufsätze gelehrten und gemeinnützigen Inhalts

Berechnung der Wahrscheinlichkeit beim Spiel

Erstveröffentlichung und Satzvorlage: »Betrachtungen über einige Methoden, eine gewisse Schwierigkeit in der Berechnung der Wahrscheinlichkeit beym Spiel zu heben, von Georg Christoph Lichtenberg, Professor der Philosophie / nebst einer Anzeige seiner Vorlesungen«. Göttingen 1770 (bei Dieterich), 23 Seiten. Die Titelseite weist überdies eine Vignette, der Kopf der ersten Seite eine Arabeske auf. Ein Manuskript ist im Nachlaß nicht erhalten.

Zur Entstehung: Georg Christoph Lichtenberg wurde am 19. Juni 1770 zum außerordentl. Professor ernannt, am 11. August 1770 vereidigt. Zum Wintersemester 1770/71 kündigte Lichtenberg erstmals Vorlesungen an (s. 23,15 f.). Als Einladung zu ihnen ließ er, wie es seinerzeit bei Antritt des Lehramts üblich war, ein Programm im Druck erscheinen: die einzige Arbeit rein mathematischen Inhalts, die Lichtenberg je publizierte. Kästner äußerte darüber in seinem Nekrolog auf Lichtenberg von 1799 (übers. von Deneke, a.a. O., S. 114): »Er warf darin die Frage auf, warum kein vernünftiger Mensch die Hoffnung zu einem beträchtlichen Gewinn, nämlich von mehreren hunderttausend Talern, mit einer Summe, die gegen den zu hoffenden Gewinn wie ein Nichts verschwinde, wie mit 50 Talern, kaufen werde. d'Alembert und Beguelin verwirrten dies noch mehr, indem sie es auseinander zu setzen suchten. Lichtenberg bemerkt nach Daniel Bernoulli und Cramer, daß ein kluger Mann darauf Rücksicht nehme, wie groß er den Verlust desjenigen schätze, welches er für die trügerische Hoffnung hingibt. Durch diese erste öffentliche Probeschrift bewies Lichtenberg, welche Anlagen er hatte, Dinge, die an sich dunkel sind, oder durch den elenden Fleiß der Gelehrten, den man Subtilität nennen will, verwirrt sind, einem gesunden Auge deutlich darzustellen.« Über den Gegenstand seiner Antrittsvorlesung handelte Lichtenberg noch am 15. April 1780 vor der Göttinger Sozietät der Wissenschaften. Diese Abhandlung, betitelt »Observationes super dubiis quibusdam circa aptitudinem vulgatae mensurae sortis«, ist weder im Druck erschienen noch unter seinen Papieren überliefert. Wir wissen davon durch einen Hinweis in Kästners »Elogium« a.a. O., S. 6, eine Bemerkung der Herausgeber im Vorbericht zu Band 9 der »Vermischten Schriften«, Göttingen 1806, S. V, sowie Lichtenbergs Selbstrezension in den »Göttingischen Anzeigen von gelehrten Sachen« 1780, 59. Stück vom 13. Mai, S. 481–484 (s. auch Briefe IV, 388, 14).

Über die Bedeutung dieser Antrittsvorlesung vgl. Hahn, a.a.O.,
S. 11–15.

9 *8 Meßkünstler:* im 18. Jahrhundert gebräuchlich für: Mathematiker. Lichtenberg gebraucht den Ausdruck auch 234, 37. 311, 15. – *9f. Abweichungen von dem, was er nach seiner Rechnung...:* Dazu vgl. A 1. 156. – *32ff. Wenn eine Bombe ...* Vgl. A 211 und die Anm. dazu. – *33 Parabel:* Kegelschnitt ohne Mittelpunkt, die Menge aller Punkte einer Ebene, die von einem festen Punkt, dem Brennpunkt, und von einer festen Geraden, der Leitlinie, gleich weit entfernt sind; die Wurf- oder Geschoßbahn im luftleeren Raum ist eine Parabel.

10 *5 die Gesetze des Galiläus ... für den Hebel:* Galileo Galilei fand die Gesetze für den Fadenpendel und leitete hypothetisch die Fallgesetze 1604 aus falschen, 1609 aus richtigen Annahmen ab. Über Galilei vgl. zu J 897. – *6 sein System:* von mir verbessert aus: seine. – *28f. Die Aufgabe ... sehr berühmt:* Dazu vgl. oben S. 7. – *30 A und B:* von mir, wie im folgenden, geändert aus: *A.* und *B.;* I und O aus: *I.* und *O.* – *34 Bezeichnung:* von mir verb. aus: Bezeichung. – *36 Leibnizischen Dyadik:* Zahlensystem mit der Grundzahl 2, auch Dualsystem genannt, auf dessen theoretische Vorteile schon Leibniz hingewiesen hat; über Leibniz vgl. zu A 9. Lichtenberg erwähnt sie auch GTK 1781, S. 68, 69.

11 *23 Nicolaus Bernoulli:* schweiz. Mathematiker und Jurist (1687 bis 1759), Neffe und Schüler von Jakob und Johann Bernoulli, 1716 Prof. der Mathematik in Padua, seit 1722 in Basel. Er legte Montmort die Aufgabe in einem Brief mit 5 mathemat. Fragen am 9. Sept. 1713 vor. – *23 Montmort:* Pierre Raymond de Montmort (1678–1719), frz. Mathematiker, beschäftigte sich vor allem mit dem neuen Gebiet der Wahrscheinlichkeitsrechnung. – *24 Daniel Bernoulli:* Mathematiker und Physiker (1700–1782), Sohn des Johann Bernoulli, 1725–1733 Prof. der Mechanik an der Akademie der Wissenschaften in St. Petersburg, 1750 Prof. der Physik in Basel, wandte das neue Verfahren der Infinitesimalrechnung auf physikalische Probleme an. – *27 Cramer:* Gabriel Cramer (1704–1752), schweiz. Mathematiker, Schüler Johann Bernoullis, Prof. der Mathematik und Philosophie an der Akademie in Genf; nach ihm ist die sogenannte »Cramersche Regel« benannt; Hrg. u. a. von Werken von Johann und Jakob Bernoulli. – *27f. in der nämlichen Abhandlung:* Cramer hatte 1728 Nicolaus Bernoulli brieflich die Auflösung des Petersburger Problems mitgeteilt. Daniel Bernoulli veröffentlichte das Schreiben innerhalb seiner eigenen Abhandlung (Commentarii Petropolis, a.a.O., S. 190–191; Hamburg. Mag., a.a.O.,

S. 87–89). – *33 Analyse sur les Jeux:* Der genaue Titel lautet;
»Essai d'Analyse sur les Jeux de hasard«, erschienen Paris 1708,
vermehrte Aufl. 1714. – *36f. Comment. acad. Petrop.:* Der 5.
Band, der S. 175–192 den genannten Aufsatz enthält, erschien
Petropoli (Petersburg) 1738. Über die Commentarien der
Petersburger Akademie vgl. zu D 685. – *37f. das Wesentlichste
... im Hamb. Mag. übersetzt:* Gemeint ist der »Auszug aus dem
Versuch einer neuen Lehre, von dem Maaße der Glücksspiele,
verfasset von Daniel Bernoulli«, erschienen in »Hamburgisches
Magazin, oder gesammlete Schriften, zum Unterricht und Vergnügen, aus der Naturforschung und den angenehmen Wissenschaften überhaupt«, Hamburg 1747, 1. Band, 5. Stück, S. 73
bis 90.

12 *18 Endzwecke:* Über diesen von Lichtenberg häufig gebrauchten Begriff vgl. zu A 18; s. auch 22, 17. 314, 16. 354, 6. 415, 6.
420, 17. 526, 31. 595, 12. – *25 d'Alembert... andern Weg gegangen:*
Gemeint sind die Abhandlungen »Réflexions sur le calcul des
Probabilités«, erschienen Paris 1761 innerhalb der »Opuscules
mathématiques«, S. 1–25, und »Doutes et questions sur le calcul
des probabilités«, erschienen Amsterdam 1764–1767, innerhalb
der »Mélanges de Littérature, d'Histoire, et de Philosophie«,
5. Band, S. 275–304. Über d'Alembert vgl. zu A 249. –
28 Beguelin: Über Nicolas de Beguelin vgl. zu A 250. – *39 Mem.
de l'acad. de Berlin ... 1767:* Gemeint ist »Sur l'usage du Principe
de la Raison suffisante dans le calcul des probabilités, par M.
Beguelin«, a.a.O., S. 382–412, gelesen vor der Akademie am
14. Januar 1768, erschienen Berlin 1769. Lichtenberg spielt auf
diese Abhandlung in A 250 an.

13 *13 Friktion:* Reibung: die Hemmung der relativen Bewegung
sich berührender Körper oder von Teilen eines Körpers
gegeneinander; über den von Lichtenberg mehrfach gebrauchten Begriff vgl. zu A. 28; s. auch 364, 4; im übrigen vgl. zu
A 28. – *26 Jemand hält ... zwei Lose:* Ein Entwurf zu dieser
Passage findet sich A 249.

14 *7f. Ein Liederlicher:* Zu diesem Ausdruck vgl. 821, 2f. – *27
Bouteille:* Flasche. – *32 Alligationsregel:* Diese Regel lehrt, von
zwei zu mischenden Stoffen von gegebenen Werten die Quantität eines jeden einzelnen Stoffs zu bestimmen, damit eine Mischung von gegebenem Mittelwert der Einheit entstehe. (Nach
Math. Wb. von Ludwig Hoffmann, Berlin 1858, Bd. I, S. 64) –
34 halben Gulden: als Goldmünze, im MA die wichtigste
deutsche Münze, nach der Konvention dt. Fürsten von 1753
auch Konventionstaler genannt: 20 Gulden gleich 1 Taler
gleich 120 Kreuzer. Vgl. auch F 17. 144.

15 *1 natürlichen Mathematik:* Über den von ihm sogenannten
»mathematischen Wilden«, der nach mathematischen Regeln

handelt, ohne sie zu kennen, reflektiert Lichtenberg A 10. 113.
210. C 33. H 45. 153. – *8 Entrepreneur:* Lotterie-Unternehmer.
22 Beguelin ... bei einer seiner Auflösungen: Gemeint ist Beguelin,
a. a. O., S. 393.
16 *19 ff. Valde ... proportionale:* »Sehr wahrscheinlich ist, daß jeder
beliebig kleine Gewinn einen Vorteil erzeugt, welcher dem
schon vorhandenen Vermögen umgekehrt proportional ist.«
Dies ist nach Hahn, a. a. O., S. 11, der Ansatz des Weberschen
Gesetzes, und Fechner deutet ihn in seinen »Elementen der
Psychophysik«: »Die physischen Güter haben keinen Wert ...
für uns als tote Massen, sondern nur, insofern es äußere Mittel
sind, eine Summe wertvoller Empfindung in uns zu erzeugen.«
– *22 f. d'Alemberts Meinung ... am oben angeführten Ort:* Gemeint
ist wohl »Opuscules mathématiques«, a. a. O., S. 9–10, § XI. –
28 Melanges de litterature: Gemeint ist a. a. O., S. 276: »Leur
décision ... a encouragé des Mathématiciens médiocres, qui se
sont hâtés d'écrire sur ce sujet, et de m'attaquer sans m'endendre.« – *33 f. gelehrten Verteidiger der Dreieinigkeit:* Das Trinitäts-
Dogma von der Dreiheit (Gott Vater, Sohn, Hl. Geist) in der
Einheit wurde auf den Konzilien von Nicäa (325) und Konstantinopel (381) abgeschlossen; vgl. auch A 63. B 290. – *38 f. d'Alembert sich ... auf die Erfahrung beruft:* Das ist im übrigen Lichtenbergs eigenes konsequent geübtes und unermüdlich propagiertes wissenschaftliches Verfahren; s. 82, 1. 512, 17.
17 *2 f. angestellt worden sei:* von mir verb. aus: ... seyen. – *5 er ...
sagt, es sei physisch unmöglich:* Gemeint ist »Opuscules mathématiques«, a. a. O., S. 10, § XII. – *15 Quadranten:* lat. »Viertelkreis«, früher viel benutztes Instrument zur Messung von
Höhen im Meridian, Viertelkreis mit einer Winkelteilung an
seiner Peripherie und einer Visiereinrichtung entlang einem
Radius. – *27 Dreigroschenstück:* Lichtenberg gebraucht den Ausdruck auch 218, 9. 258, 4; im übrigen vgl. zu C 22. – *37 f. Anson's
Voyage ... p. 275:* Lichtenberg erwähnt die Reisebeschreibung
auch B, S. 45 (I). D 440. 598. 695. RA 20.
18 *1 Mitte:* von mir verb. aus: mitte. – *16 vor dem ersten Wurf:* von
mir verb. aus: ... den ...
19 *3 Gegen dieses wendet Herr Beguelin....ein:* »si l'on considère de
plus que la nature entière, par sa propre activité, passe continuellement d'un état à un autre état ...« (a. a. O., S. 389, § VIII.
– *8 aus einer Wissenschaft:* von mir verb. aus: *aus Wissenschaft.* –
10 eine gewisse Verhältnis: Diese im 18.Jh. noch durchweg
übliche Schreibweise als Femininum verwendet Lichtenberg
auch 66, 5. 128, 28. 277, 5. 282, 11. – *14 § IX kommt Herr
Beguelin:* Gemeint ist Beguelin, a. a. O., S. 389–391. – *34 fährt
Herr Beguelin fort:* Gemeint ist Beguelin, a. a. O., S. 391.
21 *8 Beguelin glaubt ... :* Gemeint ist Beguelin, a. a. O., S. 393, § XII.

22 17 *Endzwecke:* Vgl. zu 12, 18.
23 *5f. des Herrn Daniel Bernoulli Methode:* Vgl. zu 11, 24. – *16 im nächsten Winter-Halben-Jahre:* das Wintersemester 1770/71. – *16f. Unterricht ... privatissime:* Gemeint ist der Unterricht, den Lichtenberg jungen Engländern erteilte. – *24f. Anweisung wie geradlinige Figuren ... zu teilen:* Der Übersetzer konnte nicht ermittelt werden. – *26 aus dem Ozanam übersetzt:* Jacques Ozanam (1640–1717), namhafter frz. Mathematiker in Paris; sein von den Zeitgenossen am meisten geschätztes Werk sind die »Récréations«. – *26 Bogen:* Begriff aus dem Buchdruck: ein Druckbogen umfaßt 16 Seiten. – *26 8 vo:* Oktav: Buchformat bis 22,5 cm Höhe; entsteht aus der Teilung eines Bogens in acht Blatt = 16 Seiten. – *29 Kästners Analysis endlicher Größen:* Gemeint sind die »Anfangsgründe der Analysis endlicher Größen«, erschienen Göttingen 1760, von Abraham Gotthelf Kästner; über ihn vgl. zu A 179; vgl. im übrigen A 261 und die Anmerkung dazu.

ELEKTRISCHE MATERIE

Erstveröffentlichung: »De nova methodo naturam ac motum fluidi electrici investigandi«, erschienen in den »Novi Commentarii Societatis Regiae Scientiarum Gottingensis. Commentationes physicae et mathematicae classis 8«, Göttingen 1778, S. 168–180. Ein Einzeldruck erschien gleichzeitig bei Dieterich in Göttingen.

Satzvorlage: »Von einer neuen Art die Natur und Bewegung der elektrischen Materie zu erforschen. Erste Abhandlung«, in deutscher Übersetzung abgedruckt in »Vermischte Schriften«, Göttingen 1806, Bd. 9 (»Physikalische und mathematische Schriften« Bd. IV), S. 49–80. Die Übersetzung stammt vermutlich von dem Mitherausgeber der »Vermischten Schriften« und Schüler Lichtenbergs: Kries. Ein Manuskript der Abhandlung ist im Nachlaß nicht erhalten.

Zur Entstehung: Aus den Briefen (s. zu 25, 3f.) geht hervor, daß Lichtenberg sich im Frühjahr 1777 einen großen Elektrophor bauen (von Klindworth?) ließ, der die nachmals sogenannten »Lichtenbergschen Figuren« zeitigte. Bereits am 3. Mai 1777 informierte Kästner die Versammlung der Königlichen Sozietät der Wissenschaften in Göttingen über diese von Lichtenberg entdeckten Phänomene. Lichtenberg, »der wegen Unpäßlichkeit nicht gegenwärtig seyn konnte«, hatte Kästner ein »Pro Memoria« zur Verfügung gestellt, wie man aus den »Göttingischen Anzeigen von gelehrten Sachen«, 72. Stück, S. 569–572, vom 16. Juni 1777, erfährt – die Notiz ist offenbar von

Lichtenberg selbst aufgesetzt. Erst am 21. Februar 1778 trug Lichtenberg persönlich vor der Sozietät der Wissenschaften die von uns abgedruckte »Erste Abhandlung« über die Lichtenbergschen Figuren vor (vgl. an Schernhagen: IV, Nr. 170, S. 313, vom 15. Februar 1778; Nr. 172, S. 315–316, vom 23. Februar 1778). Ein Protokoll dieser Vorlesung findet sich – ebenfalls von Lichtenbergs Hand – in den »Göttingischen Anzeigen von gelehrten Sachen«, 43. Stück, S. 345–348, vom 9. April 1778. Arbeitsnotizen zu seinen Versuchen mit dem Elektrophor stellen F 407. 456. 457. 461. (695. 1184) dar, niedergeschrieben im März/April 1777; s. auch F 541, ferner D 742. 743. 744. 745.

Entgegen seinem ursprünglichen Plan gab Lichtenberg, wie er Schernhagen am 5. Mai 1778 mitteilte (IV, Nr. 189, S. 326), »in dieser ersten Abhandlung nur einige Versuche, die Mutmaßungen darüber und die Hypothesen werden in eine zweite kommen.« S. auch 31,22 f. Die zweite Abhandlung ist erst 1779 erschienen.

Die Wirkung von Lichtenbergs Entdeckung auf die Zeitgenossen war beträchtlich. Camper begrüßte beifällig Lichtenbergs Versuche, die er selbst wiederholte, und versprach, seine Abhandlungen ins Französische zu übersetzen (s. IV, Nr. 237, S. 368–369; Nr. 238, S. 369). Rozier ließ im Januar-Heft seiner »Observations sur la physique et l'histoire naturelle et sur les arts« 15, Paris 1780, S. 17–24, Lichtenbergs »Erste Abhandlung« in französischer Sprache und mit sämtlichen Kupferstichen erscheinen (vgl. an Heyne: IV, Nr. 258, S. 388–389, vom 22. April 1780). Cavallo veröffentlichte, von Lichtenberg angeregt, in den »Philosophical Transactions«, London 1780, »Some new experiments in electricity with the description and use of two new electrical instruments« (s. an Schernhagen: IV, Nr. 288, S. 412, vom 26. April 1781). Volta und Deluc schließlich beschäftigten sich über zwei Monate mit Lichtenbergs Figuren. Deluc schrieb, wie Lichtenberg an Wolff (LB II, Nr. 358, S. 86) am 13. Juli 1783 mitteilt, »mehr witzig vielleicht als wahr: *Ihre Sterne werden Dereinst noch in der Nacht der Elecktricität leuchten.*«

Übrigens sollte nicht unerwähnt bleiben, daß Lichtenberg in seiner »Ersten Abhandlung« als erster für die Kennzeichnung von positiver und negativer Elektrizität die Zeichen + und — vorgeschlagen und eingeführt hat (s. 30,1), und daß seine Figuren Chladni zu den berühmteren Klangfiguren geführt haben.

Zur wissenschaftlichen Gesamteinschätzung s. die Neuherausgabe der Abhandlung von Herbert Pupke, erschienen in: »Ostwalds Klassiker der exakten Wissenschaften« 246, Leipzig 1956.

24 *8 Elektrophor:* griech. ›Elektrizitätsträger‹: Apparat zur wiederholten Auflading eines elektr. Leiters durch Influenz. – *9 Wilcke:* Über Johann Carl Wilcke vgl. zu D 742. – *10 unsern*

ehemaligen Mitbürger: Wilcke studierte 1753–1755 in Göttingen zunächst Theologie bei Mosheim und Michaelis, dann als Schüler Tobias Mayers und Hollmanns Astronomie, Mathematik und Physik. – *10 ff. Volta ... seinen Namen gegeben:* Alessandro Volta – über ihn vgl. zu F 407 – konstruierte 1775 nach einer Entdeckung von Wilcke (1762) den »Elettroforo« zur fortgesetzten Ladungserzeugung. »Der *Erfinder* des Elektrophors ist er eigentlich nicht, dieses habe ich schon in meiner lateinischen Abhandlung gesagt, diese Stelle hat ihm, wie er mir sagte, vielen Verdruß zugezogen, ich habe mich ja auch nicht für den Erfinder ausgegeben, sagte er mir, und ich antwortete ihm frank, ich habe aber auch nicht gesagt, daß Sie sich dafür ausgegeben hätten. Der eigentliche Erfinder aller Eigenschaften des Elektrophors ist Wilcke, der alles schon 1762 beschrieben hat, nur betrachtete Wilcke sein Instrument, das aus Glas war und vertikal stund, mit 2 beweglichen Belegungen, bloß als einen Apparat zu einem *einzelnen* Versuch; Volta machte eine elektrische *Maschine* daraus und nahm Harz, welches freilich besser ist. Er kam auf den Gedanken bei Gelegenheit eines Streites mit Beccaria, dem er damit beweisen wollte, daß seine Electricitas Vindex eine Schimäre sei«, schreibt Lichtenberg an Franz Ferdinand Wolff (IV, Nr. 482, S. 619) am 10. Februar 1785. – *15 Leidener Flasche:* So bezeichnet man wegen ihrer Form den ältesten Kondensator, den Pieter van Musschenbroek Anfang 1745 in Leiden erfand; auch Kleistsche Flasche genannt, da unabhängig von Musschenbroek im Herbst 1745 E. J. von Kleist in Pommern ein ähnliches Gerät konstruierte. – *27 ff. die deutschen Physiker ... mit Spielereien ... beschäftigen:* Im Zusammenhang mit seinen eigenen Experimenten an dem großen Elektrophor kommt Lichtenberg in einem Brief an Schernhagen (LB I, Nr. 167, S. 278) vom 3. März 1777 auf den Physiker Jacob Christian Schäffer zu sprechen: »Schäfer hat blos damit die unglaublichen Dinge in der Welt vermehrt. Und seine Versuche gehören mit zur Wünschelruthe, und den Versuchen, wo man durch Anschlag eines Ringes an ein Glas das Alter einer Person, oder die Stunde des Tages errathen will. Doch habe ich noch nicht Versuche gnug gemacht, alles gerade weg läugnen zu können. Ich glaube aber seine Streiche kaum.« Den Vorwurf, zu sehr gespielt zu haben, macht Lichtenberg später seinem toten Kollegen Erxleben (IV, Nr. 527, S. 693). S. auch 75,4. 381,22 f. J 1748. – *35 Schwedische Abhandlungen ... 1762:* Wilcke veröffentlichte »Der Königl. Schwedischen Akademie der Wissenschaften Abhandlungen aus der Naturlehre, Haushaltskunst und Mechanik auf das Jahr 1762. Aus dem Schwedischen übersetzt von Abraham Gotthelf Kästner«, Hamburg und Leipzig 1765, 24. Band, S. 213–235; 253–274 den

Artikel: »Fernere Untersuchung von den entgegengesetzten Elektricitäten bey der Ladung, und den dazu gehörenden Theilen.« Lichtenberg erwähnt die Publikation in gleichem Zusammenhang auch in den Briefen (IV, S. 619). Über die Zeitschrift vgl. zu KA 38.

25 *1 achtzehn Zoll:* Zoll (von mhd. ›Klötzchen‹, ›Fingerglied‹), früheres Längenmaß: 1 Zoll gleich 1/10 oder 1/12 Fuß: ca. 2,5 cm. – *3f. nahm ich mir vor, mir einen Elektrophor ... zu verfertigen:* »Mein elektrischer Enthusiasmus hat mich wieder seit einigen Wochen befallen. Ich lasse mir einen Elektrizitäts-Träger machen, woran mich die zinnerne Platte 55 Taler gekostet und zu dessen Kuchen 51 Pfund Pech genommen worden sind. Die Sache kostet Zeit und Vorsicht, ich gedenke ihn aber bald nach Ostern fertig zu haben«, schreibt Lichtenberg (IV, Nr. 148, S. 295) im März 1777 an Hollenberg. S. auch an Schernhagen (LB I, S. 278) vom 3. März 1777. – *8 Versuche mit großen Instrumenten:* Diesen Gedanken äußert Lichtenberg bezüglich seines Elektrophors F 456. Zu diesem Prinzip des Experimentalphysikers Lichtenberg vgl. zu GH 93. – *15 mit burgundischem:* burgundisches Harz: Burgunderpech, Rückstand aus der Terpentinöldestillation, der beim Umschmelzen in Kolophonium entweicht; früher als Klebemittel benutzt; Nichtleiter für Elektrizität. – *16 Pariser Fuß:* früheres frz. Längenmaß: 1 pied du roi gleich 12 pouces gleich 0,325 m. – *21 ein Beispiel:* Diese Beobachtung notiert Lichtenberg in F 461 vom 1. April 1777. – *37f. einen neuen Weg ... bahnen:* Ganz ähnlich schreibt Lichtenberg an Schernhagen (IV, Nr. 170, S. 313) am 15. Februar 1778.

26 *20 Schornsteins:* von mir verb. aus: Schorsteins. – *24 Leidner Flaschen:* Vgl. zu 24,15. – *28 von Priestley ... die Beobachtung der Ringe:* Die betreffende Stelle konnte von mir nicht ausfindig gemacht werden. Über Joseph Priestley vgl. zu D 761. – *31 hochgeschätzte Mitglieder und Zuhörer:* Anrede an die Mitglieder der Königl. Sozietät der Wissenschaften in Göttingen. Eine Beschreibung der Vorlesung und der Publikumsreaktion gibt Lichtenberg an Schernhagen (IV, Nr. 172, S. 315–316) am Montag, dem 23. Februar 1778. – *38 Taschenspielern:* Die Phänomene der Elektrizität dienten in der Tat zeitgenöss. Marktschreiern zu spektakulären Vorführungen; einem dieser vazierenden Taschenspieler in Experimentalphysik legte Lichtenberg 1782 das Handwerk: Berschütz, vgl. Briefe IV, 428.429. 432.433.439.444.455.466.520. Vgl. auch 381, 22f.

27 *24 erhabener Arbeit:* Relief. – *31f. auf der ersten Kupfertafel:* Die Kupfertafeln wurden von dem Augsburger Kupferstecher Johann Elias Haid in »schwarzer Kunst« gestochen, wie aus Lichtenbergs Brief an Schernhagen (IV, Nr. 189, S. 326) vom

5. Mai 1778 hervorgeht. Das Honorar dafür vergütete ihm »gantz unerwartet« die Sozietät (s. LB I, Nr. 194, S. 306, an Schernhagen am 13. August 1778). Nach den »Göttingischen Anzeigen von gelehrten Sachen«, 43. Stück, 1778, S. 346, hat zu der Vorlesung der Ersten Abhandlung vor der Sozietät einige der Figuren »ein hiesiger junger Künstler, Hr. Waagen, sehr schön gezeichnet«.

29 *19 burgundischem Harz:* Vgl. zu 25, 15. – *23 zehn Zoll:* Vgl. zu 25, 1.

30 *1 mit + E bezeichnen:* Dazu vgl. oben S. 12. – *11 idioelektrischen Körper:* Zu diesem Begriff vgl. zu D 729. – *34 Gummilack:* Lackharz, das nach dem Stich von Lackschildläusen an bestimmten Pflanzenarten auftritt. »Man macht jetzt, wie ich höre, sehr wirksame elektrische Maschinen aus Gummilack statt Glas«, schreibt Lichtenberg an Schernhagen (IV, Nr. 147, S. 294) am 17. Februar 1777.

31 *1 Hexenmehl:* lat. semen Lycopodii: volkstüml. Name für die Sporen des Keulen-Bärlapps. Lichtenberg gebraucht den Ausdruck auch 372, 25. S. ferner D 257. F 640. – *2 Leidener Flasche:* Vgl. zu 24, 15. – *22 f. spare meine Hypothesen für eine andere Abhandlung:* Dazu vgl. oben S. 12.

32 *19 Steganographie:* Geheimschreiberei. Lichtenberg gebraucht das Wort auch 312, 6 und in der Miszelle »Von Räthseln« (GTK 1795, S. 167), wo er von »Steganographischem Gebrauch« spricht und: »Steganographie ist, wo ich nicht irre, sogar eine Brodwissenschaft«. – *29 Kränzen aus Schachthalm (equisetum):* »Ich schreibe auch nun auf eine ganz eigne Art mit negativer Elektrizität, welches sich herrlich ausnimmt und nicht wie *Equisetum*, sondern wie Perlenschnüre aussieht«, schreibt Lichtenberg am 26. Februar 1778 (IV, Nr. 173, S. 316) an Schernhagen; eine Anweisung, seine Figuren zu verfertigen, gibt Lichtenberg noch am 13. Juli 1783 an Wolff (LB II, Nr. 358, S. 85–86).

34 *4 f. die sinnreichen Schlüsse von Wilcke:* Gemeint ist Wilckes Abhandlung »Undersoekning, Om de vid Herr Volta's nya Elettrophoroperpetuo foerekommande Electriske Phenomener«, erschienen in den »Konigl. Vetenskaps academiens handlingar«, 38. Bd., S. 56–83, 128–144, 216–234, Stockholm 1777. »Da ich meine Untersuchungen über den Elecktrophor jezt wieder fortzusezen im Stande bin, so wolte ich Ew. Wohlgebohren gehorsamst um die nochmalige Mittheilung der Wilckischen Abhandlung ersucht haben; solte die Fortsezung derselben bereits angekommen seyn, so bitte ich ebenfalls um dieselbe,« schreibt Lichtenberg (LB I, Nr. 171, S. 281–282) am 11. Oktober 1777 an Unbekannt (ev. Kästner oder Murray). – *5 f. elektrischen Pausen von Gros:* Über Johann Friedrich Gros

und die von ihm Leipzig 1776 veröffentlichte Abhandlung
»Elektrische Pausen« vgl. zu D 743. *Gros:* von mir verb. aus:
Grosse. – *6 wovon künftig ein Mehreres:* in der »Zweiten Abhandlung«. – *8 Rozier Obs. sur la Physique:* Dieser Jahrgang der
Zeitschrift war mir nicht zugänglich. Über Rozier vgl. zu
GH 18; über seine Zeitschrift ebenda.

EINIGE LEBENSUMSTÄNDE VON CAPT. JAMES COOK

Erstveröffentlichung und Satzvorlage: »Einige Lebensumstände von Capt.
James Cook, größtentheils aus schriftl. Nachrichten einiger seiner Bekannten gezogen von G. C. L.«, erschienen in: »Göttingisches Magazin der Wissenschaften und Litteratur. Ersten Jahrgangs Zweytes
Stück. 1780, S. 243–296. VI.« Ein Manuskript des Aufsatzes ist im
Nachlaß nicht erhalten.

Zur Entstehung: Über die Entstehung des Aufsatzes ist in den Sudelbüchern beziehungsweise den Briefen nichts überliefert. Laut »Nachtrag« (s. unten S. 25 f.) wurde der Aufsatz anfangs 1780 gedruckt, was
bedeutet, daß er gewiß noch Ende 1779 geschrieben worden ist. Das
Stück, innerhalb dessen der Aufsatz erschien, wurde wohl Anfang
März 1780 publiziert. Seine Besprechung erfolgte in den »Göttingischen Anzeigen von gelehrten Sachen« 42. Stück, vom 3. April 1780.
 Wie sehr Lichtenberg an Reisebeschreibungen und insbesondere
den Weltumseglungen Cooks interessiert war, geht zum einen aus
den Notizen hervor, die zu D 130 zusammengestellt sind; s. auch
100, 27f. und IV, S. 249–252. Zum andern sei auf die verschiedenen
Artikel verwiesen, die Lichtenberg zu diesem Thema schrieb oder
doch herausgab. Ich erinnere an: »Nachricht von Capitain Cook's
dritter Reise«, erschienen im »Göttinger Taschen Calender« für 1778,
S. 90–91; von Georg Forster erschien der Aufsatz »O-Taheiti« im
»Göttingischen Magazin« Ersten Jahrgangs 2. Stück. 1780, S. 69–104;
3. Stück. 1780, S. 420–458, und »Fragmente über Capitain Cooks
lezte Reise und sein Ende« im »Göttingischen Magazin« Ersten Jahrgangs 6. Stück 1780, S. 387–429; Lichtenberg veröffentlichte den
Artikel »Preisverzeichniß von südländischen Kunstsachen und Naturalien« im »Göttinger Taschen Calender« für 1782, S. 73–88,
und eine »Kurze Übersicht der von den Europäern auf die Südsee
gemachten Entdeckungen« im »Göttinger Taschen Calender« für
1783, S. 78–87. Dort weist Lichtenberg übrigens auch auf den Grundstock der völkerkundlichen Sammlung in Göttingen hin (S. 86–87):
»Unter einer überaus vollständigen Sammlung von Merkwürdigkeiten der ganzen Südsee, die von allen dreyen Cookischen Reisen

mitgebracht, und von S. Majestät dem König ans Göttingische Museum geschenkt worden, zeichnen sich die Kleidungsstücke von den Sandwich-Inseln, besonders ihre recht Geschmackvolle auf Cattun-Art gezeichneten Baumrinden-Zeuge, und noch mehr ihre Mäntel, Helme etc. die mit vielen tausend carmoisinrothen und goldgelben Federn überzogen sind, vor allen Kunstwerken von den Societäts- oder Freundschafts-Inseln usw. aufs auffallendst vorzüglichste aus.«

Literatur: Edwin Hennig, James Cook. Stuttgart 1952.

35 *2f. schriftl. Nachrichten einiger seiner Bekannten:* Gemeint sind vor allem Forster und Hawkesworth.
36 *19 Wiborg:* Hafenstadt an der Wiborger Bucht und ehemals Hauptstadt des finnischen Läns Wiborg. – *24 der mit Frankreich ausgebrochene Krieg:* Die Kriegserklärung erfolgte im Mai 1756 zwischen England und Frankreich; es ging um die Vormachtstellung in Nordamerika. – *28 Mitschmännern:* ›midshipmen‹: Leutnants zur See. – *33f. Eroberung von Louisbourg und Cap-Breton:* Louisburg, auf der Kap-Breton-Insel in der Mündung des Lorenzstromes gelegen: der wichtigste Schutz Frankreichs und infolge umfassender Befestigung ein beständiger Störenfried des brit. Handelsverkehrs, wurde im Juni 1758 kampflos eingenommen. – *38 Georg Forsters Reise S. 36. I. Teils.:* Über Johann Georg Forster vgl. zu F 1192.
38 *4 Analysis des Unendlichen:* Infinitesimalrechnung; Lichtenberg gebrauchte den Begriff auch GTK 1781, S. 5. – *9 Eroberung von Quebec:* Der Fall der Stadt Quebec erfolgte am 14. September 1759; der Sieg der Engländer brachte sie in Besitz von Kanada. – *11 Admiral Saunders:* Sir Charles Saunders (1713?–1775), engl. Admiral, 1759 Befehlshaber der engl. Flotte im St. Lawrence-Stromgebiet. – *18 Wolfe:* James Wolfe (1726–13.9.1759), berühmter engl. General des Siebenjährigen Krieges, Befehlshaber der engl. Landmacht, fiel in der Schlacht um Quebec. Lichtenberg erwähnt ihn auch in den Briefen (IV, S. 271. 272). – *37 Montcalm:* Louis Joseph Marquis de Montcalm de Saint-Véran (1712–14.9.1759), frz. General, verteidigte Kanada im Siebenjährigen Krieg gegen die Engländer, bei Quebec tödlich verwundet.
39 *4f. bis zum Frieden:* Der Friedensvertrag wurde 1763 zu Paris geschlossen; vgl. auch zu 909, 3. – *15 Quadranten:* Vgl. zu 17, 15. – *15 Birds Arbeit:* Über John Bird vgl. zu RA 117. – *29f. Straße von Belle-Isle:* 20 km breite und 130 km lange Meeresstraße zwischen Labrador und Neufundland. – *38 Esquimaux:* frz. Schreibweise und im 18. Jhdt. üblich für: Eskimos.

40 *18 halbe Guinea:* Guinea: die wichtigste engl. Goldmünze von 1663–1816, benannt nach dem von der Guineaküste gebrachten Gold; seit 1717 gleichbleibend zu 21 Schilling, und so noch gegenwärtig als Rechnungsmünze (1 Pfund und 1 Schilling) sehr beliebt. – *35 4 Pf. Sterling:* Pfund Sterling: Währungseinheit in Großbritannien; 1 Pfund gleich 20 Schilling gleich 240 Pence. – *37 6 Pence:* Penny: der Pfennig in Großbritannien.

41 *20 Königl. Sozietät der Wissenschaften zu London:* Royal Society: die älteste engl. Akademie der Wissenschaften, gegr. 1660 »zur Förderung der Naturwissenschaften auf experimenteller Grundlage«. Seit 1665 gab sie die »Philosophical Transactions« heraus: das älteste wissenschaftl. Publikationsorgan der Welt; als höchste Auszeichnung verleiht sie seit 1731 die Copley-Medaille. – *21f. Durchgang der Venus durch die Sonne ... im Sommer 1769:* Zu diesem astronomisch bedeutsamen Ereignis, das am 3. Juni 1769 stattfand und sich erst nach einem Jahrhundert wiederholen sollte, rüsteten außer England auch Frankreich, Schweden, Spanien, Dänemark und Rußland Beobachtungsexpeditionen. In Göttingen führten Kästner und Ljungberg die Beobachtung durch, während Lichtenberg hilfsassistierte; vgl. auch B 238. 166. Die Anregung, die Beobachtung von Venusdurchgängen zur Bestimmung der Entfernung Erde – Sonne auszuwerten, geht auf Edmond Halley zurück. – *24 dem Könige:* Gemeint ist König Georg III. von England; über ihn vgl. zu D 79. – *30 Marquesas-Inseln:* Inselgruppe in Französisch-Polynesien, nordöstlich der Gesellschaftsinseln, 1595 von dem Spanier A. Mendaña de Neyra entdeckt und nach seinem Gönner, dem Vizekönig von Peru, Marqués de Mendoza benannt; s. auch 50, 29. – *30f. Wallis ... Reise um die Welt:* Samuel Wallis (1728–1795), engl. Südseefahrer, erhielt 1766 den Auftrag, unbemerkt von den Spaniern durch die Magalhãesstraße in den Stillen Ozean einzudringen und nach dem Südland zu suchen. Mit Byron, Carteret und Bougainville gehört Wallis zu den wichtigsten Vorläufern von Cook. Sein Reisebericht »An account of a voyage round the world«, ist enthalten in John Hawkesworth' »Account of voyages undertaken for making discoveries in the Southern Hemisphere«, London 1773. – *32 Lord Morton:* James Douglas, 14. Earl of Morton (1702–1768), seit 1764 Präsident der Royal Society in London. – *35ff. König Georgs-Insel ... Otaheiti:* Tahiti, 1767 von Wallis wiederentdeckte und wenig später auch von Bougainville besuchte größte Insel der Gesellschaftsinseln; sie verkörperte den europäischen Zeitgenossen ein Gegenbild eines paradiesischen Naturzustandes à la Rousseau. Lichtenberg erwähnt Tahiti auch 96, 10. 196, 29. 254, 1. 363, 14. Von Georg

Forster erschien übrigens im »Göttingischen Magazin« Ersten Jahrgangs Drittes Stück 1780 ein Artikel mit dem Titel: »O-Taheiti«.

42 *1 Admiral Lord Hawke:* Edward Lord Hawke (1705-1781), brit. Admiral, besiegte die frz. Flotte im Österreich. Erbfolgekrieg bei der Insel Belle-Ile (1747) und im Siebenjährigen Krieg in der großen Seeschlacht bei Quiberon (20.11.1759); 1766-1771 war er Erster Lord der Admiralität. – *9 Banks, jetziger Präsident:* Über Sir Joseph Banks vgl. zu D 130. Er war seit 1778 Präsident der Royal Society in London. – *12 Dr. Solander:* Über Daniel Solander vgl. zu D 440. – *20 Astronomen Green:* Lebensdaten unbekannt. – *24f. Hawkesworth die bekannte Beschreibung:* »An Account of the Voyages undertaken by the order of his Present Majesty for Making Discoveries in the Southern Hemisphere«, 3 Bände, erschienen London 1773; in deutscher Übersetzung Berlin 1775. Lichtenberg zitiert die Reisebeschreibung von John Hawkesworth – über ihn vgl. zu D 130 – auch D 131. 141. 142. 197. 653. 702. F, S. 455. J 210. RA 202. – *35 drei- bis viertausend Pfund:* Vgl. zu 40, 35.

43 *6f. von den Franzosen ermordeten Mitbrüder:* Laut Forster (»Reise um die Welt«, Insel Verlag Frankfurt/M. 1967, Bd. 1, S. 239) waren es keineswegs die Franzosen unter Bougainville, sondern Capitain Wallis, der 15 Eingeborene erschießen ließ (1767). – *16 Neuholland:* histor. Name für den von den Holländern entdeckten Teil von Australien. – *24 im 3ten Buch im 3ten Kapitel:* Gemeint ist Hawkesworth, a.a.O., S. 544-556.

44 *1 220 deutschen Meilen:* 1 Deutsche (geograph.) Meile betrug 7420,4 m. – *3 dem:* von mir verb. aus: de*n*. – *4 120 Lachter:* Lachter: früheres dt. Längenmaß; 1 Lachter gleich ca. 2 m. – *18 Bougainville:* Über Louis Antoine de Bougainville vgl. zu C 268. – *22 Batavia:* bis 1950 Name von Djakarta (Batavia war seit dem Humanismus der latein. Name für Holland und die Niederlande); seit 1618 Mittelpunkt des niederländisch-ostindischen Handels. S. auch 640, 15. – *24 faulen Fiebern:* Flußfieber: Malaria. – *27 Hawkesworth im 10. Kap. des III. Buchs:* Gemeint ist Hawkesworth, a.a.O., S. 721-722. – *31 seinem Untergang:* von mir verb. aus: seine*n*. – *34 Mara:* Forster berichtet von seiner Flucht, ohne Namen zu nennen, o.c.p. 595 bis 596. – *35 zweite Reise:* Sie dauerte vom 21. Juni 1772 bis 30. Juli 1775. – *36 Könige O-Tuh:* seinerzeit Häuptling auf Tahiti; Forster berichtet von ihm wiederholt. – *38f. Nachricht von dieser Reise ... ebenfalls ins Deutsche übersetzt:* Werk und Autor konnten von mir nicht ermittelt werden. – *38f. in 8.:* Vgl. zu 23, 26.

45 *18 Detachement:* Trupp, Kommando. – *28f. Drehbassen:* Geschütz, das in einem gabelförmigen Eisen hängt, nach jeder

Richtung gedreht werden kann, meist auf Schiffen gebraucht.
DWB 2, 1361 bringt diese Stelle als Beleg. – *30 wie sie Hawkesworth erzählt:* S. zu 44, 27. – *32f. das Schicksal ... 9 Jahre nachher auf O-Why-He:* Vgl. Lichtenbergs Schilderung 56, 17 ff.

46 1 *Lord Sandwich:* John Montagu (1718–1792), 4. Earl of Sandwich, engl. Staatsmann. Lichtenberg erwähnt ihn auch in den Briefen (IV, S. 345). – *1 dem Könige:* Georg III.; vgl. zu 41,35 ff. – *12 Rear Admirale:* Konter-Admirale. – *12 Schout by Nacht:* niederländ. Konteradmiral. – *15f. Commandeur en Chef:* Oberbefehlshaber. – *32 Resolution:* ›Entschlossenheit‹, Lichtenberg besichtigte das Schiff nach dessen Rückkehr von der zweiten Weltreise am 30. November 1775 in Deptford; s. RA 204. – *36 Adventure:* ›Abenteuer‹. – *37 Tobias Furneaux:* Über ihn vgl. zu RT 26. – *38f. mit Capt. Wallis ... die Reise um die Welt gemacht:* Vgl. zu 41, 30 f.

47 5 *Dr. Forster:* Über Johann Reinhold Forster vgl. zu RA 174. – *6 seinen Sohn:* Über Johann Georg Forster vgl. zu F 1192. – *9 Scharbock:* Volksetymologie von Skorbut; Lichtenberg läßt sich darüber von Reinhold Forster persönlich unterrichten, wie er an Schernhagen (IV, Nr. 111, S. 251–252) am 16. Oktober 1775 berichtet. – *25 halbes Quart:* früheres dt. Flüssigkeitsmaß: 1 Quart gleich 1,145 l. In Großbritannien 1 Quart gleich 1/4 Gallon. – *37 Dr. Monro:* Donald Monro (1729–1802), schott. Militärarzt und Mitglied der Royal Society in London. Lichtenberg erwähnt ihn auch in den Briefen (IV, S. 23).

48 *3ff. diese Umstände ... bereits bekannt:* Georg Forster berichtet in der »Einleitung« seiner Reisebeschreibung (o. c., p. 33–37) ausführlich von den angewandten Präventivmitteln gegen Skorbut. – *5f. nur einer ... an einer Krankheit gestorben:* Diese Tatsache notiert Lichtenberg auch RA 187. – *12 des Ritter Copley goldne Medaille:* Seit 1731 vergab die Royal Society in London als ihre höchste Auszeichnung die Copley-Medaille, so genannt nach Sir Godfrey Copley, gestorben 1709. – *34 Lachter:* Vgl. zu 44, 4.

49 *14 27 Graden des Fahrenheitischen Thermometers ...:* Das entspricht etwa – 3° Celsius und etwa + 21° Celsius; über Daniel Gabriel Fahrenheit vgl. zu KA 54. – *36 Cranz in seiner Geschichte von Grönland:* Gemeint ist David Cranz' »Historie von Grönland enthaltend Die Beschreibung des Landes und der Einwohner etc. insbesondere die Geschichte der dortigen Mission der Evangelischen Brüder zu Neu-Herrnhut und Lichtenfels«, Barby und Leipzig 1765, S. 42, wo Cranz von Eis-Feldern schreibt: »Und dieses ist salzig, weil es aus See-Wasser entstanden.« Über Cranz vgl. zu KA 232.

50 *23f. vom Admiral Roggewein entdeckte Paaschen- oder Oster-Insel:* Jakob Roggeveen – über ihn vgl. zu D 440 – landete

am 1. Ostertag (6. April) 1722 auf der von ihm deshalb Paasch-Eiland, Osterinsel, genannten Insel. Lichtenberg erwähnt diese Tatsache auch GTK 1783, S. 81. – *26 Don Felipe Gonzalez:* span. Seefahrer (1702–1792), entdeckte 1770 die Davids-Insel (San-Carlos). – *28 Mendaña:* Alvaro Mendaña de Neyra (1541 bis 1595), span. Südsee-Entdecker, unternahm 1567 eine Fahrt über den Stillen Ozean, um das sagenhafte Südland zu suchen; entdeckte auf dieser Reise die südl. Salomonen, 1595 die Marquesasinseln. Lichtenberg erwähnt ihn auch GTK 1783, S. 82. – *29 Las Marquesas de Mendoza:* Darüber vgl. zu 41, 30. – *37 freundschaftlichen Inseln:* die Tonga-Inseln, von den Spaniern bereits im 16. Jh. gesichtet. – *38 Siehe das erste Stück dieses Magazins S. 73 u. folg.:* Gemeint ist Georg Forsters Aufsatz »O-Taheiti«, erschienen im »Göttingischen Magazin«, Ersten Jahrgangs Erstes Stück, 1780, S. 69–104.

51 *2f. Bougainville ... gesehenen ... Inseln:* Gemeint sind die Inseln der Tuamotu-Gruppe, die Bougainville 1768 sichtete; im übrigen vgl. über ihn zu C 268. – *3 von Quiros entdeckten Inseln:* Pedro Fernández de Quirós (1560–1614), span. Südseefahrer, begleitete Mendaña 1595 auf dessen Entdeckungsreise und unternahm 1605 eine weitere Fahrt über die Tuamotu-Inseln nach Westen, wobei er die Neuen Hebriden entdeckte. – *5f. 240 britische Seemeilen:* Die engl. nautische Meile beträgt 1,853 km. – *7f. verstorbenen Herzogin von Norfolk:* In Frage kommt wohl nur Maria Coppinger of Ballyvoolane, die Charles Howard, der 11. Duke of Norfolk, am 1. August 1767 geheiratet hatte; sie starb am 28. Mai 1768. S. auch Georg Forster, a. a. O., Bd. 1, S. 873–876. – *11 1500 Seemeilen:* Vgl. oben zu Z. 5f. – *13f. die beiden Herrn Forster:* Über sie vgl. zu 47, 5. 6. – *14 Dr. Sparrmann:* Anders Sparrman (1748–1820), schwed. Naturforscher und Forschungsreisender, der an Cooks zweiter Weltumseglung teilnahm. Lichtenberg erwähnt ihn auch in den Briefen (LB I, S. 388). – *14 Tierra del Fuego:* Feuerland; von Fernão Magalhães 1520 so genannt wegen der zahlreichen sich an der Küste aneinanderreihenden Feuer.

52 *7 Bouvets vorgebliches Land:* Gemeint ist die von Bouvet 1739 entdeckte Insel im Südatlant. Ozean, die erst 1927 genauer erforscht wurde. Jean-Baptiste-Charles Bouvet de Lozier (1706 bis nach 1774), frz. Weltumsegler und Gouverneur der Insel Bourbon. – *16 Schinesischen:* Zu dieser Schreibweise vgl. zu 440, 1.

53 *1 Capt. Crozet:* Julien-Marie Crozet (1728–1780 auf einer Seereise verschollen), frz. Seemann und Forschungsreisender, entdeckte 1772 zus. mit Marion die nach ihm benannten Crozet-Inseln. – *3 Capt. Marion:* Nicolas-Romas Marion-Dufresne (geb. 1729), frz. Weltumsegler, geriet 1772 auf Neuseeland in

einen Hinterhalt der Maoris und wurde getötet. – *9 Don Juan Arraos:* Lebensdaten unbekannt; der SALVAT führt ihn nicht auf. – *18f. kommandierenden:* von mir verb. aus: *kommandieren.* – *29f. Capit. Phipps (jetziger Lord Mulgrave):* Über ihn vgl. zu D 692. – *30f. Daines Barrington:* engl. Rechtsanwalt (1727 bis 1800), auch Altertumsforscher und Naturkundler. – *35 Transaktionen:* Über die »Philosophical Transactions« vgl. zu D 675. – *36 Barrington ließ sie besonders drucken:* Gemeint ist »The Probability of Reaching the North Pole Discussed«, London 1775.

54 *2 20000 Pf. Sterling:* Vgl. zu 40, 35: etwa 400.000 Mark. – *5f. Omai:* Über den Eingeborenen aus Tahiti, den Furneaux mit nach London gebracht hatte, vgl. zu F 733. Lichtenberg hatte ihn am 24. März 1775 persönlich kennengelernt; s. RT 25. – *8f. Triebfedern:* Diesen Ausdruck gebraucht Lichtenberg auch A 88. C 267. D 218. F 348. H 47; s. auch 497, 35. 499, 7. – *14f. die alte Resolution:* Vgl. zu 46, 32. – *15 Discovery:* ›Entdeckung‹. – *16 Clerke:* Charles Clerke (1741–1779), engl. Seeoffizier, dritter Leutnant auf der von Cook befehligten »Endeavour« und zweiter Leutnant auf der »Resolution« während der 2. Weltumseglung, starb auf der 3. Weltumseglung an einer Krankheit. – *19f. seine Aufsätze über die vorige Reise:* »A voyage towards the South Pole and round the world performed in His Majesty's Ships The Resolution and Adventure in the years 1772–1775«, 2 Bde., erschienen London 1777. – *20 Dr. Douglas:* Gemeint ist John Douglas (1721–1807), nachmals Bischof von Salisbury, gab auf Veranlassung Lord Salisburys die Aufzeichnungen Cooks heraus. – *21 Strahan:* William Strahan (1715–1785), bedeutender engl. Verleger und Buchdrucker in London. – *22 James Stuart:* engl. Maler (1713–1788), Architekt, Archäologe und Kunstschriftsteller, gab, zusammen mit Nicholas Revett, die »Antiquities of Athens« heraus, deren 1. Band London 1762 erschien, der 2. erst 1789. – *26f. Pallas an … Büsching:* Gemeint ist Peter Simon Pallas (1741–1811), in Berlin geborener, in Rußland lebender Forschungsreisender und geograph. Schriftsteller, bereiste 1768–1774 das östl. Rußland und Sibirien; über Anton Friedrich Büsching vgl. zu J 211. – *31f. die von Capitain Marion und Kerguelen entdeckten Inseln:* Am 12. Dezember 1776 sichtete Cook die von Marion du Fresne und Crozet 1772 entdeckten Inseln, denen er den Namen »Prinz-Edwards-Inseln« gab, während er eine Gruppe kleiner Inseln weiter östlich nach ihren Entdeckern als Marion- und Crozetinseln benannte. Am 24. Dezember 1776 erreichte Cook die nach ihrem Entdecker genannten Kerguelen-Inseln. Yves-Joseph de Kerguélen-Trémarec (1745–1797), frz. Seefahrer und Entdeckungsreisender, entdeckte 1772 die nach ihm benannten Inseln im südl. Stillen Ozean. – *32f. Prof. Forsters*

Charte der südlichen Meere: Dem 2. Band der »Reise um die Welt« von Georg Forster, erschienen Berlin 1780, ist eine »Charte von der Südlichen Halbkugel« beigegeben. – *36 Capt. Crozets:* Über ihn vgl. zu 53, 1.
55 *37 Büsching ... genannt:* Der vollständige Titel der von Büsching bis 1785 hrsg. geographischen Informationsschrift lautet »Wöchentliche Nachrichten von neuen Landkarten«.
56 *7 d'Anvillischen Charte des Globus:* Jean Baptiste Bourguignon d'Anville (1697–1782), frz. Kartograph und Geograph; erster »Königlicher Geograph« in Paris seit 1719 und Autor von 211 Karten. – *13 Ladrones-Inseln:* portug. ›Diebes-Inseln‹: alter Name der Marianen. – *18 O-Why-He:* Hawaii.
57 *32 5 Fuß 11 Zoll:* ca. 1,80 m. – *38f. Ein Physiognome ... den Erdkreis zu um--wandeln:* Lavater hat Cook nicht unter seine Konterfeis der »Physiognomischen Fragmente« aufgenommen.
58 *2 Augenbraunen:* Lichtenberg folgt hier der im 18.Jh. noch durchaus üblichen Schreibweise. – *11 Schmied seines eignen Glücks:* Dieses Sprichwort ist laut Büchmann auf Appius Claudius (Consul 307 v.Chr.) zurückzuführen. – *15f. Segensformeln:* Flüche. »Segenspartikelchen« prägt Lichtenberg 855, 23; vgl. auch 208, 25. 553, 29. 825, 36. Über die Flüche der engl. Nation und speziell ihrer Seeleute äußert er sich in F 569. – *22f. Kupferstich ... Sherwin nach einem Gemälde des Dance:* John Keyse Sherwin (ca. 1751–1790), engl. Zeichner, Kupferstecher und Maler. Nathaniel Dance (1735–1811), engl. Porträtmaler; das Gemälde von Cook befindet sich im Royal Navy College zu Greenwich. Es ist in der oben S. 17 angeführten Monographie vor der Titelseite vollständig abgebildet. – *25f. Bergers Kopie ... dem Magazin beigefügt:* S. S. 37. Johann Daniel Berger (1744–1824), Kupferstecher und Radierer in Berlin; Lichtenberg erwähnt ihn auch in den Briefen (IV, S. 383).
59 *6 Der König:* Über Georg III. vgl. zu D 79. – *6 Lord Sandwich:* Über ihn vgl. zu 46, 1. – *7 Mr. Palliser:* Sir Hugh Palliser (1723 bis 1796), engl. Admiral, 1762–1766 Oberbefehlshaber und Gouverneur von Neufundland, ehemals Vorgesetzter und hoher Gönner Cooks, der nicht zuletzt ihm verdankte, daß er zum Kommandanten der »Endeavour« für die 1. Weltumseglung berufen wurde. – *10 Saturday night:* Samstag Nacht. – *27f. Vademecums-Geschichtchen:* Gemeint sind Histörchen, Anekdoten, wie sie in dem »Vademecum für lustige Leute« stehen könnten: der von Nicolai 1764–1792 in Berlin herausgegebenen Anekdotensammlung; s. auch 531, 11. Von »Vademecums-Histörchen« spricht Lichtenberg in den Briefen (IV, S. 501). Eine »kleine Vademecums-Geschichte« erzählt er selbst in den Briefen (IV, S. 744–745).

60 *19 Hill's Review of the Royal Society:* Gemeint ist »A Review of the Works of the Royal Society; containing Animadversions on such of the Papers as deserve particular Observation«, erschienen London 1751 in 8 Teilen. John Hill (1716?–1775), der sich selbst Sir John nannte, engl. Quacksalber und Apotheker in London, auch schriftstellerisch tätig; griff die Royal Society, Fielding und Garrick an. – *21 die Copleysche goldene Medaille:* Vgl. zu 48, 12. – *24f. Macht des eignen Nachdenkens:* Dazu vgl. 87, 25. 378, 9; ferner E 317. G 128. – *25f. Verachtung gegen alle Gelehrsamkeit:* Über das Wesen des wahren Gelehrten reflektiert Lichtenberg auch J 247. – *27 King:* James King (1750 bis 1784), engl. Seeoffizier, führte zus. mit dem Leutnant Gore nach dem Tode Cooks und Clerkes die Expeditionsschiffe nach England zurück, bereitete Cooks Journal der 3. Reise für den Druck vor. – *31f. der T... hole die Gelehrsamkeit:* Diesen Satz zitiert Lichtenberg auch J 247; die Angewohnheit, *Teufel* nicht auszuschreiben, worüber er sich F 1104 belustigt, begegnet auch 329, 26. 473, 36f., 811, 21. Vgl. ferner Briefe (IV, S. 48. 653. 986.) – *35 Hofsprache:* Den gleichen Ausdruck gebraucht Lichtenberg auch 234, 25; ferner Briefe IV, S. 841. Wortbildungen mit *Hof–* begegnen auch 262, 21f. 573, 6. 574, 3. 575, 3. 698, 3. 703, 14f. 806, 30. 890, 6f.

61 *33 so sollte man wohl den Geiz nennen:* Dieser Gedanke ist G 58 entlehnt.

62 *1 Seiner Witwe:* James Cook hatte 1762 die einundzwanzigjährige Kaufmannstochter Elisabeth Batts in Little Barking geheiratet und bewohnte mit ihr ein Haus in Mile End Old Town, Middlesex. – *5 Lord Hawke:* Über ihn vgl. zu 42, 1. – *11 Reisen von Byron, Wallis, Carteret und Furneaux:* Über John Byron vgl. zu B, S. 45; über Carteret vgl. zu D 444; über Wallis vgl. zu 41, 30f.; über Furneaux vgl. zu RT 26. – *24f. zu seinem Andenken eine Medaille:* Die Goldmedaille ist bei Hennig, o.c., p. 100, abgebildet. Die Bildseite umfaßt die lat. Kennzeichnung: »Jac. Cook, Oceani Investigator Acerrimus« (Des Meeres eifrigster Erforscher), die Rückseite enthält den Spruch: »Nil Intentatum Nostri Liquere« (Nichts Erstrebtes ließen die Unsrigen unerledigt). – *25f. englischen Krone:* Crown; engl. Gold- und Silbermünze: der engl. Taler. – *27 König:* Über Georg III. vgl. zu D 79. – *28 die Königin:* Über Sophie Charlotte, dessen Frau, vgl. zu RA 14. – *28 die russische Kaiserin:* Katharina II.; über sie vgl. zu D 79. – *29f. Hafen Awatscha oder St. Peter und Paul:* Gemeint ist Petropawlowsk, eisfreier Hafen und Hauptort der Halbinsel Kamtschatka; 1740 von V. Bering gegründet, der hier mit den Schiffen »St. Peter« und »St. Paul« landete. Nach Cooks Tod hatte Kapitän Clerke die beiden Expeditionsschiffe plangemäß nach Kamtschatka geführt. –

30 König von Frankreich: Ludwig XVI.; über ihn vgl. zu J 564. Die franzö. Marine erhielt Anweisung, »da solche Entdeckungen allen Nationen gemeinsamen Nutzen bringen, ist es Königlicher Wunsch, daß Kapitän Cook als Befehlshaber eines neutralen und alliierten Schiffes zu behandeln sei« (zit. nach Hennig, o.c., p. 79). – *32 während des Kriegs:* Gemeint ist der Freiheitskrieg 1775–1783 der nordamerikanischen Kolonien, die 1778 ein Bündnis mit Frankreich gegen England schlossen. – *33 Herzog von Croy:* Gemeint ist Joseph-Anne-Auguste-Maximilien de Croy-Havré, Herzog von Havré (1744–1839), frz. General. – *34 eine für die Witwe:* Präsident Joseph Banks sandte ihr die Medaille am 12. August 1784 mit einem anerkennenden Dankschreiben. – *35 bestimmt ist:* Mit diesen Worten endet der Aufsatz Lichtenbergs, der im »Göttingischen Magazin« Ersten Jahrgangs Zweites Stück 1780, S. 328–330, folgenden »Nachtrag« publizierte:

»Cook ist am dritten November geboren. Er hat drey Söhne hinterlassen einen von 17, einen von etwa 15 und einen von 4 Jahren. Den ältesten wollte er mit auf die Reise nehmen, er änderte aber seinen Vorsatz. Dieser ist vor etwa 10 Monaten* als Midshipman in die Flotte aufgenommen worden. Der zweyte geht diesen Februar mit Capt. Walsingham nach Westindien. Sein Vater ist erst im vorigen Jahre verstorben, auch eine seiner Schwestern starb erst während seiner Abwesenheit.

Zu der Medaille, die auf ihn geschlagen werden soll, kann jedes Mitglied der Societät einen Vorschlag eingeben. Der Präsident ließt die Vorschläge ab, zeigt aber keine Zeichnungen vor, damit nicht eine feine Zeichnung manchen verführen möge, eine vielleicht schlechte Erfindung und Umschrift durchgehen zu lassen. Am Ende wird votirt, 3 Vorschläge werden behalten, und aus diesen wird eine gezogen.

Es können zwar nur Mitglieder auf die Medaille unter den angeführten Bedingungen subscribiren, allein, da es ihnen ganz frey steht, auf so viele zu subscribiren, als sie wollen, so ist dadurch auch fremden ein Weg offen Medaillen zu erhalten, wenn sie sich an Mitglieder wenden. Man kan auch mit einer Guinea auf *zwey* kupferne subscribiren; allein nicht mit einer halben Guinea auf *eine*.

In dem Westminster Magazine vom Januarius dieses Jahres befindet sich eine Lebensbeschreibung des Capt. Cook mit einem Portrait, wovor wir unsre Leser warnen müssen. Das Bild gleicht ihm dort nicht sonderlich viel mehr, als jedem andern Menschen, und in die Beschreibung selbst haben sich

---

* Von der Zeit gerechnet, da dieser Aufsatz zuerst gedruckt wurde, das ist, im Anfange des Jahres 1780.«

Irrthümer geschlichen, die wohl nicht leicht größer seyn können, unter andern gehört der ganze zweyte und dritte Absatz auf der zweyten Seite in ein ganz anderes Leben hinein, nämlich eines gewissen Lieut. Cook, den der Verfasser mit unserm Capitain verwechselt hat.«
36 20 Guin.: Vgl. zu 40, 18.

VERMISCHTE GEDANKEN ÜBER DIE AËROSTATISCHEN MASCHINEN

Erstveröffentlichung und Satzvorlage: »Vermischte Gedanken über die aërostatischen Maschinen, von G. C. L.« Erschienen im »Göttingischen Magazin der Wissenschaften und Litteratur. Dritten Jahrgangs sechstes Stück.« 1783. S. 930–953: IX. Ein Manuskript des Aufsatzes ist im Nachlaß nicht erhalten.

Zur Entstehung: Am 9. Februar 1784 schrieb Lichtenberg (LB II, Nr. 381, S. 114) an Wolff: »Wenn ich nicht wieder ein Recidiv [Lichtenberg war zuvor ernstlich krank gewesen] vor Abdruck des Magazins bekomme, so bekommen Ew. Wohlgebohren eine ausschweifende Abhandlung von mir über die aërostatischen Maschinen zu lesen.« Denn trotz der Jahreszahl 1783 ist das 6. Stück des Dritten Jahrgangs – eigentlich 1782 – erst im Jahr 1784 erschienen, und zwar wohl frühestens Ende Februar, wenn nicht gar im März, da in dem Aufsatz ein Versuch vom 18. Februar 1784 (mit der Bezeichnung: *heute*) erwähnt wird (s. 68, 18f.; s. auch 74, 27f.).

Die erste öffentliche Äußerung Lichtenbergs über die neue Erfindung findet sich im »Göttinger Taschen Calender« für 1784, der im Spätherbst 1783 erschien und unter der Rubrik »Neue Erfindungen und andere Merkwürdigkeiten«, S. 88, vermerkt: »In Frankreich beschäftigt sich jetzt überhaupt das Publicum sehr mit Beweisen von der Wahrheit der Wünschelrute, der Untrüglichkeit der Quellenseher (Sourciers) und der Ausführung der Luftschiffe …«. Im »Göttingischen Magazin der Wissenschaften und Litteratur«, Dritten Jahrgangs fünftes Stück, 1783, S. 783–793, erschienen ca. Oktober 1783, veröffentlichte Lichtenberg den Aufsatz: »Über die neuerlich in Frankreich angestellten Versuche, große hohle Körper in der Luft aufsteigen zu machen, und damit Lasten auf eine große Höhe zu heben.« In den »Anfangsgründen der Naturlehre«, 6. Aufl., Göttingen 1794, § 251c, S. 229f., gab Lichtenberg eine objektive Darstellung der bisher erreichten Resultate; gelegentliche Äußerungen finden sich auch in späteren Aufsätzen (PH + M II, S. 36. III, S. 95ff. VI, S. 304ff.). Von Lichtenbergs begründetem Interesse an diesem Gegenstand – vgl. H 180 – zeugen schließlich auch 5 Rezensionen, die sämtlich aus dem Jahre 1784 stammen (Jung Nr. 187. 188. 190. 191. 193): »Barthélemy Faujas de St. Fond: Description des expériences de la machine aërostatique de MM. de Montgolfier et de celles auxquelles cette découverte a donné lieu. P. I. Paris 1783« in den »Göttinger Anzeigen von gelehrten Sachen« 7. Stück, vom 10. Januar 1784, S. 57–72; »M.D.***: Considération sur le globe aërostatique. Paris 1783. Lettre à M.D.*** sur son projet de voyager avec la sphère aërostatique de M. de Montgolfier à Aeropolis. Paris«, erschienen ebenda, 17. Stück, 29. Januar 1784, S. 167–168; »Friedrich Ludwig Ehrmann: Montgolfiersche Luftkörper oder aerostatische Maschinen, worinn die Kunst sie zu verfertigen und die Geschichte der bisher damit angestellten Versuche beschrieben werden, nebst einer Beschreibung der zwo ersten Reisen durch die Luft und Hrn. Dr. Würtz' Gedanken über die Ursachen des Steigens dieser Luftkugeln, welche er in dem Musée zu Paris den 1. Sept. 1783 vorgelesen hat. Straßburg 1784«, erschienen ebenda, 51. Stück, vom 27. März 1784, S. 509–512; »Barthélemy Faujas de St. Fond: Première suite ... P. 2. Paris 1784«, erschienen ebenda, 139. Stück, vom 28. August 1784, S. 1385–1397; »C. Kratzenstein: L'art de naviguer dans l'air. Kopenhagen, Leipzig 1784«, erschienen ebenda, 202. Stück, vom 18. Dezember 1784, S. 2023–2024.

Literatur: Promies, a. a. O., S. 93–98.

63 4 *unser achtzehntes Jahrhundert:* Eine Aufzählung der Errungenschaften des 18. Jahrhunderts begegnet auch im »Göttinger Taschen Calender« für 1797, S. 83: »Das Neueste von der Sonne, größtentheils nach Herschel«; s. ferner IV, 757, 22 ff. – 9 *von ihm:* von mir verb. aus: ... ihn. – 11 *die Gestalt der Erde bestimmt:* wohl Anspielung auf die Entdeckungsreisen u. a. von Cook, die zur genaueren Kenntnis des Südpols und zur Entdeckung des fünften Kontinents: Australien führten. – 12 *dem Donner Trotz bieten gelehrt:* Gemeint ist Franklins Erfindung des Blitzableiters. – 12 f. *den Blitz ... auf Bouteillen gezogen:* Gemeint ist die Erfindung der Leidener bzw. Kleistschen Flasche; vgl. zu 24, 15. Lichtenberg gebraucht dieses Bild auch 420, 7. – 13 f. *Tiere ausgefunden, die ein Wunder ...:* Womöglich meint Lichtenberg das Nyl-ghau, dem er im »Göttinger Taschen Calender« für 1780, S. 34–39, einen bewundernden Artikel widmet. – 14 *die Fabel der Lernäischen Schlange:* Die Hydra von Lerna ist nach dem griech. Mythos eine riesige Schlange mit zumeist neun Köpfen; da ihr für jeden abgeschlagenen Kopf zwei neue Köpfe wuchsen, konnte Herakles sie erst bezwingen, als sein Gefährte Iolaos mit Holzscheiten die Halsstümpfe ausbrannte. – 15 f. *Fische ... mit unsichtbarem Blitz*

töden: Gemeint ist der Zitteraal, dessen elektrische Eigenschaften der engl. Physiker Walsh, der ihn einer Leidener Flasche verglich, 1773 und 1774 nachwies; vgl. Briefe (IV, S. 278). – *17 Linné:* Über ihn vgl. zu A 22. – *19 Halley:* Edmond Halley (1656–1742), berühmter engl. Astronom, seit 1721 »Royal Astronomer« an der Sternwarte in Greenwich, sagte 1705 die Wiederkehr des nach ihm benannten Halleyschen Kometen von 1682 für 1758 voraus. In seinem Artikel »Von Cometen«, veröffentlicht im »Göttinger Taschen Calender« für 1787, S. 81–134, schreibt Lichtenberg ebenda S. 112–113:

»Dieser glückliche Gedanke mußte nothwendig einen andern erzeugen, ob es nicht möglich sey, nun auch ihren Umlauf zu berechnen, und folglich die Wiederkunft der Cometen so zu berechnen, wie man etwa die Conjunction eines Planeten berechnet. Dieses wagte Halley, Newtons Landsmann, und mit dem glücklichsten Erfolg.

Nach dieser Theorie, hat man nunmehr die Wiederkehr der Cometen zu berechnen angefangen, und zwar mit dem glücklichsten Erfolg. Man berechnete aus den Beobachtungen die Lage der Bahn eines jeden gut beobachteten Cometen gegen die Ecliptik; die Orte wo er sie schneidet, ihre Sonnennähe, ihre Umlaufszeit etc. Finden sich nun zwey, bey welchen alles dieses einerley ist, wer will zweifeln, daß dieses nicht ein und ebenderselbe Comet gewesen sey? So fand es sich mit dem alle 75 bis 76 Jahre einmal gesehenen Cometen von 1305, 1330, 1456, 1531, 1607, 1682. Halley kündigte also eben diesen Cometen für das Jahr 1758 an, und siehe er kam; zwar nicht genau in diesem Jahr, sondern im Jahr 1759, wovon man die Ursachen hernach zeigte. Es konnte nicht anders seyn; die kleine Verspätung rührte von dem Zug der Planeten her, den man nicht in Betracht gezogen hatte. Es verdient angemerkt zu werden, daß der bekannte Sächsische astronomische Bauer Palitsch ihn zuerst gesehen hat.«

20 in meinem 89sten Jahr ... den zweiten: In Erwartung dieses Kometen hatte Lichtenberg den oben zitierten prophylaktischen Artikel verfaßt, in dem er S. 113 schreibt:

»Man hat bereits ein Verzeichniß von genau beobachteten Cometen, worin, wo ich nicht irre, der am 7ten Jenner 1785 von dem Herrn Messier und Mechain entdeckte der 71ste ist, einige kommen darin mehrmalen vor, unter andern auch einer, der seinen Lauf etwa alle 128 Jahr vollendet, aber im Jahr 1661 zum leztenmal gestanden hat, und also um das Jahr 1789 wiederkommen wird.«

Vermutlich handelt es sich dabei um jenen Kometen, den Lichtenberg im Januar 1793 beobachtete und in Briefen an Friedrich Heinrich Jacobi (IV, Nr. 631, S. 842–843) vom

6. Februar 1793 und an Olbers (IV, Nr. 632, S. 844) vom 8. Februar 1793 eingehend kommentierte. – *21f. dreizehn Arten:* Als ›Luftarten‹ bezeichnete man im 18. Jh. die Gase; im »Göttinger Taschen Calender« für 1783, S. 48–77, gibt Lichtenberg eine »kurze Geschichte einiger der merkwürdigsten Luftarten« (9 an der Zahl). – *22f. Luft in feste Körper ... Körper in Luft verwandelt:* Dazu vgl. »Neue Entdeckungen und physikalische Merkwürdigkeiten« im »Göttinger Taschen Calender« für 1781, S. 102–105. – *23f. Lasten mit Feuer gehoben:* Gemeint ist der Versuch, den die Brüder Montgolfier am 5. Juni 1783 in Annonay durchführten; im übrigen vgl. oben S. 26. – *24 mit Wasser geschossen:* Wohl Anspielung auf Voltas Erfindung der elektr. Luftpistole. – *25f. Stahl ... fließen gemacht:* Im »Göttinger Taschen Calender« für 1783, S. 90, berichtet Lichtenberg unter »Neue Erfindungen und andere Merkwürdigkeiten« von dieser Erfindung, die er übrigens selbst gemacht hat: »Hier zu Göttingen hat man vermittelst der Elektrizität in dephlogistisirter Luft eine Federmesser-Klinge und eine Sackuhr-Feder zusammen geschmolzen. Die Beschreibung des Versuchs befindet sich im 2ten St. des Göttingischen Magazins von 1782.« – *29 ein weißes Metall eingesetzt:* Gemeint ist das Platina del Pinto. Das Platin wurde im 16. Jahrhundert in Südamerika gefunden. S. dazu GTK 1784, S. 75. – *29f. eine neue Art vortrefflicher Fernröhre:* Gemeint ist die Erfindung achromatischer Objektive um 1758 durch John Dollond; über ihn vgl. zu D 748. – *30f. Newton für unmöglich hielt:* Newton hielt es für undenkbar, die chromatische und sphärische Aberration der Objektive auszuschalten; über ihn vgl. zu A 79. – *32f. Eier ohne ... Brütwärme ausgebrütet:* Womöglich meint Lichtenberg folgenden im »Göttinger Taschen Calender« für 1782, S. 59–60, mitgeteilten Vorfall: »In dem zur Schule für die Viehartzneykunst gehörigen Hause zu Paris hatte ein Huhn ein Ey mit einer weichen biegsamen Schaale (un œuf ardé) gelegt, welches eben an sich keine Seltenheit ist. Allein was dieses hier merkwürdig machte, war ein länglichter Auswuchs an dem dicken Ende desselben, der vielleicht unbemerkt geblieben wäre, wenn sich der Vorfall nicht in einem solchen Hause ereignet hätte. Bey der Eröffnung fand man einen organischen Körper darinn, nemlich den Kopf eines Hühnchens, an welchem man den stumpfen Schnabel, den gebogenen Hirnschädel und das platte Untertheil des Kopfs sehr gut unterscheiden kan, auch zwo kleine Erhabenheiten, die an der Stelle der Augen befindlich waren. Inwendig in diesem Kopf hat man Streifen, oder faserigte Schichten entdeckt, die zum Theil zur Substanz des Gehirns und theils zu den innern Organen des Mauls gehörten. Journ. de Paris. 1781. No. 151«. – *35 gefährlichen Ordens-Hydra:* Gemeint ist der Je-

suiten-Orden, der 1773 von Papst Klemens XIV. aufgehoben wurde (bis 1814). Lichtenberg erwähnt die Jesuiten, durchweg abschätzig, auch 238, 1. 245, 36. 874, 15; ferner GTK 1795, S. 165–166, und H 137. – *36 Peter den Ersten:* Über ihn und Lichtenbergs Wertschätzung dieses Monarchen vgl. zu GH 9.

64 *1 Katharina:* Über Katharina II. von Rußland vgl. zu D 79. – *1 Friederich:* Über Friedrich II. von Preußen vgl. zu KA 140. – *1 Joseph:* Joseph II. (1741–1790), röm. dt. Kaiser, seit 1765 Mitregent der Österr. Monarchie, 1780 Alleinherrscher, Vertreter des aufgeklärten Absolutismus, dessen Reformfreudigkeit die Zeitgenossen rühmten. Lichtenberg erwähnt ihn auch in den Briefen (IV, S. 204. 374. 433. 488. 875). – *1 Leibniz:* Über ihn vgl. zu A 9. – *1 Newton:* Über ihn vgl. zu A 79. – *2 Euler:* Über Leonhard Euler vgl. zu A 166. – *2 Winckelmann:* Über ihn vgl. zu B 16. – *2 Mengs:* Anton Raphael Mengs (1728–1779), dt. Maler und Kunsttheoretiker des Klassizismus, in Dresden, Madrid und Rom tätig. – *2 Harrison:* Über John Harrison vgl. zu F 595. – *2 Cook:* Über James Cook vgl. S. 35–62. – *3 Garrick:* Über David Garrick vgl. zu KA 169; s. auch S. 326 ff. – *4 einen neuen ungeheuren Staat:* Gemeint sind ohne Zweifel die ehemals engl. Kolonien in Nordamerika, deren Unabhängigkeit durch den Frieden von Versailles 1783 bestätigt wurde. – *5 einen fünften Weltteil:* Australien; Lichtenberg gebraucht diesen Ausdruck auch 72, 32. 254, 1; s. auch zu E 416. – *5 einen neuen Planeten:* Am 13. März 1781 hatte Herschel den Planeten Uranus entdeckt. »Von dem neuen Planeten« berichtet Lichtenberg im »Göttinger Taschen Calender«; für 1783, S. 3–11, auch GTK 1784, S. 101–102. – *6 unsere Sonne ein Trabant:* »Daß die Sonne mit ihren Planeten als Trabanten sich selbst fortbewegt, ist zwar schon oft gemuthmaßet, aber erst in diesen Tagen, so zu reden, durch Beobachtungen *wahrscheinlich* gemacht worden. Die Entdeckung, woran Hr. *Prevost* so rühmlichen Antheil hat, gehört mit unter die größten in der Astronomie«, schreibt Lichtenberg in den »Bemerkungen über ein Paar Stellen in der Berliner Monathsschrift für den December 1783«, erschienen im »Göttingischen Magazin«, Dritten Jahrgangs Sechstes Stück, 1783, S. 955. – *8 ff. Plan ... des Türkischen Reichs:* Worauf Lichtenberg anspielen will, ist nicht ganz ersichtlich, vermutlich jedoch auf einen ›Plan zur Auflösung des Türkischen Reichs und der Abdankung des Kalifen zu Konstantinopel‹: osman. Sultan war 1783 Abdul-Hamud I., in dessen Regierungszeit 1774–1789 der Krieg gegen Rußland und Österreich fällt (1787–1792), zu dem er durch die Pläne der europ. Regierungen gedrängt wurde. – *15 f. die Kraft, die ... den Vatikan beben macht:* Ähnlich emphatisch über die Macht der Buchdruckerkunst äußert sich Lichtenberg auch G 151. GH 80. L 667. –

15 Preßbengel: ein mit 2 Handgriffen versehener Holzklotz, der dazu eingerichtet ist, über die Spindel und den in ihr geführten Preßklotz der Handpresse gestülpt zu werden. Er ermöglicht, die Presse nach Belieben anzuziehen. Vor Erfinden der Stockpresse war der Preßbengel eines der wichtigsten Werkzeuge des Buchbinders. Lichtenberg gebraucht den Ausdruck auch J 1247 und in den Briefen (IV, S. 25). – *16 f. eine bestrichene Nadel:* Gemeint ist die Magnet-Nadel im Kompaß, die Boussole. – *17 f. Salpeter und Schwefel:* Die Bestandteile des Schießpulvers. – *27 armieren:* (mit Blitzableitern) ausrüsten, versehen. – *28 Fermier general:* Generalpächter, Staatspächter. – *28 f. Bauern ... schmieren, daß sie Wolle geben:* Der Gedanke ist G 167 entlehnt. – *30 Labyrinth, wozu Baco den Faden gesucht:* Gemeint ist das »Novum organon« von Francis Bacon von Verulam, dessen sich Lichtenberg J 1242 als eines »heuristischen Hebzeugs« bedienen möchte. Über ihn vgl. zu C 209. – *35 f. das erfinderische Schwein zu Lüneburg:* Der Sage nach hat ein Wildschwein die Lüneburger Solquelle entdeckt; Lichtenberg zitiert das »Salzschwein zu Lüneburg« als Beispiel für den fruchtbaren Zufall bei Erfindungen auch G 185. J 1074; s. auch 73, 22. – *36 Lord Clives Pferd:* Worauf Lichtenberg anspielt, konnte nicht ermittelt werden. Über Lord Robert Clive vgl. zu RA 109.

65 *1 Ausschweifung:* Eindeutschung von engl. Digression: Sternes charakterist. Stilmittel; s. auch 229, 10. 590, 2. 662, 19 f. 944, 34. 1006, 5. – *4 gemeiner Meß-Prose:* D. h. in für den Tag geschriebener Sprache; zu Lichtenbergs Vorliebe für ähnliche Wortbildungen vgl. 108, 19. 326, 23. 331, 6. 423, 17. 509, 3. 526, 11. 566, 8. 569, 29. 571, 13. 624, 16. 661, 21. 740, 15 f. Im übrigen vgl. zu B 115. – *5 Montgolfiers Entdeckung:* Darüber und über Josèphe Michel Montgolfier vgl. zu H 180. – *9 Pilâtre de Rosier:* Jean François Pilâtre de Rosier (1756–15. Juni 1785), frz. Physiker – Lichtenberg nennt ihn GTK 1784, S. 54, abschätzig »Erfinder von Profession« –, der erste Ballon-Luftfahrer der Welt: sein Aufstieg erfolgte am 19. Oktober 1783; Mitglied der Pariser Akademie der Wissenschaften; verunglückte bei einer Ballonfahrt im Kanal tödlich. Lichtenberg erwähnt ihn auch in den Briefen (IV, S. 541.654). – *10 Milton:* Über John Milton vgl. zu B 60. – *17 Parad.lost:* Lichtenberg zitiert aus dem Epos auch 113, 24. 272, 8. 366, 9 f. 371, 11. 380, 21; im übrigen vgl. zu C 197. – *29 Spielmonate:* »Spielwochen« notiert Lichtenberg in D 668. – *31 inflam. Luft:* von Henry Cavendish 1766 entdecktes Gas, nach heutiger, durch Lavoisier eingeführter Terminologie: Gas hydrogène, Wasserstoff.

66 *5 der Verhältnis:* Vgl. zu 19, 10. – *9 Federharz-Firnis:* In der Rezension der »Description des Expériences de la machine

aërostatique …« von Faujas de St. Fond, erschienen in den »Göttingischen Anzeigen von gelehrten Sachen«, 7. Stück, S. 57–72, vom 10. Januar 1784, schreibt Lichtenberg dazu auf S. 65: »Vielleicht ist unsern Lesern mit der Verfertigungsart des Federharzfirnisses gedient. Zu einem Pfund Terpentinspiritus, den man in einen langhalsigen Kolben dem Sandbad aussetzt, wirft man nach und nach, mit der Scheere kleingeschnittenes Federharz, und wartet jedesmal, bis das hineingeworfene aufgelöset ist, hierauf gießt man dazu ein Pfund Lein- oder Nußöl, das man aber vorher erst auf die bekannte Art durch Bleyglätte trocknend gemacht haben muß, und läßt alles etwa eine viertel Stunde kochen. Dieses ist das ganze Geheimniß.« *Federharz:* seinerzeit übliche Benennung für Kautschuk, von dem La Condamine 1744 einige Proben aus Südamerika mit nach Paris brachte und 1751 eine Denkschrift darüber veröffentlichte. Verfahren zur Auflösung des ›Federharzes‹ gaben Macquer, Achard, Juliaan, Berniard und die Brüder Robert. S. auch 445, 29. – *11f. Vitrioläther:* Zu diesem Begriff vgl. zu K 359. – *31ff. Versuche … im kleinen … im großen:* Dazu vgl. 74, 27 f.; zu diesem grundsätzl. Prinzip vgl. zu 25, 8. – *36 digiti solares:* wörtlich: Sonnen-Finger[breite]; digitus: altröm. Längenmaß: 1 Daumenbreite = 2–2,6 cm. – *37 das abscheulichste Babel:* Zu dieser Wendung vgl. auch 238, 4. 349, 35. 408, 27. 438, 28. Im übrigen vgl. zu D 157.

67 *1 im Oktober vorigen Jahrs:* Die erste Erwähnung von Lichtenbergs Versuchen mit Montgolfiers Erfindung findet sich in einem Brief an Wolff (LB II, Nr. 364, S. 94) vom 2. Oktober 1783: »Ich habe mich bisher mit Montgolfier's (Mont gonfliers) Versuchen im kleinen beschäfftigt, aber grose Schwierigkeiten und Gestanck gefunden, weil die inflammable Lufft gar zu flüchtig und schwer einzuschließen.« – *6 16 Stunden an der Decke:* Lichtenberg meint seinen Versuch mit einer Schweinsblase von 14 Zoll Höhe und 10 Zoll Weite, die er mit inflammabler Luft gefüllt hatte; dieser Versuch wurde erst Mitte November (15. oder 16.) durchgeführt und ausführlich in einem Brief an Schernhagen (IV, Nr. 421, S. 530–531) am 20. November 1783 mitgeteilt. – *9 Goldschlägerhaut:* Dickdarmhäute des Rindes, zwischen denen das Blattgold ausgeschlagen wird; Lichtenberg erwähnt sie auch 456, 9.

68 *1 Haubenstöcken:* rundliche Klötze, worauf man die Haube setzt, damit sie die Form behält. S. auch 317, 20. – *4 Hausenblase:* Fischblase, innere Schwimmblasenschicht des Hausens, in heissem Wasser löslich, beim Erkalten gallertig, als Kitt (Fischleim) verwendet. Lichtenberg nennt sie in gleichem Zusammenhang auch in den Briefen (IV, S. 533.). – *15 Addresse:* Geschicklichkeit. – *15f. in Verfertigung kleiner Kugeln den Franzosen zuvorge-*

tan: »Heute habe ich ein Kügelchen zum Steigen gebracht von 4 Zollen im Durchmesser. Den Rang im minimo haben also die Franzosen verloren«, schreibt Lichtenberg am 16. Februar 1784 an Wolff (IV, Nr. 438, S. 549). Vgl. auch LB II, S. 114. – *16f. Faujas de St. Fond in seinem bekannten Werk:* Gemeint ist die »Description des Expériences de la machine aërostatique de M. de Montgolfier, et de celles aux quelles cette découverte a donné lieu«, erschienen Paris 1783. Lichtenberg erwähnt das Werk und seine Rezension darüber auch in den Briefen (IV, S. 544). Über Faujas de St. Fond vgl. zu L 513. – *18 6 Zoll:* Zu dem Längenmaß vgl. zu 25, 1. – *18f. heute (den 18.Febr.):* Zu dem Datum vgl. auf derselben Seite. – *20 4 Pariser Zoll:* Vgl. zu 25, 1. – *35 inflammable Luft:* Vgl. zu 65, 31.

69 *5f. künftig in diesem Magazin oder an einem andern Ort:* Außer den oben S. 27 aufgeführten Arbeiten hat Lichtenberg nichts weiter zu den »Aerostatischen Maschinen« veröffentlicht. – *12 unserer Leser:* von mir verb. aus: unsern Lesern. – *16 Luftschiffe:* nach DWB 6, 1261 schon vor Erfindung der Montgolfiere gebräuchlich, etwa 1735 bei D. Stoppe; Lichtenbergs Beleg fehlt. – *24 Refraktion:* Brechung von Lichtstrahlen, insbes. von Gestirnen in der Erdatmosphäre; im übrigen vgl. zu D 776. – *24f. elastischen Mitteln:* elastisches Fluidum: Begriff der naturwissenschaftlichen Terminologie des 18.Jh. für *Atmosphäre;* s. auch 121, 9. – *26f. Untersuchungen:* von mir verb. aus: Untersuchung. – *27 Nordlichts:* Mit dem Phänomen des Nordlichts beschäftigt sich Lichtenberg zeitlebens, wissenschaftlich erstmals in der Zweiten Abhandlung »De nova methodo ...« 1779; vgl. darüber zu C 178. – *30f. Versuch des Herrn de Romas zu Nérac:* Jacques de Romas (1713–1776), frz. Physiker, Leutnant in Nérac; bediente sich 1752 erstmals des Drachens zur Messung der Luftelektrizität. Lichtenberg erwähnt ihn und seinen Versuch ausführlich in den Briefen (IV, S. 553.554) am 25. März 1784.

70 *2 Egyptier ... Krokodile:* Dazu vgl. auch F 416. – *4 Blitzleiter ... Donnerwetter:* Über Lichtenbergs Beschäftigung mit diesem Phänomen und seine Bemühung um die patenteste Blitzableitung vgl. unten S. 57. – *6 de Romas:* von mir verb. aus: Nérac. – *26 Armeen zu rekognoszieren:* Zu diesem Gedanken und seiner Realisierung vgl. zu 461, 16. – *28 Toisen:* Toise: früheres frz. Längenmaß gleich 6 Pariser Fuß gleich 1,94903 m. – *34f. Krater erloschner Vulkane ... Mondsflecken:* Anspielung auf Lichtenbergs eigene Theorie; s. an Herschel (IV, Nr. 537, S. 708–709) am 4.Juni 1787 und vgl. zu D 712. – *35f. Ähnlichkeiten ... entdecken:* Auch H 72. GH 86 definiert Lichtenberg den Witz als ›Ähnlichkeitsfinder‹.

71 *5f. die Materie einem Mann in die Hände falle:* Jean Paul erfüllte diese Hoffnung: in »Das Kampaner-Thal oder über die Un-

sterblichkeit der Seele«, Erfurt 1797 erschienen, ließ er Gione in einem Luftball aufsteigen; vgl. Lichtenbergs begeisterte Äußerung an Benzenberg (IV, Nr. 748, S. 988) im Juli 1798. – *6f. Insel à la Montgolfier ... Laputa:* In den »Reisen in verschiedene ferngelegene Länder der Erde von Lemuel Gulliver, erst Wundarzt, später Kapitän mehrerer Schiffe« erzählt Swift – über ihn vgl. zu KA 152 – im 3. Teil, Kap. 1–3, von Gullivers Aufenthalt auf der Insel Laputa, »die von Menschen bewohnt wurde, die, wie es schien, imstande waren, diese nach Belieben zu senken oder zu heben oder in gerader Richtung fortzubewegen.« Lichtenberg erwähnt »Gullivers Reisen« auch 610, 12. 611, 20. 613, 10f. – *12 Phaeton:* eigentlich Beiname des Sonnengottes, ›der Leuchtende‹ in der griech. Mythologie; nach dem Wagen des griech. Sonnengottes benannter leichter vierrädriger Kutschwagen. S. auch 798, 29 und RA 39. – *36 Pilâtre de Rosier:* Über ihn vgl. zu 65, 9. – *37 am Gängelband:* Diesen Ausdruck gebrauchet Lichtenberg auch in seiner zu 68, 16f. zitierten Rezension S. 69 in gleichem Zusammenhang.

72 *1 Der Montblanc und andere unersteigliche Klippen:* Die Erstersteigung des Hauptgipfels des Montblanc fand 1786 durch J. Balmat und M.-G. Paccard statt, der 1787 die erste wissenschaftliche durch Saussure folgte. S. auch 118, 20f. – *5ff. Der Mensch ... mit einer Blase fliegen:* Zu diesem ›Menschheitstraum‹ äußert sich Lichtenberg auch A 218; vgl. die Anm. dazu. – *20f. Pyrmont, Hofgeismar, Rehburg, Mayenberg:* im 18. Jh. berühmte bez. namhafte Brunnen-Kurorte in Deutschland, allen voran Pyrmont: seinerzeit das Modebad. – *22f. trinken den reinen Strahl der Sonne, eine Stunde vor ... Aufgang:* Diese Passage mutet wie die Keimzelle zu Lichtenbergs Artikel »Das Luftbad« an; vgl. S. 125–129. – *26 Maxenschen Käfigen:* Es ist mir nicht gelungen, Erfinder und Erfindung nachzuweisen. – *26f. inflammabeln Luft:* Vgl. zu 65, 31. – *31 Elektrisier-Maschine:* Apparat zur Erzeugung und Ansammlung elektrischer Ladungen. – *32 Muhammed:* Über Mohammed vgl. zu D 642. – *32 5ten Weltteile:* Darüber vgl. zu 64, 5. – *33f. Elias auf einem flammenden ... Wagen:* Darüber vgl. zu L 268. – *34 Professor Charles:* Über Jacques Alexandre César Charles vgl. zu J 1213. – *36 Geschichte des Salzschweins zu Lüneburg:* Vgl. zu 64, 35ff.

73 *12 Montgolfiersche Maschinen:* Vgl. zu 65, 5. – *17 schon vorgeschlagen:* womöglich von Wieland, der die neue Entdeckung ebenso launig wie umständlich im »Teutschen Merkur«, Oktober 1783, S. 69–96, unter der Überschrift »Die Aeropetomanie« kommentiert hatte. – *20 Licent:* Steuer. – *21 Gedanken ... zollfrei:* Diese Wendung, die ähnlich schon bei Cicero überliefert ist, ist sprichwörtlich geworden durch Luther, »Von weltlicher Oberkeit, wie man ihr Gehorsam schuldig sei« (1523). Lichten-

berg zitiert sie auch 263, 12. – *32 to hunt steeples:* Vgl. C 69 und die Anm. dazu.

74 *4 Interesse:* Zinsen; s. auch 740, 23. 753, 2. 885, 28. 985, 24. – *5 ramassierte:* untersetzt, stämmig. – *6 fliegenden Korps:* Diesen Ausdruck gebraucht Lichtenberg auch 114, 14; vgl. ferner M 152. L 975. – *11 Serail:* ehemals Residenz der türk. Sultane in Konstantinopel; s. auch 506, 18. – *12 Tempel zu Loreto:* Loreto, Wallfahrtsort in der ital. Provinz Ancona, verdankt seinen Ursprung der dort verehrten Santa Casa (dem Haus der Hl. Familie), das nach der Legende Engel von Nazareth 1294 nach Loreto geschafft haben sollen und über dem 1468 der Bau einer großen Kirche begonnen wurde. Lichtenberg erwähnt Loreto auch 881, 19. – *16 dem Dichter nützen:* Vgl. zu 71, 5 f. – *19 f. wer aber den Brief liest:* Gemeint ist wohl der Vortrag, den Prof. Charles bei Eröffnung seiner Wintervorlesung über Physik hielt und den Wieland im »Teutschen Merkur«, Januar 1784, S. 91–93, innerhalb des Artikels »Die Aeronauten« (S. 69–96) vollständig abgedruckt hatte. – *21 ff. Man bedenke auch nur das Atmen der Alpenluft ...:* Franz H. Mautner schreibt dazu in »Lichtenberg. Geschichte seines Geistes«, Berlin 1968, S. 270: »Dies ist vielleicht der erste Keim zur Luftballon-Poesie in der deutschen Literatur auf dem Weg zu ihren reinsten Verkörperungen bei Jean Paul und Stifter.« – *28 S. 68:* im Original: S. 941. – *29 drittehalb Paris. Zoll:* Vgl. zu 25, 1. – *33 fixer Luft:* So nannte man im 18. Jh. vor Lavoisier das Kohlenoxyd; in Lavoisiers Nomenklatur: Gas acide carbonique bzw. Kohlengesäuertes Gas; von Priestley entdeckt.

75 *4 ambulierenden Dozenten der Physik:* Dazu vgl. zu 24, 27 ff. Lichtenberg denkt hier wohl speziell an Berschütz; s. in den Briefen (IV, 428. 429. 432. 433. 439. 444. 455. 466. 520). – *7 f. was ich S. 68 ... gesagt:* im Original: S. 940.

AMINTORS MORGEN-ANDACHT

Erstveröffentlichung und Satzvorlage: »Amintors Morgen-Andacht«, erschienen im »Göttinger Taschen Calender« für 1791, S. 81–89. Ein Manuskript des Artikels ist im Nachlaß nicht erhalten.

Zur Entstehung: Laut dem Staatskalender (SK 60. 61. 70. 72) muß der Artikel zwischen dem 20. Juli und dem 22. August 1790 niedergeschrieben worden sein. Die Frage, ob ihm ein Spinozismus Lichtenbergs zugrundeliegt, kann hier nicht erörtert werden; wohl aber sei auf SK 51. 52, den 20. und 21. Juni 1790, verwiesen: der beobachtete

Sonnenaufgang und der »schönste Morgen im ganzen Frühling« können der konkrete Schreibanlaß gewesen sein. Und von Lichtenbergs vorübergehend ausgeglichener, ja heiterer Seelenlage nach der langen Krankheit zeugen IV, 773 (21. Juni 1790). 780 (30. August 1790).

Literatur: Franz Heinrich Mautner: »Amintors Morgenandacht«. In: »Deutsche Vierteljahrsschrift« 30, 1956; 32, 1958. Schneider, a.a.O., I, S. 146–150. Schneiders Hinweis auf Lichtenbergs Rousseau-Lektüre im September 1790, die den Ton, die Gefühle, die Themen des »Amintor« beeinflußt haben soll (s. ebenda S. 149), ist zeitlich nicht haltbar. Promies, a.a.O., S. 111–115.

76 *1 Amintors:* von griech: ἀμυντωρ: Abwehrer, Helfer. Übrigens findet sich dieser Name auch bei Wieland in dessen »Sympathien« 13 von 1754: ein Text mit verblüffend ähnlichen Gedankengängen! – *3f. freute sich, wenn er endlich den Tag wieder anbrechen sah:* Lichtenbergs Tagebücher des letzten Lebensjahrzehnts sind voller Notizen über Sonnenaufgänge, die er erlebt und beobachtet; vgl. zu SK 51; s. auch H 76. J 707 und K 29. – *9 Verhängnis:* im 18.Jh. noch wertneutral im Sinne von: Schicksal, Geschick gebräuchlich. – *20f. wird es von aller Kreatur dargebracht:* von mir verb. aus: *alle Kreatur dargebracht wird,* was ohne Zweifel verstümmelte Lesart der Satzvorlage ist. – *29 Betbrüdern:* die »Wollüstlinge nach dem Geist«, wie sie Lichtenberg J 59 nennt; zu diesem von Lichtenberg ebenso gern wie »Betschwestern« gebrauchten Ausdruck vgl. zu F1133. Lichtenberg verwendet den Ausdruck auch 692, 37. 850, 23. GTK 1792, S. 172; im übrigen vgl. zu F1133. – *29 lieber glaubten, als dachten:* S. dagegen Lichtenbergs eigene Maxime z.B. E196. F1127; vgl. auch 515, 34ff. – *30 Spinozismus:* Über Spinoza und seinen Einfluß auf die bürgerliche deutsche Intelligenz in der 2.Hälfte des 18.Jh. vgl. zu H143; s. auch GH 58. – *31f. Gegenwärtiger Aufsatz ... von einem Ungenannten zugekommen:* selbstverständlich Fiktion Lichtenbergs. Wie sehr er das literarische Vexierspiel liebte und aus psychologischen und politischen Gründen bisweilen auch vorzog, erhellt daraus, daß er auch bei folgenden Kalender-Artikeln den »Herausgeber« spielte, wo er selbst der Verfasser war: »Epistel an Göbhard«, »Über die Schwärmerei unserer Zeiten« (Alexandrinergedicht), »Kriegs- und Fastschulen der Schinesen«, »Verzeichniß einer Sammlung«, »Rede der Ziffer 8«, »Daß du auf dem Blocksberge wärst«. – *32f. Einleitung zum folgenden und einigen andern physikalischen Artikeln in diesem Kalender:* Nach dem Folgeartikel »Einige wichtige Pflichten gegen die Augen« in »Göttinger

Taschen Calender« für 1791 kommen in Frage: »Warnungs-Geschichte für Magnetisirer« (S. 146–157); »Neue Entdeckungen, physikalische und andere Merkwürdigkeiten« (S. 158 bis 186).

77 *13 Inventurienten:* jemand, der nicht erfindet, sondern verzeichnet. – *24f. physico-theologische Betrachtung:* die im 18.Jh. von vielen rationalistischen Theologen und Intellektuellen vertretene Beschäftigung mit den Phänomenen der Natur zur größeren Ehre Gottes. – *25f. Sonnen ... auf 75 Millionen geschätzt:* Diese auf Herschels Beobachtungen basierende Angabe geht auf J 259 zurück; vgl. die Anm. dazu. – *27 Musik der Sphären:* nach der Lehre des Pythagoras das durch die Bewegung der Planeten hervorgerufene, für Sterbliche nicht hörbare Tönen des Weltalls. – *32f. eine ... Freude:* von mir verb. aus: *ein.* – *35 Wort ist), die so:* von mir verb. aus: *... die, so.* – *35 Cüriosité:* Neugier, Wißbegier. – *36 Bauernstolz:* Diesen Ausdruck gebraucht Lichtenberg auch E162. F1137. Von »Baderstolz« spricht er 337, 2.

78 *37f. ob das Licht wirklich von der Sonne herabströme:* Dazu vgl. K 376 und schon A 254.

79 *2ff. Brillen ... schleifen:* Zu dieser Wendung vgl. auch J 671 und 764, 14; s. ferner J 198, K 96 und L 401.

PFLICHTEN GEGEN DIE AUGEN

Erstveröffentlichung und Satzvorlage: »Über einige wichtige Pflichten gegen die Augen«, erschienen im »Göttinger Taschen Calender« für 1791, S. 89–124. Ein Manuskript des Artikels ist im Nachlaß nicht erhalten.

Zur Entstehung: Die Keimzelle dieses Artikels begegnet in J 198, niedergeschrieben etwa am 28. oder 29. Dezember 1789: »*Kalender.* Über die Augen und den Gebrauch der Brillen sehr schön in Adams on Vision. Auszüge befinden sich in The Universal Magazine August und September. Vieles hieher aus Priestleys Optik und selbst Richters Chirurgie. T. III.« Die Niederschrift erfolgte aber vermutlich wie im Falle von »Amintors Morgen-Andacht« erst zwischen dem 20. Juli und dem 22. August 1790 (s. oben S. 35). Lichtenberg objektivierte sozusagen mit diesem Artikel eigene, lange Jahre genährte Ängste – s. 88,22 und die Anmerkung dazu –; aber er leistete damit zugleich einen offenbar beträchtlichen Beitrag zur Volksaufklärung. Schon 1792 wurde der Artikel in Wien bei Hörling nachgedruckt (Jung Nr. 283), und 1794 veranstaltete Sömmerring bei Varrentrapp und Wenner in Frankfurt am Main eine Neuauflage unter dem Titel »Adams, Büsch und Lichtenberg über einige wichtige Pflichten gegen die Augen. Mit einigen Anmerkungen hrsg. von S. Th. Sömmerring«. Lichtenberg schrieb darüber in einer Selbstanzeige, abgedruckt in den »Göttingischen Anzeigen von gelehrten Sachen« 67. Stück, vom 26. April 1794, S. 679: »Zu diesem *wörtlichen* Abdruck eines Aufsatzes unsers Hrn. Hofr. *Lichtenbergs* im hiesigen Taschencalender für 1791, fand sich der würdige Hr. Herausgeber durch den auffallenden Nutzen veranlaßt, den die Lesung desselben bey Nothleidenden stiftete, denen er ihn empfohlen hatte. Er glaubt ihn nicht genug empfehlen zu können, und liefert ihn daher in einem schönen, und schwachen Augen sehr behaglichen Druck. Die hinzugefügten vortrefflichen Anmerkungen rühren theils von dem Hrn. Herausgeber selbst her, theils sind es Nachträge aus der *Büschischen* Schrift, die Hr. Hofr. *Lichtenberg* bekanntlich bey der seinigen vorzüglich zum Grund gelegt hat.«

Am 26. Mai 1795 schrieb Sömmering an Lichtenberg (der Brief ist abgedruckt in den »Vermischten Schriften«, Bd. 6, S. 252–253, Göttingen 1845): »Meine Auflage Ihres Aufsatzes über die Pflichten gegen die Augen hat so guten Abgang gefunden, daß mich die Verleger bitten, baldmöglichst einen neuen Abdruck zu besorgen, weil kein Exemplar mehr übrig ist, und sie doch Bestellungen annehmen. Hätten Sie also noch Einiges hinzuzufügen, so verbänden Sie das Publikum und uns insbesondere, wenn Sie mir solches mittheilten.

Ich bin gewiß, daß wenigstens einige hundert Personen weniger vom schwarzen Staare leiden, als ohne die Bekanntmachung dieser heilsamen Warnungen.«

Lichtenberg erwiderte daraufhin am 5. Juni 1795 (IV, Nr. 691, S. 929): »Es freut mich sehr, daß das Traktätchen über die Augen so vielen Beifall erhält und daß es Nutzen stiftet. Ich wüßte jetzt aber nichts neues hinzuzusetzen, wenigstens nichts was Sie, teuerster Freund, nicht unendlich viel besser könnten. Ich glaube aber, es wird fast am besten sein, wenn es nicht zu gelehrt und auch nicht zu weitläufig wird, auch nicht viel teurer.«

Tatsächlich ist noch 1795 eine weitere Auflage der Schrift erschienen (Jung Nr. 327). Eine 3. Auflage erschien 1797 (Jung Nr. 345).

80 *3 Wie wenn einmal die Sonne ...:* Vgl. 76, 2. – *24 Haushaltung:* Diesen Ausdruck – ein Lieblingsbegriff Lichtenbergs – verwendet er auch 613, 14. 803, 4f. 938, 23. Im übrigen vgl. zu B 177. – *31 Halbtod:* Als »Hälfte des Todes« bezeichnet Lichtenberg die Blindheit auch 697, 25 ff. 764, 1 f. 926, 3 f. 1011, 7 f.; das Bild ist J 1093 entlehnt.

81 *22 hypochondrische Seele:* Vgl. über Lichtenbergs eigene Einstellung oben S. 37. – *23 Kandidat der Blindheit:* Zu diesem

Ausdruck vgl. zu 261, 30f. – *27 crescendo:* wachsend, in steigendem Maße. – *33 Aufsatz des Herrn Prof. Büsch:* Der von Lichtenberg vollständig zitierte Aufsatz »Guter Raht [sic!] ...« findet sich ebenda, S. 261–344. Über Johann Georg Büsch vgl. zu J 1563.

82 *1 englischen Optikus Adams:* Über George Adams jr. vgl. zu D 758; zu dem von Lichtenberg genau zitierten Werk vgl. auch J 198. – *1f. eigner Erfahrung:* Zu diesem Prinzip vgl. zu 16, 38f. – *11f. Adams erzählt ... folgende Geschichte:* Gemeint ist Adams, a.a.O., S. 101–102. – *28 den seligen Hagedorn in Dresden:* Gemeint ist der Kunstgelehrte Christian Ludwig von Hagedorn; über ihn vgl. zu B 17.

83 *8 wie Adams sagt:* Gemeint ist wohl Adams, a.a.O., S. 97, der Anfang des Kapitels »Of Preservers, and Rules for the Preservation of the Sight«.

84 *9ff. Man gibt ... Dienste tun:* Die Passage ist durchwegs wörtlich zitiert aus Büsch, a.a.O., S. 223. – *31f. Ein Freund von mir:* An wen Lichtenberg denkt, konnte nicht ermittelt werden. Der Betreffende muß ca. 1740 geboren sein.

85 *28 man hat Beispiele:* Dazu vgl. D 723.

86 *18 Büsch hält zu dieser Absicht:* Gemeint ist Büsch, a.a.O., S. 327. – *21 die Segnerschen:* Vgl. J 1906 und die Anm. dazu. – *28f. Lampe des Argand:* Über Aimé Argand und den von ihm erfundenen Lampenbrenner mit doppeltem Luftzug vgl. zu GH, Seite 226 (II).

87 *19 Vielschreiber:* Lichtenberg selbst gebraucht den Ausdruck im übrigen stets negativ; vgl. D 503. E 451. F 996. J 145. 917. 1073. – *20 des Almanach wird übersetzt:* Vom »Göttinger Taschen Calender« erschien jeweils eine Auflage in französ. Sprache, die zunächst Colom, nach seinem Tode Lamy besorgte. – *24 Kompilator:* Über diesen von Lichtenberg verabscheuten Typ des zeitgenöss. Gelehrten vgl. zu E 370; s. auch 199, 14. 493, 17. 556, 30. – *25f. sich besinnen nachschlagen heißt:* Diese Wendung ist E 317 entlehnt; s. auch 378, 9. – *32ff. Dritter Rat ... zu senden:* wörtliches Zitat aus Büsch, a.a.O., S. 336–337.

88 *10 Ritter Taylor:* John Taylor (1703–1772), seinerzeit berühmtberüchtigter ambulanter engl. Augenarzt und Staroperateur, genannt »Chevalier«. Lichtenberg erwähnt ihn abschätzig auch 943, 43. – *15 der berühmte Okulist Wenzel der Vater in London:* Lichtenberg notiert von ihm im Materialheft I, Nr. 94, eine bezeichnende Anekdote. – *22 1775, da sich ein Zufall an einem meiner Augen zeigte:* »Blindheit bemerkt den 9ten April 1775«, notiert Lichtenberg D 635; s. auch an Dieterich (IV, Nr. 107, S. 240) am 1. Mai 1775. S. auch S. 47. 50, 52–53. 55. 56. 58. 60–61. 242. – *24 Pall-Mall:* Straßenzug zwischen St. James's Palace und Trafalgar Square. – *25 Graham seine himmlische Bettlade*

aufschlag: James Graham (1745–1794), seinerzeit berühmter engl. Quacksalber, erregte 1780 mit seinem himmlischen Bett, das ihn mit dem dazugehörigen Apparat 16000 Pfund Sterling gekostet haben soll, großes Aufsehen. Es stand in dem Allerheiligsten seines »Tempel der Gesundheit« genannten Hauses, und seine Besichtigung kostete 50 Pfund Sterling. Lichtenberg erwähnt es auch 125, 25 f. 192, 25.

89 *4 Zehn Guineen:* Vgl. zu 40, 18. – *4 Antwort, ich:* von mir verb. aus: Antwort ich. – *19f. an einem hohen Orte:* Gemeint ist die englische Königsfamilie, in deren Sommerresidenz Kew Lichtenberg von Oktober 1774–Februar 1775; Mitte August–Ende September 1775 zu Gast war: »Nun habe ich meine Augen wieder einem neuen Arzt anvertraut, den mir die Königin selbst rekommendiert hat, und ich verspreche mir sehr viel Gutes von diesem Mann«, schreibt er an Dieterich (IV, Nr. 109, S. 242) am 28. Sept. 1775. – *20 der Königliche Wundarzt Hawkins:* Sir Caesar Hawkins (1711–1786), engl. Wundarzt Georgs II. und III., 1778 geadelt. – *27 Als ich ... nach Göttingen kam:* Am 7. Dezember 1775 erfolgte Lichtenbergs Abreise von London; am 31. Dezember traf er in Göttingen ein. – *29f. unsern jetzigen Herrn Leibarzt Richter:* Über August Gottlob Richter vgl. zu GH 3.

90 *1f. schreibe ich Herrn Adams ... nach:* Das Rezept findet sich bei Adams, a.a.O., S. 102f. Vgl. auch RA 85. – *6 Quartier:* Quarter: engl. Hohlmaß, früher 2,819 hl. – *7 Unzen:* altes, früher weit verbreitetes Maß und Gewicht unterschiedlichen Wertes; in Italien entsprach 1 Unze einem Zoll, in Deutschland war als Handelsgewicht 1 Unze gleich 2 Lot = $^1/_{16}$ Pfund. – *21f. Büsch redet von einer Frau:* Die Stelle war nicht auffindbar.

91 *22f. Adams führt einen Fall an:* Gemeint ist Adams, a.a.O., S. 106.

92 *1 neun bis acht Zolle:* Vgl. zu 25, 1. – *7f. visual spectacles:* S. Adams, a.a.O., S. 109–112. – *8 Apertur:* die Weite von Öffnungen. – *16 Büsch sowohl als Adams sprechen ... dagegen:* Büsch schreibt a.a.O., S. 325: »Ich glaube auch, daß manchen Augen durch die sogenannten Conversationsbrillen, insonderheit die mit grünem Glase, sehr geschadet werde, indem man von dem Licht, das sie zu ihren Beschäftigungen nohtdürftig brauchen, ihnen zu viel benimmt.« Ähnlich äußert sich Adams, a.a.O., S. 112–114.

93 *2ff. die Nase ... ein etwas lächerliches Ansehen:* Zu diesen nasologischen Ausführungen vgl. 358, 23; s. ferner 276, 35. 278, 34. 366, 30. 441, 10. 697, 8. 753, 7. 987, 33. 1000, 22. – *5 Warzen darauf:* Dazu vgl. auch 1031, 6 und G 147. – *21 Klarinettenton* Diesen Ausdruck gebraucht Lichtenberg ähnlich auch 697, 9. – *21f. vornehmen ... Schnupftabakssprache:* Dieser Ausdruck ist D 199 entlehnt.

94 *8 acht bis zehn Zoll:* Vgl. zu 92, 1. – *13f. mouches volantes:* Fliegen-, Mückensehen. Büsch spricht von diesem Phänomen a.a.O., S. 309ff. »Etwas über die Mouches volantes« veröffentlichte Albert Ludwig Friedrich Meister im »Göttingischen Magazin« Ersten Jahrgangs Viertes Stück. 1780, S. 127–132. – *16f. mich ... 1796 und 1770 sehr mit mikroskopischen Beobachtungen abgab:* Dazu vgl. KA 211.

WARUM HAT DEUTSCHLAND NOCH KEIN GROSSES ÖFFENTLICHES SEEBAD?

Erstveröffentlichung und Satzvorlage: »Warum hat Deutschland noch kein großes öffentliches Seebad?« In: »Göttinger Taschen Calender« für 1793, S. 92–109. Ein Manuskript des Artikels ist im Nachlaß nicht erhalten.

Zur Entstehung: Die Aufforderung und Anregung zu einer Propagandaschrift für deutsche Seebäder ging von Reinhard Woltmann aus und ist schon 1788 besprochene Sache, wie man einem Brief Lichtenbergs an Woltmann (IV, Nr. 560, S. 736–737) entnimmt. Demnach plante Lichtenberg, in Erwiderung auf eine Abhandlung Woltmanns (deren Titel nicht bekannt ist, aber vermutlich auf den Gegenstand abzielte) ihm »öffentlich einen Brief« zu adressieren: »über die Seebäder und warum Ritzebüttel nicht eins anlegt.« Dieser Briefwechsel, mit dem Lichtenberg erreichen wollte, »daß die Sache *öffentlich* debattiert würde«, sollte überraschenderweise im »Göttingischen Magazin« erscheinen, dessen Fortsetzung Dieterich ins Auge gefaßt hatte. Dem Brief an Woltmann entnimmt man nicht nur Lichtenbergs »große Neigung, hierüber etwas zu schreiben«, er erklärt sogar: »eigentlich, ich habe es schon geschrieben«. Wenn das zuträfe, wäre diese erste Fassung des Aufsatzes mitsamt dem Sudelbuch H verschollen. Nach Lichtenbergs Arbeitsweise läßt sich jedoch schließen, daß es sich lediglich um die Niederschrift einiger Arbeitsnotizen gehandelt haben kann, die möglicherweise mit den in dem Brief mitgeteilten Gedankengängen völlig identisch sind. Da eine Fortsetzung des »Göttingischen Magazins« bekanntlich nicht zustandekam, kündigte Lichtenberg (IV, Nr. 578, S. 766) Woltmann am 23.Juli 1789 an, er werde ihm den »Brief über das Seebad längstens innerhalb 14 Tagen übersenden, und Sie können damit machen wollen, was Sie wollen.« Während hier also der Gedanke einer separaten Veröffentlichung vorschwebt, äußert Lichtenberg in einem weiteren Brief an Woltmann (LB II, Nr. 569, S. 379) am 28. September 1789: »Meine Bad Geschichte erscheint ehestens, in diesen Ferien gewiß, so daß wir künfftigen Sommer anfangen können. Ich muß und muß die Ferien abwarten«. Tatsächlich hat Lichtenberg den Aufsatz erst am 14. und 15. Juli 1792 niedergeschrieben (s. SK 351. 352). Eine Arbeitsnotiz aus dem ROTEN BUCH, S. 57, stammt höchstens aus dem Frühjahr 1792:

»Über das Seebad warum Deutschland noch keins hat. Vor einiger Zeit habe ich ein[en] Aufsatz gelesen, ich erinnere mich nicht recht, wo, da jemand der von den Vortheilen des Seebades redete, so gar den Einfall [hatte] süßes Wasser mit Seesaltz zu Bädern zu präpariren, und am Ende den gantzen Zweck dadurch zu erreichen hofft, daß er See Saltz (4 Untzen auf 1 Quartier) in Wasser auflößt, das Handtuch oder die Serviette, die zum Abtrocknen dienen soll in dasselbe eintaucht und trocken werden« läßt. das Zeug muß nicht vom feinsten seyn. Er rechnet nicht blos auf die Saltztheilchen als Saltz, sondern auch als ein Mittel, das die Friction vermehrt.

NB recht vielen Freunden ein Compliment zu machen.«

Der praktische Erfolg des werbenden Artikels ließ dennoch auf sich warten: sieht man von dem Arzt Samuel Gottlieb Vogel ab, der, angeregt von Lichtenberg, 1794 bei Doberan nahe Rostock das erste deutsche Ostseebad anlegte. Lichtenberg spielt hierauf in seinem Artikel »Das Luftbad« (s. S. 125) an. Die Hamburger Bürgerschaft lehnte Seebäder als reinen Luxus und bedeutungslos für die Gesundheit ab, wie aus einem Brief Lichtenbergs an Woltmann (IV, Nr. 645, S. 863) vom 12. Dezember 1793 hervorgeht. Das erste deutsche Inselbad, Norderney, wurde 1799 nach Lichtenbergs Tod eröffnet und erst 1816, allerdings genau nach Lichtenbergs Vorschlägen, das Seebad in Cuxhaven eingeweiht. In seiner für die Entwicklung des deutschen Seebäderwesens wichtigen Schrift »Ritzebüttel und das Seebad zu Cuxhaven« hat Amandus Augustus Abendroth 1818 den Aufsatz des »genialischen Lichtenberg« aus Dankbarkeit wiederabgedruckt. Am Rande sei erwähnt, daß in dem im Ritzebütteler Schloß zu Cuxhaven eingerichteten Heimatmuseum ein – allerdings miserables – Kupferstichporträt Lichtenbergs an den ›Vater des Seebads Cuxhaven‹ erinnern soll.

95 *3f. Diese Frage ... im Hannöverschen Magazin aufgeworfen:* In den Jahrgängen 1788–1791 habe ich keinen derartigen Artikel gefunden, wenn Lichtenberg nicht den Artikel »Wie lange soll man im kalten Bade verweilen?« meint, der im »Neuen Hannöverschen Magazin« 77. Stück, 26. September 1791, Sp. 1227 bis 1232 erschien, sowie »Einige Zusätze und Erläuterungen über das Baden im kalten Wasser«, erschienen im »Neuen Hannöverschen Magazin« 94. Stück, 25. November 1791, Sp. 1501–1504. Über die Zeitschrift vgl. zu KA 130. – *12 Brighthelmstone:* jetzt Brighton, südl. von London an der Kanalküste;

Mitte des 18. Jh. auf Veranlassung des engl. Arztes Richart Russell als Seebad angelegt. Lichtenberg erwähnt das Bad auch in den Briefen (IV, S. 736. 871). – *12 Margate:* Stadt und vielbesuchtes Seebad der Londoner Gesellschaft in der engl. Grafschaft Kent, östl. von der Themsemündung an der Nordseeküste. Lichtenberg erwähnt es auch in den Briefen (IV, S. 736. 871). – *17 Neue Bäder heilen gut:* Diese Wendung ist J 751 entlehnt. – *22f. Journal ... des Luxus und der Moden:* Anspielung auf die von Bertuch und G. M. Kraus herausgegebene Monats-Zeitschrift gleichen Titels, die seit 1786 in Weimar erschien. Lichtenberg zitiert sie auch J 239; vgl. die Anm. dazu. – *25f. Aufenthalte zu Margate:* Lichtenberg besuchte das Seebad etwa Anfang August 1775; vgl. auch E 200. F 83. 115. L 578. – *30 Medecin Penseur ... Medecin Seigneur:* »der Arzt als Denker ... der Arzt als Hoheit«; eine ähnliche Wendung begegnet auch 539, 13. 571, 14.; ferner D 373. E 189.

96 *6 der hochgepriesene Rheinfall:* Den Rheinfall zu Schaffhausen erwähnt Lichtenberg und ähnlich abschätzig auch 1050, 25. RA 144. – *10f. Otaheite ... Heerstraße:* »allein einmal vom Thurme auf dem Neuenwerck auf die Heerstraße nach Otaheite geschaut zu haben, wird gewiß bleibenden Eindruck machen«, schreibt Lichtenberg an Woltmann (LB II, Nr. 569, S. 378) am 28. Sept. 1789. Über Otaheite (Tahiti) vgl. zu 41, 35 ff. – *19 Eudiometer:* einseitig geschlossenes, graduiertes Glasrohr zum Abmessen von Gasen. Vgl. dazu GTK 1784, S. 57 bis 58. – *35f. Ritzbüttel ... Cuxhaven oder das Neue Werk:* Ritzebüttel, seinerzeit malerisches Fischerdorf, das erst 1872 mit Cuxhaven vereinigt wurde; vormals zu Hamburg gehörig; auf dem Ritzebütteler Schloß residierten die Hamburger Amtmänner (z. B. Brockes). *Neuwerk:* etwa 300 Hektar große Nordseeinsel, 9 Kilometer weit von der Duhner Steilküste entfernt im Wattenmeer der Elbmündung gelegen. Ihr Wahrzeichen ist der 1310 von der Hamburger Hanse errichtete Wehrturm, das »Nige Wark« genannt. S. auch Briefe (IV, S. 736–737).

97 *4 habe ich bei dem Neuen Werk gefunden:* Lichtenberg besichtigte Neuwerk auf seiner Schiffsreise nach Helgoland im Juli 1773; auf der Reede vor Neuwerk ankerte sein Schiff einen Tag und zwei Nächte; s. Lichtenbergs Beschreibung an Schernhagen (IV, Nr. 73, S. 149) vom 19. Juli 1773. – *7f. die ich zu Deal gesehen:* Seebad an der Ostküste der engl. Grafschaft Kent; über Lichtenbergs Besuch ist sonst nichts bekannt. – *32 Hufen:* ma. für: rückwärts gehen, zurücktreten.

98 *12 Thetis:* in der griech. Sage eine Meeresnymphe, Mutter des Achill; danach Personifikation des Wassers, Meeres. S. auch 679, 38f. 1036, 19. – *38ff. Das Meer tritt ... weit zurück:* Über

dieses ›Problem‹ äußert sich Lichtenberg bereits in dem Brief an Woltmann (IV, Nr. 560, S. 736–737) vom 14. Juli 1788.
99 *18 Woltmann:* Über Reinhard Woltmann vgl. zu J 1667. – *26 f. Die glückliche Lage ...:* Darauf kommt Lichtenberg in dem oben genannten Brief (IV, S. 737) zu sprechen. – *32 f. was Pharao ... begegnete:* Anspielung auf den »Auszug der Kinder Israels«; der sie durch das von Gott trocken gelegte Rote Meer verfolgende Pharao (vermutlich Ramses II.) kam mit seinem Heer darin um, als das Wasser zurückkehrte. S. auch 924, 28.
100 *14 Vomitiv-Reischen:* Vomitiv: Brechmittel. – *15 f. von einem der römischen Kaiser gelesen ... August selbst:* Meines Wissens trifft dies eher auf Tiberius zu; über Augustus vgl. zu KA 168. – *24 Pharao:* Kartenglücksspiel, das mit zwei vollständigen französischen Kartenspielen gespielt wird; im 18. Jh. außerordentlich in Mode. Lichtenberg erwähnt es auch 101, 8. 748, 26 f. 867, 3. – *27 f. liest alle Beschreibungen von Seereisen ...:* Darüber vgl. oben S. 16. – *31 ff. Nie habe ich ... als auf Helgoland:* Über Lichtenbergs Helgoland-Reise und -begeisterung vgl. Briefe (IV, S. 148–151. 152. 162–163).
101 *4 meiner Bekanntschaft:* Lichtenberg selbst schreibt an Woltmann (IV, Nr. 560, S. 737): »Mit einem Wort: wenn zu Cuxhaven oder auf dem *Neuenwerk* ein Seebad errichtet würde, das ist, daß man, wenn man *deswegen* dahin kommt, gutes Quartier findet, so bin ich einer der ersten der kommt, und Rekruten bringe ich gewiß mit.« S. auch Lichtenbergs Brief an Woltmann (IV, Nr. 578, S. 766) vom 23. Juli 1789. – *6 f. keine Komödienhäuser ... Tanzsäle:* Dagegen spricht sich Lichtenberg auch in dem oben zitierten Brief an Woltmann (IV, S. 737) aus. – *8 Pharaobänke:* Vgl. zu 100, 24. – *13 Schicksal des Propheten Jonas:* Nach dem Buch Jona des Alten Testaments wird der Prophet Jona zur Stillung eines Sturms von den Schiffern ins Meer geworfen, von einem großen Fisch verschluckt und von diesem an Land gespien. S. auch 756, 12 f.

NACHRICHT VON EINER WALRAT-FABRIK

Erstveröffentlichung und Satzvorlage: »Nachricht von einer Wallrath-Fabrik.« In: »Göttinger Taschen Calender« für 1794, S. 125–134. Ein Manuskript ist im Nachlaß nicht erhalten.

Zur Entstehung: Ein Aufsatz von Fourcroy in den »Annalen der Chemie« 1792, 12. Stück, war, wie Lichtenberg selbst angibt, die Anregung zu diesem Aufsatz, der über das Referat hinaus bestimmte

Lichtenbergsche Gedankengänge vermittelt, die in J 1653, geschrieben etwa 30. April 1791, ihren ersten Niederschlag finden: »Was Versuche im Großen vermögen sieht man daraus daß die vielen Leichname, die in Frankreich zusammen begraben nicht ganz verfaulten, sondern in eine Art von käsigter Materie übergingen. Diese Erfahrung ist von großer Wichtigkeit, und zeigt wie wenig wir der Natur in manchen Stücken nacharbeiten können.« S. ferner J 2064, geschrieben etwa Anfang März 1793: »Man bedenkt nicht was die Natur im Großen zusammensetzen könne ... Unsere Chymie ist alles Feuer und Säure. Seitdem man sich des Wachstums der Pflanzen bedient hat hat man Luftarten umgeändert. Die Sonnenstrahlen richten schon andere Sachen aus als unser Feuer. Die Leichen-Geschichte auf dem Kirchhofe des Innocens zu Paris, sie steht auch in Crells Annalen 12tes St. 1792. Die Veränderung in den tierischen Körpern. Man müßte Dinge in die Erde vergraben.« Die Niederschrift des Artikels erfolgte zwischen dem 20. Juli und dem 12. September 1793 (vgl. SK 504. 528). Wie sehr Lichtenberg persönlich durch das Phänomen körperlichen Verfalls, organische Zersetzung und Verfettung, die ›Geschichte des Leibes nach dem Tode‹ berührt war, erhellt aus L 26 und einem Brief an Blumenbach (IV, Nr. 712, S. 953) vom 7. November 1796.

103 *3 Blanc de Baleine:* frz. Walrat. Von »Sperma ceti« und Walrat spricht Lichtenberg auch in einem Brief an Blumenbach (IV, Nr. 712, S. 953) vom 7. Nov. 1796 sowie L 26. – *5 Pottfisches:* Pottwal, abgeleitet von Pott: niederländ. ›Kopf‹, nach seiner Schädelform. – *18 von einem Freunde mitgeteilt:* Gemeint ist vermutlich Paul Christian Wattenbach – über ihn vgl. zu SK 507 –, der sich 1793–1794 in London aufhielt; ein Brief Lichtenbergs an ihn (IV, Nr. 651, S. 870–871) vom 14. April 1794 handelt u. a. von Schmeisser. – *20 ein gewisser Doktor:* Seinen Namen, den Lichtenberg hier nicht angeben konnte, trägt er im »Göttinger Taschen Calender« für 1795, S. 193, unter »Neue Entdeckungen, physicalische und andere Merkwürdigkeiten« Nr. 6 nach: »Der Erfinder der Kunst, aus Fleisch Wallrath zu verfertigen, deren wir im Taschenbuch vom vorigen Jahre gedacht haben, ist eigentlich Hr. Schmeisser, ein Deutscher, und bereits rühmlichst bekannter Chemiker, der vor nicht gar langer Zeit noch als Provisor in einer Hamburgischen Apotheke stund, nachher in gleicher Qualität nach London ging, wo er aber jetzt für sich lebt und mit dem glücklichsten Fleiße seine Zeit der Untersuchung der Natur widmet.« Über Johann Gottfried Schmeißer vgl. zu L 26. Von der »Schmeißerschen Maske« ist in gleichem Zusammenhang in einem Brief (IV, 953) die Rede. – *32 Crells chemischen Annalen:* »Chemische Annalen

für die Freunde der Naturlehre, Arzneygelahrtheit, Haushaltungskunst, und Manufakturen«, hrsg. von Lorenz von Crell, 2. Band, Helmstedt 1792, S. 522–534: »Über den verschiedenen Zustand der Leichen, welche man im J. 1786 und 1787 auf dem Kirchhofe des Innocens ausgegraben hat, vom Hrn. de Fourcroy.« Über Lorenz Florens Friedrich Crell vgl. zu J 745; über die Zeitschrift vgl. zu J 1320. – *33 Annales de Chimie:* »Annales de Chimie; ou Recueil de Mémoires concernant la Chimie et les Arts qui en dépendent«, hrsg. von Morveau, Lavoisier, Monge, Berthollet, Fourcroy, Baron de Dietrich, Hassenfratz und Adet, Paris 1790, Tome 5, p. 154–185: »Mémoire sur les différens états des Cadavres trouvés dans les fouilles du cimetière des Innocens en 1786 et 1787« gelesen vor der Académie Royale des Sciences in Paris am 28. Mai 1789. Über diese Zeitschrift vgl. zu J 1593. – *34 Fourcroy:* Über Antoine François de Fourcroy vgl. zu J 1214. – *36 Kirchhofe der unschuldigen Kinder:* Der Cimetière des Sts.-Innocents in Paris wurde 1785 aufgelassen und die Gebeine von 1 200 000 Skeletten in die Katakomben überführt.

104 *21 halb Zoll Dicke:* ca. 1,25 cm; im übrigen vgl. zu 25, 1. – *29 Thouret:* Michel-Augustin Thouret (1748–1810), bedeutender frz. Arzt und Naturwissenschaftler. – *38 behosten Frankreich:* Gemeint ist das Frankreich vor der Revolution von 1789 und der Herrschaft der ›Ohne-Hosen‹, der Sansculottes: das Ancien Régime. In der Frz. Revolution war Sansculotte Spottname für die Bürger, die in Gegensatz zur aristokratischen Mode Pantalons trugen und keine Culotten. Ein Wortspiel damit macht Lichtenberg auch 472, 17. S. ferner 750, 5. 773, 31 f. 875, 37. 1046, 9 f. – *38 Gallia braccata:* das hosentragende Frankreich.

105 *37 Geschichte des Leibes nach dem Tode:* Darüber reflektiert Lichtenberg auch J 1668.

106 *6 philosophical Transactions:* »On the Conversion of the Substance of a Bird into a bard fatty Matter« von Thomas Sneyd (Lebensdaten unbekannt), verlesen am 29. März 1792, erschienen in den »Philosophical Transactions« a.a.O., S. 197–198. Über diese Zeitschrift vgl. zu D 675. – *21 f. In einer Note … gesagt:* Gemeint ist »Annales de Chimie« a.a.O., S. 154–155: »M. Thouret, médecin, qui a suivi ces fouilles avec un zèle et une ardeur infatigable pendant deux ans, a recueilli un grand nombre de faits qu'il doit publier dans un ouvrage particulier.« – *22 Thouret … besonderes Werk darüber schreiben:* Bereits 1789 war zu Paris von ihm erschienen: »Rapport sur les exhumations du Cimetière et de l'église des Saints Innocents«. 1791 publizierte er darüber im »Journal de Physique« T. 38, P. 1, S. 255 ff.

EIN TRAUM

Erstveröffentlichung und Satzvorlage: »Einige Betrachtungen über vorstehenden Aufsatz, nebst einem Traum«. In: »Göttinger Taschen Calender« für 1794, S. 134–145. Ein Manuskript ist im Nachlaß nicht erhalten.

Zur Entstehung: Die Niederschrift des Artikels erfolgte vermutlich wie im Falle der »Nachricht von einer Walrat-Fabrik« zwischen dem 20. Juli (SK 504) und dem 12. September 1793 (SK 528). Die Idee zu der Traumerzählung ist Lichtenberg jedoch wesentlich früher gekommen. Schon D 469, niedergeschrieben zwischen Februar und April 1774, entwickelt er erstmals den Gedanken einer kosmischen Perspektivverzerrung, die F 470, niedergeschrieben Anfang April 1777, auf die Formel bringt: »Die Erde eine Turmalin-Verkleinerung.« Im Frühjahr 1790 greift Lichtenberg in J 333 den Gedanken wieder auf: »Aus meiner Erde die zu einer Kugel von ¼ Zoll im Durchmesser, und meinem Turmalin der eine Welt wird könnte ein guter Traum gemacht werden. Erst wurde der Klumpen getrocknet, damit war die See weg, alles Quecksilber, alles Flüchtige. Wo ist denn aber das Gold? – Gold? es ist kein Gold darin. In dieser Steinart ist kein Gold pp. Wo sind denn die Sandwüsten von Asien, die Mark Brandenburg. Würklich hatte er die Hälfte von Afrika weggegossen. Feuer würde die gantze vegetabilische Welt zerstören, und alkalische Salze und tode Erde erzeugen.« Weitere Ergänzungen erfährt die Idee J 1645 (niedergeschrieben etwa Mitte April 1791). 1719. 1727 (niedergeschrieben im Spätherbst 1791, um dann im ROTEN BUCH, S. 64–65, folgende Wendung zu erhalten: »Dieses könte in einer Theorie der Erde gebraucht werden, die ich wohl einmal geben könte, nemlich eine eigene. Da könte vorkommen, der Mensch der Ursachensucher so wie man sagt der Ameisenbär. Dem Ursachen System haben die Wunder ihre Krafft und seit dem es diese nicht mehr giebt die Taschenspieler Stückchen ihren Reitz zu dancken. Hier kan das hyperchemische, der Kirchhof des innocens. Der Kalch im [?] pp. [genutzt werden.] Der Traum könte eingewebt werden. Das war die gantze Erde. Endlich müste ich sagen, da man nichts träumt, was man nicht vorher gedacht hat.«

Selbstverständlich handelt es sich bei dem Traum um eine Fiktion. Gerade die Traumerzählung, insbesondere auch die philosophische, erlebte in der Literatur der Aufklärung eine Wiederbelebung. Seinerzeit berühmtes Vorbild war J. J. Engels »Traum des Galilei« – s. darüber J 897. Wie viel Lichtenberg von derartigen Träumen, verstanden als wohlkalkulierte wissenschaftliche Phantasien über noch unzulänglich erforschte Phänomene, gehalten hat, geht unter anderem aus dem Artikel »Von Cometen« hervor, erschienen im »Göttinger Taschen Calender« für 1787, wo es S. 82f. heißt:

»Ich hole zu dem Ende etwas weit aus; verliehre ich mich in Träume, so sollen sie wenigstens nicht unangenehm seyn und sich nur da einstellen, wo es der Vernunft unmöglich ist zu entscheiden. In dem Fall sind Träume gewiß verzeyhlich, zumal wenn man sie aufrichtig für das ausgiebt, was sie sind. Es ist der Hauptvorzug unsers Geistes, und nichts zeigt so sehr seine Verwandtschaft mit dem Urheber der Welt, als dieses, daß wir nicht blos dem gegenwärtigen Augenblick leben, nicht blos empfinden, sondern uns des Gegenwärtigen bedienen, sowohl im Vergangenen als im Künftigen zu leben, zu erklären und zu weissagen, und eine Kraft üben deren höchste Stufe, das Überschauen von Welt Zeit und Ewigkeit im Allmächtigen ist.«

Literatur: Schneider, a.a.O., Bd. I, S. 233–235; Mautner, a.a.O., S. 398–401.

107 *16f. Unsere Chymie hängt ab von der ... Dunstkugel:* Dazu vgl. J 1577. – *34 Steinkohlen-Flöze:* Dazu vgl. Lichtenbergs Brief an Werner (IV, Nr. 786, S. 1022), der wohl ca. 15. August 1789 geschrieben ist; vgl. auch J 1320. – *34 Gänge:* Gang heißt in der Geologie eine durch tektonische Störungen aufgerissene Spalte in einem Gestein, die anschließend mit jüngeren Gesteinsarten oder Mineralien ausgefüllt wurde; s. auch 122, 2.
108 *1f. Hyperchemie:* Zu diesem Ausdruck s. oben S. 47. – *4 Laugensalzes:* »Vegetabilisches Laugensalz« nannte man im 18.Jh. die Pottasche. – *7 Gärung:* Der Abbau von organischen Stoffen in Abwesenheit vom freien Sauerstoff. Dieses Phänomen rückte erst im letzten Jahrzehnt des 18.Jh. in den Blickwinkel der Chemiker. Lichtenberg verwendet den Begriff auch 696, 31. 774, 7. 775, 2. Im übrigen vgl. zu J 2075. – *8 Bestandteile des Turmalins:* Darüber vgl. zu D 729. – *14 Theorie der Erde:* Dazu vgl. den Aufsatz »Geologische Phantasien« S. 112–124. – *19 Werktags-prose:* Zu dieser Wortbildung vgl. zu 65, 4. »Werktags-Seite« bildet Lichtenberg F 677; »Werktags-Vernunft« begegnet 756, 26. – *21 Ein Traum:* Dazu vgl. oben S. 47. – *32 einen Zoll im Durchmesser:* ca. 2,5 cm; im übrigen vgl. zu 25, 1.
109 *6 Adlerstein:* rundes oder ovales Gebilde aus Braun- oder Toneisenstein mit Höhlungen und darin befindlichen Steinchen; galt im Volksglauben als Gebäramulett, seit der Antike pulverisiert zu vielen Rezepturen verwendet. – *15 Kreuzer:* abgek. Kr, seit 1551 Reichsmünze: 4 Pfennige gleich 1/90 Reichstaler. – *15 Frankfurter Messe:* Frankfurt am Main hatte als erste Stadt in Deutschland ein Messe-Privileg (seit 1240); erst im 18.Jh. wurde die Frankfurter Messe an Bedeutung von der in Leipzig überholt. – *18f. Tonerde ... Kalkerde ... Kieselerde:* Dazu vgl. zu K 328; s. auch 119, 37.

110 32 *Revolutionen:* hier im Sinne von: *Veränderungen;* Umwälzungen; s. auch 112, 6. 282, 26.
111 17 *Analyse von Lumpen und Druckerschwärze:* Ähnlich schreibt Lichtenberg bezüglich der Werke Newtons K 323; s. auch H 125.

GEOLOGISCHE PHANTASIEN

Erstveröffentlichung und Satzvorlage: »Geologische Phantasien. (Franklins Geogenie.)« In: »Göttinger Taschen Calender« für 1795, S. 79 bis 108. Ein Manuskript ist im Nachlaß nicht erhalten.

Zur Entstehung: Zu Ende des Artikels »Einige Betrachtungen über die physische Revolutionen auf unsrer Erde«, erschienen im »Göttinger Taschen Calender« für 1794, schrieb Lichtenberg: »Mir sind bis jetzt acht und vierzig Hypothesen bekannt geworden, jene ersten Fragen zu beantworten; es gibt ihrer vermutlich noch mehrere, ja selbst die Behauptung einiger Weisen, daß man nichts ausrichten werde, ist schon die neun und vierzigste. Viel ist freilich damit noch nicht ausgerichtet worden, aber doch schon etwas, und dieses vornehmlich seit der kurzen Zeit, da man sich bestimmte Grenzen gesetzt hat. Denn vorher wurde nicht selten mit einem Geiste gedichtet und geträumt, mit welchem sich die Zahl der Hypothesen leicht auf – *Tausend und Eine* hätten bringen lassen. Eine kurze Erzählung dieser neueren Bemühungen soll den Inhalt eines künftigen Aufsatzes ausmachen.« (Zit. nach *Vermächtnisse,* S. 216). Kurze Zeit, nachdem Lichtenberg diese Sätze niederschrieb, muß er jenen Artikel gelesen haben, der die Grundlage des vorliegenden Aufsatzes bildet: »Two other Papers written by Dr. Franklin, and not to be found in any collection of his Works«, veröffentlicht im »European Magazine«, August 1793, S. 84–87. Lichtenbergs Angabe »S. 137f.« ist irrig. Im ROTEN BUCH, S. 78–79 und 80, begegnen zwei Anspielungen darauf: »Von der Theorie der Erde, die mit der Francklinischen anfangen *muß* eine wissenschaftl. Character von Francklin. Wie sich alles bey ihm zusammen fand. Es gab lange Kohlenstaub, Schwefel und Salpeter ehe Schießpulver wurde. Männchen und Weibchen von Ideen. – Man muß wissen, wenn man es noch nicht weiß, daß die Theorie der Erde, eine zugleich des menschlichen Geistes mit ist, den Nutzen hat ja seit jeher sogar die falsche Philosophie gehabt. Aus dem Mehl läßt sich die Mühle beurtheilen, und wohl gar der Müller oben drein. Diese Theorie wird hier blos als Stamen von den übrigen gegeben. Der Mathematiker schafft sich andere Gesetze der Schwere. Man fängt bey der Verfassung unserer Staaten von Familien an. So will es, wo nicht die Natur der Dinge, doch wenigstens unser Kopf, und wird es so wollen, bis wir andere bekommen. Und was kennen wir denn außer unsern Kopf.« Die andere Notiz lautet: »Franklins Theorie der Erde könte als ein Theil der Simplicium gebraucht werden, wenn sich auch nicht alles daraus erklären läßt: so kan es doch vieles seyn. und daher ist es gut einmal alles dadurch zu erklären.«

Der Artikel selbst wird vermutlich zwischen dem 26. Juli (SK 677) und dem 15. September 1794 (SK 697) niedergeschrieben worden sein: nach den »Betrachtungen über die physischen Revolutionen auf unsrer Erde« und dem ›Traum des Naturforschers‹ Lichtenbergs dritter Beitrag zu der revolutionären jungen Wissenschaft: Geologie und Paläontologie.

Literatur: Mautner, a.a.O., S. 379–381.

112 *1 Phantasien:* Lichtenberg bezeichnet mit diesem Ausdruck, den er auch für den Artikel »Geologisch-meteorologische Phantasien« (GTK 1798, S. 83–120, wiederabgedruckt in: *Vermächtnisse*, S. 217–229) verwendet, seine spezifische heuristische Methode, alles allem anzuprobieren, um dadurch womöglich auf neue Erkenntnisse und Entdeckungen zu geraten, s. seine Ausführungen J 1550; vgl. auch 944, 37. Im übrigen s. oben S. 47. – *2 Franklins:* Über ihn vgl. zu A 227. – *2 Geogenie:* Erdentstehung. – *3 im Taschenbuch vom vorigen Jahre versprochen:* Gemeint ist der Artikel »Einige Betrachtungen über die physischen Revolutionen auf unsrer Erde« im ›Göttinger Taschen Calender‹ für 1794, wo Lichtenberg S. 112 schreibt: »Eine kurze Erzählung dieser neueren Bemühungen soll den Inhalt eines künftigen Aufsatzes ausmachen.« Der Aufsatz ist neuerdings wiederabgedruckt in: Lichtenberg, Vermächtnisse. Reinbek 1972, S. 205–216. – *6 Revolutionen:* Zu diesem naturwissenschaftl. Begriff vgl. zu 110, 32. – *12 voriges Jahr zählten wir 48:* Vgl. *Vermächtnisse* S. 216, 2f. – *16 Seetiere auf den Spitzen der Berge:* Vgl. D 737 und die Anm. dazu. – *19 Woodward:* Gemeint ist »An essay toward a natural history of the earth: and terrestrial bodies, especially minerals: as also of the sea, rivers, and springs. With an account of the universal deluge: and of the effects that it had upon the earth«, London 1695, von John Woodward (1665–1728), engl. Physikprofessor am Cresham College und spekulativer Geologe. – *21 ad interim:* vorderhand, einstweilen. S. auch 759, 5. 834, 3. 926, 3. 979, 31. 1021, 18. – *27 Backenzähne der gefallenen Engel:* Diese Anekdote ist J 167 entlehnt; Lichtenberg entnahm sie dem Aufsatz »Von den großen Knochen und Zähnen am Ohioflusse in Nordamerika« in Goezes »Natur, Menschenleben und Vorsehung für allerlei Leser«, 2. Band, S. 132, Leipzig 1790. S. auch

ROTES BUCH, S. 80: »In der Theorie der Erde. Den Schriftsteller nicht zu vergessen, der die Zähne des Ohio Thiers, für Backzähne gefallener Engel hält J. p. 27.« Die Notiz ist von Lichtenberg durchgestrichen. – *29 ein Franzos behauptet:* Der Verfasser konnte nicht ermittelt werden; Barbier führt den Titel nicht auf. – *32 Kohäsion:* Vgl. zu 199, 8.

113 *6f. Monarchie der ... gesunden Vernunft:* Diese Wendung begegnet ähnlich auch L 403. – *11 Phantasien:* Vgl. zu 112, 1. – *22 Ideen aufgejagt:* Die Formulierung »Ideen-Jagd« gebraucht Lichtenberg auch 184, 18 und *Vermächtnisse,* S. 215. Wortbildungen mit *-Jagd* begegnen auch 813, 8. 878, 40. – *23 Falkenauge der Vernunft:* Vom »Adlerauge der Kritik« spricht Lichtenberg in UB 35. – *24 sah Milton die allgemeine Schwere:* Die doch wohl in Miltons »Paradise lost« zu suchende Stelle konnte ich nicht auffinden. Ähnlich äußert sich Lichtenberg auch 380, 28f. – *25f. des großen Dichters verlornem:* Vgl. zu 65, 17. – *29f. Bacons Organon ... heuristisches Hebezeug:* Dieser Satz ist J 1242 entlehnt; über Baco und Lichtenbergs Studium des »Novum Organon« vgl. zu B 70. Die gleiche Wendung: heuristisches Hebezeug gebraucht Lichtenberg auch K 312. – *33f. die Begriffe lauter Männchen oder ... Weibchen:* Dieser Satz ist J 740 entlehnt; vgl. auch D 417 und oben S. 49. – *34f. In einem Winkel ihres Kopfs lag Schwefel ...:* Ähnlich schreibt Lichtenberg K 308 in Bezug auf sich selbst.

114 *1 Stamina:* Fäden. S. auch oben S. 49. – *2 Menstruum:* Menstruum universale: ein Lösungsmittel, das nach Auffassung von Paracelsus und J.B. van Helmont alle Stoffe auflösen sollte. Vgl. zu diesem Gedanken auch K 308. – *5 Keplers:* Über ihn vgl. zu A 6. – *8 schaffende Phantasie:* Vgl. zu 112, 1. – *14f. Phantasie und Witz ... das leichte Corps:* Dazu vgl. J 1550. – *20 Ich habe sehr früh gehört:* Dazu vgl. unten S. 299.

115 *2 die Offenbarung Johannis ans Ende gestellt:* Dieser Gedanke ist J 1183 entlehnt und dort weiter ausgeführt. In ROTES BUCH, S. 64, notiert Lichtenberg: »Die hohe Philosophie wie die Offenbahrung Johannis hinten hin.« – *9 Abbé Soulavie:* Jean-Louis Giraud Soulavie (1752–1813), frz. Schriftsteller, zunächst Abbé in Nimes. – *10 Bei seinem Aufenthalt in Frankreich:* Franklin war 1776–1785 als Gesandter der unabhängigen Staaten Nordamerikas in Paris. – *32 Mariotte hat gefunden:* Über ihn und das nach ihm benannte physikal. Gesetz vgl. zu L 803. – *33 im European Magazine:* Dieser Band der Zeitschrift war mir nicht zugänglich; im übrigen s. oben S. 49. Über diese Zeitschrift vgl. zu J 1015; Lichtenberg verwertet, zitiert sie auch 488, 25f. 989, 8. – *36 beim Lesen ausgezeichnet:* In ROTES BUCH finden sich keine Exzerpte daraus, und in den »Excerpta physica« sind die entsprechenden Seiten verschollen.

116 *4f. In Deutschland ... Mariottens Versuche ... ausgedehnt:* Sollte Lichtenberg sich selbst meinen? Vgl. LB II, S. 165–166. – *14 das Mariottische Gesetz:* Vgl. zu 115, 32. – *18 Toisen:* Vgl. zu 70, 28. – *23 die Deutsche Meile:* Vgl. zu 44, 1.

117 *3 ungefähr so wie Kant:* Im »Zweyten Hauptstück der Metaphysischen Anfangsgründe der Dynamik« schreibt Kant innerhalb der »Metaphysischen Anfangsgründe der Naturwissenschaft«, zit. nach der 3. Aufl. Leipzig 1800: »Materie ist das Bewegliche, so fern es einen Raum erfüllt« (S. 24) und: »Die Materie erfüllt einen Raum, nicht durch ihre bloße Existenz, sondern durch eine besondere bewegende Kraft« (S. 25). – *29ff. Die magnetische Materie ... existiere durch den ganzen Himmelsraum:* Dieser Franklinsche Gedanke wurde erst durch Faraday (1833/34) und Maxwell (1864) wissenschaftlich fundiert. – *34 Boussole:* Magnetnadel.

118 *8f. Facta ... räsonieren:* Dazu vgl. C 218. – *20f. Gebirge ... erklettern wie Deluc und v. Saussure:* Über Jean André Deluc s. zu KA 210, Horace Bénédicte de Saussure – über ihn s. zu H 125 – gelang 1787 die Zweitbesteigung des Montblanc, dessen Höhe er barometrisch feststellte und als höchsten Berg Europas bestimmte. – *22 Trebra:* Über ihn s. zu L 852. – *22 Veltheim:* Über ihn s. zu SK 973. – *22 Werner:* Über Abraham Gottlob Werner s. zu GH 64. – *22 Charpentier:* Johann Friedrich Wilhelm von Charpentier (1728–1805), Berghauptmann in Freiberg/Sachsen. – *28 Beobachtungsgeist:* Zu diesem Ausdruck und Prinzip vgl. auch 264, 14. 381, 23. Im übrigen vgl. zu C 91. – *29f. Fähigkeit zu verbinden ...:* Dazu vgl. K 311 und Lichtenbergs »Vorrede« zur 6. Auflage von Erxlebens »Compendium« 1794, S. XXXIV: »Unsere ganze Naturlehre bestehe nur aus Bruchstücken, die der menschliche Verstand noch nicht zu einem einförmigen Ganzen zu vereinigen wisse.« – *33f. Die Astronomie ... Vorbild:* Ähnlich schreibt Lichtenberg in den »Geologisch-meteorologischen Phantasien« (GTK 1798, S. 93); s. auch J 1522. – *37ff. Jedes Kapitel der Naturlehre zerfällt ... wie die Astronomie:* Dieser Gedanke ist J 1386 entlehnt; s. ferner J 1522.

119 *8 die Phänomene anzuprobieren:* Lichtenbergs Methode, die er K 308 mit Ideen experimentieren nennt. – *15f. Schon Newton ... die Sache so gedacht:* In »The History of the Royal Society of London, for improving of natural knowledge, from its first Rise...«, London 1757, von Thomas Birch, Sekretär der Royal Society, heißt es S. 250: »Perhaps the whole frame of nature may be nothing but various contextures of some certain aethereal spirits, or vapours, condensed as it were by precipitation, much after the manner, that vapours are condensed into water, or exhalations into grosser substances, though not so easily condensible; and after condensation wrought into various forms;

at first by the immediate hand of the Creator; and ever since by the power of nature ...« – Auszug aus einem Vortrag Newtons vor der Royal Society, gelesen am 9. Dez. 1675. Über Newton vgl. zu A 79. – *17 Birch's Hist. of the Royal Society:* Über ihn und sein Werk vgl. zu J 458. – *17 230:* Lies im Text: 250 (230 offenbar Druckfehler der Satzvorlage). – *18 flüchtigen Wesen:* Eindeutschung von: Fluidum. – *24 Inflammable Luft mit dephlogistisierter verbrannt, gibt Wasser:* Über inflammable Luft vgl. zu 65, 31; *dephlogistisierte Luft:* seinerzeit üblicher Begriff für: Sauerstoff; s. auch 1038, 31. – *27 Wasser auf gebrannten Gips gegossen:* Zu Lichtenbergs Experimenten mit Gips vgl. J 1285 und die Anm. dazu. – *31f. Feuer ... ein elastisches Wesen:* Vgl. zu D 760; im übrigen vgl. zu 69, 24f. – *33 metallischen Kalchen:* So bezeichnete man seinerzeit die Produkte der Oxydation; vgl. zu GH 87. – *37 Kieselerde als Dunst dargestellt:* Vgl. zu 109, 18f.
120 *5f. Man betrachte ... Bau einer Hyazinthe:* Vgl. schon A 235 und die Anm. dazu. – *32f. Gasisten ... Westrumb ... antiphlogistische System nennt:* Lichtenberg bezieht sich wohl auf dessen »Bemerkungen, verschiedene Gegenstände der neuern Chemie betreffend«, erschienen in den »Chemischen Annalen« 7. Stück, 1792, S. 3–33. Über Westrumb vgl. zu J 1830. – *37 a priori:* von vornherein, aus Vernunftgründen.
121 *6 tropfbare:* Wortprägung Lichtenbergs für: liquid. – *8 ziehen würde:* Lies im Text: ... würden. – *11 Solve et coagula:* »Löse und lasse gerinnen.« Berühmte Formel der Alchemisten; vgl. auch J 1484 (S. 274). – *12 Lukrez:* Über Titus Lucretius Carus vgl. zu J 292. – *13 Corporibus ... res:* »Und so führt die Natur durch verborgene Körper ihr Werk aus.« Zitat aus Lukrez, »De rerum natura«, 1. Buch, V. 325; Lichtenberg zitiert die Zeile auch J 1420. – *17 anschließt:* Zu diesem Begriff vgl. zu A 216; s. auch 266, 18. – *22 Oplithen:* Apliten: kleinkörniges Ganggestein, aus wasserarmer Restschmelze kristallisiert, besteht überwiegend aus Feldspat und Quarz. – *25 Patent-Schrot:* Dazu vgl. auch J 1503. – *28 Ich sehe fürwahr nicht ein ...:* Anspielung auf die in den neunziger Jahren des 18.Jh. heftig diskutierte Neptunismus-Theorie der Erdentstehung (Werner). – *33f. Flöz-Bildung:* Vgl. zu 107, 34.
122 *2 Gang-Gebirge:* Vgl. zu 107, 34. – *11f. mit Heil. drei König anfangen:* D.h. am 6.Januar. – *16 konnten:* von mir verb. aus: konnte. – *20f. Wie leicht erklären sich nicht die Erdbeben:* Vgl. zu J 1223. – *23 trocknen Nebel:* Vgl. Briefe (IV, 515, 16f.) und die Anm. dazu. – *25 Steigen und Fallen des Barometers:* Vgl. zu D 707. – *29 Rezipienten:* Behälter; s. auch 328, 10.
123 *3f. Schade daß Franklin ... nicht mehr lesen kann:* Franklin war am 17. April 1790 gestorben. – *12f. von einem Zentralfeuer*

redet: Lichtenberg gebraucht den Begriff auch 184, 24. – *23 einen gewissen Herrn ... Gemeint ist* Meerwein; über ihn vgl. zu J 447; s. auch J 454. – *37f. Bedlam für Meinungen ... Taschenkalender für 1792:* Über Meerweins These mokiert sich Lichtenberg, ohne den Namen zu nennen, S. 132–133; zu *Bedlam* vgl. zu 292, 31; seinen Artikel erwähnt Lichtenberg auch 470, 25 f.; im übrigen vgl. 414, 30 f.

124 *9f. Verrückung des Pendels:* Vgl. zu RA 157. – *11 Künftig wird dieser Artikel fortgesetzt:* Eine Fortsetzung erfolgte erst im »Göttinger Taschen Calender« für 1798 mit den »Geologisch-Meteorologischen Phantasien« (S. 83–120), wiederabgedruckt in: G. C. Lichtenberg, Vermächtnisse. Reinbek 1972, S. 217 bis 229. – *11 f. ob wir gleich nicht versprechen wollen:* Dazu vgl. K 35.

DAS LUFTBAD

Erstveröffentlichung und Satzvorlage: »Das Luftbad«, erschienen in: »Göttinger Taschen Calender« für das Jahr 1795, S. 115–126. Ein Manuskript ist im Nachlaß nicht erhalten.

Zur Entstehung: Im ROTEN BUCH, S. 76–77, notiert Lichtenberg (die Notizen sind durchgestrichen): »Abernethy. Ist angeführt in dem rothen Leihbuch. Nutzen des Lufftbades. kan ein guter Artikel werden. Zumal auf die Erzeugung der Wärme. Es ist ein falscher Schluß, daß wie es einen in dünnen Kleidern friert, es einen nackend noch mehr frieren müste. So nach wäre wohl gar die Kleidung ein Früchtchen [?] der Weichlichkeit, so wie das Kochen der Speise. Wie wohl durch das Kochen der Umfang des Eßbaren könte vermehrt worden seyn.

Vielleicht ließe sich gar daraus ein Articel Lufftbad machen. Man hat nun Bäder nach allen 4 Elementen. Graham's *Erdbad* das er nach seinem celestial Bett erfand. Die Russischen Schweißtreibhäußer könte man wohl ein Feuerbad nennen. Vom Seebad haben wir gehandelt nun etwas vom Lufftbad. Nun auf Abernethy. Unsere ersten Eltern. Wenigstens eine Stunde des Tages könte es gebraucht werden.«

Der Artikel selbst wird, ähnlich den »Geologischen Phantasien«, zwischen dem 26. Juli (SK 677) und dem 15. September 1794 (SK 697) niedergeschrieben worden sein: eine, wie Mautner, a.a.O., S. 403, sagt, »im besten Sinn feuilletonistische Kleinigkeit«.

125 *2f. In unserm Taschenbuch von 1792 ... Nachricht vom Seebad:* S. S. 95–102. – *3f. unsere Vorschläge nicht ganz fruchtlos:* »Bei Rostock kömmt ein Seebad zu Stande und zwar unter der

Direktion des vortrefflichen Hofrats Vogel, der mich vor einigen Monaten besucht hat. Er hat in Gesellschaft eines Baumeisters die hauptsächlichsten Bäder Niedersachsens bereist, und die Sache ist schon völlig in Gang«, schreibt Lichtenberg an Woltmann (IV, Nr. 645, S. 863) am 12. Dez. 1793. – *8f. Arzneien täglich teurer ... Krankheiten immer wohlfeiler:* Diese Wendung ist J 323 entnommen. – *21f. Insolation und Aprikation:* Bestrahlung durch die Sonne und Sonnenbad. – *25 Graham:* Über ihn vgl. zu 88, 25. – *25f. Erfinders des himmlischen Bettes:* Vgl. zu 88, 25.

126 *1 eine Theorie davon gegeben:* Gemeint ist »A Treatise on the All-Cleansing, All-Healing, and All-Invigorating Qualities of the Simple Earth, when long and repeatedly applied to the Human Body ...«, London 1779. – *4 Materia medica:* im medizinischen Fache. – *6 Bad im fünften Element:* Gemeint ist die Elektrizität, die Lichtenberg auch IV, S. 907, als *Fünftes Element* bezeichnet. – *7 Mesmers magnetisches Bad:* Über Franz Anton Mesmer vgl. zu J 1600. – *8f. Quecksilber- oder Merkurial-Bad:* wohl Anspielung auf die seinerzeit bei Geschlechtskrankheiten, insbes. Syphilis, angewandte Radikalkur mit Quecksilber; s. dazu auch 643, 5. 799, 36. 821, 18. 857, 3. 968, 5. – *27ff. Franklin ... ein großer Freund von dem Luftbad:* Lichtenberg entnahm diese Vorliebe wohl aus dessen Autobiographie »Benjamin Franklin's Jugendjahre, von ihm selbst für seinen Sohn beschrieben«, die, von Bürger übersetzt, 1792 bei Rottmann in Berlin erschienen war, wo er S. 144–145 beschreibt, wie er sich entkleidete, in den Fluß sprang und die Strecke von Chelsea bis Blackfriars schwamm. Über Franklin vgl. zu A 227. – *30f. Cabinetstückchen von einem Menschen:* Diesen Ausdruck gebrauchte Lichtenberg auch 153, 27. 874, 34ff. – *31 Lord Monboddo:* Über ihn s. zu L 465. – *32f. Foote ... nannte ihn:* Diese Wendung ist ROTES BUCH, S. 84, notiert. Über Foote vgl. zu D 648. – *33 Elzevirsche Ausgabe von Dr. Johnson:* Elzevier, berühmte niederländ. Verleger- und Druckerfamilie des 17.Jh. in Leiden und Amsterdam, deren bedeutendster Vertreter Ludwig E. (1604–1670) war. Eine Besonderheit des Verlags waren Duodezausgaben, kleinformatige Bändchen wissenschaftlicher Autoren. Über Johnson s. zu J 256. – *34 weder ... Koloß noch Bär:* Daß Johnson vielfach mit einem Bär verglichen wurde, berichtet Boswell in »The Life of Samuel Johnson«, S. 196; vgl. auch J 789. – *38 Monboddo glaubt, die Menschen ...:* Die nachfolgenden Monboddo-Anekdoten entnahm Lichtenberg, wie aus ROTES BUCH, S. 84, hervorgeht, Küttners »Beyträgen zur Kenntniß von England«, 8. Stück, S. 70. Auch Georg Forster spielt in seiner »Geschichte der Englischen Litteratur vom Jahr 1789« (Georg Forsters Werke, Bd. 7,

Berlin 1963, S. 91, 24f.) darauf an. – *38f. die Menschen ... geschwänzt:* Lichtenberg verwertet die Wendung 250, 31.
127 *3f. er glaubt er spreche das Griechische ...:* Vgl. auch 301, 7f. – *10 Auch hat man mir erzählt ...:* Lichtenbergs Gewährsmann konnte von mir nicht ausfindig gemacht werden. – *10 die Fräulein Burnet, seine Töchter:* James Burnett Lord Monboddo hatte 2 Töchter, von denen eine im Alter von 25 Jahren 1790 an der Schwindsucht starb; die andere heiratete den bedeutenden Altphilologen Kirkpatrick Williamson. – *21 Ein englischer Arzt, Abernethy:* John Abernethy: Über ihn vgl. zu J 820. – *26 dephlogistisierte Luft:* Vgl. zu 119, 24.
128 *1f. eine ... Hindernis:* Dieses Substantiv war im 18.Jh. noch als Femininum gebräuchlich. – *10 Cronegk geweissagt:* Die Stelle war von mir nicht auffindbar. Johann Friedrich Freiherr von Cronegk (1731–1758), Dramatiker und Lyriker, befreundet mit Uz und Gellert. »Codrus« (1760). Das gleiche Zitat findet sich bereits in dem Aufsatz »Über die Kopfzeuge« im »Göttinger Taschen Calender« für 1780, S. 123, wiederabgedruckt in G.C. Lichtenberg, Vermächtnisse. Reinbek 1972, S. 191–194. – *28 der Verhältnis:* Zu dieser Schreibweise vgl. zu 66, 5.
129 *6 Jeder Mensch sein eigner Doktor:* Diese Wendung findet sich bereits in J 1227. – *8 Dr. Fausts Vorschläge zu Kindertrachten:* Gemeint ist Bernhard Christoph Faust (1755–1812), Leibarzt in Bückeburg und populärmedizin. Schriftsteller. Er veröffentlichte ein Kapitel »Von der Kleidung der Kinder sowohl männlichen als weiblichen Geschlechts« innerhalb seines populären »Gesundheits-Katechismus zum Gebrauche in den Schulen und beym häuslichen Unterricht«, Bückeburg 1794; Leipzig 1800 bereits in 8. Auflage (S. 38–46). – *14f. Hauptgesichtspunkt ... etwas unanständig gewählt:* Was Lichtenberg hier kritisiert, war mir nicht erfindlich: Fausts Gedanke, daß Mädchen und Jungen das gleiche Gewand, einen freien, weiten Kittel, tragen sollten, kann doch wohl nicht anstößig gewirkt haben? – *19 über heimliche Sünden ... öffentlich schreiben:* Diese Wendung findet sich bereits in K 214. – *26f. im Himmel zusammengeschlossenen:* Diese Umschreibung für Ehe-Leute verwendet Lichtenberg auch 837, 26.

ÜBER GEWITTERFURCHT UND BLITZABLEITUNG

Erstveröffentlichung und Satzvorlage: »Über Gewitterfurcht und Blitzableitung. (Auf Verlangen.)« In: »Göttinger Taschen Calender« für das Jahr 1795, S. 127–144. Ein Manuskript ist im Nachlaß nicht erhalten.

Zur Entstehung: Anlaß dieses Artikels war vermutlich eine gewisse Unruhe in der Bevölkerung Göttingens über die im Sommer 1794 besonders häufig auftretenden Gewitter – s. SK 656. 658. 661 –, durch die am 24. Juni 1794 ein Mensch getötet worden war (s. zu 131, 38). Von »diesem gefährlichen Gewitter-Jahr« spricht Lichtenberg am 12. Juli 1794 an Heyne (IV, Nr. 663, S. 888). 1794 waren aber auch von Reimarus dessen »Neuere Bemerkungen vom Blitze« erschienen, die Lichtenberg rezensierte (s. zu 136, 25); und schließlich armierte Lichtenberg im Juli 1794 sein Gartenhaus an der Weender Landstraße mit einem Blitzableiter (s. SK 669: 8. Juli 1794; s. IV, 888. 897–898). Das ungefähre Datum der Niederschrift seines Artikels gibt Lichtenberg selbst (130, 3) an: »im Anfang des August 1794«. Der Gedanke zu einem derartigen Aufklärungsartikel ist allerdings älter und wird von Lichtenberg bereits im ROTEN BUCH, S. 50–51, festgehalten, eine Notiz, die wahrscheinlich aus dem Jahre 1792 stammt: »Die erste Abhandlung könte diesesmal über die Blitzableiter gehen. Nothwendig als [gestrichen: Rechtfertigung] Erfüllung meines Versprechens. Ja im Gantzen Buch J nachzusehen. Die Vergleichung daß es immer donnern würde, wenn es bey Feuers Gefahr donnerte. Der Aufsatz muß heißt [sic!] über das Gewitter und die Blitzableiter.« Abgesehen von einer 1798 erschienenen Rezension von Adolph Traugott von Gersdorfs »Anzeige der notwendigsten Verhaltensregeln bei nahen Gewittern ...« ist der vorliegende Artikel Lichtenbergs späteste öffentliche Äußerung zu einem Phänomen, das ihn zeitlebens beschäftigte. Noch im »Göttinger Taschen Calender« für 1797 rühmt Lichtenberg in dem Aufsatz »Das Neueste von der Sonne; größtentheils nach Herschel«, S. 88–89, unter den Errungenschaften des achtzehnten Jahrhunderts, daß man gelernt hat, »den Blitz, den die Alten ihrem Jupiter als das sprechendste Zeichen unaufhaltbarer Kraft in die Hände gaben, mit ein wenig Metalldraht wo nicht aufzuhalten, doch (welches eben so viel werth ist) sicher zu pariren, so sollte man an nichts mehr verzweifeln.«

Literatur: Schneider, a.a.O., Bd. I, S. 138–139; Promies, a.a.O., S. 101–107.

130 2 *(Auf Verlangen):* Die gleichen Worte stehen auch im Titel des Aufsatzes »Dreht sich der Mond um seine Axe?« im »Göttinger Taschen Calender« für 1796; S. 83–84 belustigt sich Lichtenberg dort selbst darüber: »Mancher unter unsern Lesern, zumahl der Kenner der Astronomie, (wenn anders unser Büchelchen auf solche Leser rechnen darf) wird bey dem Anblick dieser Ueberschrift lächeln, oder gar die Worte: *auf Verlangen,* schon für die Antwort auf die Frage halten. Fr. Dreht sich der Mond um seine Axe? Antw. O ja, wenn Sie befehlen. – Und in der

That so ganz Unrecht hätte der Mann nicht. Indessen in dieser Absicht stehen die Worte nicht da. Sie sollen so wenig eine Antwort auf die Frage seyn, als sie überhaupt eine schriftstellerische Fiction sind, etwa dem geringfügigen Artickelchen ein Ansehen von Nothwendigkeit oder gar von Wichtigkeit zu geben. Nein! Man hat wirklich nicht allein schon mehr als einmahl eine leicht faßliche Darstellung der Sache von uns verlangt, sondern auch gewünscht, sie in diesen Blättern zu sehen, für die ja ohnehin Betrachtungen von ähnlichem Gehalte sowohl als Inhalt, nicht fremd sind.« – *3 Jetzt, da ich dieses schreibe, (im Anfang des August 1794):* Im Tagebuch (SK) findet sich darüber kein Eintrag. – *3f. zeigen sich bei uns ... Spuren der Ruhr:* Dazu vgl. SK 685. 692 und an Dieterich (IV, Nr. 666, S. 894) am 11. August 1794 und an Margarethe Lichtenberg (IV, Nr. 667, S. 894) vom gleichen Tag. – *11 Ruhrableiter:* Ähnliche Wortbildungen begegnen 338, 11. 587, 35. 674, 31. 792, 15. 942, 29. 1030, 25. 1057, 33; im übrigen vgl. zu D 60. – *22 ein dunkelgrünes ... Donnerwetter:* Wer dieses Bild geprägt hat, war nicht zu ermitteln. – *31 drei Fälle:* In den Sudelbüchern und Briefen werden sie nicht erwähnt.

131 *1 Weise (sapiens):* Lichtenberg pflegte sowohl das die Klugheit bezeichnende Adjektiv wie das Farbwort *weis* zu schreiben, weshalb er etwa in den Briefen (IV, 552) einen ehemaligen Klassenkameraden »Becker den Weisen (album)« schreibt. – *1f. von einem solchen Himmel ... decken lassen:* Anspielung auf die Zeilen: »Fällt der Himmel, er kann Weise decken, / Aber nicht schrecken«, entnommen der Ode »Die Tugend«, V. 51, von Albrecht von Haller. Lichtenberg zitiert die Zeilen auch J 367 und in dem Artikel »Ein Paar vulcanische Producte für den Menschenbeobachter« (GTK 1797, S. 128, Fußnote); s. auch Briefe (IV, 761, 3f.). – *19 Jakobiturm:* Die St. Jakobi-Kirche in Göttingen, an der Weender Straße gelegen, stammt aus dem 14. Jh.; eines der Wahrzeichen der Stadt; Lichtenberg erwähnt ihn auch 254, 12. – *24 Phantasiekranken:* Zu ähnlichen Wortbildungen vgl. zu L 228. – *26 Menin:* frz. Name von Menen, belg. Stadt an der Leie, nahe der französ. Grenze. Lichtenberg denkt wohl an die Schlacht von Tourcoing, die am 18. Mai 1794 stattfand und für die Franzosen siegreich endete, so daß der Marsch der Koalitionstruppen auf Paris abgebrochen werden mußte. Die hannoverschen Truppen standen auf dem rechten Flügel des Duke of York bei Menin. – *38 einen Dritten ...:* Davon berichtet Lichtenberg am 18. August 1794 Reimarus (IV, Nr. 669, S. 898).

132 *2f. womit Sokrates seiner großen Seele den Körper auszog:* Über Sokrates und sein Lebensende vgl. zu KA 9. – *4 Geistes-Ökonomie:* Zu Wortbildungen mit -Ökonomie vgl. zu B 146: Wörter-

Ökonomie. Wortbildungen mit *Geistes-* begegnen auch 441, 36. 999, 18; im übrigen vgl. zu E 402. – *6f. manche große Heldentat ... getan ...:* Dazu vgl. Lichtenbergs Ausführungen an Ramberg (IV, Nr. 645, S. 862, 18–33) vom 4. Dezember 1793; s. auch zu K 116. – *27f. Erziehung:* Zu Lichtenbergs pädagogischen Auffassungen vgl. auch 424, 17 ff. – *30 Pocken-Epidemie:* Vgl. zu D 654.

133 *1 Herr Gott dich loben wir:* »Te deum laudamus«, das von Graun 1758 auf die Schlacht von Prag komponierte berühmte Tedeum; Lichtenberg erwähnt es auch L 282. 456. Über Graun vgl. zu B 191. – *2f. Händels ... Gib ihnen Hagelsteine für Brod (Give them hailstones for bread):* Diese Wendung ist J 1051 entlehnt; s. die Anm. dazu; sie geht auf Matth. 7, 9 zurück. Lichtenberg zitiert den Ausspruch auch 847, 36f. – *7 Beispiele von Taubgebornen:* Das Phänomen der Taubheit und Stummheit von Geburt an und in Bezug auf Menschen und Tiere beschäftigt Lichtenberg auch K, S. 838 (I). 351. 414. 415. – *9 ich würde mich ehemals ... nicht vor einem Gewitter:* Über das Phänomen des Donners bei Gewittern reflektiert Lichtenberg auch IV, S. 898 – 899. – *23 Schlagfluß:* Vgl. zu F 810.

134 *11 Herr Gott dich loben wir:* Vgl. zu 133, 1. – *15 Nervenkranken:* So bezeichnet sich Lichtenberg selbst in den Briefen (IV, 803, 17) am 30. Oktober 1791. Über seine exzessive Gewitterfurcht vgl. Promies, a.a.O., S. 102. – *30 jene Schirme gegen den Blitz ...:* Dazu vgl. Promies, a.a.O., S. 107; s. ferner Briefe (IV, 728, 18–22. 834, 7–13!).

135 *12 habeat sibi:* »meinetwegen«; zit. nach 1. Mosis 38, 23.

136 *12f. die hohen und spitzen Stangen ... wegbleiben:* Dazu vgl. Promies, a.a.O., S. 103; s. auch 865, 4 und Briefe (IV, 776. 778. 832.), ferner J 1561. – *25 Reimarus neuere Betrachtungen vom Blitze:* Gemeint ist »Neuere Bemerkungen vom Blitze; dessen Bahn, Wirkung, sichere und bequeme Ableitung: aus zuverlässigen Wahrnehmungen von Wetterschlägen dargelegt«, erschienen Hamburg 1794. Lichtenberg rezensierte das Werk in »Göttingische Anzeigen von gelehrten Sachen«, 119. Stück, den 26. Juli 1794, S. 1192–1199. S. auch SK 641 (27.5.1794). 671. In einem Brief an Reimarus (LB I, Nr. 675, S. 136) vom 2. Oktober 1794 schreibt Lichtenberg: »In dem hiesigen Taschen Calender für 1795 habe ich Ew. Wolgebohren neuester Schrifft eine so sehr verdiente Lobrede gehalten.« Über Johann Albert Heinrich Reimarus vgl. zu L 424. Im übrigen vgl. Briefe (LB III, 120) an Pfaff vom ca. 20. Juni 1794 und an Heyne (IV, 888–889) vom 12. Juli 1794.

137 *9f. ein ... Pavillon im Garten dazu eingerichtet:* Diesen revolutionierenden, Faradays Käfig vorwegnehmenden Gedanken entwickelt Lichtenberg bereits in der »Nachricht von dem ersten

Blitz-Ableiter in Göttingen, nebst einigen Betrachtungen dabey«, veröffentlicht in den »Göttingischen Anzeigen von gemeinnützigen Sachen« 26. Stück, den 24. Junius 1780, S. 104 bis 108, wo er schreibt: »Ein kleiner Pavillon, an welchem selbst man alles Metal, so viel als möglich vermiede, über welchem man aber, in einiger Entfernung, einen solchen Käfig von starkem Draht anlegte, würde also die sicherste Zuflucht wider den Blitz seyn, und man könte Millionen gegen Eins verwetten, daß der Strahl nie in ein solches Gebäude dringen würde. Ein solcher Käfig, zumal wenn man den Drath übergüldete, würde noch dazu keine geringe Zierde in den Gärten der Großen abgeben. Geschickte Eisenarbeiter könten überdies sehr viel Kunst, und selbst Phantasie, zeigen, Käfige auszuzieren, in welche die Götter der Erde kriechen müssen, wenn der Gott des Himmels zu donnern anfängt.« Auf diesen Einfall kommt Lichtenberg in einem Brief an Wolff (LB II, Nr. 370, S. 101) vom 1. Dezember 1783 zurück: »Ich habe einmal einen solchen Pavillon den Göttern der Erde vorgeschlagen, wohin sie sich mit ihren kostbaren Leben retiriren könten, wenn der Gott des Himmels zu donnern anfängt, ich habe aber noch nicht gehört, daß mein Vorschlag wäre befolgt worden. Der Einfall die Blitzableiter oben sich in solche Strahlen endigen zu lassen ist gantz von mir, es ist eigentlich eine Hieroglyphe, und soll andeuten, daß die Gewitter sich mehr vor einem solchen Häußchen, als ein solches Häußchen sich vor dem Gewitter zu fürchten hätte.« Die dazugehörige Zeichnung ist bei Promies, a.a.O., S. 107, wiedergegeben. Auch in einem Brief an Hollenberg (IV, Nr. 553, S. 726) vom 18. Februar 1788 wird der Einfall, illustriert durch zwei Zeichnungen, ausgeführt. – *13 die Götter der Erde:* Umschreibung für: weltliche Obrigkeit (Könige); Lichtenberg gebraucht die Metapher auch 685, 24 – vgl. aber 650, 23 –, ferner J 1150. 1227 und in den Briefen (IV, 119, 19. 726, 20) sowie LB II, 101 und in dem zu 137, 9 f. mitgeteilten Zitat.

NICOLAUS COPERNICUS

Erstveröffentlichung und Satzvorlage: »Nicolaus Copernicus von Georg Christoph Lichtenberg.« In: »Pantheon der Deutschen.« Dritter Theil. Leipzig 1800. bei Friedr. Gotthold Jacobäer. 116 Seiten. Ein Manuskript ist im Nachlaß erhalten (mit Ausnahme des Schlusses der 3. Beilage).

Zur Entstehung: Am 15. März 1795 schreibt Lichtenberg laut »Staatskalender« (SK 755) an den Buchhändler Hofmann in Chemnitz, der 1794 diese deutsche Walhalla auf dem Papier begonnen hatte: man möchte in diesem nicht erhaltenen Schreiben Lichtenbergs Einverständniserklärung zum Abfassen des Lebenslaufes von Copernicus sehen. Am 4. April 1795 (SK 759) erhielt Lichtenberg die Antwort Hofmanns, die ebenfalls nicht erhalten ist. Daß Lichtenberg etwa zu diesem Zeitpunkt die Schreibarbeit vertragsmäßig über sich nahm, geht aus einem Brief an Sömmerring vom 5. Juni 1795 (IV, Nr. 691, S. 930) hervor: »Vielleicht haben Sie irgendwo gelesen, daß ich das Leben des Kopernikus für das *deutsche* Pantheon schreiben soll. Sie sind des Kopernikus Landsmann. Sind Sie ein Deutscher? Und wenn Sie es sind, was für einen Anspruch machen Sie auf diesen Titul? Helfen Sie mir hier ein wenig, Sie und Kopernikus zu einem Deutschen zu machen. Wenn wir es nur so weit darin bringen, daß der Satz: *Sömmerring* und *Kopernikus* sind Deutsche, nicht unerlaubter klingt als der: Kant und Haller sind Deutsche, das hört man denn doch wohl.« Es ist bemerkenswert, wie unverblümt deutschnational Lichtenberg hier seinen Copernicus versteht! Sömmerring versprach offenbar, ein Porträt von Copernicus zu besorgen, woran ihn Lichtenberg brieflich am 14. März 1796 erinnert (IV, Nr. 701, S. 940). Sömmerring entschuldigt sich wegen dieser Unterlassung in einem Brief vom 17. April 1796 (abgedruckt in: G. C. Lichtenberg, Briefe an J. F. Blumenbach, S. 133): »Wegen Copernicus Portrait habe ich nach Thorn geschrieben, allein die Menschen haben mir auf 4 Briefe noch nicht geantwortet.« Übrigens hat sich Lichtenberg offenbar noch bei einem anderen Thorner Rat geholt. Wenigstens schreibt er an Reuß (LB III, S. 178) am 1. Juli 1796: »Ich will sehen, ob ich nach Thorn schreiben oder schreiben lassen kan. *Kries* zu Gotha und Sömmerring sind beyde Thorner.« Der nicht erhaltene Brief an Kries vom 4. Juli 1796 (SK 926) hatte womöglich diesen Beweggrund!

Hält man sich an die – allerdings kargen – Hinweise auf diese Schreibarbeit, gewinnt man den Eindruck, daß Lichtenberg im Jahre 1795 und auch 1796 vielmehr *wegen* Copernicus, als *an* Copernicus geschrieben hat. Nach dem am 25. Juni 1796 an Reuß gerichteten Brief (IV, Nr. 709, S. 949) schreibt Lichtenberg »jetzt in meinen Morgenstunden oder bin willens zu schreiben« an dem Leben des Copernicus, für das er Sekundärliteratur erfragt und erbittet. Schon am 1. Juli 1796 (LB III, S. 177) kann sich Lichtenberg für die Bemühungen des Göttinger Bibliothekars bedanken: »Ich habe jetzt mehr Wolle, als ich verspinnen kan, nemlich in Zeit von 4 Wochen, da sie versponnen und verwebt seyn soll; so lange habe ich alles aufgeschoben!« Das heißt doch wohl nichts anderes, als daß Lichtenberg zugesagt hatte, den Artikel bis Ende Juli 1796 abzuliefern!

Am 29. Mai 1796 (SK 910) hatte Lichtenberg bereits in sein Tagebuch notiert: »Gestern Brief von Hofmann aus Chemnitz!!!« Und immerhin zwei Ausrufungszeichen erhält die Notiz vom 4. November 1796 (SK 959), daß Hofmann geschrieben habe. Die Ausrufungszeichen sind so sprechend, daß man wohl, ohne die Briefe zu kennen, auf ihren Inhalt schließen darf: Mahnungen! Ebenso läßt sich denken, was Lichtenberg in seinen nicht erhaltenen Briefen vom 15. Januar (SK 865), 15. April (SK 893) und am 12. September 1796 (SK 941) Hofmann zu melden hatte: aus anderer Korrespondenz bekannte Entschuldigungsformeln wegen seiner durch das Nervenübel bedingten »Indolenz«. Wie gut Lichtenberg sich kannte, erhellt hübsch genug aus dem oben zitierten Brief an Reuß vom 1. Juli 1796, wo er äußert: »Herr Hofmann in Chemnitz verspricht für den Bogen 3 Louisd'or [zum Vergleich: Dieterich zahlte Lichtenberg für die Ausführliche Erklärung von Hogarth 3 Louisd'or für ca. 30 Seiten], bezahlt sie aber nicht. Ich fürchte, ich werde ihm auf ähnliche Weise dienen.« Zum ersten und einzigen Mal vermerkt Lichtenberg unter dem 9. September 1796 (SK 940), daß er viel Copernicus schreibe. Offenbar ist Lichtenberg erst jetzt, im letzten Quartal des Jahres 1796 und dann im ersten Quartal 1797 in die eigentliche Schreibarbeit an Copernicus eingetreten. Dafür sprechen die Notiz vom 10. Dezember 1796 (SK 976), daß er viel in der Thornischen Chronik von Zernecke lese – einer Quelle für die Copernicus-Biographie –, und die Arbeitsnotizen L 95. 178.

Am 19. März 1797 wenigstens kann Lichtenberg schreiben (SK 992): »Mspt. an Hofmann nach Leipzig«. Daß es nur ein Teil des Gesamtmanuskriptes war, bestätigt Lichtenberg in einem Brief an Cotta (IV, Nr. 721, S. 961) vom 19. Mai 1797: »Ich schrieb an einem Leben des Kopernikus für Herrn Hofmann in Chemnitz, den ich so lange hingehalten hatte, – das mußte ich liegen lassen, obgleich schon etwas Mspt. an ihn abgegangen war.« Der Grund für die Teillieferung war eine mehrwöchige Krankheit und anschließende Entkräftung. Und da es sich nur um ein Teilmanuskript – 2 Bogen, die gedruckt wurden – gehandelt hatte, erhält Lichtenberg am 18. Mai 1797 erneut und »dennoch wieder einen Mahnbrief von Hofmann«, wie er Dieterich am 19. Mai 1779 (IV, Nr. 722, S. 963) mitteilt, nur um ihn zu bitten: »Mein Gott! erkläre ihm doch die Sache und wie ich auch mit *Dir* sogar, mein Bester, stehe und entschuldige mich, daß ich ihm heute nicht schreibe. Es geht ja alles seinen Gang, wer kann denn in der Welt für Unglück?«

Damit sind die Hinweise Lichtenbergs auf seine Arbeit an der Copernicus-Biographie erschöpft. Die Frage, ob Lichtenberg sie überhaupt beendet habe, ist – scheinbar – nach seinem Tode von Dieterich beantwortet worden, der in einer dem »Göttinger Taschen Calender« für 1800 angehängten »Nachricht an das Publikum den literarischen Nachlaß des verstorbenen Lichtenberg's in Göttingen betreffend« über diese Arbeit schrieb (zit. nach Lauchert, S. 159–160): »Das Wichtigste unter den Papieren des Verstorbenen ist das Leben des *Copernicus*, das eigentlich für das Pantheon bestimmt war. Dieses ist ganz fertig und zum Druck vollendet, es wird also zuverlässig erscheinen – ob aber in einer Fortsetzung des Pantheons oder besonders, wird das Publikum nächstens erfahren.«

Literatur: Schneider, a.a.O., Bd. I, S. 141–143; Mautner, a.a.O., S. 429–431.

138 *3 Verleger des Pantheons der Deutschen:* Über Karl Gottlieb Hofmann und sein Unternehmen vgl. zu SK 755. Zum ›deutschen Pantheon‹ im allgemeinen vgl. K 270; s. auch 675, 17. 719, 6. 720, 3. 725, 27f. 766, 34.

140 *18f. Gassendi in seinen sechs Büchern über ... Tycho:* Pierre Gassendi (1592–1655), frz. Phyisker und Mathematiker, Kanonikus in Dijon. »Tychonis Brahei, Equitis Dani, Astronomorum Coryphaei, Vita. Accessit Nicolai Copernici, Georgii Peurbachii, et Joannis Regiomontani, Astronomorum celebrium, Vita«, erschienen 1655 (in 2. Aufl.) zu Hagae Comitum (Den Haag). Über Tycho Brahe vgl. zu E 368. – *24 seinem Leben des Copernicus:* »Nicolai Copernici Varmiensis Canonici, Astronomi Illustris Vita«, erschienen in dem zu 140, 18f. genauer nachgewiesenen Werk, S. 287–332. Die Zeichnungen befinden sich S. 303 und wohl S. 289 die Zeichnung des Initials C: »Cum me nuper«, beginnt Gassendi die Vita. »Freilich haben alle, die von Kopernikus reden, den Gassendi ausgeschmiert, und das werde ich denn auch tun«, schreibt Lichtenberg an Reuß (IV, Nr. 709, S. 950, 2f.) am 25.Juni 1796. – *26f. Erläuterung des Worts Corolla:* Kränzchen. – *28f. Peurbachs und Regiomontans Biographien von eben diesem Verfasser:* Vgl. zu 140, 18f. Georg von Peurbach (Purbach), geb. in Peuerbach 1423, gest. 1461, österreich. Mathematiker und Astronom. Sein Schüler war Regiomontanus (lat. ›Königsberger‹), eigentlich Johannes Müller (1436–1476), dt. Mathematiker und Astronom. Peuerbach arbeitete gemeinsam mit seinem Schüler Regiomontan, der Peuerbachs »Theoriae novae planetarum« (1472) herausgab, an einer »Epitoma in Almagestum Ptolemäi« (1496). Im übrigen s. S. 145/146.

141 *11f. Männern ... die man bereits im Pantheon der Deutschen aufgestellt:* Karl Gottlieb Hofmann gab 1794 den Ersten Teil des »Pantheon der Deutschen« heraus, »ein Versuch, der Ehre und dem Geist der Nation zu huldigen«, schrieb Hofmann in der Dedikation an den deutschen Kaiser!, der eine spezielle Anrede »An die deutschen Patrioten« folgte. Im Ersten Teil wurden nur zwei Nationalhelden vorgestellt: Luther und Friedrich II. Der Zweite Teil wurde von Hofmann übrigens für Johannis 1795 angekündigt. *18f. wie Euklid in seinen Elementen:* Über

ihn vgl. zu E 29. Seine »Elemente«, griech. Stoicheia, sind das bekannteste systemat. Lehrbuch der griech. Mathematik, das bis zum Aufkommen nichteuklid. Geometrien im 19. Jh. kanonisches Ansehen genoß. – *19 Apollonius in seinen Kegelschnitten:* Vgl. zu 233, 3 f. – *20 seines größeren Nachfolgers, Keplers:* Über ihn vgl. zu A 6. – *21 dessen Briefe:* Vgl. L170 und die Anm. dazu.

142 *9 Tidemanni Gysii:* Tiedemann Bartholomäus Giese (1480 bis 1550), bedeutender Gelehrter, Staatsmann und Kirchenfürst. – *9 Simon Starovolscius:* poln. Historiker und Publizist (1588 bis 1656). – *12 Rhetici:* Georg Joachim Rheticus, Rhäticus, eigentlich G. J. von Lauchen (1514–1576), Astronom, Prof. der Mathematik in Wittenberg, 1539–1541 in Frauenburg bei Kopernikus, schrieb 1540 die »Narratio prima de libris revolutionum Copernici«. – *19 das Preußische Archiv:* Es erschien Königsberg 1796. – *20 Abhandlung ... von Herrn v. Baczko:* »Nicolaus Copernicus«, erschienen im »Preußischen Archiv«, Oktober 1796, S. 576–596. Über Baczko vgl. zu L 178. – *21 f. Konsist. Rat Wald und ... Pfarrer Hein:* Walds Artikel war im »Preußischen Archiv« 1796 nicht auffindbar; von Heinrich Reinhold Hein (Lebensdaten unbekannt), Pfarrer in Allenstein, enthält das »Preußische Archiv« Dezember 1796, S. 706–717, den Aufsatz »Einige Denkmäler von Nicolaus Copernicus auf dem Schlosse zu Allenstein«. – *22 f. Schlosse zu Allenstein:* Es war Wohnsitz für den Administrator des Domkapitels, so 1516–1521 für Copernicus. Allenstein fiel 1772 an Preußen. – *31 f. Porträt des Copernicus:* Dazu vgl. Lichtenbergs Brief an Sömmerring (IV, Nr. 701, S. 940, 26 f.) vom 14. März 1796.

143 *12 eigentlich Köpernik:* besser: Koppernigk (deutsch); Kopernik (polnisch). – *12 f. Thorn, einer alten preußischen Stadt:* 1231 vom Deutschen Orden gegründet, erhielt 1232 deutsches (kulmisches) Stadtrecht. 1793 kam Thorn zu Preußen. – *16 deutschen Orden:* Deutschherrenorden, eigentl. Ordo domus Sanctae Mariae Teutonicorum, der jüngste der drei großen geistlichen Ritterorden; seit 1226 durch Friedrich II. zu eigner Herrschaft im Culmer Land ermächtigt; kultivierte und christianisierte rücksichtslos das Ordensland, befand sich zu Lebzeiten von Copernicus bereits im Niedergang. – *24 f. Preußen, aus welchem seit jeher Männer hervorgegangen ...:* Dazu vgl. an Sömmerring (IV, Nr. 691, S. 930, 5 f.) vom 5. Juni 1795 und an Kant (IV, Nr. 607, S. 803, 35 f.) vom 30. Oktober 1791. – *27 Zerneckens Thornscher Chronika:* Das Werk ist 174, 14 f. genauer nachgewiesen. Es erschien in erster Auflage Berlin 1725. Lichtenberg macht übrigens eine falsche Jahresangabe: Zernecke bringt das Zitat unter: 1462! Über Jacob Heinrich Zernecke vgl. zu SK 976.

144 *13 Lucas Waißelrodt:* richtig: Watzelrode. Bischof von Ermland, gest. 1512. – *27 um Medizin zu studieren:* Dazu vgl. Briefe (IV, 811, 19). – *32f. Baczko (Geschichte Preußens):* Der vierte Band der »Geschichte Preußens« von Ludwig von Baczko war Königsberg 1795 erschienen. – *36 einen gelehrten:* von mir verb. aus: einem ... – *36 Georg Hartmann:* Mechaniker in Nürnberg (1489–1564).

145 *2f. Albertus de Brudzevo:* Eigentlich Wojciech Brudzewski (1445–1497), poln. Mathematiker und Astronom. – *3 Astrolabiums:* griech. ›Sternerfasser‹: Gerät zur mechanischen Lösung von astronomischen, astronomisch-geographischen und astrologischen Aufgaben. – *8 wie sich Gassendi ausdrückt:* Gemeint ist S. 337 der zu 140, 18 f. nachgewiesenen Vita: »nisi exstitisset Peurbachius ... ut neque Copernicum, neque Tychonem jam haberemus.« – *34f. Weidler Hist. Astron.:* Johann Friedrich Weidler (1692–1755), Prof. der Mathematik und Jurisprudenz in Wittenberg; er schrieb eine »Historia Astronomica«, Wittenberg 1741. S. auch Briefe (IV, 950, 5). – *40 David Braun:* Lebensdaten unbekannt. – *42f. Pisanski Entwurf der Preuß. Litterär-Geschichte:* Georg Christoph Pisanski (1725–1790), preuß. Literaturgeschichtsschreiber und Historiker, sein »Entwurf« in 4 Bänden, erstmals 1765 lateinisch erschienen, ist die 1. preuß. Literaturgeschichte; dt. Königsberg 1790.

146 *24 Walther:* Bernhard Walther (1430–1504), Patrizier in Nürnberg, Förderer und Freund Regiomontans, dessen Nachlaß er erwarb. – *26 Bailly:* Gemeint ist wohl vielmehr o. c. p. 313 (§ XVIII), wo Bailly schreibt: »Par un echange heureux, Waltharus donna à Regiomontanus les moyens d'observer, qui manquaient à son génie ...« Über ihn vgl. zu H 200. Lichtenberg erwähnt ihn in Zs. mit Copernicus auch in den Briefen (IV, 950, 5 und LB III, S. 177). Sein von Lichtenberg zitiertes Werk erschien Paris 1779. – *32 Melchior Adam:* Aus Schlesien gebürtig, gest. 1622, 1601 Magister, 1613 Rektor des Pädagogiums Heidelberg, verfaßte als einer der ersten deutschen Lexikographen biogr. Nachschlagewerke großen Stils (in lat. Sprache). – *35 Pabst Sixtus IV.:* Francesco della Rovere (1414 bis 1484), seit 1471 Papst; unter ihm begann das eigentliche Renaissance-Papsttum.

147 *13 Kardinal Bessarion:* Johannes B. (1403?–1472), byzantin. Theologe und Humanist, seit 1439 Kardinal; förderte die Wissenschaften und war Anhänger des Platonismus. – *19 Dominicus Maria:* Lebensdaten unbekannt. – *20 Riccioli:* Giovanni Battista R. (1598–1671), ital. Astronom und Jesuit, behandelte in seinem »Almagestum novum«, 2 Bde. Bologna 1651, das Für und Wider der Kopernikanischen Theorie, die er ablehnte. – *24 Polhöhen:* Vgl. zu KA 14; s. auch 217, 29. 318, 14. 346, 17.

- *25 des Ptolemäus Zeiten:* Über ihn vgl. zu L 879. – *27 sagt Gassendi:* Gemeint ist »Vita Copernici«, o. c. p. 293: »Delectavit autem illum maximè non improbari Copernico suspicionem, qua tenebatur …« – *36 Roscoes Life of Lorenzo de Medici:* William Roscoe (1753–1831), engl. Historiker. Lorenzo I. il Magnifico (1449–1492), Stadtherr von Florenz, übernahm 1469 die Leitung der Republik, die unter ihm ihren kulturellen Höhepunkt erlebte. – *37f. Kepler … Rudolph. Tafeln:* Die »Rudolfinischen Tafeln« erschienen Ulm 1627. Lichtenberg zitiert das Werk auch 163, 15 ff.

148 *8 Plunder:* Zu diesem Ausdruck vgl. zu 298, 30. – *37 Revol. orb. coelest.:* Gemeint sind »De revolutionibus orbium coelestium libri VI«, erschienen 1543: das Hauptwerk des Copernicus.

149 *5f. Bemühungen über die Ordnung des Planeten-Systems:* Gemeint ist das zu 148, 37 nachgewiesene Werk. – *6f. von einem seiner Freunde:* Gemeint ist Rheticus, der darüber in seiner »Narratio prima« berichtete. – *12 sein Oheim Lucas:* Vgl. zu 144, 13. – *12f. Nicolaus von Tungen:* Bischof von Ermland, gest. 1489. – *28 Hiervon weiter unten:* S. dazu 181, 14f. – *32 Hartknoch:* Christoph H. (1644–1687), Historiker, gab als erster die für die Geschichte Altpreußens und des Deutschen Ordens grundlegende Chronik Peters von Duisburg heraus (1679) und schrieb u. a. »Altes und Neues Preußen, oder preußischer Historien zwey Theile« (1684). – *34f. Par domus est urbi … urbs orbi:* Gleich schaut das Haus der Stadt … die Stadt der Welt. – *39f. Baczko… Gesch. Preußens:* Vgl. zu 142, 20.

150 *16 Landtag nach Graudenz:* Copernicus war Deputierter von 1522 bis 1529. – *31f. Newton … bei einem ähnlichen Geschäfte … gebraucht:* Vgl. 229, 27 und die Anm. dazu. Über Newton vgl. im übrigen zu A 79. – *34 (ut numen venerarentur, sagt Gassendi):* »Wie eine Gottheit sollen sie ihn angebetet haben«; zitiert nach Gassendi; o. c., p. 322, wo hinter *numen* noch *quoddam* steht. – *37 Schütz Hist.:* Gemeint ist die »Historia Rerum Prussicarum …« von Caspar Schütz, erschienen 1599 zu Eisleben in zehn Büchern. Lichtenberg denkt an Schützens Ausführungen a. a. O., S. 479–481 der Zählung von Schütz, welcher jeweils die Rückseite unpaginiert läßt! Caspar Schütz, gebürtig aus Eisleben, preuß. Geschichtsschreiber, gest. 1594 zu Danzig, wo er oberster Stadtschreiber war.

151 *34 Fabianus de Lusianis:* Fabian von Lusian, Bischof von Ermland seit 1512, gest. 1523. – *35 sede vacante:* Sedisvakanz: der Zeitraum, währenddessen der päpstliche oder ein bischöfl. Stuhl nicht besetzt ist.

152 *12f. ein Mandat des Königs:* Gemeint ist Sigismund I. von Polen, der von 1506–1548 regierte.

153 *9 Pythagoras:* Über ihn vgl. zu A 6. – *9f. Aristoteles:* Über ihn

NICOLAUS COPERNICUS 67

vgl. zu KA 80. – *10 Platon:* Über ihn vgl. zu A 27. – *10 Hipparch:* H. von Nikaia (Lebensdaten unbekannt), griech. Astronom und Geograph, Begründer der wissenschaftl. Astronomie, beobachtete zwischen 161 und 127 v. Chr. vorwiegend auf Rhodos, lehnte das heliozentrische Planetensystem des Aristarch von Samos ab. – *10 Archimedes:* Über ihn vgl. zu A 198. – *13ff. das Ptolemäische System ... Almagest:* So betitelten Araber um 800 seine »Syntaxis mathematike«. – *27 Cabinets-Stücke:* Zu diesem Ausdruck vgl. zu 126, 30.
154 *30 punctum saliens:* »der springende Punkt«. Diese Floskel geht auf Aristoteles, »Historia animalium« und Aldrovandi, »Ornithologia« (1610) zurück. S. auch 157, 20 und F 636.
155 *28 Der vortreffliche Bailly:* Die Stelle konnte von mir nicht ausfindig gemacht werden. – *29 Versteinerungen:* eine Lieblingsvokabel Lichtenbergs, die als Substantiv und als Verbum auch 292, 32. 352, 30. 383, 20. 456, 20. 480, 11. 713, 3. 754, 20. 995, 38 begegnet. S. ferner 581, 19 und zu D 280.
156 *17f. Exzenter:* Exzentertheorie, zuerst bei Hipparch greifbare Theorie, die die geforderte Gleichförmigkeit der vom angenommenen Weltzentrum (Erde) aus ungleichförmig erscheinenden Umlaufgeschwindigkeit erhielt, indem man den Planeten um einen Punkt ›außerhalb des Zentrums‹ kreisen ließ. – *28 Epizykel:* Epizykel (›Nebenkreis‹): auf Apollonios von Perge zurückgehende Theorie, die spätestens von Ptolemäus mit der Exzenter-Theorie verbunden wurde. – *35 Konjunktionen:* lat. ›Verbindung‹; eine Konjunktion liegt vor, wenn zwei Körper des Sonnensystems die gleiche Rektaszension oder Länge haben. Lichtenberg gebraucht den Begriff, häufig im übertragenen Sinn, auch 737, 28. 840, 13. 950, 1. 1040, 27 f. Im übrigen vgl. zu 273, 19.
157 *20 punctum saliens:* Vgl. oben zu 154, 30.
158 *35ff. Kepler (Commentar: de motibus stellae Martis...):* »Astronomia Nova seu Physica Coelestis tradita commentariis de motibus Stellae Martis«, erschienen Prag 1609. Im Text der »J. Kepleri Opera omnia«, Vol. III, p. 173, Edit. Frisch, Frankfurt und Erlangen 1860, steht nach *non:* ut prius; nach *verius:* in. – *37f. spirales ... quadragesimalis:* Spiralen ... nicht nach Art eines gewundenen Fadens, nebeneinander geordneten Windungen, sondern eher von Gestalt eines Fastenbrotes.
159 *7 Priester-Despotie:* Zu diesem Wortgebrauch vgl. zu J 719; s. auch 543, 16. 574, 16. – *16 Pabst Paul III:* vorher Alessandro Farnese (1468–1549), 1534 zum Papst gewählt; förderte Wissenschaften und Künste. Die Widmung des Copernicus wurde in der Originalausgabe übrigens durch eine den Sinn des Ganzen verkehrende Vorrede des protest. Theologen A. Osiander ersetzt. – *16 seinem Werke de revolutionibus orbium coelestium:*

Vgl. zu 148, 37. Lichtenbergs Zitat findet sich ebenda, S. 3–8 der Edition Thorn 1783. – *31 Eudoxus:* E. von Knidos (408 bis 355 v. Chr.), griech. Mathematiker, Naturforscher und Philosoph, schuf mit seinem System homozentrischer Sphären das erste auf Beobachtungen beruhende Modell der Planetenbewegungen. – *31 Calippus:* griech. Mathematiker ca. 330 v. Chr.

161 *7 ff. Cicero ... Acad. Quaest.:* »Academicae Quaestiones« – Akademische Untersuchungen. Die Stelle war von mir nicht auffindbar. Vgl. aber Copernicus, a. a. O., S. 6. Über Cicero vgl. zu B 125. – *8 ff. Plutarch ... De placitis philosoph.:* »De placitis philosophorum« 5 libri, Liber III, caput 13, p. 88, »De motu Terrae« – zit. nach Edit. Florenz 1750 hrg. von Eduard Corsinus; s. auch Copernicus, a. a. O., S. 6. Über Plutarch vgl. zu A 42. – *9 Nicetas von Syracus:* Lebensdaten unbekannt. Lichtenberg erwähnt ihn auch in den »Neuigkeiten vom Himmel« (GTK 1799, S. 113). – *14 Ekphantus:* griech. Philosoph aus Syrakus, Zeitgenosse Platons; lehrte die Achsendrehung der Erde. – *14 Heraklides aus Pontus:* Schüler Platons, um 388–310 v. Chr., bildete bes. die Naturphilosophie weiter; lehrte die tägl. Achsendrehung der Erde und vielleicht auch schon das heliozentrische System. – *15 Philolaus:* griech. Philosoph aus Kroton in Unteritalien (ca. 530–ca. 470 v. Chr.), nahm eine im Weltgebäude sich bewegende Erde an. – *17 f. fährt er fort:* Übersetzung der Passage: »Inde igitur ... confusione«, Copernicus, a. a. O., S. 6, Z. 15–29.

162 *17 menschliche Schnitzwerk:* Gemeint sind die »geschnitzten Heiligen«, von denen Lichtenberg 616, 30 redet; vgl. die Anm. dazu. – *24 f. Stifter wahrer Naturlehre, Bacon von Verulam:* Über ihn vgl. zu B 70. – *30 De augm. scient.:* Gemeint ist »De augmentis scientiarum«, Liber IV, caput 1, p. 255, Ed. Leiden 1652. – *32 ff. Constat ... posse:* Es steht ebenso fest, daß die Lehrmeinung des Copernicus über die *Rotation der Erde* (die jetzt auch erstarkt ist), weil sie den Phänomenen nicht widerspricht, nach *astronomischen Grundsätzen* zwar nicht, wohl aber nach recht aufgestellten *Grundsätzen der Naturphilosophie* widerlegt werden kann. – *33 Rotatione:* von mir verb. aus: *Ratione,* wie Baco bereits schreibt. – *38 ff. Newton ... Philosophiae naturalis principia mathematica:* Über ihn und sein grundlegendes Hauptwerk vgl. zu A 79.

163 *12 ff. Geist der Ordnung, der in ihm wohnte ...:* Vgl. zu dieser Passage 76, 14f. – *15 ff. Kepler ... Praefat. in Tabl. Rudolph.:* Vgl. zu 147, 37 f. – *16 f. Copernicus ... liber:* Copernicus, ein Mann von dem größten Genie und, was bei diesem Geschäft von großer Bedeutung ist, freisinnig.

164 *31 ff. in den ersten Zeilen seines Buchs ... eines Wassertropfens gedenken:* Gemeint ist Copernicus, a. a. O., S. 11, Z. 14.

165 *11 f. omne ... spectatur:* »Alles Ersichtliche besitzt eine gewisse Länge der Entfernung, über die hinaus man nicht blicken kann.« Dieses Zitat war an der angegebenen Stelle nicht nachweisbar. – *14 ff. nihil ... constat:* »Diese Demonstration führt nichts anderes vor als die gegen die Erde unbegrenzte Größe des Himmels. Aber bis wohin sich diese Unermeßlichkeit erstrecke, steht im mindesten nicht fest.« Zitat aus Copernicus. a. a. O., 1. Buch, 6. Kap., S. 19, Z. 15–17. – *29 ff. Die Alten, fährt er fort ...:* Zitat-Übersetzung nach Copernicus, a. a. O., 1. Buch, 7. Kap., S. 19, Z. 26–S. 20, Z. 3. S. 20, Z. 25–S. 21, Z. 3.

166 *5 ff. Ich halte, sagt er ...:* Zitat-Übersetzung nach Copernicus, a. a. O., 1. Buch, 9. Kap., S. 24, Z. 25–29. S. 20. 21, Z. 9–13. S. 22. – *29 Martianus Capella:* lat. Schriftsteller um 400, verfaßte eine Enzyklopädie der sieben Freien Künste, der er den Rahmen einer ›Hochzeitsfeier des Merkur mit der Philologie‹ (De nuptiis Mercurii et Philologiae) gab; im MA. vielbenutztes Unterrichtswerk. – *35 ff. Qua ... percalluerunt:* Daher finde ich desto bemerkenswerter, was Martianus Capella, der eine Enzyklopädie geschrieben hat, und einige andere lateinische Autoren sich gedacht haben. Cop., a. a. O., S. 27. – *39 Vitruv:* Über ihn vgl. zu KA 14; gemeint ist dessen »De Architectura Libri Decem«, wo ich übrigens diese Stelle nicht auffinden konnte. – *39 Macrobius:* Über ihn vgl. zu B 74; er verfaßte einen neuplaton. Kommentar zu Ciceros »Somnium Scipionis«. – *40 f. Ciceros Somnium Scipionis:* Ciceros – über ihn vgl. zu B 125 – »Traum des Scipio« ist ein Teil von »De republica« VI, 9–29.

167 *10 pedissequa:* wörtl. Dienerin. – *28 wie Gassendi zu der Behauptung gekommen:* Lichtenberg spielt auf Gassendis Ausführungen, o. c. p. 296–297 zu Martianus Capella und Apollonius Pergaeus an. – *30 Apollonius von Pergam.:* Über A. von Perge vgl. zu 233, 3 f.; entwickelte vermutlich die Epizyklentheorie zur Darstellung der Bewegungen der Planeten. – *34 Bailly Hist. de l'astron. moderne:* Vgl. zu 146, 26. – *35 de Lalande. Astron ...:* Über Lalande vgl. zu KA 162. Die 3. Auflage der erstmals Paris 1764 erschienenen »Astronomie« stand mir nicht zur Verfügung. – *37 f. perinde ... fateri:* »Ebenso schämen wir uns nicht zu gestehen«. Zitat-Übersetzung aus Copernicus, a. a. O., 1. Buch, 10. Kap., S. 28, Z. 12, wo im Original übrigens *Proinde* statt *perinde* steht. – *38 ff. Hierbei macht Riccioli ...:* in dem zu 147, 20 nachgewiesenen Werk, Tom. 1, Liber IX, Sectio IV, p. 294 rechte Kolumne.

168 *21 f. Quis ... illuminari:* »Wer vermöchte denn in diesem wunderschönen Tempel die Lampe an eine andere wenn nicht gar bessere Stelle setzen, von der aus *alles zugleich* beleuchtet werden kann?« Zitat nach Copernicus, a. a. O., 1. Buch, 10. Kap., S. 30, Z. 1–3; im Original steht: illuminare. – *24 Mulerius:*

Über Nicolaus Mulerius vgl. zu L 95. Lichtenberg erwähnt
ihn auch LB III. – *36f. Riccioli ... (Alm. nov ...):* Gemeint ist
Liber VI, Caput II; »De Scintillatione Stellarum« des oben zu
147, 20 genauer nachgewiesenen Werkes, Tomus I, p. 396,
linke Kolumne. Die dort zitierten Worte von Copernicus,
a.a.O., 1. Buch, 10. Kap., S. 30, Z. 27–29, lauten: »Quod
enim a supremo errantium Saturno ad fixarum sphaeram adhuc
plurimum intersit, scintillantia illorum lumina demonstrant.
Quo indicio maxime discernuntur a planetis ...«

169 *2 zweiten Ungleichheit, deren wir oben gedacht:* S.156, 4f. – *13
Ekliptik:* die scheinbare Bahn, die in einem größten Kreis an der
Fixsternsphäre verläuft und die die Sonne im Laufe eines Jahres
beschreibt. – *16 Nicetas von Syrakus:* Über ihn vgl. zu 161, 9. –
16f. Aristarch von Samos: Über ihn vgl. zu D 717. – *17 Philolaus:* Über ihn vgl. zu 161, 15.

170 *10 Keplers Meinung:* S. dazu 186, 19f. – *33f. entdeckte man die
Abirrung des Lichts:* Die Aberration wurde 1728 von dem engl.
Astronomen Bradley entdeckt.

171 *27 Parallaxe:* griech. Abweichung.

172 *27f. erste Ungleichheit:* Dazu vgl. 155, 23 f.

173 *24 Junctinus:* ital. Mathematiker, Astronom und Astrologe
(1523–1580). – *26 ff. Germani ... Febr.:* »Deutsche Kalenderkundige aber (denen ich mehr Glauben schenke) bezeugen die
Geburt im Jahre 1473. d. 19ten Februer.« – *30 Mästlin, Keplers
berühmter Lehrer:* Michael Mästlin (1550–1631), berühmter
Astronom in Tübingen. – *31 Rhetici narratio:* Vgl. zu 142, 12. –
32 Keplers Prodromus: Keplers »Mysterium Cosmographicum
de admirabili proportione orbium coelestium« erschien zuerst
Tübingen 1596. – *33 ff. Copernicum ... aetatis 70:* Die Geburt
Nicolaus Copernicus' wird überliefert für das Jahr 1473. am
19. Febr. in der 4. Stunde. 43. Minute nachmittags am Freitag
vor Cathedram Petri. Es irrt also Franc. Junctinus, der selbst
1472. 29.Jan. als Geburtstag angibt. Gestorben aber ist er 1543
am 19.Januar im 70.Jahr seines Lebens.

174 *10 ob ... probabilius:* wegen Mästlins Autorität wahrscheinlicher.

175 *2 f. Leibnizens Haus zu Hannover:* Es stand in der Schmiedestraße nahe der Kreuzkirche; das Barockhaus war zur Unterbringung der kurfürstl. Bibliothek gemietet worden. Über
Leibniz vgl. zu A 9. – *20 Garcäus:* Johann Garcaeus (1530–1575),
protest. Theologe in Wittenberg und vielseitiger Schriftsteller.
– *31 Boissardus:* Jean Jacques Boissard (1528–1602), frz. Altertumsforscher. – *33 Saverien:* Alexandre Saverien (ca. 1720 bis
1805), frz. Mathematiker und Schriftsteller. Die »Histoire des
philosophes modernes« erschien Paris 1762–1769.

176 *1 Berlinischen Taschenbuche ... für 1796:* Diese Zeitschrift war

mir nicht zugänglich. – *1 Unger:* Über ihn vgl. zu L 796. – *6 Cromer:* Martin C. (gest. 1589), seit 1579 Bischof von Ermland. – *9 Starovolscius:* Über ihn vgl. zu 142, 9. – *17ff. aut ... positum:* Entweder ist also Junctinus falsch oder der Moment der Zeugung ist von den Astrologen aus der Nativität aufgespürt und als erste Nativität gesetzt worden. – *19 praeter propter:* ungefähr; s. auch 464, 15. 649, 4. 903, 36. – *22 partus ... undecimestris:* Siebenmonatskind ... Elfmonatskind.

177 *5 Gehler ... physischen Wörterbuch:* Über ihn vgl. zu H193. – *9 Büsching ... in seiner Geographie:* Gemeint ist dessen »Erdbeschreibung«, 2. Bd., S. 213, 1754. Lichtenberg erwähnt sie auch an Reuß (LB III, S. 178) am 1.Juli 1796: »Ich würde die lezte Angabe sogleich für die wahre erkennen [scil. 19. Februar *1473*], wenn nicht der böse Büsching sagte, auf Copernikus' Monument zu Thorn, in der Johanniskirche, stünde 19.Januar 1472.« Über Büsching vgl. zu J 211. – *19 Jöcher:* Christian Gottlieb J. (1694–1758), Prof. der Philosophie in Leipzig, Verf. des bekannten »Allgemeinen Gelehrten-Lexicon«, Leipzig 1750, wo er im »Ersten Theil A–C«, Sp. 2080, über Copernicus handelt. S. auch Briefe (IV, 949, 31). – *24 Hevelius:* Über ihn vgl. zu D 738. – *28 publica auctoritate:* durch öffentliche Amtsgewalt, von der Obrigkeit.

178 *1ff. Non ... oro:* Nicht gleiche Gnade wie Paulus heische ich, / Noch verlange ich Petri Begnadung, sondern die / An des Kreuzes Holz du gegeben dem Schächer / Inständig erbitte ich. – *6ff. Nicolao ... LXXIII.:* Nicolaus Copernicus aus Thorn gebürtig, einem Mathematiker von unübertroffener Scharfsinnigkeit, ist, damit eines so großen Mannes, höchlich berühmt bei den Fremden, Erinnerung in seinem Vaterland nicht untergehe, dieses Denkmal errichtet worden. Gestorben Ermland in seinem Kanonikat 1543, am 4.Tag im 73.Jahr seines Lebens. – *26 Königs Johannis Alberti:* Johann I. Albrecht (1459–17.6.1501), seit 1492 König von Polen.

179 *6f. Sapphischen Seufzer:* Über Sappho vgl. zu F1232. – *9 Ziegler ... Schauplatz der Welt:* Gemeint ist Heinrich Anshelm von Ziegler und Kliphausen (1663–1697), dt. Barockschriftsteller, Verfasser der berühmten »Asiatischen Banise« und des »Täglichen Schauplatz der Zeit«, 1695. – *18 Jablonowski:* Über ihn und den Sachverhalt vgl. L 178 und die Anm. dazu. – *30 Monumentum aere perennius:* »Exegi ...«: »Ich habe ein Denkmal geschaffen dauernder als Erz.« Zitat nach Horaz, »Oden« 3, 30, 1. Über Horaz vgl. zu KA 152. – *32 König ... Stanislaus Augustus:* Stanislaus II. (1722–1798), eigentlich Poniatowski, Günstling Katharinas II., seit 1764 bis 1795 letzter König von Polen.

180 *4 Chronodistichon:* Chronogramm, Chronostichon: ein auf ein bestimmtes Jahr bezogener lat. Satz, der durch Addieren der

durch Großschreibung hervorgehobenen Zahl-Buchstaben das betreffende Jahr ergibt. Meist in Form eines Hexameters (Chronostichon) oder Hexameters und Pentameters (Chronodistichon). S. auch 374, 11 f. 417, 19. 530, 16. Briefe (IV, 185. 296). – *6f. EX ... potens:* »Aus diesem traurigen Leben schied Copernicus, / Durch Eingebung und Erkenntnis der Gestirne mächtig.« X: 10; C: 100; I: 1; V: 5; M: 1000. – *12 lezterer:* Lies im Text: letzterer. – *18 obiit:* gestorben. – *24 Tidemannus Gisius:* Über ihn vgl. zu 142, 9. – *32f. Rhetii:* Vgl. 142, 11 f.

181 *7 Ausgabe des Mästlin:* S. 173, 30. – *13 Schoner:* eigentlich Johann Schöner (1477–1546), Astronom und Mathematiker in Nürnberg. – *25 Scrobivicius:* Lebensdaten unbekannt. – *27f. Qui ... temporibus:* Welcher die Zeiten bemessen, / Siehe, hat ebenden Zeiten weichen müssen. – *31 Alphonsus der Weise:* Über ihn vgl. zu F 644.

182 *4ff. Er wollte ... dem Schöpfer ... einen bessern Plan für das Weltgebäude angegeben haben:* Dieses Wort notiert Lichtenberg schon F 644. – *14 Ähnlichkeit mit den Erzählerinnen der kleinen Stadtgeschichte:* Dazu vgl. 720, 11; s. auch 721, 9. J 16. 593. – *16 wie Mariana erzählt:* Juan de M. (1536–1624), span. Geschichtsschreiber, Jesuit; schrieb bis 1516 reichende »Historiae de rebus Hispaniae« (1592). – *31 Riccioli:* Über Riccioli vgl. zu 147, 20. – *32 Nicolaus de Cusa:* Nikolaus von Kues, Cusanus (1401–1464), Philosoph und Theologe; sein philosophisches Hauptwerk »De docta ignorantia« (Über gelehrte Unwissenheit) erschien 1439. – *37ff. Iam ... Fixum:* »Uns ist es längst gewiß, daß diese Erde in Wirklichkeit sich bewegt, wenn auch dieses uns nicht ersichtlich ist, da wir Bewegung nicht erfassen können, es sei denn durch einen gewissen Vergleich zum Fixen.« Zitat aus »De docta ignorantia«, Liber 2, Caput 12; zit. nach Riccioli, a.a.O., S. 292.

183 *7 ex officio glaubte:* »von Amts wegen«; Lichtenberg gebraucht den Ausdruck auch L 41. 42. MH 11; s. ferner 1001, 11 f. 1057, 15. – *8 die Jupiters-Trabanten gesehen:* Von den bisher aufgefundenen zwölf Jupiter-Monden hat Galilei 1610 die vier hellsten entdeckt. – *16f. Plutarch ... de facie in orbe lunae:* Vgl. zu 161, 8 ff.; vgl. auch J 837 und die Anm. dazu. – *18 Kleanthes:* stoischer Philosoph aus Assos in Kleinasien, lebte etwa 331 bis 232 v. Chr., Schüler und Nachfolger Zenons. – *18 Aristarch:* Über ihn vgl. zu 169, 16 f. – *20 Lares der Natur:* röm. Schutzgottheiten der Felder, des Hauses, der Wege. – *20 Tempel der Vesta:* altital. Göttin des Herdfeuers, die im alten Rom einen Rundtempel auf dem Forum hatte, in dem ein ewig brennendes Feuer unterhalten wurde. – *33 Christon:* Ein ital. Wissenschaftler dieses Namens konnte von mir nicht ermittelt werden; sollte es sich um einen Druckfehler der Satzvorlage handeln

und zu lesen sein: Christen? – *36 Piazzi:* Giuseppe P. (1746 bis 1826), ital. Astronom, Theatinermönch und Prof. der höheren Mathematik, baute die Sternwarte in Palermo.

184 *9 Copernicus erzählt seine Geschichte dem Pabst ...:* Gemeint ist die Dedikation an Papst Paul III.; vgl. zu 159, 16. – *14 aus dem Cicero:* Vgl. 161, 7. – *15 Worte des Plutarch:* Vgl. 161, 8. – *18 Ideen-Jagd:* Ähnliche Wortbildungen begegnen auch 113, 22. 813, 8. 878, 40; Wortbildungen mit *Ideen-* ferner 272, 20. 283, 38. 412, 1. 478, 11f. 980, 21. vgl. auch zu F 216. – *24 Zentralfeuer:* Vgl. zu 123, 12f. – *26 Eberhards Abhandlung:* Über ihn vgl. zu D 279. – *26 Thales:* Thales von Milet (ca. 624–ca. 543 v.Chr.), griech. Naturphilosoph. – *28 Schaubachs:* Johann Konrad Schaubach (1764–1849), Astronom in Meiningen und Schriftsteller insbes. zur Sternenkunde der Antike, 1783 Student in Göttingen. – *31ff. Mathematicus ... petere:* »ein nicht gemeiner Mathematiker ..., den aufzusuchen Platon nicht gezögert haben würde, nach Italien zu reisen.« Zitat aus Copernicus, S. 17, Z. 8–9; wo allerdings vor *cuius* steht: *utpote,* und statt *distulerit:* distulit.

185 *11 Arenarius Edit. Wallis:* Gemeint ist »Archimedes Syracusani Arenarius ...«, herausgegeben Oxford 1676. *Arenarius:* Lehrer in den Anfangsgründen des Rechnens, weil Zahlen in den Sand gezeichnet wurden. – *16 Plutarch an andern Stellen seiner Schriften:* Zum Beispiel in »De Facie in Orbe Lunae«, zit. in Fußnote des zu 161, 8ff. angegebenen Werks. – *17 Wallis:* John Wallis (1616–1703), berühmter engl. Mathematiker. – *31ff. Cum ... animal:* »Da also die Kreisbewegung universal ist, den Teilen aber auch die Bewegung in gerader Richtung innewohnt, können wir sagen, daß die kreisförmige mit der geradlinigen Bewegung besteht bleibt, wie das Lebewesen mit dem Kranken besteht.« Zitat aus Copernicus, a.a.O., S. 23, Z. 28–30. – *33f. Mulerius ... in der seinigen:* Vgl. zu 168, 24. – *34ff. aegro ... equo:* mit dem Kranken ... Pferd.

186 *4 rectus ... habentibus:* »Die geradlinige Bewegung überkommt die, welche sich von ihrem natürlichen Ort entfernen oder entfernt werden, oder wie auch immer außer sich selbst sind ... Die geradlinige Bewegung tritt also nur auf, wenn der Zustand außer der Ordnung ist.« Zitat aus Copernicus, a.a.O., S. 23, Z. 16–17. – *34 der Erde in der Bahn immer:* von mir verb. aus: *der Erde in der sich immer ...*

187 *10f. dem Mittelpunkt des Kreises:* von mir verb. aus: *am Mittelpunkt.*

188 *5 Pole der Ekliptik:* Vgl. zu 169, 13.

REZENSIONEN

1.

Erstveröffentlichung und Satzvorlage: »Göttingische Anzeigen von gelehrten Sachen.« 80. Stück. Den 20. Mai 1786, S. 793–806. Ein Manuskript ist im Nachlaß nicht erhalten.

Zur Entstehung: »Einen größeren Feind vom Rezensieren, als ich bin, gibt es nicht leicht,« schreibt Lichtenberg am 3. Juli 1794 an Archenholz (IV, Nr. 661, S. 885–886). Angesichts dieses Geständnisses verblüfft desto mehr, daß man allein in den »Göttingischen Anzeigen von gelehrten Sachen« 46 Rezensionen von Lichtenbergs Hand gezählt hat. Zumindest eine Rezension weist Lauchert, a. a. O., S. 175 bis 183, für die »Allgemeine deutsche Bibliothek« nach und druckt sie ebenda ab. Weitere Rezensionen ließen sich unter Umständen nachweisen, wollte man den Tagebuch-Hinweisen Lichtenbergs auf Mitarbeit an anderen Zeitschriften genauer nachgehen. Zweifellos handelt es sich um Nebentätigkeiten, die aber in einer Ausgabe Lichtenbergs nicht unberücksichtigt bleiben dürfen, weshalb hier erstmals zwei Rezensionen Aufnahme finden.

Literatur: Lauchert, a.a.O., S. 174–183; Karl S. Guthke, Georg Christoph Lichtenberg's Contributions to the ›Göttingische Gelehrte Anzeigen‹. In: Libri 1963, vol. 12, No. 4, pp. 331–340. Mautner, a.a.O., S. 292.

189 *4 Dykischen Buchhandlung:* Über ihn vgl. zu L 293. – *5 Archenholz:* Über ihn vgl. zu J 47. – *7 Oktav:* Vgl. zu 23, 26. – *7f. Wieland zugeeignet:* Archenholz und Wieland waren befreundet. Über ihn vgl. zu A 99. – *13 nach näherer Kenntnis:* Lichtenbergs intime Kenntnis des engl. Hofs aus eigener Anschauung geht aus den Briefen und aus RA hervor. – *14 edlen Volks:* Über Lichtenbergs Lob des engl. Volks vgl. auch 1024, 29. 1037, 28 ff.

190 *1 Bastille:* das frz. Staatsgefängnis in Paris, das – Symbol der feudalist. Willkürherrschaft – am 14. Juli 1789 gestürmt wurde; s. auch 459, 12. 909, 11. – *2 Linguet:* Nicolas-Simon-Henri L. (1736–1794 auf dem Schafott), seinerzeit berühmter frz. Pamphletist und Advokat. Ging 1777 nach England, wurde 1780 in die Bastille geworfen, 1782 freigelassen; schrieb die »Annalen des achtzehnten Jahrhunderts«; über ihn s. Archenholz, a.a.O., Bd. I, S. 197–203. – *11 Pleureusen:* Trauerbesatz an der Klei-

dung; Lichtenberg gebraucht den Ausdruck auch 885, 1 und
L 519. – *12 Königin Christina:* Über sie vgl. zu E 20. – *15 Dr.
Dodd:* Über William Dodd s. zu F 942. – *25 Spion, Obrist la
Mothe:* Gemeint ist Archenholz, a. a. O., Bd. I, S. 18. Der französische
Spion war 1782 in London hingerichtet worden. – *34f.
Würdigung des Verdienstes:* Zu dieser Wendung – Lichtenbergs
Kritik an dem zeitgenössischen deutschen Literaturbetrieb – vgl.
C 61 und die Anm. dazu; Lichtenberg gebraucht sie auch 572,
29. 589, 12. Im übrigen vgl. zu C 61. – *38 Philosoph von Profession:*
Ähnliche Bildungen begegnen 311, 22. 578, 33. 781, 20.
838, 42; im übrigen vgl. zu F 354.
191 *9f. Geschichte der 800 verlassenen deutschen Emigranten:* Gemeint
ist Archenholz, a. a. O., Bd. I, S. 53–58. Der Vorfall hatte sich
1765 in London ereignet; der deutsche Prediger hieß Wachsel. –
15 Wilkes: Über ihn vgl. zu B 9. – *17 Whiggish:* Whigs nennt
man im Gegensatz zu den Tories von altersher die liberale
Adelsfraktion in England; s. auch 767, 29ff. – *19 Rez. hat ihn
gesehen:* Dazu vgl. Briefe (IV, 216, 15 ff.) vom 10. Januar 1775. –
27 1780 die Bank gerettet: Gemeint ist Archenholz, a. a. O., Bd. I,
S. 78. Wilkes' Handlung geschah während der Gordonschen Unruhen.
– *34 Catilina:* Der Satz ist fast wörtlich Archenholz,
a. a. O., Bd. I, S. 78, entnommen. Über Catilina vgl. zu B 125.
Vgl. auch zu 497, 5 f. – *38 City:* die »Altstadt« von London; vgl.
914, 24 und die Anm. dazu.
192 *2 wie Sallust sagt:* Gemeint ist wohl »Bellum Catilinarium sive
De Coniuratione Catilinae eiusque sociorum«, LXI, das letzte
Kapitel, wo es in der Leipzig 1790 erschienenen Übersetzung
von A. G. Meißner (a. a. O., S. 203) heißt: »Denn fast jeder behauptete
den Platz, der ihm lebend zum Streit angewiesen
worden, auch todt auf der Wahlstatt ... Aber weit von den
Seinigen, unter feindlichen Leichnamen, fand man den Katilina,
noch athmete er ein wenig, und den trozzigen Geist, den
er im Leben gehabt, sah man im Tode noch auf seinem Antlitz.«
– *4 Olivers Abzug vom Tower:* Gemeint ist Archenholz,
a. a. O., Bd. I, S. 88–89. Richard Oliver (1734?–1784), engl.
Politiker, wurde 1771 im Streit zwischen der City London und
dem House of Commons vorübergehend in den Tower gesperrt.
– *4ff. Er sagt ... mit Shaftesbury, der Enthusiasmus stecke
an wie der Schnupfen:* Diese Wendung, nach Archenholz, a. a. O.,
Bd. I, S. 89, zitiert, konnte von mir nicht ermittelt werden.
Über Shaftesbury vgl. zu B 277. – *9f. Karl II habe Recht, wenn
er behauptete ...:* Gemeint ist Archenholz, a. a. O., Bd. I, S. 93
bis 94. Über Karl II, vgl. zu D 647. – *12 Gibbons:* Über Edward
Gibbon vgl. zu J 306. – *13 Doomsday book:* doomsday: Tag des
jüngsten Gerichts. So lautet der Name des von Wilhelm dem
Eroberer veranlaßten englischen ›Reichsgrundbuches‹, dessen

amtliche Ausgabe 1783 erschien. Archenholz spricht davon a.a.O., Bd. I, S. 99–100. – *14 Raspen zum Übersetzer gewählt:* Über Rudolf Erich Raspe vgl. zu A 12. Price in »The Publication of English Humaniora in Germany in the Eighteenth Century« führt ihn nicht unter den dt. Übersetzern. – *17f. Thielens ... Verdienste um die Seeuhren:* S. Archenholz, a.a.O., Bd. I, S. 101–102. Lebensdaten des deutschen Mechanikers unbekannt. – *19 Harrisons ... Prinzipien:* Über den engl. Erfinder der Seeuhren vgl. zu F 595. – *20 Coxes Museum:* Darüber vgl. zu D 757; Lichtenberg besichtigte es am 4. Oktober 1774 (s. Briefe: IV, 202, 34f. 207, 29). S. auch Deneke, S. 225. – *22f. Drozischen ... Spielereien:* Gemeint sind die mechanischen Konstruktionen, Automaten und Uhren, verfertigt von den schweizer. Mechanikern Henri-Louis Jaquet-Droz (1752–1791) und dessen Vater Pierre Jaquet-Droz (1721–1790). Lichtenberg erwähnt ihn auch 932, 27. S. auch GTK 1780, S. 66f. – *23 Nürnberger Ware:* D.h. Kinderspielzeug, wie es in Nürnberg seit dem MA hergestellt wurde; Lichtenberg gebraucht den Ausdruck auch 431, 15. 960, 22. 1042, 18f. Vgl. ferner zu KA 230. – *24f. Grahams magnetisch-elektrischen ... Bett:* Darüber vgl. zu 125, 25f. – *27 Sanctum sanctorum:* das Heilige der Heiligen: das Allerheiligste. – *28f. P. Kircher schon Gott selbst mit unter die Magneten:* Gemeint ist »Magnes sive de arte magnetica, Rom 1641, Liber 3, Pars X, S. 790–797, überschrieben: »Magnes Epilogus, Id est, Deus rerum omnium centralis Magnes«. Der letzte Satz des ganzen Buches lautet: »ipse [scil. deus] enim sola et unica animae nostrae quies, centrum, MAGNES«, wobei dieses letzte Wort allein auf der letzten Zeile auf Mittelachse steht! Lichtenberg besaß laut »Verzeichniß derjenigen Bücher ...«, S. 1, Nr. 8, die 3. Ausgabe dieses Werks, erschienen Rom 1654. Athanasius Kircher (1602–1680), Jesuitenpater und umfassender Gelehrter auf dem Gebiet der Natur- und Geisteswissenschaften. – *29 Mrs Abington:* Über sie vgl. zu D 627. – *31 Obrist Champigny:* S. Archenholz, a.a.O., Bd. I, S. 119. Champigny, gebürtiger Franzose, kam nach dem Siebenjährigen Krieg nach London, brachte die Bettelkunst in eine Art System, nach dem er 11 Jahre lang erfolgreich vorging. – *35 Londonschen Brandes:* Vgl. 1050, 30 und die Anm. dazu. – *37 Oxfordstraße:* heute und schon im 18.Jh. Hauptgeschäftsstraße in der Londoner City, hieß Anfang des 18.Jh. noch Tyburn Road, weil sie die Straße zunächst der Londoner Hinrichtungsstätte war.

193 *1f. Façade der Paulskirche nach Ludgate hill zu:* St.Paul's Cathedral, Ludgate Hill, größte und bedeutendste Kirche Londons, nach dem Brand von 1666 durch Christopher Wren 1672–1700 nach dem Muster der Peterskirche in Rom erheblich vergrö-

ßert und mit hohem Turm ausgestattet. S. auch 707, 17. 767, 37. – *7f. Bildes der großen Elisabeth in Westmünsters Abtei in Wachs:* S. Archenholz, a.a.O., Bd, 1, S. 149. Über sie vgl. zu D 556. – *20 Proselyten ... machen:* Proselytenmacher: jemand, der andere für seinen Glauben gewinnen will (s. Matth. 23, 15). Von Lichtenberg und anderen Aufklärern scharf kritisiertes Unternehmen diverser christl. Zeitgenossen gegenüber jüdischen Landsleuten; vgl. 232, 33. – *21f. Methodisten:* eine von den Brüdern John und Charles Wesley und von George Whitefield begründete, aus der anglikan. Kirche hervorgegangene Erweckungsbewegung; ihr Name ist eigentlich ein Spottname, den diese Gläubigen wegen ihres streng geregelten Lebens erhielten. Lichtenberg steht ihnen kritisch distanziert bzw. ironisch ablehnend gegenüber. Vgl. auch 415, 37. 452, 36. 713, 33. 930, 5. 1057, 30f. Im übrigen sei auf Lichtenbergs Ausführungen in der Hogarth-Erklärung »Leichtgläubigkeit, Aberglauben und Fanatismus« verwiesen (GTK 1787, S. 212–232). – *22 Herrnhuter:* pietistische Erweckungsbewegung im Deutschland des 18. Jh., begründet von Zinzendorf, mit einflußreicher Missionstätigkeit in Übersee. Lichtenberg spricht stets ironisch abschätzig von ihnen, zitiert gern Kernwörter und hypertrophe Liederzeilen. S. auch 213, 36. 220, 19f. – *24 Quäker:* ›Zitterer‹, wegen der im frühen Quäkertum vorkommenden ekstatischen Erscheinungen; Selbstbezeichnung: Society of Friends. Die Sekte, von G. Fox Mitte des 17. Jh. in England begründet, setzte die Tradition der Wiedertäufer fort. – *25 Williams deistischer Gottesdienst:* S. dazu Archenholz, a.a.O., Bd. I, S. 189–191. David Williams (1738–1816), engl. Publizist und Theologe, Gründer des Royal Literary Fund, hielt 1776 den ersten deistischen Gottesdienst in London ab. – *25f. Könige von Preußen:* Über Friedrich II. vgl. zu KA 140. – *26 Voltairen:* Über ihn vgl. KA 28. – *36 Deismus:* die Überzeugung der Aufklärung, daß Gott zwar die Welt geschaffen, aber keinen weiteren Einfluß auf sie nehme. – *37 häufigen Selbstmords:* Eine andere Hypothese über dieses engl. Phänomen des 18.Jh. wie der Spleen teilt Lichtenberg 701, 32f. von Johnson mit.

194 *2 Coroner:* Totenbeschauer. – *2 Lunacy:* Wahnsinn; zu: *lunatisch* vgl. zu 410, 8. – *12 public Spirit:* Gemeingeist. – *17 General Wolfe:* Über ihn vgl. zu 38, 18. – *17 Herzog von Athol:* Über ihn s. Archenholz, a.a.O., Bd. I, S. 219–220; über Chatham ebenda, S. 221–233. John Murray, 3. Duke of Atholl (1729 bis 1774), verzichtete 1765 zugunsten der brit. Krone auf seine Besitzrechte an der Insel Man. – *18 Lord Chatham:* Über ihn vgl. zu RA 87. – *20f. Geschichte ... von Deeds und Morton:* S. Archenholz, a.a.O., Bd. I, S. 271–273. Morton, ein Banknoten-

fälscher, der 1776 verhaftet worden war, wurde von seinem
Freunde Deeds befreit und gegen die Zahlung von 1000 Pfund
von ihm verraten. – *21 f. Prozeß der Herzogin von Kingston:* S. Archenholz, a.a.O., Bd. II, S. 280–285. Elisabeth Chudleigh (1720
bis 1788), Countess of Bristol, die sich selbst Duchess of Kingston nannte, wurde 1776 der Bigamie angeklagt und schuldig
gesprochen. Lichtenberg besaß laut »Verzeichniß derjenigen Bücher ...«, S. 2, Nr. 21, die London 1776 erschienene Prozeß-Akte. – *23 f. Geschichten von Sayre, Guerchy und D'Eon:* S. Archenholz, a.a.O., Bd. II, S. 285–297. Stephen Sayre (1736 bis
1818), amerikan. Bankier und diplomatischer Unterhändler,
wurde 1775 in London beschuldigt, sich des engl. Königs bemächtigt haben zu wollen; aus Mangel an Beweisen freigesprochen. Claude-Louis-François Régnier de Guerchy (1715–1767),
frz. Diplomat, seit 1763 Botschafter in London. Über d'Eon
vgl. zu 670, 1. – *26 pied du Roi:* wörtl. ›Fuß des Königs‹, eigentlich Bezeichnung des frz. Längenmaßes: Pariser Fuß; dazu vgl.
zu 25, 16. – *29 Gazettier cuirassé Morande:* S. Archenholz, a.a.O.,
Bd. II, S. 297–300. Charles Thévenot de Morande (1748 bis ca.
1803), frz. Publizist, gab seit 1772 »Le Gazetier cuirassé« heraus:
eine unverhüllte Sammlung skandalöser Anekdoten vom frz.
Hof. – *30 Dr. Dodd:* S. zu 190, 15. – *35 partes orationis:* Teile,
Bestandteile der Rede.

195 *1 Lord Mansfield:* Über ihn s. zu L 312. – *4 Fleet:* seinerzeit das
Schuldgefängnis Londons. Lichtenberg erwähnt es auch 898,
2 f. 901, 10. 904, 3 und RA 3. – *4 Kings Bench:* das Königl.
Oberhofgericht in London; Lord Mansfield war seit 1756
Oberster Richter am King's Bench; s. auch 271, 31 und RA 3. –
10 Smolletschen Romanen: Über Smollet vgl. zu B, Seite 45
(I). – *23 f. Highwaymen, footpads, housebreakers und pickpockets:*
berittene Straßenräuber auf den Landstraßen, Straßenräuber,
»die zu Fuß und blos in den Gassen der Stadt des Nachts rauben«
(Archenholz, a.a.O., Bd. II, S. 367), Einbrecher ... Taschendiebe. Über Highwaymen vgl. auch 765, 14. 795, 35 f. – *33
Charles Fox:* Über ihn vgl. zu E 73. – *38 Bagnios:* ital. Badhaus;
im übertragenen und im England des 18. Jahrhunderts gebräuchlichen Sinne: Bordell. Lichtenberg gebraucht das Wort in
dieser Bedeutung auch 371, 31. 724, 3. 965, 16; s. ferner J 635
und Briefe (IV, 639).

196 *1 Beaumarchais:* S. Archenholz, a.a.O., Bd. II, S. 388. Pierre
Augustin Caron de Beaumarchais (1732–1799), berühmter frz.
Dramatiker und Publizist: »Der tolle Tag oder die Hochzeit
des Figaro« (1784). Lichtenberg erwähnt ihn sonst offenbar
nicht. – *3 f. die sieben vereinigten Provinzen:* S. Archenholz, a.a.
O., Bd. II, S. 386. Gemeint sind die vormaligen Neuengland-Kolonien im Nordosten der Vereinigten Staaten: Connecticut,

Rhode Island, New Hampshire, Maine, Vermont, New York, New Jersey, die schon im 17.Jh. eine »Confederation« bildeten; s. auch 1046, 4. – *19 Linguet:* S. Archenholz, a.a.O., Bd. II, S. 441. Vgl. über Linguet zu 190, 2. – *20 Homer:* Über ihn vgl. zu A135. – *22 Whims:* Grillen, Launen: der dem Engländer nachgesagte Spleen; vgl. auch B 343. – *28 der jüngere Herr Forster:* Johann Georg Forster; über ihn vgl. zu F 1192. – *29 Otaheite:* Vgl. zu 41, 35 ff. – *34f. Garricks Jubiläum von Shakespear:* Es fand 1769 in Stratford statt; s. Archenholz, a.a.O., Bd. II, S. 486–492. – *36 Rezensent sich wieder ganz gegenwärtig glaubte:* Dazu vgl. die »Briefe aus England«. – *37 Leichenbegängnis der Julie im Romeo:* »Eine große Anzahl Mönche von allen Farben, weiße, schwarze und braune, begleiten mit Kreuzen und Wachskerzen, mit Sang und Klang den Leichnam zur Kirche, der nach dem italienischen Gebrauch in einem offenen Sarge liegt, wobey das Trauergeläute mit einer großen Glocke eine außerordentliche Wirkung thut« – Archenholz, a.a.O., Bd. II, S. 493. – *37 Mad. Cornely:* S. Archenholz, a.a.O., Bd. II, S. 522–527. Madame Cornely kam ca. 1765 nach London, arrangierte zwölf Jahre lang in London berühmte luxuriöse Feste für die beste Gesellschaft, bis sie Schulden halber ins Gefängnis kam.

197 *1 Richmond:* 16 km südl. von London am rechten Themseufer gelegen, bis zum 17.Jh. königl. Residenz mit berühmtem Park; s. auch 1004, 27. – *1 Kew:* westl. London in Surrey gelegen, der bevorzugte Wohnsitz Georgs III.; wo Lichtenberg während seiner 2. England-Reise zu Gast war. Berühmt wegen seines 1759 geschaffenen Botanischen Gartens. S. auch 572, 36. – *1 Windsor:* Windsor Castle, 43 km westl. von London in Berkshire gelegen, Residenz der engl. Könige seit über 850 Jahren. – *2 Hamptoncourt:* in Middlesex am Nordufer der Themse 24 km südöstl. von London gelegen; einer der größten königl. Paläste in England, 1515 errichtet, bis Georg III. Residenz. – *2f. Das berühmte Pferd ... Childers:* Lichtenberg erwähnt es bereits KA 224. – *3f. Robin hood und debating Society:* Darüber s. Archenholz, a.a.O., Bd. II, S. 543–553. – *24 Mutiny-Bill:* S. Archenholz, a.a.O., Bd. II, S. 577: »Da indessen eine stehende Armee in unsern Tagen einem großen Staat durchaus nothwendig ist, so hat wenigstens die englische Gesetzgebung ein Mittel ausgefunden, um die Freiheit des Volks wider militärische Unternehmungen zu sichern. Dieses geschieht vermittelst einer Parlamentsakte, die den Titel führt: Mutiny bill, wodurch die Armee zusammen gehalten und besoldet wird; die Dauer derselben ist aber nur ein Jahr, daher sie beständig erneuert werden muß.« – *30f. kennen wir noch immer Englands Romanhelden und Straßenräuber besser:* Vgl. schon Materialheft I, Nr.

128 und die Anm. dazu. – *32 Lord Baltimores Notzuchts-Geschichte:* S. Archenholz, a.a.O., Bd. II, S. 458-460. Frederick Calvert, 7. Lord Baltimore (1731–1771), galt seinerzeit als großer Sonderling und Wüstling, wurde 1768 wegen Notzucht angeklagt, aber freigesprochen. – *33 Miß Woodcock:* Lebensdaten unbekannt; nach Archenholz eines der Mädchen, die Lord Baltimore in seinem ›Serail‹ hielt und die veranlaßt wurden, ihn der Notzucht zu bezichtigen. – *34 Barettis Vorfall:* S. Archenholz, a.a.O., Bd. II, S. 592-593; demnach wurde Baretti von zwei Engländern in London auf der Straße angegriffen; er erstach sie mit einem Messer; in einem Prozeß wurde er freigesprochen. Über ihn s. zu C 2. – *36ff. Sprachunrichtigkeiten ... fürs ... vor:* Darüber vgl. zu A 118.

198 *1 Mad. Cornely:* S. 196, 37. – *9 Italien künftig:* Die Rezension ist nicht erschienen; daß Lichtenberg auch diesen Teil gelesen hat, geht aus K 349 hervor. –

2.

Erstveröffentlichung und Satzvorlage: »Göttingische Anzeigen von gelehrten Sachen« 124. Stück. Den 4. August 1798. S. 1225-1232. Am Rande der Rezension steht im Exemplar der Göttinger Staats- und Universitätsbibliothek notiert: Lichtenberg.

Zur Entstehung: Lektüre des »Physikalischen Wörterbuches« bezeugen L 859. 872. 923 (ca. 15. März–15.Juli 1798 niedergeschrieben). In diesem Zeitraum dürfte auch die vorletzte Rezension Lichtenbergs entstanden sein, die Guthke a.a.O., S. 339, als Nr. 45 aufführt.

198 *12 Dieterichschen Verlag:* Über den Verleger Johann Christian Dieterich vgl. zu B 92. – *14f. atomistischer ... dynamischer Lehrart:* »Dasjenige System nach welchem alle Körper aus den Atomen zusammengesetzet sind, und deren verschiedene Arten bloß in den verschiedenen Gestalten der Grundkörperchen ihren Grund haben, heißt das atomistische System oder die *Corpuscularphilosophie* und wird von dem *dynamischen System,* nach welchem der Materie wesentliche Kräfte inhäriren, unterschieden.« Fischer, o. c. I, p. 159. Vgl. zu K 319. – *17 Fischer:* Über Johann Carl Fischer vgl. zu L 859. – *18 gr. Oktav:* Buchformat: Groß-Oktav, bis 25 cm Höhe: Lexikonformat; im übrigen vgl. zu 23, 26. – *19 Quart:* Papierformat; zweimal gefalzter Bogen mit 4 Blättern oder 8 Seiten, bis zur Höhe von

35 cm gebräuchlich; s. auch 257, 23. 429, 21. 546, 9. 559, 27. 985, 25. – *23 Werke des sel. Gehlers:* Gemeint ist das »Physikalische Wörterbuch oder Versuch einer Erklärung der vornehmsten Begriffe und Kunstwörter der Naturlehre ... in alphabetischer Ordnung«, 4 Teile, Leipzig 1787–1791; Supplementband 1795, von Johann Samuel Traugott Gehler; über ihn vgl. zu H 193.

199 *8 Kohäsion:* innerer Zusammenhalt der Stoffe, beruhend auf elektr. Kräften, die die Atome oder Moleküle eines Stoffes aufeinander ausüben. – *8 Dämpfe:* Vgl. zu K 335. – *8f. Elektrizität (tierische):* Das durch Galvanis Froschschenkelversuche entdeckte Phänomen beschäftigte die europäischen Physiker im letzten Jahrzehnt des 18. Js. – *13 Registerschreiber-Augen:* Von »unserer registerartigen Gelehrsamkeit« spricht Lichtenberg schon D 255; vgl. die Anm. ebenda; s. auch 381, 22. – *14 Kompilier-Trieb:* Vgl. zu 87, 24. – *26 einfache Erden:* Vgl. zu K 328. *Erden:* Minerale. – *27 Klaproth:* Über Martin Heinrich Klaproth vgl. zu K 182. – *29 Scheidekünstler:* im 18. Jh. gebräuchlich für: Chemiker; s. auch 561, 19. – *33 Laplace in seiner ... Darstellung des Weltsystems:* Über ihn vgl. zu J 1990.

200 *10f. Anziehungs- und Zurückstoßungskraft:* Vgl. zu K 319. – *17 neuen Chemie und einer neuen Philosophie:* Gemeint ist die antiphlogistische Chemie Lavoisiers und die Theorie Kants, die Lichtenberg auch 478, 12f. 1053, 23 als ›neue Philosophie‹ bezeichnet. – *29f. zweite Auflage von Kants metaphysischen Anfangsgründen der Naturlehre:* Kants »Anfangsgründe der Naturwissenschaft« waren bereits ein Jahr nach Erscheinen (1786) in Riga 1787 neuaufgelegt worden. Vgl. Lichtenbergs Brief an Heyne (IV, Nr. 557, S. 732, 23) vom 27. April 1788.

201 *5 Gravitation:* Schwerkraft. – *14 antiphlogistischen Chemie:* Gemeint ist die Chemie Lavoisiers; vgl. zu J 1069; s. auch 1038, 31. – *18f. Königsbergischen Weltweisen:* Gemeint ist Kant; *Weltweiser* nannte man im 18. Jh. den Philosophen; vgl. zu 226, 14. – *22 Impenetrabilität:* Undurchdringlichkeit; zu diesem Begriff vgl. zu H 176. – *29 Kantischen System:* Dazu vgl. zu F, S. 644 (I). – *33f. Artikel Grundkräfte:* Er erschien in Bd. 2 des »Physikalischen Wörterbuchs« Göttingen 1799, S. 321–341. – *35 dynamische System:* Vgl. zu 198, 14f.

202 *2 zu geben:* Lies im Text: zugeben. – *16 Kant in seinem Buche:* Vgl. 200, 29. – *22 das atomistische System:* Vgl. zu 198, 14f. – *32 Mercators-Karte:* Über Mercator vgl. zu F 47. – *34 Mairan statt Nairne:* Über Jean Jacques Mairan vgl. zu KA 170; über Nairne vgl. zu K 412.

STREITSCHRIFTEN

TIMORUS

Erstveröffentlichung und Satzvorlage: »Timorus, das ist, Vertheidigung zweyer Israeliten, die durch die Kräftigkeit der Lavaterischen Beweisgründe und der Göttingischen Mettwürste bewogen den wahren Glauben angenommen haben, von Conrad Photorin, der Theologie und Belles Lettres Candidaten.« Berlin 1773, 78 S. Der Abdruck berücksichtigt die in den Anmerkungen genauer nachgewiesenen Verbesserungen von Lichtenbergs Hand, wie sie D 106 notiert beziehungsweise Lauchert, a.a.O., S. 10, nach den »Vermischten Schriften« wiedergibt, wo es in der Vorrede zu Band 3, S. V, heißt: »Auch der Timorus hat einige, wiewohl nur unbedeutende Verbesserungen, die von dem Verfasser angemerkt waren, erfahren.« Ein Manuskript der Satire ist im Nachlaß nicht erhalten.

Zur Entstehung: Im Jahre 1771 erschien in Zürich Lavaters Tauf-Predigt »Rede bey der Taufe zweyer Berlinischen Israeliten, so durch Veranlassung der Lavater und Mendelssohnischen Streitschriften zum wahren Christentum übergeheten«. Diese Schrift war der Anlaß für Lichtenberg, den »Timorus« zu verfassen. In diesem Zusammenhang ist folgendes zu erwähnen: Lavater hatte Moses Mendelssohn während seines Berliner Aufenthaltes im April 1763 kennengelernt und von ihm einen derartigen Eindruck empfangen, daß er den Plan faßte, ihn zum Christentum zu bekehren. Als Vorrede zu der von ihm übersetzten Schrift (s. C 92) »Herrn Carl Bonnets ... philosophische Untersuchung der Beweise für das Christentum«, die August 1769 in Zürich erschien, druckte er ein Schreiben »An Herrn Moses Mendelssohn in Berlin«, in dem er diesen aufforderte, Bonnet zu widerlegen oder zu tun, »was Socrates gethan hätte, wenn er diese Schrift gelesen und unwiderleglich gefunden hätte.« Mendelssohn legte daraufhin in dem »Schreiben an den Herrn Diaconus Lavater zu Zürich«, erschienen Dezember 1769 in Berlin und Stettin bei Friedrich Nicolai, das Bekenntnis zur jüdischen Religion ab und die Gründe dar, die ihn hinderten, gegen die Lehre einer fremden Religion öffentlich Stellung zu nehmen (s. auch 557, 4 ff. und C 39. 40). Dieser Streit, »die erste Religionsdisputation, bei der der Vertreter des Judentums in den Augen aller maßgeblichen Denker seiner Zeit den moralischen Sieg errang« (Domke), hat in der Öffentlichkeit gewaltiges Aufsehen gemacht. Fast dreißig Schriften erschienen zu diesem Streitfall im Laufe des Jahres 1770; die Literatur ist verzeichnet in der »Allgemeinen deutschen Bibliothek«, Band XIII, 2. Stück 1770, S. 388-396. Lichtenbergs Stellungnahme geht eindeutig aus den Sudelbüchern hervor (s. C 39. 40). Den letzten Anstoß zu der Satire erhielt Lichtenberg durch die Tatsache, daß nach der Berlin-Zürcherischen Juden-Taufe Lavaters am 12. März 1771 in Göttingen selbst eine solche Taufe stattfand: Simon Ballin aus Bovenden ließ sich am 2. Juni 1771 in Weende bei Göttingen, Hirsch Marcus ben Mardochai aus Bendzin am 25. August 1771 in Göttingen taufen.

Folgt man dem Datum, das Lichtenberg 236, 12 einsetzt, so ist die Satire unter dem unmittelbaren Eindruck dieser Ereignisse niedergeschrieben. Eigentliche Beweise für dieses Datum gibt es nicht. Eine Bemerkung in E 150 spricht vielmehr dafür, daß Lichtenberg dieses Werk sehr überlegt bearbeitet hat: »Es ist mir so gegangen als ich meinen Timorus schrieb. Ich [habe] oft mit dem, was ein Aufsatz im Sudelbuch war, einen Ausdruck schattiert.« Dieser Notiz scheint eine Äußerung zu widersprechen, die Lichtenberg in einem Brief an Ramberg (IV, Nr. 154, S. 301) am 25. Dezember 1777 tat: »Der Haupt-Fehler ist, ich habe das Werk so ganz heiß, wie es aus der Esse kam, dem Publikum übergeben, ich hätte billig erst das Löschfaß drüber spielen lassen müssen.« Diesen Worten müßte man entnehmen, daß Lichtenberg rasch hingeworfen und publiziert habe, was tatsächlich aber nur dann denkbar wäre, wenn Lichtenberg die Satire erst kurz vor ihrer Veröffentlichung zu Papier gebracht und nicht mehr überarbeitet hätte: nämlich Frühjahr 1773. Näher als diese Schlußfolgerung liegt jedoch die Vermutung, daß Lichtenberg auch in diesem – belletristischen – Fall sich vorsorglich von seinem Erzeugnis distanzierte. Dieser Haltung gegenüber der Öffentlichkeit entspricht Lichtenbergs Versteckspiel mit seiner Verfasserschaft. Dazu vgl. Deneke, a. a. O., S. 185-186; ferner IV, 127-128. 146-147. 158-159. 163-164. 180-181.

Die Satire erschien Ende Mai 1773. Ihren Druck hatte Boie vermittelt (s. IV, Nr. 75, S. 154), der das Manuskript am 15. April 1773 an Nicolai sandte, welcher es zwar positiv beurteilte (s. IV, 127), es aber nicht selbst druckte, sondern offenbar an Hartknoch in Königsberg (s. IV, S. 301) vermittelte. Über die Vermittlertätigkeit Boies und seine Korrespondenz mit Nicolai s. Deneke, a. a. O., S. 184-185; IV, 155. 196.

Zum »Timorus« sind 3 *Rezensionen* erschienen (s. auch C 254). Die erste erschien am 22. Juni 1773 im »Wandsbecker Bothen« Nr. 99; ihr Verfasser ist nicht bekannt, man hielt Matthias Claudius selbst dafür. Die Rezension ist bei Deneke, a. a. O., S. 187-188 wiederabgedruckt; vgl. E 155; ferner 523, 15ff.). Eine weitere Rezension erschien am 16. Juli 1773 in den »Frankfurter gelehrten Anzeigen« S. 474f. Sie ist wiederabgedruckt bei Deneke, a.a.O., S. 189; s. auch Lichtenbergs Brief an Nicolai (IV, 196); ferner E 245; 524, 6ff. 525, 9ff. Eine dritte Rezension erschien in der »Allgemeinen deutschen Bibliothek«, Berlin 1776, Anhang zu Band 13–24, 1770–1775, Abt. 2, S. 950–953 (s. IV, 273). Außer diesen öffentlichen Besprechungen sei hier noch eine private Beurteilung mitgeteilt. Am 27. Juni 1779 schreibt Kästner an Friederike Baldinger (ed. Bopp, Nr. 78, S. 126): »Ich kann aber nicht leugnen, daß unter den Ursachen, die mich veranlassen schlecht von ihm zu denken, die Schrift von den Judenbekehrungen eine der ersten sehr wirksamen ist. Der Spott darin ist, wenn er auch gerecht wäre, doch ganz ungesittet, und die Vergleichung der Argenis mit der Bibel wider alle Achtung, die ein Mensch, der unter Christen leben will, seinen Mitbürgern schuldig ist.«

Übrigens hat einer der beiden von Lichtenberg satirisierten Proselyten, Hirsch Marcus, jetzt Christian Philipp Göttinger, eine Schrift gegen den »Timorus« aufgesetzt, von der Dieterich eine Abschrift Lichtenberg zustellte, welcher zunächst einen von ihm glossierten Druck beabsichtige (s. IV, 157–158. 197); s. ferner Deneke, a.a.O., S. 190–192 und F 1004.

Zum Schluß möchte ich an dieser Stelle Hinweise auf Passagen anderer Texte dieses Bandes geben, in denen Lichtenberg ähnlich wie im »Timorus« einen gewissen Antisemitismus verrät, ein Zug, der nicht totgeschwiegen werden darf und über den der Herausgeber eine gesonderte Studie vorbereitet. Derartige Passagen sind: 366, 21ff. 699, 20ff. 752, 29ff.; s. ferner 292, 1f. 453, 3f. 803, 19ff.

Literatur: Deneke, a.a.O., S. 183–193; Schneider, a.a.O., Bd. I S. 166–169; Mautner, a.a.O., S. 85–88.

205 1 *Timorus:* griech. Rächer. – *9 Conrad Photorin:* Über dieses Pseudonym – die gräzisierte Form von: Lichtenberg – äußert er sich in einem Brief (IV, 163, 31f.) vom 13. August 1773. Lichtenberg verwendet das Pseudonym auch 526, 18 und 539, 2. 552, 34; vgl. auch 427, 13. Im übrigen s. zu C 222. – *10 Belles Lettres Kandidaten:* Diese Formel begegnet ähnlich 427, 14. – *10 Belles Lettres:* Schöne Wissenschaften. Vgl. auch 273, 21. 314, 25. 594, 36. 608, 14.

206 1 *An die Vergessenheit:* Auf diese Zueignung spielt Lichtenberg auch C 254 an. Vielleicht ist Lichtenberg durch Swifts »Tale of a Tub« angeregt, das dem »Prinzen Nachwelt« dediziert ist.

207 16 *rigoris gallici in demonstrando:* der strengen gallischen Beweisführung.

208 5 *der Türhüter:* Zu diesem Bild vgl. F 954; s. auch 558, 26. – 9 *Vauxhall:* seit 1661 öffentlich zugänglicher Park im Londoner Stadtteil Springgarden, wo Konzerte, Maskenbälle und Tanzabende abgehalten wurden. Lichtenberg gebraucht den Begriff auch in den Briefen (IV, 79 und LB I, S. 142), ferner RA 120. – *11 f. Begierde ... um die Zeit des ersten Barts:* Zu dieser Wendung vgl. B 132. 204. Lichtenberg verwertet sie auch 509, 25. 587, 12 f. 613, 37 f. – *25 Segensflüche:* Zu diesem Ausdruck vgl. zu 58, 15 f.

209 *9 Laßt den Teufel brummen ...:* Das Lied war weder in Albert Fischers Kirchenlieder-Lexikon noch in Hermann Nörr: Kirchenlied-Konkordanz, Neuendettelsau 1953, unter dem Stichwort: *Teufel* (ibid. S. 343–344) nachweisbar. Womöglich handelt es sich um ein pietistisches Lied (vgl. IV. 507,28) oder ein Lied aus dem Pfälzischen Gesangbuch. – *14 auf einer ansehnlichen Universität:* Gemeint ist die Georgia Augusta in Göttingen. – *16 da stille zu sitzen:* Lies: da stille sitzen. – *19 zweihundert Federkiele, die Bleistifte nicht ... gerechnet:* Diese Wendung ist D 666 entnommen. – *22 Kehricht:* von mir entsprechend D 106 verb. aus: *Schutt.* – *23 schweren und feinen Rettungen:* Diese Wendung fehlt in den »Vermischten Schriften«; ob absichtlich von Lichtenberg selbst gestrichen oder nur versehentlich im Druck ausgefallen, ist nicht sicher. – *32 zwei ehrliche Israeliten:* Über sie s. oben S. 83. – *35 Conquete:* Eroberung.

210 *7 f. durch Mettwürste bekehrt:* Anspielung auf die seinerzeit berühmte Göttinger Spezialität – s. auch 230, 37. 535, 15. 621, 15 – sowie das jüdische Verbot, Schweinefleisch zu essen. Noch in der Miszelle »Jüdische Industrie neben holländischer Frugalität« (GTK 1799, S. 210) fragt Lichtenberg ironisch: »Es geht doch nichts über die Juden. Man will es nur nicht immer recht erkennen. Man erlaube uns hierbey nur die einzige Frage; würde wohl Herr Reynsdorp, wenn er ein Liebhaber von Mettwürsten gewesen wäre, die Verfertigung derselben in seinem Hause einem Juden anvertrauet haben, gesetzt auch, der Jude habe sich, nach einem gegebenen Recept, damit befangen wollen? –« – *14 f. Bad der Wiedergeburt:* Gleichnis und Inbegriff der christl. Taufe. Das Bild ist entnommen aus Titus 3,5: »Nicht um der Werke willen der Gerechtigkeit, die Wir getan hatten, sondern nach seiner Barmherzigkeit machte er uns selig, durch das Bad der Wiedergeburt und Erneuerung des heiligen Geistes.« Vgl. auch Briefe (IV, 408. 551). – *37 beiden Neubekehrten:* von mir verbessert aus: *... Unbekehrten,* das zweifellos Druckfehler ist. Über eine der beiden Judentaufen berichtet übrigens Förtsch in den »Göttingischen Anzeigen von gelehrten Sachen« 1771, S. 1105.

211 *4 W.:* Weende; dort ließ sich Simon Ballin am 2. Juni 1771 taufen. – *10f. zu B. ... im Stockhause gesessen:* wohl nicht Braunschweig, wie Leitzmann vermutet, sondern Bovenden, woher Simon Ballin stammte. – *12 Sophismata:* Mehrzahl von griech. Sophisma: Spitzfindigkeiten, ›Scheingründe‹. – *32 Duc de Choiseul:* Etienne François Herzog von Choiseul-Amboise (1719–1785), frz. Staatsmann, seit 1758 Außenminister, 1761 auch Kriegsminister; durch den Einfluß der klerikal gesinnten Dubarry wurde er Weihnachten 1770 gestürzt und verbannt. – *32f. das ganze Parlament von Frankreich verwiesen:* Diese historische Kuriosität war nicht belegbar. – *34f. einige heilige Leute des neuen Testaments:* Zu denken wäre etwa an Petrus und Paulus.

212 *14 Richelieu:* »Es ist bekannt, daß eben diese Argenis das Lieblingsbuch Richelieu's, des staatsklügsten Mannes seiner Zeiten, war«, schreibt J.C.L. Haken in der Einleitung zu seiner Übersetzung der »Argenide« Berlin 1794, S. XVIII. Über ihn vgl. zu C 138. – *14 Leibniz:* Über ihn vgl. zu A 9. »Auf der königl. Bibliothek zu Hannover wird das Exemplar von der Argenis gezeigt, worin er zufolge die Nachricht, welche Eccard darin geschrieben hat, kurz vor seinem Ende gelesen hat«, heißt es in einer Fußnote am Ende der »Lobschrift auf Gottfried Wilhelm von Leibnitz«, erschienen im »Hannoverischen Magazin«, 96. Stück, Sp. 1521–1536; 97. Stück, Sp. 1537–1550; 98. Stück, Sp. 1553–1558, vom 5. Dezember 1768. – *15 Barclajus ... in seiner Argenide:* Über Barclay s. zu C 207. In diesem Zusammenhang ist eine höchst boshafte Äußerung Kästners von Interesse, die sich in einem Brief an Friederike Baldinger (Briefe aus sechs Jahrzehnten. Berlin 1912, Nr. 78, S. 127) vom 27. Juni 1779 findet: »Nun aber ist das Buch auch Photinors [Photorins] Leibbuch. (Anm. Kästners: Und wer weiß noch, ob er es lateinisch liest oder in Opitzens Verdeutschung) Das kömmt mir gerade so vor, als wenn die Mama Lofs Kochbuch auf dem Tische liegen hat, manchmal hineinzusehen, und Malchen studiert auch darin. Doch nein, Malchen kann doch einmal das Kochbuch brauchen lernen, aber Photinor wird nie über Staatssachen befragt werden.« – *16f. Nunc ... jacere:* Nun hat es das Schicksal so eingerichtet, daß es bei vielen Völkern beinahe als Zeichen eines ausgezeichneten Geistes gilt, von Königspalästen ferngehalten zu werden oder in ihnen unbeachtet zu sein. Das Zitat findet sich Barclay, o.c.I, p. 62 der Ausgabe Francofurti 1623. Dieses Exemplar der Göttinger Staats- und Universitätsbibliothek trägt übrigens auf dem Schmutzblatt die handschriftliche Eintragung: »Zum Büchervorrath der Königl. Deutschen Gesellsch. geschenckt von dem Herrn Professor Gesner der Gesellsch. Präsident. 1756.« – *17 Nunc:* Danach folgt im Original: *(inquit) perversam rationem.* – *17 fit:* Lies im Text: *sit.* – *17 egregii:* Davor steht im Original: *ad.* – *20 Bratenwenderstelle:* Diesen Ausdruck gebraucht Lichtenberg pejorativ auch 375, 27. 644, 13. 830, 9. 832, 15. 1001, 9; im übrigen vgl. zu D 757. – *27 f. den Akzent ... gelegt haben:* Diese Wendung begegnet auch in dem Satiren-Fragment »Zwo Schrifften, die Beurteilung betreffend ...« (Aus Lichtenbergs Nachlaß, Weimar 1899, S. 27. 45). – *29 Poetaster:* Diese Wortprägung für: Dichterling begegnet laut DWB 7, 1970 bereits bei Fischart 1665. Lichtenbergs Beleg ist nicht notiert. Lichtenberg gebraucht den Ausdruck auch 689, 36 f. 848, 12. – *32 Weißbinderei:* Weißbinder nannte man seinerzeit den Anstreicher. DWB 14, 1201 bringt von Lichtenberg als Beleg 336, 21 f. Lichtenberg gebraucht den Ausdruck Briefe (IV, 639). – *36 Ziegra:* Über Christian Ziegra vgl. zu C 231. – *36 Jacobismus:* von Lichtenberg heftig bekämpfte literarische Mode à la Johann Georg Jacobi; über ihn vgl. zu B 47.

213 *1 f. deutschen Gesellschaften:* akademische Institutionen, etwa in Leipzig (Gottsched) und Mannheim, die sich der deutschen Sprach- und Literaturpflege annahmen; in Göttingen bestand eine »Deutsche Gesellschaft« seit 1740. S. auch 531, 6. 720, 5. – *6 Plunder:* Zu diesem Ausdruck vgl. zu 298, 30. – *19 Seele des Genies:* Zu Lichtenbergs Aversion gegenüber dem ›Genie-Kult‹ seiner Zeit vgl. 306, 9 f. 331, 2 f. 333, 24. 370, 12. 577, 16. 895, 4. 994, 8; s. auch Briefe (IV, 252). – *36 Zinzendorf:* Nikolaus Ludwig Graf von Z. (1700–1760), Begründer der Herrnhuter Brüdergemeinde und pietistischer Liederdichter. Die Herkunft der Äußerung konnte nicht ermittelt werden. Zu Lichtenbergs Stellung zu Pietismus und Herrnhutern vgl. zu 193, 22. – *37 General Fischers:* Johann Christian Fischer (1713–1762), gebürtig aus Stuttgart, frz. General, berühmt-berüchtigter Anführer eines Husarenfreicorps. Die Herkunft des Ausspruchs konnte nicht ermittelt werden; vgl. auch B 26, wo Lichtenberg seinen Namen durch den des Feldmarschalls Luckner ersetzt.

214 *2 f. Fahne des Lammes:* das Lamm mit der Kreuzfahne: Sinnbild des leidenden und auferstandenen Christus, den die christl. Symbolsprache nach Joh. 7,29.36, auch Offenbarung Joh. 5,6 als »Lamm Gottes« apostrophiert. – *8 Industrie:* Fleiß. – *10 Corpore:* im Körper. – *16 f. Stoiker ... leugnet die Grade der Moralität:* Dieser Satz geht auf KA 166 zurück; s. auch 244, 11. – *27 Pupillen:* abgeleitet von engl. ›pupil‹: Schüler, *Mündel.* – *31 armen Teufel:* Zu diesem von Lichtenberg sehr oft gebrauchten Ausdruck vgl. B 137 und die Anm. dazu; s. insbesondere auch H 60. Lichtenberg gebraucht den Ausdruck ferner 216,24. 340, 20 f. 351, 35. 524, 21. 537, 15. 572, 4. 604, 25 f. 617, 4. 671, 6. 679, 13. 707, 1 f. 715, 16 f. 746, 23 f. 754, 34. 762, 9. 784, 12.

789, 38. 793, 15. 809, 17. 889, 7. 892, 35f. 894, 3. 908, 24. 939, 3. 954, 4. 976, 34. 979, 30. 980, 37. 981, 15. 983, 29. 1003, 18. 1044, 3. 1045, 29.

215 *16 Staupbesen:* Große Rute, mit der seinerzeit Delinquenten vom Scharfrichter öffentlich gestäupt wurden. Diese Stelle wird im DWB nicht angeführt. S. auch 246, 25f. 418, 13. 763, 24. 783, 19f. – *25f. Komödiant, ein Gotteslästerer ... Straßenräuber:* Diese Zusammenstellung gebraucht Lichtenberg bereits in den »Zwo Schrifften die Beurteilung betreffend ...« (Aus Lichtenbergs Nachlaß, Weimar 1899, S. 49) sowie in einem Brief an Johann Christian und Christiane Dieterich (IV, Nr. 30, S. 52) vom 17. März 1772. – *30f. Vom Ursprung der Lybes- und Lebensstrofen ...:* Wie Lichtenberg an Johann Daniel Ramberg (IV, Nr. 154, S. 301) am 25. Dezember 1777 mitteilt, ist das Buch »eine Erdichtung von mir und die ganze Stelle von dem Königsbergischen Setzer ... erbärmlich verhunzt.«

216 *1 ups:* nach den »Vermischten Schriften« verb. aus: *aps.* – *6 umb:* nach den »Vermischten Schriften« verb. aus: *und de Städt.* – *17 müßte oder:* nach den »Vermischten Schriften« verb. aus: müßte *de.* – *21 or:* nach den »Vermischten Schriften« verb. aus: *er.*

217 *4f. zwischen Geist und Fleisch Friede machen:* Diese Wendung notiert Lichtenberg in C 51; s. auch die Anm. dazu. – *9 Äsgen:* abgel. von As: früheres Gold-, Silber- und Münz-, auch Handelsgewicht in Deutschland; Unterabteilung der Mark; Lichtenberg gebraucht es auch Briefe (LB I, 76) und D 83. – *27f. Beccaria von Verbrechen und Strafen:* Über Cesare Marchese de Beccaria und sein berühmtes Werk s. zu A 186. Möglicherweise ist aber Lichtenbergs Digression über den »bedrängten Orden der Spitzbuben« eigentlich veranlaßt durch die im »Hannöverischen Magazin« geführte Diskussion »Von Ausrottung der Diebes- und Räuberbanden«, wie der Titel eines Aufsatzes ebenda im 41. Stück, Freitag, 24. Mai 1771, lautet. – *29 Polhöhe:* Der Ausdruck begegnet auch C 209, und demgemäß in der Vorrede zur »Methyologie der Deutschen« (318, 14). Lichtenberg entnahm ihn, wie aus KA 14 hervorgeht, Vitruv: elevatio poli; s. auch 346, 17.

218 *9 Bettler:* nach D 106 von mir verb. aus: *Armen.* – *9f. Dreigroschenstück ... Träne:* Diese Zusammenstellung notiert Lichtenberg in C 22; im übrigen vgl. zu 17, 27. – *11 peinlichen Halsgerichtsordnung:* der letzte Akt des ma. Kriminalprozesses, in dem auf Todesstrafe erkannt wurde. Halsgerichtsordnungen überhaupt wurden die im 15. und 16. Jh. in Deutschland erlassenen Gesetze über das Strafverfahren und Strafrecht genannt. Besondere Bedeutung erlangte die Bamberger H. von

1507 als Vorläuferin der Carolina. S. auch 456, 15. – *18 Taschenbuffer:* Taschen-Pistole.
219 *16 Febricitanten:* Fieberkranken. – *22f. Juden, der in G... getauft:* In der Johanniskirche zu Göttingen wurde am 25. August 1771 Hirsch Marcus getauft. – *31 maßen:* Dieses Kanzleiwort begegnet auch 411, 36; im übrigen vgl. zu D 482. – *35 Zweideutigkeitenreißer:* Womöglich ist Voltaire gemeint; die Stelle konnte von mir jedoch nicht ermittelt werden.
220 *19f. mit den Herrnhutern ein gesalbtes Wesen nennen:* Die Wendung gebraucht Lichtenberg auch B 314; s. die Anm. dazu; im übrigen vgl. zu 193, 22. – *24f. Superklugen:* Diesen Ausdruck gebraucht Lichtenberg auch D 445; vgl. die Anm. dazu; *Superfein* prägt Lichtenberg 348, 8. 918, 7. – *25 G.:* Gemeint ist natürlich Göttingen.
221 *6f. meinen seligen Herrn Taufpaten... Konsistorialrat W.:* Gemeint ist laut Taufregister (s. Deneke, S. 9): »Joh. Georg Wachter fürstl. Heß. Cammer Secret: zu Darmstatt«; Lebensdaten unbekannt. – *17 Michaelis:* Über Johann David Michaelis vgl. zu KA 212. – *17 Kennicot:* Benjamin Kennicot (1718–1783), engl. Theologe und Philologe in Oxford, gab 1778–1780 »Vetus Testamentum Hebraicum« heraus. Lichtenberg erwähnt ihn auch Briefe (IV, 411). – *17 Schultens:* Albert Schultens (1686 bis 1750), niederländ. Hebraist und Arabist, seit 1732 Prof. in Leiden; begründete die Erforschung der hebräischen Sprache mit Hilfe des Arabischen. – *21f. Roggenkaffee:* Dieser Ausdruck begegnet auch B 144. – *22 Luthers Übersetzung:* Über Martin Luther und seine Bibelübersetzung vgl. zu KA 189. – *28 Zehntwache:* So nannte man seinerzeit die Amtsdiener, die die Einbringung des Zehnten zu beaufsichtigen hatten. Im DWB 15, 463 wird diese Stelle aus Lichtenberg als einziger Beleg angeführt.
222 *3 Astrologie und Chiromantie:* Sterndeutung und Handlesekunst. – *14 Käsebier:* Die Lebensdaten dieses Straßenräubers sind mir nicht bekannt. Lichtenberg erwähnt ihn auch 240, 22. 720, 18 sowie in den Briefen (IV, 428). – *14 Shakespear:* Über William Shakespeare vgl. zu A 74. – *28f. das Pulver nicht erfunden:* Diese Wendung begegnet auch B 378. – *33 nichtswürdige Kunst:* von mir verb. aus: *Lust,* das vermutlich Druckfehler ist.
223 *1 hiesige Jude:* Gumprecht? – *1 Oliver Cromwell:* Über ihn vgl. zu KA 2. – *2 Richard Cromwell:* Richard C. (1626–1712), Sohn Oliver Cromwells, 1658 dessen Nachfolger im Protektorat, aus dem er bereits 1659 verdrängt wurde. – *3 Sancho Pansa:* Figur des bauernschlauen Dieners aus dem Roman »Don Quijote« von Cervantes; über ihn s. zu C 11. Lichtenberg erwähnt ihn auch 417, 7. Im übrigen vgl. zu 417, 1. – *10 vehiculis:*

Plural von lat. vehiculum: Fahrzeug. – *15 Galabegebenheiten:* Ähnliche ›Gala‹-Wendungen begegnen 382, 23. 433, 23. 716, 12. 847, 19. 861, 11. 863, 23. 873, 14. 881, 5. 917, 11. – *25 Aufschub, den der Abdruck ... erlitten:* Die Schrift, 1771 verfaßt, erschien erst 1773 im Druck; s. oben S. 83. – *29f. Lavaters ... Physiognomik:* Gemeint ist Lavaters – über ihn vgl. zu A 129 – Veröffentlichung »Von der Physiognomik«, die, herausgegeben von Johann Georg Zimmermann, dessen Vorbericht vom 20. März 1772 datiert ist, in zweiter Auflage bei Weidmanns Erben und Reich 1772 in Leipzig erschien. Lichtenberg erwähnt sie auch 261, 9f. und KA 278. F 804. – *30f. aus den Händen den ganzen Mann erkennen:* Gemeint ist Lavaters Aufsatz »Von der Physiognomik«, erschienen im »Hannoverischen Magazin« 10. Stück, Montag, den 3ten Februar 1772, Zweyter Abschnitt, Sp. 159–160: »Allein ich getraue mir zu behaupten, ... daß ein höherer, ein englischer Verstand aus einem Gelenke oder Muskel die ganze äußere Bildung, und den allseitigen Contour des ganzen Menschen bestimmen könnte ...« – *32 Accoucheur:* Geburtshelfer. – *35 Genie ... Non-Genie ... Junfer oder Non-Jungfer:* Ähnliche Zusammensetzungen bildet Lichtenberg 777, 2. 917, 25. 1024, 15. Im übrigen vgl. zu C 201. – *37 Fluxionen:* als Fluxion: Fluß der Funktion bezeichnete man den Differentialquotienten dy/dt. – *38 Ficke:* niederdt. Tasche. – *39 Hand für das Gesicht:* Lies entsprechend D 106: *vor* das Gesicht; im übrigen vgl. zu A 118.

224 *19 Drurylane:* ehemals berüchtigter Straßenzug in London, in dem sich das Drury Lane Theatre (eröffnet 1683) befindet; s. auch 337, 11. 340, 22. 343, 2. 354, 16. 358, 26. 365, 9. 366, 10. 758, 27! 796, 34. 807, 3. 809, 18. 858, 25. – *27 Influxionisten...:* d. h. Anhänger der Lehre des Descartes von dem wechselseitigen Einfluß des Leibes (influxus physicus), der Materie auf die Seele, während die *Okkasionalisten* à la Geulincx und Malebranche annahmen, daß durch göttlichen Eingriff, bei ›Gelegenheit‹ der psychischen Vorgänge das entsprechende physische Ereignis eintrete; der psychologische Parallelismus dagegen verneint den okkasionellen Eingriff Gottes und behauptet entsprechend Leibniz eine ›prästabilierte *Harmonie*‹ beider Bereiche. – *28 mein bekanntes Pulversystem:* Vgl. dazu A 56 und 228, 33. – *32 Oscitanz:* Schläfrigkeit. Lichtenberg gebraucht den Ausdruck auch F 664 und in Briefen (IV, 497, 17. 987, 15). – *36 Garrick:* Über David Garrick s. zu KA 169; vgl. ferner die »Briefe aus England«.

225 *3 gewisse Krankheiten zu heilen:* Zu dieser ›Heilmethode‹ vgl. 801, 29 ff. und die Anm. dazu. – *19 der letztere gar in das Bette legte:* Das Männerkindbett erwähnt Lichtenberg auch C 146. – *24 Entdeckungen auf der geraden Heerstraße:* Zu diesem Bild vgl.

J 1633 und die Anm. dazu. – *29 Teile:* von mir entsprechend D 106 verb. aus: *Hälften.* – *36f. Beispiel von den beiden zusammengewachsenen Mädchen:* Dazu vgl. noch meine Einleitung zu »Der doppelte Prinz« unten S. 295.
226 1 *Transactionibus philosophicis:* Gemeint ist der Artikel Nr. 39: »Observationes Anatomico-Medicae, de Monstro bicorporeo Virgineo A. 1701, die 26 Oct. in Pannonia, infra Cornaromium, in Possessione Szony, quondam Quiritum Bregetione, in lucem edito, atque A. 1723. die 23 Febr. Posonii in Coenobio Monialium S. Ursulae morte functo sepulto. Authore Justo Johanne Torkos, M. D. Soc. Regalis Socio.« Mit 2 Kupfern. In »Philosophical Transactions« Vol. L. Part 1 for the Year 1757, London 1758, p. 311–322. – *1f. Reimari … Buch von der natürlichen Religion:* Gemeint ist das zu B 50 genauer nachgewiesene Werk »Die vornehmsten Wahrheiten der natürlichen Religion in zehn Abhandlungen auf eine begreifliche Art erkläret und gerettet«, erschienen Hamburg 1754, von Hermann Samuel Reimarus – über ihn s. zu B 50 –, wo er innerhalb der 6. Abhandlung »Vom Menschen und dessen Seele« (S. 436–441 der 2. Auflage) von den Siamesischen Zwillingen handelt. – 3 *Sprüchwörter, oder die Philosophie der Toren:* Zu Lichtenbergs Stellung zu Sprichwörtern vgl. zu B 248. – *4 omne simile claudicat:* »Jeder Vergleich hinkt.« Lichtenberg zitiert die Worte auch in den Briefen (IV, 488, 23. 722, 1). – 5 *similia illustrant non probant:* Gleichnisse beleuchten, aber sie beweisen nicht. – *6 Scandalum ecclesiae:* Ärgernis der Kirche. – *6 Präbendarius Sterne zu Yorck:* Über Lawrence Sterne vgl. zu B, S. 45 (I). Präbendarius: Inhaber einer Präbende: Pfründe. – *7 νῦν … πυρός:* Nun in der Hölle des Feuers. – *7f. Brillenwischen … kein Syllogismus:* Zitat aus »Tristram Shandy«: »auch ich behaupte nicht, daß das Abwischen eines Spiegels ein Syllogismus sei«, schreibt Sterne in »Tristram Shandy«, Drittes Buch, Vorrede des Autors, S. 198 (zit. nach der Ausgabe Winkler 1969). – *14 Weltweisen:* im 18. Jh. gebräuchlich für: Philosoph; s. auch 201, 18f. 265, 34f. 538, 14. 549, 14. 554, 23. 764, 1. – *20 mut. mut.:* mutatis mutandis: mit den notwendigen Änderungen. S. auch 459, 19. 548, 22. 866, 17f. 953, 25. – *28 purgiert:* mediz. Fachausdruck: purgieren: zur Ader lassen, reinigen. – *31f. Kuren Krankheiten … Unzer in seinem Arzt:* »Die Wirkungen der Arzeneyen, die Curen, sind also eben sowol Krankheiten, als die Uebel, wider welche wir sie gebrauchen.« Der Satz findet sich in Unzers Zeitschrift »Der Arzt«, Erster Theil, Zweytes Stück, Hamburg 1760, S. 19: »Allgemeiner Begriff von der Lebensordnung«. Über Unzer und seine Zeitschrift s. zu A 54.
227 15 *Herzoge:* verbessert aus: *Hezoge* der Druckvorlage. – *17f. Krankheiten mit Rhabarber und China heilt:* Rhabarber war

seinerzeit ein gebräuchliches Abführmittel; China (gemeint ist Chinarinde, 1632 erstmals nach Europa gebracht) gegen fiebrige Erkrankungen. – *32f. die Prinzen vom Berge Libanon:* Die Anspielung ist unklar. – *33 die Greifswaldischen Magister zu Upsal:* Greifswald, das seit 1456 eine Universität besaß, fiel 1648 an Schweden, dessen traditionsreichste und älteste Universität Upsala seit 1477 bestand.

228 *7 Commercio animae et corporis:* dem Verkehr zwischen Seele und Leib; Lichtenberg gebraucht diese Wendung auch 455, 30. – *9 begriffen werden:* von mir entsprechend D 106 verb. aus: haften. – *11 Probierstein:* Diesen Ausdruck gebraucht Lichtenberg auch D 745; vgl. die Anm. dazu. – *19 Lamettrie:* Über ihn vgl. zu A 56. – *20 geistischer:* Diese Schreibweise Lichtenbergs findet sich auch 229, 7. 731, 9f. 1018, 16. 1053, 7; im übrigen vgl. zu A 139. – *27 drittehalb Pariser Zolle:* Vgl. zu 25, 1. – *32 mein, oben erwähntes System:* S. 224, 28. – *35f. unendlich vielen dazwischenfallenden:* von mir entsprechend D 106 verb. aus: *unendlich dazwischenfallenden.* – *36 aër fixus:* fixe Luft: so nannte man im 18. Jhdt. zunächst den von Priestley entdeckten Sauerstoff (1773), der seinerzeit »dephlogistisierte Luft« genannt wurde. Vgl. auch Briefe (IV, 288, 24) und zu K 353. –

229 *7 geistische:* S. 228, 20 und die Anm. dazu. – *10 Ausschweifung:* So übersetzt Lichtenberg die ›Digression‹ à la Sterne; im übrigen vgl. zu 65, 1. – *21 der höchste Flug des theorisierenden Menschen:* Die Wendung findet sich, abgewandelt, in C 334; s. auch 375, 31f. – *22ff. Sterne ... versprochene Theorie von den Knopflöchern:* Anspielung auf das von Sterne im »Tristram Shandy«, Viertes Buch, 14. Kapitel, sogenannte »Lieblingskapitel«, von dem er ebenda, 15. Kapitel, S. 296 (zit. nach der Ausgabe Winkler 1969) sagt: »Und doch, so schön es auch ist [scil. das Thema über den Schlaf], wollte ich dennoch lieber ein Dutzend Kapitel über Knopflöcher schreiben, und zwar schneller und mit mehr Ruhm, als ein einziges hierüber.

Knopflöcher! In diesem Begriff liegt schon etwas Anregendes. Und glauben Sie mir, wenn ich mich erst darüber hermache, Ihr edlen Herren mit den langen Bärten – Sie mögen so finster dreinschauen, wie Sie wollen –, dann will ich mit meinen Knopflöchern ein lustiges Spiel treiben. Ich will sie alle für mich allein haben. Es ist ein jungfräuliches Thema, und ich kann dabei niemandes Weisheit oder schöne Redensarten verwenden.« Über Sterne s. zu B, S. 45 (I). – *24 Sentinisches Gewäsch:* Sollte diese Wendung von lat. sentina: Grundsuppe abzuleiten sein? DWB 10, 1, 615 verzeichnet diesen Beleg nicht. – *27 Inspektor bei der Münze zu London:* Gemeint ist Isaac Newton; über ihn s. zu A 79. Er wurde 1698 Münzwardein, 1699 Master of the Mint. – *28f. ein Apfel ... auf die Nase fiel:* Anspielung auf die von Newton entdeckte Gravitation; vgl. KA 303 und die Anm. dazu. – *33 Tubos:* Fernrohre. – *34 Thales:* Über ihn s. zu 184, 26. – *34 Bianchini:* Über Francesco Bianchini vgl. zu D 684. – *34f. bei der Nacht beim Observieren gestolpert:* von mir entsprechend D 106 verb aus: *bei der Nacht gestolpert.*

230 *19f. zumal in G.:* Zur Göttinger Mettwurst vgl. zu 210, 7f. – *22f. Alles was ihr wollet:* »Alles nun, was ihr wollet, daß euch die Leute tun sollen, das tut Ihr ihnen: das ist das Gesetz und die Propheten«, heißt es Matth. 7,12; ähnlich auch Luk. 6,31 und Tobias 4,16. Lichtenberg zitiert diesen Vers auch 245, 15f. und in einem Brief an Amelung (IV, Nr. 508, S. 661,24f.) vom 24. März 1786; ferner B 128 (S. 81). – *23 daß euch die Leute tun sollen pp:* von mir entsprechend D 106 eingefügt. – *36 Buridans Esel:* dem franz. scholastischen Philosophen Johannes Buridan (ca. 1300–ca. 1358) an der Universität Paris zugeschriebene Metapher von dem Esel, der zwischen zwei Heubündeln stehend verhungert, weil er sich für keines von beiden entscheiden kann. Lichtenberg erwähnt ihn auch 693, 23, ferner GTK 1787, S. 243.

231 *9 der berühmte St. Whitefield:* Über George Whitefield vgl. zu B 39. – *9 einmal einen Tambour:* Das erste Wort ist in den »Vermischten Schriften« wohl wegen der Wiederholung: *einstmalen* ausgelassen. – *10f. mit Butlero zu reden:* »And pulpit, drum ecclesiastic,/Was beat with fist, instead of a stick.« Zitat aus »Hudibras«, Erster Teil, 1. Kap. Z. 11. Über Samuel Butler vgl. zu B 49. – *18 der König von Preußen in den Schlesischen Kriegen:* Anspielung auf die rücksichtslose preußische Soldatenpresserei und den Willkürakt Friedrichs II. gegen Österreich, dem Schlesien seinerzeit gehörte. Über Friedrich II. vgl. zu KA 140. – *31 durchgehen wie die Holländer:* Worauf Lichtenberg anspielt, konnte ich nicht ermitteln. Zu Lichtenbergs negativem Holland-Bild vgl. H.L. Gumbert: Lichtenberg und Holland. Utrecht 1973; s. auch 376,10. 800,5. 841,7f.

232 *19 Keine Schwerter und keine Flammen:* Ähnlich schreibt Lichtenberg von der protestantischen Fakultät in den »Zwo Schrifften, eine Beurteilung betreffend ...« (Aus Lichtenbergs Nachlaß, Weimar 1899, S. 51). – *19f. die theologischen Fakultäten zu ... Japan:* Auf sie spielt Lichtenberg auch in den »Zwo Schrifften, die Beurteilung betreffend ...« (Aus Lichtenbergs Nachlaß, Weimar 1899, S. 44) an. – *22 Mücken zu wehren:* Zu dieser Wendung vgl. C 260. Lichtenberg gebraucht sie auch 522, 7. – *23f. Ein Federstrich ... Zittert hierbei:* Ähnlich ›drohende‹ Wendungen gebrauchtet Lichtenberg auch in den »Zwo Schrifften, eine Beurteilung betreffend...« (Aus Lichtenbergs Nachlaß, Weimar 1899, S. 29. 41). – *33 Proselyten ... machen:* Vgl. zu 193, 20. – *34 Lavater:* Über ihn vgl. zu A 129. – *36 Mendelssohns:* Über

Moses Mendelssohn vgl. zu C 39; im übrigen vgl. die Einleitung oben S. 82. – *38 Gucken in die Ewigkeit:* Anspielung auf Lavaters »Aussichten in die Ewigkeit«, erschienen Frankfurt am Main 1768; Lichtenberg zitiert das Werk auch A 129; s. auch 234, 32. 235, 10.

233 *3 kühlendes weltliches Buch:* von mir verbessert entsprechend D 106 aus: *weltliches Buch. – 3f. Apollonius von Kegelschnitten:* Apollonius von Perge, griech. Mathematiker und Astronom der 2. Hälfte des 3. Jahrh. v. Chr., galt in Antike und Mittelalter als ›der große Geometer‹. Sein Hauptwerk: die 8 Bücher »Konika«, das klassische Handbuch der Kegelschnittlehre bis zum Aufkommen der analytischen Geometrie. – *4 minute:* lat. engl. winzig, unbedeutend, kleinlich. – *9 Heidamacken:* Lichtenberg erwähnt sie auch D 26; s. die Anm. dazu. – *15f. geheimen Geschichten des Herzens:* Anspielung auf die von Pietismus und rationalist. Seelenerfahrungskunde angeregte Mode der ›Heautobiographie‹ im 18. Jh. Lichtenberg gebraucht die Wendung auch 294, 21 f. S. auch F 525. – *34f. Wölfe in Schafskleidern:* Zu dieser Fabel vgl. zu 692, 40 f.; s. auch 697, 13.

234 *1f. Lavater ... deine Briefe und deine Vorreden:* S. oben die Einleitung S. 82; vgl. auch C 39. – *4 jüdische Bücher über die Unsterblichkeit der Seele:* Anspielung auf Mendelssohns berühmtestes Werk »Phaedon, oder über die Unsterblichkeit der Seele« (1767). – *20ff. Und wiegt nicht ein Kopf ... auf:* verb. aus: *Wo ein Kopf ... aufwiegt.* – *20 bon sens:* gesunder Menschenverstand. – *25f. Hofsprache des Himmels:* Zu diesem Ausdruck vgl. zu 60, 35. – *27 schweizerisches Deutsch:* Dieser Ausdruck begegnet auch D 539. – *32 in die Ewigkeit hinausschauen:* Diese Wendung ist F 790 entlehnt. – *33f. Vergnügen ... zwischen Wachen und Schlafen:* Anspielung auf Lavaters »Aussichten in die Ewigkeit«, vgl. A 129 und die Anm. dazu; s. auch zu 232, 38, ferner 285, 38. – *37 Meßkünstlers:* Vgl. zu 9, 8.

235 *10 Aussichten in die Ewigkeit:* Vgl. zu 232, 38. – *11 Scheidewand:* Zu dieser Wendung vgl. B 334. – *11f. wo sie am dünnsten ist:* von mir entsprechend D 106 verb. aus: *dünnen Scheidewand.*

236 *10 Wachset im Glauben:* Diese Formel geht entweder auf 2. Corinther 10, 15 oder auf 2. Thessalonicher 1, 3 zurück. – *11f. Geschrieben zu G. ... August 1771:* Dazu vgl. oben S. 83.

EPISTEL AN TOBIAS GÖBHARD

Erstveröffentlichung und Satzvorlage: »Epistel an Tobias Göbhard in Bamberg über eine auf Johann Christian Dieterich in Göttingen bekannt gemachte Schmähschrifft.« 1776 (Göttingen bei Dieterich). 40 S. Ein Manuskript ist im Nachlaß nicht erhalten.

Zur Entstehung: Über den Anlaß der Epistel informiert Lichtenberg selbst hinlänglich; seine Schrift ist auf den ersten Blick ein Freundschaftsdienst für den Verleger Johann Christian Dieterich und des weiteren ein engagierter Beitrag zu der in jenen Jahren brennend aktuellen Auseinandersetzung über den Nachdruck. Über den Zeitpunkt der Niederschrift jedoch gibt es nur wenige Anhaltspunkte. Wenn man Lichtenbergs Reflexion in F 60 darüber, daß die Engländer *to pirate* von einem Nachdrucker sagen, auf Göbhard beziehen will, bedeutete dies, daß er sich bereits am 17. Mai 1776 mit der Angelegenheit befaßte. Namentlich genannt wird Göbhard erst F 143, das ist am 18. August 1776. Die Notiz erlaubt den Schluß, daß Lichtenberg eine satirische Abfertigung zumindest bereits beabsichtigt, womöglich schon unter der Feder hat. F 187 dagegen, am 11. September 1776 eingetragen, könnte darauf schließen lassen, daß die »Epistel« fertiggestellt, ja schon im Druck befindlich ist, während F 237, niedergeschrieben am 24. Oktober 1776, wie ein nachträgliches Fazit anmutet: »Ich habe auch schon gedacht man hätte Göbharden sollen gehen lassen, denn wo der hinkommen wird, wenn er fortfährt, da kann ihn der Teufel selbst nicht hinbringen.« Lichtenberg übersandte zwar erst am 21. November 1776 ein Exemplar der »Epistel« an Hollenberg (IV, Nr. 133, S. 278), aber offensichtlich einige Zeit nach ihrer Veröffentlichung, denn er schreibt an der gleichen Stelle: »auf die letztere ist eine armselige – Antwort erschienen, und ich habe auch gleich geantwortet, diese Antwort ist indessen noch nicht gedruckt.« Die gedruckte Antwort mit dem Titel »Friedrich Eckardt an den Verfasser der Bemerkungen zu seiner Epistel an Tobias Göbhardt«, ebenfalls bei Dieterich erschienen, konnte Lichtenberg dann am 19. Dezember 1776 übersenden (s. IV, 280).

Wenn man davon ausgeht, daß zwischen Erscheinen der Ersten Epistel und dem Erscheinen der Antwort Göbhards gut und gern eine Spanne von vier Wochen gelegen haben wird – postalische Zustellung, Niederschrift, Drucklegung und Auslieferung bedenkend – und eine gleiche Frist auch zwischen Erscheinen der Antwort Göbhards und Lichtenbergs Zweiter Replik veranschlagt wird, kommt man für die »Epistel« auf einen Termin zwischen Mitte September und spätestens Mitte Oktober 1776 hinsichtlich Niederschrift und Publikation.

Mautner (a.a.O., S. 172) nannte die »Epistel« eine »satirische Meisterleistung jener Jahre, ja vielleicht seines Lebens«. Diese Meinung teilten offenbar auch Zeitgenossen Lichtenbergs (vgl. IV, S. 285). In seinem »Vorschlag, dem Büchernachdrucke zu steuern«, erschienen November 1777 im 11. Stück des »Deutschen Museums«, S. 435–455, schrieb Bürger (S. 436), er wolle ausführen, was »ja selbst der fürchterliche *Friedrich Eckardt* mit seiner Knute und giftigen Scorpionen nicht vermochte!« und fügt in einer Fußnote hinzu, die beiden Briefe an Göbhard seien »Fliegende Blätter, die keinem unbekannt seyn sollten, der echten Witz, Satyre und Laune zu fühlen weiß.« Der fürchterliche Friedrich Eckard – in der Tat war Lichtenbergs satirische Intention diesmal ganz offenbar, nicht zu strafen und zu bessern, sondern zu vernichten. Diese Absicht, »to treat him without mercy« (IV, S. 280), läßt den konkreten Schreibanlaß vergessen, und Lichtenberg war sich dessen durchaus bewußt; man denke an F 143: »Wenn Göbhard etwas klüger und geschickter wäre, so wäre er grade der Narr, den ich wünschte. Die Narren, die recht zur Satyre taugen, sind sehr selten. Ohne Philippi hätte Liscow lange schreiben können, ohne sich nur 20 Jahre in die Ewigkeit hinein zu schreiben.« So gesehen und derart behandelt, war Göbhard lediglich ein Vorwand, um sozusagen grundsätzlich satirisch werden zu können: sein Name war austauschbar – an seine Stelle trat denn auch späterhin jetzt Zimmermann (s. IV S. 317. 320; ferner S. 540), jetzt Voß (s. LB II, S. 5. IV, S. 483) –, er hätte genausogut fingiert sein können. Und merkwürdigerweise ist es auch in Bamberg unmöglich, Exemplare der Göbhardschen Pamphlete aufzutreiben, und nicht einfach, auch nur seine Lebensdaten festzustellen (er starb 1792). Als Rebmann in den »Wanderungen und Kreuzzügen durch einen Theil Deutschlands«, erschienen Altona 1796, Bamberg passiert, schreibt er (Ed. Hedwig Voegt, Berlin 1958, S. 171): »Die Witwe des Nachdruckers Göbhard hab ich auch besucht. Das Warenlager des spitzbübischen Tobias besteht aus Legenden und gestohlenen Artikeln.« Das heißt doch: ein Denkmal besichtigen, das Lichtenberg errichtet hat.

Literatur: Schneider, a.a.O., Bd. I, S. 177–179; Mautner, a.a.O., S. 172–174. Auszüge aus Lichtenbergs Epistel sind wiederabgedruckt in: Hans Widmann (Hrsg.), Der deutsche Buchhandel in Urkunden und Quellen. Bd. 2, S. 338–341. Hamburg 1965. Über den Büchernachdruck s. ebenda S. 316–364; ferner Goldfriedrich, Geschichte des deutschen Buchhandels, Bd. 3, S. 1–115, Leipzig 1909.

237 *10 Herausgebers:* natürlich Lichtenberg selbst, der auch andernorts sich gern als Herausgeber fingiert; vgl. dazu zu 76, 31. – *16 Göbhards Schmähschrift:* Dazu vgl. oben S. 95. – *21 vogelfrei für die Schriftsteller:* Dazu vgl. zu E 153; s. auch 308, 20. – *26 Friedrich Eckard:* Pseudonym Lichtenbergs, das er in der Zweiten und Dritten »Epistel an Tobias Göbhard« (s. 539, 5 ff.) benutzt: Eckhardt, der Mädchenname seiner Mutter, hieß ein Vetter Lichtenbergs in Hamburg, Kandidat daselbst (s. Briefe, IV, S. 161. 163); Friedrich Eccard übrigens auch ein Göttinger

Bibliotheksbeamter (s. IV, S. 275). – *29f. Büchertitul ... entbehrlich:* Über Büchertitel reflektiert Lichtenberg auch F 201.
238 *Jesuiten-Kniffe:* Lichtenberg gebraucht diesen Ausdruck auch 249, 15f.; im übrigen vgl. zu 63, 35. – *4 Art vom Babel:* Zu dieser Wendung vgl. zu 66, 37. – *20 Peitsche und Pranger:* Zu diesen Ausdrücken vgl. zu E 345 und B 290. – *33 Altare des Apoll:* Diese Wendung findet sich auch F 184. 737; im übrigen vgl. zu diesem Satz E 492. *Apoll:* griech. Gott der Dichtkunst und der Weissagung; s. auch 498, 37. – *37 Kallimachus:* Über ihn vgl. zu E 491, wo auch die Verszeile genauer nachgewiesen und übersetzt ist. Lichtenberg zitiert sie auch 528, 1f.
239 *7f. Dieterichs Preise seien unerhört, sagen Sie:* Göbhards Schrift war mir nicht zugänglich. – *8f. von Sinds Stallmeister:* Gemeint ist das Buch »Unterricht in den Wissenschaften eines Stallmeisters mit einem Lehrbegrif der Pferdearzneykunst« nebst einem Vorwort Albrecht von Hallers, erschienen Göttingen (und Gotha) 1770, in 2. Aufl. 1775, von J. von Sind. J.B. Freiherr von Sind (Lebensdaten unbekannt) war kurköln. Kavallerieoberst und Erster Stallmeister des Erzbischofs und Kurfürsten von Köln Maximilian Friedrich. – *9 Trattnern:* Johann Thomas Edler von Trattner (1717–1798), Buchdrucker und Buchhändler in Wien; berüchtigter Nachdrucker seiner Zeit. Lichtenberg erwähnt ihn auch in den Briefen (IV, 797). – *11f. Buch vom ... Feder, worüber der gegenwärtige Streit entstanden:* Gemeint ist »Logik und Metaphysik, nebst der philosophischen Geschichte im Grundrisse«, Göttingen und Gotha 1769 (1774 bereits in 4. Auflage), von Johann Georg Heinrich Feder; über ihn vgl. zu KA (II), S. 88. S. auch 240, 14. 250, 35. – *12 Ggr.:* Abkürzung für: Gute Groschen, die in Preußen bis 1821 gültige Scheidemünze (1/24 Taler) zu je 12 Pfennig. S. auch 240, 20. 321, 14. 411, 19. 467, 24. 650, 26. 993, 33. – *31 Nicolai:* Über Christoph Friedrich Nicolai vgl. zu D 520. – *31 Reich:* Über Philipp Erasmus Reich vgl. zu B 102.
240 *2 seinen nunmehr verewigten Beschützer:* Gemeint ist Gerlach Adolf von Münchhausen, der erste Kurator der Universität Göttingen, der Dieterich 1765 das Buchhandelsprivileg für Göttingen verlieh; über ihn s. zu B 56. – *5 Bogen:* Vgl. zu 23, 26. – *7 noch mehr Edles an sich ... als den Titul:* Trattner führte seit 1764 den Titel eines Ritters des Hlg. Röm. Reiches, verliehen aus Anlaß der Krönung Josephs II. – *14 Feders Buch:* Vgl. zu 239, 11f. – *20 gute Groschen:* Vgl. zu 239, 12. – *22 Käsebier:* Über ihn vgl. zu 222, 14. – *28 wie warme Semmel:* Zu dieser offenbar alten Redewendung vgl. DWB 10, 1, 502, wo Lichtenbergs Beleg übrigens fehlt. Lichtenberg gebraucht diese Wendung auch 471, 4. – *33f. seinen Büchern alle äußere Zierde zu erteilen:* Über den Druck der von Lichtenberg heraus-

gegebenen »Opera Mayeri I«, Göttingen 1774, äußerte sich Georg III. sehr anerkennend; s. Briefe (IV, Nr. 101, S. 206, 26f.); Ähnliches gilt auch für die von Heyne veranstaltete Pindar-Ausgabe (s. IV, 227, 23 f.). – *35 f. alle Göttingische Drukkereien:* Soweit ersichtlich, handelte es sich insbesondere um die Buchdruckerei von Johann Albrecht Barmeyer, von Victorinus Bossiegel und um Stöcker, während Johann Carl Wiederholt wohl nur Buchbinder daselbst war.

241 *9 Scharteke:* Zu diesem Ausdruck vgl. zu C 87; s. auch 545, 11. – *9f. was man wider den Nachdruck überhaupt sagen kann:* Mit dem Nachdruck setzen sich außer Pütter unter anderen auseinander: Gottfried August Bürger: Vorschlag, dem Büchernachdrucke zu steuern. In: Deutsches Museum. 1777. 2.Bd., S. 435 ff. Ferner: Feder, Neuer Versuch einer einleuchtenden Darstellung der Gründe für das Eigenthum der Bücherverlage. In: Göttingisches Magazin, 1.Jg. 2.Stück. 1780, S. 1–37, und: Anhang zur Abhandlung vom Verlagseigenthum. In: Göttingisches Magazin. 1.Jg. 3.Stück. 1780, S. 459–466. S. noch J 1038 zu Kant. – *16f. einer unserer größten Rechtslehrer:* Johann Stephan Pütter; über ihn vgl. zu B 200. Laut »Verzeichniß derjenigen Bücher ...«, S. 11, Nr. 180, besaß Lichtenberg das Werk persönlich. – *33 Grönländer:* Vgl. D 49 und die Anm. dazu; Lichtenberg gebrauchte das Wort auch 274, 30.

242 *3ff. Schleichdrucker ... Schleichhandel:* Ersteres Substantiv ist laut DWB 9, 560 Wortbildung Lichtenbergs! Den letzteren Ausdruck gebrauchte Lichtenberg auch 587, 29. 857, 4. 1004, 18. – *9ff. von dem seidenen Band ... bis zu dem hänfenen:* Eine ähnliche Wendung begegnet 656, 26. – *13 Richter in Altenburg:* Johann Ludwig R. (Lebensdaten unbekannt), Buchdrucker in Altenburg, seine Handlung 1799 von Pierer aufgekauft. – *13f. Trattner in Wien:* S. zu 239, 9. – *14 Mitchel in London:* Lebensdaten unbekannt.

243 *7 erntet, wo er nicht gesäet hat:* Zitat aus Lukas 19,21.22. Ähnlich schreibt Bürger in der zu 241, 9f. zit. Abhandlung, a.a.O., S. 29: »Schurken, die da ernten wollen, wo sie weder geackert noch gesäet hatten ...« – *12f. was ist ein Spitzbube, wenn das keiner ist:* Zu diesem Schimpfwort vgl. zu C 66. – *19f. der König von Frankreich für Rezepte wider den Bandwurm:* Diese Mitteilung geht auf Deluc zurück, wie aus RA 162 hervorgeht. – *24 in Bamberg ...:* Dazu vgl. F 364. – *31f. Das Erzene im Charakter verdient ... Achtung:* Vgl. zu D 668 (s. 340, 37 f.). – *36 auszuschattieren:* Lichtenberg gebrauchte diesen Ausdruck, substantiviert, auch 273, 10. 580, 33; im übrigen vgl. E 150 und die Anm. dazu. Zur Wortbildung mit *aus-* vgl. zu D 124: *auskünsteln.*

244 *11f. der Spitzbube und der ehrliche Mann ... nur dem Grade nach unterschieden:* Zu dieser Meinung vgl. zu 214, 16f. Zu *Spitzbube*

vgl. zu 243, 12f.; zu: *ehrlicher Mann* vgl. zu D 467. – *27 das Positiv-Gesetz:* Gemeint ist wohl das Positive Recht im Gegensatz zum Naturrecht und der Idee der Gerechtigkeit: der Inbegriff der vom Gesetzgeber gesetzten oder der als Gewohnheitsrecht geltenden Normen. – *36f. wenn die Spitzbuben anfangen ... die Rechte zu studieren:* Dieser Gedanke ist F 127 (10. August 1776) umständlicher notiert; eine ähnliche Wendung begegnet auch 408, 24ff. 671, 7. – *37f. Chicane:* Rechtsverdreherei.

245 *5f. Deutschen, deren Redlichkeit ... zum Sprüchwort gediehen:* Vgl. C 108 (S. 176) und die Anm. dazu. – *9 Scharwächter:* Wächter, der zu mehreren nachts patrouilliert. Lichtenberg gebraucht diesen Ausdruck auch 344, 38. 549, 18. 606, 35. 814, 28. Im übrigen vgl. zu F 988. – *13 Huronen:* Indianerstamm am Huronsee, früher einer der mächtigsten Stämme Nordamerikas; der »ehrliche Hurone« im Gegensatz zum verderbten Europäer wurde im 18. Jh. sprichwörtlich. – *15f. Was ihr wollet, das euch die Leute nicht tun sollen:* Zu diesem Bibel-Zitat vgl. zu 230, 22 f. – *16 der das Gesetz gegeben hat:* S. 247, 28 f. – *18f. die schimpfliche Glosse ...: haereticis non est servanda fides:* Häretikern darf nicht Glauben geschenkt werden. – *25 Revenüen:* Einkünfte. – *28ff. Ehemals diente man ... Gott dadurch, daß man seinen Nächsten plünderte:* Dazu vgl. J 1099 und 257, 21 f. 931, 5 f. – *31 Joseph dem Zweiten:* Joseph II. (1741–1790), ältester Sohn Kaiser Franz' I. und Maria Theresias, 1764 zum röm.-dt. König in Frankfurt gewählt; 1765 dt. Kaiser; einer der Hauptvertreter des aufgeklärten Absolutismus. – *36 schiefer Jesuiten-Kopf:* Über Lichtenbergs Meinung zum Jesuitismus vgl. zu 63, 35.

246 *25f. Pfahl mit Staupbesen:* Vgl. zu 215, 16. – *29 Leuten Diäten zu verschaffen:* Dazu vgl. auch die Zweite Epistel an Göbhard, a.a.O., S. 7. – *33 Hanauer Messe:* Im Juni 1775 fand der sogenannte »Hanauer Bücher-Umschlag« statt: eine Zusammenkunft der wichtigsten süddt. und österreich. Nachdrucker als Reaktion auf die Monopolstellung der ›Leipziger‹ Buchhändler und Verleger. S. auch Goldfriedrich, a.a.O., III, S. 64–68.

247 *7 Witwe Vandenhoeck:* Anna Vandenhoeck, geb. Parry (1709 bis 1787), aus London, Witwe des ersten, 1735 nach Göttingen gerufenen holländ. Buchhändlers Abraham Vandenhoeck (1700 bis 1750), dessen Verlag sie zusammen mit Ruprecht fortführte. Lichtenberg erwähnt sie auch in den Briefen (IV, S. 281. 406. 551. 704). – *7 Nicolai:* Vgl. zu 239, 31. – *7 Reich:* Vgl. zu 239, 31. – *7 Voß:* Über ihn vgl. zu L 229. – *7 Bohn:* Johann Karl B. (1712–1773), Buchhändler und Verleger in Hamburg, veröffentlichte u. a. Hagedorns Gedichte und Werke von Klopstock. – *15ff. Mancher Staat ... Ursprung einem Zusammenfluß von Menschen zu danken:* Gemeint ist jedenfalls Australien, womöglich auch die Vereinigten Staaten von Amerika. – *28f. Ge-*

setzgeber..., von dem ich oben geredet: S. 245, 16. – *36 Das Waisenhaus zu Salzburg habe ... nachgedruckt:* Die Schrift Göbhards war mir nicht zugänglich. – *36f. Ignaz Schmids Katechisten:* biographische und bibliographische Daten unbekannt.

248 *4 Salzburgische:* von mir verb. aus: Salzburgischen. – *12 pto:* Abk. von: puncto: betreffs. – *14 eine der schönsten ... Stellen ist die S. 12:* Die Schrift Göbhards war mir nicht zugänglich. – *15 Xaver Rienner in Würzburg:* Lebensdaten unbekannt. – *23 Mac Heath in Gays Bettler-Oper:* Über John Gay und seine »Beggars opera« s. zu RT 4; Lichtenberg sah eine Aufführung dieser Oper in London am 3. Oktober 1774; s. auch 766, 38. – *37f. wenn man die Geschichte manches Mannes so druckte, wie die Zoll-Zettel und Frachtbriefe:* Im »Vorbericht« zum 1. Stück des 1. Jahrgangs des »Göttingischen Magazins«, Januar 1780, empfiehlt Lichtenberg eine Orthographie, die wir u.a. »aus unsern Frachtbriefen und Lotteriezettuln lernen könten ...«. S. auch E 43.

249 *14 daß er ein Ketzer ist:* D.h. ein Protestant. – *15 schämen Sie sich vor den Neu-Seeländern:* Aus D 653 erhellt, was Lichtenberg meint: »weil sie schon jetzt, da es ihr gänzlicher Mangel an Feder und Dinte nicht anders verstattet, bei gelehrten und andern Disputen ihre Antagonisten auffressen.« – *16 Mehr als hundert Männer, sagen Sie auf der 13ten Seite:* Die Schrift Göbhards war mir nicht zugänglich. – *18 involuntären:* unfreiwillig, wider Willen. – *23f. Welche Hekatomben für die Musen:* Hekatombe, ursprünglich ein Opfer von 100 Tieren; später, schon bei Homer, jedes mit Schmauserei verbundene große Opfer; s. auch A 6. – *25f. Jesuiten-Kniffe:* Vgl. zu 238, 1. – *38ff. Büchertitul-Kenntnis das, was ... Gelehrsamkeit selbst genennt wird:* Diese Wendung ist F 153 (23. August 1776) entnommen; s. auch 594, 24f.

250 *4 Dieterich komme in Rasche:* Die Schrift Göbhards war mir nicht zugänglich. – *5f. Schurken, Lotterbuben:* Die Schrift Göbhards war mir nicht zugänglich. – *21 Pursche:* Bursche; im 18. Jh. noch gebräuchl. Schreibweise des von lat. bursa abgeleiteten Wortes, das ursprünglich den Bewohner einer studentischen Burse bezeichnete und später aus der Studenten- in die Umgangssprache übergegangen ist. S. auch 438, 16. 622, 9. – *23 Scharteke:* Vgl. zu 241, 9. – *25 deine Schandperiode:* Die Schrift Göbhards war mir nicht zugänglich. – *30f. an Wahnwitz grenzende Dummheit:* Eine ähnliche Wendung begegnet 268, 22. – *31 geschwänzten Menschen:* Vgl. zu 126, 30f. – *34f. neue Auflage der obberedten Werke des Hrn. Prof. Feders:* Die 5. Auflage des zu 239, 11f. genauer nachgewiesenen Werks erschien 1778, die 6. Auflage 1786, eine 7. Auflage 1790. Vgl. zu 239, 11f. –

40 Anmerk. des Herausgebers: Selbstverständlich ist Lichtenberg gemeint.

251 *4f. den verehrungswürdigen Verfasser:* Gemeint ist Feder; über Lichtenbergs Meinung gegenüber Feder vgl. auch zu KA (II), S. 88. – *21f. bekannten hermeneutischen Regel:* Vgl. zu C 246; s. auch 763, 35. 771, 9. 827, 29. – *25f. großen Vorgänger im Betrug:* Gemeint ist der Teufel. – *27f. Dr. Faust, der ehrliche Buchdrucker:* Über Johannes Faust s. zu B 70; nach der Überlieferung, die ihn mit dem Geschäftsmann und Partner Gutenbergs, Johannes Fust, verwechselt, hat der Schwarzkünstler die Buchdruckerei erfunden. S. noch Klingers »Faust«-Roman (1791). Lichtenberg erwähnt Dr. Faust in diesem Zusammenhang auch 420, 8. – *28f. Abschied ... mit transzendentem Gestank:* Dazu vgl. Briefe (IV, 572, 8f.). Zu: *transzendent* vgl. zu F72; s. auch 377, 17. – *30 Ende gut, alles gut:* Eindeutschung des Titels der gleichnamigen Shakespeare-Komödie »All is well that ends well«.

252 *5f. böse Sache ... gut zu verteidigen:* Zu diesem satirischen Prinzip vgl. zu KA 286.

ANSCHLAG-ZEDDEL IM NAMEN VON PHILADELPHIA

Erstveröffentlichung: Das bereits im achtzehnten Jahrhundert außerordentlich seltene Original war als wirklicher Anschlagzettel gedruckt, ein auf einer Seite bedrucktes Folioblatt, datiert vom 7.Januar 1777, ohne Angabe des Verfassers und des Druckorts. Ein Exemplar des Originals, das mir nicht zugänglich gewesen ist, befand sich ehemals im Stadtmuseum Göttingen, ist jedoch heute nicht mehr auffindbar. Ein Faksimile des »Avertissement« findet sich in Fritz Heymann, Der Chevalier von Geldern, Köln 1963, S. 372–373.

Satzvorlage: »Anschlag-Zeddel im Namen von Philadelphia«, abgedruckt in den »Vermischten Schriften«, Bd. 3, S. 231–238, Göttingen 1801. Laut Schreiben Lichtenbergs an Schernhagen (IV, Nr. 145, S. 292) vom 16.Januar 1777 handelt es sich bei der Satzvorlage um die *zweite* Auflage des Anschlagzettels: »Sie ist in nichts unterschieden, als daß dem Kongreß zu Philadelphia der verdiente Titul ehrwürdig vorgesetzt worden ist.« Vgl. 254, 4f.

Zur Entstehung: Über den Anlaß des »Avertissements« informiert ein Brief Dieterichs vom Oktober 1799 an den Herausgeber der ersten Ausgabe der »Vermischten Schriften«, Ludwig Christian Lichtenberg, der in den »Vermischten Schriften«, Bd. 3, S.189–191, der Ausgabe von 1844 auszugsweise mitgeteilt wurde und hier wiedergegeben werden soll:

»Wegen des Avertissements für Philadelphus Philadelphia gab folgende Ursach Gelegenheit, worauf Sie sich verlassen können, und mir nur allein bewußt ist. – Wie dieser Taschenspieler und Zauberer, so er sein wollte, hierher kam, gab solches allgemeinen Lärm, und jedermann erzählte von seinen Wunderthaten. Wenn nun dergleichen Erzählung Ihrem Bruder zu Ohren kam, ärgerte es Ihn allemal, und frug: ob man denn glaubte, daß dieser Mensch zaubern könne? es bestände ja Alles nur aus Betrügerei. Je mehr man wiederholt Dinge, so er machte, erzählte, je empfindlicher wurde Er darüber. Inzwischen zauberte Philadelphia immer fort, und einige Familien ließen ihn in die Häuser kommen, aber unter 30 ₰ niemals, und wenn mehrere Personen zugegen, so mußte ein jeder ihm 1 ₰ zahlen. Juden und Studenten hatte er sich ausgewählt, so ihn unterstützten, und seine Freunde waren. Als er nun Privathäuser genossen, so wählte er sich das Kaufhaus, so Sie des großen Saals wegen wohl noch kennen, wo er à Person 1 ₰ von den Zuschauern sich zahlen ließ. Vorher aber machte er bekannt, daß er noch sechs große Kunststücke zeigen könnte, so aber vielen Aufwand verursachten, und 100 Personen sein müßten, die ihm ein jeder mit 1 Ld'or pränumeriren sollten, wenn dieses zu sehen verlangt werden sollte. Er hätte diese auch sicherlich bekommen, da in wenigen Tagen schon 60 Personen sich unterschrieben. Dieses ärgerte Ihren Herrn Bruder, und fragte mich, ob ich wohl was drucken könnte und wollte, das nicht bekannt würde, daß ich solches gedruckt hätte, und Er verschwiegen bliebe? ich bejahete. Wie willst du es machen? fragte Er. Antw.: Mein Factor soll, wenn Alles aus der Druckerei nach Hause geht, setzen und auch drucken. Darauf wurde der Plan verfertigt. Um nun aber, daß auch bei Untersuchung, da meine Druckerei noch neu war, niemand auf meine fallen könnte, so hatte ich die alten Holzstöcke zum Present erhalten, und nie jemanden noch in meiner Druckerei gezeigt. Wie Ihr Herr Bruder solche nachher sah, war es Ihm leid, solche nicht ehender gesehen zu haben, weil Er dadurch Gelegenheit und Gedanken bekommen, noch mehr davon sagen zu können. Ehe nun die Bekanntmachung und der Plan gedruckt war, ging Ihr Herr Bruder, der Herr Hofrath Kästner und ich, auch auf das Kaufhaus, und opferten unsere Thaler. Ich saß bei Ihrem Bruder, und anfangs sagte Er, wir wollen noch keinen Plan ausgeben; wie aber Philadelphia seine Betrügereien zu merklich machte, stieß Er mich an und sagte: noch heut, noch heut, muß der Kerl etliche haben. Die Nacht also um 12 Uhr, machte ich mich mit meinem verschwiegenen Factor auf, klebten an einige Ecken der Straßen den Zettel an, dem Prorector, so Baldinger war, zwischen seiner Hausthür und einigen andern Bekannten und Freunden, streuten auch hin und wieder auf den Straßen aus, worauf es des Morgens erstaunenden Lärm in der Stadt gab, jedermann suchte und verlangte, worauf ich wieder eine Auflage machte, solche an den Briefträger Schlag addressirte, auch an den Polizeidiener Klock, und warf in deren ihre Wohnung die Paquete. Ehe dieses aber geschah, und gleich, wie Philadelphia den Plan bekam, ging er fort, und Göttingen behielt die 100 Stück Ld'or. – Jedermann lobte den Verfasser, und dankte, diesen Menschen los geworden zu sein. Von hier ging er nach Gotha, wo Sie ihm auch das Concilium abeundi verursacht haben, und noch bekannt sein wird.

Adelung, der damals in Leipzig war, dem schickte ich den Plan, dieser ließ solchen in ein Wochenblatt oder Journal abdrucken. Auf solche Art wurde Philadelphia in Deutschland verfolgt und gezüchtigt.« Im übrigen vgl. Briefe (IV, S. 290. 291. 292. 294; ferner S. 317. 428).

Demnach erfolgte die Auslieferung des am 7. Januar 1777 gedruckten Anschlagzettels in der Nacht vom 9. zum 10. Januar – am 9. Januar besuchte Lichtenberg die Vorstellung Philadelphias im Kaufhaus; und bereits am 10. Januar druckte Dieterich die zweite Auflage. In einem Brief an Schernhagen (LB I, S. 275) vom 20. Januar 1777 teilt Lichtenberg mit: »Philadelphia ist verschwunden, ohne daß man recht weiß wohin; einige sagen nach Gandersheim.« In Gandersheim trat Philadelphia am 13. Januar 1777 vor der Fürstäbtissin und dem Damenkapitel im Kloster zu Gandersheim auf.

Noch zu Lebzeiten Lichtenbergs ist der Anschlagzettel wieder gedruckt worden: in der »Berlinischen Monatsschrift«, September 1796, S. 241–249, mit einer Einleitung eines Ungenannten, jedoch ohne die beiden Holzschnitte, die dort nur beschrieben wurden. Biester, der Herausgeber der Zeitschrift, bemerkte ebenda S. 241 in einer Note: »Den gegenwärtigen [Aufsatz] nehme ich um so lieber auf, da noch neulich in einem beliebten Journale [Berlinisches Archiv der Zeit, Junius 1796, Nr. VIII] der hier gelieferte witzige Ankündigungszettel nach Verdienst gerühmet und sein neuer Abdruck gewünscht ward. Es hieß daselbst: ›Wie gern theilten wir ihn unsern Lesern mit! Aber leider sind wir nicht im Besitz dieses Schatzes.‹ B.« Der Verfasser wird darin nicht mit Namen genannt, sondern nur bezeichnet als »einer der vorzüglichsten Köpfe Deutschlands, der als Gelehrter in tiefsinnigen Wissenschaften und als witziger Schriftsteller gleich berühmt ist, und damal um 20 Jahre jünger war.« Dann ist noch bemerkt: »Dieses einzelne Blatt ist gewiß nur in weniger Sammler Händen, obgleich wohl mehrere Leser es einst mögen gesehen oder davon gehört haben. Durch die Mittheilung desselben hoffe ich deshalb um so mehr Dank zu verdienen, da die Deutsche Literatur an witzigen Satiren nicht überreich ist.« (zit. nach Lauchert S. 17)

So wirkungsvoll der Anschlagzettel war, so wenig ist er Lichtenbergs eigene Idee. Jean Paul schrieb in der »Vorschule der Ästhetik«, I. Abt. VIII. Programm, § 37, Lichtenberg habe »die Hauptidee und mehrere Nebenideen« aus Swift entlehnt, schreibt dessen Satire aber Arbuthnot zu. Den Hinweis auf Swift geben auch die Herausgeber der zweiten Ausgabe der »Vermischten Schriften«, Bd. 3, S. 192–195, Göttingen 1844, den ich hier vollständig nach Swifts »Works«, erschienen Dublin 1735, T. I, p. 234 ff., abdrucke:

»The wonder of all the wonders, that ever the *world* wondered at. – Written in the year 1721.

To all *persons* of *quality* and others.

Newly arrived at this city the famous artist *John Emanuel Schoits*, who, to the great surprise and satisfaction of all spectators, is ready to do the following wonderful performances, the like before never seen in this Kingdom.

He will heat a bar of iron red hot, and thrust it into a barrel of gunpowder before all the company, and it shall not take fire.

He lets any Gentleman charge a blunderbuss, with the same gunpowder, and twelve leaden bullets; which blunderbuss the said artist discharges full in the face of the said company, without doing the least hurt; the bullets sticking in the wall behind them.

He takes any Gentleman's own sword, and runs it through the said Gentleman's body, so that the point appears bloody at the back, to all the spectators; then he takes out the sword, wipes it clean, and returns it to the owner; who receives no manner of hurt.

He takes a pot of scalding oil, and throws it by great ladles full directly at the Ladies, without spoiling their cloaths, or burning their skins.

He takes any person of quality's child, from two years old to six, and lets the child's own father or mother take a pike in their hands; then the artist takes the child in his arms and tosses it upon the point of the pike, where it sticks, to the great satisfaction of all spectators; and is then taken off without so much as an hole in his coat.

He mounts upon a scaffold, just over the spectators, and from thence throws down a great quantity of large tiles and stones, which fall like so many pillows, without so much as discomposing either perukes or head-dresses.

He takes any person of quality up to the said scaffold, which person pulls off his shoes and leaps nine feet directly down on a board prepared on purpose, full of sharp spikes six inches long, without hurting his feet, or damaging his stockings.

He places the said board on a chair, upon which a Lady sits down with another Lady on her lap; while the spikes, instead of entering into the under Lady's flesh, will feel like a velvet cushion.

He takes any person of quality's footman, ties a rope about his bare neck, and draws him up by pullies to the ceiling, and there keeps him hanging as long as his master or the company pleases; the said footman, to the wonder and delight of all beholders, with a pot of ale in one hand, and a pipe in the other; and when he is let down, there will not appear the least mark of the cord about his neck.

He bids a Lady's maid put her finger into a cup of clear liquor like water; upon which her face and both her hands are immediately withered, like an old woman of fourscore; her belly swells as if she were within a week of her time, and her legs are as thick as millposts; but upon putting her finger into another cup, she becomes as young and handsome as she was before.

He gives any Gentleman leave to drive forty twelvepenny nails up to the head in a porter's backside; and then he places the said porter on a loadstone chair, which draws out every nail, and the porter feels no pain.

He likewise draws the teeth of half a dozen Gentlemen; mixes and jumbles them in a hat; gives any person leave to blindfold him, while he returns each their own, and fixes them as well as ever.

With his fore-finger and thumb he thrusts several Gentlemen's and Lady's eyes out of their heads, without the least pain; at which time they see an unspeakable number of beautiful colours; and after they are entertained to the full, he places them again in their proper sockets, without any damage to the sight.

He lets any Gentleman drink a quart of hot melted lead; and by a draught of prepared liquor, of which he takes part himself, he makes the said lead pass through the said Gentleman before all the spectators, without any damage: after which, it is produced in a cake to the company.

With many other wonderful performances of art, too tedious here to mention.

The said artist hath performed before most Kings and Princes in *Europe* with great applause.

He performs every day (except *Sundays*) from Ten of the clock to One in the forenoon; and from Four till Seven in the Evening, at the new Inn in *Smithfield*.

The first seat a *British* Crown, the second a *British* Half-Crown, and the lowest a *British* Shilling.

NB. The best hands in town are to play at the said show.«
Bekanntlich ist auch das »Verzeichnis einer Sammlung von Gerätschaften« 451, 10 »in the manner of Swift« geschrieben; s. ferner 610, 1–611, 31.

Literatur: Erich Ebstein, Jakob Philadelphia in seinen Beziehungen zu Goethe, Lichtenberg und Schiller. In: Zeitschrift für Bücherfreunde. NF III, 1911–1912, S. 22–28.

Fritz Heymann, Der Erzmagier Philadelphia. In: Der Chevalier von Geldern. Köln 1963, S. 360–383.

W. Speiser, Die Annonzen des Philadelphia. Ein Beitrag zur Geschichte der Reklame. In: Geschichtsblätter für Technik und Industrie 5 (1918), S. 303–312.

253 *(Abb.) Gorg Mollere ...:* In der Vorrede zum 3. Band der 1. Ausgabe der »Vermischten Schriften«, wiederabgedruckt Göttingen 1844, S. 183–184, heißt es zu dem 1. Holzschnitt: »Das oberste hat ein abenteuerliches, furchtbares Ansehen: es stellt die ganze heil. Dreifaltigkeit, nebst den guten und bösen Geistern vor, – – (die die Zauberer oft genug im Munde zu führen, und deren Beistandes sie sich zu rühmen pflegen) und die letztern noch überdieß sehr geschäftig, die sündhaften Menschen im höllischen Pfuhl herum zu schüren. Die Umschrift sagt entweder nichts oder etwas Albernes, und ist zugleich auf eine mystische Weise (als ein Chronodistichon) geschrieben; so paßt sie am besten für Zauberformeln und Kunststückchen, die gleichfalls nichts oder etwas Albernes, unter dem Anstrich des Wunderbaren, enthalten. Der *Georg Möller,* dem zu Ehren sie abgefaßt ist, war, wie es in der Berliner Monatsschrift vortrefflich ausgedrückt ist, ein Taschenspieler anderer Art, ein Tabacksspinner, der sich einfallen ließ, geistliche Conventikeln zu halten (in Hamburg 1686, wurde 1694 ins Gefängniß geworfen, und bald nachher aus der Stadt gejagt) und theologische Bücher zu schreiben, die voll fanatischer Salbung sind. Einige Nachrichten von ihm finden sich in Jöcher's Gelehrtenlexikon« [3. Theil, Sp. 571, Nachdruck Olms, Hildesheim 1961]. – *3 Avertissement:* Anzeige, Bekanntmachung. E 271 reflektiert Lichtenberg übrigens über die Kunst der Engländer, avertissements zu machen. Er verwendet das Wort auch Briefe (IV, 323); s. ferner 799, 33. 948, 28. – *4 Liebhabern der übernatürlichen Physik:* »the supernatural philosopher« nennt Lichtenberg in einem Brief an Hollenberg (IV, Nr. 143, S. 290) am 9. Januar 1777 den Magier Philadelphia. – *5f. Zauberer Philadelphus Philadelphia:* Jacob Philadelphia (1735 bis nach 1795; Todesjahr und -ort unbekannt), seinerzeit international berühmter amerikan. Taschenspieler und Magier jüdischer Abstammung, nannte sich nach seinem Geburtsort Philadelphia; seit 1757 auf Tournee in Europa als »Künstler der Mathematik und Magie«; sein Auftreten besprechen Schubart, Schiller, Goethe; die Volkssage hat sich seiner bemächtigt. Lichtenberg erwähnt ihn auch 566, 13. 572, 33f. – *6f. Cardanus in seinem Buche de natura supernaturali:* Dieses Werk konnte ich in der zehnbändigen Lyoner Ausgabe der Werke des Cardanus von 1663 nicht ermitteln. Über ihn vgl. zu KA 47. *12 in die Luft kletterte:* »Die Folge dieser Avertissements, welche sich schnell überall hin verbreiteten, war nun, daß man – denn alles Gedruckte mußte ja wahr seyn, zumal wenn es von einem Professor einer berühmten Academie herrührte – unbedingt an Philadelphias Wolkenfahrt glaubte ...« – laut Brockhaus von 1846, zit. nach Heymann, o. c., p. 375. – *13 mit dem 9ten*

Jänner dieses Jahres anfangen: Vgl. Lichtenbergs Briefe an Hollenberg und Schernhagen (IV, Nr. 143. 144, S. 290. 291). – *14 hiesigen Kaufhause:* auch 255, 10 erwähnt; s. ferner F 210.
254 *1 im fünften:* Über den fünften Erdteil vgl. zu 64, 5. – *1 Königin Oberea:* Über sie vgl. zu RA, S. 639 (II). – *1 Otaheite:* Tahiti; vgl. zu 41, 38. – *4f. ehrwürdigen Kongreß:* Anspielung auf den Kontinentalkongreß, der in Philadelphia am 4. Juli 1777 in der Independence Hall die Unabhängigkeitserklärung der Vereinigten Staaten erließ; 1777–1778 war Philadelphia von den Engländern besetzt. Zu *ehrwürdig* s. oben die Einleitung S. 101. Über Lichtenbergs politische Haltung zum Amerikanischen Unabhängigkeitskrieg vgl. zu RA 16; so auch 269, 38.–6f. *zu Konstantinopel engagiert:* Tatsächlich war Philadelphia bei Sultan Mustapha III. zu Gast. – *12 Jacobi-Kirche ... Johannis-Kirche:* Über die Jacobi-Kirche vgl. zu 131, 19; die St. Johannis-Kirche, eins der Wahrzeichen Göttingens, entstammt dem 13. Jh. und befindet sich in der Nähe von Lichtenbergs Wohnung. Er erwähnt den Johannis-Turm auch 644, 18. – *20 Kräusel:* Kreisel; vgl. auch D 698 und die Anm. dazu; s. auch 815, 14. – *23 Lot:* früheres Handelsgewicht von ursprünglich 1/32 Pfund; sechs Lot rund 94 g. – *29 Chapeau:* Hut; im 18. Jh. im übertragenen Sinn: Stutzer, Modegeck; s. Wieland, »Amadis«, Leipzig 1771, Anm. 17. Gesang: Betrachtung über die Chapeaux, die Lichtenberg in einem Brief an Dieterich (IV, Nr. 45, S. 96) vom Sept./Okt. 1772 erwähnt; vgl. ferner Briefe (IV, 143, 10. 409, 5) und 454, 32. 807, 21. – *38 πᾶν meta physica:* wörtl.: All-Metaphysik; mit letzterem Begriff spielt Lichtenberg auch B 148.
255 *1f. wirklich etwas zugleich sein und nicht sein kann:* Dazu vgl. A 127 und Briefe (IV, 599); nach Mautner, a. a. O., S. 172, »ein Hieb Lichtenbergs auf die Schulphilosophie.« – *10 Stube des Kaufhauses:* S. zu 253, 14. – *(Abb.) Göttingia:* Zu diesem zweiten Holzschnitt heißt es in den »Vermischten Schriften«, Bd. 3, S. 184, Göttingen 1844: »In dem andern Holzschnitte, der die Stadt Göttingen vorstellt, scheinen die Fahnen auf den Kirchthürmen, mit Beziehung auf das erste Kunststück, so hervorstechend gemacht zu sein. Dieser Zusatz mag neu sein, und konnte leicht in der Geschwindigkeit verfertigt werden.«

ÜBER PHYSIOGNOMIK; WIDER DIE PHYSIOGNOMEN

Erstveröffentlichung und Satzvorlage: »Über Physiognomik; wider die Physiognomen. Zu Beförderung der Menschenliebe und Menschenkenntniß. Zweyte vermehrte Auflage. Göttingen, bey Johann Christian Dieterich. 1778.« IV unpaginierte Blätter und 93 Seiten. 8°. Eine Handschrift des Aufsatzes ist im Nachlaß nicht erhalten.

Zur Entstehung: In dem »Bericht über die Streitigkeiten«, die durch Lichtenbergs Kalender-Artikel gegen die »Physiognomanie« (Zimmermann) entfacht wurden, behauptet er (s. 564, 1f.), daß die Niedersachsen im Sommer 1777 heimsuchende Seuche der Physiognomik den Anstoß zur Abfassung des Aufsatzes gegeben habe. Tatsächlich ist der Gedanke zu einer derartigen Gegenschrift Lichtenberg noch früher gekommen. Wenigstens schreibt er am 23. Dezember 1776 an Chodowiecki in Zusammenhang damit, daß er auf Grund der Erkrankung Erxlebens die Herausgabe des in Dieterichs Verlag erscheinenden Göttinger Taschen Calenders von 1777 an (also für den Jahrgang 1778 erstmals) übernommen hatte, von folgenden Absichten (IV, Nr. 138, S. 283): »Da ich mich schon eine geraume Zeit vor Herrn Lavater mit physiognomischen Betrachtungen abgegeben, so wünschte ich gerne in dem Kalender einige Gedanken mit den besten aus Lavater anzubringen und allerdings sollten die Kupferstiche wiewohl eine nur entfernte Beziehung haben. Ich wollte nämlich darin vortragen, inwiefern Laster häßlich und Tugend schön machen können, also eine Physiognomik, die nicht so niederschlagend ist als die jetzt beliebte.«

Am 17. Oktober 1775 hatte Lichtenberg (IV, Nr. 111, S. 252-253) Schernhagen aus London mitgeteilt, daß ihm die englische Königin Lavaters »große Physiognomik« geliehen habe. Gemeint ist selbstverständlich der 1. Band der »Physiognomischen Fragmente« dieses »Schwärmers«, mit dem er sich sogleich kritisch auseinandersetzt. Voller Genugtuung quittiert er am 21. November 1776 eine Rezension dieses Werks in der »Allgemeinen deutschen Bibliothek« (IV, S. 277) und garniert seinerseits die im Juni und November 1776 erscheinenden »Briefe aus England« mit ersten Seitenhieben auf Lavater und die Physiognomik (s. 332, 21. 346, 21f.), um im 3. Brief, der allerdings erst Januar 1778 erschien, direkt zu schreiben (s. 358, 22ff.): »Wehe allen Lippen und Nasen ... wenn ich einmal eine Physiognomik schreibe!« Aus dem Sudelbuch F ersieht man, daß Lichtenberg seit dem 23. Mai 1776 (F 23) Materialien zu einer Antiphysiognomik zusammenzutragen begann, die zu einem beherrschenden Mittelpunkt der Gedankenkreise dieses Sudelbuches wird, wie aus der Fülle der einschlägigen Notizen hervorgeht.

In den Sommermonaten 1777 schrieb Lichtenberg dann in sehr kurzer Zeit (s. noch 564, 33) den Artikel nieder, der noch im Herbst (vermutlich September) 1777 im »Göttinger Taschen Calender« für 1778, S. 1–31, erschien und den Titel trug: »Über Physiognomik, und am Ende etwas zur Erklärung der Kupferstiche des Almanachs«. In den »Göttingischen Anzeigen von gelehrten Sachen« erschien im 128. Stück unter dem 25. Oktober 1777 eine Anzeige, in der es

S. 1026 heißt: »Dieser Aufsatz betrifft die Physiognomik. Unsere Seher werden freylich mit Hr. Prof. L. nicht zufrieden seyn, und er ist noch dazu so unverschonend, daß er gegen sie nicht nur braucht, womit sie allenfalls auch etwas umgehen können, lebhaften Witz, sondern, was ihnen ganz fremd ist, deutliche, bestimmte Begriffe, richtige, zusammenhängende Schlüsse. Pathognomik giebt es, und Leidenschaften, die zur Natur werden, geben freylich dem Gesichte gewisse Züge.«

Schon am 12. Oktober 1777 schrieb Lichtenberg an Hollenberg (IV, Nr. 152, S. 298): »Die Physiognomik hat einiges Aufsehen gemacht, und das Korps der Propheten hat mir fürchterlich gedroht. Ich werde also wohl gehetzt werden. Aber was auch der Erfolg sein wird, so will ich doch so lange beißen bis ich falle.« Am 23. Oktober 1777 äußert Lichtenberg gegenüber Ramberg außer dem Dank für dessen positives Urteil und einer Selbstkritik bereits folgende konkrete Absicht (IV, Nr. 153, S. 300), »auf das *kecke alte Geschwätz* in NEUEN Worten zu replizieren«, wobei er nicht bloß zu antworten gedenkt, »sondern wenigstens ein halbes Dutzend bisher unberührter absurder Sätze des Herrn Lavater in ihr gehöriges Licht setzen, und mich unter der Hand etwas *ätzender* Mittel bedienen, so daß es vielleicht am Ende die Herren gereuen könnte, eine wohlgemeinte Kalender-Abhandlung nicht ungerügt mit dem Kalender selbst nach den Fasten oder längstens bei der Erscheinung des neuen sterben gelassen zu haben.« Tatsächlich plante Dieterich nach dem unerwarteten Verkaufserfolg (s. IV, Nr. 170, S. 313; Nr. 171, S. 314) des Lichtenbergs physiognomischen Leitartikel enthaltenden »Göttinger Taschen Calenders« für 1778 sehr rasch den Separat-Druck der »Antiphysiognomik«. Am 12. Januar 1778 ist die Einleitung zu der Abhandlung bereits abgedruckt (IV, Nr. 157, S. 306), die Lichtenberg, wie er Schernhagen mitteilt, nun selbst nicht mehr recht gefällt, da er sie derb findet. Und am 15. Januar 1778 schreibt Lichtenberg an Hollenberg (IV, Nr. 158, S. 307): »Auf Verlangen von Personen von allerlei Stand und Einsicht, vom Minister, durch den Professor durch, bis zum Verleger, hat man einen neuen Abdruck davon verlangt, und zwei Bogen sind schon würklich von der neuen Auflage fertig. Vermutlich wird das Ganze gegen Ende künftiger Woche fertig, und dann will ich Ihnen gleich ein Exemplar übersenden ... Der Einschiebsel sind viel, der Verbesserungen wenig. Ich verspare alles in die Antwort auf einige derbe Schriften, womit mir Armen gedroht worden ist.«

Am 19. Januar 1778 sind, wie Lichtenberg an Schernhagen (IV, Nr. 159, S. 308) schreibt, 3 Bogen abgedruckt, die den Seiten 1–12 des Kalender-Artikels entsprechen: Einschiebsel also. Am 22. Januar 1778 ist der vierte Bogen fertig gedruckt (IV, Nr. 160, S. 308). Die endgültige Drucklegung verzögert sich, wie Lichtenberg an Schernhagen am 26. Januar 1778 (IV, Nr. 161, S. 309) mitteilt, wegen seines schlechten Gesundheitszustandes, doch ist der fünfte (vorletzte) Bogen bald gesetzt. Am 2. Februar 1778 schließlich kündigt Lichtenberg (IV, Nr. 163, S. 309–310) Schernhagen drei Exemplare der »Antiphysiognomik« an. Am 15. Februar schickt er ein Dedikationsexemplar an Nicolai (IV, Nr. 171, S. 314).

Zur Wirkung der Zweiten Auflage der »Antiphysiognomik« s. die Briefe (IV, Nr. 164, S. 310, vom 5. Februar 1778; IV, Nr. 170, S. 313, vom 15. Februar 1778).

Erst nach Vorliegen der überarbeiteten Neuauflage las Lichtenberg übrigens die Entgegnung Lavaters auf seinen Kalender-Artikel, weshalb er plante (IV, Nr. 168, S. 312), seine Antwort »unmittelbar an Herrn Lavater gehen« zu lassen, wie er am 10. Februar Schernhagen mitteilte, dem gegenüber er am 12. Februar 1778 (IV, Nr. 169, S. 313) konkretisierte: »es wird also vielleicht noch vor Ostern ein zweites Fragment erscheinen«. Zimmermanns unsachliche Einmischung veränderte jedoch Lichtenbergs Zielrichtung vollkommen. Zur ferneren Geschichte der physiognomischen Streitigkeiten s. auch 548, 1 ff.

256 *1 ff. Über Physiognomik; wider die Physiognomen:* »Ich hatte eine Menge Titul dazu beisammen, und jetzt, da alles abgedruckt ist, kommt es mir vor, als wenn ich gerade den schlechtesten gewählt hätte. In meinen Gedanken sollte der Titul so klingen als zE. Über Astronomie wider die Astrologen«, schreibt Lichtenberg am 2. Februar 1778 an Schernhagen (IV, Nr. 163, S. 310). – *6 f. Beförderung der Menschenliebe und Menschenkenntnis:* so der Untertitel der »Physiognomischen Fragmente« von Lavater, den Lichtenberg auch 257, 26 f. 544, 35 ff. 553, 9 ff. ironisch verwendet. – *8 f. Not working ... neither:* »Dem Aug' nicht folgend ohne das Gehör, / Und ohne reifes Urteil keinem trauend«. Zitat aus Shakespeares »Heinrich V.«, II, 2; über Shakespeare vgl. zu A 74. – *11 Verleger:* Johann Christian Dieterich; über ihn vgl. zu B 92. In der Satzvorlage steht diese Anrede auf einem Extrablatt hinter der Titelseite. »Ich habe das Werk Dietrichen dediziert, um ihm, durch die Dedikation, die *air* von Bagatelle wieder zu geben, die es mit dem Kalender-Titul verloren hat, ohne ihn durch etwas anderes zu ersetzen«, schreibt Lichtenberg am 2. Februar 1778 an Schernhagen (IV, Nr. 163, S. 310). Mit ähnlichen Worten äußert sich Lichtenberg am 15. Februar 1778 gegenüber Nicolai (IV, Nr. 171, S. 315). – *14 kleidetest es damals in Gold und Seide:* Gemeint ist die buchbinderische Ausstattung des »Göttinger Taschen Calenders«; Lichtenberg erwähnt sie auch in den Briefen (IV, 299). – *24 Beim nächsten Besuch:* Eine dritte Auflage ist

nicht erschienen; s. aber Briefe (IV, Nr. 169, S. 313) vom 12. Februar 1778. – *25 Putz ... von Chodowiecki:* Auch dieser Plan ist nicht zustandegekommen; vgl. aber 295, 6 ff.; über ihn vgl. zu F 898.

257 *2f. Göttingischen Taschen-Kalender für dieses Jahr:* 1778; vgl. oben S. 108; Lichtenbergs Kalender-Abhandlung trug den Titel »Über Physiognomik, und am Ende etwas zur Erklärung der Kupferstiche des Almanachs«. – *5 gröberen Druck:* Diesen Ausdruck gebraucht Lichtenberg auch K 52 in Bezug auf die »Ausführliche Erklärung von Hogarth«. – *14 Manuskript des Aufsatzes:* Das Manuskript ist im Nachlaß nicht erhalten. – *16 Sedez-Bändchen:* Buchformat, bei dem der Bogen 16 Blätter = 32 Seiten hat; über den Unterschied zwischen Sedez und Quart, bezogen auf Chodowieckis Kalender-Kupfer und Lavaters Illustrationen, polemisiert Lichtenberg auch F 805. »Sedez-Vehikel« nennt Lichtenberg den Taschenkalender in den Briefen (LB III, S. 127). – *20f. ein bekanntes weitläuftiges Werk:* Gemeint sind die »Physiognomischen Fragmente« von Lavater, von denen bis 1777 drei Bände erschienen waren; 1778 erschien der vierte und letzte Band. – *23 groß Quart:* Buchformat; zweimal gefalzter Bogen mit 4 Blättern oder 8 Seiten, bis zur Höhe von 35 cm gebräuchlich; s. auch 546, 9. 559, 27. – *27f. zu Beförderung der Liebe Gottes sengte:* Zu dieser Wendung vgl. zu 256, 6 f. und 245, 28 ff. – *28f. Behutsamkeit ... lehren:* Dieser Satz ist F 802 entnommen; s. auch F 813. – *32 transzendente Ventriloquenz:* Diese Wendung und der ganze Satz ist F 665 entnommen; vgl. auch F 802.

258 *4 Dreigroschen-Stücken:* Über diesen Ausdruck vgl. zu 17, 27. – *4f. Obst ... aus dem Äußern beurteilt:* Diese Wendung ist F 679 entlehnt. – *8 Welt von Chamäleonism:* Die Worte sind F 819 entlehnt. Zu *Chamäleon* vgl. auch 350, 27. 577, 2. – *8 das Tier:* Zu dieser Metapher für Mensch vgl. zu B 185; s. auch 448, 1. 449, 9 f. 505, 22 f. 920, 1 f. – *9f. Leidenschaften ermorden:* Diese Wendung ist F 647 entnommen. – *16f. die Instrumente nicht den Künstler machen:* Vgl. dazu E 396. – *18 Risse:* Zu diesem Ausdruck vgl. auch F 818. 934. – *18f. englischen Besteck:* d.h. mit exquisitem Stahlwerkzeug aus England. Diese Stelle dient DWB 1, 1664 als Beleg. – *30 mit einer Ohrfeige erwidert:* Diese Passage ist F 647 entnommen. – *33f. Kalender, dessen Dauer auf dem Titel viel zu groß angegeben:* Dieser Satz ist fast wörtlich F 737 entnommen. – *34f. der gemeiniglich mit den ... übergüldeten Walnüssen schon verschwindet:* Dazu vgl. Lichtenbergs ähnliche Äußerung an Ramberg (IV, Nr. 153, S. 300) am 23. Oktober 1777. – *38f. Diese Schrift ... weder die einzige:* Über Lichtenbergs Entwürfe weiterer Streitschriften ›wider Physiognostik‹ vgl. unten S. 265.

259 *3 f. die Warnungs-Linie ... vom Abgrund gezogen:* Eine ähnliche Wendung findet sich F 813. – *23 f. Aristarchen:* Über Aristarchos von Samos vgl. zu D 717. – *24 ut apes Geometriam:* »wie die Bienen die Geometrie«. Zu diesem Zitat vgl. zu D 621. Lichtenberg zitiert die Worte auch 487, 19; s. auch 399, 2 ff. 877, 34. Zum Gleichnis der Biene vgl. auch zu 447, 15 f. – *31 Einweihung in die Mysterien der Physiognomik ...:* Diese Wendung und Passage ist F 804 entlehnt. – *36 Kredit der Hebammen ...:* Diese Wendung ist F 660 entlehnt; vgl. auch F 804. Ähnliche Wortbildungen begegnen auch 260, 35. 377, 26 f. 955, 5.

260 *11 Von meiner ersten Jugend an:* Vgl. A 4 und die Anm. dazu; s. auch D 132. F 804 und Briefe (IV, 283) vom 23. Dezember 1776: »Da ich mich schon eine geraume Zeit vor Herrn Lavater mit physiognomischen Betrachtungen abgegeben ...« Vgl. ferner 499, 9 f. – *12 Lieblings-Beschäftigungen:* von mir verbessert aus: *Lieblings-Beschäftigung*, das offensichtlich Druckfehler der Satzvorlage ist. – *20 die Distanz von 1 bis 100 ... größer ist als die von 100 bis 500:* Diese Wendung geht auf E 390 zurück; s. auch F 1168. – *23 Bilder von Wochentagen gezeichnet:* Vgl. D 24, wo Lichtenberg den Mittwoch illustriert hat; s. auch E 390. – *26 in D.:* Gemeint ist Darmstadt. – *32 Es ist unendlich schwerer ...:* Dieser Satz ist fast wörtlich F 51 entnommen. – *35 Quinquenniums-Kredit:* Zu dieser Wortbildung vgl. zu 259, 36. *Quinquennium:* Zeitraum von 5 Jahren. Lichtenberg gebraucht diesen Ausdruck auch 349, 33. 408, 37. Vgl. auch E 176. – *35 f. Die Menschen ... Mensch nie:* Dieser Satz ist fast wörtlich F 737 entnommen.

261 *3 las ich drei Abhandlungen:* Von diesen Arbeiten ist nur der Aufsatz »Von den Charakteren in der Geschichte« erhalten; s. dazu unten S. 231. Zu dieser ganzen Passage vgl. F 804, das den Entwurf zu diesem Teil der Vorrede bildet. – *3 f. im hiesigen historischen Institut:* von Johann Christoph Gatterer – über ihn vgl. zu D 224 – am 25. Oktober 1764 in Göttingen gegründete ›Historische Akademie‹. Ihr Zweck war die Ausarbeitung von historischen Schriften und Übersetzungen aus antiken Historikern sowie die Pflege der historischen Hilfswissenschaften: Diplomatik, Heraldik, Genealogie und Numismatik durch theoretische Forschung und Anlegung von Kabinetten. Die ›Akademie‹ wurde am 23. Dezember 1766 von der Regierung offiziell bestätigt und in das »Königliche Institut der historischen Wissenschaften« umbenannt. Seine Mitglieder versammelten sich anfangs wöchentlich in Gatterers Hause zum Anhören einer Vorlesung. Zu den Gründern der ›Akademie‹ gehörten außer dem Direktor unter andern Büttner und Klotz. Als Beisitzer oder außerordentliche Mitglieder wurden Stu-

dierende aufgenommen. Lichtenberg gehörte auch nach seiner Ernennung zum Professor der Gesellschaft an. Lichtenberg erwähnt sie auch 497, 2, ferner in Briefen (IV, 7) Ende März 1766 und F 804. – *8 Sallust:* Über ihn vgl. zu F 804; s. auch 497, 6. – *9f. Lavaters erster Entwurf:* Lavaters Vorstudie »Von der Physiognomik« erschien zuerst im »Hannoverischen Magazin« am 3., 7. und 10. Februar 1772. Im übrigen vgl. zu 223, 28f. – *10 Hannöverschen Magazin:* Über diese Zeitschrift vgl. zu KA 130. – *10f. ein Göttingischer Lehrer:* Vgl. F 804; wen Lichtenberg gemeint haben könnte, ist nicht erfindlich; infrage kommt Kästner, möglicherweise aber auch Gatterer. – *14 Ein junger Schwede:* Ljungberg; über ihn vgl. zu A 126. – *17 Graf Tessin:* Über ihn vgl. zu UB 48. – *19f. in England ... physiognomische Beobachtungen:* Dazu vgl. F 804. UB 40; s. auch 1022, 33. – *22 ein physiognomischer Richmann:* Diese Wendung ist F 804 entnommen; über ihn s. zu B 89. – *27f. von dem Strahl eines Zeitungslobs erwärmt:* Eine ähnliche Wendung findet sich in F 634. – *30f. Kandidaten-Junta:* von mir verbessert aus: Kandidaten-Junto; den Ausdruck ›Kandidaten‹, eine Lieblingsvokabel Lichtenbergs ähnlich *Primaner* und *Knabe,* verwendet er auch 273, 21. 420, 16. 427, 14. 509, 3f. 569, 33. 570, 18. 974, 1. Im übrigen vgl. zu C 23. – *34ff. O was ... herein?:* Diese Passage geht auf F 848 zurück. – *34f. daunigten, hinbrütenden Wärme des Genies:* Diese Wendung stammt, wie aus D 668 (S. 342) hervorgeht, von Lavater; s. die Anm. dazu. Lichtenberg verwendet sie E 506. F 848 und ähnlich auch 535, 6f. – *35 Es werde:* »Es werde Licht«: Zitat nach 1. Mosis 1, 12; Lichtenberg verwendet es auch F 848 und 419, 34. – *37 Dieterich:* Über ihn vgl. zu B 92.

262 *1 schönen Nester ausgeflogener Mode:* Diese Wendung geht auf D 616 zurück; vgl. die Anm. dazu. – *17f. November des Weimarschen Merkurs:* Lenz (unterzeichnet: z.) hatte im Novemberheft des »Teutschen Merkurs« 1777, IV, S. 106–119, einen gegen Lichtenberg polemisierenden Aufsatz unter dem Titel »Nachruf zu der im Göttingischen Almanach des Jahres 1778 an das Publikum gehaltenen Rede über Physiognomik« erscheinen lassen. Vgl. darüber auch F 714. 744. 800. 805. 812. 830 und 554, 12. 566, 17. – *19f. postica sanna:* neulat.: Verzerrung des Mundes mit Fletschung der Zähne, daher eine Art Verspottung, die auf diese Art, d. h. mit verzerrtem Munde, auch anderen Figuren geschieht (Anm. der Herausgeber der »Vermischten Schriften«). – *20 ein gewisser Z.:* Lichtenberg meint Johann Georg Zimmermann – über ihn vgl. zu C 115 –, den er zunächst für den Verfasser des oben nachgewiesenen Merkur-Aufsatzes hielt. In einem Brief an Schernhagen (IV, Nr. 191, S. 328) vom 14. Mai 1778 korrigiert Lichtenberg bezüglich der Rezension, »wovon

Lenz, ein ebenso empfindsamer wortreicher Tropf als Zimmermann, der Verfasser ist. So schreibt ein Z. ... und ...z gegen mich.« – *21f. hofdeutsch-französisches Schimpfwort:* Gemeint ist, wie aus F 812 hervorgeht, das Wort »Radotage«: Gefasel. Der Aufsatz von Lenz beginnt mit den Worten (a.a.O., S. 106): »Nicht um ein angenehmes Radotage zu unterbrechen, einem Kreisel einzugreifen, der so artig fortgepeitscht wird ... wage ichs, Ihnen diesen Knäuel anzubieten.« Zu den Wortbildungen mit *Hof* vgl. 573, 6. 806, 30; ferner zu 60, 35. – *28 Pathognomik:* Ihre Definition gibt Lichtenberg 278, 3 ff. – *31 Mein Schattenbild ...:* Lenz hatte in dem oben zitierten Aufsatz (a.a.O., S. 118–119) im letzten Absatz geschrieben: »Herr Lavater setzt schon lange, mit gleicher Schwärmerey fürs Gute, Freunden und Feinden Denkmäler in seinen Fragmenten, ob schon sie im Grunde dort nicht wie in einer Galerie, sondern als Akademieen figuriren. Indessen bin ich versichert, jeder edle Mensch wird mit dieser Stelle besser zufrieden seyn, als in so manchen Bildersäälen zur müßigen Tapete zu dienen. Ich wünschte von Herzen, Sie, mein Herr! setzten ihn einmal auf die Probe, ob er aus Ihrem Gesicht und seinen festen Theilen nicht noch andere Eigenschaften des Geistes und Herzens entwickeln würde, als Sie selbst im Spiegel gesehen, und eine Erscheinung im Taschencalender, mitten unter den zwölf himmlischen Zeichen des Zodiacus, der Welt vorspiegeln konnte. –« Lichtenbergs Silhouette von 1777 ist in meiner Monographie, a.a.O., S. 62, wiedergegeben: Lichtenberg schreibt dazu an Schernhagen (IV, Nr. 170, S. 313) am 15. Februar 1778: »Hier schicke ich Ew. Wohlgeboren meine Silhouette, sie ist mit vieler Sorgfalt gemacht. Daß man sie nicht gleich erkennt, rührt daher, weil bei meinem Gesicht das Charakteristische nicht im Umriß des Profils liegt.« Vgl. auch 547, 34f. – *31f. dem Verleger:* Johann Christian Dieterich; über ihn s. zu B 92.

263 *4f. wäge einmal die Stimmen ... bisher bloß gezählt:* Den Gegensatz zwischen Wägen und Zählen notiert auch F 389; im übrigen vgl. die Anm. dazu. S. auch 516, 21f. – *7f. ein Gaßner der mich betrügt:* Ähnlich formuliert Lichtenberg in F 741. 802; über Gaßner vgl. zu F 322. – *12 Zollfreiheit unserer Gedanken:* Vgl. zu 73, 21. – *19 Gotisch-Vandalischen Sturm:* Diese Liscow entlehnte Wendung ist F 528 notiert; vgl. die Anm. dazu; s. auch 417, 23 und G 225. – *25f. Babylonische Werke ... Sprache der Arbeiter verwirren:* Ähnliche Wendungen finden sich, bezogen auf Physiognomik, in F 525. 695. 934 und Briefe (IV, 314, 11f.).

264 *13f. falschen Empfindsamkeit:* »falschempfindsam« bildet Lichtenberg in F 848. Diese eine zeitgenössische Haltung in Leben und Literatur kennzeichnende Vokabel gebrauchte Lichtenberg, stets

abschätzig, auch 318, 8. 410, 18. 413, 2. 519, 17. 598, 20. 610, 2. 618, 19. – *14 Beobachtungsgeist:* Dieses Wort gebraucht Lichtenberg auch C 99. E 430. F 208. 1217; s. ferner 381, 23 und Briefe (IV, 371). – *14f. zu Selbsterkenntnis führen:* Diese Wendung begegnet auch F 684. 1206. – *23 Semiotik:* Zu diesem Ausdruck vgl. zu F 219; s. auch 277, 23. – *35 Wenn eine Erbse ...:* Dieses Bild ist F 34 entnommen; ein ähnliches Bild findet sich bereits D 55.
265 *5f. So erzählen die Schnitte ... eines zinnernen Tellers:* Auch dieses Bild ist F 34 entnommen; im übrigen s. L 630 und auch E 469. F 219. – *11f. das Schicksal Roms in dem Eingeweide ...:* Dieser Satz geht auf F 648 zurück. – *20 Lesbarkeit von allem in allem:* Diese Wendung ist F 694 entnommen; s. auch 290, 1. – *34f. Das Gegenwärtige, sagt ein großer Weltweiser ...:* Das Zitat konnte von mir nicht nachgewiesen werden. Über Leibniz vgl. zu A 9. Zu: *Weltweiser* vgl. zu 226, 14.
266 *1 prophetische Kunst:* Zu dem Gedanken der Verwandtschaft von Physiognomik und Prophetik vgl. zu F 23; s. auch 268, 14ff. 548, 22f. 559, 37f. 564, 14f. – *4f. Glanz des Hohenzollerischen Hauses:* D. i. Preußen mit dem Regierungsantritt Friedrichs II.; über ihn vgl. zu KA 140. – *9 Geliebten:* von mir verb. aus: Geliebte – *9f. einmal im Winter die Sonne wieder in den Krebs:* eine astronomische Unmöglichkeit, da das Sternbild des Krebses vom 21. Juni–21. Juli, also im Sommer, regiert; vgl. auch 413, 22f. – *10f. Entwickelten sich unsere Körper in der reinsten Himmelsluft ...:* Zu diesen Ausführungen vgl. 548, 8 und die Anm. dazu. – *17f. Salze ... anschießen:* Vgl. zu A 216; im übertragenen Sinne auch F 855 gebraucht. Dieses Bild und das von der Steinart spielt Lichtenberg 548, 24f. an. – *34 Biegsamkeit:* Zu diesem Begriff vgl. zu D 620; s. auch 605, 14. 1024, 28 und Briefe (IV, 878). – *34f. Perfektibilität und Korruptibilität:* Zu diesem bedeutenden Begriffspaar der Aufklärung vgl. zu E 359; s. auch 294, 2f. 564, 12f. – *36f. Falte die sich ... bricht:* Zu diesem Begriff vgl. zu F 105; s. auch 312, 32. 348, 31.
267 *26f. stürzt die konvexe ein, wenn das Gedächtnis ...:* Dieser Satz ist F 688 entlehnt. – *29 in den Memoiren der Pariser Akademie gelesen:* Lichtenberg entnimmt das Zitat F 866; s. die Anm. dazu. – *31f. Antezessors ... Sukzessors:* Vorgängers ... Nachfolgers. – *35f. Die Brücke ... einstürzen:* Dieser Satz ist fast wörtlich F 866 entnommen.
268 *2 Lapsus memoriae:* Gedächtnistäuschung. – *Unter 6 Menschen ...:* Die folgenden Passagen sind z. T. wörtlich F 730 entlehnt. – *14 berechnen, wie Mortalität:* Anspielung auf die in England von Simpson und Moivre (s. zu E 68) entwickelten »Mortalitätstabellen«, die Vorläufer der modernen Versicherungsmathematik. So veröffentlicht etwa von Dohm im Märzheft

des »Deutschen Museums« 1777 einen Aufsatz »Ein Vorschlag zur Erweiterung der Mortalitätstabellen«. Vgl. F 452; s. auch 788, 17f. – *16 Prophetik:* S. zu 266, 1. – *22 an Wahnsinn grenzende Vermessenheit:* Vgl. 250, 30f. – *24 kurrente:* von frz. courant: geläufig; vgl. zu D 42. – *36f. Gelegenheit macht nicht Diebe allein ...:* Dieser Satz geht auf F 728 zurück; vgl. auch F 730.

269 *3 Ausgang des Amerikanischen Kriegs:* Gemeint ist der Amerikanische Unabhängigkeitskrieg gegen England, der erst 1783 mit dem Siege der ehemaligen Kolonien endete; vgl. auch F 794. 802 und 560, 34. Lichtenbergs Stellungnahme findet sich zu RA 16 notiert. – *8f. Feld ... für die dramatischen Dichter und Romanschreiber:* Diese Wendung, F 730 entlehnt, läßt bereits an »Orbis pictus« denken. – *21 wie Gott, der ihn nach seinem Bilde geschaffen:* Zu diesem Bilde vgl. D 201. – *30 Winterschlaf einer neuen Barbarei:* Diese Wendung ist F 388 entnommen.

270 *3f. äußerst unüberlegten ... Gedanken:* Lichtenberg denkt an das »Neunte Fragment. Von der Harmonie der moralischen und körperlichen Schönheit« in den »Physiognomischen Fragmenten«, Bd. 1, S. 57–135, innerhalb dessen (s. S. 63!) Lavater die von Lichtenberg verurteilte Gleichung aufstellt. Vgl. auch F 942 und 564, 32. – *8 was hat Schönheit des Leibes ...:* Dazu vgl. auch 561, 12f. – *18f. Was Winckelmann Schönheit nennt:* Lichtenberg bezieht sich wohl auf dessen Interpretation des Vatikanischen Apolls, gegen die er E 165 und RA 159 Einwände erhebt und die von Lavater, o. c. I, p. 132–134 zitiert wird: »Gehe mit diesem Geist in das Reich unkörperlicher Schönheiten, und versuche, ein Schöpfer einer himmlischen Natur zu werden, und den Geist mit Schönheiten, die sich über die Natur erheben, zu erfüllen.« Über Winckelmann s. zu B 16. Vgl. auch 292, 15f. – *24f. Landes wo die Banditen schön sind:* Italien; im übrigen s. 271, 6f.; vgl. auch F 942. – *32 Affengesichtern ... von Mallicolo:* Vgl. RA 186 und die Anm. dazu; s. auch F 942. Mallicolo ist eine Insel der Neuen Hebriden, östl. von Nord-Australien. – *33f. Cook auf seiner letzten Reise besucht:* Die dritte und letzte Weltumseglung Cooks dauerte vom 24. Juni 1776 bis 14. Februar 1779; über Cook s. zu D 141; vgl. auch 54, 25–56, 30. Im »Göttinger Taschen-Calender« für 1778, S. 90f., veröffentlichte Lichtenberg übrigens einen Artikel mit dem Titel: »Nachricht von Capitain Cook's dritter Reise.« – *38f. die Engländer ihrem... Pferde ... arabischen Idealen genähert:* Dieser Gedanke geht auf F 371 zurück; s. auch F 459.

271 *6f. schöne Spitzbuben:* Vgl. zu 270, 6f. – *21 Zopyrus dem Sokrates seine böse Anlage im Gesicht sah:* »Man hat die bekannte Anekdote von Zopyrus Urtheil über ihn, ›daß er dumm, viehisch, wollüstig und der Trunkenheit ergeben sey,‹ – und des Sokrates Antwort an seine, den Gesichtsdeuter auszischenden, Schüler:

›daß er von Natur zu allen diesen Lastern geneigt wäre, allein durch Übung und Anstrengung diese Neigungen zu unterdrücken gesucht hätte;‹ – man hat, sag' ich, diese Anekdote für und wider die Wahrheit der Physiognomie tausendmal angeführt.« Zitat aus Lavater, Bd. 2, S. 64: »Achtes Fragment. Sokrates nach einem alten Marmor von Rubens.« Zopyrus, griech. Physiognom des 5. Jh. v. Chr., verkündete, er durchschaue das Wesen eines jeden Menschen aus der Gestalt; s. Cicero, »Gespräche in Tusculum« IV, 37, Absch. 80. Zopyrus führt Lavater neben Plato und Pythagoras als Physiognomisten an, die »dieses feine Menschengefühl in einem hohen Grade besessen zu haben« scheinen (I, S. 180); über Sokrates s. zu KA 9. Im übrigen vgl. 291, 30. – *26f. Nachtmahlvergifter:* »Dieser [erwiesenen?] am 12. September 1776 in der Großmünster- oder Hauptkirche geschehenen Nachtmahlsvergiftung wurde von vielen der vormalige Pfarrer, Joh. Heinr. Waser, zu Kreuz bei Zürich, für schuldig gehalten, der später als Landesverräter angeklagt und verurteilt, am 27. Mai 1780 auf dem Schaffote starb«, schrieben die Herausgeber der »Vermischten Schriften« 1844 in einer Anmerkung. Johann Heinrich Waser (1742–1780), schweiz. Pfarrer in Zürich; über ihn berichtete Becker im »Gött. Magazin« 1780; Lichtenberg erwähnt ihn auch in den Briefen (IV, 410. 411. 413. 414). Vermutlich ist Lichtenbergs Äußerung über den Züricher Nachtmahlvergifter durch Lavaters entsetzte Emphase über diesen »Satan in Menschengestalt« veranlaßt: Bd. 3, S. 237–238; 1777. – *28 Macklin:* Über Charles Macklin s. zu F 942. – *29 Quin den bekannten Ausspruch:* Lichtenberg zitiert ihn RA 19; über James Quin s. zu F 975. – *31f. Lord Mansfield vor einer großen Versammlung in Kings Bench:* Über den Prozeß, Macklins nobles Verhalten und Mansfields Ausspruch berichtet Lichtenberg ausführlich in RA 3; vgl. auch F 942 und 366, 15. Über Lord Mansfield s. zu L 312. – *32 Kings Bench:* S. zu 195, 4.

3ff. Dr. Dodd ... am Galgen gestorben: Über William Dodd vgl. zu F 942. – *5ff. Ich kenne einen denkenden Kopf, der ...:* Lichtenberg meint vermutlich sich selbst. – *8 Leser des Milton:* Milton nennt in »Paradise lost«, 1. Buch, V. 419–421, den Satan »göttergleich / An Form und Antlitz, über Menschenmaß, / Wie Fürsten und Prinzen ...«; über Milton s. zu B 60; im übrigen vgl. zu 65, 11 ff. – *16f. fanden Cartesius und Swift ... das Schielen reizend:* Wo Descartes sich dazu äußert, ist mir nicht bekannt; über Descartes s. zu A 176. Swifts Vorliebe für das Schielen wird F 356 zitiert; vgl. die Anm. dazu; über Swift s. zu KA 152. – *17f. lispelnde Zunge ... in einem Juden:* Vgl. 367, 1. – *18 Louisd'or:* frz. Goldmünze (seit 1640). – *20 Ideen-Assoziation:* Vgl. zu F 216; s. auch Briefe (IV, 869). – *23 Neuerungs-Geist:* Von

»Neuerungssucht« redet Lichtenberg F 734. – *25f. Newtons Seele ... in dem Kopf eines Negers:* Dieser Satz ist F 628 entnommen; über Newton im allgemeinen s. zu A 79. Lichtenberg spielt auf Lavaters »Physiognomische Fragmente«, Bd. 1, S. 46, an, wo es heißt: »Der gesunde Menschenverstand empört sich in der That gegen einen Menschen, der behaupten kann: daß Neuton und Leibnitz allenfalls ausgesehen haben könnten, wie ein Mensch im Tollhause, der keinen festen Tritt, keinen beobachtenden Blick thun kann; und nicht vermögend ist, den gemeinsten abstrackten Satz zu begreifen, oder mit Verstand auszusprechen; daß der eine von ihnen im Schädel eines Lappen die *Theodicee* erdacht, und der andere im Kopfe eines Labradoriers, der weiter nicht, als auf sechse zählen kann, und was drüber geht, unzählbar nennt, die Planeten gewogen und den Lichtstral gespalten hätte?« – *27f. der Schöpfer ... so zeichnen:* Zu dieser Anspielung s. 558, 11f. – *30f. Bist du ... der Richter von Gottes Werken:* Dieser Satz ist F 887 entnommen. – *35 was ist Kränklichkeit anders als innere Verzerrung:* Dieser Satz ist F 705 entnommen.

273 *10 Schattierungen:* Vgl. zu 243, 36. – *12f. Beweise ... aus Christus-Köpfen:* Als »Dritte Zugabe« zum 9. Fragment »Von der Harmonie der moralischen und körperlichen Schönheit«, Bd. 1, S. 83–84, behandelt Lavater »Christus nach Holbein«; s. ferner Bd. 4, S. 433–449: »Jeder Christ hat Züge von Christus«. Raphaels Christus erwähnt Lichtenberg auch E 429. F 659; s. auch 291, 30. – *17 etwas ... für den Neger sagen:* Vgl. D 322. RA 181. 182 und die Anm. dazu. Über ›Mohren‹ spricht Lavater Bd. 4, S. 274. 278. 309! 311. – *19 Asymptote:* Asymptote einer sich ins Unendliche erstreckenden Kurve heißt jede gerade Linie, die in der Verlängerung der Kurve immer näher kommt, ohne sie je ganz zu berühren. Lichtenberg gebraucht den Begriff auch F 489. J 1044. L 34 und 313, 7. Über die – schöngeistige – Verwendung mathematischer Begriffe durch Lichtenberg s. zu A 1. – *21 Candidat en belles lettres:* Zu diesem Lieblingsausdruck des Satirikers Lichtenberg vgl. die Zusammenstellung zu 261, 30f.; s. auch die ähnliche Wendung 427, 14. Zu *belles lettres* vgl. zu 314, 25. – *26 Bel-Esprit:* Schöngeist. Lichtenberg gebraucht beide Ausdrücke auch und stets abschätzig 311, 2. 315, 2. 378, 16. 417, 26. 567, 8f. 613, 5. 705, 32. *Schöngeisterisch* prägt Lichtenberg 412, 34f. Von *Schöngeisterei* redet er in F 152. – *31 Westindischen Schinder:* Dazu vgl. F 1046; über Westindien – die seinerzeit von Frankreich ausgebeuteten mittelamerikan. Inseln –, die Lage der Sklaven s. auch 755, 1. 773, 36. – *33 Zuckerkrämer:* Diesen Ausdruck gebraucht Lichtenberg auch F 1046. – *38f. die Wörtgen es ist und es bedeutet:* Anspielung auf die theologische Auseinandersetzung zw. Luther

und Calvin über die Auslegung von: »Das ist mein Leib«; vgl. auch A 114, C 34 und 809, 36 f.
274 *1 Freiheit und geschunden:* Dazu vgl. die ähnliche Wendung C 249. – *2 der Funke aus dem Lichtmeer der Gottheit:* Diese Wendung ist F 809 entlehnt. – *5 unphilosphische Reisebeschreiber:* D. h. Reisebeschreiber, die unreflektiert beobachten und unkritisch Faktenmaterial mitteilen; das Gegenteil – der im 18. Jh. sogenannte philosophische Reisebeschreiber – verkörpert etwa der von Lichtenberg deshalb gerühmte Georg Forster. Zur *Reisebeschreibung* vgl. zu KA 78. – *23 Die Seele baut aber doch ihren Körper:* Dieses ›Lieblings-Sätzgen der Physiognomen‹ kann man etwa bei Lavater, o. c., Bd. 1, S. 107–108, nachlesen. Vgl. dazu F 862; s. übrigens auch KA 193. – *30 Grönländer:* Vgl. zu 241, 33. – *31 Gradier-Haus:* Gradierwerk, Balkengerüst, zwischen dem durch eine hoch gelegene Rinnenleitung über Reiserwände Salzsole läuft und verdunstet.
275 *7f. Der Schluß aus den Werken der Natur:* Zu Lichtenbergs hier anklingendem ›Glaubensbekenntnis‹ vgl. noch L 275. – *26 Rede, sagte Sokrates zum Charmides:* Gemeint ist wohl »Charmides« 154 d von Platon. Charmides, athen. Philosoph, Onkel Platons, starb 403 v. Chr. Gesprächspartner in Platons Dialog »Charmides«. Über Platon vgl. zu A 27; über Sokrates s. zu KA 9. – *26f. an ihren Früchten ... erkennen, steht in einem Buch:* Gemeint ist die Bibel; das Wort findet sich ebenda, Matth. 7. 16 und 20.
276 *2f. Der erstere irrt ... eminent:* Dieser Satz ist F 824 entlehnt. – *19f. Er schließt nicht ...:* Dieser Satz ist F 80 entnommen; s. auch die Anm. dazu. – *20 Schienbeine:* von mir verb. aus: Schinnbeine. – *26f. von Kometenschwänzen auf Krieg:* Über Komet und Aberglauben vgl. zu A 220. – *35 Newtons Nase:* Dazu vgl. A 126. C 35! S. auch Lavater, o. c., Bd. 2, S. 276–279.
277 *5 der Verhältnis:* Vgl. zu 66, 5. – *13f. die Physiognomik ... Fett ersticken:* Dieser Satz ist F 217 entnommen; vgl. auch F 804. G 95. – *23 Semiotiker:* S. zu 264, 23. – *30ff. Leiden einer einzigen unschuldigen Seele ...:* Dieser Satz findet sich akzentuiert in F 792. – *32 Schwärmerei:* Diese Lieblingsvokabel der Aufklärung zur Bezeichnung irrationalen Handelns gebrauchte Lichtenberg auch 518, 18. 564, 38. 571, 36. 713, 34. 806, 25 f. 904, 15; s. auch IV, 678.
278 *4 Gradationen:* Diesen Ausdruck gebrauchte Lichtenberg auch 548, 15 f. 690, 2 f. – *10 Elefanten und die Hunde ... lernen:* Zu diesem Bild vgl. E 113 und die Anm. dazu. Lichtenberg gebraucht die Wendung auch 978, 32 f. 1055, 3. – *11f. was wir oben Pathognomik genannt:* Gemeint ist 262, 28. – *27 Spitzkopf im Deutschen:* Vgl. dazu und zu der Erörterung ‹physiognomischer› Sprichwörter F 222 und die Anm. dazu. Lavater behandelt physiognomische Wörter o. c., Bd. 2, S. 9. – *27f. Nomina*

Propria: Eigennamen; Lichtenberg gebraucht diesen Begriff auch F 683. – *28 Volks-Schimpfwörter:* Vgl. dazu Lichtenbergs Sammlung in D 667. – *28 f. Laster im Deutschen heißt* ...: Zu diesem Wortgebrauch von Laster vgl. DWB 6, 253 (3). – *30 Poltron:* Diese Bemerkung geht auf KA 46 zurück, wo ›Poltron‹ etymologisch als ›Verstümmelung‹ erklärt wird. Lichtenberg gebraucht es auch 343, 23. 837, 1. – *30 häßlich nicht von hassen:* Dieser Satz ist F 883 entnommen. – *30f. Die Nase ... in hundert ... Redensarten:* Zu Lichtenbergs ›Nasologie‹ vgl. zu 93, 2 ff.

279 *6 Fronti nulla fides:* »Auf [ihr] Aussehen ist aber kein Verlaß«. Zit. nach Juvenals »Satirae«, II, 8; über Juvenal s. zu KA 144. S. auch Fielding (Bd. 3 der Hanser-Ausgabe) S. 569. – *6f. Sprüchwörter leben in ... Krieg, wie alle Regeln:* Diese Wendung geht auf E 352 zurück; Lichtenberg zitiert sie auch F 852 und Materialheft I, Nr. 155. – *8ff. Phädrus antwortet* ...: Dieses Zitat aus Phädrus' Fabeln, III, 4,5 ist in F 619 notiert; über Phädrus vgl. die Anm. dazu. – *10ff. Ridicule ... optimos:* Ich halte diese Behauptung mehr für lächerlich als für wahr, da ich auch schlechte Menschen häufig schön gestaltet gefunden und viele vorzügliche Menschen mit häßlicher Gestalt gesehen habe. – *13ff. Shakespeare, der die entferntesten Begriffe ... zu verbinden weiß:* Dieser Satz ist fast wörtlich F 563 entnommen; vgl. auch F 564. 569 und 293, 36. Über Shakespeare vgl. zu A 74. – *15f. die Welt ... Schaubühne ein hölzernes O zu nennen:* Das erste Zitat ist »Antonius und Cleopatra«, V, 2, entnommen; das zweite Zitat entstammt »König Heinrich V.«, Chor I. Lichtenberg zitiert diese Metaphern auch 460, 32 f. – *19f. Shakespeare ... arm an eigentlich physiognomischen Bemerkungen:* Die Bemerkung ist wohl veranlaßt durch Eschenburgs Aufsatz im »Deutschen Museum« 1777, I, S. 40. Im übrigen vgl. 356, 38 f. – *22 acht seiner Stücke ... durchgegangen:* Welche es im einzelnen waren, ist nicht feststellbar. – *25 ausgedruckt:* Diese Schreibung begegnet auch 335, 24. 346, 21. 524, 17. – *26 kurrent:* Zu diesem Ausdruck vgl. zu 268, 24. – *31f. dicklippige Dummheit:* Ähnlich schreibt Lichtenberg F 569. – *34 steinernen O, worin er lebte und schrieb:* Gemeint ist London; im übrigen s. 333, 22.

280 *2 Fonds von Philosophie:* Ähnliche Wendungen begegnen auch 295, 15. 508, 33. 512, 24; im übrigen vgl. zu A 125. – *14f. Ferner müßte der Mann* ...: Vgl. F 569. – *19f. Verschiedenheit der Urteile über diesen Schriftsteller* ...: Woran Lichtenberg speziell denkt, ist unerfindlich, wollte man nicht annehmen, daß er die Urteile der Stürmer und Dränger (Goethe, Lenz) meint. – *21f. Die Menschen sind geneigt zu glauben* ...: dieser Satz ist fast wörtlich F 860 entnommen. – *28 seine Flüche:* Von Shakespeares Flüchen handelt F 569; s. auch Materialheft I, Nr. 123. –

31 Solche Werke sind Spiegel …: Dieser Satz ist F112 entnommen; s. auch F 860.
281 *2f. Bemerkungen … hingeworfen:* Lichtenbergs Kriterium des wahrhaft ingeniösen Künstlers; s. auch 293, 35 f. 334, 6 f. 340, 8 ff. 381, 12 f. 660, 12 f. 686, 12 f. 962, 39; im übrigen vgl. zu D 313. – *7 broadfronted:* breitstirnig, breitköpfig. Zitat aus »Antonius und Cleopatra«, I, 5. – *9 baldfronted:* kahlstirnig, kahlköpfig. – *9 foolish hanging Netherlip:* albern hängende Unterlippe. Ungenaues Zitat aus »King Henry IV.«, 1. Teil, II, 4, wo es wörtlich heißt: »… a foolish hanging of thy nether lip«. Lichtenberg erwähnt das Drama auch 395, 35. – *16ff. was hat Octavia für ein Gesicht … sagt Cleopatra:* Zitat aus »Antonius und Cleopatra«, III, 3. – *25 Torheits-Fältgen:* Dieser Ausdruck ist F 220 entnommen; s. auch F 247. – *34f. Gellertschen Physiognomik:* Lichtenberg meint ohne Zweifel jene Passagen aus Gellerts »Moralischen Vorlesungen«, S. 303–307, Leipzig 1770, die Lavater in Bd. 1, S. 30–32, der »Physiognomischen Fragmente« als ›Zeugnis für die Physiognomie‹ abdruckte; über ihn s. zu KA 225. Die »moralischen Vorlesungen« werden auch C 92 erwähnt.
282 *2f. Tugend macht schöner, Laster häßlicher:* Zu diesem Satz vgl. auch 295, 30 f. 558, 11 f. 562, 8. – *11 einer … Verhältnis:* Vgl. zu 66, 5. – *26 Revolutionen:* Vgl. zu 110, 32. – *27f. Kopfhängen:* Eine Definition dieses Zustandes gibt Lichtenberg 713, 5 ff.; im übrigen vgl. B 81 und Briefe (IV, 77). – *30 empfindsame Melancholie:* Damit definiert Lichtenberg eine durch Gray und Young beeinflußte zeitgenössische Seelen- und Literaturlage; zu *empfindsam* vgl. zu 264, 13 f. – *36f. Der Verfasser … jungen … Menschen gekannt:* Auf wen Lichtenberg anspielt, ist mir nicht bekannt.
283 *6f. pathognomische Ausdrücke … Sprache für die Augen:* Diese Wendung ist F 834 entlehnt; s. auch 288, 2 f. 548, 14 ff. – *37f. in jedem Dintenfleck ein Gesicht … findet:* Nach L 634 hatte Lichtenberg für »Kunkels Ehrengedächtnis« eine »Beschreibung des Dintenflecks auf der Charte von Frankreich« ausgeführt, die hier womöglich vorschwebt; er gebraucht die Wendung übrigens auch 853, 37 f. – *38 Ideen-Assoziation:* Vgl. zu 272, 20.
284 *6 großen, feierlichen Morgen:* Diese Umschreibung für: Auferstehungs-Tag begegnet bereits B 40. – *10ff. einen Nachtwächter … nach der Stimme zu zeichnen versucht:* Die Zeichnungen finden sich RA 53; vgl. auch E 377. F 819 und UB 55. Diese Passage ironisiert Lenz in dem zu 262, 17 nachgewiesenen »Merkur«-Aufsatz, a. a. O., S. 113 und im »Dt. Museum« 1778, I, S. 195; vgl. auch F 744. 819. – *16f. säendem … Tritt:* Dieser Ausdruck ist B 253 entnommen. – *33 Schule in D.:* Gemeint ist das Pädagogium in Darmstadt, das Lichtenberg von 1752 bis 1761 be-

suchte. – *37 Dieser rühmte sich ...:* Dieser Mitschüler Lichtenbergs hieß Zickwolf, wie aus F 89 hervorgeht, wo er diese Anekdote wiedergibt. Über ihn vgl. die Anm. dazu.

285 *10f. drei großen christlichen Gelehrten ...:* Gemeint sind vermutlich *Abraham* Gotthelf Kästner, *Isaak* Newton und – vielleicht – *Jakob* Böhme. Die Äußerung stammt womöglich von Lichtenberg selbst – dem großen Bewunderer Gellerts –, wie noch J 911 zu bestätigen scheint: »klingt fast wie Abraham, Isaak und Jakob«. – *13 Gellert:* S. zu 281, 34f. – *19 durch Assoziation:* Vgl. dazu Lichtenbergs Bemerkung S. 93 der Satzvorlage: »Ehe ich schließe muß ich den Leser bitten, weil das Wort *Assimilation* S. 70, ohne hinzugefügte Einschränkung, meinen Gedanken gar nicht ausdrückt, es entweder ganz wegzustreichen, oder, wenn er will, dafür *Association* zu schreiben.« – *19f. Wir sehen ... vor uns ... die Pläne der Städte:* Zu diesem Satz vgl. F 683. – *21f. Generals ... Lee:* Über ihn vgl. zu F 683. – *22 ein Bild von ihm gemacht:* Diesen Gedanken notiert Lichtenberg in F 683; ähnlich macht sich Lichtenberg in F 627 ein Bild von Washington, Howe und Hancock. – *35f. der Pabst ... ein Drache, oder ein Berg oder eine Kanone:* Diese Wendung, ein Ausspruch des ital. Dichters Francesco Berni (1497–1535), ist aus C 14 oder D 666 entlehnt. – *38 Grenze zwischen Wachen und Träumen:* Zu dieser Wendung vgl. zu 234, 33f; über Lichtenbergs Traum-Reflexion vgl. zu A 33.

286 *5f. nach seinem System:* ein Kernbegriff Lichtenbergs; vgl. 348, 4. 513, 19. 515, 12. 516, 33; im übrigen s. zu B 140. – *7 sieht jeder in vier Punkten ... ein Gesicht:* Diese Wendung ist F 98 entnommen. – *15f. Heß und Lambert ... einerlei Nasen:* Anspielung auf Lavaters »Physiognomische Fragmente«, Bd. I, S. 8–9, wo Lavater ausführt:

»Die Physiognomie des berühmten Herrn *Lambert,* der sich vor mehr als zwölf Jahren in Zürich aufgehalten, und den ich nachher wieder in Berlin zu finden das Vergnügen hatte, war eine von den ersten, die mich durch ihre ganz außerordentliche Bildung frappirte, meine innersten Nerven zittern machte – und mir ein Ich weiß nicht was – von Ehrfurcht inspirirte – – Diese Eindrücke wurden aber bald von andern verdrängt; ich vergaß *Lamberten* und seine Gesichtsbildung – Wol drey Jahre nachher zeichnet' ich, um noch wenigstens sein Bild zu retten, meinen tödlich kranken Herzensfreund *Felix Heßen.* Tausendmal hatt' ich ihn angesehen, ohn einmal seine Physiognomie mit *Lamberts* zu vergleichen; Ich hatt' ihn in *Lamberts* Gesellschaft gesehen, mit *Lamberten* controvertiren gehört und, – wol ein unwiderleglicher Beweis meines, wenigstens damals, stumpfen Beobachtungsgeistes – und beobachtete nicht die mindeste Ähnlichkeit.

Aber indem ich zeichnete, fiel's mir so gleich auf – stand so gleich *Lamberts* erwecktes Bild vor mir – ›Du hast *Lamberts* Nase!‹ sagt' ich meinem Freunde. Je mehr ich dran zeichnete, desto spürbarer wurde mir die Ähnlichkeit. Ich will *Heßen* nicht mit *Lamberten* vergleichen; – nicht sagen, was *Heß* hätte werden können, wenn es Gott gefallen hätte, ihm mehrere Jahre zu schenken. – *Heß* hatte keine Ader zur Mathematik; hatte gewiß nicht das tiefdringende Genie dieses so einzigen Mannes; sein Temperamentscharacter ist von *Lamberts* sehr verschieden, so verschieden, als ihre Augen und Stirnen – Aber in der Feinheit, in der Art ihrer Nasen, waren sie sich ziemlich ähnlich – und beyde zeichnen sich in ungleichem Grade durch großen, hellen, vielfassenden Verstand aus. Dieses wußt' ich ohne alle Rücksicht auf ihre Physiognomien: – Aber diese Ähnlichkeit der Nasen schien mir so sonderbar, daß ich auf dergleichen Ähnlichkeiten wenigstens beym Zeichnen aufmerksamer zu werden begann.«

An gleicher Stelle teilt Lavater übrigens in zwei Fußnoten mit, daß er sich außerstande sah, von Lambert und Heß Bildnisse zu erhalten.

Johann Felix Heß (1742/1768), Freund Lavaters und Füßlis, Großneffe und Lieblingsschüler Bahners, schweiz. Theologe und Schriftsteller, Übersetzer der Predigten Sternes. Lavater verfaßte nach seinem frühen Tod das »Denkmal auf Herrn Felix Heß«; über Lambert s. zu A 252. – *20f. Meisterstück der Schöpfung:* Diese Umschreibung für: Mensch gebraucht Lichtenberg auch 422, 7. 534, 18. 689, 28. 901, 27. 908, 19. 951, 13. 1015, 30f. 1055, 2; im übrigen vgl. zu B185. – *23 Es regnet allemal ...:* Diese Wendung ist F 732 entnommen. Von typischem ›Jahrmarkt-Wetter‹ spricht Lichtenberg auch B 302. F 692 und in den Briefen (IV, 372, 9f. 402, 9).

287 *17 Lavater hält die Nase ...:* Wo Lavater dies sagt, war nicht auffindbar. – *19f. zu Verstellung und von Verstellung:* entsprechend Lichtenbergs Anmerkung S. 93 der Satzvorlage; von mir verb. aus: zu Vorstellung ...

288 *2 Die pathognomischen Abänderungen ...:* Vgl. zu 283, 6f. – *3f. wie der größte Physiologe sagt:* Gemeint sind Albrecht von Hallers – über ihn vgl. zu A 230 – »Elementa physiologiae corporis humani«, Bd. 5, S. 590. Lichtenberg zitiert das Werk übrigens nach Lavater o.c., Bd. I, S. 26–27; s. auch KA 223 und die Anm. dazu. – *4f. zehn Wörter ... in Weingeist:* Dieser Satz ist F 843 entnommen. – *8 Korollaria:* in der Logik Lehrsätze, die aus dem Vorhergehenden unmittelbar folgen und deshalb keines Beweises bedürfen. – *24 Orakelwörtern:* Diese Wortprägung ist D 668 entlehnt. – *34f. muntern Witzes und der verführerischen Einbildungskraft:* Die hier folgenden Passagen

gehen auf F 656 zurück. – *35f. kleinen Hieb hat:* Zu dieser Wendung vgl. zu 321, 26.
289 *10f. Man esse einmal den Scheffel Salz ... Aristoteles verlangt:* Das Wort des Aristoteles, auch Briefe (LB II, Nr. 500, S. 292) nach dem 24. Februar 1787 und in Musäus' »Physiognomischen Reisen«, 2, 67 zitiert, steht in der »Nikomachischen Ethik«, 8, 3, 8; über Aristoteles vgl. zu KA 80. – *13 irren ist menschlich:* humanum est errare. Zit. aus Seneca des Älteren, »Controvers.«, 4, decl. 3; s. auch G 85. – *21f. Die Liederlichkeit, der Geiz ... ihre eigne Livree:* Zu dieser Wendung vgl. B 199; s. auch 778, 6f. – *25 die Form unseres Hutes und Art ihn zu setzen:* Dazu vgl. 388, 32 ff.
290 *1 Lesbarkeit von allem in allem:* Zu dieser Wendung vgl. 265, 20. – *7 nicht reden ... wie von einem Kürbis:* Diese Wendung ist F 694 entlehnt. – *12f. Satz des zureichenden Grundes ... maschinenmäßig:* Auch diese Wendung ist F 694 entlehnt; vgl. die Anm. dazu.
291 *1ff. wie eine Gallert ... organischen Bau in einem Glas Wasser:* Die ganze Passage ist fast wörtlich F 730 entnommen. – *11f. Schlüssen aus pathognomischen Zügen:* Ähnliche Gedanken entwickelt F 636. – *18f. paucorum hominum homo:* als Mensch der wenigen Menschen. – *30 italienische Christus-Gesichter:* Vgl. zu 273, 12f. Im übrigen s. E 429 und die Anm. dazu. – *30 Sokrates:* Er galt als Sinnbild des physisch häßlichen, seelisch schönen Menschen; über seine Identifikation mit Christus vgl. Benno Böhm: Sokrates im achtzehnten Jahrhundert. Leipzig 1929. Im übrigen vgl. zu 271, 21. – *38f. Holbein macht ... Betteljuden aus seinem Judas:* Lichtenberg bezieht sich hier auf die Abbildung eines Judas-Kopfes von Holbein in den »Physiognomischen Fragmenten«, Bd. 1, den Lavater ebenda, S. 79–83, übrigens ebenfalls kritisch, interpretiert. Über Holbein s. zu TB 27.
292 *5ff. gewisse Art unbrauchbare Hunde ... schüttelt:* Die ganze Passage ist fast wörtlich F 730 entnommen. – *15f. die größte Schönheit ... von jener Winckelmannischen unterschieden:* Vgl. zu 270, 18f.; über Winckelmann vgl. zu B 16. – *20 Wollust:* Zu diesem Begriff vgl. zu A 112. – *21 Revenüe:* Vgl. zu 245, 25. – *31 Bedlam:* Bethlehem Royal Hospital: Anstalt für Geisteskranke im Londoner Stadtteil Moorfield; vgl. darüber zu A 4. Zu dem Gedanken vgl. 564, 22. Lichtenberg erwähnt Bedlam auch 371, 31. 414, 28. 470, 25. 863, 24. 884, 23. 901, 12. 910, 36. 973, 26. – *32 versteinert:* Zu diesem Ausdruck vgl. zu 155, 29. – *33 den Sirius ausblasen:* Eine ähnliche Wendung findet sich in F 721.
293 *3 Physiognomik ... trüglich:* Dazu vgl. 548, 29. – *10 herauswürfeln:* Zu diesem Ausdruck vgl. E 134 und die Anm. dazu; s. auch 308, 31. – *20f. Ordnung in der Wohnstube ... im Kopf:* Zu dieser Wendung vgl. 441, 7f., zu Lichtenbergs eigenem Ord-

nungs-Sinn s. zu C 194 (S. 195). – *30 Aus der Mätresse schließt man auf den Mann:* Dieser Satz ist F 702 entnommen. – *36 Le Sage:* Über ihn s. zu F 69. – *36 Shakespear:* Über ihn vgl. zu 279, 19f. – *36 Züge, wie weggeworfen:* Vgl. zu 281, 2f.

294 *1f. Jede neue Attaque ... neue Befestigungskunst:* Diesen Gedanken wiederholt Lichtenberg 564, 24. – *2f. perfektibelsten und korruptibelsten Geschöpf:* Vgl. zu 266, 34f. – *4ff. Allein was auch ... gezeigt werden:* Diese Passage ist mit geringen Veränderungen aus der Vorrede »Einiges zur Erklärung der Kupferstiche« (GTK 1778, S. 24) übernommen worden. – *13 dankverdienerische Geschäftigkeit:* Diese Wendung findet sich in E 355; s. auch 413, 18 und D 64. 539. – *12ff. das bescheidene Nachgeben ... Reinlichkeit ohne Geckerei:* Diese Passage geht auf F 396 zurück. – *15f. Gelegenheit zu geben:* von mir verbessert aus: Glegenheit zu geben. – *21 Geschichte seines eigenen Herzens:* Diese Formel findet sich auch 233, 15f. – *29ff. von einem gebornen Beobachter des Menschen ... vorgestellt zu sehen:* Lichtenbergs Plan ist in den Monatskupfern von Chodowiecki im »Göttingischen Taschen Calender« für 1778 verwirklicht: »Der Fortgang der Tugend und des Lasters.«

295 *2f. Was Hogarth hierin geleistet ...:* etwa in der Folge von »Fleiß und Faulheit«; Lichtenberg selbst denkt aber, wie aus Briefen (IV, S. 283. 284) hervorgeht, an dessen »Leben des Liederlichen«. Über Lichtenbergs Beschäftigung mit Hogarth s. unten S. 318ff.; über Hogarth vgl. zu KA 277. In den »Erklärungen der Kupferstiche« (GTK 1778, S. 24) rühmt Lichtenberg Chodowieckis Illustrationen »mehr als Hogarthischen Geist« nach und sieht in einem seiner Köpfe etwas gestaltet, »was Hogarth suchte und nicht finden konnte«. – *6 Chodowiecki ... der einzige ...:* Über Lichtenbergs Zusammenarbeit mit Chodowiecki und dessen Illustrationen zu dem »Göttinger Taschen Calender« und – für »Orbis pictus« – zum »Göttingischen Magazin« vgl. Rudolph Focke: Chodowiecki und Lichtenberg. Leipzig 1907. Gegen die dem Kalender beigegebenen Kupfer von Chodowiecki polemisiert Lenz in der oben zu 262, 17 nachgewiesenen Abhandlung (a.a.O., S. 109); vgl. F 805. 898. – *8f. Seine kleinen Köpfe ... im Nothanker:* Gemeint ist der Roman »Leben und Meinungen des Herrn Magisters Selbaldus Nothanker« von Friedrich Nicolai, der 1773ff. in Berlin erschien und mit 16 Kupfern von Chodowiecki verziert war; über Nicolai s. zu D 520. – *11f. Er lebt überdas in einer Stadt:* Gemeint ist Berlin. – *15 Fond von Beobachtungen:* Ähnlich schreibt Lichtenberg auch 280, 2; vgl. die Anm. dazu. – *16 schon da ist, wie:* von mir verb. aus: *schon da, ist wie* – *17f. auf meinen Vorschlag getan:* Dazu vgl. Lichtenbergs Brief an Chodowiecki (IV, Nr. 138, S. 282 bis 284) vom 23. Dezember 1776: »Da ich mich schon eine

geraume Zeit vor Herrn Lavater mit physiognomischen Betrachtungen abgegeben, so wünschte ich gerne in dem Kalender einige Gedanken mit den besten aus Lavater anzubringen und allerdings sollten die Kupferstiche wiewohl eine nur entfernte Beziehung haben. Ich wollte nämlich darin vortragen, inwiefern Laster häßlich und Tugend schön machen können, also eine Physiognomik, die nicht so niederschlagend ist als die jetzt beliebte.« – *29 f. Hier sind ähnliche Kupferstiche weggeblieben:* Vgl. zu 256, 14. – *30 f. Erläuterung eines einzigen Satzes:* »Tugend macht schöner, Laster häßlicher«. S. 282, 2 f. und oben zitierten Brief. – *34 unvollkommen war:* Danach folgt in der Satzvorlage der zu 283, 38: *Assoziation* mitgeteilte Absatz bezüglich der Druckfehler.

ÜBER DIE PRONUNCIATION DER SCHÖPSE

Erstveröffentlichung und Satzvorlage: »Über die Pronunciation der Schöpse des alten Griechenlands verglichen mit der Pronunciation ihrer neuern Brüder an der Elbe: oder über Beh, Beh und Bäh Bäh, eine litterarische Untersuchung von dem Concipienten des Sendschreibens an den Mond.« In: »Göttingisches Magazin der Wissenschaften und Litteratur«, Zweyten Jahrgangs drittes Stück. 1781, S. 454–479. Ein Manuskript ist im Nachlaß nicht erhalten.

Zur Entstehung: Am Schluß des oben genannten Stücks findet sich die Mitteilung: »Die Herausgeber bitten den Leser, wegen Verzögerung dieses Stücks des M. um Vergebung ...« Da Bürger in einem Brief an Boie vom 24. September 1781 (Bürgers Briefe III, S. 59) auf den »Schöpsenlaut« anspielt und Luise Mejer ebenfalls an Boie (Ich war wohl klug, daß ich dich fand. München 1963, S. 108) unter dem 3. September 1781 mitteilt, »Lichtenbergs Aufsatz gegen Voß« habe sie »noch nicht gelesen, nur gehört, daß Lichtenberg es zu grob gemacht«, muß das Magazin-Stück wenigstens vor diesem Datum, wahrscheinlich in der zweiten Augusthälfte 1781, erschienen sein.

In den »Göttingischen Anzeigen von gelehrten Sachen« wurde es im 133. Stück vom 1. November 1781 angezeigt; es heißt darin am Schluß (S. 1066 f.): »Und zuletzt der Concipient des neuerlichen Sendschreibens an den Mond, über die Pronunciation der Schöpse des alten Griechenlands, verglichen mit der Pronunciation ihrer neuern Brüder an der Elbe etc. auf Anlaß der zuversichtlichst behaupteten Entdeckung eines Neuern Deutschen über die Aussprache der Alten Griechen, der die heidnischen Nahmen nach seiner Meynung richtig, die christlichen aber falsch ausgesprochen wissen wollte, der

Portsmouth durch *Portsmaut* und Hebe durch Hähbäh mit gleicher Zuversichtlichkeit ausdruckte et s. p.«

Über die Veranlassung zu dieser ersten Streitschrift Lichtenbergs gegen Voß s. Lichtenbergs eigene Darstellung (297, 23 – 298, 16) und die betreffende Stelle in der zweiten Streitschrift. Vgl. auch die späteren Äußerungen Lichtenbergs über diesen Streit in den Briefen an Ebert vom 21. Februar 1785 (IV, Nr. 485, S. 626–628) und an Nicolai vom 20. März 1785 (IV, Nr. 488, S. 631–632). Meine Darstellung des Streits folgt im wesentlichen Lauchert, a.a.O., S. 68–70.

Im 2. Stück des 1. Jahrgangs des »Göttingischen Magazins« war der Aufsatz von Voß »Über den Ozean der Alten« erschienen (s. IV, 384, 4ff.), über den in den »Göttingischen Anzeigen von gelehrten Sachen« 42. Stück, 3. April 1780, folgendes gesagt wird: »Über den Ocean der Alten, von Hrn. Rector Voß in Otterndorf. Eine genauere Anzeige, Prüfung und Auseinandersetzung erlaubt der Ort und die Absicht nicht; genug die Abhandlung dient zur Empfehlung der angekündigten Übersetzung der Odyssee, welche auch gelehrte Anmerkungen erhalten wird. Wir beklagen nur, daß Hr. Voß die Freunde der Litteratur durch seine sonderbare, zum Theil so gar grundlose, Rechtschreibung der griechischen Namen, selbst abschreckt, ungeachtet er dieser Rechtschreibung nicht einmal treu zu bleiben wagt: denn wäre Härä ('Hρη) richtig, so müßte ja auch Homär, Häsiod, Härodot s. w. geschrieben werden. Wird man nicht auch unsern Heiland Jäsus schreiben müssen? und wo ist der Erweis zu einer solchen Sonderbarkeit?«

Der Rezensent war *Heyne*.

Voß replizierte mit einem Artikel »Über eine Rezension in den Göttingischen Anzeigen«, erschienen im »Deutschen Museum« 1780, S. 238–260. Lichtenberg kommentierte ihn in einem Brief an Schernhagen vom 30. Oktober 1780 (IV, Nr. 276, S. 402) so: »Haben Sie schon den groben Ausfall von Voß auf Heynen im Museum gelesen?« (s. auch IV, 407, 28f.). Und da er Heynes Frage in der oben zitierten Rezension treffend fand, ließ er in seinem »Sendschreiben der Erde an den Mond« die Erde sagen (409, 38 – 410,2): »da Wir aber einmal *deutsch* schreiben, so wollten Wir fürwahr lieber Herr *Jäsus* und *gebena, stehena* schreiben, als die *Monde* und der *Sonn*.« Dieser Scherz genügte für Voß, um daraufhin über Lichtenberg in dem im »Deutschen Museum« Mai 1781, S. 465–466, gedruckten Artikel: »Über einen wizigen Einfal im Göttingischen Magazin« herzufallen. Nach einer kurzen Auseinandersetzung über seine Aussprache des η und seinen Streit mit Heyne darüber schrieb Voß S. 466: »Aber im 6. St. des Gött. Magazins 1780, scherzt ein wiziger Kopf, im Namen unsrer alten Mutter, über gewisse Leute, die Herr Jäsus und gebena, stehena schreiben wolten.

Ein Mann, der über schöngeistrische Ignoranz, und über die unwissenden Tröpfe, die nur die Possen anderer Monatsschriften, und nicht die gründliche Gelehrsamkeit des Göttingischen Magazins verständlich finden, so richtig denkt und so artig schreibt: hätte doch eigentlich wissen sollen, wovon hier die Rede war.« Lichtenberg zitiert die letzten zwei Zeilen übrigens 298, 13 f. Lichtenberg antwortete an zwei Orten und auf zwiefache Weise. Der erste Ort war der »Göttinger Taschen Calender« für 1782, der bereits zum 22. Juli 1781 vorlag (s. IV, 416, 34), in dem Lichtenberg unter »Neue Erfindungen, Moden, physikalische und andere Merkwürdigkeiten« S. 65 f. ausführte: »Herr Rector Voß zu Otterndorf hat, hauptsächlich aus der Übereinstimmung des Lauts der Schöpse des alten Griechenlands mit dem Laut ihrer Brüder an der Elbe, und andern ähnlichen Gründen, nunmehr bewiesen, daß die Griechen ihr η wie ä, oder besser wie *äh* gelesen, und folglich den Nahmen des schönsten Mädchens im Himmel nicht Hebe ausgesprochen, sondern *hähbäh* geblökt haben. Diese Abhandlung ist gedruckt.« (S. auch IV, 424, 19 f. und Lauchert, a. a. O., S. 73 Fußnote). Der zweite Ort war das »Göttingische Magazin« und der hier vorliegende erste Artikel Lichtenbergs, in dem Voß »mit 2erlei Kämmen gekämmt wird« (IV, 424).

Voß veröffentlichte seine »Vertheidigung gegen Herrn Prof. Lichtenberg« im »Deutschen Museum« 1782, 3. Stück, März, S. 213–251 (vgl. IV, 426). Lichtenberg erwiderte darauf in einer zweiten Streitschrift mit dem Titel »Über Hrn. Vossens Vertheidigung gegen mich im März/Lenzmonat des deutschen Museums 1782«, veröffentlicht im »Göttingischen Magazin« Dritten Jahrgangs erstes Stück, November 1782, S. 100–171 (s. IV, 447, 33 f. 449, 7 ff. 482, 26 ff. 486, 8 ff.). Voß behielt in dem Streit das letzte Wort. Im »Deutschen Museum« 4. Stück, April 1783, S. 340–356, erschien seine »Ehrenrettung gegen den Herrn Professor Lichtenberg, von J. H. Voß.« »Wenn Lichtenberg nicht schweigt, so dauert der Streit gewiß noch lange«, schrieb der bedenkliche Boie am 15. September 1783 an Luise Mejer (Ich war wohl klug, daß ich dich fand. München 1963, S. 243).

In einem Brief an Schernhagen vom 17. November 1782 (IV, Nr. 352, S. 483) gestand Lichtenberg nachträglich: »Ich bin fast noch nie mit jemanden so umgegangen als mit Voßen, selbst Göbhard ist noch gelinder traktiert ...« Aus dem gleichen Grunde glaubte Lichtenberg schon im August/September 1781, wie er Blumenbach gegenüber äußert (IV, Nr. 298, S. 424; das von Leitzmann und mir angegebene Datum ist offensichtlich zu spät), daß er »zu Otterndorf, Hamburg, Kopenhagen und Kiel an den Galgen geschlagen« werde, »wenigstens an die Familien-Galgen mancher Leute. Ich weiß nicht, ich hasse jene Buben so sehr, daß ich eine rechte Seelenruhe empfinden würde, wenn sie mich schimpften.« Lichtenberg wurde geschimpft. Beispiele nennt er selbst IV, 627–628. 631. Einen weiteren Beleg liefert der Brief des Grafen Stolberg an Friedrich Münter, der LB II, S. 382, abgedruckt ist:

»Ich danke Ihnen herzlich für Ihre schöne Elegie und für Ihren freundschaftlichen Brief. Ihren Gruß hat mir Bürger nicht bringen können, weil ich ihn nicht gesehen habe, welches mir sehr leyd thut.

Lichtenbergs Unverschämtheit hat mir nicht wehe gethan, kaum ein wenig geärgert und im geringsten nicht befremdet. Ein Mann, welcher keinen moralischen Charakter mehr zu behaupten hat, riskirt von *der* Seite so wenig als ein Betler von Dieben.

Daß er selbst glauben sollte in avantage zu seyn bey diesem Streit, *itzt das noch glauben sollte*, habe ich Mühe zu glauben. Zu sichtbar eludirt er Vossens sehr bündige und bescheidene Antwort auf seine vorige Impertinenz, und gleich einem schlechten Krieger wirft er schimpfend den Schild von sich. Wofür Voß Heynen Dank *schuldig* sey, weiß ich nicht, Collegia hat er halb bey ihm gehört und *ganz* bezahlt. Jtzt *muß* er Heyne nennen, weil Heyne nicht nur mit in den Streit eingeflochten ist, sondern Voß um Heynes willen ein Nichtswürdiger seyn soll nach Lichtenbergs flegelhaftem Ausdruck. Cramern hat er auf eine Art angespien, die seiner würdig ist, und bey vernünftigen Leuten Cramern nicht schaden kann.

Liebster Münter, die Göttinger Luft schadet Ihnen, Sie sprechen von Klopstocks Schülern.

Heyne kann Schüler haben, Lichtenberg kann Schüler haben, so auch Michelis und Kästner, Feder und Meiners, denn ihre Wisserey kann erlernt werden.

Daß Lichtenberg Klopstock und seine Freunde angreift, und giftig Klopstock sowohl als Voß lobt, wird außer dem Göttingischen kleinen Zirkel weder Klopstock noch Voß, noch beyder Freunden schaden.

Daß Heyne bey dieser Gelegenheit an den Pranger komt, würde mir, wenn ich sein Freund wäre, sehr wehe thun, daß er es verdiente, aber weit mehr.

In der Sache selbst und in der Art sie zu vertheidigen, hat Voß große avantage, schwebte aber auch das Recht in gleichen Schalen, so hätte Voß dadurch unendlichen Vortheil, daß alles was Lichtenberg und Heyne schreiben können, seine kleine Zeit gelesen wird, Voß aber beyde, wenn ihn einmal die Laune anwandelte, sie gleich geschossnen Eulen, andern zum Schreck, auf immer zur Schau tragen kann.

Lieber, bester Münter, lassen Sie sich nicht durch Heyne irren führen. Beobachten Sie ihn, der Mann ist nicht rein! Sein Streich gegen den jungen Cramer, den er mit Koppens Feder und Koppens Ebräischer Wissenschaft angriff, war sehr hämisch. Cramern vergeben Leute von Heynes und Lichtenbergs Gelichter nicht, daß er so sehr Klopstocks Freund ist.

Eutin den 26sten December 1782.«

Und wie lautete das Urteil eines, der zwar nicht auf der Seite der Klopstockianer, aber auch nicht im mindesten Lichtenbergianer war?

»Im neusten Stück des Museums hat He. Voss gewaltig gegen die Herren Heyne und Lichtenberg losgezogen. Sehr grob ist er, aber ich und mehr Leute hier können die beiden Gegner nicht sehr beklagen. L. hatte gar keine Ursache, sich in diese Händel zu mengen, was geht ihn das Griechische an? Auch war das, was er für Spott ausgab, sehr plump beleidigend und großenteils nicht gegründet.« So urteilt Kästner an Friederike Baldinger am 22. April 1782 (Bopp, a.a.O., S. 142–143).

Angesichts dieser Parteiungen nimmt es nicht wunder, daß Lichtenberg, als er 1785 an eine Ausgabe seiner »Vermischten Schriften« denkt, den Abdruck seiner Streitschriften gegen Voß ausschließt (s. IV, 627). Dieser Ansicht schlossen sich die Herausgeber der ersten Ausgabe der »Vermischten Schriften« an. Als die Söhne 1844 eine neue Ausgabe veranstalteten, schrieben sie (a.a.O., Bd. 4, S. 242):

»Die beiden folgenden, im göttingischen Magazine enthaltenen, Aufsätze, die allerdings eine an sich nur unbedeutende grammatische Streitigkeit betreffen, sind in die erste Ausgabe nicht mit aufgenommen. Die Vorrede zum vierten Bande derselben gab, S. IX und X, als Grund an, daß der Verfasser sie selbst am wenigsten noch einmal ins Publikum gebracht haben würde, da sie, bei allem Witz, mit dem sie gewürzt seien, Ausdrücke enthielten, die nur die Hitze des Streits entschuldigen könne, sie auch gegen einen Mann gerichtet seien, dessen Verdienste um die deutsche Literatur Achtung geböten, und daher angemessener sei, das Andenken an jenen gehässigen Streit erlöschen zu sehen, als es durch eine neue Auflage der Actenstücke wieder anzufachen.

Gehören die Herausgeber der gegenwärtigen neuen und vermehrten Ausgabe auch gewiß nicht zu den Letzten, welche den Verdiensten jenes Mannes die höchste Achtung zollen, so haben sie doch geglaubt, Aufsätzen, die so viel Witz und Laune enthalten, wie die vorliegenden, die Aufnahme nicht versagen zu dürfen. Eine Besorgniß, daß der Streit dadurch wieder werde angefacht werden, gestehen sie, nicht hegen zu können.«

Literatur: Schneider, a.a.O., Bd. I, S. 188–190; Mautner, a.a.O., S. 258–264.

296 *8 Sendschreibens an den Mond:* S. unten S. 187. – *12 Rektor Voß:* Voß war von 1778 bis 1782 Rektor in Otterndorf (im Lande Hadeln, unweit von Cuxhaven gelegen). Zu dem Titel vgl. auch Briefe (IV, 407, 29). – *13 Studiums des Homer:* Voß, der in Göttingen bei Heyne Altphilologie studiert hatte, begann seine Tätigkeit als Übersetzer antiker Texte mit der epochalen Eindeutschung von Homers »Odyssee«, erschienen Hamburg 1781; Vossens »Ankündigung der deutschen Odüssee« erschien

im »Deutschen Museum«, Juli 1780, S. 94–96, und März 1781, S. 261–264. S. auch 305, 4. 308, 6. Über Homer s. zu A 135. – *14 Hexameter-Baues:* In seiner Übersetzung der »Odyssee« wie 1783/84 auch in der Idylle »Luise« versucht Voß, dieses Versmaß einzudeutschen. Lichtenberg stand den Versuchen, den Hexameter einzudeutschen, übrigens skeptisch-ironisch gegenüber: s. 312, 15. 412, 18. 441, 28. 1041, 8 ff. – *16 das Rezensenten-Verhör:* Es handelt sich um die folgenden Aufsätze von Voß: 1. »Verhör über einen Rezensenten«, erschienen im »Deutschen Museum«, August 1779, II, S. 158–172. Der Artikel repliziert auf Heynes Rezension von Homers Werken, aus dem Griech. übersetzt von Bodmer und F. L. Graf zu Stolberg, erschienen in der »Allgemeinen deutschen Bibliothek«, Bd. 37, Berlin 1779, S. 131–169 (Sign.: Qr.). 2. »Folge des Verhörs über einen Berliner Rezensenten« im »Deutschen Museum«, März 1780, I, S. 264–272. 3. »Über eine Rezension in den Göttingischen Anzeigen« im »Deutschen Museum«, September 1780, II, S. 238–260; 4. »Zweite Folge des Verhörs über einen Berliner Rezensenten« im »Deutschen Museum«, November 1780, II, S. 446–460 (s. auch Briefe, IV, 402, 17); 5. »Vossens Verhör über zwei Ausrufer in der allgem. d. Bibliothek« im »Deutschen Museum«, April 1781, I, S. 327–343. Zu Vossens Invektiven erschien übrigens im Juli-Stück 1781 des »Deutschen Museums«, S. 87–95, eine Erklärung von Friedrich Nicolai. – *16 f. Verteidigung ... Griechen:* Anspielung auf Vossens Artikel »Über eine Rezension in den Göttingischen Anzeigen«, erschienen im »Deutschen Museum«, September 1780, II, S. 238–260. – *30 kleinstädtischen:* Diesen Ausdruck gebraucht Lichtenberg auch B 297. E 156. 370. – *36 f.* ἀκουω ... φιλησω: ich höre, sie hörten, ich stoße, sie stießen, ich liebe, ich werde lieben.

297 *4 votum decisivum:* entscheidende Stimme; s. auch 307, 10. – *17 Pedantismus:* seit Thomasius der Inbegriff des worttüftelnden scholastischen deutschen Gelehrten; s. auch 298, 26. 300, 26. 301, 8. 302, 26. 308, 17. 377, 31. 575, 16. 645, 9. – *17 moderner Rechtschreiberei:* Anspielung auf die von Klopstock propagierte Orthographie-Reform; vgl. zu G 35; s. auch zu 300, 12 f. – *25 ff. wurde er gefragt: ob er auch Hr. Jäsus .... schreiben wolle:* Anspielung auf Heynes Rezension – s. oben S. 127 – und Lichtenberg in dem »Sendschreiben der Erde« – s. 410, 1. – *28 das Ridiculum acri ... des Horaz:* »ridiculum acri / fortius et melius magnas plerumque secat res« heißt es in Horaz, »Sermones« I, 10, 14 f. – »Scherz entscheidet wichtige Fragen oft kräftiger und besser als der leidenschaftliche Ernst.« Über Horaz s. zu KA 152. – *35 seines Homer:* Diese Wendung begegnet – in kritischer Reflexion – auch G 5; s. die Anm. dazu. Vgl. ferner 384, 27. 597, 33.

298 *1 schulfüchselnder Rechthaberei:* Den Ausdruck »Schulfüchse« gebraucht Lichtenberg auch G 5; s. ferner 299, 16. 300, 15. 306, 24 f. – *4 meinem Sendschreiben* .... *und sagte:* S. 410, 1. – *12 f. im ersten Wonnemond* ... *deutsche Museum:* Gemeint ist Vossens Artikel »Über einen wizigen Einfall im Göttingischen Magazin«, erschienen im »Deutschen Museum«, Mai 1781, I, S. 465–466, den Voß S. 466 mit dem Absatz schließt: »Ein Mann, der über schöngeistrische Ignoranz, und über die unwissende Tröpfe, die nur die Possen anderer Monatsschriften, und nicht die gründliche Gelehrsamkeit des Göttingischen Magazins verständlich finden, so richtig denkt und so artig schreibt: hätte doch eigentlich wissen sollen, wovon hier die Rede war.« – *26 Pedanten:* S. zu 297, 17. Mit diesem Beinamen belegt ihn Lichtenberg auch in den Briefen (IV, 482, 30) am 11. November 1782. – *29 Lambertische Betrachtung über das Weltgebäude:* Gemeint sind Lamberts »Cosmologische Briefe über die Einrichtung des Weltgebäudes«, die zu A 252 genauer nachgewiesen sind; Lichtenberg erwähnt sie auch J 1598. RA 156. SK 109. Über den von Lichtenberg überaus geschätzten Naturwissenschaftler s. in der Anm. dazu. – *30 f. Plunder nennt es Heyne:* »Der ganze Plunder ist für sich der Mühe nicht werth; aber bei einer Neuerung – und in Dichtern ist es mir nicht ganz gleichgültig«, schreibt Heyne in einem Brief an Voß vom 28. Mai 1778, den letzterer innerhalb seines Artikels »Über eine Rezension in den Göttingischen Anzeigen« im »Deutschen Museum«, September 1780 abdruckte (s. ebenda S. 252). Lichtenberg gebraucht den Ausdruck auch 148, 8. 213, 6. 750, 30. 823, 18. 833, 6 f. 834, 3. 958, 33. Über Christian Gottlob Heyne vgl. zu B 239.

299 *4 Dunciade:* von engl. dunce ›Schwachkopf‹, Titel einer Verssatire von Alexander Pope – über ihn s. zu A 94 – auf L. Theobald und C. Cibber (1728, verändert und erweitert 1742), daher allgemein: Satire gegen - literarische - Narren; s. auch 302, 26. 745, 38. 906, 37. – *4 zu Footes Zeiten:* Der »englische Aristophanes« (so Lichtenberg im »Weg des Liederlichen«, 5. Blatt, S. 872, 23) Samuel Foote – über ihn s. zu D 648 – war seinerzeit (er war 1777 gestorben) berühmt und gefürchtet wegen seiner auf die Bühne gebrachten satirischen Darstellungen lebender Londoner Zeitgenossen, die er virtuos lächerlich machte; s. die ausführliche Charakteristik in RA 13; vgl. auch D 648. Materialheft I, Nr. 65. – *6 Skamander:* griech. Skamandros, auf dem Ida entspringender Fluß, bei Homer Hauptfluß der Ebene von Troja. – *7 Zindel:* ursprüngl. ein feines indisches Leinengewebe, später ein leichter, dünner Futtertaft. Lichtenberg gebraucht das Wort auch D 56. 214. C 352. – *16 Schulfüchsen:* S. zu 298, 1.

300 *2 but, much, such:* engl.: aber, viel, solch. Die Reflexion über das engl. u ist E 446 entnommen. – *12f. unbesonnen ... jetzt wieder schreiben zu wollen wie man spricht:* Vgl. zu 297, 25 ff. Im »Göttingischen Magazin«, Zweiten Jahrgangs drittes Stück, 1781, S. 438–454 – also dem Stück, in dem auch vorliegender Aufsatz erschien –, veröffentlicht Lichtenberg einen Artikel von Fulda an Mäzke unter dem Titel: »Daß die Aussprache kein Princip der Rechtschreibung sey.« Im ›Vorbericht‹ zum »Göttingischen Magazin«, Ersten Jahrgangs erstes Stück, 1780, äußert sich Lichtenberg selbst zu dem Thema:

»Was ich noch zu sagen habe, betrifft hauptsächlich die Orthographie. Wir werden hierin, wie es sich für solche abhängige Sammler schickt, allerdings sehr tolerant seyn; am liebsten wäre es uns freylich, wenn die Verfasser diejenige befolgen wollten, die wir aus unsern Bibeln und Gesangbüchern, aus unsern besten gelehrten und politischen Zeitungen, ja, ich möchte fast sagen, aus *unsern Frachtbriefen und Lotteriezettuln lernen könten;* die die unsere Erneurer des guten Geschmacks in Deutschland eingeführt haben, oder die endlich, welche Hr. Adelung in seinem classischen Werk, das gewiß länger dauren wird, als alle die kleinen Werke unserer *Veränderer* in der Orthographie, durch Fleiß und Räsonnement zur Richtschnur auch für Ausländer niedergelegt hat. Ueber Kleinigkeiten z.E. wo ein h ausgelassen oder zugesetzt werden soll, muß man überhaupt mit einem so weitläuftigen Reich als Deutschland, und einem so bunten, um so weniger rechten wollen, je weniger hierin unsere besten Schriftsteller noch mit sich selbst einig sind. Allein am allerwenigsten wünschten wir doch, daß man die, für jedes Individuum eben so leichte, als im Ganzen unphilosophische Lehre befolgte, die Aussprache zur Richtschnur der Rechtschreibung machen zu wollen, und, eigentlich zu reden, das Gebäude an einem Punkt zu befestigen, der der hauptsächlichste Grund aller Unfestigkeit desselben ist. Daß man so häufig anders schreibt als man spricht, rührt größtentheils daher, daß man irgendwo einmal schrieb wie man sprach. Mit jenem Grundsatz sind wir nicht einmal im Stand das armseelige h aus *gehorsahm* zu verbannen oder aus *Mond* zurückzuhalten. Und nun gar *Fau* statt *Pfau* und *Flanze* statt *Pflanze* zu schreiben! Wie, wenn nun der wackre *Pälzer* uns Niedersachsen mit seinem weit etymologischern *Pau* und *Planze* käme? Am Ende hauchte uns wohl gar ein weichlicher deutscher Südländer jenes F auch noch weg, wie der Spanier durch sein humo und hijo aus fumus und filius und unzähligen Worten, und wir behielten denn ein blosses *Hau* und 'Lanze. Ehe ich eine solche Veränderung anriethe, würde ich fast lieber rathen, das Deutsche, aus Respeckt gegen die Ziffern und die

Sprache des Volks Gottes rückwärts zu schreiben und zu drucken. So lange die Pronuntiations-Orgeln noch nicht erfunden sind, läßt sich gewiß von der Seite noch nichts festes erwarten.

Wer sich hiervon überzeugen will, darf nur das englische ansehen. Man spricht in London jetzt fast eine andere Sprache als man schreibt. In Schottland gehen die Abweichungen langsamer von statten, da ist man noch viel näher am Buchstaben. Käme in England jemand auf den Einfall den Klang der Worte a b c-richtig auszudrücken, wie lange würde es dauren? Man spricht in Westminster in diesem Jahr falsch, weil der Citizen richtig spricht, und so bald die City aus Ueppigkeit falsch zu sprechen anfängt, so spricht Westminster wieder aus Ton recht. Einer schreibt indessen größtentheils wie der andere und findet sich auf einem heilsamen Mittelweg befriedigt, wo das geschriebene Wort starke Spuren lehrreicher und nicht so leichtsinnig zu verwischender Etymologie, mit einem Wink wenigstens, er sey auch noch so gering, für den Laut, darstellt, und das ist alles, was man von *diesen gemischten* Zeichen für beyde bey so viel natürlicher Unbeständigkeit der Zunge erwarten kan.

Ich läugne damit gar nicht, daß nicht sehr vernünftige Verbesserungen in unserer Orthographie statt finden, so wenig als ich zweifle, daß nicht allmählig durch ein Werk, wie Hrn. Adelungs etwas festes eingeführt werden könne. Befehlen läßt sich aber auch hier nicht einmal, allein von der Ueberzeugung der jüngern läßt sich künftig vieles erwarten. Ich breche hier um so lieber ab, als ich Hofnung habe, diese Materie von einem vortreflichen Mann dereinst in unsern Blättern mit aller der Einsicht und Toleranz behandelt zu sehen, die hierbey nöthig ist. (Zit. nach Lauchert, S. 47–49) – *13 in dubio:* im Zweifelsfalle; s. auch 304, 11, 802, 8. 856, 35. 1026, 6. – *15 Schulfüchsen:* S. zu 298, 1. – *22ff. share ... accumulate:* teilen, nackt, reisen, verrückt, fett, Stand, gemacht, häufen. – *26 Pedanten:* S. zu 297, 17. – *27 Grammatici certant:* Grammatici certant, et adhuc sub iudice lis est: »Da sind die Forscher nicht eins, und der Streit hängt noch vor dem Richter.« Zitat nach Horaz, »De arte poetica«, V. 78. Lichtenberg zitiert den Anfang des Verses auch 723, 32. Über Horaz s. zu KA 152. – *29f. beim Shakespeare bellen sie ... bowgh, waugh:* Wo Shakespeare diese Vokabeln verwendet, war nicht feststellbar. – *30f. blow ... overthrow:* wehen, säen, zeigen, umwerfen. – *33 Ähnlichkeit:* von mir verbessert aus: *Aenlichkeit.*

301 *1ff. Noten, zu dem .... bekannt gemachten vertraulichen Brief des Herrn Hofrat Heyne:* Gemeint ist der zu 298, 30f. genauer nachgewiesene Artikel von Voß, erschienen im »Deutschen

Museum« September 1780, II, S. 238–260, der S. 243 ff. Heynes Brief enthält. – *3 druckt er ... Portsmaut:* »Schenie, Schasmien, Portsmaut [scil. für Portsmouth] ... denn es ist eben so pedantisch, im Deutschen das französische *ge* und *j* mit seinem weichen Gezisch hören zu lassen, als das englische th zu lispeln«, schreibt Voß in dem zu 298, 30 f. genauer nachgewiesenen Artikel (a. a. O., S. 246). – *5 f. der ... herabsehende Mann:* Diesen Ausdruck gebraucht Lichtenberg auch H 155 und Briefe (IV, 750). – *6 Otterndorf:* S. zu 296, 12. – *7 f. Ich schreibe nach griechischer Aussprache:* Dieses von Lichtenberg wörtlich wiedergegebene Zitat eröffnet Vossens Artikel »Über einen wizigen Einfall im Göttingischen Magazin«, erschienen im »Deutschen Museum«, Mai 1781, I, S. 465–466 (s. ebenda S. 465). Vgl. auch 127, 3 ff. – *8 Pedanterei:* S. zu 297, 17. – *10 f. die Verbindungen mit Lehrer und Freund vergißt:* Sein Lehrer Heyne hatte dem mittellosen Studenten Voß in Göttingen einen Freitisch verschafft und sich seiner persönlich angenommen. – *15 auf der Kaye zu Hamburg:* seinerzeit übliche Schreibweise, auch Kaje, für: Kai. – *28 f. ein* א *:* Das Schriftzeichen heißt Aleph und ist der erste Buchstabe im hebräischen Alphabet. – *29 Ritter Michaelis:* Über Johann David Michaelis s. zu KA 212. – *31 Spiritus lenis:* von den alexandrin. Grammatikern im 3. Jh. v. Chr. eingeführtes Lesezeichen über Vokalen im Wortanlaut zur Bezeichnung des unbehauchten Vokaleinsatzes (Gegensatz: Spiritus asper).

302 *5 Plutarch:* Über Plutarch vgl. zu A 42. – *6 Homer:* Über ihn vgl. zu A 135. – *16 Herodotus:* Über ihn vgl. zu F 840. – *16 Demosthenes:* Über ihn vgl. zu B 65. – *25 f. rechtschreiberischen Pedanten:* S. zu 297, 17. – *26 Dunciade:* Vgl. zu 299, 4. – *27 Voß seine Odyssee:* Darüber s. zu 296, 14. – *32 orthographischen Welterlöser:* Diesen Ausdruck gebraucht Lichtenberg auch in »Vossens Verteidigung wider mich« (Gött. Magazin, 3. Jahrgangs 1. Stück, S. 147). Von »physiognomischen Welterlösern« spricht er 555, 30 f. – *36 Pompähjus:* Cnaeus Pompejus; über ihn s. zu C 150. Zu der Schreibung von Eigennamen vgl. G 35. 111. – *37 f. Hangriad des ... Woltähr:* Gemeint ist das Epos »La Henriade« von Voltaire, dessen endgültige Fassung 1728 in England erschien; es stellt die Glaubenskriege aus der Zeit des frz. Königs Heinrich IV. und zugleich eine Kampfdichtung gegen den Fanatismus beider Konfessionen dar; über Voltaire s. zu KA 28. Lichtenberg erwähnt das Epos auch C 197. Die Verballhornung eines voltaireschen Titels begegnet auch 532, 5.

303 *1 Burbong:* Bourbon; Heinrich IV. war der Sohn des Anton von Bourbon. – *1 Walloa:* Valois; Heinrich IV. hatte Margarete von Valois geheiratet. – *1 f. Dück de Gihs:* Duc de Guise, Henri I. de Lorraine (1550–1588), einer der Führer der kath.

Partei während der Hugenottenkriege, gehörte zu den Urhebern der Bartholomäusnacht. – *2 Bluthochzeit zu Parih:* Gemeint ist die Bartholomäusnacht, auch Pariser Bluthochzeit genannt, die Nacht zum 24. 8. 1572, in der der hugenottische Adel Frankreichs, der wegen der Heirat Heinrichs von Navarra mit Margarete von Valois nach Paris gekommen war, auf Veranlassung Katharina von Medicis niedergemetzelt wurde. Lichtenberg erwähnt das Ereignis auch 923, 12. – *7 bardenmäßig:* Barde: ursprünglich keltischer Sänger und Dichter von Kampf- und Preisliedern; im dt. 18.Jh., vom »Ossian« angeregt, von Klopstock gefördert, vom »Göttinger Hain« nachgeschrieben, allgemein mit altgermanischen Sängern gleichgesetzt und Ausdruck deutschbewußter Dichtungsabsicht. Entsprechend distanziert gebraucht Lichtenberg den Begriff auch 380, 6. 421, 24. 422, 22. 517, 36. 519, 27. 568, 27. 570, 18. 1045, 29. Im übrigen vgl. zu E 169. – *34f. das Beispiel der Protestanten:* Über ihre Reform des Kalenderwesens s. zu 407, 30f.

304 *4 Der große Weise:* Gemeint ist laut Grenzmann Friedrich II., der dahin wirkte, daß Katholiken und Protestanten Ostern am selben Tage feierten; über ihn vgl. zu KA 140. – *11 in dubio:* Vgl. zu 300, 13. – *24 zer-Vossen:* Zur Verbalisierung von Eigennamen, die Lichtenberg häufig übte, vgl. zu D 666. – *33 Bode ... bei seinen Übersetzungen:* Über Johann Joachim Bode vgl. zu B, S. 45 (I). – *37 Nathan der Weise:* Gemeint ist die berühmte »Ring-Parabel«, in der die drei Brüder die verschiedenen Konfessionen verkörpern. Das dramatische Gedicht »Nathan der Weise« war 1779 erschienen; über Lessing vgl. zu KA 63.

305 *4 ein würklich großes Unternehmen:* Vgl. dazu Lichtenbergs Brief an Voß (IV, Nr. 253, S. 384, 11–18) vom 16. Februar 1780. – *35 anständig:* von mir verb. aus: änständig.

306 *4 in der Odysee:* Vgl. zu 296, 14. – *8 den seligen Gellert:* Über ihn vgl. zu B 95. – *9f. jetziger Genie-Seherei und Genie-Flegelei:* Zu diesem Begriff vgl. zu 213, 19. – *17 Chodowiecki:* Über ihn s. zu F 870. – *19 Sic Voss; non Vobis:* Wortspiel nach svwn. Versen des Donatus in »Vita des Vergil« XVII: Sic vos non vobis nidificatis aves. Sic vos non vobis vellera fertis oves. Sic vos non vobis mellificatis apes. Sic vos non vobis fertis aratra boves. »So baut ihr Vögel keine Nester für euch. So tragt ihr Schafe keine Wolle für euch. So bereitet ihr Bienen keinen Honig für euch. So zieht ihr Ochsen den Pflug nicht für euch.« Über Donatus s. zu C 104. – *23 trotz des Erasmus:* Desiderius Erasmus, genannt E. von Rotterdam (1466–1536), bedeutendster Humanist, bahnbrechend als Philologe wie als Kirchen- und Kulturkritiker. Erasmus war einer der ersten Humanisten, die Griechisch lernten; seine Edition des Neuen Testaments nach dem Urtext ist bahnbrechend geworden. – *24f. Schul-*

füchse: S. zu 298, 1. – *33 Die Hexen:* Mit diesem Ausdruck belegt Lichtenberg gern eine besonders verführerische Weiblichkeit; vgl. 362, 1. 640, 29. 642, 2. 809, 21. 872, 7. 935, 17; vgl. ferner zu D 667. – *35f. Ich habe einen Engländer im Deutschen unterrichtet:* Da Lichtenberg eine ganze Reihe engl. Studenten unterrichtete, ist es nicht feststellbar, auf wen Lichtenberg abzielt.

307 *7 nasty:* unflätig, schmutzig. – *10 voti decisivi:* Vgl. zu 297, 4. – *13 Dame Leonarda in Gil Blas' Räuber-Höhle:* Anspielung auf das 4. Kapitel des 1. Buches der »Geschichte des Gil Blas von Santillana«, wo es von der Köchin der Räuber, Leonarda, einer sechzigjährigen Frau, heißt: »Außer einem olivgrünen Teint hatte sie ein spitzes, vorstehendes Kinn und ganz eingefallene Lippen; eine große Adlernase reichte ihr bis über den Mund hinab, und ihre Augen schienen von wundervollem Purpurrot zu sein.« Lichtenberg erwähnt die ›Räuber-Höhle‹ von Lesage auch J 352; über Alain-René Lesage s. zu F 69. – *14 polnischen Bock:* eine Art Dudelsack; Lichtenberg gebraucht diesen Ausdruck auch 792, 27. – *28f. Prof. Runde Änderung der Monatsnamen:* Im Januarstück des »Deutschen Museums« 1781, S. 7–17, hatte Justus Friedrich Runde eine »Vergleichung der römischen Monatsnamen mit denen, welche Karl der Große einzuführen trachtete« angestellt; Voß replizierte »Über die deutschen Monatsnamen« im »Deutschen Museum«, Mai 1781, S. 447–455, datiert vom 15. März 1781. Justus Friedrich Runde (1741–1807), studierte seit 1764 in Göttingen Jura, 1771 Prof. in Kassel, 1785 in Göttingen: bedeutender Rechtsgelehrter und vielseitiger Publizist.

308 *6 in seiner deutschen Odyssee:* Vgl. zu 296, 14. – *8 curieuxen .... Dedikationen:* Parodie des französierenden Deutschen Barockstils. *Curieux:* sonderbar; Lichtenberg gebraucht das Wort auch 427, 3; *galant:* vgl. zu 311, 8. – *8 obligeanten:* verbindlich, gefällig; s. auch 539, 19. – *9f. Graçe ... adorierten:* Übersetzt heißt dieser Satz: die hohe *Gnade* und *Großmut* ihrer Gönner und *Geliebten bewunderten* und *anbeteten.* – *10 Charmanten:* Dieser Begriff wurde etwa popularisiert durch Reuters »Schelmuffsky«, wo stets von seiner »Dame Charmante« die Rede ist. – *17 pedantischer Eigendünkel:* Vgl. zu 297, 17. – *18 vogelfrei:* Zu dieser Vokabel vgl. zu 237, 21. – *19 seiner Compagnie Tadel:* Dazu vgl. Lichtenbergs Äußerung in den Briefen (IV, 424, 22f.) – *22f. Pope einen Klatscher ... nennen:* Im März-Stück des »Deutschen Museums« konnte ich nur ein Spottgedicht auf Pope (ebenda, S. 239) entdecken: »Der Englische Homer«. Der »schmächtige Poet« Pope will in dem ohne Verfasserangabe gedruckten Poem anstelle von Homer den Sonnenwagen lenken: »Er hängt den Rossen Schellen an, Sezt breit sich auf den

Sonnenwagen,/ Dem reichen Brittenvolk eins vorzujagen,/ Und knallt galant: mit Ungestüm / Entkollern dem schmächtigen Manne die stolzen unsterblichen Rappen«. In der »Nachricht von Pope's Leben und Schriften«, erschienen im »Göttingischen Magazin«, 3.Jahrgang, 1. Stück, 1782, S. 63 f, schreibt Lichtenberg: »Ich mache mit dem Manne den Anfang, der in unsern Tagen auch noch den Zusatz zu seinem unsterblichen Ruhm erhalten hat, von unsern bewunderten und nirgends gelesnen *Teutonen* ein Klatscher genannt zu werden«. S. auch 380, 21. Über Alexander Pope s. zu A 94. – *24 Popische Epistel:* Zu Lichtenbergs Wertschätzung vgl. seine Ausführungen im »Vorbericht« zum »Göttingischen Magazin« Zweiten Jahrgangs Erstes Stück 1781, datiert vom 9. April 1781: »So lang man bey uns noch nicht auf größere Lehrgedichte rechnen darf und kan, würden uns Gedichte nach Art der Horazischen Episteln, der Horazischen und Juvenalischen Satyre, und der Satyren und moralischen Versuche des Pope vorzüglich erwünscht seyn«. S. auch 418, 11 f. – *26 Bravour-Ode:* diesen Ausdruck gebraucht Lichtenberg auch Briefe (IV, 830, 5). – *27 Sturm am Berge ... verdonnern:* Zu dieser Wendung vgl. E 504 und die Anm. dazu. – *28 Libanons Hoher-Zeder:* Zu diesem Bild vgl. D 214 und die Anm. dazu; s. auch 916, 35. – *28 Silbergewölke:* Zu dieser Wortprägung vgl. F 731 und die Anm. dazu. – *31 sind, müßte man:* von mir verb. aus: *sind müßte, man.* – *31 herauswürfeln:* Zu diesem Ausdruck vgl. zu 293, 10. – *32 Marpurg:* Friedrich Wilhelm Marpurg (1718–1795), in Berlin, dt. Musiktheoretiker und überaus fruchtbarer Komponist von Klaviersonaten, Orgelstücken und Liedern. Ohne seinen Namen zu nennen, gebraucht Lichtenberg dasselbe Bild auch E 134. – *34 sich um eine Staffel herunter ... schreiben:* Das Verbum ›sich herunterschreiben‹ bildet Lichtenberg auch F 178. – *38 recta:* geradewegs. – *38 den Mond verklagen:* Anspielung auf Lichtenbergs »Sendschreiben der Erde an den Mond«; vgl. 296, 8.

Unterhaltsame Aufsätze

VON DEM NUTZEN, DEN DIE MATHEMATIK EINEM BEL ESPRIT BRINGEN KANN

Erstveröffentlichung und Satzvorlage: »Von dem Nutzen, den die Mathematik einem Bel Esprit bringen kan.« In: »Hannoverisches Magazin«, 62. Stück, Montag, den 4ten August 1766, Sp. 981–992. Ein Manuskript des Artikels ist im Nachlaß nicht erhalten.

Zur Entstehung: Über die Entstehung dieser ersten gedruckten Arbeit Lichtenbergs ist nichts bekannt. Womöglich ist sie durch ähnliche Schriften Kästners inspiriert, wenngleich sie gewisse Züge aufweist, die Lichtenberg durchaus charakterisieren: etwa die Abneigung gegen den Stutzer-Geschmack und die schönen Künsten, auch die Unterscheidung zwischen der Nachahmung der Natur und der eines Schriftstellers. Wie Verweise in den Anmerkungen verschiedentlich zeigen, machte Lichtenberg selbst übrigens die findigste – schöngeistige – Anwendung seiner Wissenschaft.

Außer dieser Erstlingsarbeit hat Lichtenberg im »Hannoverischen Magazin« folgende Artikel veröffentlicht:

»Elemente der partialen Mondfinsterniß, die den 23ten October dieses Jahres vorfallen wird, für den Meridian von Göttingen berechnet, nebst einigen Erläuterungen.« In: »Hannoverisches Magazin« 1771, St. 83 v. 18. 10., Sp. 1313–1326.

»Einige Versuche mit Polypen.« In: »Hannoverisches Magazin« 1773, St. 5 v. 15. 1., Sp. 71–80.

»Anmerkungen zum 68ten und 72ten Stück des Hannoverschen Magazins von diesem Jahr. Erklärung der rückwärts gehenden Bewegung einer fortgestoßenen Kugel.« In: »Hannoverisches Magazin« 1780, St. 83 v. 16. 10., Sp. 1313–1316.

»Beobachtung eines schönen Meteors.« In: »Neues Hannoverisches Magazin« 1 (1791), St. 102 v. 23. 12., Sp. 1625–1632.

»Schreiben an den Herausgeber des neuen hannoverischen Magazins [Über den Hagel].« In: »Neues Hannoverisches Magazin« 2 (1792), St. 93 v. 19. 11., Sp. 1473–1476.

Vorrede zu W. A. E. Lampadius: Einige Nachrichten und Bemerkungen über das Gewitter vom dritten September dieses Jahres. In: »Neues Hannoverisches Magazin« 2 (1792), St. 93 v. 19. 11., Sp. 1475 bis 1476.

»Noch eine angebliche Aufschrift auf Lessings Grabmal.« In:

»Neues Hannoverisches Magazin« 3 (1793), St. 9 v. 1. 2., Sp. 129–134.

»Einige Bemerkungen über die Entstehung des Hagels.« In: »Neues Hannoverisches Magazin« 3 (1793), St. 10 v. 4. 2., Sp. 145–160; St. 11 v. 8. 2., Sp. 161–170.

»Antwort auf die Frage über Wetterparoskope im 75. Stück des neuen Hannoverischen Magazins von diesem Jahre.« In: »Neues Hannoverisches Magazin« 4 (1794), St. 85 v. 24. 10., Sp. 1345–1352.

»Eine kleine Palinodie in einem Sendschreiben an den Herausgeber des neuen Hannoverschen Magazins.« In: »Neues Hannoverisches Magazin« 4, (1794), St. 89 v. 7. 11., Sp. 1409–1412.

»Über den neulichen Erdfall zu Winzingerode bey Duderstadt«. In: »Neues Hannoverisches Magazin« 8 (1798), St. 47 v. 11. 6., Sp. 753 bis 760.

Literatur: Über den Artikel vgl. Deneke, a.a.O., S. 62–63 (eher negativ); Schneider, a.a.O., Bd. II, S. 133–134. I, Kap. 2; Mautner, a.a.O., S. 31–32.

311 *2 Bel Esprit:* frz. Schöngeist; zu diesen Begriffen vgl. zu 273, 26. – *8 galanten ... Kopf:* Zu diesem Modewort des 18.Jh., das eigentlich höf. Rokoko gehört und von Lichtenberg stets abschätzig gebraucht wird, vgl. 308, 8. 384, 29. 539, 11. 821, 18. – *10 in loco:* an Ort und Stelle. – *10f. Histoires amoureuses:* ›Liebesgeschichten‹. – *11 Lettres galantes:* Galante Briefe. – *15 ein großer Deutscher Meßkünstler:* Gemeint ist Abraham Gotthelf Kästner; über ihn vgl. zu A 179. – *15 Meßkünstler:* Vgl. zu 9, 21. – *15f. ihren Nutzen ... und ihren Wert gewiesen:* Lichtenberg spielt auf Kästners »Oratio de eo, quod studium matheseos facit ad virtutem«, Göttingen 1757, und dessen Schrift »Über den Wert der Mathematik, wenn man sie nur als einen Zeitvertreib betrachtet«, Göttingen 1759, an. – *21 sogenannten Schöndenker:* Die Wendung »schönen Denkens« gebraucht, prägt? Lessing im 8. Brief der »Briefe, die neueste Literatur betreffend« bezüglich Wielands. – *22 witzige Köpfe von Profession:* Zu diesen Wendungen vgl. oben zu 190, 38. – *24 Geometrie im Wolffischen Auszuge:* Gemeint ist der »Auszug aus den Anfangsgründen aller mathematischen Wissenschaften« Halle 1717, von Christian Wolff. Über ihn s. zu F 252. – *30 die freundschaftlichen Briefe:* Gemeint sind die »Freundschaftlichen Briefe«, erschienen Berlin 1746 und 1760, von Johann Wilhelm Ludwig Gleim. – *31f. poetische Kenntnis von Mädgen, Wein und Westwinden:* Anspielung auf die von Lichtenberg verachtete zeitgenössische lyrische Mode der Anakreontik und Schäfer-Dichtung sowie ihre stereotypen Motive. – *35 Schäfer-Natur:* Anspielung auf die Mode der in die höfische Wirklichkeit

übersetzten Bukolik, die in der bürgerlichen Anakreontik wiederauflebte.

312 *6 Steganographen:* Vgl. zu 32, 19. – *7 Begriff von entgegengesetzten Größen:* Vgl. zu A 14. – *8 weniger als nichts:* Diese Formel wendet Lichtenberg A 53 an; vgl. auch Kästner, »Anfangsgründe der Arithmetik« Cap. I, § 95. – *10 Stutzer:* Diesen Ausdruck gebraucht Lichtenberg auch 535, 7. 594, 34. 623, 36. – *11 Denn ... Vermögen:* Zitat aus Kästners zweizeiligem Sinngedicht »Die Algebra der Stutzer«, abgedruckt in »Vermischte Schriften«, S. 194, Altenburg 1783 (3. Aufl.), dessen erste Zeile lautet: »Die Stutzer mögen sich stark auf Algebra legen.« Über Kästner vgl. zu A 179. – *13 vor sich:* Zu Lichtenbergs Verwechslung von ›für‹ und ›vor‹ vgl. zu A 118; s. auch 605, 19. 606, 9. 609, 2. 622, 31. – *15f. Im 62ten Psalm ... gebraucht:* In Psalm 62, V. 10, heißt es »Aber Menschen sind doch ja nichts, große Leute fehlen auch; *sie wägen weniger, denn nichts*, so viel ihrer ist.« – *17 Hexameter mit ... ihrer genauen Weitläufigkeit:* Zu Lichtenbergs Meinung vom »deutschen Hexameter« vgl. zu 296, 14. – *19 Justi ... in einer Schrift:* In der von Lichtenberg in der Fußnote zitierten »Staatswirthschaft oder Systematische Abhandlung aller Öckonomischen und Cameral-Wissenschaften, die zur Regierung eines Landes erfordert werden«, erschienen Leipzig 1755 in zwei Bänden, schreibt Justi in Zusammenhang mit der Erörterung »Von dem vernünftigen Gebrauche des Vermögens«, S. 415 in einer Fußnote: »Dieses weniger als nichts ist ein leerer Begriff, mit der man keinen Verstand verbinden kann; oder ein bloßer Schall von Worten, womit ein falscher Witz spielet. Denn das nichts hat keine Grade.« Johann Heinrich Gottlob von Justi (1717–1771), dt. Volkswirtschaftler und bedeutender Vertreter des Kameralismus, 1765 von Friedrich II. als Leiter der staatl. Bergwerke Preußens nach Berlin berufen, 1768 wegen angebl. Unterschlagung abgesetzt und inhaftiert. – *20 gesucht hätte:* von mir geändert aus: *hätte, a)* der Satzvorlage. – *27 Je meurs d'amour:* Ich sterbe vor Liebe. – *32f. Falte ... die er im 15ten Jahre angenommen:* Von ›Falten‹ im Gehirn spricht Lichtenberg auch F 105; zur physiognomischen Falten-Theorie vgl. zu 266, 36f. – *36 pag. 473:* Lies: 415. – *37 Kästners Anfangsgr. der Arith. ...:* Gemeint sind die »Anfangsgründe der Arithmetik, Geometrie, ebenen und sphärischen Trigonometrie und Perspectiv«, Göttingen bei Vandenhoeck 1764² (Erstauflage 1758), S. 62–63:

»95. Zus. Wenn man zu einer verneinenden Grösse, die ihr gleiche bejahende setzet, so heben beyde einander auf und geben zusammen 0. So ist —3 + 3 = 0 oder: wer drey Thaler schuldig war, und 3 Thl. baar Geld bekommt, der muß damit die Schulden bezahlen, und hat alsdenn Nichts. Man kann also von ihm sagen, er habe zuvor weniger als Nichts gehabt, weil er nun erstlich nichts hat, nachdem er etwas bekommen hat. In diesem Verstande kann man eine verneinende Grösse weniger als nichts nennen; sie ist nähmlich weniger als nichts in Absicht auf die entgegen gesetzte. Wenn eine ihr gleiche entgegengesetzte zu ihr kömmt, so ist alsdenn nichts von der Entgegengesetzten vorhanden, und es fehlet ihr also noch etwas, um Nichts von der entgegengesetzten zu werden. An sich selbst aber ist jede verneinende Grösse mehr als Nichts, weil sie eine wirkliche Grösse ist. Dieser Ausdruck weniger als nichts, setzt also eine Bedeutung des Wortes Nichts zum voraus, die sich auf eine gewisse Art das Etwas zu betrachten beziehet (nihilum relatiuum) welche sich von dem Nichts ohne Beziehung genommen (nihilum absolutum) unterscheiden liesse, eine Eintheilung des Nichts, die ein gewisser deutscher Philosoph, der alles haarklein einzutheilen gewohnt ist, und es als einen Fehler der mathematischen Methode ansieht, daß die Divisionen bey ihr mangelten, nicht würde vergessen haben, wenn sich seine Kenntniß in der Mathematik bis auf diese Sätze erstreckt hätte. Nimmt man den Ausdruck weniger als nichts nicht in diesem Verstande, so ist er falsch, und hat wirklich Mathematikverständige zu irrigen Vorstellungen von den verneinenden Grössen verführt. In der gehörigen Bedeutung aber hat er seinen Nutzen, z. E. bey den Grundsätzen (88).«

313 7 *Asymptote:* Darüber vgl. zu 273, 19. Vgl. auch die Verwendung des Begriffs: *Näherung:* 313, 14. – *10f. Homer und Virgil ... Asymptoten der neueren epischen Dichter:* Über Homer s. zu A 135, über Vergil s. zu 82. – 11 *Praxiteles:* Über ihn vgl. zu B 204. – 11 *Lysippus:* Lysippos von Sikyon, griech. Bronzebildhauer des 4.Jahrh. vor Chr. Haupt der sikyonischen Bildhauerschule, Hofbildhauer Alexanders des Großen. »Farnesischer Herakles«. – 12 *Raffael:* Über ihn vgl. zu D 537. – 15 *Camera obscura:* Vgl. zu D 739. – 14 *Näherung:* Über diesen Begriff vgl. zu A 2; s. auch 377, 12. – 21f. *Diese Schriftsteller ... Charten von der Natur:* Ähnliches sagt Lichtenberg A 74 bezüglich Shakespeare; s. auch 380, 33f. – 25f. *die Regeln ... da zu suchen:* nämlich in der Natur; vgl. die ähnliche Passage in A 74 und ferner 327, 38f. 337, 25. 380, 33f. 667, 32. 732, 17f. 794, 15f. Eine launige Umkehrung dieser klassischen kunsttheoret. Formel gibt Lichtenberg 914, 3f. – 30 *Gleichung:* Lichtenberg verwendet den Begriff auch A 48. 186. 191. – *32 erhalte ich dadurch:* von mir verb. aus: *da dadurch* der Satzvorlage. – *32f. wenn ich nur einen Bedienten recht kenne ...:* Zu Lichtenbergs Diener-Philosophie vgl. 385, 17ff. – *37f. Vorrede zur deutschen Übersetzung von Homes Grundsätzen der Kritik:* In den »Grundsätzen der Critik, in drey Theilen von Heinrich Home«, Leipzig 1763, p. [IX–X

des »Vorberichts« heißt es: »Homer selbst mußte seine Regeln aus einer entferntern Quelle geschöpft haben, zu der ihm der Philosoph [scil. Aristoteles] hätte folgen sollen. Diese Quelle ist das menschliche Herz, dessen Bewegungen und Leidenschaften allein alle die Wirkungen der schönen Künste bestimmen.« Über Henry Lord Kames Home s. zu A 70.

314 *4 Moment:* Zu diesem Begriff vgl. zu B 271. – *12 Größte und Kleinste:* Zu diesen Begriffen vgl. zu A 14. – *16 Endzwecke:* Zu diesem Ausdruck vgl. zu 12, 18. – *25 belles lettres:* Vgl. zu 205, 10. – *25 Possen:* Zu diesem Ausdruck vgl. zu B 209; s. auch 510, 10. – *26 Schwerpunkt:* Zu diesem Begriff vgl. zu B 139; s. auch 605, 35. – *29f. Mir ist eine Stadt bekannt ...:* Gemeint ist ohne Zweifel Göttingen und mit seinem eigentlichen Schwerpunkt vermutlich Kästner, der seit 1766 in der Nicolaistraße, nahe der Stadtmauer, wohnte, wo sich übrigens auch die alte Sternwarte befand (Mauerturm). – *32 anziehenden Mittelpunkt:* dazu vgl. zu B 231. – *33 der zusammengesetzten Verhältnis:* Vgl. zu 66, 5. – *35 geschwind und kräftig zu sagen:* Konzision des Stils ist ein Element der Lichtenbergschen Ästhetik. – *37 ihre Lehren ... in ein Gedicht gebracht:* über das ›Lehrgedicht‹ reflektiert Lichtenberg auch im »Vorbericht« zum »Göttingischen Magazin« Zweiten Jahrgangs Erstes Stück, 1781 (abgedruckt bei Lauchert, S. 64); vgl. auch zu J 401.

315 *3 schönen Geistern:* Vgl. zu 273, 26. – *3 Duodez:* kleines Buchformat, das durch Teilung des Bogens in zwölf Blätter entsteht; s. auch 411, 18. 546, 15. 1028, 9. – *4 aquosus Orion:* der wasserreiche Orion. Zitat aus Vergils »Aeneis«, Liber IV, V. 52. Über Vergil vgl. zu A 82. Der Jäger Orion der griech. Mythologie war nach der Sage aus dem Harn von Göttern erzeugt, nach anderen Darstellungen erhielt er von Poseidon die Gabe, das Meer zu überqueren. – *4 Minellius:* Jan (1625–1683), niederl. Altphilologe und Schulrektor in Rotterdam, verfaßte eine Reihe eselsbrückenartiger Kommentare zu antiken Autoren. Lichtenberg erwähnt ihn auch J 1758. L 191. – *5 was sind die Hundstage:* Die mit großer Regelmäßigkeit eintretende Hitzeperiode der Tage von Ende Juli bis Ende August hat ihren Namen danach, daß sie früher der nun durch die Präzession abweichende Aufgang des Sirius im Großen Hund fiel. – *19 Recreations mathématiques:* ›Mathematische Ergötzungen‹. Diesen Titel trägt das Lehrbuch von J. Leurechon, erschienen Rouen 1634. – *19f. die Erquickstunden:* Gemeint sind die »Deliciae physicomathematicae oder mathematische und philosophische Erquickstunden«, Nürnberg 1636, von Daniel Schwenter; über ihn vgl. zu A 173. – *20 Methoden Schiffe zu rechnen:* Darüber konnte ich nichts in Erfahrung bringen. – *21 Naturkündiger:* im 18. Jh. gebräuchlich für: Naturwissen-

schaftler; Lichtenberg gebraucht es auch C 359; s. die Anm. dazu. – *21f. in seinem Vortrag ... mittleren Weg zwischen dem Lustigen und Ernsthaften nehmen:* Zu dieser Maxime des »serio jocosa« vgl. zu E 435. – *22f. Schwenters Aufgabe, eine Sonne ... malen:* Diese Aufgabe steht als: »XI. Aufgabe« innerhalb des »Siebenden Theils«, S. 320, deren Auflösung lautet: »Dieweil nicht der verdunkelte Theil deß Mons gegen der Sonnen stehen soll / sondern derjenige Theil welcher von der Sonnen erleuchtet wird. So wird man auch sehen / der Mond sey vor oder nach der Sonnen / daß er allzeit die beede Hörner von der Sonnen abwendet.« – *29f. gewisse lustige Nation:* Gemeint ist die französische Nation; zu Lichtenbergs ›Gallophobie‹ vgl. zu 75, 7f. – *33f. im Spanischen geistliche Komödien ... Letters concerning the Spanish Nation:* Die von Lichtenberg angespielte Stelle findet sich in der deutschen Übersetzung »Briefe von dem gegenwärtigen Zustand des Königreichs Spanien, geschrieben zu Madrid in den Jahren 1760–1761«, Lemgo 1765, S. 62; übers. von J. T. Köhler. Verfasser der »Letters concerning the Spanish Nation«, die London 1763 erschienen, ist Edward Clarke (1730–1786), engl. Reisender und Schriftsteller. – *35 Euklides:* Über Euklid vgl. zu E 29.

316 *Alzire:* »Alzire, ou les Américains«, berühmte Tragödie von Voltaire, uraufgeführt 1736. – *3f. daß seine Katze sechs Jungen bekommen:* Die Herkunft der Anekdote ist mir nicht bekannt. Die »berühmte Hauptstadt« ist sicherlich Paris. –

PATRIOTISCHER BEITRAG ZUR METHYOLOGIE DER DEUTSCHEN

Erstveröffentlichung und Satzvorlage: »Patriotischer Beytrag zur Methyologie der Deutschen nebst einer Vorrede über das Methyologische Studium überhaupt.« Ohne Druckort [Göttingen] 1773 (bei Johann Christian Dieterich). Mit 2 Vignetten auf der Titelseite und am Schluß des Texttteils von J. H. Meil. Die Druckvorlage zu dem sehr seltenen Text, von dem ein Manuskript nicht erhalten ist, stellte dankenswerterweise die Universitätsbibliothek Jena zur Verfügung.

Zur Entstehung: Die einen Oktav-Bogen (16 Seiten) umfassende Schrift erschien anonym zur Ostermesse 1773; nach seiner Mitteilung an Kästner (IV, Nr. 62, S. 125) von Anfang Mai 1773 hat Lichtenberg auf besonderen Wunsch Dieterichs die Vorrede hinzugefügt, was wohl erst nach Rückkehr Lichtenbergs nach Göttingen vor dem 20. April 1773 (s. C 209. 211) geschah. Glaubt man Lichtenberg, was er Kästner (IV, Nr. 62, S. 125) einzureden sucht, so handelte es sich

bei der Veröffentlichung um einen Privatdruck, der nur durch Versehen Dieterichs publik geworden war, und um ein Gemeinschaftsunternehmen mehrerer Freunde Lichtenbergs: »Ich habe auf Verlangen einiger Freunde, die an der Sammlung selbst mehr Anteil haben als ich, die bloßen Redensarten sollen drucken lassen, um sie bequemer unter andere verteilen und den Vorrat vermehren zu können.«
Lichtenberg nennt an dieser Stelle lediglich den Geheimsekretär Partz als Beiträger. Weitere, hier nicht genannte Beiträger waren Bürger und Boie. Letzterer schrieb noch am 8. Mai 1773 an Bürger (Briefe von und an Bürger, hrg. von Strodtmann, Bd. I, S. 113): »Den Verf. der Methyologie darf ich Ihnen nur mündlich nennen. Es ist nicht Kästner. Nur mehr Beyträge, wenn Ihnen mehr beyfallen!« Bürger teilte darauf in seiner Antwort vom 10. Mai 1773 (a.a.O., S. 116) sieben Redensarten mit und bemerkte: »Zur Methyologie dient noch dies zum Beytrage, wenn's nicht anders schon aufgeführt ist.« Lichtenberg hinwiederum bedankt sich am 19. Mai 1773 bei Boie (IV, Nr. 64, S. 128) für dessen methyologische Beiträge und schreibt im einzelnen: »der: *Er hat sich den Ars begossen* soll auf Ihre Rechnung gedruckt werden. Einige davon werden Sie schon auf dem Verzeichnisse finden, wenigstens hochdeutsch, andere aber waren mir neu«.
Auf der vorderen Innenseite des Sudelbuches C und auf einem hier aufgeklebten Zettel ist von zwei verschiedenen fremden Händen folgendes eingetragen:

He is döfft
He het sick bepumpelt
He het sick den Ars begoten
He het [gestrichen de Näs to dew] to deep int Glas keken [aus inkeken]
He het en Rummel
He swekt
He hett sick begigelt:
He hett to veel nipt.
He is dull un vull.
De Wiin is em int Capitolium stegen.
He is en Supuht.
He is en Supkumpan.
Er hört die Engelchen singen.
Es spuckt ihm oben im Giebel
Er hat runde Füße
Er hat zu viel übergebeuget

Diese volkstümlichen Wendungen für den Zustand der Trunkenheit sind mit Ausnahme der viertletzten in den Wiederabdruck des »Patriotischen Beitrags zur Methyologie der Deutschen« (VS 3, 75. 76. 78) aufgenommen worden, während sie der Originaldruck noch nicht enthielt. Hauptbeiträger war und blieb jedoch Lichtenberg selbst, der Kästner wohl kaum einzureden vermocht hat, daß es ihm eigentlich um eine »Satyre auf die Studiums-Schriften« zu tun gewesen war: dem widerspricht Lichtenbergs intensive Beschäftigung mit dem alltäglichen, künstlerischen und platonischen Phänomen der von ihm sogenannten Pink! Zu diesem Thema vgl. zu B 72 und 597, 11 ff. Zum Versteckspiel des Publizisten Lichtenberg vgl. zu 76, 31 f.

Literatur: Schneider, a.a.O., Bd. I, S. 159–160; Mautner, a.a.O., S. 82–83; Hans-Friedrich Rosenfeld, G.C. Lichtenbergs ›Patriotischer Beytrag zur Methyologie der Deutschen‹ und die niederdeutsche Methyologie der Gegenwart. Ein Beitrag zur Ausdrucksfähigkeit und Bildkraft der niederdeutschen Sprache.« In: »Niederdeutsches Jahrbuch des Vereins für niederdeutsche Sprachforschung«, 78.Jg. 1955.

317 *1 ff. Patriotischer ... überhaupt:* Diese Zeilen bilden die Titelseite der Satzvorlage, auf der sich außer der Jahreszahl eine Vignette von J.H. Meil befindet, darstellend einen Satyr mit einer Maske in der Hand. – *3 Methyologie:* von Lichtenberg geprägtes Kunstwort, wörtlich: Lehre von berauschenden Getränken. – *8 ff. Allen ... Der Sammler:* Diese Widmung folgt in der Satzvorlage auf einer Extraseite nach dem Titelblatt. – *11 Wohlwürdigen:* von mir verb. aus: Wohlwürdige. Zu Lichtenbergs ironisch-karikierendem Gebrauch von Titulaturen vgl. auch 534, 3 ff. 825, 5 ff. 847, 25. 886, 5. Im übrigen s. zu C 256. – *20 Haubenstöcken:* Vgl. zu 68, 1.

318 *Vorrede:* Die erste Fassung dazu findet sich C 209. – *3 f. die Systeme ... von den Deutschen nehmen:* Gemeint sind ohne Zweifel Kopernikus, Kepler, Leibniz und – denkt man an Briefe (IV, S. 803) – auch bereits Kant. – *6 allgemeinen kritischen Aufstand:* vermutlich Anspielung auf die gelehrten Händel zwischen Klotz und Lessing, über die Deneke a.a.O., S. 80ff., ausführlich berichtet; s. auch 602, 32. – *7 Rezensieren omnium contra omnes:* abgeleitet von: Bellum omnium contra omnes – »Krieg aller gegen alle«. Zitat aus Hobbes, »Leviathan«, London 1651, Amsterdam 1668 lateinisch erschienen. Lichtenberg zitiert es auch 614, 13 und ferner C 209; vgl. die Anm. dazu. – *8 Empfindsamkeit:* Vgl. zu 264, 13 f.; vgl. auch 598, 19 f. – *14 Polhöhe:* Zu diesem Ausdruck vgl. zu 217, 29. – *24 Branche:* Zweig. – *27 plumpudding:* Rosinenpudding: engl. Spezialität; s. auch B 60 und die Anm. dazu; ferner 966, 16. – *27 Eichenrinden kaut:* Zu diesem Bild vgl. 504, 29 und die Anm. dazu. – *30 Einfall, den ein Engländer ... gehabt:* Lichtenberg spielt auf den Aufsatz »Observations on drunkenness« an, erschienen in »The Gentleman's magazine« 1770, S. 559 ff., unterzeichnet: Norworth. Die Lebensdaten dieses Autors konnten nicht ermittelt

werden. Über das von Lichtenberg auch sonst für Artikel gern benutzte »Gentleman's Magazine« vgl. zu A 55. – *33f. wir Deutschen ... zum Sprüchwort geworden:* Vgl. 598, 17 ff. – *35 Lapithen und Centauren:* Lapithen waren die mythischen Bewohner Thessaliens, die Gegner der Kentauren: Wesen halb Pferd halb Mensch.

319 *2 Magazin:* Gemeint ist »The Gentleman's Magazine«; vgl. zu 318, 30. – *2 Redensarten, angibt:* Lies im Text: Redensarten angibt. – *8 den Engländern:* Norworth. – *26 Weltkenntnis:* Zu diesem Ausdruck vgl. 330, 6. 333, 37. 370, 13. 821, 4 f. – *28 Barclajus sagt ... satyric.:* Gemeint ist »Euphormionis Lusinini satyricon«, London 1603. Die von Lichtenberg zitierten Passagen finden sich dort in pars 4, caput 5. Lichtenberg zitiert das Werk auch C 211. Über Barclay vgl. zu C 207. – *28 ff. Immensa ... disciplinae:* Eine unermeßliche Trunksucht hat jenes Volk befallen, ein Laster, von dem ich es desto eher freispreche, als es offen eingestanden wird. Nicht so sehr dem Vergnügen dient diese Thrakische Lust, sondern zum Teil der Höflichkeit und sozusagen der Zucht. – *34 ff. Ignota ... ignorat:* Unbekannt ist dort die Untreue auch bei denen, die ihre Stärke für Sold verkaufen. Nicht einmal eine Spur von Betrug oder Haß verbirgt sich hinter dem Namen Freundschaft. – *38 ff. Litterae ... aestimant:* Die Wissenschaften werden vielerorts gepflegt von Männern, weniger erpicht zu wissen als zu lehren. Sie schreiben mehr, als sie lesen: und ihren Ruhm bemessen sie nach der Zahl oder Größe der von ihnen edierten Bände. – *39 anidos:* Lies im Text: avidos.

320 *4 Wörter Methyologie:* von mir geändert aus: Wörter *(a)* Methyologie. – *5 Pinik:* ›Trinkkunst‹; vgl. dazu auch 597, 19 und B 236. – *9 Wörterfertigung:* Lichtenberg gebraucht diesen Ausdruck auch K 19. – *15 Länder jenseit der Bouteille:* »jenseit der Bouteille« prägt Lichtenberg in B 77; vgl. ferner C 209 und 597, 20. – *18 f. philosophische Behandlung dieses Süjets:* Ähnlich schreibt Lichtenberg in B 77; vgl. auch 510, 34. 597, 29. – *22 f. Baco von Verulam:* Über ihn vgl. zu C 209. – *23 de augmentis scientiarum:* »De dignitate et augmentis scientiarum«; vgl. über dieses Werk zu C 209. – *23 f. daß in einer Wissenschaft ...:* In dem obengenannten Werk, 1. Buch, S. 54 der Ausg. Würzburg 1779, schreibt Bacon: »Alius error a reliquis diversus, est praematura atque proterva reductio doctrinarum in artes, et methodos, quod cum fit, plerumque scientia aut parum aut nihil proficit ... sed methodis semel circumscripta, et conclusa, expoliri forsan et illustrari, aut ad usus humanos edolari potest, non autem porro mole augeri«. S. auch C 278. – *34 ohne etwas Wein ... keine poetische Ader:* Vgl. B 77 und die Anm. dazu.

321 *3f. Narratur ... virtus:* »Auch Vater Catos Sittenstrenge / Sagt man, erwärmte sich oft beim Becher.« Zitat aus Horaz, »Oden«, 3, 21, 11–12; vielleicht hat Lichtenberg das Zitat Holbergs »Vermischten Briefen«, 2, 390. 3240 entnommen. Über Horaz vgl. zu KA 152. – *10 Nüße der Tändelei:* Diese Metapher, die Lichtenberg auch C 209 verwendet, kann ich nicht erklären. – *14 gr.:* Abk. für Groschen; vgl. zu 239, 12. – *18 Jubilate-Messe 1773:* Jubilate: »Frohlocket«, der dritte Sonntag nach Ostern; Psalm 66 (65) entnommener Introitus; früher der Zeitpunkt der Frühjahrsmärkte; s. auch C 222 und 610, 32. – *26 Er hat einen Hieb:* Zu dieser Redewendung vgl. 288, 35 f. 696, 21 f. 961, 24 und zu D 539. – *28 Er hat einen Jesuiter:* Diese Redewendung ist im DWB nicht belegt.

322 *21 Calenberger Bauern:* Vgl. auch E 157 und die Anm. dazu. – *37 80 Fuß:* Vgl. zu 25, 16.

323 *6 Talis:* wörtlich: so beschaffen; die Redewendung ist vermutlich der Studentensprache entlehnt. – *9 pas frisé:* wörtlich: krauser Schritt; Tanzfigur. Den gleichen Ausdruck gebraucht Lichtenberg auch 839, 5 und in einem Brief an Schernhagen (IV, Nr. 206, S. 342) vom 27. August 1778; vgl. auch C 224. – *20 il fait des SS:* Er macht SS (Schlangenlinien). – *26 Krüsel:* altertüml. Tran- oder Öllampe aus Zinn oder Blech; im Plattdeutschen häufig im übertragenen Sinn auch für: schläfriger, langweiliger Mensch gebraucht. – *30 was bene getan:* bene: gütlich; diese Wendung ist zweifellos der Studentensprache entlehnt. – *34 Moses Zunge:* Worauf diese Redewendung anspielt, ist mir nicht bekannt.

324 *2 sich begabet:* Danach fehlen laut Leitzmann im Original zwei Zeilen. – *5 à tout:* voll. – *8 hat einen Ditto:* Danach folgen in den »Vermischten Schriften« zwei Redensarten: »Er hat runde Füße«. »Er hat zu viel übergebeugt«. – *17 β) Plattdeutsche:* Zu den plattdeutschen Redewendungen vgl. insgesamt Hans-Friedrich Rosenfeld: G. C. Lichtenbergs »Patriotischer Beytrag zur Methyologie der Deutschen« und die niederdeutsche Methyologie der Gegenwart. In: Niederdeutsches Jahrbuch des Vereins für niederdeutsche Sprachforschung, Jg. 78, Neumünster 1955, S. 83–138. – *24 lange unter:* von mir verb. aus: langeunter.

325 *23 He is jöhlig:* Danach folgen in den »Vermischten Schriften« diese Redensarten: He is döfft. He is dull und vull. He is en Suput. He is en Supkumpan. He hett sick bepumpelt. He hett en Rummel. He sweckt. He het sick begigelt. He hett sick den Ars begoten [zu dieser Redewendung s. Lichtenbergs Brief an Boie (IV, 128, 21 f.) vom 19. Mai 1773]. He hett to deep int Glas keken. He hett to veel nipt. De Wün is em int Capitolium stegen.

BRIEFE AUS ENGLAND

Erstveröffentlichung und Satzvorlage: »Briefe aus England. I. An Heinrich Christian Boie. London, den 1. Oktob. 1775.« In: »Deutsches Museum« 1776. 6. Stück. Junius. S. 562–574. »Briefe aus England. London den 10. Oktober 1775.« In: »Deutsches Museum« 1776. 11. Stück. November. S. 982–992. »Briefe aus England an Boie. London, den 30. Nov. 1775.« In: »Deutsches Museum« 1778. 1. Stück. Jänner. S. 11–25. »Schlus des dritten Briefes aus England an Boie. S. d. Museum 1778. Jen. S. 25.« In: »Deutsches Museum« 1778. 5. Stück. May. S. 434–444. Ein Manuskript der »Briefe aus England« ist im Nachlaß nicht erhalten.

Zur Entstehung: Denkt man an den Adressaten der Briefe aus England: Boie, so liegt es nahe, von einer Auftragsarbeit Lichtenbergs für den mit ihm befreundeten Publizisten zu sprechen, der ab 1776 eine neue Zeitschrift herauszugeben beabsichtigte. Lichtenberg muß diesen Auftrag womöglich auf seine Reise nach England im Herbst 1774 mitgenommen haben. Dafür spricht die häufige Identität der Schilderungen aus dem Londoner Theaterleben in Privatbriefen, Sudelbüchern und Literaturbriefen, spricht nicht zuletzt auch ein Satz, den Lichtenberg in einem Brief an Baldinger vom 10. Januar 1775 (IV, Nr. 102, S. 213) fallen läßt: »Meine Beobachtungen über diesen Mann [gemeint ist Garrick] sollen Sie zu einer andern Zeit lesen.«

Der Zeitraum der Niederschrift kann nur vermutet werden. Die von Lichtenberg in den »Briefen« angegebenen Daten sind fiktiv. Folgt man den Eintragungen in den Sudelbüchern, die sich ausgesprochenermaßen auf die »Briefe« beziehen, so entwarf Lichtenberg im Mai/Juni 1775 das Gerüst seines »Sendschreibens« (s. RA 54). Lichtenbergs Ausführungen in E 419 beziehungsweise F 1 lassen nur den Schluß zu, daß im März und April vom Ersten und Zweiten Brief eine Fassung existiert haben muß, die Lichtenberg zwar in Hinblick auf die Drucklegung noch an einigen Stellen korrigierte, die er aber offenbar schon aus der Hand gegeben hatte. Wenn es sich so verhielt, wird allerdings die Veröffentlichung des Zweiten Briefes erst im November-Stück 1775 desto unverständlicher; ganz und gar unerfindlich bleibt jedoch der Grund, warum der Dritte Brief, noch dazu in zwei Schüben, erst Januar und Mai 1778 erschien. Das spricht dafür, daß dieser Brief von Lichtenberg 1776 noch nicht in Angriff genommen worden war. Das Jahr 1777 brachte Lichtenberg dann unvorhergesehene Verpflichtungen: die Herausgabe des Taschenkalenders, die Abfassung der «Antiphysiognomik», überdies die wissenschaftliche Beschäftigung mit den elektrischen Figuren. Ein weiterer Grund für das verspätete Erscheinen mag in der inzwischen ausgebrochenen Fehde mit Zimmermann liegen, wenn man folgende Passage aus Lichtenbergs Brief an Boie (IV, Nr. 185, S. 322) vom 23. April 1778 darauf beziehen will: »Daß Sie Zimmermanns Abhandlungen gegen mich ins Museum einrückten, dawider hatte ich nichts. Ich sehe es sehr gerne, wenn meine Feinde *so* wider mich schreiben, aber das wollte ich nicht haben, daß in demselben Stück etwas *von mir* und *über mich* zugleich stünde. Und das war auch der Grund, warum ich meinen letzten Brief zurückforderte. Sie können ihn allenfalls auch behalten, wenn Sie die Bedingungen erfüllen, nichts wider mich in *dasselbe* Stück zu setzen.«

Schon am 13. Februar 1776 brachten die »Göttingischen Anzeigen von gelehrten Sachen« im 19. Stück, S. 151, eine Anzeige des Ersten Briefes: »Briefe aus London über Garrik; ein vortrefflich Stück von einem der feinsten Bemerker, und mit der Sprache geschrieben, welche nur Leute in ihrer Gewalt haben, die für sich denken.« Die Wirkung der »Briefe aus England« war groß, Lichtenberg zu Recht stolz auf seine Leistung. Als Helferich Peter Sturz 1779 »Briefe im Jahre 1768 auf einer Reise im Gefolge des Königs von Dänemark geschrieben« veröffentlichte und im Zweiten Brief David Garrick schilderte, betonte er, von dem Schauspieler nicht reden zu wollen: »Und niemals; denn man kann darüber nichts bessers als Herr Professor Lichtenberg sagen.« (zit. nach Edit. Scharnagl, Starnberg 1946, S. 24) Man versteht daher Lichtenbergs Entrüstung über Voß, der 1782 Lichtenbergs Bewunderung für Garricks Spiel karikaturmäßig genannt hatte. Lichtenberg nahm dazu in »Über Hrn. Vossens Vertheidigung gegen mich im März/Lenzmonat des deutschen Museums 1782« Stellung (zit. nach »Gött. Magazin« 3, 1782, 1. Stück, S. 147 bis 148):

»Er nennt meine Bewunderung von Garricks Spiel Carikaturmässig. So viel ich weiß, habe ich mehr beschrieben, als bewundert, und was ich beschrieben habe, bin ich mir deutlich bewußt, habe ich gesehen. Die Fehler jener Briefe sind nicht sowohl falsche Beobachtungen, als hier und da falsche Erklärungen mancher Beobachtungen, und die sollen künftig wegbleiben. Ich habe glaube ich, meine Empfindung so entwickelt, daß dabey von dem eignen derselben nichts im Ausdruck verschwunden ist, und durch Vergleichungen, die ich für die schicklichsten hielt, dieselbe oder eine nicht sehr verschiedene wieder im Leser zu erwecken gesucht. Sie haben hier und da einen für mich schmeichelhaften Beyfall erhalten, und ich bin willens sie auf vielfältiges Verlangen vermehrt und hie und da geändert, dem Publikum noch einmal vorzulegen. Sie haben auch, wie ich höre, dem D. Museum mehr Aufnahme verschafft [vgl. aber 368, 11f.], als alles, womit Hr. V. diese Schrift seit jeher beklext hat. Allein daß sie Hr. V. mißfallen haben, geht mir über alles Lob, denn sein Kopf kann so unmöglich die Idee von einem Mann wie Garrick fassen, als Otterndorf die Stadt London. Übrigens, da ich weiß, daß ich richtig gesehen habe, da ich ferner weiß, daß ich in diesem Stück besser sehe, als wenigstens viele andere Menschen, so bekümmere ich mich hier um Urtheile nur wenig, und ich kenne wenigstens niemanden jezt, der mich glauben machen könnte, ich hätte falsch gesehen. Indessen will Hr. V. sich einmal daran machen, und über einen ähnlichen Gegenstand, der eigene Beobachtung voraussezt, etwas schreiben (da er vermuthlich einmal Prof. Eloquentiae werden wird, so kann die Übung nichts schaden) das durchaus von unpartheyischen und competenten Richtern meinen Bemerkungen über Garrick vorgezogen wird, so will ich ihn, so lang ich lebe, in Bier frey halten.«

Daß Lichtenberg eine Zeitlang ernstlich daran dachte, die »Briefe aus England« gesondert herauszugeben, geht auch aus einem Brief an Schernhagen (IV, Nr. 370, S. 497) vom 6. Februar 1783 hervor – offenbar hatte der Adressat ihn auf Grund der oben mitgeteilten Äußerung danach gefragt: »Ich bin ernstlich gewillt, die Briefe über Garrick besonders herauszugeben, nicht allein weil ich von einigen vortrefflichen Männern dazu ernstlich aufgefordert bin, sondern, weil mir mein Darmstädtischer Bruder vor etwa ½ Jahr schrieb, daß ein Frankfurtischer Buchhändler willens wäre, sie so gradeweg abzudrukken, und diesem Unternehmen vorzubeugen habe ich die Versicherung in dem Aufsatz gegen Voß ausgestellt.« Übrigens ist diese Ausgabe nie zustandegekommen.

Außer den »Briefen aus England« und »An den Herausgeber des Museums« hat Lichtenberg folgende Artikel im »Deutschen Museum« veröffentlicht:

»An die Herausgeber des Deutschen Museums. [Über die Bewohner von Tierra del Fuego.] In: »Deutsches Museum« 1777, Bd. 1, S. 190–192.

[»Brief an den Herausgeber des Deutschen Museums. Mitteilungen aus einem Brief Johann Georg Forsters über Neuerscheinungen au dem englischen Büchermarkt.«] In: »Deutsches Museum« 1778, Bd. I, S. 382–384.

»Neueste Versuche zu Bestimmung der zweckmäßigsten Form der Gewitterstangen. An den Herausgeber des deutschen Museums.« In: »Deutsches Museum« 1778, Bd. 2, S. 351–362.

Literatur: Schneider, a.a.O., Bd. I, S. 201–205; Promies, a.a.O., S. 52–55; Mautner, a.a.O., S. 154–159.

326 2 *An ... Boie:* Über Boie vgl. zu B 16. – 5ff. *Ihr Verlangen ... äußerten:* Der die »Briefe aus England« betreffende Briefwechsel zwischen Boie und Lichtenberg ist nicht erhalten; s. auch 338, 21f. 355, 23ff. – 5 *Garrick:* Über ihn vgl. zu KA 169. – 8 *gerade zweimal gesehen:* Lichtenberg sah Garrick als Abel Drugger in Ben Jonsons »Alchimist« am 24. Oktober 1774; am

3. November 1774 als Archer in Farquhars »The Beaux Stratagem«; am 16. November 1774 sah er ihn bereits zum dritten Mal als Sir John Brute in Vanbrughs »The provoked wife«. Boies Brief muß also zwischen dem 3. und 16. November 1774 an Lichtenberg ergangen sein. – *19f. deklarierten Nonsense ... im Stil:* Lichtenberg gebraucht diesen Ausdruck auch 414, 26. 509, 16. 546, 12. 623, 3; im übrigen vgl. zu B 82. – *20f. Boswellischen festlichen, weissagenden Ton:* Über James Boswell vgl. zu KA 200; Boswells ›festlicher Ton‹ erklärt sich aus E 269. Interessant, daß Lichtenberg den gleichen Stilvorwurf wenig später mit Lavaters Namen verbindet. Von »hohler Festlichkeit in der Sprache« spricht er 553, 21. – *21 jeden großen Mann ... zum Engel:* Vgl. zu der Wendung Materialheft I, Nr. 17. – *23 Feiertagsprose:* Ähnlich bildet Lichtenberg in B 178. E 209. F 676: »Festtagsprose«. Von »Feiertags-Prinzipium« spricht D 627. Zu der Wortbildung *-prosa* vgl. zu 65, 4. – *29 Garrick ... achtmal spielen sehen:* Nach RA 205 geschah das am 5. Dezember 1775 zum letzten Mal. – *30ff. Einmal als Abel Drugger ... und endlich als Don Leon ...:* Eine ähnliche Aufzählung begegnet RT 6. – *31 Ben Jonsons ... Alchimisten:* Dazu vgl. zu RT 6; Lichtenberg erwähnt dieses Stück und Garrick als Abel Drugger auch in den Briefen (IV, 218); s. ferner 328, 18. 332, 15. 352, 17. – *32 Archer in Farquhars stratagem:* von mir verbessert aus: ... Farghuars ...; s. auch 351, 9–353, 13. In der 1707 uraufgeführten Restauration-Komödie ist Archer der Diener Aimwells. Über Farquhar vgl. zu RT 6; Lichtenberg beschreibt Garrick in der Rolle des Archer oben 389, 9 und in den Briefen (IV, 213–214). – *33 Vanbrughs provoked wife:* Über Vanbrugh und Garrick als Sir John Brute vgl. zu D 625; s. auch 327, 5. 329, 13. 332, 37. 343, 16f. 352, 17. – *33 provoked:* von mir verbessert aus: provomed. – *33 zweimal als Hamlet:* Lichtenberg sah Garrick in dieser Rolle am 2. und 12. Dezember 1774; s. RT 8 und 11, ferner 334, 35. 340, 24f. 347, 15ff. – *34 von Hill veränderten Zaire:* Gemeint ist die Tragödie »Zaire« (1732) von Voltaire, die von John Hill für die englische Bühne bearbeitet wurde (»Zara«). Lessing berichtet darüber im 15. Stück der »Hamburgischen Dramaturgie«, 19. Junius 1767. Lichtenberg sah die Aufführung am 25. Oktober 1775; s. RA 184. Aaron Hill (1685–1750), engl. Dichter und Bühnenschriftsteller; übersetzte und bearbeitete mehrere Stücke von Voltaire. – *34f. Benedikt in ... much ado about nothing:* Die Aufführung fand am 7. November 1775 statt; s. RA 185 und ferner 332, 19.

327 *1f. Beaumonts und Fletchers rule a wife and have a wife:* Lichtenberg sah die Aufführung – die sein letztes Theater-Erlebnis in London war – dieser berühmten 1624 uraufgeführten Komödie – am 5. Dezember 1775. Lichtenberg erwähnt Garricks Spiel in

diesem Stück als Don Leon auch Materialheft II, Nr. 48. 53 und »Orbis pictus« (s. 389, 10). – *2 f. ihn selbst gesprochen ...:* am 16. Oktober 1775 wurde Lichtenberg dem Schauspieler Garrick vorgestellt; s. RA 175 und an Schernhagen (IV, Nr. 111, S. 252) am 17. Oktober 1775. – *4 Weston:* Über Thomas Weston vgl. zu RT 2; dazu Anm. des Herausgebers (Boie): »Dieser große Schauspieler ist zu Anfange dieses Jahrs gestorben.« – *5 so wie Quin ehmals:* Über Quin und seine Darstellung des Sir John Brute vgl. F 975 und die Anm. dazu. – *25 daß Sie lange glaubten:* von mir verb. aus: ... sie ... – *28 künftig einmal mehr von ihm:* Über Weston handelt Lichtenberg ausführlich im »Dritten Brief« 350, 1 ff. – *32 nie selbst lacht:* Vgl. auch 350, 28 f. – *38 f. täuschenden Nachahmer der Natur:* Zu dieser künstlerischen Auffassung vgl. zu 313, 25 f.

328 *5 à son aise:* »nach seinem Belieben«, s. auch 913, 7. – *10 Rezipienten:* Vgl. zu 129, 22. – *13 f. parallelen Füßen:* Diese Wendung begegnet auch 389, 16. 734, 12; ähnliche Wendungen begegnen auch 392, 5. 784, 5. 919, 9. – *20 f. Kenntnis individualisierender Umstände:* Zu dieser Maxime vgl. zu 377, 15; s. auch 345, 18 f. – *28 f. Wenn die Astrologen den ... Namen Abel Drugger:* In der ursprünglichen Fassung des Stücks ist diese Szene nicht enthalten.

329 *5 in Footes' devil upon two Sticks:* Lichtenberg sah laut RA 13 das Stück am 15. Mai 1775 in Haymarket Theatre. Über Samuel Foote vgl. zu D 648; s. auch 353, 34. – *6 Mawworm im Scheinheiligen:* Mawworm: Heuchler. Figur aus Isaac Bickerstaffes (ca. 1735–1812?) 1769 uraufgeführter Komödie »The Hypocrite«. – *6 Scrub im Stratagem:* Vgl. 326, 32; s. auch 351, 9. – *8 Das sind Szenen, mein lieber B.:* Eine dieser Szenen zwischen Garrick und Weston in »The beaux stratagem« beschreibt Lichtenberg im dritten der »Briefe aus England« 351, 9–353, 13. – *8 ff. selbst ... 's abgefrömmelte ... Wange:* Zweifellos meint Lichtenberg eine Persönlichkeit aus Göttingen; zu denken wäre an den Theologen Leß, womöglich aber auch an Hollmann (des Alters wegen) oder gar Kästner (seiner Alters-Frömmigkeit halber); »abgefrömmelt« ist D 668 entlehnt. – *12 f. Quins Sir John Brute:* S. 327, 5. – *19 f. Es gibt ... Sir Johne in allen Ständen:* Vgl. auch 343, 16. – *21 f. Landjunker und Renommisten:* Den Plan zu einer Satire auf den Landjunker skizziert Lichtenberg C 373; über den Typ des Junkers äußert sich Lichtenberg auch 592, 21. 605, 28. Über die zeitgenössische Figur des Renommisten vgl. zu 600, 28; s. auch 575, 17. – *26 hol mich d...:* Zu dieser Schreibkonvention vgl. zu 60, 31 f. – *35 f. in einem öffentlichen Blatte gelesen:* Welche Zeitung gemeint ist, konnte von mir nicht ermittelt werden. Lichtenberg berichtet es auch in einem Brief an Baldinger (IV, Nr. 102, S. 218) vom 29. Januar 1775; vgl. auch

D 625. 626. F 975. - *36 Rebhuhne:* Anspielung auf Partridge (von Bode eingedeutscht: Rebhuhn) aus Fieldings »Tom Jones«. Lichtenberg erwähnt ihn auch 334, 36. 387, 1. 397, 30. 762, 11 f. ferner F 1096. Materialheft I, Nr. 7.

330 *5 f. Mangel an ... Weltkenntnis:* Zu Lichtenbergs für den Schriftsteller entscheidendem Kriterium vgl. auch 333, 37. 370, 13. 821, 4 f. - *11 ihm einen:* von mir verbessert aus: ihn einem, entsprechend der Berichtigung am Schluß des 8. Stücks des »Deutschen Museums« 1776, S. 762, die auch Lauchert, S. 12, mitteilt. - *13 ff. Garrick ... Geistesverwandten Shakespear und Hogarth:* Eine Zusammenstellung dieser drei Namen findet sich F 37; s. auch RT 8 (S. 626). - *16 f. sein eignes Lichtchen:* Diese Wendung begegnet auch D 90. - *20 ff. Allein ob ich gleich ... gefühlt habe, ... zu analysieren:* Dazu vgl. auch 697, 33 f. - *33 f. daß hier ein Mann an einem Werk für die Schauspieler arbeite:* An wen Lichtenberg denkt, konnte nicht ermittelt werden. - *37 f. daß der Mann ein Lessing:* Anspielung auf dessen »Hamburgische Dramaturgie«; über Lessing vgl. zu KA 63.

331 *2 f. jungen geniesüchtigen Originalköpfen:* Zu diesem Ausdruck vgl. zu D 531; s. auch 413, 19. 572, 31; über den zeitgenöss. »Genie-Kult« vgl. zu 213, 19. - *3 f. halb Ausgedachtes halb gesagt:* »Halbgedanken und halb neues Wort« formuliert Lichtenberg in E 501 (S. 448). Ähnliche Wortbildungen sind zu B 192 zusammengestellt; s. auch 603, 27 f. 613, 19. - *6 Götterprose:* Zu dieser Wortbildung vgl. zu 65, 4. - *17 der ... Verhältnis:* Vgl. zu 66, 5. - *22 ff. Garricks Anstand ... wohlerzogenen Franzosen:* Zu diesem Vergleich s. D 554 und die Anm. dazu. - *26 Seine Statur:* Vgl. auch 755, 4 f. und RT 8. - *32 f. Vorrat an Kraft ... mehr gefällt als Aufwand:* Zu dieser Wendung vgl. E 424; s. auch 339, 2. - *38 ff. Seine Art ... Erquickung anzusehen:* Dieser Satz ist fast wörtlich RT 8 (S. 626) entnommen.

332 *6 allgegenwärtig ... in den Muskeln seines Körpers:* Ähnlich schreibt Lichtenberg in RT 8 (S. 626). - *14 Szene im Alchimisten, wo er sich boxt:* Diese Szene ist im Original nicht enthalten; über Ben Jonson s. zu 326, 31. - *17 Tanz in much ado about nothing:* Vgl. zu 326, 33 f.; s. auch RA 185. - *20 Roscius:* Über den römischen Schauspieler, der hier verallgemeinert verstanden ist, vgl. zu D 666; »our great english Roscius« wird Garrick auch RA 11 von Richard Jerrick genannt. - *20 encore:* noch einmal. - *21 physiognomisches Raffinement:* erste öffentliche Äußerung Lichtenbergs zu der ›Mode-Wissenschaft‹ des Jahrfünfts. - *37 im Sir John Brute:* Vgl. zu 326, 33.

333 *12 f. in seinem 24sten Jahre ... auf dem Theater in Godmansfield:* Im März 1741 spielte Garrick zum ersten Mal in der Pantomime »Harlequin Student«. Goodmannsfield: 1729 von Thomas Odell im Londoner Osten erbautes Theater, an dem u. a. Farcen von

Fielding uraufgeführt wurden. – *16 ff. die neuern englischen Schriftsteller ... seine Freunde:* Zu denken ist u. a. an Fielding und Sterne. – *20 S. James':* St. James's Palace: seit 1691 die Residenz der englischen Könige in London Ecke Pall Mall und St. James's Street. – *21 Garküchen von S. Giles':* St. Giles war seinerzeit das Londoner Armenviertel; Lichtenberg erwähnt es auch 710, 18. – *22 Schule, in welche Shakespear ging ...:* Vgl. auch 396, 28 f. – *22 f. nicht auf Offenbarungen paßte, sondern studierte:* auch dies ein ständiger Vorwurf Lichtenbergs gegenüber der zeitgenöss. deutschen Literatur, speziell Lavater und dem Sturm und Drang. Zu: *Offenbarung* vgl. zu D 112. – *23 f. in England tut das Genie nicht alles:* Zu Lichtenbergs Aversion gegenüber dem zeitgenössischen deutschen ›Genie‹-Kult vgl. zu 213, 19. – *27 f. Städtchen, wo ... sich alles reimt:* Diese Wendung findet sich in E 104. – *37 f. Kenntnis der Welt gibt dem Schriftsteller:* Vgl. zu 330, 5. – *38 f. Sie gibt ... nicht ... seinem Was, doch immer seinem Wie eine Stärke:* Dazu vgl. Lichtenbergs Anmerkungen in D 610 (S. 325). F 106; ferner F 432. 441; s. auch Lichtenbergs Urteil über Franklins Schriften in den Briefen (IV, 831, 7).

334 *7 weggeworfen nennen:* Zu diesem Kompliment, das Lichtenberg hier Garrick macht, vgl. oben zu 281, 2 f. – *25 f. dem natürlichen Schönen noch den Zusatz von Konventionellen:* Über das »Konventionellschöne« reflektiert Lichtenberg auch 343, 6 f.; s. ferner G 97. – *28 ff. wann ihm ... erfolgen müssen:* Diese Passage ist fast wörtlich RT 8 entnommen. – *35 Hamlet ... wo ihm der Geist erscheint:* Gemeint ist »Hamlet«, I, 4, 5. Diese Beschreibung ist eine vielfach wörtliche Übernahme der Notizen in RT 8. 11. 12, auf die hier insgesamt zum Vergleich verwiesen wird. Lichtenberg erwähnt die Szene auch 862, 7 f. 889, 33. Lichtenbergs berühmte folgenreiche Szenenbeschreibung wirkte noch auf die Hamletdarstellung Schröders und Goethes »Wilhelm Meisters theatralische Sendung« ein. – *36 f. Rebhuhns vortreffliche Beschreibung:* Gemeint ist »Tom Jones«, Bd. 3, 16. Buch, Kap. 5 (S. 350–357 der Hanser-Ausgabe); über Rebhuhn vgl. zu 329, 36.

335 *12 f. Sehen Sie, Mylord, dort kommts:* Gemeint ist »Hamlet«, I, 4. Lichtenberg zitiert den Satz auf englisch in RT 11. – *21 einen großen aber anständigen Schritt:* Es ist auffällig, wie häufig Lichtenberg bei Darstellung auch der leidenschaftlichsten Szene den »Anstand« des Schauspielers hervorhebt! S. auch 342, 1. – *24 ausgedruckt:* Vgl. zu 279, 25. – *24 f. mich ... Grausen anwandelte:* Vgl. RT 11 (S. 628). 12 (S. 630). – *29 f. Angels and ministers of grace defend us:* »Engel und Boten Gottes, steht uns bei!« Hamlets Worte, die unmittelbar auf Horatios Ausruf folgen (»Hamlet«, I, 4); Lichtenberg zitiert den Satz auch RT 11.

336 *3 go on ... thee:* »Voran! ich folge dir«. Dieser Satz schließt sich unmittelbar an obiges Zitat an. Lichtenberg zitiert ihn ebenfalls RT 11, auch RT 12. – *3 on:* von mir verbessert aus: *ou*. – *7f. mit verwirrtem Haar:* in der Bildenden Kunst und auf dem Theater langhin Emblem und Pose des Wahnsinns; so auch 342, 22 ff. – *21 Weißbinder:* Zu diesem Ausdruck vgl. zu 212, 32. – *25 ff. nicht jeder Schriftsteller ... deswegen ein Shakespear:* Diese Passage zielt auf Goethe ab und sollte, wie Lichtenberg in F1 am 4. April 1776 notiert, folgendermaßen lauten: »Nicht alles was mein Club nicht bemerkt, ist deswegen eine Heimlichkeit der menschlichen Natur. Nicht jeder Abgott junger Zeitungsschreiber ist deswegen ein guter Schriftsteller und nicht jeder der ein paar vermeintliche Heimlichkeiten der menschlichen Natur mit Prunkschnitzern gegen Sprache und Sitten und einer Miene, als wüßte er solcher noch tausende, auszuplaudern weiß, ist deswegen ein Shakespear.« S. auch E 70 Vergleich Goethe–Shakespeare. – *26 ff. Heimlichkeiten ... auszuplaudern gelernt:* Zu dieser Wendung vgl. zu D 419; Lichtenberg gebraucht sie auch 379, 17 f. – *27 Prunkschnitzer:* Zu diesem Ausdruck vgl. zu D 535. – *29 Bransby:* Lebensdaten unbekannt. – *36 f. Einige meiner Freunde in Deutschland:* An wen Lichtenberg speziell denkt, ist nicht zu ermitteln; infrage käme etwa Baldinger oder Schernhagen.

337 *2 Baderstolz:* Ähnlich spricht Lichtenberg 77, 36 von »Bauernstolz«. – *9 f. die ich in Göttingen, Hannover und Hamburg gesehen:* In Göttingen sah wahrscheinlich Lichtenberg 1764 Aufführungen der Ackermannschen Truppe mit Ekhof (s. RT 8), die vom 13. Juni bis 11. Juli dort gastierte; in Hannover sah er 1773 die »Emilia Galotti« mit Charlotte Ackermann und »Romeo und Julia« mit Dorothea Ackermann (s. Briefe, IV, 128); in Hamburg 1778 offenbar ebenfalls Dorothea Ackermann (s. Briefe, IV, 329); möglicherweise sah er dort auch Brockmann, der seit 1771 zu Schröders Truppe gehörte. – *11 f. in Drurylane ... Aufsehen machen:* Dieser Satz ist fast wörtlich RT 8 entlehnt; zu Drurylane Theatre vgl. zu 224, 19. – *13 Eckhof* Über diesen Schauspieler vgl. zu RT 8. – *16 King:* Über Thomas King vgl. zu RA 184. – *16 Smith:* Über ihn vgl. zu RT 8. – *17 Dodd:* Über ihn vgl. zu RA 54. – *17 Parsons:* Über William Parsons vgl. zu RA 184. – *17 Palmer:* John Palmer (1742?–1798), namhafter engl. Schauspieler, von Foote entdeckt, später in Garricks Ensemble. – *17 der drollige Weston:* Über ihn vgl. zu RT 2. – *18 Coventgarden:* Covent Garden Theatre; der Name geht auf den früher hier gelegenen Klostergarten von Westminster, den »Convent Garden« zurück. Das erste Theatergebäude wurde 1732 von dem Harlekin John Rich erbaut; Händel war mit diesem Theater viele Jahre verbunden.

Der Covent Garden, der Londoner Blumen- und Gemüsemarkt, war seinerzeit ein beliebtes und verrufenes Vergnügungsviertel der Stadt. S. auch 358, 26f. 389, 9. 703, 11. 884, 29 und RT 11. – *18 Barry:* Über ihn vgl. zu Materialheft I, Nr. 91. – *18 Lewis:* Über ihn vgl. zu RT 19; s. auch 389, 9. 391, 7. – *19 Lee:* Über ihn vgl. zu RT 10. – *19 Macklin:* Über Charles Macklin vgl. zu F 942. – *19 Shuter:* Über Edward Shuter vgl. zu RT 2. – *20 Woodward:* Über ihn vgl. zu RA 17. – *21f. zu Anfang des Winters, ehe Garrick ...:* Die Spielzeit 1774/75 hatte am 17. September begonnen. – *23 dessen Rollen Hamlet, Richard III.:* D. h. die Rollen, in denen Garrick brillierte. In der Rolle »Richards III.« hat ihn übrigens Hogarth porträtiert; s. auch 354, 12. – *25 seine Kunst nicht an der Quelle geholt ...:* Zu diesem Kriterium: *Natur* für den wahren Künstler vgl. zu 313, 25 f. – *27 Anekdote ... ein glaubwürdiger Mann erzählt:* Diese Anekdote wird auch RT 8 angespielt; Lichtenberg hat sie womöglich von Irby oder Ramus, die auch andernorts als Gewährsleute genannt werden. Über Smith s. zu RT 8. – *37 Der Tod der jüngern Mamsel Ackermann:* Charlotte Ackermann war am 10. Mai 1775 gestorben; über sie vgl. zu RT 8. – *37ff. in einem englischen Blatte ... gelesen:* Die betreffende Zeitung war nicht feststellbar.

338 *8 Deutschland mit unsern Treibhäuschen:* Zu diesem Bild vgl. E 100 und die Anm. dazu; s. ferner 850, 18. – *10f. vor dem Strahl sicher:* Anspielung auf die zeitgenöss. theaterfeindliche evang. Orthodoxie wie Goeze und Leß; s. auch 1030, 35 und Briefe (IV, 572). – *11f. noch kein Franklin einen Ableiter gefunden:* Dieses Gleichnis ist D 60 entlehnt; s. auch D 539. Über Franklin und seine Erfindung eines Blitzableiters s. zu A 227; über Lichtenbergs Neigung, den Begriff ›Ableiter‹ in übertragenem Sinn zu gebrauchen vgl. zu 130, 1ff. – *13 Richmann:* Über ihn vgl. zu B 89. – *15 Ich bin etc. G. C. L.:* Darunter steht in der Satzvorlage noch die Bemerkung: *(werden fortgesetzt.)*; von mir gestrichen. – *16 [Zweiter Brief]:* Von mir ist der Titel der Satzvorlage: *Briefe aus England* und folgende Fußnote zum Titel gestrichen worden: *s. d. M. Junius S. 562.* – *18f. Ohne eine Antwort von Ihnen ... auf meinen letzten Brief:* dazu vgl. oben zu 326, 5 ff. – *32 Knochengebäude:* Zu diesem Ausdruck vgl. zu D 491. – *34f. parisischen Provinzen unseres Vaterlands:* Die Anspielung ist mir nicht klar.

339 *2 Vorrat von Kraft:* Zu diesem Ausdruck vgl. zu 331, 32f. – *7 Portebras:* entstellt aus frz. Port de bras: Armhaltung, Armbewegung. – *13 Mrs. Yates:* Über Mary Yates vgl. zu RT 15. – *20 verengend:* von mir verb. aus: *vorengend*. Die Herausgeber der »Vermischten Schriften« schreiben: *verengernd*; Lauchert, S. 12, sagt dagegen, daß Lichtenberg »sich *vorengend*« wohl geschrieben haben kann: »Der Zusammenhang ergiebt, was

das Wort sagen will.« – *23 Frisur:* hier: Besatz. – *28 Chironomie:* Lehre von der richtigen Bewegung der Hände. – *30f. obgleich die Zuschauer ...:* Zu diesem Gedanken vgl. Materialheft I, Nr. 121. – *34f. aus Büchern zu plaudern gelernt:* Zu dieser Kritik vgl. 378, 17f. und die Anm. dazu.

340 *7 bei ihm aussieht, als hätt' er sie umsonst:* Über das ›Wegwerfen‹ von Ideen aus Fülle vgl. oben zu 281, 2f. – *8 Oligographen:* ›Wenigschreiber‹ wie etwa Xenophon und Sallust im Gegensatz zu den von Lichtenberg kritisierten modernen ›Polygraphen‹ und Schnellschreibern. – *10 Studium ... deutlicher Begriffe:* Zu dieser Maxime Lichtenbergs vgl. zu D 267. – *11 Exercitiis ... die sie verbrannt:* Zu diesem Gedanken vgl. zu G 34. – *12 seelenstärkende:* Zu diesem Ausdruck vgl. F 667. G 108; s. ferner Briefe (IV, S. 865). – *20f. armer Teufel:* Vgl. zu 214, 31. – *22 papiernen Hof:* Dieses Adjektiv gebraucht Lichtenberg auch 365, 11. 546, 9. 720, 6, 8, 15. 732, 23. 748, 22. – *22 Drurylane:* Vgl. zu 224, 19. – *23 goldnen in St. James:* Vgl. 333, 20. – *26f. Pinselstriche ... am Hamlet:* Vgl. zu 326, 33. – *28 o that this too, too solid flesh:* »O schmölze doch dies allzu feste Fleisch«. Die Zeile ist dem Monolog »Hamlet«, I, 2 entnommen. – *29 mich astronomischer Kunstwörter zu bedienen:* Dazu zählen ferner: Polhöhe (vgl. zu KA 14); große Konjunktion (vgl. zu 156, 35). Zu Lichtenbergs Gebrauch mathematischer Begriffe vgl. oben S. 139ff. – *30 eine Menge von den kleinen Gleichungen:* Dazu vgl. Materialheft I, Nr. 110, wo Lichtenberg allerdings von »Aequationen« spricht. *Gleichung:* der Unterschied zwischen wahrer und mittlerer Anomalie. – *31 die Handlung eines mittlern Menschen ...:* Zu diesem Gedanken vgl. ebenfalls Materialheft I, Nr. 110. Zum Begriff des Individuellen vgl. zu 377, 15.

341 *1 So excellent a King:* »Solch ein trefflicher Monarch«. Zitat aus »Hamlet« I, 2. – *8 erst einmal Shakespearn in der Reihe:* Lies: *einmal mit Shakespearn* entsprechend der Berichtigung im »Deutschen Museum«, 12. Stück, S. 1152, die auch Lauchert, S. 139f., angibt. – *17 Der berühmte Monolog: To be or not to be ...:* »Sein oder Nichtsein« – Anfangszeile von Hamlets Monolog III, 1. – *27f. seine Sittensprüche ... am 7ten Februar:* Über seinen Parlamentsbesuch berichtet Lichtenberg in den Briefen (IV, 232, 12f. 234, 8f.). – *31f. eher kennen als ... den Pontius Pilatus:* Diese Wendung ist E 348 entlehnt; Lichtenberg notiert sie auch 528, 7f. Über Pilatus vgl. zu KA 235. – *33ff. Hamlet ... Wade herab:* Diese Passage ist fast wörtlich RT 11 (S. 629) entnommen.

342 *8 wie ... in einigen Schriften steht:* An welche Schriften Lichtenberg denkt, war nicht zu ermitteln. – *10 Eine kleine Sprachanmerkung:* Über die unterschiedlichen Lesarten der vierten Zeile dieses Monologs läßt sich Lichtenberg in RT 8 (S. 626) aus. – *11f. against ... troubles:* »gegen anstürmende Plagen«;

»gegen ein Meer aus Plagen«. Zitat aus »Hamlet«, III, 1. –
16f. Göttingischen Bibliothek: Die 1737 gegründete berühmte
Universitätsbibliothek enthält viele englischsprachige Literatur.
– *18 mit Anständigkeit verwirrt:* Zu diesen Ausdrücken vgl. zu
335, 21 und 336, 7f.; vgl. auch RT 11 (S. 629): »mit Anstand
verwirrt«. – *20 Mrs. Smith:* Über diese Schauspielerin vgl. zu
RT 11. – *22 einer guten Sängerin:* aus: *eine gute* ... von mir verbessert entsprechend der Berichtigung im »Deutschen Museum«,
12. Stück, S. 1152, die auch Lauchert, S. 12, angibt. – *24 Büschel
unverworrenes Stroh:* Zu diesem Requisit vgl. noch 906, 23. –
25 ihr ganzes Tun ... sanft ...: fast wörtliche Übernahme aus
RT 12. – *25f. sanft, so wie die Leidenschaft ...:* Über diesen –
von Zeitgenossen offenbar mißverstandenen – Satz läßt sich
Lichtenberg E 419 aus. – *26 Die Lieder ... noch lange nachher ...
zu hören glaubte:* Zu Lichtenbergs Musikempfinden vgl. zu
RA 1. – *29f. diese ganze Szene ... rührend:* fast wörtliche Übernahme dieses Satzes aus RT 12. – *30 eine Wunde in der Seele:*
In RT 12 heißt es stattdessen: »eine Wehmut in der Seele«. –
32f. Wäre doch Voltaire hier gewesen: Anspielung auf Voltaires –
über ihn vgl. zu KA 28 – Shakespeare-Kritik in den »Lettres
ecrites de Londres sur les Anglois, et autres Sujets«, Amsterdam
1735, 18. Brief: »Lettre sur la Tragédie«.
343 *1f. Einen Sieg hat doch Voltaire in Drurylane erhalten:* Voltaire
schreibt in dem zu 342, 32f. genauer nachgewiesenen Werk,
a.a.O., S. 156, im Zusammenhang mit Shakespeares »Hamlet«
über die Totengräberszene: »Vous n'ignorez pas que dans Hamlet, des fossoyeurs creusent une fosse en buvant, en chantant des
Vaudevilles, et en faisant sur les têtes des morts qu'ils rencontrent, des plaisanteries convenables à gens de leur métier: mais
ce qui vous surprendra, c'est qu'on a imité ces sottises.« – *3 Coventgarden:* Vgl. zu 337, 19. – *4 Ein so altes, herrliches Stück ...:*
Ähnlich äußert sich Lichtenberg über den Dramatiker Bellinkhaus: s. 370, 6f. – *5 dieser süßen Zeit:* Zu Lichtenbergs wortreicher Kritik an der deutschen Gegenwart vgl. zu 338, 8. –
6f. die Sprache der Natur konventionellschönem Gewäsch: Vgl. zu
334, 25f. – *10 wo er die Schauspieler unterrichtet:* Gemeint ist
»Hamlet«, III, 2. – *11f. seiner Mutter die Vergleichung ... ins Herz
donnert:* Gemeint ist »Hamlet«, III, 4. – *13 Es führt:* aus: *Er führt*
von mir verbessert entsprechend der Berichtigung im »Deutschen Museum«, 12. Stück, S. 1152, die auch Lauchert, S. 13,
angibt. – *16 Sir John Brute:* die Hauptrolle in »The provoked
wife« von Vanbrugh; vgl. zu 326, 33; vgl. zu dieser Rollenbeschreibung die in D 625. 626 gemachten Ausführungen, ferner Briefe (IV, 218). – *19 bordiertes Modehütchen:* Bortenhut;
dazu vgl. auch 351, 31. 389, 17. 709, 7f. 717, 15. 778, 6. 782, 13.
830, 32; im übrigen vgl. zu Materialheft I, Nr. 103. – *22ff.*

Hakenstöcken ... geben: Diese Passage ist wörtlich D 625 entlehnt. – *23 Poltrons:* Zu diesem Ausdruck vgl. zu 278, 30. – *23 so heißt hier die Zeit:* Über die englische ›Unzeit‹ vgl. zu 690, 28 f. – *25 ff. ein Prügel ... an dem menschlichen Bengel:* Zu diesem Bild vgl. auch 839, 31; ferner GTK 1799, S. 222: »Spatzier-Bengel«.

344 *4 f. wie der Mond ... Viertel:* Diese Wendung ist D 625 entlehnt. – *10 mystisch:* Zu diesem von Lichtenberg stets ironisch und negativ gebrauchten Worte vgl. zu B 380. – *14 f. gesund wie ein Fisch im Wasser:* Gemeint ist »The provoked wife«, 5. Akt, 2. Szene, S. 74 der Ausgabe London 1753. Die sprichwörtliche Redewendung ist seit alters gebräuchlich; das DWB steuert Belege aus Konrad von Würzburgs »Trojanerkrieg«, Schiller, »Die Räuber«, Goethe, »Der Fischer« bei. – *17 weinklug:* Im DWB 14, 1, 1 (Sp. 951) als einziger Beleg notiert; offenbar Wortschöpfung Lichtenbergs. Lichtenberg gebraucht diesen Ausdruck auch GTK 1799, S. 222. – *21 f. Mit r und l in einen Mittellaut zusammengeschmolzen:* Diesen charakteristischen Zug, D 625 entlehnt, notiert Lichtenberg – noch prägnanter – in E 292 und Materialheft I, Nr. 30; s. auch 443, 6 ff. – *27 das Wort praerogative:* Vorrecht, insbes. der engl. Könige in der konstitutionellen Monarchie; Sir John Brute gebraucht es in »The provoked wife« 3. Akt, 2. Szene, S. 50 der Ausgabe London 1753. Über diesen Begriff vgl. zu F 809; s. auch 732, 19. 753, 21. – *28 Vanbrugh:* Vgl. zu 326, 33. – *34 Miß Young:* Über diese Schauspielerin vgl. zu RT 8. – *34 f. der berühmten Mrs. Abington:* Über die von Lichtenberg ungemein geschätzte Schauspielerin Frances Abington vgl. zu D 627. – *36 die schändliche Szene:* Gemeint ist »The provoked wife« 4. Akt, 1. Szene. – *38 Scharwache:* Zu diesem Ausdruck vgl. zu 245, 9.

345 *1 Saloppe:* Im 18. Jh. Name eines weiten ärmellosen Überkleids für Frauen. – *4 schon neulich gesagt:* S. 328, 20. – *9 Wenn nur die Schauspieler erst wüßten ...:* Dazu vgl. Materialheft I, Nr. 121. – *10 Theatermensch:* Diesen Ausdruck notiert Lichtenberg zuerst in F 142. – *16 f. sein erstes spanisches Rohr so tragen ...:* Vgl. zu dieser Wendung 389, 17 ff. – *18 ff. Eine Gleichungstafel ... für die Schauspieler:* In diesem und dem folgenden Satz erkennt Albert Schneider (o. c. I, p. 207) die Keimzelle zum »Orbis pictus«. – *25 f. Wenn ein Jurist ... der Fähndrich:* Diese Passage geht auf F 17 zurück. – *26 leges:* Gesetze. Gemeint ist das Römische Recht, das Kaiser Justinian im »Corpus juris« 528–534 zusammenstellen ließ. – *26 Justinian:* Über ihn s. zu KA 75. – *27 f. weitläuftigen Zeilen und langen Prozessen:* Diese Wendung ist wörtlich F 17 entlehnt. – *29 f. Menschenfreunde ... Gulden in der Hand:* Dieser Satz ist fast wörtlich F 17 entlehnt. – *31 Primaner:* Dieser Ausdruck, von Lichtenberg ähnlich abschätzig

gebraucht wie das Wort *Kandidat*, begegnet auch 377, 23. 566, 11. 570, 18. – *32 καλοις κάγαθοις:* »den Schönen und Guten«. Lichtenberg gebraucht das Wort auch D 334. Kalokagathia, die harmonische Ausbildung, war das Ideal der Athener Oberschicht. – *33 Shakespears Kunst:* Vgl. 333, 22 ff. – *33 f. so wenig als Kreuzmachen Christentum:* Über diese Wendung vgl. KA 108 und die Anm. dazu. – *37 f. ihre eigne Physiognomik ... Astronomie:* Diese Wendung ist F 17 entlehnt. –

346 *3 ff. Ich zeigte einmal ....:* Lichtenberg berichtet diese Anekdote eines »Münstermanns« aus Osnabrück in einem Brief an Kaltenhofer (IV, Nr. 79, S. 168) vom 23. August 1773. – *15 influxum lunae physicum:* ›körperlicher Einfluß des Mondes‹. – *17 ff. Die Polhöhe ist ...:* Zu diesem Scherz vgl. C 83; zum Begriff »Polhöhe« vgl. zu 217, 29. – *21 ausgedruckt:* Zu dieser Schreibweise vgl. zu 279, 25. – *21 f. Lavaters Engel ...:* »Vielleicht findet man es lächerlich, aus einem Knochen oder einem Zahn physiognomische Beobachtungen herzuleiten. Ich finde es gerade eben so natürlich, als aus dem Gesichte.« So schreibt Lavater in dem zu 223, 30 genauer nachgewiesenen Aufsatz, a. a. O., Sp. 159. Übrigens handelt es sich um Lichtenbergs ersten öffentlichen Seitenhieb auf Lavaters physiognomische Prophezeiungskunst; über Lavater s. zu A 129. S. auch 358, 23. – *25 ein eingebildeter, reicher Krämer:* Henrici; über ihn s. zu C 83. – *28 f. ein ... katholischer Kanonikus:* Sein Name wird von Lichtenberg auch in dem zu 346, 3 zitierten Brief nicht mitgeteilt. – *30 Garricks Bildnisse:* S. dazu 352, 17. – *30 etwas von Weston:* S. dazu 349, 37–355, 22. – *31 Gabrielli:* Lichtenberg berichtet von ihr ausführlich 362, 32 ff. Über sie vgl. zu RA 54. – *32 Brydones Reise:* Gemeint ist »A tour through Sicily and Malta«, erschienen London 1773. Patrick Brydone – über ihn s. zu D 510 – berichtet über die Gabrielli in Bd. 2, S. 232; s. auch 362, 35 und Briefe (IV, 259, 31). – *32 f. als Dido erschienen:* Vgl. 363, 2 ff. und die Anm. dazu. – *33 G.C.L.:* aus: G.C.B. von mir verbessert entsprechend der Berichtigung im »Deutschen Museum«, 12. Stück, S. 1152: »l. G. C. L. Der Verfasser ist der Herr Prof. Lichtenberg in Göttingen.« S. auch Lauchert, a. a. O., Seite 13.

347 *1 [Dritter Brief]:* »S. 11 über dem Briefe fehlt III. oder dritter Brief.« So heißt es unter den Berichtigungen im »Deutschen Museum«, 2. Stück, S. 192, die auch Lauchert, S. 13, mitteilt. In einer Fußnote zu der Überschrift verweist Lichtenberg oder Boie auf die bereits 1776 im »Deutschen Museum« erschienenen »Briefe aus England«: »S. d. Mus. 1776. Jun. S. 562. v. Nov. S. 982.« Diese Zeile ist von mir gestrichen. – *2 London, den 30. Nov. 1775:* Wie fiktiv die von Lichtenberg genannten Daten seiner 3 »Sendschreiben« sind, erhellt u. a. aus RA 204:

an diesem Tage reiste er nach Deptford. – *3f. Unpäßlichkeit eines meiner Reisegefährten:* Lichtenberg reiste in Begleitung der jungen Engländer Bertie Greathead, Brouslow Mathew und Edward Morrison am 7. Dezember 1775 nach Göttingen ab; vgl. auch 367, 24. Welcher der 3 Reisegefährten erkrankt war, ist nicht überliefert. – *5 vor meiner Abreise:* die Abreise war zunächst auf den 6. November 1775 festgesetzt worden. – *11 pro absente:* für abwesend. – *12ff. was ich ... von Weston und einigen Schauspielerinnen ... versprochen:* S. 346, 30f. – *15 schon einmal gesagt:* Lichtenberg spricht 335, 1 lediglich von einem »schwarzen Kleide«, das Garrick-Hamlet trägt. – *32f. Londonsche Macaroni:* So nannte man seinerzeit den dortigen Modegecken und Stutzer; s. auch 362, 14; im übrigen vgl. zu E 68.

348 *1f. zweiten Vorstellung des Hamlet, die ich sah:* am 12. Dezember 1774; s. auch RT 11. – *4 meinem System:* Vgl. zu KA 296; s. auch 513, 19. 515, 5f. 516, 33f. – *6 damus petimusque:* »Wir geben und erbitten«. Zitat von Horaz, »De arte poetica«, V. 11; wo es eigentlich heißt: »petimusque damusque«. – *8 Weg des Superfeinen:* Zu diesem Ausdruck vgl. zu E 196; s. auch 918, 7. – *12 denkende Schauspieler:* Zu diesem Gedanken vgl. Diderots »Paradoxe sur le comédien« (1773); s. auch 351, 20. – *19f. Es geht mir hierin ...:* Diese Passage ist F 130 entlehnt. – *20 Art von Übersetzung:* Ähnlich sagt Lichtenberg auch F 130; zum Problem der Übersetzung im allgemeinen vgl. zu A 120; s. auch 397, 31. 508, 36. – *21f. mein altes darmstädtisches ABC:* Lichtenberg schrieb zeitlebens deutsche Schreibschrift lediglich fremdsprachliche Zitate und besonders hervorgehobene Bemerkungen in Antiqua. S. auch Briefe (IV, S. 636, 11 f.). – *23 Sinngedicht:* Eindeutschung von: Epigramm. – *31 Falten zur Bedeutung von Mienen gediehen:* Vgl. zu 266, 36f.

349 *1 die bekannte Diagonalfalte:* Die Bedeutung dieses Ausdrucks ist mir nicht bekannt. – *3f. dintigen Mantel, von dem Hamlet einmal spricht:* »inky cloak« nennt Hamlet sein Gewand gegenüber seiner Mutter in »Hamlet« I, 2. – *10 Eitelkeit war:* von mir verbessert aus: ... wären nach der Berichtigung im »Deutschen Museum«, 2. Stück. 1778, S. 192, die auch Lauchert, S. 13, mitteilt. – *12f. Cäsar und Englands Heinriche und Richarde:* Über Cäsar vgl. zu KA 12; über Heinrich IV. vgl. zu RA 111; über Heinrich VIII. vgl. zu D 582; über Richard I. und Richard II. vgl. zu E 142. – *13f. Gardeuniform mit Schärpe und Ringkragen:* Lichtenberg erwähnt sie auch 364, 26f. – *16 antiquarischen Stolz:* Dieses Adjektiv begegnet auch 674, 4; im übrigen vgl. zu B 142. – *33 Genius Quinquennii:* Geist des Jahrfünfts; dieser Ausdruck geht auf E 176 zurück; vgl. auch zu 260, 35. – *34f. Savoyarden:* Dieser Ausdruck begegnet auch D 482; s. die Anm. dazu; ferner

Briefe (IV, S. 211, 23) – *35 erhabenes Babel:* Zu dieser Wendung vgl. zu 66, 37. – *38 in meinem ersten Briefe:* Vgl. 327, 28.

350 *2f. Dieses sonderbare Geschöpf ... Range war:* Dieser Satz ist fast wörtlich Materialheft I, Nr. 60, entlehnt. – *6 Foote:* Über ihn vgl. zu D 648; s. auch Materialheft I, Nr. 61. – *12f. Seine Stimme ... pelzig:* Diesen Ausdruck notiert Lichtenberg in RT 8. – *17f. Stück, worin ich mir ihn eben itzt gedenke:* Welches Stück gemeint ist, war nicht feststellbar. Lichtenberg sah Weston in »The fair Quaker«; in »The maid of the Oaks«; in »The beaux' stratagem«; »The Rival Candidates«; »Devil upon two sticks«. – *27f. Chamäleon ... Fuchs:* Dieselbe Zusammenstellung begegnet D 463; zu »Chamäleon« vgl. zu 258, 8. – *30f. Er ist immer ernsthaft:* S. 327, 32; vgl. auch Briefe (IV, S. 214). – *32f. gesehen, da ihm in einem Stück:* Gemeint ist, wie aus 354, 27 hervorgeht, »The Rival Candidates«; vgl. die Anm. dazu.

351 *3f. Jerry Sneak in Foote's Mayor of Garret:* Diese Komödie, die 1764 uraufgeführt wurde, erwähnt Lichtenberg auch Materialheft I, Nr. 62. 82. – *6 Stück, das itzt viel Lärm macht:* Das Stück »The maid of the oaks« von John Burgoyne – über ihn s. zu Materialheft I, Nr. 138 – wurde 1774 uraufgeführt. Vgl. 353, 14f. – *9 in meinem ersten Briefe:* Gemeint ist 329, 8. – *9 Farquhars:* von mir verbessert aus: Farguhar's; s. auch 326, 32. – *10 worin ich Garrick und Weston .... gesehen:* Die folgende Rollenbeschreibung begegnet, häufig wörtlich, in einem Brief an Baldinger (IV, S. 213–214) vom 10. Januar 1775. Lichtenberg sah die Farquhar-Aufführung am 3. November 1774. – *20 Zaum der geübtesten Vernunft:* Vgl. zu 348, 12. – *31 blendenden Bortenhut:* Vgl. zu 343, 19. – *31f. ein Paar weiße ... Waden, und ein Paar Schnallen:* Dazu vgl. 388, 18. – *35 arme Teufel:* Vgl. zu 214, 31.

352 *1f. Art von andächtigem Erstaunen .... dieser Herr Bediente (wie das Göttingische Mädchen sagte):* Dieser Satz ist dem Brief an Baldinger (IV, S. 214) entnommen; s. auch 1021, 2. – *9 Gefühl des dreifachen Kontrasts:* Diese Wendung ist Materialheft I, Nr. 166, entlehnt. – *14f. Sayer ... bekannten Bildchen:* Robert Sayer, Stichverleger in London zw. 1750 und 1780, in der ält. Literatur irrig als Stecher bezeichnet. Zu dieser Passage vgl. Briefe (IV, 218, 2–11); ferner 346, 30 und 362, 5. – *17 Abel Drugger und Sir John Brute:* ersterer Figur aus Ben Jonsons »Alchimist« (vgl. zu 326, 31) und letzter Hauptrolle in Vanbrughs »The provoked wife« (vgl. zu 326, 33). – *28 Schönheitslinie:* svw.: Wellenlinie, Schlangenlinie: nach Hogarth in dessen »Essai on Beauty« die harmonischste Figur; Lichtenberg gebrauchte den Begriff auch 529, 3. 824, 22. 834, 26. 838, 19. 919, 3. 1011, 15: im übrigen vgl. zu B 131; s. auch Materialheft I, Nr. 107. – *30f. versteinert:*

Zu diesem Ausdruck vgl. zu 155, 29. – *32f. Affektation von Würde:* Zu diesem Ausdruck vgl. zu B 22; s. auch 410, 36.

353 *13 die Götter und die Teufel:* In der Satzvorlage erfolgt hierzu die von mir gestrichene *Anm. des Herausgebers* Boie: »Auf den englischen Schauplätzen nennt man die Bewohner auf der obersten Galerie Götter (the gods), und der Verfasser nennt daher in seiner Laune die vom Parterre und Logen die Teufel«. – *14ff. Als Bedienter ... worden ist:* Diese ganze Passage begegnet, häufig wörtlich, in Briefe (IV, S. 214–215); s. auch RT 6; zu »The Maid of the oaks« vgl. zu 351, 6. – *17f. Crapaud:* wörtlich: Kröte; im übertragenen Sinn: Haarbeutel. – *24f. Er will immer ...:* Zu diesem Gedanken vgl. K 120. – *27 Mrs. Abington:* Über sie vgl. zu D 627. – *28 Dodd:* Über diesen Schauspieler vgl. zu RA 54. – *29 Operelysischen:* Zu Lichtenbergs Musikverständnis vgl. zu 342, 28f. – *32 Devil upon two sticks:* berühmte Komödie von Foote, uraufgeführt 1768. Lichtenberg, der die Aufführung am 15. Mai 1775 besuchte, zitiert daraus in den Briefen (IV, S. 645. 648. 657. 788); s. auch RA 13 (S. 646–647). 175 und 329, 5. – *34f. Foote zum Doktor kreiert:* Vgl. RA 13 (S. 647, 5); die Wendung begegnet auch 789, 12f.

354 *1 Empfindungen zu Buch zu bringen:* Diesen Satz, D 541 entlehnt, gebraucht Lichtenberg auch 377, 14f. – *1f. solche Beschreibungen zum Vergnügen eine Menge gemacht:* Dazu vgl. etwa Materialheft I, Nr. 97. – *6 Endzweck:* Zu diesem Begriff vgl. zu 12, 18. – *7f. Vorwurf ..., er habe zu viel gesehen:* Dazu vgl. Materialheft I, Nr. 101. 136. – *12 Benefizstück:* So nannte man seinerzeit eine Theateraufführung zu Ehren und Gunsten eines Schauspielers, dem der Erlös des Abends zufloß. S. auch Materialheft I, Nr. 64. – *12 Richard den Dritten:* D.h. in Garricks Parade-Rolle. Die von Lichtenberg mitgeteilte Anekdote mit der witzigen Pointe stammt übrigens von Irby, wie aus RA 10 hervorgeht. – *16 Drurylane:* Vgl. zu 224, 19. – *16f. Coventgarden:* Vgl. zu 337, 19. – *17 Shuter:* Über ihn s. zu RT 2. – *18 Affen-Laokoon:* eine Karikatur Tizians der berühmten hellenistischen Gruppe; s. auch 677, 13 und Materialheft I, Nr. 64. Über Laokoon vgl. zu A 18. – *23 in dem bekannten Monolog:* Gemeint ist »Richard III.« V, 4: »Ein Pferd, ein Pferd, ein Königreich für ein Pferd.« – *24 an ass .... for an ass:* »Ein Esel, ein Esel, ein Königreich für einen Esel!« Im übrigen s. zu 354, 12. – *25 ich selbst Zeuge:* Die von Lichtenberg besuchte Aufführung fand am 25. Oktober 1775 statt. – *26 Rival Candidates:* Verfasser dieser Farce ist Garrick. Lichtenberg erwähnt den Vorfall auch RT 15; s. ferner RA 184. – *26f. Stück, worin er von dem Mädchen getätschelt:* Vgl. 350, 35f. – *34f. das Stück zum zweitenmal sah:* Das erste Mal hatte es Lichtenberg offenbar am 25. Februar 1775: s. RT 15, gesehen.

355 *3 Quartierbuteljen:* Quarter-Flaschen. – *4 drei Quartier:* Vgl. zu 90, 6. – *24 Frage ...., die Sie in einem Ihrer Briefe getan:* Boies Brief ist nicht erhalten; vgl. zu 326, 5 ff. – *34 ein Vierteljahrhundert durch:* Bereits am 19. Oktober 1741 debütierte Garrick erfolgreich in Goodman's Fields mit »Richard III.«. – *37 Fielding:* Über ihn vgl. zu A 99. – *38 Sterne:* Über ihn vgl. zu KA 272. – *38 Goldsmith:* Über ihn vgl zu D 583.

356 *9 f. Ich bin, um Garricken spielen zu sehen ...:* Diese Notiz ist Materialheft I, Nr. 22, entlehnt. – *10 f. sechs deutschen Meilen:* Vgl. zu 44, 1. – *12 Art von wollüstiger Bangigkeit:* Diese Wendung findet sich bereits D 577. – *13 f. Stück ...., in welchem ich ihn zum erstenmal sah:* Gemeint ist Ben Jonsons »Alchimist«, dessen Aufführung Lichtenberg am 24. Oktober 1774 besuchte. – *14 f. Hätte Garrick unter einem wärmeren Himmel ...:* Diese Passage ist Materialheft I, Nr. 20, entlehnt. – *23 Vor Anfang des Monologs ...:* Gemeint ist »Hamlet« I, 4 bzw. I, 5. – *38 f. die physiognomische Bemerkung:* Zu der ›Fundgrube‹ Shakespeare vgl. 279, 19 f. und die Anm. dazu.

357 *1 f. that .... Vilain:* »Daß einer lächeln kann und immer lächeln und doch ein Schurke sein«. Zitat aus »Hamlet« I, 5. Lichtenberg notiert den Satz auch Materialheft I, Nr. 27; s. ferner RT 11 (S. 629). – *8 f. zweiten Vorstellung des Hamlet:* Sie fand am 12. Dezember 1774 statt. – *28 Mrs. Barry:* Über sie vgl. zu RT 6; ein ähnliches Urteil begegnet Briefe (IV, 215, 12 f.) – *35 f. Wie die Eitelkeit ... Schleppe weidet:* Dieser Satz ist D 545 entlehnt. – *36 ff. Sie ist .... geborne Schauspielerin:* Dieser Satz begegnet wörtlich in dem Brief an Baldinger (IV, 215, 18 f.) vom 10. Januar 1775.

358 *1 Ihr Geburtsort ... das ... romantische Bath:* Dazu vgl. RT 7. Bath: bekannter engl. Badeort im Avontal in der südengl. Grafschaft Somerset; war seit etwa 1700 Modebad der engl. Gesellschaft. Lichtenberg besuchte es im Oktober 1775 (s. Briefe IV, S. 248. 494). – *2 ff. In ihrem 10 ten Jahr ... Schornsteinen:* Auch dieser Satz ist wörtlich dem zu 357, 36 ff. zitierten Brief (IV, 215, 19 f.) entlehnt, wo ihr Alter allerdings mit 9 angegeben wird. – *2 f. wie mir eine Dame erzählt:* Mrs. Turnstall in Kew, wie Lichtenberg RT 9 notiert. – *10 God damn:* Gottverdammich. Zum dem engl. Nationalfluch vgl. zu F 319. – *11 als Cordelia ... gesehen:* Die Aufführung des »King Lear« fand am 24. November 1774 statt; s. auch Briefe (IV, 215). – *17 das Andenken an diese Szene:* Vgl. auch Briefe (IV, 215, 27 f.) – *18 Als ich vor 5 Jahren hier war:* »fünftehalb Jahren« heißt es in dem zu 357, 36 ff. zitierten Brief (IV, 215, 16); über Lichtenbergs »Othello«-Besuch London 1770 ist sonst nichts überliefert. – *21 Reddish:* Samuel Reddish (1735–1785), namhafter vielseitiger engl. Schauspieler an Drury Lane, später auch Co-

ventgarden Theatre. – *23 f. wenn ich einmal eine Physiognomik schreibe:* Über die Ausdruckssprache von Lippen und Nasen reflektiert Lichtenberg 278, 30 ff. und 279, 31 ff. Mit diesem Satz endet im »Deutschen Museum« der erste Teil des Dritten Briefes aus England; es folgt darunter die Unterschrift: G.C.L. und die Bemerkung: *Die Fortsetzung künftig,* die von mir gestrichen wurde. – *26 Damals war Mrs. Barry:* Mit diesem Satz beginnt der »Schlus des dritten Briefes aus England an Boie. S. d. Museum 1778. Jan. S. 25.«, eine Zeile, die von mir gestrichen wurde. – *26 Drurylane:* Vgl. zu 224, 19. – *26 f. jetzt spielt sie in Coventgarden:* Dazu vgl. RT 7. Über den Coventgarden vgl. zu 337, 19. – *27 Herr Barry, ihr Mann ...:* Über ihn vgl. zu Materialheft I, Nr. 28. – *31 Yates und seine Frau:* Über den Schauspieler Yates vgl. zu RA 184, über Mary Yates zu RT 15. – *35 f. Mrs. Barry bekommt ... 1800 Pfund:* Diese Bemerkung ist dem Materialheft I, Nr. 91, entlehnt; vgl. auch RT 24. – *35 wie mir ein Mann gesagt:* Ramus; vgl. RT 24.

359 *2 Revenue:* Vgl. zu 292, 21. – *3 Miß Catley:* Über sie vgl. zu RT 2. – *9 Landgute in Surrey ...:* In Lichtenbergs Tagebüchern und Briefen nicht erwähnt. – *15 Mrs. Abington:* Über sie vgl. zu D 627. – *15 f. so merkwürdige Frau:* Wie sehr Lichtenberg von ihr beeindruckt war, geht aus den Briefen hervor (s. daselbst) und wird durch einen hübschen Zug belegt: seine Lieblingskatze Abington zu nennen. – *36 tief ins Herz zu reden:* Diese Wendung begegnet auch G 108.

360 *1 f. der gefährlichen Schule:* Mrs. Abington ging anfangs ihrer Karriere auf den Strich, wie Lichtenberg auch an Baldinger (IV, Nr. 102, S. 215, 32 f.) am 10. Januar 1775 mitteilt. – *5 papierne Welt in Drurylane:* Vgl. zu 340, 22; zu Drurylane vgl. zu 224, 19. – *6 f. mehr als Mutmaßung:* Vgl. 361, 15 f. und die Anm. dazu. – *18 ff. In den stummen Rollen ... Tiefe des Theaters:* Diese Passage ist dem Materialheft I, Nr. 117, entnommen.

361 *2 f. Ich habe sie sehr oft spielen sehen:* Bis zum 2. Dezember 1774 – s. RT 8 – hatte Lichtenberg sie schon dreimal gesehen und zwar in: »The Beaux Stratagem« mit Garrick; in »The provoked wife« mit Garrick; mit diesem Schauspieler sah er sie ferner in »Much ado about nothing« am 7. Nov. 1775 als Beatrice (s. RA 185) und in »Rule a wife and have a wife« am 5. Dezember 1775 (s. RA 205) als Estifania; am 25. Oktober 1775 in der Farce »The Bon Ton or high life above stairs« (s. RA 184). – *4 ff. the provoked Wife ... und the maid of the Oaks:* Über Vanbrughs Stück vgl. zu 326, 33; über Farquhars »The Beaux stratagem« vgl. zu 326, 32; über Beaumont-Fletchers »Rule a wife and have a wife« vgl. zu 327, 1 f.; über Garricks »The Bon Ton« vgl. zu RA 184; über Shakespeares »Much Ado about Nothing« vgl. 326, 34 f.; über Burgoynes »The Maid of

the Oaks« vgl. zu 351, 6. – *7f. vom General Burgoyne ... geschrieben:* Dieser Satz ist auf englisch Materialheft I, Nr. 138, notiert. – *13 Lutherberg:* Philip-James de Loutherbourg (1740 bis 1812), deutsch-engl. Maler aus Fulda, Schüler seines Vaters und Johann Heinrich Tischbeins d. Ä.; ging 1771 nach London, wo ihn Garrick als Bühnenmaler an das Drurylane-Theatre berief. Im übrigen vgl. Briefe (IV, 215, 9f.). – *15f. Sie hat ... Mann gefesselt:* Der Name des Mannes konnte von mir nicht ermittelt werden. Vgl. 360, 6f. – *20 Herr Abington:* Vgl. Lichtenbergs Ausführungen an Baldinger (IV, S. 215, 34f.). – *36f. Porträt von ihr ... von Elisabeth Judkins:* engl. Schabkünstlerin des 18. Jh. (Lebensdaten unbekannt); das 1772 erschienene Schabbildnis von Frances Abington gilt als ihre beste Arbeit. – *36 Reynolds:* Über ihn vgl. zu RA 13. – *37 in schwarzer Kunst:* Gemeint ist die bes. im England des 18. Jh. geübte Kupferstichtechnik der Schabkunst oder des Mezzotinto, die ein gleichmäßiges, samtartiges Schwarz ergibt; s. auch 839, 36. 894, 40.

362 *1 dieser leichten Hexe:* Diesen Ausdruck in Bezug auf Frances Abington gebraucht Lichtenberg auch an Baldinger (IV, 216, 14); über diesen Lieblingsausdruck Lichtenbergs vgl. zu 306, 33. – *3 Favoritstellung:* Zu dieser Wortbildung vgl. zu 401, 21. – *5f. meiner kleinen Porträtsammlung:* Davon berichtet Lichtenberg u. a. Briefe (IV, 218); s. auch 352, 14f. – *10 an einer Stelle meines Briefes:* Lichtenberg erwähnt Frances Abington noch einmal 363, 30. – *12 Coventgarden:* Vgl. zu 337, 19. – *12 Mrs. Hartley:* Über sie vgl. zu RA 36. – *14 Londonsche Macaroni:* Vgl. zu 347, 32f. – *15 Mediceische Venus:* Venus-Aphrodite: die Göttin der Liebe; berühmte üppige Aphrodite-Plastik in den Uffizien zu Florenz nach einem späthellenist. Vorbild; Lichtenberg erwähnt sie auch 400, 15. 595, 28. 630, 1. 717, 16. 747, 38. 869, 23. – *17ff. In Masons Elfrida ... knien zu sehen:* Zu dieser Passage vgl. RA 36, woher sie entlehnt ist; über das Stück s. die Anm. dazu; über William Mason s. zu F 860. Über das Knien auf dem Theater vgl. H 66. – *19f. ein einzigesmal gesehen:* Die »Macbeth«-Aufführung mit Macklin in der Titelrolle und Mrs. Hartley als Lady Macbeth sah Lichtenberg am 19. Oktober 1775: s. RA 175. – *31 italienischen Oper im Haymarket:* Das berühmte 1704 von Vanbrugh gebaute Theater, auf dem im Winter nur Singspiele aufgeführt werden durften und an dem Händel und Haydn wirkten, wurde 1775 von Foote geleitet. Über die »Rasereien der ital. Oper« vgl. zu 845, 16f. S. auch 365, 17f. – *32 die vergötterte Gabrielli gesehen und gehört:* am 11. November 1775; s. RA 195 und Briefe (IV, 259, 29f.); ferner 346, 31. – *35 Brydones Reisen ...:* Vgl. zu 346, 32; s. auch Briefe (IV, 259, 30f.).

363 *3 Opera Dido:* Gemeint ist die Oper »La Didone abbandonata« von Sarri nach dem Libretto von Pietro Metastasio, 1724 in Neapel uraufgeführt. Lichtenberg erwähnt die Oper und seinen negativen Eindruck noch 1043, 6f.; s. auch 346, 33. – *10f. die Influenza .... Schnupfen:* »Freiheits-Influenza« prägt Lichtenberg J 285. – *12 bei Dr. Forster zu Tisch:* etwa am 3. Nov. 1775; die Notizen RA 186–188. 190–192 beziehen sich sicherlich auf das Zusammentreffen. Über Johann Reinhold Forster vgl. zu G 104. – *13 Gesellschaft von Gelehrten:* Vermutlich handelt es sich um Teilnehmer der zweiten Weltumseglung durch Cook; vgl. RT 25. 26. – *14 Otaheite:* Tahiti; vgl. zu 41, 38. – *15 Eimbeck:* Einbeck, 38 km von Göttingen entfernt. – *16 der 11te November dieses Jahrs:* Über den Opernbesuch berichtet Lichtenberg launig in RA 195. – *26 Saloppe:* Vgl. zu 345, 1. – *27 Federmuff:* taschenförmige Hülle zum Wärmen der Hände, seit dem 17. Jh. in Gebrauch. – *30 Mrs. Abington zu erkennen:* Vgl. 362, 10.

364 *4 Friktion:* Zu diesem Begriff vgl. zu 13, 13. – *16 Lord ...:* Über ihn vgl. zu 361, 16. – *26 George H**:* Gemeint ist George Hanger; über ihn vgl. zu TB 26. – *26f. Schärpe und Ringkragen der englischen Garde:* Dazu vgl. auch 349, 13. – *27 Woche:* Lies im Text: Wache. – *29 Weender Straße:* seinerzeit wie heute Hauptstraße Göttingens. – *32f. Gabrielli ... eher klein als groß:* Vgl. dazu Lichtenbergs Bonmot Materialheft I, Nr. 35. – *33 Tag- und Nachtgleichen des Lebens ... leuchteten:* Nach den Verbesserungen im »Deutschen Museum«, 6. Stück am Schluß, ist statt: *sehen*, wie es in dem Erstdruck heißt, einzusetzen: *leuchteten*. Lichtenberg gebraucht das Bild auch 955, 7f. und F 953. – *37 individuelle Loge:* von mir verbessert aus: Lage des Erstdrucks S. 441, entsprechend der Berichtigung am Schluß des 6. Stücks, »Deutsches Museum« 1778, wie auch Lauchert S. 14 mitteilt.

365 *1ff. Son Regina ... dell'amor:* Lichtenberg meint Didos Arie am Schluß des 6. Auftritts, wo sie Hiarbas erwidert (zitiert nach der Übersetzung von Maximilian Rudolph Schenck, Metastasio. Dramen. Halle a. S., o. J., S. 17): »Geliebte bin ich, Fürstin! Und die Macht / Im Reich und Herzen ich allein nur übe. / Umsonst Gesetze mir zu geben meint, / Wer mir bestreitet und das Recht verneint, / Mich zu entscheiden zwischen Ruhm und Liebe.« – *7f. in meinen Träumen besser gehört:* Vgl. dagegen Lichtenbergs Urteil 342, 26f. Zu Lichtenbergs Träumen vgl. zu A 33. – *9 Drurylane:* Vgl. zu 224, 19. – *10 Landhaus in Buckinghamshire:* vermutlich Anspielung auf Lord Bostons Landsitz in Hedsor, auf dem Lichtenberg 1774 wohnte; s. etwa Briefe (IV, 201, 16). – *11 papiernes Karthago:* Zu diesem Ausdruck vgl. zu 340, 22. – *16 Kitzel einer komplizierten Musik:*

Zu Lichtenbergs Musikverständnis vgl. zu RA 1. – *17f. un-
überschwenglichen Absurditäten der italienischen Oper:* Dazu vgl.
zu 845, 16f. – *19 virgilischen Aeneas:* Über ihn vgl. zu KA, S. 41
(II). – *19 Montezuma:* Anspielung auf die Oper dieses Titels
von Sacchini; vgl. RT 14 und die Anm. dazu. – *21 Hämling:*
svw. Kastrat; vgl. zu F 30. Lichtenberg gebraucht den Ausdruck auch 845, 8. 846, 36. 951, 9. – *27 Heinel:* Anna Friederike
Heinel (1752–1808), seinerzeit berühmte dt. Tänzerin, studierte
bei Noverre, war Primaballerina in Stuttgart, Berlin und Paris;
führte 1766 erstmals die Pirouette ein. – *29 Bacelli:* Über sie
vgl. Materialheft I, Nr. 36 und die Anm. dazu; s. auch Briefe
(IV, 286). – *30f. Bacelli .... an Kuß erinnern:* Kuß heißt ital.:
bacio. – *32f. maltesischer Nachahmer der Nachtigall, Rossignol:*
Über diesen Virtuosen war nichts in Erfahrung zu bringen. –
33 winddürren: Das Wort ist D 66 notiert; vgl. die Anm. dazu.

366 *5 Luftspringer:* Zu diesem Ausdruck vgl. zu F 645; Lichtenberg
gebraucht ihn auch 716, 8. – *9f. Vergnügen, wie Milton aus der
Hölle:* Gemeint ist vermutlich »Paradise lost« Drittes Buch, zu
dessen Anfang Milton nach der Beschreibung der Unterwelt
das »heilige Licht« begrüßt: »Dich suche ich beschwingteren
Gemüts, / Seit ich dem stygischen Geschwel entwich, / Nun
wieder auf« (3. Buch, V. 17-19); im übrigen vgl. zu 65, 11ff. –
10 Coventgarden: Vgl. zu 337, 19. – *10 Drurylane:* Vgl. zu 224,
19. – *15ff. Macklin habe ich den Shylock ... spielen sehen:* Die
Aufführung des »Kaufmann von Venedig« fand am 18. Mai
1775 statt; s. RA 17. 54. 175. Über Macklin s. zu F 942. –
19 nach geendigtem Prozeß: Dazu vgl. RA 3; s. auch F 942. –
23f. alle Vorurteile der Kindheit gegen dieses Volk: Über Lichtenbergs Antisemitismus, für dessen Genese diese Stelle ein wich-
tiger Hinweis ist, vgl. oben S. 84. – *26 Tomback:* Messing. – *26
plaudern können:* von mir verbessert aus: ... könne. – *30 Nase,
die an keiner der 3 Dimensionen ...:* Über Lichtenbergs ›Nasologie‹ vgl. zu 93, 2ff. – *31f. Mund, bei dessen Schlitzung:* Dieser
Satz ist D 455 entlehnt. – *37 Three thousand Ducats:* »Dreitau-
send Dukaten«; Zitat aus »Der Kaufmann von Venedig« I, 3;
s. auch RA 17 (S. 649).

367 *1 leckerhaft:* Zu diesem Ausdruck vgl. zu D 268. – *3 Kredit, der
nicht mehr zu verderben:* Zu diesem Ausdruck vgl. zu D 433. –
11f. Nachspiel Love à la mode ...: Darüber vgl. RA 17 (S. 649
bis 650). – *13 Sir Harry Mac Sarcasm:* richtig: Sir *Archy* Mac
Sarcasm: von mir verbessert aus: Sarcas*on* der Satzvorlage. –
16 auch als Macbeth gesehen: am 19. Oktober 1775; vgl. zu 362,
19f. und RA 175. – *16f. Rolle ... Ursache des Prozesses:* S. RA 3
(S. 642). – *20ff. Es tut mir immer weh ...:* dazu vgl. H 66. –
23f. ich werde Ihnen noch einmal schreiben: nicht geschehen;

Material für einen Vierten Brief hatte Lichtenberg zweifellos: s. Materialheft I, 18. 66. 82. 83. 140. 141. RA 54. – *24f. Mein Reisegefährte ... verschlimmert:* S. zu 347, 3f. – *26 London den 2. Dezember 1775:* Lichtenberg reiste am 7. Dezember 1775 von London ab.

AN DEN HERAUSGEBER DES MUSEUMS
(Von ein paar alten deutschen Dramen)

Erstveröffentlichung und Satzvorlage: »An den Herausgeber des Museums«. In: »Deutsches Museum« 8. Stück, August 1779, S. 145–156. Der Titel »Von ein paar alten deutschen Dramen«, unter dem dieser Artikel geläufiger ist, wurde ihm erst von den Herausgebern der ersten Ausgabe der »Vermischten Schriften«, Göttingen 1801, Bd. 4, S. 1–26, gegeben. Da der Aufsatz unter diesem Titel bekannt geworden ist, glaubte ich ihn als Untertitel beibehalten zu sollen. Ein Manuskript des Artikels ist im Nachlaß nicht erhalten.

Zur Entstehung: Wie aus Notizen im Sudelbuch C (89. 91. 104) und vor allem einem Brief an Kaltenhofer vom 31. Dezember 1772 (IV, Nr. 54, S. 115–116) hervorgeht, ist Lichtenberg Dezember 1772 in Osnabrück auf diesen »Westfälischen Hans Sachs« gestoßen. Hier noch ist es lediglich die literarische Kuriosität, die Lichtenberg merkwürdig findet. Erst in der Niederschrift von 1779 begegnet der etwas gezwungene Versuch, den Dramatiker Bellinkhaus auf Kosten der zeitgenössischen »Söhne der Kraft« zu aktualisieren. Verweise im Materialheft zu »Orbis pictus« lassen den Schluß zu, daß Lichtenberg beide Schreib-Arbeiten ungefähr gleichzeitig unternahm, und erlauben, den hier zur Rede stehenden Artikel in seiner satirischen Tendenz enger an das große Vorhaben einer Satire gegen die zeitgenössische Literatur anzuschließen.

Literatur: Schneider, a.a.O., Bd. I, S. 205–207.

368   1 *Herausgeber des Museums:* Gemeint ist Heinrich Christian Boie; über ihn vgl. zu B 16. Über die von ihm gegründete Zeitschrift »Deutsches Museum« und Lichtenbergs Beiträge darin vgl. die Einleitung zu »Briefe aus England« oben S. 151. – 4 *es enthalte nicht Deutsches genug:* Welcher zeitgenössische Kritiker diesen Vorwurf gegen das »Deutsche Museum« erhob, ist mir nicht bekannt. Die literarpolitische Forderung nach *deutschen* Charakteren, *deutschen* Originalromanen, von der

»Allgemeinen deutschen Bibliothek« gestellt, wird von Lichtenberg sehr differenziert und distanziert aufgegriffen; vgl. D 214 und die Anm. dazu, s. ferner 527, 9 ff. Im Sinne der zeitgenössischen Deutschtümelei ist im übrigen ein Artikel im »Göttinger Taschen Calender« für 1781, S. 26–35, aufgesetzt, der den Titel trägt: »Die alten Deutschen«; es ist allerdings nicht gesichert, ob Lichtenberg selbst der Verfasser ist. – *11f. ich hatte ihn ..... zuziehen helfen:* nämlich durch die »Briefe aus England«. – *17 ein altes Tagebuch von mir:* Gemeint ist ohne Zweifel das Sudelbuch C, das Lichtenberg vom September 1772 bis August 1773 geführt hat; zu Rudolph von Bellinkhaus s. dort die Bemerkungen C 89. 91. 104. – *20 mit Theaternachrichten gesündigt:* Gemeint sind die oben genannten »Briefe aus England«. – *22 Aufenthalt in Osnabrück:* Vom 4. September 1772 bis 13. Februar 1773 befand sich Lichtenberg dort zu astronomischen Beobachtungen der Ortsbestimmungen. – *23 Rudolph von Bellinkhaus:* Über ihn vgl. zu C 89. – *30 Osnabrückischen Hans Sachs:* Diesen Beinamen notiert auch C 89. Über Hans Sachs s. die Anm. dazu. – *31 Osnabrückischen Unterhaltungen:* Über diese Zeitschrift, die sich übrigens »Oßnabrüggische« schreibt, vgl. zu C 89; der Aufsatz über Bellinkhaus, erschienen November 1770, S. 172–174, trägt den Titel: »Rudolphs von Bellinkhaus Schriften. « – *33f. im Tecklenburgischen:* ehemal. Reichsgrafschaft im Westfäl. Kreise, bis 1699 im Besitz der Grafen von Bentheim-Tecklenburg. – *34 Betrachtungen über die neuesten histor. Schriften:* Verfasser der Altenburg 1771 erschienenen »Betrachtungen«, in deren Text sogar *Bellinkhorns* steht, ist Meusel.

369 *4f. in linea recta:* in direkter Linie. Diese Wendung begegnet auch 707, 3. 824, 15. 1014, 21. 1023, 38. – *8 Eilfen Ämtern:* Ämter hießen seinerzeit die elf Verwaltungsbezirke des ehem. Stifts Osnabrück. – *10 Ich besitze ... zehne:* Die Werke sind in dem »Verzeichniß derjenigen Bücher ...« nicht aufgeführt. – *12 besitze ich zwei Werkchen:* Die Werke sind in dem »Verzeichniß derjenigen Bücher ...« nicht aufgeführt. – *32 Originalgeist:* Diese ironische Umschreibung für geistige Insuffizienz ist ganz offenbar ein Seitenhieb auf das zeitgenössische »Originalgenie«, den »Originalkopf«, den Lichtenberg in den Sudelbüchern E und F immer wieder satirisiert. Im übrigen vgl. zu 331, 2 f.

370 *11 unter Eichen entstanden:* Eine ähnliche Wendung findet sich in E 169; Anspielung auf die klopstockisierende teutonische Bardenlyrik seiner Zeit, wie sie etwa der »Göttinger Hain« darbot. Vgl. auch E 245. 355. 504. F 422. 731 zur Metapher von: *Rauschen des Eichenwaldes* als Stimulans der poetischen Einbildungskraft; s. noch K 274. – *12ff. was ... Genie ... bloß durch Drang allein vermag:* satirisch gemeinte ›positive‹ Wen-

dung des Lichtenbergschen Vorwurfs gegenüber den zeitgenössischen deutschen Autoren, ohne Kenntnis der Welt nur aus Kenntnis von Dichtern zu dichten; vgl. zu 330, 5f. Zu Lichtenbergs *negativer* Genie-Auffassung vgl. zu 306, 9f. – *13 Drang:* Zu diesem Ausdruck vgl. zu 420, 28. Von »Geniedrang« spricht Lichtenberg 577, 16. – *16 Söhne der Kraft:* Gemeint sind die zeitgenössischen ›Originalgenies‹. Tendenziell ähnliche Wortbildungen mit *Kraft* – begegnen auch 380, 5f. 384, 33. 568, 27. 570, 18. 573, 27. 575, 37 und Briefe (IV, 830, 3). – *16 Prachtphrases:* ›Pracht-Phrases‹ gebraucht Lichtenberg auch 370, 16. 377, 9. 565, 36. 575, 33. Von »Prachtprose« schreibt Lichtenberg F 1129; von »Prachtstil« F 1215. Wortbildungen mit *-Phrase* begegnen auch 395, 18. 570, 22. 664, 28. 743, 24. Vgl. ferner zu G 72. – *17 Flicksentenzen:* Die Metapher steht im Materialheft II zu »Orbis Pictus« notiert: Nr. 35; s. ferner: C 21. D 668; ähnliche Wortbildungen begegnen 391, 16. 422, 6. und E 161. – *17f. Hamburgische Institut:* Gemeint ist das Nationaltheater in Hamburg, 1767 gegründet. – *32ff. Mundus .... Scortatio:* Welt, Tod, Sünde, Hölle, Trunksucht, Hochmut, Geiz, Mord, Falschheit, Neid, Heuchelei, Unzucht.

371 *6 Zeckels Knieriemen:* Zeckel, Figur aus »The devil to pay in Heaven« von Charles Coffey. Lichtenberg erwähnt das Stück, dessen Aufführung er am 5. Dezember 1775 in London sah, und die Figur auch RA 205; s. ferner 670, 23. – *11f. wie beim Milton, die Sünde und der Tod:* Gemeint ist das 10. Buch des »Paradise lost«, in welchem Sünde und Tod beschließen, nicht länger in der Hölle gefangen zu sitzen, sondern dem Satan an den Ort des Menschen nachzufolgen. Über Milton und sein Epos vgl. zu B 60; im übrigen vgl. zu 65, 11ff. – *26 Pfeifer-Gesicht:* Ähnliche ›physiognomische‹ Wortbildungen begegnen 408, 33. 479, 28. 577, 29. 579, 9. 705, 26. 792, 15. 806, 22. 808, 36. 814, 11. 822, 23f. 998, 6f. 1057, 15f. – *28 selbst, allein:* In der Satzvorlage steht das Komma hinter: *allein;* von mir entsprechend Lauchert S. 40 und »Deutsches Museum«, 9. Stück, S. 288, verbessert: »S. 150 Z. 6 muß das Komma nach *selbst* und nicht nach *allein* stehen.« – *30 Shakespear:* Über William Shakespeare vgl. zu A 74. – *31 Bagnios:* Zu diesem Ausdruck vgl. zu 195, 38. – *31 Bedlam:* Vgl. zu 292, 31.

372 *4f. so modern, so drangmäßig kühn und kraftvoll:* Vgl. zu 370, 12ff. – *14 wie Sie:* von mir verbessert aus: ... sie der Druckvorlage. – *24f. Kolophonium und Hexenmehl:* Kolophonium: ein nach der griech. Stadt Kolophon genanntes Harz, das bei der Destillation von Terpentin als Rückstand zurückbleibt (Balsamharz). Zu *Hexenmehl* vgl. zu 31, 1. Lichtenberg gebraucht die Zusammenstellung auch F 640. – *36 Eilfen Ämtern:* Vgl. zu 369, 8.

374 *3 ff. Donatus … anno 1615:* Diesen Titel, die Inhaltsangabe und das Chronostichon schreibt Lichtenberg mit geringfügigen Änderungen in C 104 aus; über Aelius Donatus vgl. die Anm. dazu. Zu *Chronosticha* vgl. zu 180, 4. – *23 f. Musa … Species:* Muse, Magister, Schemel, Glücklicher Priester, Frucht, Art. – *34 f. Venus … christlich verändert:* ein seit der Renaissance häufig begegnendes Beispiel der Interpretatio christiana.

375 *19 jungen Anflugs:* Anflug heißt in der Botanik der durch natürl. Besamung entstandene junge Nachwuchs von Nadel- und Laubholzarten, deren leichter Samen vom Wind fortgeführt wird. Lichtenberg gebraucht den Begriff auch 895, 24; s. ferner GTK 1784, S. 34. – *20 f. Philantropia, die eine Melpomene umarmt:* Philanthropia: Menschenliebe; Melpomene: die Muse der Tragödie. Zu dieser Wendung vgl. zu 678, 38. – *26 ff. die simpeln Bratenwender … eine Repetieruhr:* Dieser Gedanke ist – aphoristischer – im Materialheft I zu »Briefe aus England«, Nr. 3, formuliert. – *27 Bratenwender:* Vgl. zu 212, 20. – *29 Quidquid agunt homines:* »Was auch immer die Menschen tun«. Zitat von Juvenal »Satirae« I, 85; Lichtenberg notiert es auch E 104. Über Juvenal vgl. zu KA 144. – *30 f. Natürlich zu schreiben … größte Kunst unserer Zeit:* Zu diesem Gedanken vgl. zu B 270. – *31 f. höchste Flug des Menschen:* Zu dieser Wendung vgl. zu 229, 21. – *33 wir ließens laufen:* Diese Wendung ist E 357 entlehnt; s. auch 543, 8.

376 *5 alles unser Tun und Lassen auf Konjugationen:* Zu dieser Reflexion vgl. 895, 24. – *5 f. amare … recensere:* lieben, lehren, lesen, hören, schreiben, rezensieren. Die Verben sind Paradigmata der Konjugationen. – *10 W…m im Haag:* Gemeint ist, wie aus dem Materialheft II zu »Orbis pictus«, Nr. 6, hervorgeht: Wolfram, über den sonst nichts bekannt ist. Lichtenberg war 1770 in Den Haag, wie aus TB I, S. 601–602, hervorgeht. Über Lichtenbergs Verhältnis zu Holland vgl. zu 231, 31. – *10 f. den linken Arm in die Seite gestemmt:* Eine ähnliche Wendung begegnet 701, 2 f. – *10 ff. linken Arm … zum Ohrfeigenausteilen:* Dieser Satz ist fast wörtlich dem Materialheft II zu »Orbis pictus«, Nr. 6, entnommen, wo lediglich *Staat* statt *Pracht* steht. – *14 Systole und Diastole der Nasenflügel:* Diese Wendung findet sich E 193 und auch – gestrichen – im Materialheft I zu »Briefe aus England«, Nr. 112. – *16 f. Deponentia:* Zeitwörter passiver Form und aktiver Bedeutung, weshalb sie Lichtenberg als ›hermaphroditisch‹ bezeichnet. – *19 f. die Interjektionen:* Anspielung auf die deklamatorische Stilmanier der Dramatik der »Stürmer und Dränger«, deren Eigenheiten Lichtenberg auch andernorts geißelt; s. etwa 422, 1 ff. – *21 f. von schönen Mädchen … mit zerstreuten Haaren:* Den Gedanken konzipiert das Materialheft II zu »Orbis pictus«, Nr. 16.

VORSCHLAG ZU EINEM ORBIS PICTUS

Erstveröffentlichung und Satzvorlage: »Vorschlag zu einem Orbis pictus für deutsche dramatische Schriftsteller, Romanen-Dichter und Schauspieler. Nebst einigen Beyträgen dazu, von G. C. L.« In: »Göttingisches Magazin der Wissenschaften und Litteratur« Ersten Jahrgangs Drittes Stück. 1780, Nr. VI, S. 467–498. Ein Manuskript ist im Nachlaß nicht erhalten.

Zur Entstehung: Als Keimzelle des »Vorschlags« erkannte bereits Schneider (o.c.I, p. 207) folgende Passage aus dem zweiten der »Briefe aus England« (345, 18ff.): »Eine Gleichungstafel, die solche Züge enthielte, wäre kein geringes Geschenk für die Schauspieler, und, unter uns, für unsere dramatischen Dichter und Romanenschreiber. Alle (man darf wohl so allgemein sprechen, wo nur zwei oder drei ausgenommen werden können, deren Wert bekannt genug ist) schreiben, als fehlte es ihnen an Stoff zur Beobachtung oder an Geist dazu, und die meisten, als fehlte es ihnen an beiden.« Diese Sätze stammen spätestens aus dem Jahre 1776. Wie innig die Vorarbeiten an den »Briefen aus England« und zu dem »Orbis pictus« miteinander verbunden sind, erhellt nicht zuletzt aus den Materialheften I und II. Interessanterweise wird dieser glückliche Gedanke noch ein weiteres Mal öffentlich propagiert, und zwar im Herbst 1777 innerhalb der »Antiphysiognomik« (269, 7ff.): »Es wäre eine Art von psychologischem Schachspiel, und ein unerschöpfliches Feld von lehrreicher Beschäftigung für die dramatischen Dichter und Romanenschreiber, zu gewissen gegebenen Graden von Fähigkeiten und Leidenschaften Umstände und Vorfälle zuzuerfinden, um den Knaben, der sie besitzt, nach jedem gegebenen Auftritt durch wahrscheinliche Schritte hinzuleiten.« Gleichfalls aus dem Jahre 1777, aber doch wohl aus dem März, stammt die Notiz im Sudelbuch F 442, in der Lichtenberg »für das Museum« einen Artikel skizziert, von dem Schneider (o.c.I, p. 207 Fußnote) annimmt, daß er mit der langen Einleitung zu »Orbis pictus« vielleicht identisch ist – einige ähnlich lautende Gedankengänge sprechen dafür. Tatsächlich hat Lichtenberg den »Orbis pictus« anfänglich Boies »Deutschem Museum« zugedacht. Am 31. August 1778 schreibt er an Boie (IV, Nr. 207, S. 343): »Zu meinem *Orbis pictus* kommt jetzt noch kein Kupfer, weil das, was ich davon ins Museum einrücken werde, bloß ein Vorschlag und Probe von Erklärungen werden wird.« Die mit Kupfern verzierten eigentlichen Erklärungen waren offensichtlich als Fortsetzungslieferung im Verlag Dieterich gedacht! So wenigstens entnimmt man einem Brief Dieterichs an Chodowiecki vom 27. September 1778 (Briefwechsel Chodowieckis mit seinen Zeitgenossen. Herausgegeben von Charlotte Steinbrucker. Berlin 1919, Nr. 316, S. 227–228):

»*Professor Lichtenberg*, hat einen besondern gedanken, nehmlich einen Zweiten *orbis picktus* heraus zu geben, der sich aber gantz von den bekandten unterscheidet. Seine absicht ist *auch hierin ein wenig satyrisch*, er will der armuth *unserer dramatischen* Schrifftsteller so wohl als auch der Schauspieler und Künstler dadurch zu Hülffe kommen, daß er frapante Züge, so wohl solche, die nur durch Worte auszudrücken sind, als auch die die sich durch Zeichnung darstellen laßen, aus allerley Ständen des bürgerlichen Lebens sammeln, und heraus geben. Er würd eine kleine Probe davon, entweder im October, oder *November* des deutschen Museums, jedoch ohne Kupfer liefern. Ich frage also hiemit bey Ihnen mein Freund an, ob Sie wohl hiemit Hand anlegen wolten? und seine Vorschläge die Er alsdann thun würde, auß zu führen übernehmen möchten, so wolte ich dieses Werkgen, so nach und nach herauskommen müste, im Verlage nehm, und Sie selbst würden alsdann auch einige Vorschläge dazu, zu thun haben, um von beyden seiten etwaß besonders und meisterhafftes zu liefern. Warten Sie nur auf die Probe, woraus Sie mehr licht bekommen sollen, und geben mir nachher Ihre Gedanken, und Willensmeinung *prompt* an. Der Titel *orbis* Picktus gefällt mit sehr, und ich wünschte wohl so etwas zu verlegen, wenn es auch nur *quartal* weise, ausgegeben werden köndte, oder alle meßen etwas, zum wenigsten. Sagen Sie niemanden etwas hievon, Sie Wißen wie jetzo unsere buchhändler sind, und dahero auch öfters sehr viel thummes Zeug zur messe komt, geben Sie mir aber wenigstens durch Ihren Künfftigen brief, ein paar Zeilen antwort, ob ich mich dieses von Ihnen, wenn der Herr *Professor* Vorschläge thut, Versprechen köndte, daß Sie mir hierin behülfflich seyn wolten, nach abgelegtem *Compliment* von dem Herrn Professor verbleibe jeder Zeit ...

27. 7^{ber} 1778.   J. C. Dieterich.«

Erst über ein Jahr später läßt sich Lichtenberg über sein Projekt wieder brieflich aus: in einem Schreiben an Chodowiecki (IV, Nr. 243, S. 374–376) vom 13. November 1779, worin er Bezug nimmt auf Dieterichs Ausführungen. Aber dieser Brief unterscheidet sich in zwei Punkten von vorhergehenden Äußerungen. Zum einen ist nun nicht mehr die Rede von einer Publikation im »Deutschen Museum«, was seinen Grund wohl in der Entfremdung zwischen Lichtenberg und Boie wegen der im »Deutschen Museum« veröffentlichten Angriffe Zimmermanns auf Lichtenberg im Physiognomik-Streit hatte. Zum andern plant Lichtenberg nunmehr als designierter Mitherausgeber des »Göttingischen Magazins«, für dessen zum 10. März 1780 auszulieferndes Zweites Stück er Chodowiecki konkrete Aufträge erteilt, wobei auffällt, daß Lichtenberg jetzt Formulierungen gebraucht, die in »Orbis pictus« zum Teil wörtlich wiederbegegnen. Das läßt den Schluß zu, daß Lichtenbergs Artikel vor dem November-Termin 1779 zumindest im wesentlichen fertiggestellt war. Ob er noch 1778 geschrieben, was möglich, mir aber nicht wahrscheinlich erscheint, oder erst 1779 ausgeführt worden ist, läßt sich anhand der überlieferten Materialien nicht mit Sicherheit angeben.

Das den »Orbis pictus« enthaltende Dritte Stück des »Göttingischen Magazins« erschien in der zweiten Junihälfte 1780. Am 19. Juni 1780 schrieb Lichtenberg an Schernhagen (IV, Nr. 267, S. 394): »Mit der nächsten Donnerstags-Post werden Ew. Wohlgeboren das 3te Stück des Magazins erhalten.« Vorsichtig wie er ist, schließt er diesen Satz an: »Sie werden so gütig sein und mich bei allen Freunden entschuldigen, daß ich am Ende so sehr gespielt habe, es ist das Verlangen des Verlegers und der meisten Leser gewesen. Sie glauben alle, es würde den Abgang des Magazins befördern.« Der Aufsatz wurde wohlwollend aufgenommen. In der in den »Göttingischen Anzeigen von gelehrten Sachen« 90. Stück, 24. Juli 1780, S. 729f., erschienenen Anzeige heißt es von dem Artikel: »ein Aufsatz, der seinen Verf., den Hrn. Prof. *Lichtenberg*, gar bald verräth.« Ein interessierter Leser war offenbar Blumenbach, der Lichtenberg Anmerkungen über die geistlichen Bedienten und die Kammermädchen machte (s. IV, 397).

Literatur: Schneider, a.a.O., Bd. I, S. 207–212; Mautner, a.a.O., S. 253–257; H. Rudolf Vaget, Johann Heinrich Merck über den Roman. In: PMLA, May 1968, Vol. 83, No 2, p. 347–356 (s. speziell p. 355).

377 1 *Orbis pictus:* wörtlich: gemalte Welt; »Orbis sensualium pictus« hatte Johann Amos Comenius sein berühmtes 1654 erschienenes Lehrbuch betitelt, das mit Holzschnitten aus allen Lebensbereichen ausgestattet und in Deutschland lange das verbreitetste Schulbuch war. – *9 Pracht-Phrases:* Zu dieser Wendung vgl. zu 370, 16. – *10 Mode-Empfindungen:* Ähnliche Wendungen begegnen auch 391, 16f. 578, 19 und G 110; im übrigen vgl. zu C 340. – *12 Näherung:* Zu diesem Begriff vgl. zu 313, 14. – *12 Konventions-System:* Ähnliche Wortbildungen begegnen 540, 23 f. 553, 21. 772, 34; im übrigen vgl. zu J 467. – *14 f. Empfindungen ... zu Buch zu bringen:* Zu dieser Wendung vgl. zu 354, 1. – *15 individualisierenden Ausdruck:* Zu diesem von Lichtenberg zeitlebens betonten und geübten Stilprinzip vgl. KA 275 und die Anm. dazu; im übrigen vgl. 328, 20 f. 382, 2. 513, 7. – *17 transzendente:* Zu diesem Adjektiv in Lichtenbergs Sprachgebrauch vgl. F 72 und die Anm. dazu. – *23 Ex-Primanern:* Zu diesem Ausdruck vgl. zu 345, 31. – *26 Makulatur:* Darüber vgl. zu D 578; s. auch 457, 6f. 1032, 15. Wie sehr Lichtenberg das Thema beschäftigte, geht noch aus K 201 hervor. – *26 f. Pfefferdutten-Kredit:* Der Sinnzusammenhang ergibt sich aus E 311. 312; s. auch 760, 1 f. Zu ähnlichen Wortbildungen vgl. zu 259, 36. – *31 Pedanterei:* Zu diesem Ausdruck vgl. zu 297, 17. –

31 laudes temporis acti: ›Lobpreisungen der vergangenen Zeit‹. Abgewandeltes Zitat nach Horaz, »De arte poetica« V. 173, wo es vom Greis heißt: »Laudator temporis acti«. Lichtenberg zitiert die Worte auch K 273. L 377. 390. 622 und in den Briefen (IV, S. 671). Über Horaz vgl. KA 152. – *31f. Vox populi ... vox Dei:* ›Volkes Stimme, Gottes Stimme‹. Das schon in der Antike geflügelte Wort wird auf Hesiod, »Werke und Tage« zurückgeführt. – *35 Gradus ad Parnassum-Methode:* »Gradus ad Parnassum« war der Titel eines Handbuches für lat. Verskunst, herausgegeben von Paul Aler, Köln 1602. Lichtenberg gebraucht diese Wendung auch E 142. G 128 und Materialheft II, Nr. 10; s. ferner 1009, 16. – *36 Logodädalie:* Wort-Künstelei.
378 *9 Nachschlagen ... Nachdenken:* Zu diesem Vorwurf vgl. zu 87, 25 f. – *16 schönen Geister:* Zu diesem Ausdruck vgl. zu 273, 26 (Bel Esprit). – *16f. Man schreibt ... Romane aus Romanen:* Diese Wendung begegnet ähnlich mit D 541; vgl. ferner 339, 34. – *24 Sternische Kunst:* Was Lichtenberg darunter – negativ – versteht, geht aus G 2 hervor. Unter der Überschrift »Etwas von Sterne« veröffentlichte er übrigens im »Göttingischen Magazin«, Ersten Jahrgangs Viertes Stück 1780, S. 84–92, ein »Schreiben an Prof. Lichtenberg. (Aus dem Englischen).« Über Laurence Sterne vgl. zu B, S. 45. – *25ff. Mit etwas Witz ... auszuführen:* Diese ganze Passage ist D 246 entnommen. Lichtenberg verwertet sie auch G 2. 115 und im Materialheft I, Nr. 86; II, Nr. 10. 15. – *31 sondern setzt statt ...:* von mir entsprechend der von Lichtenberg am Schluß des Magazin-Stücks gegebenen Berichtigung verbessert aus: »sondern, statt seiner ... Zeichen setzt«.
379 *4 wo ihn der Kothurn und Soccus drückt:* Diese Wendung ist Materialheft II, Nr. 38, entnommen; vgl. auch C 200. – *4 Kothurn:* hoher Schuh der Schauspieler der griech. Tragödie. – *4 Soccus:* der niedrige Schuh der Schauspieler der griech. Komödie. – *5 Fach der weinerlichen Liebe:* Vgl. 518, 18 und die Anm. dazu. – *6f. quod natura ... docuit:* »was die Natur alle Lebewesen gelehrt hat«. Diese Zeile begegnet auch IV, 782. – *11f. der Verliebte jedes Mädchen ... für die seinige hält:* Dazu vgl. D 414. – *17f. Heimlichkeiten ... ausplaudern:* Zu dieser Wendung vgl. 336, 26 und die Anm. dazu; s. auch 384, 15 f. – *20f. seinen Siegwart:* Gemeint ist »Siegwart, eine Klostergeschichte«, erschienen Leipzig 1776, der »heulsame« Bestseller-Roman von Johann Martin Miller; Lichtenberg erwähnt ihn auch 421, 20. 519, 32. 618, 18 und spielt auf ihn F 667 an. Zu dem ›Mode-Pronomen‹ *seinen* vgl. 297, 32. – *24 warmen Herzen:* Einen ähnlichen Ausdruck gebrauchte Lichtenberg auch 410, 17 f.; zu der Wendung vgl. F 1047. – *32 epidemisch werden:* Diese Wendung gebrauchte Lichtenberg auch 508, 27. 1002, 16 f.; im übrigen vgl. zu F 1068. – *34 aus jedem Mann ... Kastrat machen:* »Ein

artiges Wort von ihm ist auch das folgende: Als ihn einer fragte, wie es käme, daß aus den anderen Schulen viele in die des Epikur überliefen, aus der epikurischen aber keiner in andere, sagte er: ›Aus Männern können Entmannte werden, nicht aber aus Entmannten Männer.‹« Zit. aus Diogenes Laertius, »Leben und Meinungen berühmter Philosophen«, Buch IV, 43. – *38 Arkesilas der Akademiker:* Arkesilaos (315–241 v.Chr.), aus Pitone, griech. Philosoph des Skeptizismus, gilt als Stifter der ›mittleren Akademie‹.

380 *5f. Kraft-Barden:* Lichtenberg gebraucht diesen Ausdruck auch 568, 27. 570, 18; zu Barden vgl. zu 303, 7. – *20f. Sie schimpfen auf Voltären, Popen und Wielanden:* Zu den Angriffen der Generation des Sturm und Drang auf den Exponenten der frz. Literatur Voltaire vgl. die unübertroffene Studie von Korff; zu der Schmähung Popes vgl. 308, 22 ff. und die Anm. dazu; zu den Attacken gegen Wieland, die nicht zuletzt von Seiten des Göttinger Hain erfolgten, s. etwa Vossens Invektiven in »Auf Michaelis' Tod«. – *21 sogar gegen Milton:* Der Angriff erfolgte vermutlich von Seiten der Klopstockianer, ohne daß ich sagen könnte, auf wen Lichtenberg hier speziell zielt. Über Milton und Lichtenbergs Wertschätzung vgl. zu B 60. – *22f. Wenn ein Kopf und ein Buch ...:* Dieser Satz ist wörtlich D 399 entlehnt; Lichtenberg verwertet ihn auch 559, 33 ff. – *28f. Aus seinem verlornen Paradies hätte Newton ...:* Zu diesem Gedanken vgl. 113, 24; ähnliche Gedanken über Milton entwickelt Lichtenberg in F 493. Über dessen Epos »The paradise lost« vgl. zu 65, 9 ff. – *30 Leber-Reime:* kurze, scherzhafte Stegreifgedichte nach dem Schema »Die Leber ist vom Hecht und nicht von einem...«, worauf ein Tier genannt wird, auf dessen Namen die folgende Zeile reimen muß. Die älteste Sammlung von Leberreimen stammt von dem niederdt. Dichter J.Junior 1601. Vgl. Lichtenbergs Reflexion in E 260. – *33f. Sein Werk gleicht den Werken der Natur:* Zu Lichtenbergs Wertmaßstab, den er im übrigen Homer und Shakespeare zuspricht, vgl. zu 313, 10f. – *34ff. der silberne Mond ... Bahn zu bestimmen:* Diese Passage ist E 257 entnommen; s. auch G 113. – *36 Eulern:* Über Leonhard Euler vgl. zu A 166. – *36f. Mayern:* Über Tobias Mayer vgl. zu B 237. – *37 Beattie zitiert den Milton ...:* Dieser Satz ist E 257 entlehnt; Beattie weist auf Milton im »Essay on the nature and immutability of truth in opposition to sophistry and scepticism«, S. 54. 77. 124 hin, das London 1770 erschienen war. Über James Beattie vgl. zu D 666.

381 *6f. Manche Dichter ... nur von gewissen Dichtern gelesen:* Zu diesem Gedanken vgl. D 610 (S. 324). – *12 Bemerkungen, eine hinzuwerfen:* Zu dieser Wendung vgl. zu 281, 2f. – *22f. Physik, die mehr als Taschenspielerkunst:* Vgl. zu 26, 38. – *23 Beobach-*

tungsgeist: Vgl. zu 264, 14. – *31 Sich in einen Ochsen verwandeln ...:* Diese Wendung ist D 169 entnommen; s. auch D 165. – *35 Orbis pictus:* Zur Erklärung dieser Worte vgl. zu 377, 1.
382 *2 individualisieren:* Vgl. zu 377, 15. – *15 f. Die meisten Menschen ... bessere Beobachter ...:* Dazu vgl. B 46 und insbesondere Materialheft II, Nr. 32. – *20 Sobald sie die Feder ergreifen ...:* Diese Feststellung trifft Lichtenberg ähnlich auch 500, 1. – *23 Gala-Deutsch:* Zu dieser Wortbildung vgl. zu 223, 15. – *26 f. wie alte Jungfern, wenn ...:* Diese Wendung ist E 218 entlehnt; vgl. auch F 502. – *27 ff. Kammermädchen ... Trepfe sagte:* Den Ausdruck ›Trepfe‹ notiert Lichtenberg E 380; vgl. auch F 502 und Materialheft I, Nr. 39. 104. G 35. – *29 Klopfstock:* Verballhornung des Namens: Klopstock; vgl. G 35.
383 *6 f. difficile ... dicere:* »Schwierig ist es, das Allgemeine eigentümlich auszudrücken.« Zitat aus Horaz, »De arte poetica«, V. 128. Im Übrigen vgl. zu KA 275. Lichtenberg notiert sich die ganze Passage im Entwurf in Materialheft I, Nr. 110. – *20 Originale zu unsern Versteinerungen ...:* Diese Wendung ist dem Materialheft I, Nr. 79, entlehnt; im übrigen vgl. zu D 280; s. auch Briefe (IV, S. 918). – *20 Versteinerungen:* Zu diesem Ausdruck vgl. zu 155, 29. – *24 nach Griechenland zu reisen ...:* Dieser Part ist F 387 (21. Februar 1776) entlehnt; Lichtenberg notiert ihn auch Materialheft I, 110. 119. – *26 unter Herrn Chodowickis Beistand:* Vgl. darüber Lichtenbergs Brief an Chodowiecki (IV, Nr. 243, S. 374–375) vom 13. November 1779. – *26 Chodowickis:* Lies im Text: Chodowieckis. – *30 Vorrat von Bemerkungen:* Vgl. die Materialhefte I, insbesondere Nr. 97, und II sowie die diversen Eintragungen in den Sudelbüchern D 352. 410. 568. 649. C 378. F 1001. 1002. S. noch J 272.
384 *8 Empfindelei:* Diesen Ausdruck gebraucht Lichtenberg auch 956, 20 und H 1. – *15 f. jedermanns Heimlichkeiten sagen:* Dazu vgl. 379, 17 f. – *24 Ihren Ossian ... in der Tasche haben:* Anspielung auf Goethes »Werther«, zu dessen Leibbüchern neben Homer auch Macphersons »Ossian« gehört. Lichtenberg erwähnt ihn auch F 734. 767 und in den Briefen (IV, S. 513). Zu dem Pronomen vgl. zu 297, 35. – *25 Ihren Horaz:* Zu dieser ›Redensart‹ vgl. zu 297, 35. – *26 Hübner:* Johann Hübner (1668–1731), Pädagoge, Lyriker und Literaturtheoretiker, Dozent in Leipzig, dann Rektor des Johanneums in Hamburg, verfaßte ein seinerzeit sehr berühmtes »Poetisches Hand-Buch, Das ist, Eine kurtzgefaßte Anleitung zur Deutschen Poesie, Nebst Einem vollständigen Reim-Register, Den Anfängern zum besten zusammen getragen«, Leipzig 1712 in vermehrter Ausgabe. – *26 f. Ihrem politischen Redner:* Gemeint ist das Werk »Politischer Redner, Das ist: Kurtze und eigentliche Nachricht, wie ein sorgfältiger Hofmeister seine Untergebene zu der Wohl-

redenheit anführen soll ... Alles mit gnugsamen Regeln, anständigen Exempeln und endlich mit einem nützlichen Register ausgefertigt ...«, erschienen Leipzig 1677, des frühaufklärerischen Schriftstellers Christian Weise (1642–1708); für die Beliebtheit des Werkes spricht es, daß es 1701 bereits in 8. Auflage erschien. – *27f. Seinen Homer studieren ... eine Redensart:* Zu dieser ›Redensart‹ vgl. zu 297, 35. – *29 Galanten:* Zu diesem Ausdruck vgl. zu 311, 11. – *30 denen ... nichts über einen Musenalmanach geht:* Vgl. zu D 196. – *33 Krafthasen:* Diesen Ausdruck gebraucht Lichtenberg auch 573, 27. Zu dieser Wortbildung vgl. zu 370, 16. – *38 was taten Shakespear und Fielding:* Dazu vgl. Materialheft II, Nr. 25.

385 *9 Kaffeeschwesterliches:* Zu diesem Ausdruck vgl. zu B 415. – *12 unmöglich die Fackel der Wahrheit ...:* Dieser Satz, der sich F 404 (6. März 1776) in einer ersten Fassung findet, ist von Materialheft I, Nr. 153, entlehnt; Lichtenberg gebraucht ihn auch 555, 21f. und charakterisiert damit Ljungberg in dem Brief an Hollenberg (IV, Nr. 244, S. 377) von Ende November 1779. – *17ff. Die Bedienten ... Dichter zu sehen hat:* Diese Passage, verkürzt, bildet den ersten Satz in Materialheft II, Nr. 9. – *24 das Apportieren lernt:* Zu dieser Wendung vgl. Materialheft II, Nr. 7. – *28f. Die langen Arme der Großen ...:* Diese Passage ist E 349 entlehnt; Lichtenberg notiert sie Materialheft II, Nr. 47 und verwertet sie auch 557, 30f.

386 *11 Spiegel ihrer Herrschaften:* Diese Wendung findet sich auch in dem Brief an Chodowiecki (IV, Nr. 243, S. 375) vom 13. November 1779; vgl. ferner Materialheft II, Nr. 20. – *12f. Der Koch des Pompejus ...:* Diese Bemerkung geht auf C 150 zurück; über Menogenes und Pompejus vgl. die Anm. dazu. – *24 Stuffen:* Lies im Text: Stufen. – *30 fangen ihre Perioden oft mit sondern an:* Diese Beobachtung entstammt D 352; vgl. auch 531, 2 und Materialheft I, Nr. 72. – *32 Mancher sagt erstlich ...:* Diese Beobachtung ist Materialheft I, Nr. 43, entlehnt. – *33 dieses hat Shakespear genützt:* In welchem Stück dies geschah, konnte von mir nicht ermittelt werden.

387 *1f. Fieldings Partridge ... das größte Meisterstück:* Über die berühmte Diener-Figur, eingedeutscht *Rebhuhn*, aus Fieldings Roman »Tom Jones«, vgl. zu 329, 36. – *5 Unkot:* Diesen Ausdruck notiert Lichtenberg C 378. E 159 und Materialheft I, Nr. 42. – *8 immer außer sich bei solchen Gelegenheiten:* Diese Wendung ist Materialheft I, Nr. 41 entlehnt. – *10 meine ganze Abwesenheit beisammen:* Diese Wendung ist C 378 entnommen; s. auch Materialheft I, Nr. 41. – *11 will ich sagen ... sagt ich:* Zu dieser Wendung vgl. Materialheft I, Nr. 44. – *13 says I ... says he:* Zu dieser Beobachtung vgl. Materialheft I, Nr. 45. – *14 noch kein Blut gerochen:* Diese Wendung ist dem Materialheft II,

Nr. 39, entnommen. – *15 blutdürstig geschlagen:* Diese Wendung ist F 1001 entnommen; er notiert sie in Materialheft II, Nr. 5. – *15 totaler Feldzug:* Diese Wendung ist dem Materialheft I, Nr. 4, entlehnt. – *16 Garnison ist geräumt worden:* Diese Wendung ist dem Materialheft I, Nr. 4, entlehnt. – *16 ohne allen Respekt zu sprechen:* Diese Wendung ist dem Materialheft II, Nr. 21, entnommen: Variante zur Wendung »mit Respekt zu sagen«, von der Lichtenberg in einem Brief an Dieterichs (IV, Nr. 28, S. 48) vom 11. März 1772 eine hübsche Anekdote berichtet. Noch am 27. April 1796 schreibt Lichtenberg an Dieterich (IV, Nr. 703, S. 942): »mit Respeckt zu sagen, hätte Braunhold gesagt«. S. auch 799, 20 f. – *17 Gott für sei, der Fall...:* Diese Wendung ist dem Materialheft II, Nr. 22, entnommen. – *19 keine Portion zum Körper:* Diese Wendung, C 217 erstmals notiert, ist dem Materialheft II, Nr. 28. 45 entlehnt. – *19 Sozinität:* Diesen Ausdruck notiert Lichtenberg E 159, Materialheft I, Nr. 39, und verwertet ihn 531, 28. – *20 der Bediente eines Gelehrten:* Gemeint ist sicherlich Lichtenbergs langjähriger Diener Heinrich Braunhold: s. etwa E 159. Über ihn s. zu C 378. – *21 Bringt desto mehr Französisch an ...:* Diese Beobachtung ist Materialheft I, Nr. 52, entlehnt. – *23f. Mein Herr ... Meiner:* Diese Wendung ist dem Materialheft II, Nr. 56, entlehnt. – *33 Interessantigkeit:* Diesen Ausdruck notiert Lichtenberg in F 101. 735 und Materialheft II, Nr. 5. 23. – *36f. vornehme Gedanken ... reputatische Wörter:* Diese Wendung ist Materialheft II, Nr. 52, entnommen; wie aus E 323 hervorgeht, war sie zunächst für die »Briefe von Mägden über Literatur« bestimmt. Von ›potentatischen Wörtern‹ spricht Lichtenberg 526, 10. – *38f. Übrigens ... Läufer:* Diese Passage verwendet Lichtenberg fast wörtlich in seinem Brief an Chodowiecki (IV, Nr. 243, S. 375).

388 *2f. Regierende ... Berlocken:* Diese Passage verwendet Lichtenberg häufig wörtlich in seinem Brief an Chodowiecki (IV, Nr. 243, S. 375). – *4f. Bückende ... gebrochen ist:* Diese Passage ist z. T. wörtlich dem Materialheft I, Nr. 55, entlehnt. – *9 Don Quixote:* Über die Hauptfigur des gleichnamigen Romans von Cervantes vgl. zu 223, 3. – *11 Berlocken:* Anhängsel aus verschiedenem Material (z. B. Petschafte, Riechflaschen), seit der zweiten Hälfte des 18. Jh. meist an der Uhrkette getragen. – *13ff. Er liest ... gebraucht werden:* Diese Beobachtung ist Materialheft I, Nr. 46, entlehnt. – *16f. Poliert ... andern:* Diese Wendung ist Materialheft I, Nr. 47, entlehnt; s. auch Nr. 29. – *18 hält ... auf Beine und Waden:* Diese Beobachtung ist Materialheft I, Nr. 54, entlehnt; s. auch Materialheft II, Nr. 8, und 506, 3. – *20f. Macht ... als er ist:* Diese Beobachtung ist Materialheft I, Nr. 48, entlehnt. – *23f. Schlägt ... tot:* Diese Beobachtung ist Materialheft I,

Nr. 49 entlehnt. – *25 Faßt seinen Kameraden ... bei den Rockknöpfen:* Diese Beobachtung ist Materialheft I, Nr. 50, entlehnt. – *26f. Stößt ... Lachen zu erleichtern:* Diese Beobachtung ist Materialheft I, Nr. 57, entlehnt. – *28f. Zeigt ... Herrschaft:* Diese Beobachtung ist Materialheft I, Nr. 56, entlehnt. – *32 Der Hut verdiente ... eigne Betrachtung:* Darauf kommt Lichtenberg schon 289, 25 zu sprechen; im übrigen schrieb er 1779 einen Kalender-Artikel »Über die Kopfzeuge«, erschienen GTK 1780.

389 *8f. Die größten Meister ... Garrick und Lewis:* Über diese beiden Schauspieler s. die »Briefe aus England«, über Lewis speziell 337, 18. – *9 Coventgarden:* Vgl. zu 337, 19. – *9f. Archer, in the Beaux stratagem:* Über dieses Stück von Farquhar vgl. zu 326, 32; s. auch 391, 22. – *10 Don Leon in Rule a wife ...:* Hauptfigur in der Komödie »Rule a wife and have a wife« von Beaumont und Fletcher; vgl. zu 327, 1; s. auch Materialheft II, Nr. 48. 53. – *10 leztere:* Lies im Text: letztere. – *11 Chapeau in den Cross purposes:* Dienerrolle in der 1772 uraufgeführten Komödie von Obreen; über ihn vgl. zu RT 19. Lichtenberg zitiert daraus im Materialheft II, Nr. 54; s. auch 391, 5. – *12 im deutschen Museum ... Nachricht gegeben:* Gemeint sind die »Briefe aus England«; die Beschreibung Garricks als Archer findet sich ebenda S. 351 bis 353. – *16 parallelen Füßen:* Diese Wendung ist dem Materialheft II, Nr. 18, entlehnt; im übrigen vgl. zu 328, 13 f. – *17ff. Bortenhuts ... bis in die Schultern ... zu fühlen scheint:* Diese Wendung ist dem Materialheft I, Nr. 103. 171; Materialheft II, Nr. 17. 50 entlehnt; der Gedanke ist bereits F 90 notiert. Lichtenberg zitiert diese Wendung noch 830, 32. Zum ›Bortenhut‹ vgl. zu 351, 31. – *20f. ob dieses Stück auf das deutsche Theater gebracht:* »Rule a Wife and Have a Wife« wurde 1774 unter dem Titel »Der beste Mann« in Hamburg aufgeführt. – *23f. ein einziges Mal aufführen sehen:* Vgl. zu 327, 1f.

391 *5 Chapeau in den Cross purposes:* S. 389, 11 und die Anm. dazu. – *7 Lewis:* Über ihn s. zu 337, 18 und 389, 8 f. – *16 Flickschwüren:* Zu dieser Wortbildung vgl. zu 370, 17: Flicksentenzen. – *16f. Mode-Sentenzen:* Zu dieser Wortbildung vgl. zu 377, 10. – *22 Garricks Archer:* S. 389, 9f. – *27 Vorstellungen von Herrn Chodowiecki:* Gemeint sind die Kupfer auf S. 393 und 394.

392 *5 paralleler Hut:* Zu diesem Ausdruck vgl. zu 328, 13 f. – *15f. Hasenfuß:* Zu diesem Ausdruck, den Lichtenberg auch IV, 477 gebraucht, vgl. zu F 500. – *19 Die weiblichen Bedienten künftig:* »Im nächsten Stück des Magazins erscheint die Fortsezzung des Orbis pictus gewiß, und zwar zwey Artikel desselben: von weiblichen Bedienten und von Comödianten«, teilt Lichtenberg in einer »Nachricht« im »Göttingischen Magazin«, Dritten Jahrgangs Sechstes Stück, 1783, S. 956 mit, das erst im März 1784 erschien; s. auch Materialheft I, Nr. 90.

ORBIS PICTUS
Erste Fortsetzung

Erstveröffentlichung und Satzvorlage: »Orbis pictus. Erste Fortsetzung. (S. dieses Mag. I Jahrgangs 3 St.), erschienen in: »Göttingisches Magazin der Wissenschaften und Litteratur«, Vierten Jahrgangs Erstes Stück. 1785. Nr. IX, S. 162–175. Ein Manuskript ist im Nachlaß nicht erhalten.

Zur Entstehung: Das Stück wurde, wie aus einem Brief an Amelung (IV, Nr. 492, S. 637) vom 11. April 1785 hervorgeht, an diesem Tage ausgegeben; da für den Druck sieben bis acht Wochen zu veranschlagen sind, wie Lichtenberg in einem »Nachtrag« zum »Göttingischen Magazin«, Ersten Jahrgangs Zweites Stück. 1780, S. 326, erwähnt, muß die »Erste Fortsetzung« des ›Orbis pictus‹ vor Mitte Februar 1785 niedergeschrieben worden sein. Unbeschadet der zahlreichen Einzelnotizen und Vorarbeiten zu den »weiblichen Bedienten« besteht kein Grund zu der Annahme, daß Lichtenberg diesen Artikel bereits längere Zeit davor fertig gehabt und liegengelassen habe. Erst Anfang Oktober 1782 bittet Lichtenberg seinen Verleger-Freund Dieterich (IV, Nr. 338, S. 469) um »einen Abdruck von den Kammermädchen für den Orbis pictus«, da er den seinigen verlegt habe – Chodowieckis Kupfer für die Fortsetzung waren seit 1780 vorhanden. Im »Vorbericht« zum »Göttingischen Magazin«, Zweiten Jahrgangs Erstes Stück, datiert vom 9. April 1781, schreibt Lichtenberg: »Zu dem Orbis pictus ist eine Platte voll Cammermädchen, Französinnen etc. bereits abgedruckt, weil aber dieses für eine zweyte Lieferung zu wenig gewesen seyn würde, so erwartet der Verfasser noch eine Platte mit einer andern Classe von Menschen, und sobald er diese erhält, wird die Fortsetzung folgen.« Aber erst im 6. Stück des 3. Jahrgangs des »Göttingischen Magazins« von 1783, das vermutlich im März 1784 erschien, findet sich die oben mitgeteilte Ankündigung der Fortsetzung; ein Jahr lang ist das »Magazin« bekanntlich gar nicht erschienen. Die Gründe für diese Lichtenbergsche »Indolenz« sind unbekannt; die »Erste Fortsetzung« ist auch die letzte geblieben. Aber auch sie enthielt schon nicht mehr den versprochenen Kommentar zu Chodowieckis, vom Verfasser selbst nachgelieferter Platte der weiblichen Bedienten. Was die Betrachtung der »Komödianten« betrifft, blieb es ganz und gar bei der Ankündigung. »Von denen Reisen, von dem Roman, von dem *Orbis pictus* usw., wovon er immer gesprochen, finde ich im Ganzen nicht viel, doch habe mich nicht unterstanden seine Sachen durchzustänkern«, schreibt Dieterich am 8. April 1799 an Ludwig Christian Lichtenberg (LB III, S. 345).

Die Platte von Chodowiecki ist, entsprechend dem Verfahren der Herausgeber der »Vermischten Schriften« von 1844, dieser Ausgabe beigegeben worden, da ich mich ihrer Meinung anschließe, die in einer »Nachschrift« (VS 4, S. 227) festgehalten ist: »Mag es die Ansicht dieser Platte auch doppelt bedauern lassen, daß wir des geistreichen Commentars des Verfassers dazu entbehren müssen, indem weder das 2te Stück des letztgedachten Jahrgangs des Magazins, – womit dasselbe zu erscheinen aufhörte, – noch die übrigen auf uns gekommenen Papiere davon etwas enthalten, so wird doch deren Erhaltung den Lesern gewiß angenehm sein.« S. auch an Blumenbach (IV, Nr. 271, S. 397) vom Juli 1780.

395 *3f. Charaktere ... individualisieren:* Zu diesem Ausdruck vgl. zu 377, 15. – *5f. wie man von Shakespears Heinrich IV. behauptet:* Über dieses Drama von Shakespeare vgl. zu 281, 9. Wer das von Lichtenberg erwähnte Urteil gefällt hat, war nicht zu ermitteln. – *14f. Eingebildete Impotenz würkt reelle:* Ähnlich schreibt Lichtenberg H 33. – *18 Phraseologie:* Diesen Ausdruck gebraucht Lichtenberg auch D 615, in den Briefen (IV, S. 499) und 570, 22: *Phraseologe.* – *18 Alltagsschriftsteller:* Ähnliche Wortbildungen begegnen 661, 20. 770, 13; im übrigen vgl. zu C 330. – *19ff. Leute schlecht schreiben ... in ... Gesellschaft vortrefflich sprachen:* Dieser Gedanke begegnet umgekehrt auch G 27; s. ferner G 69. – *22ff. Im Traum ... spricht der Undeutliche ... wachend so etwas schreiben ...:* Zu dieser Reflexion vgl. H 29; s. auch 482, 21. Im übrigen vgl. zu Lichtenbergs Reflexion über das Gebiet des Traumes zu 108, 21. – *35 Don Quixote, Sancho:* Über die Figur des Ritters von der traurigen Gestalt und seines Dieners, der den gesunden Menschenverstand verkörpert, aus dem gleichnamigen Roman von Cervantes vgl. zu 223, 3. – *35 Falstaff:* Figur eines fetten, witzigen Ritters in Shakespeares »König Heinrich IV.«. – *35 Pastor Adams:* Abraham Adams, die humoristische Figur aus Fieldings Roman »Joseph Andrews« erwähnt Lichtenberg auch B 290; vgl. die Anm. dazu. Über Fielding vgl. zu A 99.

396 *2f. Parson:* Pfarrer. – *3f. Vicar von Wakefield:* Roman des engl. Schriftstellers Oliver Goldsmith, erschienen 1766, der vom Leben eines Landpfarrers und seiner Familie handelt. Über Goldsmith vgl. zu D 583. – *6 Jolly Dogs:* etwa: fidele Brüder. – *7f. Engel ... in seinem Philosophen für die Welt:* Gemeint ist »Der Philosoph für die Welt«, erschienen 1775–1800, von Johann Jakob Engel; über ihn vgl. zu J 897. – *8f. bekannte Charaktere z.E. den von Marinelli vor sich zu nehmen:* Lichtenberg denkt an »Der Philosoph für die Welt«, Zehntes Stück: »Über Emilia Galotti. Erster Brief«, der Marinelli gewidmet ist. Dort sagt Engel gegen Schluß (o.c., p. 56; zit. nach Reclam UB 362 bis

363a, Leipzig o.J.): »Aber warum nehmen doch unsere Romandichter die Ideen zu ihren Werken nicht dann und wann von der Bühne, und suchen vortreffliche Charaktere, die der dramatische Dichter nur in einzelnen Situationen bearbeiten konnte, weiter zu entwickeln und bis zu ihrer ersten Entstehung zu verfolgen? Durch nichts könnten sie mehr Kenntniß der Welt und des Menschen zeigen; durch nichts mehr unterrichten und bessern, als durch Werke dieser Art, die das in Absicht ganzer Charaktere thäten, was Shakespeares beste Schauspiele in Absicht einzelner Leidenschaften thun: daß sie ihnen nämlich von ihrer ersten Anlage bis zu ihrer letzten völligen Ausbildung schrittweise nachgingen...« – *28f. Shakespearsche Anlagen, Verbindungen und Zeiten ...:* Zu diesem Urteil vgl. 333, 22. – *33f. Voltairens ... Silhouette ... in den Schnee p ... konnte:* Die Herkunft dieser Anekdote ist mir nicht bekannt. Über Voltaire vgl. zu KA 28. – *38 3. Stücks dieses Magazins im I. Band:* Gemeint ist der 1780 im »Göttingischen Magazin« erschienene »Orbis pictus«.

397 *14 Bei dem gemeinen Mann in Niedersachsen ...:* Den Ausdruck »plattphilosophisch« gebraucht Lichtenberg auch D 521. Materialheft I, Nr. 14; s. auch 994, 20. – *30 Das Kammermädchen ... und Partridge:* Gemeint sind die exemplarischen Dienergestalten in Fieldings »Tom Jones«; über diesen Roman und seinen Autor vgl. zu KA 256. Über Partridge-Rebhuhn vgl. zu 329, 36. – *33 statt Sprache in Sprache ... übersetzt:* Zu Lichtenbergs Reflexion über das Wesen der Übersetzung vgl. zu A 120; s. auch 508, 36.

398 *17f. Paradigma ... Hofdame darnach zu deklinieren:* Diese Wendung gebraucht Lichtenberg auch J 1247. 1362 und Briefe (IV, 862, 33). – *22ff. Sie besitzen ... Gabe sich dumm zu stellen:* Diese Bemerkung ist H 38 entlehnt. – *34f. 20 mit der Nulle voran ... schreiben:* Die Umstellung der Ziffern verwertet Lichtenberg auch 531, 14.

399 *2f. Geometrie der Spinne:* Diese Wendung gebraucht Lichtenberg auch 877, 34. Sie ist eine Variante zu »ut apes geometriam«; darüber vgl. zu 259, 24. – *13 Montgolfier:* Über ihn vgl. zu H 180. – *22 Punktierbuch:* In den bes. am Ende des 17. und Anfang des 18. Jh. florierenden ›Punktierbüchern‹ wurde die sogenannte Punktierkunst behandelt: Orakelpraktik, aus zufällig in Erde oder Sand markierten oder auf Papier nach einem bestimmten System verteilten Punkten die Zukunft zu deuten; s. auch 605, 5f.

400 *2 Baß-Kastraten:* Diesen Ausdruck verwendet Lichtenberg auch 956, 12. – *14 Neigung zum Appetit:* Eine ähnliche Wendung begegnet auch 487, 6. – *15 die Mediceische Venus auf der Bibliothek:* Über die Mediceische Venus vgl. zu 362, 15. Lichtenberg

spielt womöglich auf eine Kopie derselben in der Göttinger Bibliothek an, von der er Kaltenhofer (LB I, S. 78) am 26. August 1772 schreibt: »So viel uns bewußt ist, hat die eigentlich Mediceische Venus kein Armband, dieser Abguß aber hat eines am lincken Arm. Ich machte den Manne gleich auf der Stelle den Einwurf, er sagte mir aber, sie müßte eines haben anzudeuten, daß sie des Vulcans Eheweib sey, und so war die Sache abgethan.« – *18 verwitwete Hausjungfer:* Zu dieser Wendung vgl. G 10. – *27 zweischläfriger Mensch:* Diesen Ausdruck gebraucht Lichtenberg auch 881, 23; ähnliche Wortbildungen begegnen K 239. F 283; ferner 887, 25. 928, 29f. 966, 17. – *29 mine Hostess of the Garter:* »meine Wirtin vom Hosenbande«; von Lichtenberg abgewandelte Anrede Falstaffs an den Wirt vom Gasthof zum Hosenbande in »Die lustigen Weiber von Windsor« I, 3: »Mine host of the garter!« – *30f. unerschöpflich, so bald sie Kinder ...:* Vgl. zu dieser Beobachtung H 39.

401 *1 Ma Soeurchen:* Ma Soeur: Meine Schwester. – *9f. Gesprächigkeit ... die das Capitol gerettet:* Nach der Sage haben die der Juno geweihten Gänse – Symbol der ehel. Fruchtbarkeit und Gattentreue – auf dem Kapitol in Rom bei der Zerstörung der Stadt 387 v. Chr. durch ihre Wachsamkeit das Kapitol gerettet. – *14 Mein geehrtestes:* Eine ähnlich superlativische Wendung: »besonders hochgeehrteste« begegnet 531, 17. – *15 Dero Hochedelgeborne Dienerin:* Diese Wendung notiert Lichtenberg E 159. 323. – *16 sehen wir uns mündlich:* Diese Wendung notiert Lichtenberg in D 666 als Zitat aus Smollet; s. die Anm. dazu. – *21 Favorit-Spott:* Ähnliche Wortbildungen begegnen 362, 3. 594, 33f. 602, 36. 687, 4. 878, 32. 1000, 11. Im übrigen vgl. auch B 72. – *24 neuerlich ein sehr guter Kopf:* Wer gemeint ist, konnte von mir nicht nachgewiesen werden.

402 *10 statt Kniee schreiben die meisten Keine ...:* Die Quelle dieser Redeweise gibt Lichtenberg in einem Brief an Blumenbach (IV, Nr. 525, S. 687) vom 12. November 1786. – *13 gelehrte Briefwechsel führen:* selbstverständlich Anspielung auf die »Briefe von Mägden über Literatur«; vgl. dazu unten S. 244f.

403 *1f. sie danke Gott alle Morgen ...:* Dieser Satz ist E 252 entlehnt; er war ursprünglich offenbar für die »Briefe von Mägden über Literatur« bestimmt; s. aber auch 617, 11f. – *8 das Kupfer des Herrn Chodowiecki:* S. S. 404; zu dem auf S. 405 reproduzierten Kupfer vgl. oben S. 183f. – *9 im nächsten Stück etwas sagen:* Dazu vgl. oben S. 183. –

GNÄDIGSTES SENDSCHREIBEN DER ERDE

Erstveröffentlichung und Satzvorlage: »Gnädigstes Sendschreiben der Erde an den Mond.« In: »Göttingisches Magazin der Wissenschaften und Litteratur« Ersten Jahrgangs sechstes Stück, 1780, S. 331–346. Das Stück erschien erst zu Beginn des Jahres 1781. Ein Manuskript ist im Nachlaß nicht erhalten.

Zur Entstehung: Über die Entstehungszeit des Sendschreibens gibt es in den Sudelbüchern und Briefen keinerlei Hinweise, außer, daß Lichtenberg es vom 24. Dezember 1780 datiert (413, 23) – ein doch wohl vermutlich willkürlich gesetztes Datum. Ein Urteil Lichtenbergs über sein Sendschreiben, das Schneider (o.c.I, p. 160) gegen den zeitgenössischen Mondkult gerichtet nennt, findet sich in einem Brief an Blumenbach (IV, Nr. 282, S. 405) vom Anfang 1781: »Es freut mich, daß Ihnen das Reskript an den Mond nicht ganz mißfallen hat. Ich habe keine letzte Hand daran gelegt, daher ist der Stil ungleich und einige Gedanken sind falsch.« Eine Anzeige des Artikels erschien in den »Göttingischen Anzeigen von gelehrten Sachen«, 31. Stück, S. 241, vom 12. März 1781. Darin heißt es: »Gleich Anfangs zieht die Augen auf sich: ein gnädigstes Sendschreiben der Erde an den Mond: voll *körnichten* und gedrängten Witzes, der für eine periodische Schrift Kraft genug haben würde, auf die gewöhnliche Weise in Wasser aufgelöst, zweymal zwölf ganze Stücke zu *tingiren*. Den *Concipienten des Schreibens* wird man nicht leicht verkennen; wie er es aber mit den Mondsköpfen durchfechten will, wird er am besten selbst wissen.«

Literatur: Kaspar Heinrich Spinner: Der Mond in der deutschen Dichtung von der Aufklärung bis zur Spätromantik. Bonn 1969, S. 42 bis 43.

406 *5f. Muttersprache ... Hebräischen:* »Hofsprache des Himmels« nennt Lichtenberg das Hebräische in den Briefen (IV, S. 841); im übrigen vgl. 579, 11. 691, 17. 858, 7. – *14 Yameos, die nicht auf drei zählen:* Diese Bemerkung ist KA 1 entnommen. Lichtenberg erwähnt die Yameos auch 614, 5. – *21 sub dato:* unter dem Datum. – *21 anno I.A.C.N.:* im Ersten Jahr vor Christi Geburt. – *35 Monitorium:* Mahnschreiben.

407 *2f. Mann nach der Uhr:* Titel eines Lustspiels von Theodor Gottlieb von Hippel (1765), den Lichtenberg ähnlich auch 487, 16 anwendet. – *14 Epakten:* griech. ›hinzugefügte‹ Tage; die Zahl der Tage vom letzten Neumond des alten Jahres bis zum 1. Januar des neuen. Auch »Mondzeiger« genannt, weil sie

anzeigen, wie alt der Mond am 1.Januar schon ist. Lichtenberg verwendet den Begriff auch F 208. – *30f. die Christen ... sich darüber in die Haare geraten:* Auf dem Reichstag von 1582 hatten die katholischen Reichsstände den Gregorianischen Kalender angenommen, den die protestantischen zurückwiesen. Im September 1699 faßte jedoch das evangelische Corpus in Regensburg einstimmig einen Beschluß, der die bis dahin bestehende Differenz durch Einführung eines verbesserten Gregorianischen Kalenders vom Jahre 1700 an aufhob. Nur bei Bestimmung des Osterfestes folgten die Protestanten einer von der gregorianischen abweichenden, richtigeren Berechnung, so daß die Osterfeier beider Teile noch von Zeit zu Zeit um acht Tage voneinander abwich. Erst 1770 wurde durch Annahme eines durchgängig gleichen Reichskalenders auch dieser Unterschied beseitigt. Darauf spielt Lichtenberg auch 303, 35 ff. an. Auf Geschichte und Probleme der christl. Zeitrechnung kommt Lichtenberg auch 464, 10 ff. 805, 25 zu sprechen. – *34 dritte Feiertags-Andachten:* Diese Wendung begegnet auch 572, 21 und E 314.

408 *11 semestria academica:* akademische Studienhalbjahre, bestehend aus dem Sommer-Semester (April–Juli) und Winter-Semester (Oktober–März). – *19 die Pandekten:* umfassende Sammlung der Gesetze des römischen Rechts durch Kaiser Justinian 533 n.Chr., auch Digesten genannt, der zweite, wichtigste Teil des Corpus juris; vgl. im allgemeinen zu B 36; s. auch 528, 25. 595, 29. 623, 11. 927, 27f. – *23 παν δεχόμεναι:* alles enthalten sollend. – *24ff. das Studium des Rechts ... mit Unrecht tun anhebt:* Zu dieser negativen Äußerung über das Studium der Jurisprudenz vgl. zu 244, 36f. – *26 digesta ... indigestionen:* Wortspiel mit *Digesta:* das Verdaute (Geordnete) und »Unverdautes« = Magenverstimmung. Vgl. auch L 210; ferner 895, 16. 950, 13. – *27 subtiles Babel:* Dieser Ausdruck ist D 157 entnommen. Lichtenberg verwendet ihn auch E 109. 409. Materialheft I, Nr. 70. Im übrigen vgl. zu 66, 37. Babylonischen Turmbau und Pandekten bringt auch B 190 in Zusammenhang. – *28 summum Jus summa injuria:* Das höchste Recht kann das höchste Unrecht sein; dazu vgl. zu H 154. Lichtenberg zitiert es auch 871, 35. – *33 Warzen-Gesicht:* Zu dieser »physiognomischen« Wortbildung vgl. zu 371, 26. – *34 ersten Hofmaler, Tobias Mayer:* Über den Astronomen und berühmten Selenographen Tobias Mayer vgl. zu B 237. Seiner Mond-Karte gedenkt er auch D 684. – *37 Quinquennio physiognomico:* physiognomisches Jahrfünft; gemeint ist der Zeitraum zwischen Erscheinen der »Physiognomischen Fragmente« von Lavater (1775) und dem Erscheinen des »Sendschreibens« (1780). Im übrigen vgl. zu 260, 35.

409 *7 Euch anbeten:* Anspielung auf den Mond-Kult der zeitgenössischen deutschen Poeten, angeführt von Klopstocks Ode an den Mond. Vgl. auch H 1 und insgesamt Kaspar Heinrich Spinner: Der Mond in der deutschen Dichtung von der Aufklärung bis zur Spätromantik. Bonn 1969. – *11 f. nach Eurer Gassenlaterne geordnet:* Das Mond-Jahr, etwa 11 Tage kürzer als das Sonnenjahr, war bei Griechen und Römern in Gebrauch und wird noch jetzt von Juden und Mohammedanern bei der Festlegung religiöser Feiern verwendet. – *14 f. Zeichen des zweitedelsten Metalls:* Die symbolische Zuordnung des Silbers zum Mond (astronom. Zeichen: ☽) ebenso wie das Antimon zur Erde (Zeichen: ☿) geht auf die Alchemisten zurück. – *27 Phöbus:* Phöbus, ›der Lichte‹: Beiname des griechischen Gottes Apollo. Im übrigen vgl. 424, 12: »Phöbus-Übel«, 677, 34. 697, 4 f. – *32 einen Mannsnamen erschlichen:* In den romanischen Sprachen ist der Mond – frz. la lune, lat. span. ital. luna – weiblichen und die Sonne männlichen Geschlechts.

410 *1 Jäsus ... schreiben:* Erste Anspielung auf die von Voß vorgeschlagene griech. Rechtschreib-Reform; vgl. oben S. 127. Lichtenberg zitiert den Satz ungenau auch 298, 3. – *4 Phebus:* frz. Schwulst, Bombast; eigentlich Bezeichnung einer französischen Literaturrichtung im 17. Jh. – *6 Laune:* etymologisch abzuleiten von: ›luna‹: Mond. Zu diesem in Zusammenhang mit der Sterne-Rezeption in Deutschland einflußreichen Zentralbegriff der ästhet. Diskussion im Deutschland des 18. Js. vgl. zu D 69; s. auch 523, 30. 661, 10. 821, 15. 906, 22. – *8 Lunatischen:* Vgl. Lichtenbergs Ausführungen E 71; s. auch 906, 22. *10 Lune ist Dörrsucht:* so wie *Humor* nach einer zeitgenöss. Übersetzung *Feuchtigkeit* ist: s. D 599. Den Ausdruck: Dörrsucht gebraucht Lichtenberg auch B 191. – *14 gelehrten Bank im Tollhaus:* Vgl. D 71 und die Anm. dazu; s. auch 798, 23. – *15 einige neuere deutsche Dichter:* Hieb gegen die ›Empfindsamen‹ à la Jacobi, gegen die sich Lichtenberg u. a. auch in »Über die Macht der Liebe« ausläßt. – *18 tun es nicht aus Empfindung:* Zu diesem Vorwurf vgl. etwa 418, 33 f. und E 240. 246. – *24 Pumpernickel:* die berühmte westfälische Brotspezialität; wie Lichtenberg eigentlich darüber urteilte, geht aus den Briefen (IV, S. 95–96) hervor. – *25 Prosopopöien:* griech. ›das zur Person Machen‹: in der Rhetorik die erdichtete Rede einer abwesenden Person oder einer als redend eingeführten Sache. – *38 f. Amanten von der Feder und ... vom Leder:* Diese Wendung geht auf F 1145 zurück, wo der Gedanke erstmals notiert ist; Lichtenberg gebrauchte die Wendung auch D 225 und Briefe (IV, S. 515). Gemeint ist: mehr Theoretiker als Praktiker; aus dem Bergbau entnommene Redewendung: Herren von der Feder verwalten die Gruben; Herren vom Leder sind diejenigen,

deren Hauptgeschäft der Grubenbau und alles, was dazu gehört, ist. Den Ausdruck »Amant« gebrauchte Lichtenberg auch 1029, 37.

411 *1 Diogenes:* Über ihn vgl. zu KA 13. – *9 12 himmlischen Zeichen:* Gemeint sind die Tierkreiszeichen: Widder, Stier, Zwillinge, Krebs, Löwe, Jungfrau, Waage, Skorpion, Schütze, Steinbock, Wassermann, Fische; s. auch 852, 18. Die Aufzählung der Ziffer 12 erinnert entfernt an das Zahlen-Unternehmen Lichtenbergs in der »Rede der Ziffer 8«, S. 458–469. Lichtenberg teilt zu dieser Behandlung der Zwölf in einem Brief an Blumenbach (IV, Nr. 282, S. 405) vom Anfang 1781 folgendes mit: »Eine Note ist weggeblieben, unter den vielen zwölften stehen die Leges XII Tabularum deswegen nicht, weil der Mond würklich einen Einfluß darauf gehabt haben soll, wie überhaupt auf gnädigste Verordnungen.« – *14f. zwölf Leuchtern in der Offenbarung Johannis:* Gemeint sind die zwölf Tore des neuen Jerusalems (Off. Joh. 21, 12), in der christl. Kunst durch zwölfarmige Leuchter symbolisiert. – *15f. zwölf Kaisern im ersten Säculo:* Den »Kaiser-Zodiakus des ersten Jahrhunderts« führt Lichtenberg 852, 18 weiter aus. – *16 zwölf Aposteln:* die Jünger Jesu: Petrus, Paulus; Johannes, Andreas, Bartholomäus, Jakobus d. Ä., Jakobus d. J., Matthäus, Philippus, Lukas, Simon, Thomas. – *16 Zwölf kleinen Propheten:* Hosea, Joel, Amos, Obadja, Jona, Micha, Nahum, Habakuk, Zephania, Haggai, Sacharja, Maleachi; so genannt nach dem Umfang ihrer Schriften. – *17 zwölf Arbeiten Herkulis:* Herkules überwindet nach der Sage den Nemeischen Löwen, tötet die Lernäische Schlange, fängt die Kerynitische Hirschkuh, den Erymanthischen Eber, reinigt die Ställe des Augias, verscheucht und tötet die Stymphalischen Vögel, fängt den Kretischen Stier, bringt die menschenfressenden Rosse des Diomedes zu Eurystheus, holt für dessen Tochter Admete den Gürtel der Hippolyte, bewältigt die Rinder des Geryon, erwirbt die goldenen Äpfel der Hesperiden und führt den Höllenhund Zerberus aus der Unterwelt herauf. – *17 zwölf Zollen im Fuß:* vor Einführung des metr. Maßsystems übliche Grundeinheit, unterteilt in 10 oder 12 Zoll (Duodezimal-Fuß); das engl. Foot zu 12 Inch (Zoll) entsprach 30,48 cm. Im übrigen vgl. zu 25, 1. – *18 Duodez:* Vgl. zu 315, 3. – *18 zwölf Piecen im Taler:* Zwölfteltaler, auch Doppelgroschen genannt, eine nach Torgauer Fuß seit 1690 geschlagene Silbermünze. – *19 zwölf Pfennigen im guten Groschen:* Vgl. zu 239, 12. – *23ff. das Göttingische Magazin ... zu gelehrt:* Schon am 3. April 1780 schrieb Bürger an Boie (Bürgers Briefe III, S. 12): »Ich glaube nicht, daß Lichtenbergs Journal eine allgemeine Lectüre werden werde. Die meisten Artikel sind vielen Lesern von gemeinem Schlage, die ich darüber gesprochen

habe, zu gelehrt.« Im »Vorbericht« zum 1. Stück des 1.Jahrgangs hatte Lichtenberg selbst geschrieben: »Es fehlt nemlich diesem Stück vielleicht an Mannigfaltigkeit.« – *30 die Herausgeber:* Lichtenberg und Georg Forster. – *31 Göttingischen Commentarien:* Über die »Commenttarii Academiae Gottingensis« vgl. zu KA 71. Wer den Vorwurf des Ausschreibens gemacht hat, war nicht zu ermitteln. – *32 den Verleger:* Johann Christian Dieterich; über ihn vgl. zu B 92. – *36 wasmaßen:* Zu diesem Ausdruck vgl. zu 219, 31.

412 *1 Ideen-Vorrat:* Diesen Ausdruck gebrauchte Lichtenberg auch 980, 21. – *18 Hexameter:* Zum Deutschen Hexameter vgl. zu 296, 14. – *18f. erstimuliertem Nationalstolz:* Die Wortprägung *erstimuliert* begegnet auch 422, 23; im übrigen vgl. zu D 530. – *19 Verachtung der Ausländer:* Über die von Lichtenberg mit Unbehagen beobachtete Germanomanie und Xenophobie der zeitgenössischen bürgerlichen Intelligenz vgl. zu C 242. – *21 wie Unser lieber Liscow sagt:* Dieses Zitat ist zu B 9 genauer nachgewiesen; Lichtenberg verwertet es auch 530, 9. Über Liscow vgl. zu KA 141. *wie:* von mir verb. aus: wir. – *31f. die Jahre der magern Kühe in der deutschen Literatur:* Diese Wendung, F 593 entnommen, war ursprünglich für die ›Antiphysiognomik‹ notiert. – *33 Geschmack von Knaben:* Zu diesem von Lichtenberg fast synonym mit *Primaner* gebrauchten Ausdruck vgl. zu D 416. – *34f. schöngeisterischer Ignoranz:* Zu diesem Ausdruck vgl. zu 378, 16. – *37f. Ausländer ... an den Ihrigen finden:* Vgl. RA 100 (S. 668) und die Anm. dazu.

413 *2 empfindsamer Tropf:* Zu Lichtenbergs Verwendung des Ausdrucks *empfindsam* vgl. zu 264, 13 f. Zu *Tropf* vgl. zu D 453. – *4f. Horazische Oden ... Greul:* Vgl. E 104 und die Anm. dazu. – *8f. Ausschreiben der Göttingischen Commentarien:* Vgl. zu 411, 31. – *18 dankverdienerischer Geschäftigkeit:* Zu dieser Wendung vgl. zu 294, 13. – *19 Original-Köpfen:* Zu diesem Ausdruck vgl. zu 331, 2 f. – *22f. Gegeben im Krebs den 24 Dezember 1780:* Zu diesem Datum vgl. die Einleitung oben S. 187. Zu dieser astronomischen Unmöglichkeit vgl. zu 266, 9f.

ANTWORT AUF DAS SENDSCHREIBEN EINES UNGENANNTEN
ÜBER DIE SCHWÄRMEREI UNSERER ZEITEN

Erstveröffentlichung und Satzvorlage: »Prof. Lichtenbergs Antwort auf das Sendschreiben eines Ungenannten über die Schwärmerey unserer Zeiten. S. das 2te Stück dieses Magazins von diesem Jahr. S. 237.« In: »Göttingisches Magazin der Wissenschaften und Litteratur«

Dritten Jahrgangs viertes Stück, 1782 (erschienen 1783), S. 589–614.
Ein Manuskript ist im Nachlaß nicht erhalten.

Zur Entstehung: Lichtenberg folgt mit seinem Text einer Aufforderung, ausgesprochen in dem Magazin-Beitrag »Über die Schwärmerey unserer Zeiten: ein Schreiben an den Herausgeber«, der im »Göttingischen Magazin« Dritten Jahrgangs zweites Stück, S. 237 bis 255, September/Oktober 1782, abgedruckt worden war. Bei dem ungenannten Einsender handelt es sich, wie aus Lichtenbergs Brief (IV, Nr. 316, S. 446) von Mitte Juni 1782 hervorgeht, um Johann Albert Heinrich Reimarus. Der Hamburger Aufklärer übt in seinem Sendschreiben, das übrigens in den »Vermischten Schriften«, Bd. 5, S. 71–86, Göttingen 1844, und bei Grenzmann wiederabgedruckt ist, scharfe Kritik an pseudowissenschaftlichen, theosophischen, allerorts irrationalen Zeiterscheinungen, insbesondere der Alchemie. Dementsprechend befaßt sich Lichtenberg in seiner Antwort zunächst mit diesem Gegenstand. Im übrigen geht er aber gar nicht so sehr auf Reimarus ein, sondern benutzt die Gelegenheit, aus dem Satirischen Gedicht eines ›Freundes‹, der Lichtenberg selbst ist, zu zitieren. Diese Partien beanspruchen das eigentliche Interesse. Während das Sendschreiben in der jetzt vorliegenden Gestalt wohl zwischen September 1782 und Januar 1783 (erst März 1783 erschien das 4. Stück des 3. Magazin-Jahrgangs, und sieben bis acht Wochen dauerte die Drucklegung) entstanden ist, sind zumindest mehrere Zeilen, wenn schon nicht sämtliche gereimten Partien wesentlich älteren Datums und im Sudelbuch F bereits fixiert: s. F 573. 982. 1129. 1166. 1170. Man geht nicht fehl, wenn man diese Verse also auf Lichtenbergs langjährigen Plan einer Satire gegen die Original-Genies bezieht (vgl. unten S. 241 ff). Tatsächlich notiert er in dem »Unmaßgeblichen Vorschlag ...« (529, 13): »Alexandriner müssen eingemischt werden.« Der Gedanke der Literatur-Satire wird Anfang der achtziger Jahre modifiziert; an seine Stelle tritt, wie aus H 1 erhellt, der Plan einer Satire auf Modeerscheinungen aller Art und auf allen Gebieten. Vorarbeiten dazu müssen in den verschollenen Sudelbüchern G und H gestanden haben. Eine Anspielung darauf gibt Lichtenberg vermutlich in den Briefen (IV, 424, 26 f.) im Oktober 1781 in Zusammenhang mit seiner Polemik gegen Voß und dessen Parteigänger: »Ich kämme sie auch gewiß noch einmal im sanften Strich des Alexandriners.«

Lichtenbergs »Antwort« wurde, wie er selbst voller Stolz am 4. August 1783 Schernhagen mitteilt (IV, Nr. 404, S. 522), in den »Göttingischen Anzeigen von gelehrten Sachen«, 123. Stück, S. 1230, am 2. August 1783 besprochen: »Prof. Lichtenbergs Antwort an den Ungenannten, über die Schwärmerey unserer Zeiten. Was der Ungenannte im Allgemeinen gesagt hatte, wird hier mit gehöriger Einschränkung bestimmt, und treflich durch individuelle Beyspiele erläutert. Die Gemälde der herrschenden Thorheiten unserer Litteratur, in Alexandrinischen Versen, stellen den unbekannt seyn wollenden Verfasser neben Juvenal und Popen; mit ihrer Fortsetzung würden sich die Herausgeber um sachkundige Leser sehr verdient machen. –«

414 *5 im 3ten Stücke dieses Magazins:* Des »Dritten Jahrgangs drittes Stück« des »Göttingischen Magazins« war ungefähr im Januar 1783 erschienen und enthält nichts von Lichtenberg. – *13 Semidiameter:* Halbdurchmesser. – *16 Buch des Erreurs:* Reimarus erwähnt »das wahnsinnige Buch« in seinem oben zitierten Traktat (Gött. Mag. Dritter Jg. Zweites Stück, S. 242–243). Gemeint ist übrigens »Des Erreurs et de la verité, ou les hommes rappelés au principe universel de la science, par un Philosophe Inconnu.« Erschienen in 1. Auflage ›Salomonopolis‹ 1775; in 2. Aufl. 1781. Der zweite Teil erschien 1782. Hinter dem Pseudonym ›Philosophe Inconnu‹ verbirgt sich der berühmte frz. Theosoph Louis Claude de Saint-Martin, der auch im Deutschland des 18.Jh. zahlreiche Anhänger fand. Seine obengenannte Schrift ist eine Widerlegungsschrift der Theorie des Materialismus, während die von Lichtenberg erwähnte Fortsetzung eine Darlegung seiner Doktrin darstellt. – *21 Dieterich:* Über ihn vgl. zu B 92. – *24 Nonsense:* Zu diesem Ausdruck vgl. zu 326, 19f. – *28 Besuch ... in Bedlam:* Vgl. 910, 26 und die Anm. dazu. – *28f. Bedlam ... Benennung für ... Bibliothek:* Forster spielt darauf in der »Geschichte der Englischen Literatur vom Jahre 1791« an: »An diese Auswüchse der Litteratur schließt sich eine andere Gattung an, die ich das litterarische Bedlam nennen würde, wenn *Lichtenberg* nicht das Monopolium dieses treffenden Ausdrucks behaupten könnte, weil er ihm als Erfinder gehört. Doch so genau nehmen es Freunde wohl nicht, und es ist ja übrigens die einzige wahre Huldigung, auf welche das Genie rechnen darf, daß es seine Ideen, eben weil sie so wichtig als zuverlässig sind, wie die Wechselbriefe eines Hope oder Bethmann, in der ganzen Welt gangbar werden sieht.« (G.F. Bd. 7, S. 260–261). Lichtenberg verwirklichte den Gedanken in dem Kalender-Artikel »Bedlam für Meinungen und Erfindungen« im »Göttinger Taschen Calender« für 1792, S. 128–136; s. auch 470, 25. – *33f. Ich weiß es von einem Mann:* Auf wen Lichtenberg zielt, ist nicht klar; das Zitat aus dem englischen Original läßt an einen seiner engl. Freunde denken: Planta vielleicht oder auch Deluc (der aber vermutlich französisch geschrieben hätte). Ich neige aber eher Georg Forster zu, der aus persönlichem Engagement ein genauer Kenner der Materie war. – *35 an der Spagirie Kranker:* Spagyrie: gleichbedeutend mit Alchemie. Das Adjektiv »spagirisch« gebraucht Lichtenberg 417, 6; s. auch F 230. 372 und in »Noch ein Wort über Herrn Ziehens Weissagungen« (Gött. Mag., 5. Stück, 1781, S. 310).

415 *6 Absichten gewisser Leute zu befördern:* Womöglich sind die Freimaurer gemeint. – *6 Endzweck:* Zu diesem Begriff vgl. zu 12, 18. – *11f. dieses Volk ... wieder auf die Bühne zu bringen:* Die Anregung dazu erhielt Lichtenberg vielleicht durch Ben Jonsons Lustspiel »The Alchemist«, das er 1775 in London sah (s. 326, 31). Des Alchemisten Fiktuld »Neu Sublimirten Astral-Geist« erwähnt Lichtenberg an Kestner (IV, Nr. 2, S. 7) am 30. März 1766. – *14f. in meiner Jugend ein paar Leute gekannt:* Falls Lichtenberg seine Göttinger Studentenjahre meint, wäre an Kunkel bzw. an den Juden zu denken, den Lichtenberg 220, 10 erwähnt. – *19 roten Löwen:* In der Sprache der alchemistischen Adepten umschrieb das Bild vom »roten Leu« eine Stufe innerhalb des alchemistischen Prozesses. – *19 die Zahl 7:* Vgl. zu 460, 1. – *35 Stein der Weisen:* lapis philosophorum; ihm galt die Suche der Alchemisten; über die unfaßbare Totalität dieses Begriffes und seiner seelisch-chemischen Bedeutungen vgl. C. G. Jung, Psychologie und Alchemie. Zürich 1944. S. auch 764, 28. – *36 Universalmedizin:* Gemeint ist wohl der liquor alkahest – das von den Alchemisten gesuchte universelle Lösungsmittel. Wortbildungen mit *Universal* – begegnen auch 462, 4: »Universal-Orographie«, 831, 23: »Universal-Gönner«, 853, 17: »Universal-Porträt«, 900, 6: »Universaldoktor«. – *37 methodistischer Salbung:* Diesen Ausdruck gebraucht Lichtenberg auch 553, 30. 712, 38; vgl. auch J 321. Über »Methodisten« vgl. zu 193, 33.

416 *8f. sein Leben im Jahre 7777 ausleben:* Vgl. zu 460, 1. – *13f. auf dem Theater vortrefflich ausnehmen:* Von Lichtenbergs Plan ist sonst nichts überliefert. – *19 den Gnadenstoß ... geben:* Zu dieser Wendung vgl. D 383 und die Anm. dazu; s. auch 529, 27f. – *34 Inokulation der Grätze:* Entsprechend der Entdeckung des Arztes Edward Jenner, durch Einimpfung von Pocken die Blattern zu bekämpfen, bildet Lichtenberg analoge Wort-Entdeckungen; s. etwa 915, 6f. 1024, 6; ferner G 96. GH 96. J 752. 854. L 542 und in den Briefen (IV, S. 851. 862). – *34f. Haller ... empfiehlt:* Wo Haller diese Empfehlung aussprach, konnte von mir nicht ermittelt werden; vgl. auch IV, 862; über Albrecht von Haller vgl. zu A 230. – *38 Gerechter Gott, was der Mensch ist:* Ein ähnlicher Ausspruch begegnet auch 906, 1f.; im übrigen vgl. D 398.

417 *1f. Don Quixote zum erstenmal las:* Lektüre dieses Romanes von Cervantes – über ihn vgl. zu C 11 – bezeugen auch 223, 3. 587, 26. 942, 20f. – *2f. ich dachte .... auf einen Roman:* Entwürfe zu diesem Roman sind im Nachlaß nicht erhalten; vgl. aber unten S. 283. – *5f. Ritterbüchern ... spagirischen:* Die Ritterromane hatten bekanntlich Don Quixote den Kopf verrückt; zu *spagirisch* vgl. zu 414, 35. – *7 Pajazzo wie Sancho:* von ital.

pagliaccio: der Spaßmacher bei Seiltänzern und Akrobaten, dann synonym für: Hanswurst, die Rolle des kom. Dieners; vgl. G 216. Über Sancho Pansa vgl. zu 223, 3. – *12 ein Roman für Europa:* Ähnlich äußert sich Lichtenberg in Bezug auf Kunkel in TB 25. – *16f. in England ... neulich einer bewiesen:* Die Quelle konnte von mir nicht ermittelt werden. – *17 der König von Frankreich:* Gemeint ist Ludwig XVI., seit 1774 König; über ihn vgl. zu J 564. Die Anspielung auf die Offenbarung Johannis und das gehörnte Tier machen die Passage zu einer politisch brisanten Aussage. – *17f. das gehörnte Tier in der Offenbarung:* »Wer Verstand hat, der überlege die Zahl des Thiers; denn es ist eines Menschen Zahl, und seine Zahl ist sechshundert und sechs und sechzig«, heißt es Kap. 13; V. 18 der Offenbarung Johannis. Vom »gehörnten Tier« als Zeichen des Hahnreis ist 953, 34 die Rede. – *18 Kap. 13:* von mir verb, aus: Kap. 9 der Satzvorlage. – *19 LVDoVICVs 666:* L = 50; V = 5; D = 500; I = 1; C = 100; im übrigen vgl. zu 374, 3 ff. – *23 von ... Goten und Vandalen reden:* Zu dieser Wendung vgl. zu 263. Lichtenberg spielt hier auf folgende Passage in dem Traktat von Reimarus (a.a.O., S. 237) an: »Von Goten, Vandalen, Longobarden, Sarazenen und allen wilden Völkern haben wir nicht mehr zu befürchten, daß sie das Licht der Vernunft und der Wissenschaften wieder auslöschen, und Finsterniß über Europa verbreiten mögten.« – *26 schönen Geister:* Zu diesem Begriff vgl. zu 273, 26. – *29f. gekämmt ... gebürstet:* Dieser Gedanke ist F 141 entnommen; s. auch 578, 28. 618, 17. 664, 26. – *33 Durchblätterer:* Zu diesem Ausdruck vgl. zu 522, 12f. – *33f. Mund übergeht, wovon das Herz nicht voll:* Diese Wendung begegnet auch G 51. – *34ff. Eifer für die Tugend ... ohne Patrioten ... zu sein:* Diese Invektive richtet sich offenbar vor allem gegen die Göttinger Hainbündler; vgl. in den Briefen (IV, S. 227); s. auch 530, 16. 903, 31 zum Problem der Tugendartigkeit. – *38 Impotenz:* Lichtenberg gebraucht den Ausdruck auch 544, 22; im übrigen vgl. D 268. F 1092. 1206.

418 *8f. Erzieher ... auf die Erstickung dieses Hangs ...:* Zu dieser Maxime vgl. G 103. – *11 Ovid:* Über ihn und Lichtenbergs Wertschätzung vgl. zu A 99. – *12 Voltaire:* Über ihn vgl. zu KA 28. – *12 Pope:* Über ihn und Lichtenbergs Wertschätzung vgl. zu A 94. – *13 Staupbesen:* Vgl. zu 215, 16. – *15ff. im Oberon ... zumal den Schilderungen weiblicher Schönheiten in demselben:* »Oberon. Ein romantisches Heldengedicht in zwölf Gesängen«, erschienen Leipzig 1780: das poetische Hauptwerk Christoph Martin Wielands – über ihn vgl. zu A 99 –; von »Obronischem Entzücken« spricht Lichtenberg in einem Brief an Hindenburg (IV, Nr. 223, S. 354) vom 10.Januar 1779. Er erwähnt das Werk auch an Blumenbach (IV, Nr. 281, S. 404)

1780/81. – *19 ff. praktische Geometrie ... von Offizieren:* Der ehemaligen Beschäftigung mit diesem Gebiet in Göttingen gedenkt Lichtenberg auch F 442; s. auch 695, 3. – *23 Motion:* Bewegung. – *25 Plato sagt:* Die Herkunft dieses Zitats konnte von mir nicht ausfindig gemacht werden. – *29 wie alles über Physiognomik herfiel:* Vgl. 564, 1 f. – *30 f. die Porträtmalerei ... zu Korinth mit einer Silhouette anfing:* Vgl. KA 5 und die Anm. dazu. – *32 unnützes Orthographeln:* Vgl. zu 300, 12 f. – *33 ff. von Empfindung plaudern ... sprechen aus Empfindung:* Die Wendung begegnet ähnlich auch E 246.

419 *3 skribbeln .... Geskribbel:* Diese Ausdrücke gebraucht Lichtenberg auch D 56. F 976 und 524, 16. – *5 Das Mehl her und nicht die Mühle, sagt Möser:* Anspielung auf Mösers »Rede eines Bäckers über die Backproben« (SW IV, 144). Lichtenberg zitiert die Worte auch G 40. Über Justus Möser vgl. zu KA 236. – *6 unsere Messiasgeschichtchen:* Anspielung auf die zu 419, 6 f. genauer zitierte Affäre; vielleicht zielt Lichtenberg darüberhinaus auch auf den ›Apostel der Geniezeit‹ Christoph Kaufmann oder auf Lavater: s. E 445. F 617. – *6 Rosenkreuzer:* Anspielung auf eine der Alchemie und der Magie ergebene logenartige Vereinigung, die um 1777 in Berlin gegründet wurde und sich »Gold- und Rosenkreuzer-Orden« nannte; ihr gehörten zeitweilig auch Georg Forster und Sömmerring an. – *6 f. Rosenfelder:* Anspielung auf den Artikel »Der vorgebliche neue Messias in Berlin«, erschienen in der »Berlinischen Monatsschrift« 1783, Januar-Stück, S. 42–79, von J. E. Biester. Johann Paul Philipp Rosenfeld (geb. 1731) zog demnach seit 1762 in Preußen herum, gab sich als Prophet aus, gewann unter der Landbevölkerung zahlreiche Anhänger; 1781 wurde ihm in Berlin der Prozeß gemacht und er zu öffentl. Staupenschlag und Zuchthaus in Spandau verurteilt. Todesjahr unbekannt. – *7 Jakob Böhm neu aufgelegt:* Nach Werner Buddecke, Die Jakob Böhme-Ausgaben. Ein Beschreibendes Verzeichnis. 1. Teil, Göttingen 1937, S. 12 ff. 22 ff., erschienen im 18. Jh. an Gesamtausgaben 1715 »Theosophia Revelata. Das ist: Alle Göttliche Schriften des ... Deutschen Theosophi Jacob Böhmens«, o. O. (Hamburg); 1730–1731 in 14 Bänden, Druckort vermutlich Leiden. An Einzelausgaben verzeichnet Buddecke zwischen 1760 und 1783: »Extract aus Jacob Böhmens Apologie wider die Schwenkfeldische Secten Esaias Stiefel und Ezechiel Meth«, o. O. 1761. »Kurzer, aber doch hinlänglicher Auszug der aller merkwürdigsten und wichtigsten, in dreyen Hauptmaterien und Abtheilungen zusammen gezogenen Stellen aus den Schriften des ... Jacob Böhms ...«, Frankfurt und Leipzig 1762. »De Regeneratione, das ist: Von der Neuen Wiedergeburt Wie sich ein Mensch, dem die Seeligkeit Ernst ist, durch

Christi Geist, aus der verwirrten und zänkischen Babylon müsse herausführen lassen ... gestellet durch Jacob Boehme, von Alt-Seidenburg sonst Teutonicus Philosophus genannt«. Berlin 1779. »Die letzte Posaune an alle Völker oder Prophezeyungen des gottseligen und hocherleuchteten Theosophi Jacob Böhmens von dem naheseyenden Untergang des Antichrists und Babels, von Offenbarung der Lilienzeit, von der Tinctur der Weisen, von der innstehenden Juden, Türken und Heidenbekehrung, von des Bräutigams Zukunft und dem ganz nahen jüngsten Gericht, nebst andern Geheimnissen mehr; aus dessen sämmtlichen Schriften sorgfältig herausgezogen von einem kleinen Zweiglein am Perlen-Baume, und jetzo denen Liebhabern der Weisheit zu einem angenehmen Geruche dargestellet.« Berlin und Leipzig 1779. »Theosophische Beschreibung der Tinktur der Weisen und der Cur aller Krankheiten, aus des Gottseligen Jakob Böhmens Schriften herausgezogen von einem Liebhaber göttlicher Weisheit.« Berlin und Leipzig 1780. »Morgenröte im Aufgang ...«. Berlin und Leipzig 1780. Lichtenberg bezieht sich vermutlich auf die drei zuletzt genannten Editionen. Über Jakob Böhme und Lichtenbergs Urteil vgl. zu A 12. – *8ff. Bischof zu Paderborn ... Taler vermacht:* Welcher Paderborner Bischof gemeint ist, konnte nicht ermittelt werden. – *8 Knochen des heil. Liborius:* Liborius, gestorben ca. 397, Bischof von Le Mans seit 348 (?), Patron des Doms zu Paderborn, wohin 836 seine Reliquien kamen, und des Bistums Paderborn; Heiliger (Tag 23. 7.). – *9 Gnadenbildchen zu Verne:* Darüber konnte ich nichts in Erfahrung bringen. – *10f. Jost, Pater ... in Bayern:* Thomas Aquinas Jost (1731–1797), Dominikaner, Prior zu Landshut, schrieb eine Reihe von Broschüren gegen die Freigeister, etwa »Bildnisse der Freiheit und Inquisition wider die Freigeister«, worin er gegen Zaupsers Spottgedicht auf die Inquisition polemisiert und diese verteidigt. Die ›Inquisition‹ nennt Lichtenberg in H 1 unter den Gegenständen der Satire in seinem Gedicht. – *11f. alles für Kinder schreibt:* Dazu vgl. G 213. – *15 Juvenals Geißel:* Über Juvenal vgl. zu KA 144. – *15 Joseph:* Über die Inkarnation des ›aufgeklärten‹ Monarchen: Joseph II. vgl. zu 64, 1. – *17 Ein Freund von mir...:* Eine ähnliche Fiktion begegnet auch 467, 20. 470, 3. Vgl. auch 426, 2 f. – *27 Si natura ... indignatio versum:* »Wenn das Talent versagt, so schmiedet Entrüstung die Verse.« Zitat aus Juvenal, »Satirae« I, 79. Lichtenberg zitiert es auch in den Briefen (IV, S. 424) Oktober 1781 bezüglich seiner Polemik mit Voss. – *27 neget:* Lies: negat. – *30f. Dies wär Germanien ... Rom in Fesseln band:* Die beiden Zeilen sind fast wörtlich F 1170 entlehnt. – *34 Kepler werde:* Über Johannes Kepler vgl. zu A 6. Über diese Wendung vgl. zu 261, 35. – *35 Berlin.*

Monatschr.: »Berlinische Monatsschrift«, Hauptorgan der Berliner Aufklärer, 1783 von Gedike und Biester gegründet. – *36 f. Hebammenkunst für Kinder ... schreiben*: Auf welchen Autor Lichtenberg anspielt, war nicht zu ermitteln.

420 *1 Lehrer Newtons*: Daß Kepler der Lehrer Newtons gewesen sei, ist selbstverständlich nur sinnbildlich gemeint: ohne Keplers Gesetze keine mit Newtons Namen verbundene Himmelsmechanik; über Isaac Newton vgl. zu A 79. – *2 Leibniz-Ödipus Verwandtschafts-Rätsel löste*: Anspielung zum einen auf Leibniz' Begriff der »prästabilierten Harmonie«, mit dem er das psychophysische Problem zu lösen suchte – s. zu 224, 27 –, zum andern auf Leibniz' Auftragsarbeit, die Geschichte des Welfenhauses zu schreiben. – *7 Auf Fässer Donner zog*: Anspielung auf Berthold Schwarz, der als Bernhardinermönch um 1380 in Südwestdeutschland lebte; die ihm zugeschriebene Erfindung des Schießpulvers ist nicht nachgewiesen. – *7 Blitze auf Bouteillen*: Vgl. zu 63, 12 ff. – *8 Faust ... des Teufels Schreibkunst fand*: Vgl. zu 251, 27. – *9 Luthers ... Vaterland*: Ähnlich schreibt Lichtenberg F 1170; über Martin Luther vgl. zu KA 189. – *9 Guerickens*: Über Guericke vgl. zu RA 151. – *9 Dürers*: Der von Lichtenberg sonst nirgends erwähnte Albrecht Dürer verkörpert hier den *deutschen* Maler schlechthin. – *11 Moropien*: von griech. ›moros‹: töricht, dumm; svw. Narrenland. – *13 ein Weiser*: womöglich Anspielung auf den – zweisilbigen – Albrecht von Haller: s. F 915 oder Leonhard Euler, der am 18. 9. 1783 starb. – *14 Pharus*: auf der Insel Pharos bei Alexandria von Sostratos ca. 280 v. Chr. errichteter Turm als Tageszeichen für die Schiffahrt: eines der sieben Weltwunder der Antike; danach sprichwörtlich für Leuchtturm, ›Seher‹. – *16 Kandidaten*: Zu diesem Ausdruck vgl. zu 261, 30 f. – *17 Endzwecks*: Vgl. zu 12, 18. – *18 f. Den Teufel .... Bibel*: Die beiden Zeilen sind fast wörtlich F 1166 entlehnt. – *19 Elwangen*: Lies: Ellwangen; die Fürstpropstei war vormals das bedeutendste geistliche Territorium in Württemberg; an diesem katholischen Wallfahrtsort an der Jagst nahm Gaßner – über ihn vgl. zu F 322 – seine Wunderkuren vor. – *19 Halle*: Anspielung auf Semler und dessen in Halle 1760 erschienene Schrift »De daemoniacis, quorum in evangelio fit mentio«, in welcher die damalige Auffassung von Besessenen einer rationalistischen Kritik unterzogen wird. *Halle* als Synonym für die Aufklärung wird auch B 366 genannt. – *20 f. Schön wär's ... Säuen und Kritik*: Die beiden Zeilen sind fast wörtlich F 1170 entlehnt. – *24 die Nas' ehr' rümpfen lernt als putzen*: Diese Wendung ist E 316 entlehnt; Lichtenberg gebraucht sie auch F 574. – *25 Sturm und Drang*: Friedrich Maximilian von Klingers Drama, dem Kaufmann diesen Namen gegeben hatte, das die lit. Richtung ins-

gesamt bestimmte, war 1776 erschienen; s. auch 370, 12 ff. – *26 Gedanken Zolle groß in Wörtern Ruten lang:* Eine ähnliche Wendung begegnet D 610 (S. 323). F 262 (S. 498). – *26 Ruten:* früheres dt. Längenmaß zwischen 2,8 und 5,3 m, unterteilt in 100 Zoll. – *27 Timore:* Über den »Timorus« vgl. oben S. 82 f. – *28 Römers Entdeckung:* Olaus Romer (1644–1710), dän. Astronom, Prof. der Mathematik und Leiter der Sternwarte sowie Bürgermeister in Kopenhagen, bestimmte 1676 die Lichtgeschwindigkeit aus den Verfinsterungen der Jupitermonde. – *29 Erfindung der Taschenuhren:* Anspielung auf den Nürnberger Schlosser Peter Henlein (ca. 1480–1542), der um 1510 als erster kleine tragbare Uhren in Dosenform herstellte. – *31 Herrn v. Kleist:* Über ihn und die Leidener Flasche vgl. zu 24, 15. – *36 f. nach dem Urteil eines ..... Rezensenten:* Daß der Verfasser des »Timorus« ins Tollhaus gehöre, liest man in der oben S. 84 angeführten ersten Rezension.

421 *1 Büchse der Pandora:* Lichtenberg erwähnt sie auch 617, 9 und L 398. – *7 beSchäkspeart und beSternt:* Diese Zeile ist wörtlich F 1170 entlehnt. Zu den Bildungen mit *be* – vgl. schon D 666; ähnliche Bildungen begegnen auch 463, 33. – *11 Donnerer Homers:* Gemeint ist Zeus; über Homer vgl. zu A 135. – *11 Eichsfelds:* Das Eichsfeld galt Lichtenberg neben Paderborn und Bayern als synonym für unaufgeklärt, da katholisch; vgl. zu B 300. – *11 Dieux de poche:* ›Taschen-Götter‹; dieselbe Wendung begegnet auch F 943; s. ferner 862, 4: foudres de poche; Briefe LB I, 388: république de poche; GTK 1787, S. 220: diable de poche. – *15 f. führt ... zum Himmel bei den Haaren:* In einem Brief an Wilhelm Gottlieb Becker (IV, Nr. 277, S. 410) vom 26. März 1781 schreibt Lichtenberg von Pastor Goeze, daß er »die Menschen an den Haaren nach dem Himmel schleppt.« – *20 Fidibus:* Zum Gebrauch dieses Worts vgl. D 610 und die Anm. dazu. – *20 Siegwarts Sünden:* Zu diesem Roman vgl. zu 379, 20 f. – *21 Varinas:* Vgl. zu B 15. – *23 Zentner-Ignorenz:* Diese Schreibung ist vermutlich kein Druckfehler der Satzvorlage, sondern Gallizismus Lichtenbergs. – *24 Bard':* Vgl. zu 303, 7. – *25 Duns:* Dummkopf, Narr: nach Popes »Dunciad« (1728). – *26 Midas:* Nach der Sage soll Dionysius alles, was der phrygische König Midas berührte, auf seinen Wunsch in Gold verwandelt haben; im übrigen s. 845, 9 und die Anm. dazu. – *27 Das Volk das Plato ...:* »Einem Mann also, wie es scheint, der sich künstlicherweise vielgestaltig zeigen kann und alle Dinge nachahmen, wenn uns der selbst in die Stadt käme und auch seine Dichtungen uns darstellen wollte, dem würden wir Verehrung bezeigen als einem heiligen und wunderbaren und anmutigen Mann, würden ihm aber sagen, daß ein solcher bei uns in der Stadt nicht sei und auch nicht hineinkommen dürfe, und

würden ihn, das Haupt mit vieler Salbe begossen und mit Wolle bekränzt, in eine andere Stadt geleiten, selbst aber uns mit dem strengeren und minder anmutigen Dichter und Fabellehrer der Nützlichkeit wegen begnügen, der uns den Vortrag des würdigen Mannes nachahmend darstellt und, was er sagt, nach jenen Vorschriften redet, die wir schon anfänglich zu Gesetzen gemacht haben, als wir es unternahmen, die Krieger zu erziehen.« Zitat aus »Politeia« 398 a.b (zit. nach Rowohlt Klassiker, Bd. 27/27a, S. 130). – *29f. sichern Nachrichten zufolge:* Anspielung auf Michael Reinhold Lenz, der seit 1779 an geistigen Störungen litt. – *33 Jupiter:* der Göttervater in der röm. (griech.) Mythologie; s. auch 570, 12. 670, 26. 678, 3. 691, 29. 910, 2. – *33 Prometheus:* nach dem griech. Mythos ein Titan, entwendete aus dem Olymp das Feuer, um es den Menschen zu bringen, wurde von Zeus zur Strafe an einen Felsen im Kaukasus geschmiedet, und ein Adler fraß ihm täglich die Leber ab, die nachts wieder nachwuchs.

422 *6 Liederchen:* Diesen Diminutiv gebraucht Lichtenberg auch 508, 35f. 537, 3. 613, 35. 624, 17ff. B 197. 204. – *6 Flickseufzerchen:* Zu dieser Wortbildung vgl. zu 370, 17. – *7 Der Schöpfung Meisterstück:* Vgl. zu 286, 20f. – *8 Filet:* Nadelarbeit mit der Filetnadel und einem Stäbchen, dessen Breite die Größe der Maschen bestimmt, vornehmlich zur Anfertigung von Deckchen und Vorhängen verwandte Handarbeit der gutbürgerlichen Frau im 18.Jh. Lichtenberg gebraucht den Ausdruck auch C 329. E 209. – *10 Maultrommel:* auch Brummeisen genannt, Musikinstrument aus einem kleinen Rahmen oder Bügel mit darin freischwingfähiger Zunge; es erlebte im Deutschland des 18.Js. als populäres und Virtuosen-Instrument eine Blütezeit. Lichtenberg erwähnt es auch 456, 19. 792, 27. 960, 37. – *16 Yorick:* eigentlich der Narr in ›Hamlet‹, dessen Namen Laurence Sterne in seinen Werken wieder aufgriff, so daß er bei den Zeitgenossen damit identifiziert wurde. – *16 Filidor:* Bei diesem Namen denkt Lichtenberg wohl weniger an einen bestimmten Dichter; er steht vielmehr für die anakreontische Schäferpoesie schlechthin. – *21 Pindars Genius:* Über Pindar, den Inbegriff des pathetischen Dichters vgl. zu D 610. – *22 Bard:* Zu diesem Ausdruck vgl. zu 303, 7. – *23 Horaz:* Über ihn vgl. zu KA152. – *23 erstimulierte Kraft:* Zu diesem Ausdruck vgl. zu 412, 18f. – *27 Elisionen:* lat. ›Ausstoßung‹: der Verlust eines Vokals am Wortende, wenn das nächste Wort mit einem Vokal beginnt. Lichtenberg spielt dabei auf die spezifische Schreibweise der Stürmer und Dränger an. – *33 Vokalen-Morden:* Diese Wendung begegnet bereits F 1170; Lichtenberg notiert sie auch – und in Bezug auf »Orbis Pictus« – im Materialheft II, Nr.1.

423 *3 Don Zebra:* Gemeint ist Johann Georg Ritter von Zimmermann, den Lichtenberg auch 615, 18 mit diesem Beinamen belegt; was er besagen will, erhellt aus F 1197. – *4 kastilianisch geht:* Eine ähnliche Wendung gebraucht Lichtenberg 662, 16f.; s. auch 570, 36. 578, 28f. – *13 f. das Gedankchen .... quieken höre:* Diese Passage ist F 215 entlehnt. – *15 f. Bom .... Bast ... Bombast:* Eine erste Fassung dieser zwei Zeilen begegnet in F 1129, ferner F 1166. – *17 Zoten ... mit Pracht:* Von »Prunkzötchen« spricht Lichtenberg auch 569, 32. – *17 Alpen-Prose:* »der Prose Alpenlast« notiert F 1166: selbstverständlich Anspielung auf Zimmermanns Stil. Zu dieser Wortbildung vgl. zu 65, 4. – *18 St. Omer:* Gemeint ist Homer, der ›Heilige‹ der Stürmer und Dränger – s. Goethes »Werther« – und des Göttinger Hain: s. Vossens Übersetzung. – *19 Kastratenzwang:* Ähnliche Wortbildungen begegnen 955, 5 und C 14; im übrigen vgl. Lichtenbergs Vorliebe für das Wort »Hemling«: s. die Anm. zu 365, 21. – *21 Geschichte eines verzärtelten Dichterlings:* womöglich Anspielung auf den prototypischen Johann Georg Jacobi bzw. auf das satirische Bild, das Nicolai von ihm im »Sebaldus Nothanker« entworfen hatte: »Säugling«. Zu Lichtenbergs Gebrauch des Wortfelds *zärtlich, Zärtlichkeit* vgl. 509, 16 und B 185. 191. 204. 254. – *28 Euklid:* Über ihn vgl. zu E 29. – *35 daß Kind:* Lies im Text: *das.*

424 *8 f. wie gehts auch auf Universitäten:* Vgl. H 1. – *11 der Seele Zeugungs-Glieder:* Diese Wendung ist D 390. F 662 entlehnt. Lichtenberg gebraucht dieses Bild auch B 56. E 35. F 267. J 490. – *12 Dem Venus-Übel folgt das Phöbus-Übel:* Dieser Gedanke ist F 366 entlehnt. *Venus-Übel:* Lustseuche, Syphilis; zu Phöbus-Übel vgl. zu 409, 27. 410, 4. – *16 f. der Verfasser .... denkt nicht ...:* Zu diesem pädagogischen Grundsatz vgl. G 69. – *23 Tarten:* Tortenstücken. – *25 Orgeade:* womöglich abgeleitet von frz. orgeat: Mandelmilch. – *32 Brauch der weisen Insel:* Gemeint ist England; der britischen Pädagogik gibt Lichtenberg auch andernorts den Vorzug vor der deutschen: s. etwa F 58 und Briefe (IV, S. 271). – *33 Birkenpinsel:* Diesen Ausdruck gebraucht Lichtenberg auch D 548. Von ›Birkenbaum‹ für Rute ist C 238 die Rede, während er GTK 1781, S. 87, von ›pädagogischer Birke‹ spricht: »Ich kann hierbey meinen Lesern unmöglich ein Sinngedicht vorenthalten, das ein englischer Dichter, dessen Ader vermuthlich auch die pädagogische Birke geöffnet hatte, ausstieß, als er ein Glas Birken-Champagner trank:

  O birch! thou cruel, bloody tree
  I'll be at last reveng'd of thee;
  Oft hast thou drank the blood of mine.
  Now for an equal draught of thine.«

Birke, blutdürstiger, tyrannischer Baum,
endlich räch' ich mich an dir. Oft hast du
mein Blut getrunken. Sieh – nun trink' ich das deinige.
(»Etwas über den Nutzen und den Cours der Stockschläge,
Ohrfeigen, Hiebe etc. bey verschiedenen Völkern«). – *34 Albion:* älterer, vielleicht vorkeltischer Name für Britannien.

425 *1 Wiederherstellung des guten Geschmacks:* Über zeitgenössische Barbarei und den guten Geschmack reflektiert Lichtenberg auch 509, 6. 526, 16 ff. und E 359. F 274. – *2 Lesung und Nachahmung der Griechen:* Zu Lichtenbergs Kritik am Klassizismus seiner Zeit vgl. insgesamt zu B 22. – *5 Pädagogsche Besen:* Von »Erziehungsbesen« spricht Lichtenberg G 9, von »Edukationsbesen« auch 763, 5. – *9 Homer:* Über ihn vgl. A 135. – *10 Dem-Dem-mosth-mosthenes:* Über ihn vgl. zu B 65. – *10 Epikur den Ketzer:* Über ihn vgl. zu C 265. – *11 Flenn-Els Heraklit:* Über ihn vgl. zu J 1066. – *11 Lachnarr Demokrit:* Über ihn vgl. zu KA 8. – *12 Phidias:* griech. Bildhauer des 5. Jh. v. Chr., Schöpfer der hochklassischen attischen Kunst; Hauptwerk: Athene Parthenos im Parthenon zu Athen. – *12 Myron:* Über ihn vgl. zu C 214. – *13 Sokrates:* Über ihn vgl. zu KA 9. – *13 Alexander:* Über ihn vgl. zu KA 140. – *14 Odeumskopf Perikles:* Über ihn und die Anspielung vgl. D 181 und die Anm. dazu. – *18 ein Schock:* früheres norddt. Zählmaß: 60 Stück. – *22 Horaz:* Über ihn vgl. zu KA 152. – *22 Pop':* Über Alexander Pope vgl. zu A 94. – *29 denn:* von mir verbessert aus: den. – *32 Cäsarn:* Über ihn vgl. zu KA 12. – *32 Curtius im Loch:* Manius oder Marens Curtius, nach röm. Sage ein edler Jüngling aus dem röm. Geschlecht Curtia, der, als sich auf dem Forum in Rom ein Erdspalt öffnete, einem Orakelspruch folgend in die Tiefe sprang; die Spalte schloß sich, ein Sumpfsee entstand und Rom war gerettet. – *33f. Schilderungen von Modetorheiten:* »Moden und Trachten« nennt Lichtenberg H 1 unter den Gegenständen der Satire in seinem Gedicht.

426 *1 in der Vorrede:* Der Text ist wiederabgedruckt unten S. 203f. – *2f. dessen Verfasser ich mir fast zu erraten getraute:* Zu Lichtenbergs Mystifikation s. oben S. 83.

SCHWIMMENDE BATTERIEN

Erstveröffentlichung und Satzvorlage: »Simple, jedoch authentische Relation von den curieusen schwimmenden Batterien, wie solche anno 1782 am 13. und 14. Septembris unvermuthet zu schwimmen aufgehört, nebst dem, was sich auf dem Felsen Calpe, gemeiniglich der Fels von Gibraltar genannt, und um denselben, so wohl in der Luft als auf dem Wasser zugetragen. Durch Emanuelem Candidum, Candidat en Poésie allemande à Gibraltar.« Erstveröffentlicht in: »Göttingisches Magazin der Wissenschaften und Literatur«, 3. Jahrgang, 4. Stück, 1782, S. 616–635 (XI.). Ein Manuskript ist im Nachlaß nicht erhalten. Wie die Herausgeber der »Vermischten Schriften«, Bd. 5, S. 135, mitteilen, wurde das Gedicht nach Fertigstellung einzeln gedruckt und an den General Elliot, dem die deutsche Sprache geläufig war, in einigen Exemplaren geschickt.

Zur Entstehung: Über die Veröffentlichung dieses Gedichts im »Magazin« äußert sich Lichtenberg ebenda in einer Vorrede, datiert vom 22. März 1783, die hier mitgeteilt sei:

»Vorrede.
Wir haben dem dringenden Verlangen einiger Herrn Subskribenten, so wohl als des Herrn Verlegers, diesesmal weiter nachgegeben, als man selbst aus unserer ehmaligen schließen konnte, und nicht allein mehrere minder ernsthafte Stücke, sondern so gar diese in *Versen* aufgenommen. Der Geschmack der Zeiten scheint dieses zu erfordern. Ein ernsthaftes Journal, und wäre es auch vom reichsten Gehalt, lieferte es auch lauter gediegnes wissenschaftliches Gold, würde nur desto geschwinder sinken, also was kann es schaden, daß man ihm zuweilen etwas specifisch leichteres anknüpft um es flott zu erhalten, wenn es nur nicht immer Kork und Windblasen sind? Den Titul des Journals deswegen zu ändern, halten wir nicht für nöthig. Das Gedicht auf Gibraltar verdient einige Anmerkungen.

Daß ein Deutscher, und ein Engländer die letzten Versuche auf Gibraltar lächerlich findet, ist ihm gewiß zu verzeihen, da man sie, so viel wir wissen, noch nirgends lächerlicher gefunden hat, als in *Paris* selbst. Es war auch in der That unmöglich, ohne Unwillen den Contrast zwischen der Sprache der Belagerten und der Belagerer anzuhören. *Paris: Gibraltar wird ein artiges Namenstagsangebinde für diese oder jene Person sein. Sobald wir Gibraltar weggenommen haben, so werden wir Jamaica nehmen. Das Feuer des Feindes ist heftig, thut aber wenig Schaden; es ist an Allem Mangel in der Festung; täglich sehen wir den Feind Todte begraben. – London: Die Garnison zu Gibraltar befindet sich recht munter; Elliot wird von der Garnison allgemein geliebt; Er liebt die Hannoveraner sehr; es sind wieder ein Paar Schiffe aus der Barbarei mit frischem Proviant angekommen, die Garnison fängt nun an, sich Gärtchen anzulegen; Sir Ashton Lever hat eine Subscription eröffnet, um den braven Soldaten ein tüchtiges Schiff mit Kartoffeln zu schicken, weil sie dieselben gern essen.* Und nun der Ausgang! – Zu der tapfern Besatzung Gibraltars gehörte übrigens, während der ganzen Belagerung, vom Juni 1779 an, eine *hannoversche Brigade*, bestehend aus drei *Bataillons* (18 Compagnien) im englischen Solde – von Hardenberg, nachher von Sydow; von Reden und de la Motte, – unter dem Commando des damaligen Generalmajors, nachherigen Generallieutenants, de la Motte. Sie hatte eine Stärke von überhaupt 1378 Mann. [s. »Briefe über die Belagerung von Gibraltar, an einen Freund in Hannover geschrieben«, erschienen im »Hannoverschen Magazin«, 11. Brief, 15. Juli 1785, 56. Stück, Sp. 883 f.]

Elliot war bei der ganzen Garnison, besonders bei den Deutschen, deren Sprache er fertig redete [s. Schlözer, »Staatsanzeigen«, Bd. 2, S. 518–519, 1782], außerordentlich beliebt. Namentlich wird auch angeführt, daß er dafür sorgte, daß die Hannoveraner immer mit Taback versehen seien, während ihnen früher dessen Gebrauch untersagt war.

Und nun der Ausgang!

Geschrieben den 22 März, 1783.

Die Herausgeber.«

Dem Gedicht liegt folgende historische Begebenheit zugrunde: die berühmte Belagerung von Gibraltar, das der englische General und Gouverneur von Gibraltar, George August Elliot, gegen die Franzosen und Spanier verteidigte, dauerte von 1779 bis 1782; im April und Mai 1781 beschossen die Belagerer die Stadt mit über 56000 Kugeln und über 20000 Bomben, die großen Schaden anrichteten, aber die Festungswerke fast unversehrt ließen. 1782 hatten die Spanier in Algeciras bombenfeste schwimmende Batterien nach dem Plan des französischen Ingenieurs d'Arçon errichtet, die aber von den Engländern in Brand geschossen wurden. Trotzdem eröffnete der Befehlshaber des französischen Hilfscorps, der Herzog von Crillon, am 7. September 1782 einen Sturmangriff, der jedoch erfolglos war. Trotz aller zu Wasser und zu Lande herangezogenen Streitkräfte mußte die Belagerung Ende Oktober 1782 aufgehoben werden, und Gibraltar blieb in englischen Händen. Lichtenberg erwähnt die militärische Auseinandersetzung in Briefen an Schernhagen vom 26. März 1781 (IV, Nr. 288, S. 411), vom 10. Oktober 1782 (IV, Nr. 341, S. 470f.), vom 14. Oktober 1782 (IV, Nr. 342, S. 471), vom 17. Oktober 1782 (IV, Nr. 344, S. 476), vom 14. November 1782 (IV, Nr. 351, S. 482f.) und vom 26. Dezember 1782 (IV, Nr. 360, S. 487).

Das Gedicht ist demnach zwischen Mitte Oktober 1782 und Mitte März 1783 entstanden. Nach Lichtenbergs Arbeitsweise ist allerdings eine wesentlich kürzere Entstehungszeit zu veranschlagen: »Auch habe ich viel zu wenig Zeit darauf verwendet. Ich habe einmal in 2 Stunden vor Tag 14 Strophen gemacht«, schreibt er am 19. Mai 1783 an Schernhagen (IV, Nr. 388, S. 509). Da nach Lichtenbergs oben zitierter Äußerung fünf bis sechs Wochen an einem Magazin-Stück gedruckt wurden, kommt für die Abfassung des Gedichts am ehesten die Zeit zwischen Ende Dezember 1782 und Anfang Januar

1783 in Frage. Den Herausgebern der »Vermischten Schriften«, Bd. 5, S. 134–135, zufolge findet sich der erste Entwurf einiger Verse in »dem Bande einzelner autobiographischer Bemerkungen des Verfassers vom Jahre 1782« [doch wohl Sudelbuch G]. Folgende Bemerkung Lichtenbergs geht den Versen voraus: »Eine politische Zeitung in Versen, wo allemal das genus der Sache correspondirte, müßte sich nicht übel ausnehmen.« Auf diese Notiz folgt der Vers:

> »Im Schießloch lag ein zweites Loch
> Das war fürwahr fast größer noch,
> Als wie das erste Schießloch usw.«

Von dem Anfang des Gedichts selbst kommt nichts vor, sondern nur der Entwurf von etwa zwölf Versen, und zwar ohne die nachher gewählte Ordnung.

Da das Gedicht anonym erschienen war, gab es zunächst ein Rätselraten um die Verfasserschaft, an dem sich Lichtenberg wie üblich beteiligte. Anfangs galt Bürger als Verfasser der Moritat (s. Bd. 4, Nr. 382, S. 506); vgl. Biester an Bürger: »Warum hast du uns nicht dein Gibraltar gegeben?« (Briefe von und an Bürger 3, 120; s. aber dann IV, Nr. 384, S. 506). Franz Ferdinand Wolff erriet, wie aus dem Schreiben Lichtenbergs an ihn (IV, Nr. 385, S. 507) hervorgeht, den wahren Verfasser. Zur Verfasserschaft Lichtenbergs s. ferner die Briefe an Schernhagen vom 12. Mai 1783 (IV, Nr. 387, S. 509), vom 19. Mai 1783 (IV, Nr. 388, S. 509) und vom 29. Mai 1783 (IV, Nr. 391, S. 511).

Aus dem oben zitierten Brief an Wolff erfährt man überdies, welche Versform und Liedart für das im Bänkelsängerton gehaltene Gedicht Muster waren. Es ist nicht Blumauers »Aeneas travestiert«, der erst 1784 erschien, sondern erstens die Aeneas-Travestie von Johann Benjamin Michaelis, erschienen 1771, wie Schneider a.a.O. I, S.196, nachwies (vgl. auch C 377) und zweitens das Kirchenlied »Erschrecklich ist es, daß man nicht der Höllen Pein betrachtet«. Wie ich zu IV 507, 28 nachwies, stammt dieses Kirchenlied von Johann Rist, erschienen in »Neuer Himmlischer Lieder Sonderbahres Buch ...«, Lüneburg 1651, 5. Abt., S. 268: »Das Erste Lied. Ernstliche Betrachtung der grausahmen Gefängnisse und des gahr abscheulichen Ohrtes der Höllen«.

Rezensionen: Das Gedicht wurde beifällig aufgenommen (vgl. IV, Nr. 382, S. 506); die »Göttingischen Anzeigen von gelehrten Sachen« urteilten in der oben zitierten Rezension: »Den Beschluß dieses Stücks macht ein ächt komisches Gedicht über die verunglückten schwimmenden Batterien, dessen Verf. unseres Bedünkens mit völligem Rechte auf die in der Vorrede erwähnte Erweiterung im Plane des Magazins Anspruch machen konnte.«

427 *13f. Emanuelem Candidum, Candidat en Poësie allemande:* Zu
Lichtenbergs Schriftsteller-Pseudonymen vgl. zu 205, 9. Über
seine Verwendung des Ausdrucks *Kandidat* vgl. zu 261, 30f.;
s. auch die ähnliche Wendung 273, 21. – *23 Säulen des Herkules:* lat. Columnae Herculis, nach altgriech. Anschauung verschiedene Randpunkte des Erdkreises, die Herakles aufgerichtet haben sollte, vor allem an der Straße von Gibraltar. – *24 Elliot:* George August Elliot, Lord Heathfield (1717–1790), engl. Heerführer, diente lange Zeit in Deutschland, 1743 bei Dettingen verwundet, 1776 engl. Gouverneur von Gibraltar, das er 1782 gegen Franzosen und Spanier erfolgreich verteidigte.

428 *2 Don Alvarez:* Martin Álvarez von Sotomayor (1714–1819), spanischer General, der die Blockade von Gibraltar leitete. – *18 Crillon:* Louis de Berton, zweiter Duc de Crillon, erster Duc de Mahon (1718–1796), frz. Heerführer, seit 1762 in spanischen Diensten; auf seinen Rat hin versuchten sich die Spanier 1779 Jamaikas, Minorcas und Gibraltars zu bemächtigen. – *29 Sulpher:* Sulphur: Schwefel; Lichtenberg gebraucht den Begriff auch 648, 28.

429 *1f. von Lissabon die Stösse:* Anspielung auf das Erdbeben von Lissabon 1755. Lichtenberg erwähnt es auch 571, 1. 764, 22f. – *7 Wollt' keine Mausfall' stehen:* Zu dem Gedanken vgl. F 482. – *14 Der jüngst ... Minorka nahm:* Crillon eroberte am 5. Februar 1782 Fort San Filippo auf Minorka, nachdem er es 29 Tage bombardiert hatte. – *21 Quartblatt:* Vgl. zu 257, 16. – *29 Rodneys Siege:* Georges Brydges Lord Rodney (1719–1792), engl. Admiral und Seeheld, siegte am 16.1.1780 bei St. Vincent über die spanische Flotte unter Langara, am 12. 4.1782 in der Seeschlacht bei St. Domingo über die Franzosen. Lichtenberg spielt darauf in den Briefen (IV, Nr. 311, S. 436) an.

430 *10 sumsten:* Zu diesem Ausdruck vgl. B 346 und die Anm. dazu. – *14 d'Arçon:* Jean Claude Eléonore d'Arçon (1773–1800), frz. Ingenieur; Konstrukteur der »Schwimmenden Batterien« vor Gibraltar. Lichtenberg erwähnt ihn auch in den Briefen (IV, S. 470. 471. 473. 507). – *15 Jungfer Jeanne d'Arc:* Jungfrau von Orléans, Selbstbenennung: Jeanne la Pucelle (1410–1431), befreite Frankreich von den Engländern und führte König Karl VII. nach Reims zur Krönung. Voltaire gab in dem Epos »La Pucelle d'Orléans« (1759) eine antiklerikale Travestierung des legendären Stoffes. – *18 Die Mode setzte çon statt con:* »in der Strophe von d'Arçons Genealogie stund eigentlich: Die *Sittsamkeit* setzt' çon statt con, freilich viel präziser, allein die Sittsamkeit strich ihren eigenen Namen wieder weg«, schreibt Lichtenberg an Wolff (IV, Nr. 385, am 1. Mai 1783 S. 507). *con* – frz. Fotze, Dummkopf. – *21 Habichtsnas:* Lichtenberg gebraucht den Ausdruck auch 441, 10. 952, 7. 1013, 30f.; vgl.

im übrigen F 84. UB 48 und Briefe (IV, S. 525). – *30 Batteux:* Abbé Charles Batteux (1713–1780), berühmter frz. Literaturkritiker mit großem Einfluß auf die dt. Literaturästhetik: »Traité sur les Beaux-Arts« (1746), übers. von Ramler. Lichtenberg erwähnt ihn auch 599, 6. 914, 2. – *31f. den Virgilium ... bei ihm gehöret:* Batteux lehrte Griechisch und Lateinisch am Collège Royal in Paris. Über Vergil vgl. zu A 82.

431 *14ff. ein hohles Pferd von Nürnberg ... Pfeifchens in dem Steiß:* Von dieser Spielware, für die Nürnberg seit dem Mittelalter berühmt war, redet Lichtenberg auch in Briefen (IV, S. 44). Zu »Nürnberger Ware« vgl. zu 192, 23. – *23 Maro:* Gemeint ist Vergil, dessen vollständiger Name lautet: Publius Virgilius Maro. – *25 Cachelot:* Pottwal.

432 *3 Carl'n:* Karl III. König von Spanien seit 1759 (1716–1788), regierte im Geist des aufgeklärten Absolutismus; unterstützte Frankreich im Siebenjährigen Krieg und im nordamerikanischen Unabhängigkeitskrieg gegen England. – *15 Calpe-Ararat:* Auf dem Ararat ist nach der Überlieferung Noahs Arche gelandet. – *31 wie Lessing sagt:* »Nun gut, ich fahre fort/ Und sag, um wirklich fort zu fahren«, schreibt Lessing in der Fabel »Der Eremit«, erschienen in den »Fabeln und Erzählungen« 1752. Lichtenberg erwähnt diese Fabel auch C 170; über Lessing vgl. zu KA 63.

433 *4 aus Herrn Silberschlag:* Johann Esaias Silberschlag (1716–1791), seit 1769 Oberkonsistorialrat und Oberbaurat, Prediger und Realschuldirektor in Berlin, schrieb eine kuriose »Geogenie oder Erklärung der mosaischen Erderschaffung nach physikalischen und mathematischen Grundsätzen«, erschienen Berlin 1780 in 2 Bänden und einem Supplementband 1783. Lichtenberg spielt auf den zweiten Band an, der im 3. Abschnitt, S. 63 bis 97, »Von dem Archenbaue« handelt und § 90–97 die Arche rekonstruiert und 2 Zeichnungen beifügt. Lichtenberg erwähnt ihn auch in den Briefen (IV, S. 822). – *23 Gala-Tag:* Zu dieser Wortbildung vgl. zu 223, 15; die gleiche Wortbildung begegnet auch 847, 22. 917, 11. 861, 11. – *33 Michälis Rezension:* Michaelis besprach Silberschlags »Geogenie«, Teil 2, in der »Orientalischen und Exegetischen Bibliothek«, Achtzehnter Theil, Frankfurt am Main 1782, S. 1–51. Über Silberschlags Archen-Berechnungen läßt er sich ebenda S. 24–32 aus. Über Johann David Michaelis vgl. zu KA 212.

434 *4 Kreitenstrich:* Zu dieser Schreibweise vgl. zu E 95; s. auch 785, 26. – *10 in Parenthesi:* in Klammern, nebenbei (gesagt). – *14 Howe:* Über Richard Howe vgl. zu F 802. Lichtenberg erwähnt ihn auch in einem Brief an Schernhagen (IV, Nr. 351, S. 482–483) vom 14. November 1782. Im ROTEN BUCH, p. 80, schreibt Lichtenberg übrigens: »Die Seeschlacht vom

Lord Howe hätte Herschel auf dem Monde sehen können. bey
der Gelegenheit könte etwas von der Aussprache des Worts,
aus dem Gedicht auf Gibraltar. O.O. O weh. O weh. Au Au.« –
20 Bath: Vgl. zu 358, 1.
435 *13 Herkuls Säulen:* Vgl. zu 427, 23.
436 *33 La Pastora:* span. die Hirtin.
437 *20 Dreckstadt ... Paris (Lutetia):* Lutetia Parisiorum: antiker
(keltischrömischer) Name von Paris; s. auch 711, 1. – *32 span'-
sche Fliegen:* volkstüml. Name für die Pflasterkäfer, seit dem
MA sind ihre getrockneten Leiber (Kanthariden) arzneilich
verwendet, insbesondere als Aphrodisiacum.
438 *2 Curtis:* Roger Curtis (1746–1810), Sir, engl. Marineoffizier,
der sich bei Gibraltar auszeichnete. – *6 St. Ludwigs-Orden:*
Dieser höchste franz. Orden für kriegerische Verdienste wurde
1693 gestiftet. – *16 Pürschchen:* Pursche: Bursche; im 18. Jahrhundert
noch gebräuchliche Schreibweise des von lat.
bursa abgeleiteten Wortes, das ursprünglich den Bewohner einer
studentischen Börse bezeichnet und später aus der Studentenin
die Umgangssprache übergegangen ist. – *16 wie gedrechselt:*
Diese Wendung begegnet auch 441, 8. 578, 28. 622, 19. –
28 Babel: Zu diesem Ausdruck vgl. zu 66, 37. – *30 Georgs Fels:*
Gibraltar, so umschrieben nach Georg III., König von England;
über ihn vgl. zu D 79.
439 *2 Ludwigs Bruder:* Graf von Artois; über ihn vgl. zu J 1206; sein
Bruder ist Ludwig XVI.; über ihn vgl. zu J 564.

KRIEGS- UND FAST-SCHULEN DER SCHINESEN

Erstveröffentlichung und Satzvorlage: »Von den Kriegs- und Fast-
Schulen der Schinesen, nebst einigen andern Neuigkeiten von daher.«
In: »Göttinger Taschen Calender« für 1796, S. 121–146. Eine Handschrift
des Artikels ist im Nachlaß nicht erhalten.

Zur Entstehung: Im ROTEN BUCH, S. 95–96, stehen zwei Eintragungen
Lichtenbergs, die ich unbedingt auf den vorliegenden
Aufsatz beziehe: »In dem Calender ja einen Artickel von Luxus und
den Moden zu erdichten. Goldne Ringe in Nase Löchern. Auch der
Auctions Catalogus wäre da vielleicht zu nützen.« Und anschließend:
»Aus einem Journal des Luxus und der Moden. In der Satire [?] könte
gesagt werden xtausen[d] xhundert und x und xzig, wo ⟨y gar⟩
(anders, denn x bedeutet doch auch« und vollends S. 96: »villeicht
könte es aus China mit Lord Macartny[s] Butler. Butler trägt keine
Livree, als auf der Nase (besser).«

Was die Erwähnung Lord Macartneys betrifft, so spielt Lichtenberg damit auf dessen Gesandtschaftsreise nach China in den Jahren 1792 bis 1794 an. Sie wurde von Aeneas Anderson und George Staunton beschrieben und 1795 beziehungsweise 1797 publiziert (vgl. auch L 353. 819. 821). Übersetzungen beider Reisebeschreibungen erschienen bereits 1795 beziehungsweise 1797 in deutscher Sprache.

In den Notizen des ROTEN BUCHS haben wir die Keimzelle der Satire zu sehen, die von der ursprünglichen Tendenz gegen Moden und Luxus (die Formel des zeitgenössischen Journals aufgreifend) in dem Artikel »Von Kriegs- und Fast-Schulen der Schinesen« völlig abgekommen ist und diesen Gedanken in »Ein neuer Damen-Anzug, vermutlich in Indien« verwirklichte. Daß beide Aufsätze eng zusammengehören, fingiert Lichtenberg durch die Gestalt des Berichterstatters, des Butlers. Der Auktions-Katalog schließlich hat sich völlig selbständig gemacht (s. dazu unten S. 212).

Dementsprechend ist Schneider zu revidieren, der a.a. O. Bd. I, S. 246, als Keimzelle dieser Satire K 291 bezeichnet: es handelt sich vielmehr um die Fixierung des neuen Gedankengangs, der jetzt dem Aufsatz das Gepräge gibt. Das Datum der Niederschrift des Kalender-Artikels ergibt sich übrigens präzis aus SK 807, vom 1. August 1795: »Ich schreibe viel am Kalender. Tsing long.« Der Sinn dieses letztgenannten Wortes ergibt sich aus S. 442.

Wie sehr Lichtenberg Nationalcharakter und Kultur des chinesischen Volkes zeitlebens und entsprechend der Vorliebe seiner Zeit für ›Chinoiserien‹ beschäftigt hat, erhellt auch daraus, daß er im Taschen-Kalender mehrfach Artikel über chinesische Besonderheiten veröffentlichte: »Art der Chineser, Perlen zu machen« (GTK 1778, S. 70f.); »Abschieds Complimente der Chineser« (GTK 1779, S. 63f.); »Wie die Schinesen ihr großes Papier verfertigen« (GTK 1796, S. 169–171). Im übrigen s. zu 440, 1.

440 1 *Schinesen:* Diese im 18. Jh. offenbar gebräuchliche Schreibweise begegnet auch GTK 1796, S. 169: »Wie die Schinesen ihr großes Papier verfertigen«; s. ferner 52, 16. – *4 So lange ich über Völker zu denken im Stande:* Der ›Völkerkundler‹ Lichtenberg wird aus der Fülle von Reisebeschreibungen ersichtlich, die er las und exzerpierte und die ich im Kommentarband zu Bd. 1 und 2 zusammengestellt habe; im übrigen s. Albert Schneider: Lichtenberg ethnopsychologue. In: Revue de psychologie des peuples 10 (1955), S. 347–367. – *5f. die Schinesen das weiseste ... Volk:* Über die Chinesen äußert sich Lichtenberg auch KA 43. 109. 110. 111. B 69. 122. 411. 412. C 194. D 52. 373. 653. F 34. 827. 848. G 83. J 867. L 278. 353. 398. RA 18. 152. 153. 154. 168. 178. – *22 das hätten wir längst*

vergessen: Zu dieser Wendung vgl. D 640. – *23 Rückwärts-erfinden:* »Rückwärts hersagen« bildet Lichtenberg in L 241; »Rückwärts erziehen« in L 377. – *27f. Verfassung im Staate, so wie im Hause:* Vgl. über das Ordnungsprinzip des chinesischen Staats- und Hauswesens RA152. 168. – *29f. Strumpfwirkerstuhl und der Englischen Spinnmaschine:* J. Kay erfand 1733 den Schnellschützen, 1738 L. Paul eine Spinnmaschine mit Zylinderstreckwerk, E. Cartwright 1785 den mechanischen Webstuhl. 1769 schuf R. Arkwright eine Flügelspinnmaschine; 1767 mechanisierte J. Hargreaves das Handspinnrad und schuf die nach seiner Tochter benannte Jennymaschine. S. Crompton baute 1779 die kombinierte Klubmaschine.

441 *8 wie gedrechselt:* Zu dieser Wendung vgl. zu 438, 16. – *9 à l'œuf d'aûtruche:* wie Straußeneier. – *10 Habichts-Nasen:* Vgl. zu 430, 21. – *12f. zweimal fünf ist dreizehn:* Diese Wendung begegnet ähnlich auch B 242. – *14 Quantong:* chines. Kuangtung, verballhornt zu Kanton; Hauptstadt der gleichnamigen chin. Provinz: das chines. Tor des Südens; öffnete sich als einzige Stadt Chinas seit dem 16.Jh. dem Fremdenhandel. – *16f. Kopernikanische System:* Über Kopernikus und sein System vgl. zu H148; vgl. ferner den Aufsatz über Kopernikus S. 138. – *28 Deutsche Hexameter:* Vgl. zu 296, 14. – *31f. Nachricht ... von einem gewissen Herrn Sharp:* gewiß fiktiver Gewährsmann Lichtenbergs. Lichtenberg erwähnt ihn auch in dem Aufsatz »Ein neuer Damen-Anzug..« (GTK 1796, S. 146–159). Zu der Fiktion des *englischen* Berichterstatters vgl. zu 451, 4. – *33 Gesandtschafts-Reise nach Schina:* Dazu vgl. oben S. 209. – *34f. englischen Butlers ... keine verächtlichen Menschen:* Dazu s. oben S. 209. – *37f. Nase ..., die ... den Purpur des Standes anzieht:* Zu diesem Ausdruck vgl. auch 987, 33. 1000, 22.

442 *1f. Schule zu Harrow auf der Höhe:* Die 1571 gegründete Harrow School galt und gilt als eine der exklusivsten Schulen Englands. – *2f. in Cambridge ... studiert:* nach Oxford das berühmteste College in England, gegründet 1229. – *4 Filtrum:* Vgl. zu J 780. Von »Filtrier-Prozeß« redet Lichtenberg 987, 25. – *4f. neun und dreißig Artikel:* Artikel der anglikanischen Kirche; die nach dieser Kirche wesentlichen Punkte der christlichen Lehre wurden 1562 aufgestellt. – *9f. einem unsrer Freunde ... zu Cambridge:* auch vermutlich Fiktion Lichtenbergs; s. aber zu 442, 37. – *20 die Stunden ruft ein Guguk:* Vgl. zu dieser Wendung J 582. – *22 Hazardspiele:* Glücks-Spiele; im 18.Jh. vorzugsweise L'hombre, Pharao, Whist und Tarock. Lichtenberg gebraucht den Ausdruck auch 883, 15. 1017, 10. 1020, 10; ferner G 48. H1 und Briefe (IV, S. 867). – *23f. Tollhäuser ... die Wände ... bemalt:* Diese Wendung begegnet auch GH 40. – *26 welches, wie ich:* von mir verb. aus: *welches ich, wie*

ich. – *27 Quadratur des Zirkels:* Unter Quadratur des Kreises versteht man die – unlösbare – Aufgabe, durch eine Konstruktion allein mit Zirkel und Lineal in einem endlichen Teil der Ebene einen vorgegebenen Kreis in ein flächengleiches Quadrat überzuführen. – *28 ein so genannter Trappenfuß:* wohl nach dem als Leckerbissen geltenden Vogel Trappe; der Ausdruck *Trappenfuß* fehlt in Grimms Wörterbuch. – *29 Spadille:* im L'hombre Pik-As, das stets höchster Trumpf ist. Einen ähnlichen Vergleich stellt Lichtenberg K 248; s. auch 813, 14f. – *34 sieben und funfzig Meilen (funfzehn Deutsche):* Eine Deutsche Meile betrug 7420,4 m. – *36 Tsing-Long:* Diesen Ausdruck notiert Lichtenberg auch SK 807; sicherlich die scherzhafte phonetische Schreibung des engl. *Thing long:* langes Ding. – *37 Wang-o-Tang:* Den Chinesen Whang at Tong erwähnt Lichtenberg in RA 153. – *38 beim Kapitän Blake in Parlement-Street gesehen:* Auch dies entspricht vermutlich den Tatsachen: vgl. RA 18 und die Anm. dazu.

443 *6 das r nicht aussprechen:* Hier überträgt Lichtenberg womöglich eine von ihm notierte Spracheigentümlichkeit Omais auf den Chinesen: vgl. RT 26 und 344, 21f. – *7f. military ... starving:* Militär-Akademien zur Erlernung der Kunst des Hungerns. – *13 Pfeifenkopf:* Von einem meerschaumenen Pfeifenkopf spricht Lichtenberg J 678. – *13f. Smith im Cajus Collegio aus dem Haag:* Diese Passage ist vermutlich Fiktion Lichtenbergs, jedenfalls in ihren Anspielungen dunkel. – *29 quasi in nuce:* wie in einer Nußschale. – *33ff. Aktiv-Krieg ... Passiv-Krieg:* Zu dieser und ähnlichen von Lichtenberg geprägten Wendungen vgl. zu D 98; s. auch 822, 1. 861, 23. 980, 36. – *35 besitzt noch einige Schriftzüge von ihm:* Vgl. ebenfalls RA 153 und die Anm. dazu.

444 *28 D-Your Polit:* Damned: verflucht, verdammt; über diesen brit. Nationalfluch vgl. zu F 319. *Polit* soll vermutlich *Politics:* Politik heißen. – *38 Anm. d. Herausg.:* i.e. Lichtenberg.

445 *29 Federharz:* Vgl. zu 66, 9.

446 *16f. Kriegsphilanthropine:* Philantropinum: ›Werkstätte der Menschenfreundschaft‹, so nannte Basedow die erste Reform-Anstalt dieser Art, die er 1774 in Dessau eröffnete. Lichtenberg verwendet den Begriff auch F 403. 448. 857. 1070.

447 *15f. unseren Leuten alles Denken, so wie ... der Biene, dem Biber und der Kreuzspinne:* Das Gleichnis von der ingenieusen, aber verstandlosen Biene begegnet auch B 119. E 470. J 718. L 955. 956; im übrigen vgl. zu 259, 24. Zum Gleichnis vom Biber vgl. D 335. K 291; zu dem von der Spinne vgl. B 119. C 226. E 509. J 1155. L 952. 956. Über die große Abrichtungsfähigkeit des Menschen reflektiert Lichtenberg L 100; s. auch 980, 21. – *18 Instinkt-Menschen:* Über den Instinkt des Menschen reflektiert Lichtenberg auch D 413. E 427. 460. F 614. J 78. 281. 761.

L 309; im übrigen s. S. 505–507. – *21 exkoliert ... die Vernunft:* von lat. excolere: pflegen, fördern, verehren. Diese Wendung begegnet auch D 267. – *35 Instinkt und Kunsttrieb ... verschmelzen:* Zu dieser Wendung vgl. auch 449, 9. Zu dem Begriff vgl. zu A 58. – *38 You impertinent puppy You:* Ihr impertinenter Fant, Ihr. – *38 Anm. d. H.:* i.e. Lichtenberg.
448 *1 Menschen höhere Tierarten:* Zu dieser Metapher vgl. zu B 185; s. auch 449, 7. 505, 21 f. – *9 Philosophanten und Physikanten:* Die letztere Wortprägung notiert Lichtenberg im ROTEN BUCH, S. 70. – *12 Kunsttieren:* Dazu vgl. J 1074. K 291. – *15 Genickfang:* das Abnicken, Aufbrechen und Zerwirken des Wildes mit dem Genickfänger genannten feststehenden Messer. – *27 Passivkrieges:* Vgl. zu 443, 33 ff.
449 *6 wegwerfen, und:* entsprechend Lichtenbergs ›Verbesserungen‹ (GTK 1796, S. 220) von mir korrigiert aus: wegwerfen und. – *7 f. was eine weise Regierung aus dem Menschen machen kann:* Dazu vgl. K 291. – *9 Vernunft zu Kunsttrieben zu verschmelzen:* Vgl. zu 447, 35.
450 *6 Bumper:* Humpen, großes Glas. – *7 f. here ... Etern ...:* Hier ist Euer ›Gott erhalte den König‹. Zum Teufel mit Euren Tsinglongs in alle Ewigkeit. – *10 God save de King:* engl. Nationalhymne, 1743 nach einem von J. Bull 1619 vielfach variierten Thema angeblich von H. Carey gedichtet und komponiert. – *21 Artikel:* von mir geändert aus: *Artikel:*; der Doppelpunkt verweist in der Satzvorlage auf den Aufsatz: »Ein neuer Damen-Anzug, vermuthlich in Indien«, erschienen ebenfalls im »Göttinger Taschen Calender« für 1796, S. 146–159.

VERZEICHNIS EINER SAMMLUNG VON GERÄTSCHAFTEN

Erstveröffentlichung und Satzvorlage: »Verzeichniß einer Sammlung von Geräthschaften, welche in dem Hause des Sir H. S. künftige Woche öffentlich verauctionirt werden soll. (Nach dem Englischen.)« Erstveröffentlicht im »Göttinger Taschen Calender« für 1798, S. 154 bis 169. Eine Handschrift des Artikels ist im Nachlaß nicht erhalten.

Zur Entstehung: In dem ROTEN BUCH, S. 96, notiert Lichtenberg: »Der Auctions Catalog steht H. p. 8, 9, 34 pp.« Diese Notate aus dem Sudelbuch H sind bedauerlicherweise nicht überliefert. Jedoch beweist Lichtenbergs Vermerk, daß die Keimzelle zu diesem Artikel bereits in die Jahre 1783 oder 1784 zu datieren ist. Im übrigen vgl. oben S. 208. Die Niederschrift erfolgte vermutlich in den Wochen des August oder September 1797. Im übrigen vgl. J 714. L 398 und

SAMMLUNG VON GERÄTSCHAFTEN 213

958, 14ff; ferner Lichtenbergs Brief an Tychsen (IV, Nr. 729, S. 969) vom 21. November 1797 und an Agnes Wendt (IV, Nr. 733, S. 974) vom 16. Dezember 1797, in dem er schreibt:
»Der Himmel gebe nur, daß Ihnen bei meinem Kalender der alte Stammvater dieser kleinen Race, ich meine der hinkende Bote, nicht einfällt. Der Artikel von der Wurst und der Auktions-Katalog hat so was von jenem Ahnherrn.«

451 *2 Sir H. S.:* Hans Sloane; s. Z. 16 und die Anm. dazu. – *4 Nach dem Englischen:* »Ich meine es müßte dabei gesagt werden: aus dem Englischen, dieses gäbe Sicherheit und deswegen Leichtigkeit« schreibt Lichtenberg K 4; s. auch 441, 31 und unten S. 229. – *6f. bei meinem Aufenthalt in England:* Gemeint ist Lichtenbergs zweiter Aufenthalt in England vom 25. September 1774 bis zum 7. Dezember 1775. – *7 in einer Bibliothek auf dem Lande:* Gemeint ist wohl die Bibliothek auf dem Landsitz von Wrest, wo sich Lichtenberg vom 26. Mai bis Anfang Juli 1775 aufhielt; s. RA 40. Daß Lichtenberg die Bibliothek benutzte, geht etwa aus RA 52 hervor. – *8 Swifts Werken:* Über Swift vgl. zu KA 152. – *10 in the manner of Dr. Swift:* Vgl. oben S. 103 ff. – *11 Der Besitzer der Bibliothek:* Lord Alexander Polwarth; über ihn vgl. zu E 44. – *16 Sir Hans Sloane:* Über ihn vgl. zu KA 72; seine Sammlungen werden auch E 4. 7 erwähnt. Sie wurden 1753 nach seinem Tode vom engl. Staat angekauft. – *18 Marlowe:* vermutlich von Lichtenberg fingierter Name. – *34 Britischen Museums:* Bibliothek und Museum in London, 1753 durch Parlamentsakte gegründet. Die Bibliothek entstand 1753–1759 aus der Zusammenlegung der berühmten Bibliotheken von Hans Sloane, Cotton, Harley.

452 *6f. noch viel niedriger gedichtet:* Ein Beispiel von Swifts ›unflätig‹ niedrig-komischer Manier notiert Lichtenberg in B 43; s. auch Lichtenbergs Meinung über Swift G 121. – *19 Ein Messer ohne Klinge:* »Der Verfasser jenes Verzeichnisses hat sich vermutlich vorgestellt, die Messer beständen aus Stiel und Klinge, wie der Mensch aus Leib und Seele. Doch wäre auch diese Vorstellung praktisch nicht ganz richtig, da z. B. unsere beiden Herrn Nachbarn Blume und Bödiker, wo nicht geradezu Menschen, doch *Leute* machen, denen jene beiden Requisita fehlen«, schreibt Lichtenberg an Tychsen (IV, Nr. 729, S. 969) am 21. Nov. 1797. – *21 Repetier-Sonnenuhr:* Von ›Repetier-Uhr‹ spricht Lichtenberg J 1856. – *26 Chaise per se ... percée:* Diese Wendung ist J 1146 entnommen; Chaise percée: Nachtstuhl; per se: für sich. – *27 Dusch:* Tusch; s. auch 644, 6. – *29 100 Guineen:* Vgl. zu 40, 35. – *35 Gueridons:* Nipptischchen. – *36 Methodisten:* Vgl. zu 193, 21 f. – *36 Betschwestern:* Diesen

Ausdruck gebraucht Lichtenberg auch 704, 5. 745, 26. 805, 14. 850, 21. 858, 22. 937, 20; im übrigen vgl. zu E 448.

453 *1 Imperial-Bett:* Imperiale nannte man im 16. und 17. Jh. Dächer von Pavillons, deren Form an die der Kaiserkrone erinnerte, und im übertragenen Sinn auch ähnlich geformte Himmelbetten. – *1 Großveziere:* in den islam. Ländern der leitende Minister. – *3f. Instrumenten, die Juden zu bekehren:* Über Judenbekehrungen vgl. Lichtenbergs erste veröffentlichte Satire »Timorus« und oben S. 82 f. – *5 rotem Marocco:* Gemeint ist: Marokkoleder (Maroquin). – *8 hinaus:* von mir verb. aus: hinans. – *14 Königl. Sozietät:* Vgl. zu 41, 20. – *16ff. Trumpfzähler ... Schrittzähler:* Zu dieser Wortprägung und zu dem Gedanken vgl. J 1563; den Ausdruck »Schrittzähler« gebraucht Lichtenberg auch F 170.

454 *4 Festons:* Schmuckmotiv in Form eines Gehänges aus Bändern, Blumen, Früchten und Laubwerk; seit der Antike in Baukunst, Kunstgewerbe und Malerei sehr beliebt. – *10 Lombre- und Tarock-Karten:* L'hombre: ein von den Spaniern in der Mitte des 15. Jhs. erfundenes Kartenspiel, im 18. Jh. auch in Deutschland populär, später vom Skatspiel verdrängt. Höchster Trumpf – Spadille – ist das Pik-As. Tarock: Kartenspiel, von drei Personen mit der Tarockkarte gespielt. – *13f. antiken Tränen-Fläschchen:* Diesen Ausdruck gebraucht Lichtenberg auch D 634 und L 218; s. auch 807, 28. – *25 Cranii:* Schädel (Gen.). – *25 osteologisch:* knochenkundlich; s. auch J 1135. – *32 Chapeaux:* Über diesen Ausdruck vgl. zu 254, 29.

455 *7f. Kind mit zwei Köpfen ... vier Armen:* Diese Wendung erinnert an Lichtenbergs Beschäftigung mit dem »Doppelten Prinzen« s. 470, 36f. 944, 7. – *18 Diebs-Laterne:* Blendlaterne. – *25 in schwarzen Korduan mit goldenem Schnitt:* Diese Wendung zur Umschreibung erotischer Literatur gebraucht Lichtenberg auch 478, 34. 502, 32 f.; s. ferner in den Briefen (IV, S. 731). – *26 Eton und Westmünster:* Das Eton-College, gegr. 1440 von Heinrich VI., ist die größte und angesehenste der Public Boarding Schools Englands; Westminster-College, 1560 von Queen Elisabeth auf neue Richtlinien gestellt, eine der berühmtesten engl. Public Schools, bis 1868 durch die Westminster-Abtei verwaltet. – *29 concubinium:* Konkubinat. – *30 connubium:* Ehe. – *30 commercium) animae et corporis:* Verkehr der Seele mit dem Leibe. Diese Wendung gebraucht Lichtenberg auch 228, 7. – *34 vorherbestimmte Harmonie:* Verdeutschung von: harmonia prästabilita; von Leibniz geprägter Begriff, sein theologisches Weltbild bestimmend. Lichtenberg gebraucht den Begriff auch 480, 10.

456 *9 Goldschläger-Haut:* Vgl. zu 67, 9. – *12 follis infinitus:* unbegrenzter lederner Schlauch: Blasebalg. – *13 Schraube ohne Ende*

(cochlea infinita): Diese Wendung ist J 434 oder K 243 entnommen. – *15 Peinliche Halsgerichts-Ordnung:* Vgl. zu 218, 11. – *16 Habeas Corpus Akte:* »Du habest den Körper«. Engl. Staatsgrundgesetz von 1670, das vorsieht, daß niemand ohne richterliche Untersuchung und Anordnung in Haft genommen oder gehalten werden darf, und das gerichtl. Verfahren in Haftsachen festlegt. – *19 Maultrommel:* Über dieses Musik-Instrument des 18.Jh. vgl. zu 422, 10. – *20 Petrefacta:* Versteinerungen. Zu diesem von Lichtenberg häufig gebrauchten Ausdruck vgl. zu 155, 29. – *21 Pectiniten:* Pectinidae: Familie der Kammuscheln, die schon im Silur nachweisbar sind. – *21 Terebratuliten:* Gattung der Armfüßer; mit vielen, als Leitfossilien wichtigen Arten. – *25 ein Stück echten Granits:* Diese Gesteinsart, »die Grundfeste unserer Erde« (Goethe), wurde in den neunziger Jahren des 18.Jh. in der Folge der revolutionierenden geologischen Theoriebildungen sozusagen ›neu entdeckt‹. – *26 Aleph:* Anfangsbuchstabe (a) des hebräischen Alphabets. – *31 Herrn, der seine Länder auf dem Berge Libanon:* Vgl. zu 227, 32f. – *38 Polemoskop:* spaßhafte Bildung Lichtenbergs: Kriegs-Seher.
457 *6f. Makulaturfressern:* Vgl. zu 377, 26.

REDE DER ZIFFER 8

Erstveröffentlichung und Satzvorlage: »Rede der Ziffer 8 am jüngsten Tage des 1798ten Jahres im großen Rath der Ziffern gehalten.« Erstveröffentlicht im »Göttinger Taschen Calender« für 1799, S. 83 bis 111. Eine Handschrift des Artikels ist im Nachlaß nicht erhalten.

Zur Entstehung: Die Keimzelle dieses Kalender-Artikels findet sich zweifellos in L 366; vgl. aber auch L 180 und 517. Die Ziffer 8 war übrigens auf Grund ihrer arithmetischen Eigenschaften im Altertum besonders angesehen und galt wie die 3 als eine vollkommene Zahl, die eine große Rolle in Mythos, Märchen und Religion spielt; s. auch Lichtenbergs Sprachspielerei mit der Ziffer Acht in K 2.

Während Lichtenberg in SK 999 notiert, daß er am 13. September den Kalender für 1799 geendigt habe, geht aus seiner Fußnote S. 458 hervor, daß dieser Artikel bereits im Juli 1798 »abgedruckt« war.

Weitere Hinweise auf die Niederschrift des Artikels und seinen Inhalt begegnen in den Briefen (IV, S. 988. 991–992. 993) vom Juli, vom 16. und 23. August 1798.

Literatur: Mautner, o.c.p. 406–409.

458 *2 großen Rat:* Diese Wendung gebraucht Lichtenberg auch
D 79. E 370. J 1331; s. auch 459, 3. – *3 Die Nulle ... im Präsi-
denten-Stuhl:* Vgl. zu E 263. – *6f. Touloner Flotte:* Von Toulon,
seinerzeit Kriegshafen für die frz. Mittelmeer-Flotte, brach
Bonaparte am 19. Mai 1798 mit seinem ägyptischen Expedi-
tionscorps auf. – *7 Berg Sinai:* Vgl. zu 461, 26 ff. – *11 nach ange-
stammter Ungleichheit:* Diese Rousseau widersprechende Formulierung ist zugleich eine Spitze Lichtenbergs gegen das von
der Frz. Revolution proklamierte Postulat der ›Egalité‹; vgl.
auch 492, 6 ff. 724, 25 f. 756, 1 ff. 786, 35. 875, 37. – *17f. ultimo
Decembris:* dem letzten Dezembertag.
459 *3 im großen Rat:* Vgl. zu 458, 2. – *6 Centgräflicher Glorie:* Anspielung auf den Zentgraf, lat. Centenarius, Vorsitzender des sog.
Zentgerichts, im Mittelalter üblicher Gerichte für die niedere,
teilweise auch für die Blutgerichtsbarkeit. – *7f. tempora mutantur:* »Die Zeiten ändern sich«. Der Überlieferung nach geht
dieser Ausspruch auf Lothar I. zurück; der Vers lautet vollständig: Tempora mutantur, nos et mutamur in illis. – *12f. Fall
der alten Bastille ... alten Philosophie:* Die Erstürmung der
Bastille, seit Richelieu Staatsgefängnis in Paris, fand am 14. Juli
1789 statt; s. auch 909, 11. SK 12; den Ausdruck: »alte Philosophie« gebraucht Lichtenberg auch L 4. Er meint, wie aus 200, 17
hervorgeht, die vorkantische Philosophie. – *19 mutatis mutandis:*
Vgl. zu 226, 20. – *32f. Schiedsrichterin über alles Gerade und
Ungerade:* Die Zahl 8 hat die arithmetische Eigentümlichkeit,
daß sich alle ungeraden Quadratzahlen um Vielfache von 8
unterscheiden. – *35f. ohne Ruhm zu melden:* Diese Wendung
findet sich auch in E 157. – *36 Gickeln:* Zu diesem Ausdruck
vgl. zu D 238; s. auch 557, 26. 858, 22.
460 *1 apokalyptische Sieben:* Die Zahl Sieben spielte bei den Baby-
loniern, Persern und Juden eine große Rolle; in der »Apoka-
lypse des Johannes«, worauf Lichtenberg anspielt, ist die Rede
von den »sieben letzten Plagen« (Kap. 15); von dem »siebenköpfigen Tier der Lästerung« (Kap. 13); »Eröffnung des sieben-
ten Siegels« (Kap. 8); »Geheimnis der sieben Leuchter und
Sterne« (Kap. 1). Lichtenberg selbst spielt häufig mit der Zahl:
s. etwa B 204. D 324. E 170. 225. 226. L 609; ferner 415, 19.
469, 10. – *7 ancora:* noch. – *18f. wenns hoch kömmt, so sinds
achtzig:* In Psalm 90, 10 heißt es: »Unser Leben währet siebenzig
Jahr, und wenn's hoch kommt, so sinds achtzig Jahr, und
wenn's köstlich gewesen ist, so ist's Mühe und Arbeit gewesen.«
S. auch 926, 1. – *20f. zu Jakobinern zu machen:* Jakobiner, die Mitglieder des wichtigsten polit. Klubs der Franz. Revolution,
genannt nach ihrem Tagungsort, dem Dominikanerkloster
St. Jacques in Paris; nach Robespierres Sturz am 9. Thermidor
wurde der Jakobiner-Klub geschlossen. In den neunziger

Jahren des 18.Js. pflegte die Presse der Gegenrevolution jeden Demokraten und ideellen Parteigänger der Frz. Revolution als ›Jakobiner‹ zu denunzieren. – *30ff. Shakespear ... die Welt damit bezeichnete, und die Schaubühne:* Vgl. zu 279, 15f.; über Shakespeare vgl. zu A 74.

461 *12 großen Zehnfingrigkeit:* Anspielung auf die territoriale Annexionspolitik der frz. Republik und die von ihr begangene Requisition von Kunstschätzen speziell in Italien und Ägypten. Vgl. auch L 64 und 469, 23. – *12 Nelson:* Über Horatio Lord Nelson vgl. zu SK 1026; auf diese Passage spielt Lichtenberg in einem Brief an Kästner (IV, Nr. 752, S. 993) vom 23. August 1798 an. – *16 eine über den Wolken vorgefallen:* Anspielung auf die Schlacht bei Fleurus (1794), bei der die frz. Armee erstmals Luftballons einsetzte, die zu ihrem Siege beitrugen. Im »Göttinger Taschen Calender« für 1797 kommt Lichtenberg innerhalb des Aufsatzes »Das Neueste von der Sonne; größtentheils nach Herschel«, S. 88, unter den wissenschaftlichen Errungenschaften des achtzehnten Jahrhunderts auf die aerostatischen Maschinen zu sprechen: »Wer hätte noch vor wenig Jahren geglaubt, daß bloß eine genauere Beobachtung der Luftbläschen, die man bey manchen Auflösungen bemerkt, dem Menschen einen Weg gerade durch die freye Luft über die Wolken zeigen würde, oder ein Mittel, den durch Berge gedeckten Marsch entfernter Armeen zu recognosciren, und daß eine frühere Bekanntschaft mit diesen Bläschen die Geschichte der Deutschen um eine ihrer schönsten Zierden, die Schlacht bey Roßbach, hätte bringen können.« Dazu gibt Lichtenberg die Fußnote: »Es ist wahrscheinlich, daß, wenn das französische Heer bey Roßbach den Luftball gehabt hätte, der ihm bey Fleurus so große Dienste that, es schwerlich in die Falle würde gerathen seyn, die ihr Verderben war.« Vgl. auch 70, 26. – *17f. Durchstecherin der Landenge von Suez:* Bonaparte beschäftigte sich in der Tat 1798 eingehend mit dem Plan einer Wiederinbetriebnahme des alten Kanals zwischen dem Roten Meer und dem Nil, reiste sogar im Dezember 1798 mit Monge und Berthollet nach Suez und forderte nach seiner Rückkehr die genaue Untersuchung dieser Frage. – *25 Bonapartes:* Über Napoleon Bonaparte vgl. zu L 248. – *26ff. den Berg Sinai ... verbreiten:* Die Wendung ist L 517 entnommen; vgl. die Anm. dazu; Lichtenberg gibt die Passage in einem Brief an Kästner (IV, Nr. 751, S. 991) am 16. August 1798 wieder. – *30f. das erste Dezimal-System auf steinernen Tafeln gedruckt:* Gemeint ist der Dekalog, die nach 2. Moses 20, 2–17 von Gott auf dem Sinai auf steinerne Tafeln geschriebenen Zehn Gebote. – *34 bei Teneriffa:* Im Juli 1797 griff Nelson als Konteradmiral Teneriffa an und verlor in der Schlacht den rechten Arm. – *36 nicht Buonaparte ... schreiben:* Darüber läßt

sich Lichtenberg in einem Brief an Kästner (IV, Nr. 751, S. 991) am 16. August 1798 aus. – *39 Citoyen circoncis:* frz. wörtlich: Bürger Beschnittener; also ein Jude frz. Staatsangehörigkeit; die Anrede ist von Lichtenberg erfunden, wie aus dem zu 461, 26 zitierten Brief an Kästner hervorgeht.

462 *3 aboliert:* frz. außer Gebrauch gesetzt; Lichtenberg verwendet das Verb auch in den Briefen (IV, S. 295, 19). – *3 f. neuen Sinus-Tafeln:* Vgl. L 517. – *4 f. Universal-Orographie:* griech. ›Berg-Schreibung‹. Zu ähnlichen Wortbildungen Lichtenbergs mit *Universal-* vgl. zu 415, 36. – *14 Citoyenne:* Bürgerin. – *20 Alexander:* Über Alexander den Großen vgl. zu B 408; auch 720, 16 f. 765, 14 f. vergleicht Lichtenberg ihn mit Straßenräubern. – *20 Tamerlan:* abendländisch für Timur-i Läng (1336 bis 1405), asiat. Eroberer aus türkisiertem mongolischen Häuptlingsgeschlecht, durchzog unter furchtbaren Grausamkeiten gegen Christen und Mohammedaner wiederholt Iran und Kaukasus. – *20 Pugatscheff:* Jemeljan Pugatschew (ca. 1726 bis 1775), erregte 1773 einen Aufruhr unter den Kosaken im Dongebiet und bedrohte Moskau; 1774 geschlagen und hingerichtet. – *20 f. Zigeuner Gallant:* Die Lebensdaten waren nicht zu ermitteln. – *22 à jour:* durchbrochen, licht, löcherig. – *32 ff. aus dem Reichs- als allgemeinen literarischen Anzeiger ... ersehen:* Zu der Diskussion über Ende des 18. und Anfang des 19. Jahrhunderts vgl. L 460, wo die Zeitschriften aufgeführt werden, und die Anm. dazu. – *36 f. die verba irregularia abzuschaffen:* Dieser Gedanke ist L 517 entnommen.

463 *30 Luftschlachten:* Vgl. zu 461, 16. – *33 bevisieren, bephantasieren:* Zu diesen Wortbildungen vgl. zu 421, 7. – *38 f. neufränkischen Experimental-Politik:* Diese Wendung ist L 322 entnommen; als *Neufranken* im Gegensatz zum ancien régime bezeichnete man seinerzeit die Staatsangehörigen der frz. Republik; s. auch 672, 32. Über Lichtenbergs politische Haltung s. auch 477, 19 ff. 488, 11.

464 *9 Dionysius:* Dionysius Exiguus, ein Mönch aus Skythien, lebte etwa von 500 bis 550 in Rom. Von ihm stammt die bis zur Gregorianischen Kalenderreform gültige Berechnung des Termins des Osterfestes und die von Christi Geburt an zu rechnende Dionysische Ära, damit also die seit 525 geltende christliche Zeitrechnung. Auf Geschichte und Probleme der christl. Zeitrechnung kommt Lichtenberg auch in dem »Gnädigsten Sendschreiben der Erde an den Mond« 407, 30 ff. zu sprechen. – *15 praeter propter:* etwa, ungefähr. – *30 Dionysius Petavius:* Denis Petavius (Petau; 1583–1652), frz. Jesuit in Paris, Vater der Dogmengeschichte, wurde durch systematische Arbeiten zur Chronologie (bis 533 nach Chr.) bekannt. »Tabulae chronologicae« (1628).

465 *31 bruta:* von lat. brutus: dumm, schwerfällig. – *33f. Der Gerechte erbarmet sich auch seines Rindviehes:* Dieser Satz geht auf Sprüche Salomonis 12, 10 zurück. Lichtenberg zitiert die Sprüche auch 1009, 23 ff. 1054, 13 ff. 1055, 37f. 1059, 17 ff. 1060, 37f.
466 *20f. Beschneidung Christi:* Dieses Fest wurde in der latein. Kirche seit dem 6.Jh. am achten Tag nach Weihnachten am 1.1. gefeiert. – *25f. der 25te März, Ladyday, Maria-Verkündigung:* »Im Februar 1735, nach unserer Art zu zählen, kamen in London an demselben Tage Zeitungen heraus, die das Jahr 1734 hatten, obgleich denselben Monath, weil sie nämlich ihr neues Jahr, der alten Gewohnheit nach, erst mit Lady-Day (25. März) des unsrigen anfiengen, und dieses erzeugte folgende allerdings merkwürdige Verwirrung: In derselben Woche erschien in London die Rede des Königs mit dem Datum 1732-3; die Addresse des Oberhauses wegen dieser Rede, mit 1732, und die der Gemeinen mit 1733«, schreibt Lichtenberg in »Vom bibliopolischen Jahre« (GTK 1796, S. 195–196). – *34f. anno ... millesimo:* im ersten, tausendsten Jahr nach Christi Geburt.
467 *24 Ggr.:* Abkürzung für: Gute Groschen; vgl. zu 239, 12.
468 *16 Viel Lärm um nichts:* Zitat des Titels von Shakespeares Lustspiel »Much ado about nothing«. – *19 Herausgebers:* i.e. Lichtenberg. – *20 Vorstehende Rede ... von unbekannter Hand:* Zu dieser typischen Fiktion Lichtenbergs vgl. zu 419, 17. – *24f. willens ... etwas Ähnliches ... 1800 zu sagen:* Diese Absicht äußerte Lichtenberg bereits in dem Artikel »Trostgründe für die Unglücklichen« (GTK 1793, S. 119); im übrigen vgl. zu L 460. – *28 terminum a quo:* Zeitpunkt, von dem (alles ausgeht). – *31 Insel Ferro:* Durch Ferro, die westlichste der spanischen kanarischen Inseln, wurde 1634 der Nullmeridian gezogen.
469 *7f. et sic in infinitum:* und so bis in alle Ewigkeit. – *8f. Direktoriums:* frz. Directoire, die oberste Regierungsbehörde Frankreichs nach der Verfassung vom 5. Fructidor An III (22.9.1794), angenommen 1795, bestand aus 5 Mitgliedern, die vom Rat der Alten aus einer vom Rat der 500 aufgestellten Liste gewählt wurden. – *12f. wie sie in obiger Rede heißt:* S. 460, 1. – *14 compte rendu:* Bericht. – *17 Kollisionen zu vermeiden:* Zu diesem Ausdruck vgl. zu 548, 8. – *22 Charte von Europa ... illuminieren:* Zu diesem Bild vgl. 856, 16–18. – *23 neuesten Völkerrecht:* vermutlich Anspielung auf die französ. Eroberungs- und Annexionspolitik; vgl. zu 461, 12. – *23f. neueste Bedeutung von Meum und Tuum:* Das Wortspiel mit »Mein und Dein«, hier abermals auf die französ. Außenpolitik bezogen, gebraucht Lichtenberg auch in dem Aufsatz »Ein neuer Damen-Anzug, vermutlich in Indien« (GTK 1796, S. 151). Vgl. auch G 162 und 1059, 3. – *24 das politische Ich und Nicht-Ich:* Diese antithetische Formel der

Fichteschen Philosophie gebraucht Lichtenberg auch 480, 8. 936, 34.

DASS DU AUF DEM BLOCKSBERGE WÄRST

Erstveröffentlichung und Satzvorlage: »Daß du auf dem Blocksberge wärst. Ein Traum wie viele Träume.« Erstveröffentlicht im »Göttinger Taschen Calender« für 1799, S. 150–180. Eine Handschrift dieses Artikels ist im Nachlaß nicht erhalten.

Zur Entstehung: Die Keimzelle dieser Traum-Erzählung ist in zwei Bemerkungen des Sudelbuches L zu sehen. L 224 notiert Lichtenberg: »Flüche für Kinder, Seeleute, Militärpersonen pp.« Diese Notiz ist zwischen dem 30. Juli und Mitte August 1797 geschrieben. Die andere Bemerkung ist L 548: »In manchen Gegenden Deutschlands wünscht man Dinge, deren man überdrüssig ist, auf den *Blocksberg*. Namentlich soll dieses in Westfalen der Fall sein (S. neuste Staatsanzeigen IV. B. 2tes Heft p. 142). Auch der Franziskaner-Pater Guido Schultz, der in diesem Heft sein Leben erzählt, wünschte seine Franziskaner-Kutte dahin. Dieses könnte zu einer nützlichen Dichtung Anlaß geben. Man müßte annehmen, daß an einem gewissen Tage, zum Exempel in der Nacht vom 31. Dezember auf den *1ten* Jänner, alle die Sachen vorgezeigt würden, die im verlaufnen Jahre auf den Blocksberg wären verwünscht worden.« Der Gedanke, daraus eine ›nützliche Dichtung‹ zu entwerfen, ist zwischen dem 13. Juli und dem 15./16. September 1798 fixiert worden. Da Lichtenberg in SK 999 vermerkt, daß er am 13. September 1798 den Kalender für 1799 geendigt habe, wird man den August als ungefähre Abfassungszeit annehmen können.

Am Rande sei bemerkt, daß fast gleichzeitig in den »Phantasiestücken in Prosa und Versen«, einem in Osnabrück erscheinenden »Taschenbuch für das Jahr 1799«, eine vorgeblich wahre Geschichte »Die Brockenfahrt« veröffentlicht wurde, in welcher der Brockenfahrer als Hexenmeister auftrat.

Literatur: Schneider, a.a.O. Bd. I, S. 240–242; Mautner, a.a.O. S. 410 bis 411.

470 1 *Blocksberge:* volkstümlicher Name des Brockens und anderer Berge und Höhen in Deutschland; nach der Sage Aufenthaltsplatz der Hexen, die dort in der Walpurgisnacht mit dem Teufel orgiastische Feste feiern. Lichtenberg erwähnt das Motiv einer Szene auf dem »Blocksberg« auch E 522; s. auch 473, 18. –

2 *Traum wie viele Träume:* Zu Lichtenbergs Beschäftigung mit dem Phänomen des Traums und seiner literarischen Nutzanwendung vgl. zu A 33; im übrigen vgl. 108, 21. 395, 22. 482, 21f. – *3 Tod eines vortrefflichen Mannes:* vermutlich von Lichtenberg fingiert; wenigstens findet sich in SK oder den Briefen kein Hinweis. – *5 Besitz eines Manuskripts von seiner Hand:* von Lichtenberg fingiert. – *8f. Karten, die wir beide unversöhnlich haßten:* Aus SK geht hervor, daß Lichtenberg häufig Karten zu spielen pflegte. – *20 grünen Buche:* Daß es sich hierbei um keine Fiktion handelt, geht aus dem ROTEN BUCH hervor, wo das »Grüne Buch« zweimal erwähnt wird (p. 76. 110); das offenbar nach der Farbe seines Umschlagdeckels von Lichtenberg so genannte Sudelbuch ist im Nachlaß nicht erhalten. Auszuschließen ist jedenfalls, daß es sich um eins der erhaltenen Sudelbücher J, K, L handeln könnte. – *22f. deutsche Flüche, und Verwünschungen für alle Stände:* Eine Anspielung darauf bildet gewiß L 224. Ein ›Schimpfwörter-Buch‹ konzipiert bereits der junge Lichtenberg; vgl. C 285 und die Anm. dazu; ferner B 391. C 75. D 667. E 208. F 464. – *25f. unser Bedlam für Erfinder fast wörtlich aus dem grünen Buche:* Im »Göttinger Taschen Calender« für 1792, S. 128–136, findet sich erstmals der Artikel »Bedlam für Meinungen und Erfindungen«, in welchem Lichtenberg der Vernunft und Wissenschaft spottende zeitgenössische Absurditäten dem Tollhaus à la Bedlam überweist. Im übrigen vgl. 414, 28 und die Anm. dazu, ferner ROTES BUCH p. 38. 39. 53. Zu *Bedlam* vgl. zu 292, 31. – *28 nicht sehr unbekannten Verleger:* Gemeint ist natürlich Johann Christian Dieterich; über ihn vgl. zu B 92. – *35f. Artickel ... vom doppelten Printzen:* Vgl. zu 471, 10f. – *36f. Flüchen von Kindern:* Vgl. L 224; *von:* von mir verb. aus: *vor.*

471 *4 warme Semmel in der Welt:* Diese Redewendung gebraucht Lichtenberg bereits in der »Epistel an Tobias Göbhard« 240, 28. – *9 merkantilischen Suade:* Redeweise des Kaufmanns. – *10f. eine alte fast vergessene Idee von mir:* Vgl. dazu die Einleitung zu »Der doppelte Prinz« unten S. 295.

472 *1 Mißgeburt:* Vgl. zu 455, 7. – *3f. Untersuchung über den Wert des Doppelten in der Welt:* Dazu vgl. J153. 1142. 1144. – *4f. Von Leib und Seele:* Dazu vgl. J153. 1144. – *5 doppelten Adler:* Diese Wendung notiert Lichtenberg bereits in J1144. – *7f. Modell von einem vollendeten Regenten:* Zu diesem Gedanken vgl. J1144. – *9 Castor und Pollux an einem Stück:* die Dioskuren, das berühmte Zwillingsbrüderpaar des griech. Mythos, auch Sternbild. – *10 Zweieinigen:* Diesen Gedanken notiert Lichtenberg K 284. – *11 Schnitt dieser Beinkleider:* »Eine Suite von Kleidungsstücken für ein Kind mit zwei Köpfen ...« führt auch das »Verzeichnis einer Sammlung ...« 455, 7 ff. auf. – *17 Cülottisten und Sansculot-*

tisten: Wortspiel mit franz. *culotte:* Hose; *Sansculotte:* Ohnehosen; im übrigen vgl. zu 104, 38.
473 *2f. deutsche National-Flüche ... sammeln:* S. 470, 22 und die Anm. dazu. – *6 Leibniz ... gesagt hat:* Das Zitat war von mir nicht auffindbar. – *13f. mit meinem Dir bekannten Zettel zu Bette:* Vgl. schon D 101 und die Anm. dazu. – *15f. in meine so genannte Noctes G ... es ... eintragen:* ›Noctes Gottingas‹: Göttinger Nächte; gewiß scherzhafte Abwandlung des bekannten Titels »Noctes atticae« von Gellius; Lichtenberg schreibt ähnlich auch in einem Brief an Kaltenhofer (IV, Nr. 87, S. 187) von »meiner geheimen Geschichte von Göttingen«; sicher ist jedoch kein spezielles Tagebuch, sondern Lichtenbergs übliche Eintragbücher gemeint. – *18 Blocksberge:* Vgl. zu 470, 1. – *23 Walpurgis-Nacht:* Die Nacht vor dem 1. Mai, der der hl. Waldburga gewidmet ist. Nach der Sage feiern in dieser Nacht die Hexen auf dem Blocksberg. – *25f. Bürgers Lenore ... bei ihrem Dragoner:* In Bürgers berühmter Ballade, erschienen 1774, reitet der tote Dragoner mit Lenore bekanntlich auf den Friedhof: »Lenorens Herz, mit Beben / Rang zwischen Tod und Leben«, heißt es in der vorletzten Strophe; Lichtenberg erwähnt die berühmte Ballade auch 736, 19. und in den Briefen (IV, S. 404). Über Gottfried August Bürger vgl. zu F 944. – *27 Schwager:* seinerzeit übliche Anrede des: Postillons. – *27 Nordlicht:* Vgl. zu 69, 27. – *36 deutschen Türkei:* Diese Wendung notiert Lichtenberg in L 502. – *36f. mit einem Anfangs-Buchstaben und Punkten:* Zu dieser Gepflogenheit vgl. zu 60, 31f. – *39 neuesten Staats-Anzeigen:* Über diese Zeitschrift vgl. zu L 548. – *40 Guido Schulz:* Über ihn vgl. zu L 548.
474 *5 Emigranten:* Gemeint sind die vor den Folgen der Französ. Revolution nach Deutschland geflohenen franz. Aristokraten; von den nicht sonderlich beliebten ›Emigranten‹ redet Lichtenberg auch K 143. L 240. 454. – *29 Herausgeber:* i.e. Lichtenberg. – *35 wo der gemeine Mann ...:* Eine ähnliche Reflexion findet sich in Materialheft I, Nr. 175. – *39f. Mit der Gemeinheit der Sprache geht das Eigentümliche ...:* Über die Naivität des Plattdeutschen reflektiert Lichtenberg auch B 95.
475 *36f. in einer sehr vergnügten Ehe leben:* Über Lichtenbergs tatsächlichen Ehe-Alltag vgl. vor allem die Eintragungen in SK.
476 *37f. wie an einem Luftballon hängend:* Diese Wendung wirkt wie eine Lese-Erinnerung Lichtenbergs an die Stelle in Jean Pauls »Kampaner Thal«, wo »Gione in einem Luftball aufsteigt« (IV, S. 988, vom Juli 1798).
477 *13ff. Mein Postillion ... weder die braunschweigische noch die kaiserliche Montur trug:* Dem seit 1595 bestehenden kaiserlichen Postregal (Taxissche Post) widersetzten sich schon bald die großen Landesfürsten insbesondere Mittel- und Norddeutsch-

lands und richteten eigene Landesposten ein, so etwa das Herzogtum Braunschweig, dem seinerzeit der Harz gehörte. – *25 Freiheitsbäume:* ›arbre de la liberté‹: meist eine Pappel, vielfach mit der Jakobinermütze gekrönt, ein Siegeszeichen der Frz. Revolution, das 1792 schon in 60000 Orten der Republik Frankreich gestanden haben soll und auch in der Schweiz und Westdeutschland vorübergehend Verbreitung fand. Lichtenberg erwähnt ihn – satirisch – auch J 1148. L 494. 495; s. auch 1035, 22. – *34 Schildern:* von mir verb. aus: Schilden; zur Verwechslung des Plurals: Schilder s. auch Hogarth-Verb. zu 724, 2.

478 *2f. so mußte es kommen:* Zu Lichtenbergs offizieller Stellungnahme gegenüber der Frz. Revolution und Republik vgl. zu 463, 38f. – *7 ökonomischer Desperation:* ›wirtschaftlicher Verzweiflung‹. – *11 meine eigene Ideen-Verbindung:* Lichtenberg gebraucht diesen Ausdruck auch J 529. – *12f. die Dinge an sich der neuen Philosophie:* Zentralbegriff der Philosophie Kants, die Lichtenberg auch 200, 17 als »neue Philosophie« bezeichnet. – *20 Strichvögel:* Vogel, der mit mehreren seiner Art zu bestimmten Zeiten im Strich ist, d. h. auf der Nahrungssuche kleinere Gebiete zu durchstreichen pflegt. Lichtenberg gebraucht den Ausdruck auch 670, 10. – *26 Nonnen:* Über Nonnen äußert sich Lichtenberg auch C 37. J 987. 1015. – *29 Franziskaner und die von La Trappe:* Über die Franziskaner vgl. zu J 722, über die Trappisten vgl. zu J 899. Über Lichtenbergs ablehnende Haltung gegenüber dem Mönchswesen vgl. zu C 2; s. auch J 1172 und die Anm. dazu, ferner 676, 9. – *31f. meine Theorie vom Menschen ... bestätigte:* Entsprechend Lichtenbergs Denkweise handelt es sich bei ihm nicht um eine explizite Theorie, sondern höchstens um Anschauungen wie die, vom Menschen nicht zu hohe Begriffe zu haben: s. etwa an Ramberg (IV, Nr. 645, S. 862) vom 4. Dezember 1793. – *34 schwarz gebundene Bücher mit vergoldetem Schnitt:* Vgl. zu 455, 25.

479 *22f. die Börse zu Amsterdam:* Lichtenberg erwähnt sie auch K 274. – *27 unser lieber N.:* Lichtenberg spielt ganz sicher auf eine Person seiner Bekanntschaft in Göttingen an; womöglich denkt er an seinen Assistenten Seyde oder an die Informatoren seiner Kinder Gotthard beziehungsweise Dieterich. – *28 Passions-Gesichte:* Zu dieser physiognomischen Wortbildung vgl. zu 371, 26. – *28 Dollond:* Fernrohr, so genannt nach John Dollond; über ihn vgl. zu D 748. – *31 der junge Schurke:* Auch in diesem Fall spielt Lichtenberg gewiß auf eine Person aus Göttingen an, womöglich auf einen frz. Studenten. – *36 Signora Cassandra:* Wer mit dieser gewiß ebenfalls aus dem Göttinger Leben gegriffenen Schwarzseherin umschrieben ist, läßt sich aus Lichtenbergs Tagebüchern nicht erschließen.

480 *8f. meinem Ich nicht Ich ... außerhalb des Spiegels:* Zu dieser Wendung vgl. zu 469, 24. Zum ›Spiegel-Sehen‹ vgl. F 1180. – *10 katoptrischer Harmonia praestabilita:* Katoptrik: Lehre von der Spiegel-Reflexion; Lichtenberg gebraucht den Begriff auch 675, 22. 918, 23. Zu *Harmonia praestabilita* vgl. zu 455, 34. – *11 versteinert:* Zu diesem Ausdruck vgl. zu 155, 29. – *23 Keim zu einer Theorie des Schauspiels:* Vgl. auch 482, 11. – *32 ein alter guter Freund von uns:* Womöglich ist Kästner gemeint. – *32 seine Haushälterin:* Kästner hatte in der Tat eine Haushälterin, die Mamsell Koch, mit der er dem Göttinger Klatsch nach ein Kind hatte. – *33 Exspektanten:* von mir verb. aus: Exspeckanten. – *35f. Diktate reiner praktischen Vernunft:* »Diktate der Vernunft« formuliert Lichtenberg auch L 975 und in der »Erklärung der Kupferstiche« (GTK 1799, S. 226); in obiger Formulierung schwingt Lichtenbergs später Vorbehalt gegen den ›Ethiker‹ Kant mit. – *38 Glieder-Puppe:* der menschlichen Anatomie nachgebildete Modelle aus Holz, an denen Bildende Künstler seinerzeit die richtigen Proportionen lernen sollten. Lichtenberg spricht von »Gliedermännern« E 115.

481 *6 meinen kahlen Scheitel:* Von seiner beginnenden Glatze berichtet Lichtenberg bereits in einem Brief an Friedrich August Lichtenberg (IV, Nr. 466, S. 577–578) vom 27. September 1784. – *9f. geheime Wunsch des Weibes schon keimen machen:* Gemeint sind die Hörner des Hahnreis. – *11 Spießer ... Adelung:* Gemeint ist Johann Christoph Adelungs »Wörterbuch der hochdeutschen Mundart«, erschienen Leipzig 1774–1786 in 5 Teilen; über Johann Christoph Adelung vgl. zu D 668. Lichtenberg zitiert sein Wörterbuch auch 1036, 39 und in »Über Vossens Verteidigung wider mich« (a.a.O., S. 136. 137). – *13 dem Leidigen:* Nach DWB 6, 675 heißt so »der das leid bei einem begräbnisse führende«; hier aber wohl Umschreibung für: Teufel. – *25f. guten Schlucker, der ... Anwartschaft auf mein Amt hat:* Womöglich dachte Lichtenberg an Seyffer oder Wildt (Savage). – *28 Bedienten, der nicht mehr allein in Keller gehen darf:* Wen Lichtenberg gemeint haben könnte, geht aus den Tagebüchern nicht hervor.

482 *11 meine neue Theorie vom Schauspiele:* Vgl. zu 480, 23. – *21f. hierüber ... beträumen:* Zu Traum und Poetik vgl. zu 108, 21. im übrigen vgl. zu A 33. – *27 vice versa:* umgekehrt.

MISZELLANEEN

HUPAZOLI UND CORNARO

Erstveröffentlichung und Satzvorlage: »Hupazoli und Cornaro, oder: Thue es ihnen nach wer kann.« Veröffentlicht im »Göttinger Taschen Calender« für 1793, S. 137–143. Miszelle 5. Eine Handschrift der Miszelle ist im Nachlaß nicht erhalten.

Zur Entstehung: Äußere Veranlassung zur Niederschrift dieses Artikels gaben, wie Lichtenberg selbst mitteilt (s. S. 485), ein Aufsatz im »Hannöverischen Magazin« 1787 und Hufelands Traktat »Über die Verlängerung des Lebens«, erschienen im »Neuen deutschen Merkur« März 1792. Die Niederschrift erfolgte vermutlich im Juli 1792, worauf einige Eintragungen im Tagebuch schließen lassen (vgl. SK 352. 357). Vorarbeiten dazu finden sich aus der Zeit zwischen Anfang April und Mitte Mai 1792 (J 928. 961. 1013; s. auch J 49 und SK 320). Der innere Beweggrund für die Miszelle liegt jedoch in Lichtenbergs Beschäftigung mit dem Phänomen des Alterns, des Alters selbst, an dem eigenen Leib beobachtet und von anderen Personen zeitlebens notiert. Über die Kunst, das Leben zu verlängern, reflektiert er bereits B 129. F 188, und er vermerkt wiederholt Beispiele sehr alt gewordener Menschen: etwa KA 72, E 68 (S. 357), J 1280, L 194. Ja er notiert sich bereits 1789 eine Liste von alten Menschen aus Whitehurst zum Gebrauch für den Kalender (s. GH 66). Derartige ›Listen‹ erstellt Lichtenberg Jahre zuvor in den »Beyträgen zu Rabeners Wörterbuche«, Artikel: ›Instinkt‹ (s. S. 506) und innerhalb des Artikels »Das Neueste von den Kröten« im »Göttinger Taschen Calender« für 1796, S. 188–190. Schließlich sei noch an die Emphase erinnert, mit der Lichtenberg (IV, Nr. 719, S. 959–960) am 9. Januar 1797 den Empfang von Hufelands »Makrobiotik« quittiert.

485 *1 Hupazoli:* Über ihn vgl. zu J 928. – *1 Cornaro:* Über ihn vgl. zu J 961; s. auch Briefe (IV, Nr. 719, S. 960). – *8 Henry Jenkins:* genannt der moderne Methusalem, starb Dezember 1670 in Bolton; er behauptete, um 1501 geboren zu sein; Landarbeiter und Fischer aus Yorkshire. – *15 Skorzonerwurzel:* Scorzonera: Schwarzwurzel. – *24f. diese Geschichte ... aus dem Hannöverschen Magazin:* Gemeint ist der Artikel »Hupazoli« im »Hanno-

verischen Magazin«, 38. Stück, Freitag, den 11. Mai 1787, Sp. 605-608; über diese Zeitschrift vgl. zu KA130. – *26 aus dem Berliner Intelligenzblatt:* Das »Neue Berliner Intelligenzblatt« war mir nicht zugänglich; der Verfasser des Artikels über Hupazoli ist mir nicht bekannt. – *30 Der berühmte Thomas Parr:* »Es finden sich in der neuern Geschichte Nachrichten von ältern Menschen, die aber nicht so zuverlässig sind, als die von dem bekannten Thomas Parr, der 152, und Henry Jenkins, der 169 Jahr alt wurde. Von dem erstern verdient hier angemerkt zu werden, daß er nicht vor Alter, sondern an einer Indigestion starb, die er sich aus der königlichen Küche holte, also wirklich an einer angethanen Ehre, am 5ten Nov. 1635. Als Carl I. eines Tages zu ihm sagte: Parr, ihr habt länger gelebt, als andere Menschen, was habt ihr mehr gethan als andere? so antwortete er sogleich aus dem Stegreif: Ich habe im hundertsten Jahre Kirchenbuße gethan. Er heyrathete noch einmahl in seinem 120 Jahre. Nach seinem Tode genoß er die Ehre – von dem großen Harvey secirt zu werden.« Fußnote Lichtenbergs in dem Aufsatz »Das Neueste von den Kröten« im »Göttinger Taschen Calender« für 1797, S. 190.

486 *1 Im Jöcher:* Christian Gottlieb Jöcher (1694–1758), 1730 Professor, 1742 Universitätsbibliothekar in Leipzig; berühmter Lexikograph, gab 1750–1751 ein vierbändiges »Allgemeines Gelehrtenlexikon« heraus. Lichtenberg erwähnt ihn auch in den Briefen (IV, Nr. 709, S. 949). – *5 Ob wohl:* von mir verb. aus: Obwohl. – *19f. Aufsatz des Herrn ... Hufeland:* Der Aufsatz »Über die Verlängerung des Lebens«, Vorarbeit zu der berühmten »Makrobiotik«, findet sich in »Der neue Teutsche Merkur«, 3. Stück, März 1792, S. 242–263. Über Cornaro berichtet Hufeland ebenda S. 256–259. Lichtenberg zitiert ihn auch J 961; über Christoph Wilhelm Hufeland vgl. die Anm. dazu. – *20 deutsch. Merkur:* Über diese Zeitschrift vgl. zu D 127. – *30 Unzen:* Vgl. zu 90, 7. In den »Nöthigen Zusätzen und Verbesserungen« (GTK 1793, S. 201) schreibt Lichtenberg zu dieser Stelle: »Damit S. 141 Zeile 8 der Ausdruck: *nur wenige Unzen,* niemanden von einem Leben à la Cornaro abschrecken möge, so füge ich hier die bestimmte Zahl für diejenigen bey, die etwa den deutschen Mercur nicht gleich bey der Hand haben. Er aß täglich 24 Unzen und trank 26. Mehr sage ich nicht, denn meine Absicht war eigentlich, auf Hrn. Hufelands vortreffliche Schrift aufmerksam und nicht die Lesung derselben entbehrlich zu machen.«

487 *1f. Der Himmel ... Heiligen wunderlich:* Dieser Satz geht auf Psalm 4,4 zurück: »Erkennet doch, daß der Herr seine Heiligen wunderlich führet«. Lichtenberg gebraucht ihn auch J 958. – *2ff. Ich bin überzeugt ... zu viel ißt:* Diese Passage begegnet,

zum Teil wörtlich, in einem Brief an Forster (IV, Nr. 615, S. 818) vom 27. Mai 1792. – *6 Appetit nach Hunger:* Eine ähnliche Wendung begegnet auch 400, 14. – *7 Essen à la Cornaro:* Diese Wendung ist J 961 entlehnt und wird auch SK 320 gebraucht. – *14 Mare mortuum:* Totes Meer. – *16 Leute nach der Uhr ...:* Dieser Satz ist wörtlich J 1013 entlehnt; zu dieser Wendung vgl. zu 407, 2f.; zum Gedanken s. auch J 49. – *19 ut apes Geometriam:* Vgl. zu 259, 24.

EIN WORT ÜBER DAS ALTER DER GUILLOTINE

Erstveröffentlichung und Satzvorlage: »Miscellaneen. a) Ein Wort über das Alter der Guillotine.« Erschienen im »Göttinger Taschen Calender« für 1795, S. 157–165. Eine Handschrift der Miszelle ist im Nachlaß nicht erhalten.

Zur Entstehung: Die Niederschrift erfolgte zwischen dem 26. Juli 1794 (SK 677) und dem 13. September 1794 (SK 697). Der Gedanke geht auf den Sommer 1792 zurück (J 1040). Die Guillotine war seit 1792 das Hinrichtungsgerät der Französischen Revolution. Es wurde anfangs nach dem Arzt Louis (1723–1792) Louisette oder Petite Louison genannt, später Guillotine nach dem Arzt Josephe Ignace Guillotin. Am 17. Juli 1793 erhielt Lichtenberg von dem Göttinger Bibliothekar Reuß den »Catalogus Sanctorum« zur Ansicht, in dem eine der Guillotine vergleichbare Köpfmaschine abgebildet war. Lichtenbergs Antwortschreiben an ihn (IV, Nr. 638, S. 849–851) vom 19. Juli 1793 wirkt bereits passagenweise wie ein erster Entwurf zum vorliegenden Artikel. Sein Erscheinen hatte übrigens ein Gutachten Sömmerrings zur Folge, das neben dem Begleitschreiben des Verfassers an Lichtenberg vom 26. Mai 1795 in der Ausgabe der »Vermischten Schriften«, Göttingen 1845, Bd. 6, S. 252–260, abgedruckt ist. Lichtenberg nahm dazu in einem Brief an Sömmerring (IV, Nr. 691, S. 928–929) vom 5. Juni 1795 Stellung.

488 *1 Jean Baptiste Guillotin:* Lichtenberg verwechselt diesen mit dem wirklichen Erfinder der Guillotine: Joseph-Ignace Guillotin; über ihn vgl. zu J 1040. – *5 Korrespondenz mit Turin:* Turin wurde 1796 von den Franzosen erobert; worauf Lichtenberg hier anspielt, ist mir nicht bekannt. – *11 Hunnen des achtzehnten Jahrhunderts:* Ähnlich bezeichnet Lichtenberg die ›Neufranken‹ auch IV, 916. 957. Zu seiner politischen Haltung vgl. zu 463, 38. – *19f. Pülverchen des ... Doktor Ailhaud:* Über bas Universal- und

Abführmittel dieses Arztes vgl. zu F 1077. – *25f. European Magazine:* Dieser Jahrgang der Zeitschrift – über sie vgl. zu J 1015 – war mir nicht zugänglich. – *27 Gentleman's Magazine:* Gemeint ist eine an einen Mr. Urban gerichtete Notiz, unterschrieben R.P. Über diese Zeitschrift vgl. zu A 55. – *28 Hamburger Addreß-Comtoir-Nachrichten:* Diese Zeitung war mir nicht zugänglich. – *32 in der Jenaischen Literatur-Zeitung:* Die Erwähnung des »Catalogus Sanctorum« war von mir nicht nachzuweisen; über diese Zeitschrift vgl. zu GH 23. – *34f. Reuß aus hiesiger Bibliothek mitgeteilt:* Lichtenberg bezieht sich hier auf seinen Brief an Reuß (IV, Nr. 638, S. 849–851) vom 19.Juli 1793. Am 17.Juli 1793 – s. SK 502 – übersandte ihm Reuß das Werk. Über Jeremias David Reuß vgl. zu SK 195.

489 *1 Petro de Natalibus:* Petrus de Natalibus, aus Venedig, Ende des 14.Jh. Bischof in Isola, schrieb »Catalogum martyrum et Sanctorum«, nach den 12 Monaten in 12 Bücher aufgeteilt, erschienen Vicenza 1493. – *2 Lugduni:* Lyon. – *2 Jacobum Saccon:* Jacques Sacon, Ende des 15. und im 16.Jh. Buchdrucker in Lyon. – *6 eine solche Maschine abgebildet:* In dem oben zitierten Brief an Reuß (IV, Nr. 638, S. 850) hat Lichtenberg die Guillotine im Prinzip gezeichnet. – *12 Krauthobel:* Instrument zum Hobeln insbes. des Sauerkrauts.

490 *4 32 Fußen:* In Deutschland gab es vor Einführung des metrischen Systems weit über 100 verschiedene Fuß-Maße zwischen 0,25 m und 0,34 m. 32 Fuß: ca. 9,60 m.

491 *1 Aderlaß-Schnepper:* Schnäpper: Gerät zur örtl. Blutentnahme, aus dem mit einer Stahlfeder eine oder mehrere scharfe Klingen hervorgeschnellt werden. Lichtenberg gebraucht den Ausdruck auch 877, 17. – *5 Richters chirurgischen Bibliothek ...:* Gemeint ist die »Chirurgische Bibliothek«, 9. Bd., Göttingen 1788, S. 178–179, bei Dieterich. Über August Gottlieb Richter vgl. zu GH 3. – *6f. der unglückliche König:* Gemeint ist Ludwig XVI., der am 21.Januar 1793 mit der Guillotine hingerichtet worden war; über ihn vgl. zu J 564. – *7f. 1782 die Untersuchung von Mesmers Magnetismus:* Bei Richter steht irrtümlich 1784. Zur Prüfung der Behauptungen Mesmers – über ihn vgl. zu J 1600 – und Deslons (»Observations sur le magnétisme animal«, Paris 1780) über den tierischen Magnetismus hatte die Pariser Akademie eine Kommission unter Vorsitz von Benjamin Franklin ernannt, deren Gutachten unter dem Titel »Rapports de messieurs les commissaires nommés par samajesté pour l'examen du magnétisme animal« Paris 1783 erschien. Lichtenberg kommt darauf auch in einem Brief an Hufeland (IV, Nr. 469, S. 582–583) vom 25. Oktober 1784 zu sprechen. – *8 Bortin:* Lebensdaten unbekannt. Richter schreibt ihn übrigens Borrin. – *8 Sallin:* Lebensdaten unbekannt. – *8 d'Arcet:*

Über ihn vgl. zu J1737. – *8ff. Guillotin: Das Kommissionsmitglied und der Erfinder der Maschine sind in der Tat identisch. – 10f. Des ... Königs Amme hieß Guillot:* Lebensdaten waren von mir nicht zu ermitteln. – *14f. Sinngedichtchen darauf zu pflanzen:* Der Vorschlag Guillotins, die Todesstrafe durch eine Köpfmaschine vollziehen zu lassen, war in der Tat Anlaß zu einem zeitgenöss. Spottlied geworden.

ETWAS STOFF ZU MONTAGS-ANDACHTEN

Erstveröffentlichung und Satzvorlage: »Etwas Stoff zu Montags-Andachten.« Erschienen im »Göttinger Taschen Calender« für 1796, »Miscellaneen« Nr. 8, S. 197–201. Eine Handschrift der Miszelle ist im Nachlaß nicht erhalten.

Zur Entstehung: »Johnson sagte einmal, als er Sonntags-Betrachtungen gelesen hatte, ich hätte große Neigung Montags-Betrachtungen zu schreiben, und in der Tat könnte aus Montags-Andachten etwas recht Gutes gemacht werden.« Diesen Gedanken notierte Lichtenberg J 203, niedergeschrieben zwischen dem 28. Dezember 1789 und dem 3. Januar 1790. Er griff die Anregung K 4 wieder auf. Zur Niederschrift der Miszelle kam es jedoch erst zwischen dem 11. Juli 1795 (SK 798) und dem 4. September 1795 (SK 822).

Die Wortprägung »Montags-Andachten« gebraucht Lichtenberg übrigens im gleichen Kalender-Jahrgang, S. 149, in »Ein neuer Damen-Anzug, vermuthlich in Indien«.

492 *8f. erträglichste Grad der Ungleichheit:* Diese Wendung und der Gedanke begegnen auch K 144 (S. 425). Im übrigen vgl. zu 458, 11. – *13ff. Das Gesetz ... guten Regenten:* Dieser Gedanke geht auf K 3 zurück; s. auch K 152. – *18f. Ohne etwas Anthropomorphismus ...:* Darüber reflektiert Lichtenberg auch H 18. J 271. 944. K 18. 64. 83 und Briefe (IV, Nr. 769, S. 1011). – *26f. Shaftesbury sprach ... über Religion:* Die Anekdote wird von Burnet »History of my own Time«, Vol. I, book 2, chapter I, Fußnote von Onslow, mitgeteilt. Über Shaftesbury vgl. zu B 277. – *35 Furcht, sagt Lukrez:* Lichtenberg zitiert den Satz ohne Nennung von Lukrez auch C 180; vgl. die Anm. dazu. Über Lukrez vgl. zu D 689.

493 *1f. If fear ... fear:* »Wenn Furcht die Götter schuf, wer schuf die allmächtige Furcht«. Die Herkunft der Zeile konnte nicht ermittelt werden; sollte sie von Pope stammen? Übrigens s. Ben

Jonson, »Sejanus« II, 11: »Twas only fear first in world made gods«. – *4f. Bishops ... would be:* Bischöfe wollten sie nicht haben, aber selbst gern sein. – *7f. welches ist die schlechteste ...:* Diese Fragestellung ist J 1661 entlehnt. – *12 Preßfreiheit:* eine Forderung bürgerlicher Demokraten, die in der Verfassung der frz. Republik garantiert worden war. – *17 Kompilator-Ruhm:* Vgl. zu 87, 24. – *29 Gefühl von eigenem ... Wert:* Ähnlich schreibt Lichtenberg auch 501, 8. 773, 3 f. 839, 30. 874, 28 f. und J 910. – *31 unser unsterblicher Möser:* Diese gesellschaftliche Tugend Justus Mösers – über ihn vgl. zu B 404 – berichtet Lichtenberg auch TB 30. – *31f. sagte einmal ein Mann von Geist:* Womöglich ist Hollenberg aus Osnabrück gemeint: der gemeinsame Freund und Schützling Mösers.

ENTWÜRFE

VON DEN CHARAKTEREN IN DER GESCHICHTE

Erstveröffentlichung und Satzvorlage: »Von den Characteren in der Geschichte.« In: Aus Lichtenbergs Nachlaß. Weimar 1899, S. 3–10. Der Aufsatz liegt lediglich in Abschrift eines unbekannten Kopisten vor; das Original ist verloren. Die Kopie trägt am oberen Rand die Bezeichnung: »No. XI« und den Vermerk: »Vorgelesen am 30sten Januar 1765«.

Zur Entstehung: In der Einleitung zur zweiten Auflage seiner »Antiphysiognomik« schreibt Lichtenberg (s. S. 261): »Im Jahr 1765 und 1766 las ich drei Abhandlungen im hiesigen historischen Institut öffentlich vor, die ich aber nachher unterdrückte. Sie setzten eine Idee auseinander, die ich mir damals von einer vollkommenen Schilderung eines Charakters in einer Geschichtserzählung machte, mit einer Anwendung auf einige Charaktere des Sallust. Sie enthielten viel Physiognomisches«. Vgl. auch F 804. Die erste dieser drei Abhandlungen ist die abgedruckte Arbeit, die beiden anderen sind offenbar verloren.

Literatur: Franz Heinrich Mautner: Lichtenbergs Vortrag über die Charaktere in der Geschichte und sein Gesamtwerk. In: Modern Language Notes 55, 1940.

497 *2 Akademie:* Über die Historische Akademie in Göttingen vgl. zu 261, 3f. – *3f. Verfassung des Geschichtsschreibers:* Über historische Methode und den Charakter eines wahren Geschichtsschreibers reflektiert Lichtenberg mehrfach in den Sudelbüchern; vgl. zu C 193. – *5f. Catilina des Sallust:* Gemeint ist »De coniuratione Catilinae«, entstanden nach 43 v.Chr., von Gaius Sallustius Crispus; über Catilina vgl. zu B 125; über Sallust vgl. zu F 804; s. auch 261, 7f. – *23 Schilderungen von großen Männern:* Dazu vgl. D 22. – *26f. Naturgeschichte vom menschlichen Herzen:* Vom »Naturgeschichtsschreiber« des erkünstelten Menschen redet Lichtenberg 957, 18; den Ausdruck »Naturhistorie«, »Naturgeschichte« gebraucht er auch 509, 22. 676, 9. B 73. F 149. 262. 498. 509. J 26. L 395. – *35 Triebfedern:* Vgl. zu 54, 8f.

498 2 *Julius Caesar:* Über ihn vgl. zu KA 12. – *37 Vatikanischen Apolls:* der A. von Belvedere. Vgl. zu 238, 33.
499 5 *beständige Aufmerksamkeit auf sich selbst:* Dieser Maxime huldigt Lichtenberg selbst sein Leben lang; vgl. zu A 35; s. auch 512, 18. – *7 Triebfedern:* Vgl. zu 54, 8f. – *9 Fertigkeit in der Mienen-Kenntnis:* In einem Brief an Kaltenhofer (IV, Nr. 46, S. 97) vom 12. Oktober 1772 spricht Lichtenberg von Leuten, »die, wie ich, die Mienen etwas buchstabieren gelernt haben«; im übrigen vgl. zu 260, 11. – *12f. schwerlich ... in Tabellen zwingen:* Das ist Lichtenbergs Einwand gegen die Physiognomik Lavaters als Wissenschaft betrachtet. – *23 Tacitus:* Über ihn vgl. zu KA 152. – *23 Cervantes:* Über ihn vgl. zu C 11. – *27f. Leidenschaft durch Witz glänzen:* Dazu vgl. G 28. – *32 Schrift von dem Einfluß der Sprachen:* Gemeint ist die »Beantwortung der Frage von dem Einfluß der Meinungen in die Sprache und der Sprache in die Meinungen«, Berlin 1760, von Johann David Michaelis. Die Schrift war von der Berliner Akademie, die diese Preisfrage für das Jahr 1759 gestellt hatte, gekrönt worden. Lichtenberg spielt auf diese Schrift auch A 22. 159 an. Über Michaelis vgl. zu A 159.
500 *1f. Stufen über ihren gewöhnlichen Vortrag:* Diese Untugend des schlechten Schriftstellers vermerkt Lichtenberg auch 382, 20. – *8 ungezwungenen Einfalt der Natur:* Zu dieser Reflexion vgl. H 5. – *11 Epikur:* Über ihn vgl. zu C 265; über Epikurs Eigenheit berichtet Diogenes Laertius; »cum perspicuitatis magis quam elegantiae rationem philosopho habendam esse statueret« konnte Lichtenberg in den »Institutiones historiae philosophicae«, S. 263, von Johann Jacob Brucker lesen. – *22 Pabsts Alexander VI:* Rodrigo de Borgia (1430–1503), gelangte 1492 durch Simonie auf den päpstlichen Stuhl; Inbegriff des Renaissancepolitikers; starb vermutlich an Gift. – *23 Guicciardin:* Francesco Guicciardini (1483–1540), ital. Staatsmann und Geschichtsschreiber; seine 1537–1540 geschriebene »Storia d'Italia« (1492–1532) – die erste grundlegende Geschichte Gesamtitaliens – setzt mit Alexanders VI. Regierungsantritt ein. – *26f. sehr bekannten französischen Schriftsteller:* Gemeint ist womöglich Voltaire. – *37 für der Prüfung:* Zu Lichtenbergs Neigung, die Pronomina »vor« und »für« zu verwechseln, vgl. zu A 118; s. auch A 135. 239.
501 *3f. die Wörter ... Geschlechts-Namen:* Diese Eigenart der Sprache reflektiert Lichtenberg auch A 118; vgl. auch A 17. 30. – *5ff. Hume ... sagt:* Im vierten Anhang seines »Enquiry concerning the principles of morals« sagt Hume (Philosophical works 4, 280 Green-Grose): »It seems indeed certain, that the sentiment of conscious worth, the selfsatisfaction proceeding from a review of a mans own conduct and character, it seems certain, I

say, that this sentiment, which, though the most common of all others, has no proper name in our language, arises ...« Über David Hume vgl. zu C 193. – *8 Gefühl eines bewußten Wertes:* Zu dieser Wendung vgl. zu 493, 29. – *14 Verfasser der Caprices d'imagination:* Gemeint sind die »Caprices d'imagination ou lettres sur différents sujets d'histoire, de morale, de critique, d'histoire naturelle«, Paris 1740; der Verfasser ist Jean-Jacques Bruhier d'Ablaincourt (gest. 1756), frz. Arzt in Paris, Schriftsteller und Censeur Royal. – *17 Bruyère:* Über La Bruyère vgl. zu Materialheft II, Nr. 33. – *21f. der Akademie künftig vorzulegen:* Dazu vgl. oben S. 231.

BEITRÄGE ZU RABENERS WÖRTERBUCHE

Erstveröffentlichung und Satzvorlage: »Beyträge zu Rabeners Wörterbuche.« In: Aus Lichtenbergs Nachlaß. Weimar 1899, S. 59–67. Der Aufsatz ist auf zwei ineinanderliegenden Quartbogen im Nachlaß erhalten. Nach Leitzmanns Meinung (Aus Lichtenbergs Nachlaß, S. 210) stellt er sich als bis auf die Unterschrift druckfertig dar.

Zur Entstehung: Wegen der Anspielung auf die »Gedichte im Geschmack des Grécourt« (S. 502) kann der Aufsatz nicht früher als 1771 geschrieben sein, andererseits scheint er sicher vor die zweite England-Reise zu gehören. Nach Mautner (a.a.O., S. 58, Fußnote) macht die »Art des Humors« das »frühestmögliche Datum, Ende 1770, am wahrscheinlichsten.« Lichtenberg hatte den Aufsatz wohl für irgendein Journal bestimmt, ein Abdruck ist offenbar aber nicht erfolgt.

502 *1 Rabeners Wörterbuche:* Im dritten Band der »Bremer Beiträge« hatte Gottlieb Wilhelm Rabener – über ihn vgl. zu D 382 – 1745 einen »Versuch eines deutschen Wörterbuchs« und einen »Beitrag zum deutschen Wörterbuche« veröffentlicht, die dann in den zweiten Band seiner Satiren aufgenommen wurden, in deren zehnter Auflage von 1771 sie Lichtenberg womöglich zu Gesicht bekam. Die beiden Aufsätze enthalten satirische Artikel über einzelne deutsche Wörter. Im »Versuch« werden die Worte: Kompliment, Eidschwur, ewig, ehrwürdig, gelehrt, Menschenfeind, Pflicht, Verstand, im »Beitrag« die Worte: deutsch und Fabel behandelt. Zugleich forderte Rabener in der Einleitung des »Beitrags« auf, eine Reihe anderer Wörter entsprechend zu analysieren. Die drei von Lichtenberg be-

handelten Wörter sind nicht darunter. – *4 Medisance:* Läster-, Schmähsucht. – *6 Ipecacuanha:* Wurzel einer brasilianischen Pflanze (Psychotria I.), häufig als Brechmittel benutzt. Lichtenberg verwendet sie selbst. – *10 noch nicht einmal:* von mir eingefügt: nicht. – *17 Arbeiten im Weinberge:* Diese Wendung geht auf Matth., Kap. 20 zurück. – *21 Kosmopolit:* Weltbürger. – *27 Whist:* Kartenspiel engl. Ursprungs, das mit frz. Karten zwischen vier Personen gespielt wird; aus dem im 18. Jh. sehr beliebten Spiel ist das Bridge hervorgegangen. S. auch 927, 28. – *27 Trisett:* Ein Spiel dieses Namens kann ich nicht nachweisen. – *27 Besset:* Ein Spiel dieses Namens kann ich nicht nachweisen. – *31 Gedichte des Herrn von Grécourt:* Gemeint ist »Gedichte im Geschmack des Grécourt«, erschienen Frankfurt und Leipzig 1771, von Johann George Scheffner (1736–1820), einem der bedeutendsten und geistreichsten erotischen deutschen Schriftsteller; er lebte in Königsberg und war mit Hippel, Kant und Hamann befreundet. Jean-Baptiste-Joseph Willart de Grécourt (1683–1743), frz. Abbé und Dichter, Verfasser erotischer Gedichte und Erzählungen im Rokokogeschmack; sein Name war im 18.Jh. synonym mit ›schmutziger‹ Literatur. »Oeuvres badines« (1747). – *32f. Gedichte ... im schwarzen Korduan-Bande mit Gold:* Zu dieser Wendung vgl. zu 455, 25.

504 *8 advocatum absentium:* Verteidiger der Abwesenden. – *23f. unreines Geblüt ... dem Spanier:* Anspielung auf die von Lichtenberg auch KA 233 notierte, historisch nicht belegbare Behauptung, daß die Spanier von Westindien das Lustseuche – das ›Venusübel‹ – nach Europa eingeschleppt haben. – *27 Lüx:* Luxus; im 18.Jh. nicht ungewöhnliche deutsche Schreibweise von frz. luxe. – *28f. zu Augustuli Zeiten:* Romulus Augustulus, letzter weström. Kaiser (475/476), nach der Ermordung seines Vaters Orestes von Odoaker abgesetzt. – *29 sagt Herr W.:* »Könnten wir heutigen Europäer ... es endlich wieder so weit bringen in Wäldern ... einzeln und gewandlos auf allen Vieren herumzukriechen und Eicheln zu fressen, so wird dann auch über lang oder kurz die Zeit wiederkommen, wo die Nachkommen dieser neuen europäischen Wilden gerade wieder die freien, wackeren, kühnen, biederherzigen Leute sein werden, deren Sitten und Lebensart Tacitus ... in einem so prächtigen Gemälde darstellte«, heißt es im ersten Kapitel von Wielands Aufsatz »Über die vorgebliche Abnahme des menschlichen Geschlechts« (1777), der in seinen »Beyträgen zur geheimen Geschichte der Menschheit« enthalten ist. Über Wieland vgl. zu A 99. – *31 Herzyner-Wald:* lat. Hercynia silva: antiker (keltischer) Name der deutschen Mittelgebirge; ›Harz‹. – *37 jener griechische Philosoph:* Diogenes; über ihn vgl. zu KA 13.

505 *5 Begierde der Selbsterhaltung und Fortpflanzung:* Vom »Trieb zur Selbst-Erhaltung« redet Lichtenberg erstmals in A126, vom »Erzeugungstrieb« A139; s. auch 509, 31. 518, 11. – *11 Nowaja Zembla:* Nowaja Semlja, Inselgruppe im Nordpolarmeer zwischen Barents- und Kara-See; über ihre Entdeckung besteht Unklarheit; bei der Suche nach der nordöstl. Durchfahrt betraten der Engländer Burrough (1556) und der Niederländer Barents (1594/97) die Insel. Lichtenberg erwähnt sie auch E103 und 929, 22f. – *22f. der Mensch gehört zum Tier-Parliament:* Vgl. zu 448, 1f. – *24 Tory:* Tories, in England ursprünglich seit 1640 die kathol. Iren, die Gegner des Langen Parlaments und der Republik, dann seit 1679 die königstreue Hofpartei, die für Jakob II. eintrat und im Gegensatz zu den Whigs stand; im übertragenen Sinn: Konservative. Lichtenberg gebraucht den Begriff auch E108. – *29 Heliogabel der Große:* Heliogabal, der röm. Kaiser Varius Avitus Bassianus (um 205–222 n. Chr.), der seit 218 unter dem angenommenen Namen Elagabal (Sohn der Sonne) regierte, führte in Rom das üppige Leben oriental. Despoten, bis heute sprichwörtlich für seine Kochkunst. – *30 Ibrahim der Großtürk:* Sultan Ibrahim, als feiger Wollüstling verschrien, regierte 1640–1648. – *32 brachte sein Leben auf 969 Jahr:* Über die Verlängerung des Lebens reflektiert Lichtenberg 487, 15f. – *33 Oskopa:* Dieser Name konnte von mir nicht ermittelt werden. – *34 Persiko:* Pfirsichkernbranntwein. – *36f. Zu Rom ... lernte man die Kunst:* Über die ›Erziehung‹ der Fische im alten Rom handelt Lichtenberg auch H133.

506 *1 lebenssatt:* Diesen Ausdruck gebraucht Lichtenberg auch 775, 6. – *3 Leute mit Waden:* Vgl. auch 388, 18. – *5f. Isaak ... um die Rebekka anhielt:* Über ihn vgl. zu F1141; »Isaak aber war vierzig Jahre alt, da er Rebecca zum Weibe nahm, ...« heißt es in 1.Mos. 25, v. 20. – *11 Methusalah:* Über Methusalem vgl. zu L 355. – *12 vigueur:* Kraft, Saft. – *14f. Im 40sten Jahre ...:* »Wenn man das Geld hat, so kann man den gantzen Cursum des Lebens in 40 Jahren vollenden, woran unsere Vorfahren 80, 90 Jahre zu thun hatten«, schreibt Lichtenberg an Kaltenhofer (LB I, Nr. 28, S. 59) am 14.Juni 1772; s. auch 775, 7ff. und H110. – *15 Venette:* Nicolas Venette (1632–1698) handelt in seinem Amsterdam 1687 erschienenen Buche »De la génération de l'homme ou tableau de l'amour conjugal« sehr eingehend über derartige Dinge. – *18 Seraglio:* Vgl. zu 74, 11. – *18 Ibrahims:* Über ihn vgl. zu 505, 30. – *20 Farren:* männl. Rind oder Schwein; s. auch Lichtenbergs Wortspielerei damit in G 35. – *21 die Hüften Gideons:* Gideon, einer der großen Richter Israels aus Ophra im Stamm Menasse; von dem Farren schlachtenden Gideon handelt Richter 6, V. 25; im übrigen spielt Lichtenberg auf Richter 8, V.30 an: »Und Gideon hatte

siebenzig Söhne, die aus seiner Hüfte gekommen waren ...« –
31 Beruf: im 18.Jh. gebräuchlich für: Berufung; s. auch 603, 12.
– *34 jus publicum:* öffentliches Recht. –

507 *5 Schmauß:* Johann Jakob Schmauss (1690–1757), Professor des Staatsrechts in Göttingen, wo er 1754 sein »Neues Systema des Rechts der Natur« erscheinen ließ. – *12 par principe:* aus Grundsatz.

DIENBARE BETRACHTUNGEN FÜR JUNGE GELEHRTE

Erstveröffentlichung und Satzvorlage: »Dienbare Betrachtungen für junge Gelehrte in Deutschland, hauptsächlich auf Universitäten.« In: »Vermischte Schriften«, Band 3, Göttingen 1844, S. 5–14, Fragmente 8. Eine Handschrift ist im Nachlaß nicht überliefert.

Zur Entstehung: Der Fragment gebliebene Aufsatz ist an Dezemberabenden (508, 10) geschrieben. »Wegen der Übereinstimmung seiner Tendenz mit der ›Anrede auf dem Hirtenfest‹ aus Dezember 1770 ist er wohl ebenfalls in den Dezember 1770 zu setzen«, meint Deneke (a.a.O., S. 131) und fährt fort: »Die Anklänge einiger Sätze an B 259 [B 263 meiner Zählung] aus November 1769 scheinen mir demgegenüber nicht ins Gewicht zu fallen. Das gleiche Thema hatte Lichtenberg zwar schon in der »Erzählung« vom Juli 1769 (B 204), umgearbeitet als ›Beiträge zur Geschichte des ...‹ [s. S. 612–614] traktiert, aber diese neue Behandlung desselben Themas steht in Gedanken und schriftstellerischem Ausdruck so hoch über der früheren Arbeit, daß man diesen Abstand gern einer um 1½ Jahre fortgeschrittenen Entwicklung Lichtenbergs zuschreiben möchte.« Diese Argumentation ist nicht ganz überzeugend. Außer den zum Teil wörtlichen Entwürfen in B 254. 263 spricht auch Lichtenbergs eigene Zeitangabe »sechs ganzer Jahre« (508, 29) dafür, daß der Aufsatz Ende 1769 niedergeschrieben wurde.

Zu seinem Gehalt vgl. Schneider (a.a.O., Bd. I, S. 151–152) und Mautner (a.a.O., S. 51–52).

508 *6 Passatwinde:* Dieser Gedanke ist B 263 entnommen; s. auch D 543. – *10f. in den Dezemberabenden ...:* wörtliche Entlehnung aus B 263, wo lediglich von November-Tagen die Rede ist. – *21f. ungenannter Verfasser der paradoxen Wünsche:* Verfasser der Göttingen 1770 bei F.A. Rosenbusch erschienenen »Paradoxen Wünsche« ist Johann Gottlieb Wiese (nach Holzmann-Bohatta). Lebensdaten unbekannt. – *25 laue Geschmacklosigkeit:* Diese Wendung begegnet auch B 15. – *27 epidemisch:* Zu diesem Aus-

druck vgl. zu 379, 32. – *29 Sechs ganzer Jahre ...:* Diese Wendung ist B 22 entnommen. – *33 gelehrten Fond:* Zu diesem Ausdruck vgl. zu 280, 2. – *34 große Belesenheit:* Die ›Vielleserei‹ des modernen Gelehrten und seiner Zeit kritisiert Lichtenberg in B 22. 204; vgl. auch 527, 3 f. 612, 29 f. – *35 f. ein paar Liedchen:* Diese Wendung begegnet ähnlich in B 204 (S. 103); im übrigen vgl. 422, 6 und zu B 190. – *36 Übersetzung:* Über die deutsche Übersetzerei mokiert sich Lichtenberg auch 1032, 13. Im übrigen vgl. E 186 und die Anm. dazu.

509 *3 f. Kandidatenprosa:* Diesen Ausdruck gebraucht Lichtenberg auch C 74. D 90. 437. E 265. 277. Zu dieser Wortbildung vgl. zu 65, 4. – *6 f. Die alte bekannte Barbarei ...:* Zu dem Gedanken vgl. auch 614, 17; im übrigen vgl. zu 269, 30 und zu B 224. – *9 f. Aristotelische Philosophie:* Dieser Gedanke, den Lichtenberg auch 614, 15 f. verwendet, ist B 204 entlehnt. Über Aristoteles vgl. zu KA 80. – *13 Das Augsburgische:* In Lichtenbergs Terminologie bezeichnet es einen Prosa-Stil à la Abraham a Santa Clara bzw. einen Geschmack im Sinne der von Augsburger Bettlern angebotenen Kupferstiche; s. B 16. 65. 197. F 364. – *15 tändelnder Witz:* Zu dem von Lichtenberg stets abschätzig gebrauchten Wortfeld: *tändeln* vgl. zu B 16. – *16 zärtliche Nonsense:* vermutl. Druckfehler für: zärtlich*en* ...; »Zärtlich«: Herzwort Lichtenbergs in seiner Auseinandersetzung mit einer spezifischen Geschmacksrichtung seiner Zeit; vgl. zu B 185. Zu »Nonsense« vgl. zu 326, 19 f. – *17 f. Geschmack ... eine bloße Mode:* Über das Zeitphänomen des schlechten guten Geschmacks reflektiert Lichtenberg auch 526, 16 ff. Im übrigen vgl. zu E 359. – *18 jeder kritische Schneider:* Von der »Schneider-Gilde« als Kritikerin der »Miß Sarah Sampson« spricht Lichtenberg in B 297. – *22 Naturgeschichte der Barbarei:* Zu ersterem Begriff vgl. zu 497, 26 f.; zu »Barbarei« vgl. zu 269, 30. – *23 Pathologie des Geschmacks:* Vgl. zu 7. 17 f. – *31 Trieb der Selbsterhaltung und zur Fortpflanzung:* Vgl. zu 505, 5. – *34 Ein jeder hat tausend Löcher ...:* Dazu vgl. B 123; Lichtenberg notiert die Wendung auch 529, 7. – *37 f. Um die Zeiten des ersten Barts ...:* Zu dieser Wendung vgl. zu 208, 11 f.

510 *3 Majorennität seiner Seele:* Von »Jahren der zweiten Minorennität« spricht Lichtenberg dagegen in K 273; s. auch 512, 11. Von »litterarischer Majorennität« spricht Lichtenberg noch in der Miszelle »Vom Makulaturbleichen« (GTK 1793, S. 159). – *9 f. überzeugt, daß wir dem Trieb der Fortpflanzung ...:* Diese Überzeugung äußert Lichtenberg bereits in A 139. – *10 alberne Possen:* Vgl. zu 314, 25. – *19 f. Wieland zuerst die Sprache gefunden:* Auch B 254. 263. 322. wird Wieland – über ihn vgl. zu A 99 – als Vorbild der Liebes-Dichtung apostrophiert. – *22 f. Körner ... aufblühen:* Diese Wendung und Passage geht auf

B 263 zurück. – *24ff. zärtliche Etiquette ... tändelnder Wörtertausch:* Diese Wendungen begegnen in den Lesarten zu B 254. – *27f. Schwindsucht der Vernunft ... Hofmannswaldau:* Lichtenberg verwechselt wohl Hofmannswaldau mit Günther, dessen Stelle über die »Schwindsucht am Verstande« DWB 9, 2681, zitiert ist. – *33f. Genuß seines eignen Selbst:* Zitat nach Winckelmann; s. B 163; vgl. aber auch B 160 und die Anm. dazu; ferner B 255. – *34 der philosophische Trinker oder Liebhaber:* Über den Vorzug platonischen Genusses reflektiert Lichtenberg auch B 77. 323 und C 15. S. auch 320, 18 f. 597, 28. 602, 4. – *35f. Taten ... durchhallt:* Diese Passage ist B 160 entnommen. – *36 Jahrtausende:* Vgl. die Anm. zu B 160.

511 *10 poetisches Zuckergebackenes:* Dieser Ausdruck ist B 254 entlehnt. – *7 Entgeisterung:* Dieser Gegensatz findet sich in B 102 notiert. – *7ff. Sobald ... Wollust zu versehen:* Diese Passage ist fast wörtlich B 254 entnommen. – *8f. es singe sanfte Empfindungen ins Herz:* Vom »Sänger sanfter Empfindungen« redet Lichtenberg B 254. – *9 Scherz der Freude und der Grazien:* Diese Begriffe verwendet Lichtenberg in ähnlichem Zusammenhang auch B 364. 380. – *13 Idealisten:* Diesen Begriff gebraucht Lichtenberg auch B 254; vgl. ferner E 371. – *23 Bildern einer tändelnden Wollust:* Diese Wendung ist B 254 entlehnt. – *24 Wieland:* Vgl. zu A 99. – *24 Gleim:* Über Johann Wilhelm Ludwig Gleim vgl. zu B 16. – *25f. tändelt wie Wieland und Gleim ...:* Eine ähnliche Prophezeiung bezüglich Wielands begegnet B 254 am Schluß; ein ausführlicher Lobpreis auf Gleim findet sich B 185. – *29 Aristarchen:* Aristarchos von Samothrake (ca. 217–145 v. Chr.), Vorsteher der Alexandrinischen Bibliothek, der bekannteste Textkritiker des Altertums (bes. des Homer). – *31 einem gewissen Rezensenten:* Die Anspielung konnte von mir nicht aufgeklärt werden. – *31 Jacobi:* Über Johann Georg Jacobi vgl. zu B 47. – *36 sein Brief an die Gräfin:* Vgl. dazu die Anm. zu B 254.

512 *4 Lorenzodose:* Gemeint ist die Schnupftabaksdose, die, wie Sterne in der »Sentimental Journey« aus Calais berichtet, ein armer alter gütiger Bettelmönch namens Lorenzo dem ihm abweisend begegnenden Yorick schenkte. Lichtenberg erwähnt sie auch 923, 17 und in einem Brief an Dieterich (IV, Nr. 112, S. 255) vom 18. Oktober 1775. – *5 komische Erzählungen, Agathons, Musarions:* Gemeint sind ›Neuerscheinungen‹ Wielands: die »Comischen Erzählungen« waren 1766 erschienen; Lichtenberg zitiert sie auch B 16. 41; die »Geschichte des Agathon« erschien Frankfurt und Leipzig 1766–1767; Lichtenberg zitiert sie auch B 16. 347. C 325. 330 und 595, 34. 597, 33. Wielands Verserzählung »Musarion« erschien 1768; vgl. dazu auch B 254. – *6 Yorickische Reisen:* Gemeint ist »A sentimental

journey through France and Italy«, erschienen London 1768, von Laurence Sterne; im übrigen vgl. darüber zu B, S. 45. – *6ff. von Jugend auf ... sehr ökonomisch gelebt:* Dazu vgl. B 81 am Schluß. – *10 seitdem Agathon heraus ist:* Vgl. zu 7. 5; aus Lichtenbergs Sudelbüchern und Briefen gibt es keinen Hinweis auf die Lektüre dieses Werks. – *11 Ich heiße ... majorenn:* Vgl. zu 510, 3. – *15f. im Rat der Menschen ... Sitz und Stimme:* Eine ähnliche Wendung begegnet auch 518, 8f.; vgl. ferner B 321. 366. C 194. D 79. E 370. J 1331. – *18f. Bemühung, selbst zu beobachten ...:* Vgl. zu 499, 5. – *24 eigenen Fond:* Vgl. zu 280, 2. – *28f. Ich bin überzeugt ...:* Zu diesem Grundsatz vgl. die Ausführungen in B 22. – *29 Allen künstlichen Fertigkeiten ...:* Dazu vgl. auch A 11. – *32 aus dem eigenen Vorrat ins Buch:* Dazu vgl. D 541.

513 *7 individuellen Menschen:* Vgl. zu 382, 2. – *17f. Lehre von Bestimmung der Grenzen der Fehler:* Vgl. KA 305 und die Anm. dazu. – *19f. System von Leib und Seele:* Über Lichtenbergs Privatgebrauch des Wortes System vgl. zu KA 296. – *27 Gesellschaft von Dingen:* von mir verb. aus: Gesellschaft Dingen. – *36ff. Schriftsteller ... bloße Trödler:* Dazu vgl. B 142 und noch J 1129: »retailers«.

514 *2 Bogen:* Vgl. zu 23, 26. – *2f. Dukaten:* danach in der Druckvorlage Auslassungszeichen.

ÜBER DIE MACHT DER LIEBE

Erstveröffentlichung und Satzvorlage: »Über die Macht der Liebe.« In: »Vermischte Schriften«, Band 2, Göttingen 1844, S. 234–244, Fragmente 7. Eine handschriftliche Fassung ist im Nachlaß nicht erhalten.

Zur Entstehung: Die Abfassungszeit der beiden Briefe ergibt sich aus Lichtenbergs Datierung: 19. und 20. Februar 1777 – das Jahr, in dem Lichtenberg die Stechardin kennenlernte. Über den eigentlichen Anlaß zu den Briefen ist nichts bekannt. Sie stehen zweifellos in Zusammenhang mit der durch »Werther« und »Siegwart« ausgelösten Mode und Diskussion des Sentimentalen. Vielleicht gab die Aufführung von Goethes »Clavigo« in Göttingen den Anstoß; Lichtenberg berichtet über die Vorbereitungen dazu an Schernhagen am 10. und 17. Februar 1777 (IV, Nr. 146. 147, S. 293. 295). Vielleicht war aber auch die bevorstehende Heirat Heynes mit Georgine Brandes der Grund; Lichtenberg schilderte die Mamsell als Frau, wie sie seines Erachtens sein sollte, in einem Brief an Hollenberg (IV, Nr. 148, S. 296) aus dem März 1777. Lichtenberg kommt in dem Sudelbuch F zweimal auf die beiden Briefe zu sprechen: F 442. 468. An erstgenannter Stelle schreibt er: *»für das Museum.* Hierüber: Freiheit zu denken, Kunst zu denken, Raserei der Zeit, Liebe aus dem Brief an Frau Professor B. vieles ...« Der hier skizzierte Schreibplan, für Boies »Deutsches Museum« gedacht, aber nicht zustandegekommen, ist natürlich Lichtenbergs Versuch der großen literarischen Satire »Parakletor«.

Zum Gehalt des Textes vgl. Schneider (a.a.O., Bd. I, S. 152–154) und Mautner (a.a.O., S. 219–220).

515 *4 wie ich vorgestern angefangen:* Dieser erste Brief vom 17. Februar 1777 ist nicht erhalten; s. auch F 468. – *6 für Sie:* Adressatin ist Friedrike Baldinger, die auch das »Fragment von Schwänzen« veranlaßt hat; über sie vgl. zu F 442. – *12 meiner Methode:* Über Lichtenbergs »Gedanken-System« vgl. zu KA 296. – *35f. aus Respekt ... nichts zu glauben:* Diese Wendung begegnet positiv E 196; s. auch F 1127.

516 *3f. meinen, sie glaubten etwas ...:* Diese Wendung ist F 348 entlehnt. – *5f. Dinge ... nachzumeinen ... bloß nachsprechen:* Zum Gedanken vgl. D 19; *nachmeinen* gebraucht Lichtenberg auch J 538. – *21f. die Stimmen nur zählen ... wägen:* Vgl. zu 263, 4f. – *26 K...:* Kästner? – *26 D...:* Dieterich? – *30f. Mißtrauen gegen alle Meinungen der Menge:* Zu dieser Maxime Lichtenbergs vgl. etwa D 19. – *33f. Systems von Kenntnissen:* Zu diesem Ausdruck vgl. zu KA 296.

517 *10f. L...s Abhandlung vom Selbstmord:* Gemeint ist die Göttingen 1777 erschienene Abhandlung »Vom Selbstmord« von Leß; über ihn vgl. zu C 92. – *10f. jemand ... gesagt hat:* vermutlich Lichtenberg selbst; vgl. dessen Selbstmord-Reflexionen A 126 und die Anm. dazu. – *20f. über das Herz gefalteten Händen:* Zu dieser Beobachtung vgl. G 74; s. auch 925, 22. 1011, 27f. – *36 Barden:* Zu diesem Ausdruck vgl. zu 303, 7.

518 *1 Meiners:* Christoph Meiners hatte Göttingen 1776 »Betrachtungen über die Frage, ob wir es in unsrer Gewalt haben, uns zu verlieben oder nicht« veröffentlicht; über ihn vgl. zu C 52. – *3 den Mann jetzt liebe:* Zu diesem positiven Urteil vgl. aber später J 508. 862. L 470; s. auch Briefe (IV, S. 716. 733). – *7 poetische Faselei:* Dieser Ausdruck begegnet ähnlich auch F 215; s. ferner C 334. D 658. – *8f. im Rat der Menschen ... Stimme haben:* Zu dieser Wendung vgl. zu 512, 15 f. – *11 Zeugungstrieb:* Vgl. zu 505, 5. – *18 schwärmenden Liebe:* Von »Wertherischem Schwärmen in der Liebe« spricht Lichtenberg F 390. Von »weinerlicher Liebe« spricht Lichtenberg 379, 5. – *26 junger Schwärmer:* Zu diesem Ausdruck vgl. zu 252, 4. – *33 wenigstens:* von mir verb. aus: wenigstes.

519 *4 courten:* den Hof machten. – *27 unsere Barden:* Zu diesem Ausdruck vgl. zu 303, 7. – *31 lies Eulern und Hallern statt G...:*

Über Leonhard Euler vgl. zu A 166; über Albrecht von Haller vgl. zu A 230. Als positives Vorbild zitiert letzteren Lichtenberg auch G 131. G... ist selbstverständlich Goethe, dessen »Werther« 520, 26 apostrophiert wird; über ihn und Lichtenbergs Stellung zu ihm vgl. zu D 128. – *31 f. den stärkenden Plutarch:* Diese Wendung begegnet fast wörtlich in F 667; über Plutarch vgl zu A 42. – *32 entnervenden Siegwarts:* Auch diese Wendung begegnet ähnlich in F 667, wo lediglich von dem »entnervenden Werther« und »faden Klostergeschichten« die Rede ist. Über Miller und seinen Roman vgl. die Anm. dazu. Lichtenberg erwähnt ihn auch 379, 20 f. 421, 20. – *32 f. lerne dein braunes Mädchen genießen:* Dazu vgl. Lichtenbergs Äußerung C 23. – *35 Adel der Seele:* Zu dieser Wendung vgl. B 284 und die Anm. dazu; s. auch F 498 und 592, 27. – *35 Empfindsamkeit:* Vgl. zu 264, 13 f. – *38 Lieb' und Wein:* vermutlich Anspielung auf den Anfang von Hillers berühmtem Couplet »Ohne Lieb' und ohne Wein«, das auch Lichtenberg gern zitierte: IV, S. 183. 270. 467. 1020.

520 *12 Spielsache:* Diesen Ausdruck gebraucht Lichtenberg auch in den Briefen (IV, Nr. 21, S. 39). – *23 Wollüstling:* Zu Lichtenbergs Reflektion über die Wollust vgl. A 112 und die Anm. dazu. – *26 Werther:* Über Goethe und seinen Roman vgl. zu D 128. Lichtenberg erwähnt das Werk auch G 5.

521 *3 die kranke Frau im Gellert:* Gemeint ist die Fabel »Die kranke Frau«, erschienen in den »Sämmtlichen Schriften«, Leipzig 1769, Bd. I, S. 129 ff., in der es am Schluß heißt: »Der Krankheit Grund war bloß ein Kleid gewesen, / Und durch das Kleid muß sie genesen. / So heilt des Schneiders kluge Hand / Ein Übel, das kein Arzt gekannt!« Über Christian Fürchtegott Gellert vgl. zu B 95. – *8 f. in Ketten nach Celle:* In Celle befand sich seinerzeit neben dem noch heute bestehenden Zuchthaus auch ein 1731 erbautes ›Narren-Spital‹; vgl. E 53.

ZUM PARAKLETOR

Erstveröffentlichung und Satzvorlage: »1. Der Fliegenwedel oder Vorrede des Herausgebers.« Erschienen in: Aus Lichtenbergs Nachlaß, Weimar 1899, S. 68–72; »2. [Vorrede].« Erschienen in Sudelbuch D, S. 264; »3. Vorrede.« Erschienen in: Aus Lichtenbergs Nachlaß, Weimar 1899, S. 72–73; »4. Unmaßgeblicher Vorschlag, wie dem immer mehr einreißenden guten Geschmack in Deutschland zu steuern sey von Conrad Photorin.« Erschienen in: Lichtenbergs Aphorismen, Heft 3 (Sudelbuch E), S. 361–365; »5. Briefe von Mägden über Literatur.« Erschienen in: »Vermischte Schriften«, Band 3, Göttingen 1844, S. 134–136.

Zur Entstehung: Zu C 254 ist einer Idee Lichtenbergs gedacht worden, sich mit den Rezensenten seines »Timorus« auseinanderzusetzen: aus dieser Idee hat sich im Winter 1773 auf 1774 ein weitgreifenderer, gegen das Rezensentenwesen überhaupt gerichteter satirischer Plan entwickelt, von dem Lichtenberg am 3. April 1774 an Nicolai meldet (IV, Nr. 95, S. 198): »Ich habe ein ähnliches Ding gegen die schlechten gelehrten Zeitungsschreiber in müßigen Stunden zusammengeschrieben. Es sind aber noch einzelne Blätter und isolierte Kapitel, die nun noch ineinander gepinselt sein wollen«. Die an die Rezensionen des »Timorus« anknüpfende Vorrede dazu, im Herbst 1774 niedergeschrieben, ist fertig ausgearbeitet erhalten. Es ist der S. 522–524 abgedruckte »Fliegenwedel«. Er ist auf einem Quartbogen überliefert. Man wird nicht fehlgehen, wenn man diese Vorrede in die letzten Monate von 1773 oder ins Jahr 1774 setzt. Zu dieser Vorrede sind im Nachlaß auf gesonderten Blättern verschiedene Entwürfe und Fassungen vorhanden. Eine Variante ist S. 524–525 abgedruckt, eine andere Variante (S. 525–526) ist im Nachlaß auf einem Folioblatt überliefert, das ursprünglich das leere letzte Blatt eines Briefes an Lichtenberg war und auf der Rückseite noch die Adresse von unbekannter Hand zeigt. Das Blatt enthält außerdem noch folgende drei Aufzeichnungen, die Leitzmann (Aus Lichtenbergs Nachlaß, S. 213) nicht zu der Vorrede zu gehören schienen: »Den Gründen seiner Gegner alle Stärke zu geben, da ist selbst Sophisterei verzeihlich«. Die zweite Notiz lautet: »Einige haben mir vorgeworfen, daß ich den Juden eine Lobrede gehalten habe. Das ist nun gewiß nicht wahr; man frage nur meine Freunde; denn nächst meinen eigenen bösen Begierden«. Die dritte Eintragung lautet: »Mein Verfahren gegen meine schlechten dummen Gegner ist das eines ehrlichen Mannes, der sich nichts nehmen läßt. Ich beweise, prügle darin, schimpfe und mische zuweilen einen kleinen Fluch mit ein. Wenn ich mit der Rechten Wunden schlage, so halte ich schon das Pflaster in der Linken bereit, und wo ich einem ein Fenster einschmeiße, so geschieht es fast immer mit Dreigroschenstücken. Der Schimpfwörter bediene ich mich selten und nur in solchen Fällen, wo sie erlaubt und seit jeher von den größten Männern sind gebraucht worden, nämlich wo man einen Beweis abkürzen will oder sich die Mühe nicht nehmen will einen zu führen«. Ferner sind noch zwei weitere Entwürfe zu Vorreden erhalten, deren Anfänge zu dem »Fliegenwedel« stimmen und nur in Kleinigkeiten abweichen. Die erste längere Variante umfaßt den ersten Absatz von D 653 (statt: »habe ich ihn gedämpft« heißt es: »habe ich ihn noch von dorther durch Philosophie zurückgebracht«, statt: »zur Unsterblichkeit« nach D 166 »zu Brod und Unsterblichkeit«), fügt daran den ersten Satz des dritten Absatzes, vermehrt um den Gedanken von D 430 und 497, und schließt mit dem aus D 67 und 71 erwachsenen Satz: »Jeder Zeitungsschreiber, der sich eine Motion machen will, schindet einen Schriftsteller und jeder Sekundaner, wenn er nicht schon bei irgend einem kritischen Gericht wenigstens auf der ungelehrten Bank sitzt, macht unserm Portrait einen Bart.« Die zweite kürzere Variante stimmt im wesentlichen zur ersten, entspricht aber nur den beiden ersten Sätzen des ersten Absatzes von D 653; zwischen beide ist eingeschoben: »Oft wenn mir Zeit und Genie zuraunte: jetzt, Photorin, jetzt schlage zu, werde der Retter deines Vaterlands, du kannsts, so habe ich gepfiffen oder an den Fensterscheiben getrommelt.« Schließlich teilt Leitzmann in Aphorismen-Heft D, S. 314 zu D 533 (seiner Zählung) abermals ein im Nachlaß erhaltenes Blatt zur Vorrede mit, das folgenden Wortlaut hat:

»Eine der größten und wichtigsten Erfindungen wäre wohl eine Waage, auf welcher das Gewicht jeder Tat und jedes Gedankens bestimmt werden könnte, den sie in dieser Welt, so wie sie damals stund, als sie würklich wurden, haben. Oder eine Sprache, in welcher die Iliade übersetzt gleichlautend mit Newtons *Principiis* wäre, so daß der Weltweise, der Arzt, der Theologe, der Jurist, wenn er, es sei was für ein vollkommenes Werk in jeder Wissenschaft es wolle, auch in derjenigen, wovon er nicht die mindeste Kenntniß und wofür er nicht das mindeste Gefühl hat, läse, allemal ein vollkommenes Werk seines Fachs zu lesen glaubte.«

Schon Schneider (o.c. I, p. 170) hat darauf hingewiesen, daß erst der dritte Entwurf einer Vorrede (S. 525–526) von einer Antwort auf die Rezensenten des »Timorus« Abstand nimmt und den Bogen zu »Parakletor« schlägt. Seine Niederschrift ist offenbar 1776 erfolgt, worauf auch die Formulierung »Theorie der schönen Künste für das laufende Jahr 1776« hinweist (s. S. 526).

Durch Nicolais Antwort auf Lichtenbergs oben zitierten Brief vom 3. April 1774, die nicht erhalten ist, hatte die geplante Satire nämlich inzwischen eine veränderte Richtung erhalten. Sie sollte nun vor allem die Originalgenies der Sturm- und Drangzeit aufs Korn nehmen. Das bezeugt Lichtenberg selbst in einem Brief an Nicolai (IV, Nr. 128, S. 273) vom 2. September 1776: »Meine Schrift, von welcher Ihnen Dieterich gesagt hat, ist eigentlich ein Versuch einen Vorschlag auszuführen, den Sie mir einmal vor ein paar Jahren taten, *meine Satyre gegen die verderbliche Geniesucht unserer Zeit zu wenden.* Sie liegt schon lange in einzelnen Blättern fertig, es muß aber manches besser verbunden und mehr zusammengedrängt werden. Zeit hätte ich wohl zuweilen dazu, auch bin ich öfters aufgelegt, allein daß ich Zeit haben sollte, wann ich aufgelegt bin, diese glückliche Konjunktion ereignet sich selten bei mir.« Ähnlich schreibt Lichtenberg Januar 1778 an Hindenburg (IV, Nr. 129, S. 274). Diese Anregung Nicolais wirkte in Lichtenberg fort, der Gedanke begleitete ihn im Herbst

1774 nach England; und während seines über einjährigen Aufenthalts dort und nach seiner Rückkehr entstanden größtenteils die kleineren und größeren Bruchstücke, die in den Sudelbüchern D und E (s. vor allem D 610. 611. 616. E 147) von dem niemals abgeschlossenen Werk Zeugnis ablegen. In der englischen Zeit gewann die Satire auch den kurzen und prägnanten Titel »Parakletor«. Die verschiedenen Formulierungen des Titels spiegeln die geänderte Konzeption wider (s. D 526. 532. 603. F 562).

Angesichts des fragmentarischen Charakters der Arbeiten Lichtenbergs am »Parakletor« erstaunt seine wiederholt getane Äußerung, daß die Satire im wesentlichen fertig sei. Diesen Eindruck vermittelt auch ein Brief an Chodowiecki (IV, Nr. 138, S. 284) vom 23. Dezember 1776, wo Lichtenberg schreibt: »Nun hätte ich noch eine Bitte in meinem eignen Namen. Ich bin willens vielleicht um Ostern etwas Satyrisches drucken zu lassen. Wenn Sie Herrn Nicolai genau kennen, so wird er Ihnen vielleicht etwas davon sagen.« Tatsächlich war seit dem Frühjahr und Sommer 1776, wie aus dem Sudelbuch F ersichtlich ist, ein anderes zeitgenössisches Modephänomen in den Mittelpunkt des Interesses von Lichtenberg getreten: Lavater und das Heuschreckenheer von Physiognomen. Noch ein paarmal taucht der alte Satiren-Gedanke flüchtig auf, einmal, im März oder April 1777, wiederum in etwas veränderter, jetzt mehr moralisch-pädagogisch als satirisch-kritisch gehaltener Tendenz (vgl. F 442). An Gedankenkomplexen zum »Parakletor« erschienen in den Sudelbüchern etwa die »Bittschrift der Wahnsinnigen« (vgl. E 53 und die Anm. dazu), die Ausführungen »Über den deutschen Roman« (vgl. E 152. 209). Ebenfalls zu den Arbeiten für »Parakletor« ist der »Unmaßgebliche Vorschlag ...« zu zählen (s. S. 526–530). Der hier vorliegende Text, der von mir mit der Handschrift verglichen wurde, befindet sich auf einem Foliobogen in einer Tasche des inneren Rückendeckels von Sudelbuch E. Der Text ist aber jünger als dieses Sudelbuch und frühestens in den April 1776 zu datieren.

Schließlich gehören auch die »Briefe von Mägden über Literatur« zu den satirischen Partikeln des »Parakletor«, auch wenn sie nun als selbständige Satire erscheinen. Während die Herausgeber der »Vermischten Schriften« die Briefe irrtümlich in Zusammenhang mit Lichtenbergs Verteidigung des »Timorus« und den dazu konzipierten Schriften stellten (s. VS 3, S. 131, Anm.), äußerte Lichtenberg selbst in E 151 die Absicht, die Briefe »in dem Buch« anzubringen. Ich glaubte mich daher berechtigt, sie erstmals nicht als selbständige Arbeit zu edieren, wie es bislang üblich war, sondern in ihren von Lichtenberg gedachten Kontext zu stellen.

Die »Briefe«, zu denen eine Handschrift nicht erhalten ist, sind Leitzmann zufolge (s. Aphorismen-Heft D, S. 297, Fußnote) nach Weihnachten 1773, also wohl Anfang 1774 entstanden, während Schneider (o. c. I, p. 175) annimmt, daß sie zwischen Anfang 1774 und Herbst 1775 entstanden sind. Mir erscheinen beide Chronologisierungen zu früh angesetzt; die Tatsache, daß ganz offenbar verschiedene Gedankengänge und Formulierungen aus den »Briefen« in den »Orbis pictus« übergegangen und eingeflossen sind (vgl. E 159), machen mir ihre Niederschrift zwischen 1776 und 1778 wahrscheinlicher.

Bei der Konzeption des Plans dürften die Briefe des Dienstmädchens Winifred Jenkins in Smolletts »Humphrey Clinker« (1771) nicht ohne Einfluß gewesen sein, zu denken ist aber auch an das noch im »Orbis pictus« (s. 397, 30) gerühmte Dienstmädchen in »Tom Jones« von Fielding. Hinweise auf diese Brief-Satire begegnen E 151. 159. 252. 258. 323. 371. 374. 375.

Die letzte Gestaltung des »Parakletor« datiert von 1778. Es ist das satirische Gedicht in Alexandrinern, aus dem 1783 Partien veröffentlicht wurden (s. 419, 28 ff). Ein letztes schwaches Echo des »Parakletor«-Plans findet sich in J 902, geschrieben März 1792. Die letzte sichere Erwähnung des Plans außerhalb der Sudelbücher gibt ein Brief an Hollenberg (IV, Nr. 152, S. 299) vom 12. Oktober 1777, in dem es heißt: »Die Satyrische Schrift liegt noch wie damals und wartet auf einen Passat-Wind.«

522 *2 Fliegenwedel:* Diesen Ausdruck als Titel einer Vorrede notiert Lichtenberg D 105. – *7 Büchern ... zum Mückenwehren:* Zu dieser Wendung vgl. zu 232, 22. – *12f. Leser ... Durchblätterer:* Diese Antithese ist C 255 entnommen. Den Ausdruck »Durchblätterer« gebraucht Lichtenberg auch 417, 33. – *16 Beifall den sein Timorus erhalten:* Dazu vgl. oben S. 83 f.; s. auch 525, 9. – *21 unser verlornes Öl, Talg und Mühe:* Ähnlich formuliert Lichtenberg in D 100. – *21f. um ... Brod und Unsterblichkeit ... bringen:* Diese Wendung geht auf D 166 zurück. – *27 Cavaceppi:* Über Bartolomeo Cavaceppi vgl. zu TB 1. – *32 Jungfernwachs:* lat. cera virginea: unbebrütetes, ungebleichtes weißes Bienenwachs, u.a. zur Amuletttherstellung verwendet. – *32 papier maché:* frz. ›gekautes‹ Papier; bildsame Masse zum Modellieren; Lichtenberg gebraucht das Wort auch D 213. 578. – *33 Opus einstampft:* Zu diesem Gedanken vgl. D 578.

523 *1 Gellert ... in Leipzig:* Das Marmormonument Gellerts, seinerzeit im Wendlerschen Garten in Leipzig, wurde nach einem Entwurf von Oeser geschaffen. Über Gellert vgl. zu B 95. – *1f. Münchhausen ... in Göttingen:* Lichtenberg meint vermutlich das Porträt Gerlach Adolf Freiherr von Münchhausens – über ihn vgl. zu B 56 – von Gottfried Boy 1747, das im Treppenhaus der Göttinger Universitätsbibliothek hängt. – *15 Pillen verguldet:* Zu diesem Bild vgl. D 650 und die Anm. dazu; s. auch 936, 3 und Briefe (IV, 878). – *17f. Asmus ... von seinem Timorus*

sagen: Dazu vgl. oben S. 83; über Claudius vgl. zu E 155. – *25 f. Was Laune oder der Humour der Engländer...:* Diese Wendung ist wörtlich D 599 entlehnt. Zu den Begriffen vgl. zu 410, 6. – *26 eigentlich wolle:* Danach von Lichtenberg gestrichen: *weiß er noch nicht, es ist dieses Wort in unsern Tagen so häufig.* – *29 f. Schiebeler ... durch Laune ... Wichmann ... durch Feuchtigkeit übersetzt:* Vgl. D 599 und die Anm. dazu; über Daniel Schiebeler vgl. zu C 360; über Christian August Wichmann vgl. zu B 16. – *33 Wort Butterbrod:* Zu dieser Wendung vgl. D 69 und die Anm. dazu. – *36 Timorus:* danach von Lichtenberg gestrichen: *eine Satyre wäre.* Im übrigen vgl. oben S. 82 f. – *38 ironice abgefaßt:* Diese Wendung ist wörtlich E 245 (S. 400) entlehnt.

524 *6 f. dem treuherzigen Ungenannten ... in der Frankfurter gelehrten Zeitung:* Dazu vgl. oben S. 84. Über die »Frankfurter gelehrten Anzeigen« vgl. zu C 342. – *8 f. Fäden ... frommes Pfui:* Diese Wendung ist fast wörtlich D 164 entlehnt. – *14 ein Mann von weit größerm Verdienst:* Womöglich ist mit dem Mitarbeiter an den »Frankfurter gelehrten Anzeigen«, dessen briefliches Urteil Lichtenberg mitteilt, Wenck in Darmstadt, oder Merck gemeint. – *16 schreibt ... skribbelst:* Diese Antithese ist F 976 entlehnt; im übrigen vgl. zu 419, 3. – *17 ausgedruckt:* Zu dieser Lichtenberg eigentümlichen Schreibweise vgl. zu 279, 25. – *18 Der Rezensent ... Mettwürste pp.:* Dieses Zitat teilt Lichtenberg im vollen Wortlaut in einem Brief an Nicolai (IV, Nr. 95, S. 196) vom 3. April 1794 mit. – *21 armer Teufel:* Zu diesem Ausdruck vgl. zu 214, 31. – *26 Ich halte dafür ...:* Dazu s. oben S. 241 f.

525 *4 Dedikation ... Bettelbrief:* Diese Wendung ist D 558 entnommen. – *9 Der ungemeine Beifall:* Mit diesen Worten beginnt nach Schneider, o. c. I, p. 170, die 3. Vorrede; s. auch 522, 16. – *9 mein Timorus:* Dazu vgl. oben S. 82 f. – *10 Deutsch-Böotien:* Böotien: Landschaft des östl. Mittelgriechenland zw. dem Golf von Korinth und dem Kanal von Euböa; in den Augen Athens galten die Böotier als plump, bäurisch, ungebildet. Lichtenberg bezeichnet damit gern die Vertreter des ›Sturm und Drang‹, die Mitarbeiter an den »Frankfurter gelehrten Anzeigen«, die ›Saxenhäuser‹. Vgl. dazu auch zu D 416. – *15 Parakletor genannt:* Dazu vgl. oben S. 241 ff. Parakletor: Schutzhelfer, Verteidiger, Tröster. – *16 Rom:* von Lichtenberg verb. aus: *die Barbaren.* – *17 Jerusalem des guten Geschmackes:* Athen? – *20 angespien:* danach von Lichtenberg gestrichen: *Wer jemals in der Welt eine Feder angesezt hat, wird sehen, daß ich die Schrifftsteller meine, deren Hölle sicherlich bisher Deutschland gewesen ist.* – *24 Gassenjungen:* von Lichtenberg verbessert aus: *Ausländer.* – *27 dann endlich:* danach von Lichtenberg gestrichen: *den jüngsten Tag [unter] einem Grabstein abgepaßt.* – *31 f. Gedanken-Körner ...*

zu Dissertationes aufkeimen: Diese Wendung, die ähnlich D 313 begegnet, ist E 189 entlehnt. – *35 Arcana:* Arcanum: Geheimnis, Geheimmittel, bes. in der Alchemie. Lichtenberg gebraucht den Ausdruck auch D 593. E 72. RA 127.

526 *1 Bemerkungen über das Postwesen:* Diese Wendung begegnet ähnlich auch E 189; zu Lichtenbergs Plan über das deutsche Post-(Un-)Wesen vgl. E 152 und die Anm. dazu. Im übrigen s. auch 724, 37. 798, 31. 842, 38. – *3f. Theorie der schönen Künste für ... 1776:* Dieser Einfall ist E 114 entnommen; er begegnet bereits D 192. 613 und E 189. Lichtenberg verwendet ihn auch 532, 3 f. – *10 potentatische Wörter:* Dieser Ausdruck ist E 355 entnommen; vgl. auch die Anm. dazu. Lichtenberg gebraucht ihn auch ähnlich 387, 37: *reputatische Wörter.* – *11 Sonntagsprose:* Diesen Ausdruck gebraucht Lichtenberg erstmals B 115; im übrigen vgl. zu 65, 4. – *14f. Vermeide ... Skopul:* Zu diesem Satz vgl. KA 164 und die Anm. dazu; s. auch E 315. – *16f. immer mehr einreißenden guten Geschmack:* Vgl. zu 509, 17 f. – *18 Conrad Photorin:* dahinter von Lichtenberg gestrichen: *der Theologie und belles lettres Candidaten.* Die gleiche Floskel benutzt Lichtenberg ungekürzt bei der Satire »Timorus«; über das Pseudonym vgl. zu 205, 10. – *31 Endzweck:* Zu diesem Ausdruck vgl. zu 12, 18. – *31f. das güldne Läppische:* Zu diesem Ausdruck vgl. zu KA 143. – *33 zehen Köpfe hätte:* von Lichtenberg verb. aus: *des Teufels wäre.* – *34 in Abstracto:* im allgemeinen.

527 *2f. unsere Romane:* Dazu vgl. E 152. – *3 deutsche Charaktere:* Vgl. D 214 und die Anm. dazu, ferner E 154; s. auch 529, 23. 598, 34. – *3 Journale:* Dazu vgl. D 214 (S. 266). – *3f. Viel-Lesen ohne zu verdauen:* Vgl. zu 508, 34; den Vergleich zwischen Lesen, Studieren und Essen, Verdauen macht Lichtenberg F 203. – *9ff. Wir sollen ... Kinder zeugen:* Diese Passage ist fast wörtlich D 610 (S. 323) entlehnt; s. auch 529, 23 f. – *14f. der verzwickte Adel ... im Kopf:* Dazu vgl. D 45. – *20 Kästner:* Über ihn vgl. zu A 179. – *20 Heyne:* Über ihn vgl. zu B 239. – *33f. Buchstabier-Stall ... Plauder-Saal der Akademie:* Diese Wendung ist wörtlich D 57 entnommen; s. auch 895, 24. – *36f. Gesner ... nachahmen:* Gesners Abhandlung »Socrates sanctus paederasta« – vgl. F 467 –, erschienen Göttingen 1753 in den »Commentarii societatis regiae scientiarum gottingensis«, Band 2 für das Jahr 1752, S. 1–31, ist S. 32–35 ein »Corollarium de antiqua Asinorum honestate« angefügt. Über Johann Matthias Gesner vgl. zu B 200. – *37f. de antiqua asinorum honestate:* Über die Ehrbarkeit der Esel in der Antike; über den Ruf des Esels reflektiert Lichtenberg schon A 26; vgl. die Anmerkung dazu; s. auch S. 590–591. – *38 Comment: Gott:* Über die Göttinger Commentarien vgl. zu KA 71.

528 *1f. Τέρπουσιν... asinicidia:* Vgl. zu 238, 37. – *4 eine Feder die gut schreibt:* Dazu vgl. H 129. – *6 point d'honneur bei den Mannspersonen:* Die Notiz bezieht sich auf B 139; vgl. die Anm. dazu; point d'honneur: Sitz der Ehre. Lichtenberg gebraucht die Wendung auch 585, 11. 700, 37 f. 836, 24. – *7f. Das Land, wo...:* Diese Notiz, von Lichtenberg gestrichen, ist E 348 entnommen. – *7 Shakespeare:* Über ihn vgl. zu A 74. – *8 Pontius Pilatus:* Über ihn vgl. zu 341, 31 f. – *9 Kunkels Geschichte:* Dazu vgl. unten S. 283 f. – *10 Es gibt 100 Witzige...:* Diese Notiz ist C 100 entnommen; vgl. auch die Anm. dazu. Lichtenberg verwertet den Gedanken auch 531, 14. – *11f. vielleicht das Hob-Rad ... Jocoser: p. 131:* Gemeint ist B 355. – *13 Rede des Sprützenmeisters:* Gemeint ist B 354. – *14f. Feuer-Ordnung ibid. p. 122:* Gemeint ist B 333. – *16 ibid. p. 119 Hätte die Natur...:* Gemeint ist B 323. – *17 Da gut schreiben so schwer...:* Die Wendung ist B 321 entnommen. – *18 So vortrefflich sich die gesunde Vernunft ...:* Die Wendung ist B 303 entnommen. – *20f. Ein Cicisbeo der Justiz ... ibid. p. 90:* Die Wendung ist B 225 entnommen. – *20 Cicisbeo:* seit dem 16. Jh. in Italien (Genua) der Begleiter und Gesellschafter, bisweilen auch der Vertraute und Liebhaber einer verheirateten Frau. – *22 Das Saugen der Bären...:* Die Notiz bezieht sich auf B 223. – *23 Mathematische Methode...:* Die Notiz ist B 190 entnommen. – *25 Ordnung der Pandekten:* Die Notiz bezieht sich gewiß auf B 190; s. aber auch F 410: »die Pandekten der Unordnung wegen«. Im übrigen vgl. zu 408, 19. – *27 Etwas von der Geschichte der Barbarei:* Gemeint ist »Eine Erzählung«: B 204; vgl. auch 509, 6. 614, 17. – *28 Das moralische Universale...:* Diese Wendung basiert auf einer Formulierung in B 195. – *29 Pfennigs-Begebenheiten:* Dieser Ausdruck ist B 195 entlehnt; zu der Wendung vgl. auch 868, 36. – *29 Leben [des] Nadir Schah:* Über ihn vgl. zu KA 244. – *30 Wenn er seine Schnupftabaks-Dose...:* Die Notiz bezieht sich auf C 126. – *31 Liscows Vorschlag:* Gemeint ist »Die Vortreflichkeit, und Nohtwendigkeit der elenden Scribenten gründlich erwiesen von ...« (1736), erschienen in der »Samlung Satyrischer und Ernsthafter Schriften«, Frankfurt und Leipzig 1739, S. 504, wo es heißt: »Ich bin auch versichert, daß es nicht übel gethan seyn würde, wenn man sie beständig geknebelt, und an allen vieren gebunden, liegen lassen wolte.« Über Liscow vgl. zu KA 141. – *33 Instruktion des Kunkel... p. 79:* Die Notiz bezieht sich auf B 196; über Kunkel vgl. zu A 57. – *34 Nonsense Verses auf den englischen Schulen:* Die Notiz bezieht sich auf B 179. – *35 verheiratete vierfüßige Mensch:* Diese Wendung ist B 165 entnommen. – *36 kakochymische Miene:* Diese Wendung geht auf B 162 zurück; vgl. die Anm. dazu. – *37 Predigt über Silberschlags Worte. p. 63.:* Gemeint ist B 152; vgl. die Anm. dazu.

529 *1 In dem: und er nahm eine Prise ...:* Die Wendung sowie die folgenden zwei Zitate beziehen sich auf B 128. – *1 Qu'il mourut:* »Daß er tot wäre«. Zitat aus »Horace« 3, 6 von Pierre Corneille. – *2 Soyons amis, Cinna:* »Laß uns Freunde sein, Cinna«. Zitat aus »Cinna« 5, 3 von Pierre Corneille; über ihn vgl. zu B 128. – *3 Ich halte die Schlangen-Linie ...:* Die Wendung bezieht sich auf B 131. Hogarths »Schlangenlinie« erwähnt Lichtenberg auch 352, 28; s. die Anm. dazu. – *5 vielleicht was S. 56, 57 steht:* Gemeint ist B 137. – *6 von der weitspürigten Philosophie:* Diese Wendung bezieht sich auf B 140. – *7 Der Stolz guckt ...:* Die Wendung geht auf B 123 zurück. Lichtenberg verwertet sie 509, 34. – *8 Das ist so gewiß als ...:* Diese Wendung ist fast wörtlich B 120 entnommen; s. auch E 32. – *9 Manche ziehen die Linie ...:* Diese Wendung ist B 86 entnommen. – *11* Κερας Αμαλθειας: griech. ›Horn der Wahrheit‹; gemeint ist das Exzerptenheft KA, auch Füllhornbuch genannt, das Lichtenberg 1765–1772 führte (s. Bd. 2 unserer Ausgabe, S. 40–87). – *12 kleinen Zettuln:* vermutlich Notizen in der Art der Vorarbeiten zu »Der doppelte Prinz«; im Nachlaß nicht auffindbar, falls nicht die unten S. 295 erwähnten Einzelblätter gemeint sind. – *13 Alexandriner ... eingemischt:* Entwürfe dazu begegnen F 1166. 1170; im übrigen vgl. S. 414–426. – *14 Ich wünschte mir nicht ...:* Diese Notiz ist fast wörtlich B 85 entnommen. – *17f. Empedokles, Doktor Faust und Roger Baco ... für Hexenmeister gehalten:* Diese Wendung ist fast wörtliches Zitat von B 70; Lichtenberg verwertet den Gedanken auch 597, 37. Über Empedokles, Roger Baco, Faust vgl. zu B 70. – *19 von den Drüsen eines Fressers. p. 26:* Gemeint ist B 61. – *20 deutsche Charaktere liefern:* Zu dieser Wendung vgl. zu 527, 3. – *21f. haben keinen allgemeinen Fluch ... Galgen:* Dazu vgl. E 208. – *23 Die Schriftsteller sollen deutsche Charaktere ...:* Vgl. zu 527, 3. – *25 Anfang von Kapiteln ... wie bulla Unigenitus:* Die Notiz bezieht sich auf B 59. »Unigenitus dei filius« waren die Anfangsworte der von Papst Clemens XI. im September 1713 erlassenen Bulle gegen den Jansenismus. – *26 vom Nutzen ... p. 22:* Gemeint ist B 54. – *27 Der Stil ... ins Lohensteinische:* Die Wendung ist fast identisch mit B 53; über Lohenstein vgl. die Anm. dazu. – *27f. Damals ... Gnadenstoß geben sollen:* Diese Wendung basiert auf D 383; im übrigen vgl. zu 416, 19. – *29 Betrachtung p. 14:* Gemeint ist B 25. – *30 Der Pöbel ruiniert sich ...:* Diese Wendung ist fast wörtlich B 21 entnommen. – *33 von Muttermälern am Verstand:* Diese Wendung bezieht sich auf B 19. – *34 Hill's remedy:* Die Notiz bezieht sich auf B 379; über John Hill vgl. zu KA 91. – *35 Simpel schreiben ...:* Die Notiz bezieht sich auf die Ausführungen in B 20. – *36 vom Geschmack in Kupferstichen:* Die Notiz spielt

auf B 170 an. – *37 Eine Historie wo ...:* Diese Wendung, französisch formuliert, bildet den letzten Satz der »Prophetischen Blicke in einen Meß-Catalogum vom Jahr 1868« in B 16 (I, S. 51).

530 *1 Cartouche der Große:* Die Namensnennung bezieht sich auf die Ode dieses Titels in B 8. Über den berühmten Straßenräuber Louis Dominique Cartouche vgl. die Anm. dazu. – *2 Wie manchen Tag ...:* Diese beiden Zeilen sind der Ode auf Cartouche den Großen, B 8, entnommen. – *4 Art von Kavalier-Perspektiv:* Diese Wendung ist B 7 entnommen. – *5 Als wenn man ...:* Diese Notiz bezieht sich auf B 1. – *8f. sagt ... Liscow:* Zu dieser Wendung vgl. zu 412, 21. Über Liscow vgl. zu KA 141. – *16 Eteosticha:* Diesen Begriff, abzuleiten von griech. ἔτος: Jahr, Zeit und vermutlich synonym mit Chronostichon gebraucht, konnte ich nirgends nachweisen. – *16 Chronosticha:* auf ein bestimmtes Jahr bezogene lateinische Sätze; durch Addieren der Buchstaben, die zugleich röm. Zahlzeichen sind, ergibt sich das bestimmte Jahr. Vgl. etwa in den Briefen (IV, S. 296). – *16f. geschnittenen Taxusbäume:* Kennzeichen des frz. und holländ. Gartens (s. auch 841, 6ff.). Zu dem Bild vgl. auch L 139. 623. – *18 Mehr Worte als Begriffe bekommen:* Zu dieser Unterscheidung, die der von Individua und Genera entspricht, vgl. zu KA 261. – *18 bekommen:* Zu der sich hieran anschließenden Zeichnung des ›Satyrs mit Perspektiv‹ vgl. E 106. Im Original befindet sich die Abbildung auf einem Extrablatt, auf dem übrigens ein zweiter Kopf, eine Art Vorstudie zu dem hier abgebildeten, gezeichnet ist. Einen identischen Kopfumriß hatte Lichtenberg im Original auch in dem Brief an Chodowiecki (IV, Nr. 138, S. 284–285) vom 23. Dezember 1776 angegeben und dazu geschrieben: »Hiezu hätte ich gerne eine Titelvignette von Ihnen, und zwar weil das Stück ironisch werden wird, folgendes darauf vorgestellt. Den Kopf eines Satyrs der durch einen Opern-Gucker sieht, ich meine ein solches Taschen-Perspektiv das das Objektivglas auf der Seite hat, die Ihnen bekannt sein werden. Dieses Objektivglas wäre als gegen den Leser gerichtet der indessen glaubt, der Satyr sähe nach einer anderen Person und lache. Die Hauptsache wäre, verständlich auszudrücken, daß es eine solche Lorgnette wäre.«

531 *1 Brihf vom Schulmeister in Wehnde:* Gemeint sind die »Frankfurter gelehrten Anzeigen«, 24. Dezember 1773, die S. 845 einen »Der Schulmeister zu Wehnde« unterzeichneten Brief »An die Herren Verfasser der Frankfurter gelehrten Anzeigen« enthalten. Über die Zeitschrift vgl. zu C 342. – *1 Wehnde:* Gemeint ist: Weende, ein Dorf nahe Göttingen. – *1f. theils ... sondern:* Vgl. zu 386, 30. – *5 eine in Brihfen verschrieben von Ber-*

lin: Gemeint ist wohl Lessings Unternehmen der »Briefe die neueste Litteratur betreffend« (Berlin 1759 ff.); vgl. zu KA 63. – *6 unsre theutsche Gesellschaft:* Vgl. zu 213, 1 f. – *9 f. Klopstockischen Othen:* In E 159 schreibt Lichtenberg »Klopstockischen Othem«; über Klopstock vgl. zu B 63. – *10 vorachiren:* Gemeint ist wohl: vor-agieren. – *11 Vatter Mekum Lustigen Leuten:* Über das »Vademecum für lustige Leute« vgl. zu 59, 27 f. – *14 001 witzige giebt ...:* Vgl. zu 528, 10; die Umstellung der Ziffern – s. auch 531, 26 – verwertet Lichtenberg auch 398, 34. – *17 besonders hochgeehrteste:* Zu dieser Floskel vgl. 401, 15. – *26 um 01 bis 21:* Vgl. zu 531, 14. – *27 von den Ursprung und von den Sprachen:* Gemeint ist Herders »Abhandlung über den Ursprung der Sprache«, erschienen Berlin 1772. Lichtenberg erwähnt sie auch C 42. D 691. Über Herder vgl. zu KA 158. – *28 Socinität:* von mir verb. aus: Sociaität entsprechend der Notiz in E 159 und 387, 19. Die Berliner Société des Sciences hatte Herders Preisschrift 1770 preisgekrönt. – *31 die Fabel von dem Schaf:* Diese Fabel findet sich in der zu 531, 27 nachgewiesenen Schrift, a. a. O., »Dritter Abschnitt. I. Töne« S. 76–77, wo es heißt:

»Da ist z. E. das Schaaf. Als Bild schwebet es dem Auge mit allen Gegenständen, Bildern und Farben auf Einer großen Naturtafel vor – wie viel, wie mühsam zu unterscheiden! Alle Merkmale sind fein verflochten, neben einander – alle noch unaussprechlich! Wer kann Gestalten reden? Wer kann Farben tönen? Er nimmt das Schaaf unter seine tastende Hand – Das Gefühl ist sicherer und voller; aber so voll, so dunkel in einander – Wer kann, was er fühlt, sagen? Aber horch! das Schaaf blöcket! Da reißt sich ein Merkmal von der Leinwand des Farbenbildes, worinn so wenig zu unterscheiden war, von selbst los: ist tief und deutlich in die Seele gedrungen. ›Ha! sagt der lernende Unmündige, wie jener blind gewesene Cheselden's: nun werde ich dich wieder kennen – Du blöckst‹! Die Turteltaube girrt! der Hund bellet! da sind drei Worte, weil er drei deutliche Ideen versuchte, diese in seine Logik, jene in sein Wörterbuch! Vernunft und Sprache thaten gemeinschaftlich einen furchtsamen Schritt und die Natur kam ihnen auf halbem Wege entgegen durchs Gehör. Sie tönte das Merkmal nicht blos vor, sondern tief in die Seele hinein! es klang! die Seele haschte – da hat sie ein tönendes Wort!«

532 *3 f. Theolochie für das Jahr 1773 und eine Theorie ...:* Vgl. zu 526, 3 f. – *5 die deutsche Pisselle Dorleang:* Gemeint ist Voltaires Heldengedicht »La Pucelle d'Orléans« (geschrieben 1733, veröffentlicht erst 1759), das in Prosa-Übersetzung unter dem Titel »Das Mädgen von Orleans. Ein Heldengedicht in 18 Gesängen« erstmals 1763 unter dem fiktiven Druckort London

(Leipzig: Verlag Linke) bei Elzevir erschien. Das Poem galt seinerzeit als unsittlich und blasphemisch. Im »Göttinger Taschen Calender« für 1778 ließ Lichtenberg für die Kupferfolge von »Der Fortgang der Tugend und des Lasters« von Chodowiecki in Blatt 7 als »stark redende Insignien der Pfade«, die ein junges Mädchen wählen kann, die Bibel (für Tugend) und eine aufgeschlagene »Pucelle d'Orléans« (für Laster) anbringen; s. auch an Chodowiecki (IV, Nr. 138, S. 284) am 23. Dez. 1776. Das betreffende Kupfer ist abgebildet in Promies, Georg Christoph Lichtenberg. Reinbek 1964, S. 90. Zur Verballhornung eines Titels von Voltaire vgl. auch zu 302, 37 f.: »Hangriade«. Über Voltaire vgl. zu KA 28.

FRAGMENT VON SCHWÄNZEN

Erstveröffentlichung und Satzvorlage: »Fragment von Schwänzen. Ein Beytrag zu den Physiognomischen Fragmenten. 1783.« Ohne Verfasser- und Druckortangabe. Veröffentlicht in: Baldingers »Neues Magazin für Ärzte«, 5. Band, S. 3–11. Leipzig 1783. Exemplar in der Staats- und Universitätsbibliothek Göttingen. Das Originalmanuskript ist im Nachlaß nicht erhalten.

Zur Entstehung: In einem »Vorbericht zum fünften Bande erstes Stück, des neuen Magazins für Aerzte« schreibt Baldinger:

»Herrn Lavaters große Physiognomic veranlaßte zwischen zweyen Freunden *Spott*. Der eine moquirte sich über die Silhouette des Hofnungsvollen Jünglings – den Herr Lavater zum Genie vom ersten Range erhob – und da ihm eben ein junges Schwein begegnete, so fiel ihm ein, daß sich über die hofnungsvollen Schweinsjünglinge wohl was Physiognomisches sagen ließe. Dieser hingeworfene Gedanke fachte den Witz des Verfassers sogleich an, diese Aufsätze zu machen. Beyde Freunde lebten auf der Königinn der Akademien – und so kam die Idee über das Haar zu tragen, hinzu. –

Der Verfasser erlaubte schon längst, daß seine Einfälle gedruckt würden. Sie erscheinen gewiß nicht zu spät – da uns die letzte Messe noch physiognomische Bücher geliefert hat.

Und im Magazin verdienen sie eine Stelle, da selbst Haller in seiner großen Physiologie die Physiognomic als einen Teil jener Wissenschaft ansieht.

Baldinger.«

Schernhagen gegenüber äußert Lichtenberg (IV, Nr. 370, S. 496) allerdings am 6. Februar 1783, Baldinger habe seine »Schwanz-Physiognomik« abgedruckt, »ohne mich zu fragen«. Aus diesem Schreiben geht überdies klar hervor, was schon immer angenommen worden war: das »Fragment von Schwänzen« steht in unmittelbarem Zusammenhang mit Lichtenbergs großen antiphysiognomischen Aufsätzen. Es ist, wie er selbst sagt, »anno 1777 geschrieben«. Einen weiteren Hinweis auf die Entstehungszeit gibt ferner ein Brief Lichtenbergs an Hindenburg (Ebstein, Aus Lichtenbergs Correspondenz, Nr. 17, S. 42; von Leitzmann, Zu Lichtenbergs Briefen, a.a.O., S. 64–66, zu Recht in den Januar 1778 gesetzt): »Ich hatte blos um einige vertraute Freunde lachen zu machen noch eines von Purschen Zöpfen verfertigt, es ist aber nicht mehr in meinen Händen.« In einem weiteren Brief an Schernhagen (IV, Nr. 375, S. 499) vom 6. März 1783 – mit Schreiben vom 17. Februar 1783 (IV, Nr. 373, S. 418) hatte er diesem sein Exemplar von Baldingers Magazin übersandt – stellt er die ›Schwanz-Physiognomik‹ in eine Reihe mit einer zur gleichen Zeit entstandenen satirischen »Physiognomik der 12 Bilder in den l'hombre-Karten«, die sich schon 1783 nicht mehr in seinen Händen befand und verschollen geblieben ist. Zu derartigen satirischen ›Freundesgaben‹ darf man ferner jene Lavaters Stil parodierenden Briefe zählen, in denen Lichtenberg die Porträts von gerade gehängten Mördern zu deuten bittet (vgl. IV, Nr. 331, S. 463, vom 5. September 1782 an Meister). Schließlich ist auch Lichtenbergs »Erklärung der Monats-Kupfer« im »Göttinger Taschen Calender« für 1780, S. 137–138, erwähnenswert; seine Erklärung des achten Kupfers erinnert, worauf schon Lauchert (a.a.O., S. 43) hinwies, in ihrer Lavaters Stil parodierenden Sprache an das »Fragment von Schwänzen«:

»Allein hier sieh den Connoisseur, du, der du dieses Blat anschaust, oder rühme dich nie eines Menschen-Gesichts mehr. Wenn du nicht siehest thätige Federkraft des Sammlers, nicht den Muth Rom nach Sachsen zu schleppen in der Spannung des nach Antwort schnappenden Geschwindfragers, nicht lähmendes Entzücken und dem Weinrausch sich nähernde Wonnetrunkenheit des bis zur Husaren Attitüde abgespannten; wenn dir 15 ausgespreizte Finger in Einer Reihe nicht sagen, das, was der 16te berührt, sey das Werk mit der Asträa geflüchteter, oder ausgestorbener Kunst, so gieße du dein Dintenfaß auf dieses Blat und meine Erklärung, dann sie nützen dir eben soviel.«

Der Erfolg der Publikation war nach Aussage Lichtenbergs überwältigend: »mit jedem Posttag muß Dietrich welche verschicken«, schreibt er an Schernhagen (IV, Nr. 375, S. 499) am 6. März 1783 (s. auch IV, Nr. 377, S. 500). Eine Besprechung des »Fragment von Schwänzen« konnte ich nicht ermitteln.

Über das Fragment vgl. insgesamt Albert Schneider, o.c. I, S. 187, der seine Entstehung auf Ende September 1777 annimmt und Lichtenbergs Notizen in Sudelbuch F über den Plan einer »Tierphysiognomik« auf dieses Fragment bezieht; es handelt sich insbesondere um F 644. 662. 727. 862.

533 *13 Schrecken Israels:* Anspielung auf die jüdische Speisevorschrift, die es strikt untersagte, Schweinefleisch zu essen. – *18 Ur-Genie:* Lavatersche Wortschöpfung, die in den »Physiognomischen Fragmenten«, Bd. 2, Leipzig und Winterthur 1776, S. 194. 195, und Bd. 4, Leipzig und Winterthur 1778, S. 90, begegnet. Lichtenberg ›zitiert‹ den Ausdruck auch F 663. Vgl. ferner unten zu 537, 1 (Rüttgerodt).

534 *6 Alexander:* Über Alexander den Großen vgl. zu KA 140. – *8 hundselndes ... zuckernes:* Diese von Lichtenberg als Zitat ausgewiesenen Wörter habe ich in den »Physiognomischen Fragmenten« nicht auffinden können. – *18 Meisterstück:* Meisterstück der Schöpfung: der Mensch; zu dieser Metapher vgl. zu 286, 20 f. – *21 Heinrich des VIII.:* Über ihn vgl. zu D 582. – *22 Cäsar:* Über ihn vgl. zu KA 12. – *22 f. aut Cäsar, aut nihil:* »entweder Cäsar oder Nichts«; die unter einem Kopf des röm. Cäsar angebrachte Devise Cesare Borgias.

535 *3 Molliter ossa quiescant:* »Mögen seine Gebeine sanft ruhen«. Zitat aus Vergil, »Eclogae« X, 33. Über Vergil vgl. zu A 82. – *4 f. Mettwurst ... in G.:* Über dieses Göttinger Produkt vgl. zu 210, 8. – *6 f. warmen ... Genie ausbrütenden Stutzern:* Zu dieser Wendung vgl. 261, 27 ff. und F 848. Zu *Stutzer* vgl. zu 312, 10. – *16 Ahnherr:* von mir verb. aus: *Anherr.* – *16 Adonis:* im griech. Mythos Geliebter der Aphrodite, der auf der Jagd von einem Eber getötet wurde; der bildliche Inbegriff des schönen Jünglings; s. auch 919, 7. – *16 f. Ebergeist des Herkules-Bekämpfers:* Anspielung auf eine der zwölf Arbeiten des Herakles, die darin bestand, den Erymanthischen Eber zu fangen.

536 *4 Purschenschwänzen zur Übung:* parodistische Nachahmung einer Gepflogenheit der »Physiognomischen Fragmente«; s. auch 538, 10. – *6 Elater:* Aussäorgan der Lebermoose und des Schachtelhalms.

537 *1 Newton:* Über ihn vgl. zu A 79. – *1 Rüttgerodt* (s. auch Anm. Z. 37: *Lavaters große Physiognomik*): Über Johann Heinrich Julius Rüttgerodt vgl. zu F 848. Lichtenberg nennt ihn hier, weil Lavater aus der Silhouette des Massenmörders ein ›Urgenie‹ herausgelesen hatte, wie er selbst in den »Physiognomischen Fragmenten«, Bd. 2, Leipzig und Winterthur 1776, S. 194, »Achtzehntes Fragment. Zerstörte menschliche Natur. Rüdgerodt« mitteilt: »Herr Leibarzt Zimmermann sandte mir die vorüberstehende Silhouette von einem Menschen, dessen Möglichkeit ich mir nie gedacht hätte, und erwartete mit Ungeduld mein Urtheil. Das war: ›das größte, schöpferische Urgenie; dabey drollig und boshaft witzreich.‹ – Und seine Berichtigung: ›die Physiognomie eines Unmenschen; eines eingefleischten Teufels.‹« Lichtenberg erwähnt ihn auch in den Briefen (IV, S. 275. 277. 463). Zu *Urgenie* vgl. zu 533, 18. – *3 Liedchen:* Vgl. zu 508, 35 f.

– *7 englisch in beiderlei Verstand:* britisch und angelisch. – *15 armer Teufel:* Vgl. zu 214, 31. – *15 Perücke:* von mir verb. aus: Parücke. – *19 Goethe:* Über ihn vgl. zu D 128. – *19 Bethge:* Lebensdaten unbekannt. – *22 Pusillanimität:* Kleinmut. Lichtenberg gebraucht den Ausdruck auch J 337.

538 *5 Nachtmütze:* von mir verb. aus: Machtmütze. An Schernhagen schreibt Lichtenberg (IV, Nr. 370, S. 496) am 6. Februar 1783, daß »vieles sehr verdruckt ist«. – *10 Fragen zur weitern Übung:* Vgl. zu 536, 4. – *14 Weltweise:* Vgl. zu 226, 14. – *15 Taugenichts ... Taugewas:* Dieses Wortspiel ist F 346 entlehnt. – *19 Goethe:* Über ihn vgl. zu D 128. – *20 Homer:* Über ihn vgl. zu A 135.

DRITTE EPISTEL AN TOBIAS GÖBHARD

Erstveröffentlichung und Satzvorlage: »Conrad Photorin an Tobias Göbhard; des Letztern Einleitung zu einer mendelssohnischen und Noten zu einer lavaterischen Abhandlung in den stürmischen Monaten des deutschen Museums betreffend.« In: »Vermischte Schriften«, Band 4, Göttingen 1844, S. 84–102: »Erste Beilage«.

Zur Entstehung: Im Märzheft des »Deutschen Museums« 1778, S. 194–198, war unter dem Titel »Über einige Einwürfe gegen die Physiognomik und vorzüglich die von Herrn Lavater behauptete Harmonie zwischen Schönheit und Tugend« ein Aufsatz Moses Mendelssohns erschienen – der von Lichtenberg erwartete »Kontra-Aufsatz« gegen seine »Antiphysiognomik« (vgl. Briefe, IV, S. 310). Der Aufsatz wurde durch eine *anonyme* Vorrede Johann Georg Zimmermanns eingeleitet. Lichtenberg muß das Stück Anfang März 1778 gelesen haben, wie aus einem Brief an Schernhagen (IV, Nr. 174, S. 317) vom 9. März 1778 hervorgeht. Daß Mendelssohns Abhandlung mit der physiognomischen Fehde zwischen Lichtenberg, Lavater und Zimmermann von Haus aus nichts zu tun hat, erhellt auch aus Mendelssohns Brief an Zimmermann vom 12. Mai 1778 (Gesammelte Schriften, 5, 546), in dem er ihm zugleich die Mißbilligung seines Verhaltens aussprach: »Lichtenberg hat Ihren Freund, wenigstens öffentlich, gar nicht unglimpflich behandelt und die weise Mäßigung, mit welcher Lavater selbst ihm geantwortet hat, berechtigt seine Freunde auf keine Weise, den Streit durch ihre Dazwischenkunft erbittert zu machen. Sie haben also wirklich den ersten Schritt zum Zwiste getan und es geziemet Ihnen auf alle Weise, auch den ersten Schritt zur Wiederaussöhnung zu tun. Ihre Ehre kann unmöglich dabei verlieren und Ihre Ruhe nicht anders als gewinnen.«

Lichtenberg, dem die Manipulation Zimmermanns zunächst nicht bekannt war, begann nach Erscheinen des Märzstücks des »Deutschen Museums« mit der Ausarbeitung einer Schrift, deren Anfang uns im ersten Teil des abgedruckten Aufsatzes »Wider Physiognostik« vorliegt. Im Aprilstück des »Deutschen Museums« 1778, S. 289-317, ließ Zimmermann einen Auszug aus Lavaters Polemik gegen Lichtenberg im 4. Band seiner »Physiognomischen Fragmente« einrücken und versah den Extrakt mit ebenfalls anonymen Anmerkungen, die in beleidigender Form gegen Lichtenberg zielten (vgl. S. 551). Lichtenberg arbeitete daraufhin einen Brief aus, in dem er fingierte, der Bamberger Nachdrucker Tobias Göbhard sei der Anonymus des »Deutschen Museums« (s. dazu auch S. 567). Entsprechend dieser bewußten Fiktion Lichtenbergs habe ich den Titel dieser Brief-Satire formuliert.

Die Satire ist im April 1778 in der vorliegenden Form niedergeschrieben (s. auch F 992. 993) und gedruckt worden: sie ist konzipiert als Antwort auf ein Schreiben Göbhards vom 6. April 1778 (s. S. 539). Am 9. April hofft Lichtenberg, wie er Schernhagen (IV, Nr. 181, S. 320) mitteilt, daß seine »Adresse an Herrn Zimmermann« im Maiheft des »Deutschen Museums« erscheinen, aber überdies gesondert gedruckt werde. Zu diesem Zeitpunkt muß die Satire in der Handschrift fertig gewesen sein, wie Lichtenberg sowohl gegenüber Schernhagen und Boie am 23. April 1778 äußert (IV, Nr. 185, S. 322; Nr. 186, S. 324), fertig bis auf den letzten Schliff und die Stellungnahme zu den neuen Noten Zimmermanns, die größere Zusätze erforderlich machen (s. auch an Schernhagen am 27. April 1778 betreffs des Nicolai-Zitats: IV, Nr. 187, S. 324-325).

Die Epistel, von der eine Handschrift nicht überliefert ist, wurde erst nach Lichtenbergs Tod bekannt, obwohl sie seinerzeit unmittelbar gedruckt worden war (vgl. S. 567). Lichtenberg selbst ließ jedoch auf den Rat Schernhagens hin die Epistel in der ganzen Auflage vernichten. Dieterich schrieb dazu an Ludwig Christian Lichtenberg am 11. September 1799 (LB III, 345-346): »Wie Ihr Herr Bruder wegen der Physiognomik im Kalender gegen den Lavater schrieb, so bekam er Zimmermann zum Feinde und dieser fing den Federkrieg an. Ihr Herr Bruder schrieb dahero einen Bogen gegen Zimmermann, wie aber der Titul heißt, weiss ich nicht mehr. Ich reiste eben nach Leipzig und sollte diese beißende Schrift nachgeschickt bekommen, so aber nicht erfolgte. Wie ich zurückkam, fragte ich ihn, warum ich solches nicht bekommen. Die Antwort war, er wäre darin zu grob zu Felde gegangen, hätte dem Sekretär Schernhagen nach Hannover, so sein Freund war, ein Exemplar geschickt, dieser hätte ihn gebeten, da Zimmermann so großen Anhang in Hannover hätte, so möchte er solches unterdrücken und kassieren, so er auch getan hätte und verbrannt wären. Ich bat um ein Exemplar oder wenigstens mir solches nur lesen zu lassen, auch dieses konnte ich bei aller Freundschaft nicht erhalten und versicherte mich kein Exemplar mehr zu haben. Ich wante mich an meinen Faktor, auch dieser und alles im Hause waren ihm so getreu und gehorsam, wider allen Gebrauch von Buchdruckern und ihren Gesellen, die sonst von allem ein Exemplar behalten, auch nicht ein Exemplar behalten zu haben. Endlich fiel mir ein der Revisions- oder Korrekturbogen, so bei allen Buchdruckern aufgehoben wird und zurückzugeben vergessen war. Diesen bekam ich zu lesen und gieng in aller Unschuld und Vertrauen zu ihm und sagte: Mein Gott, Lichtenberg, was bist du für ein Mann! Gott behüte mich für deinem Zorn und Feindschaft! Wieso? frug er. Der arme Zimmermann, wie hast du den versohlt! Hast du die Schrift gelesen? Im vollen Feuer war die Antwort. Ich sagte: Ja. Nun fing er an zu schimpfen und zu lärmen über meine Leute, so er befohlen alles zurückzugeben. Ich erwiderte ihm, daß solches auch geschehen wäre, und daß es der Revisionsbogen wäre, so niemand bekäme, worauf er antwortete, ich sollte ihm solchen mal weisen. Ich war so treuherzig und sowie er solchen hatte, zerriß er solchen und verbrannte die Stücken für meinen Augen, und niemals, da ich glaubte nach Zimmermanns Tode wenigstens ein Exemplar wieder zu bekommen, allein er versicherte mich allemal, daß er keines zurückbehalten und alles kassiert hätte, und ist gut, daß Sie solches noch gefunden, da Zimmermann tot und ihn als ein ehemaliger Freund durch die fameuse Schrift genung geärgert hat, so ich glaube noch zu haben, ihm aber niemals weisen mögen und durch andre muß erfahren haben.«

Dessen ungeachtet schreibt Lichtenberg noch am 24. August 1778 an Hindenburg (IV, Nr. 205, S. 341): »Ob meine Schrift so gnau auf die Messe kommen wird ... weiß ich nicht.« Und Boie berichtet noch am 24. Mai 1779 anläßlich eines Besuches in Göttingen an Luise Mejer (Ich war wohl klug, daß ich dich fand, München 1963, S. 38): »Den ersten Abend und gestern Morgen habe ich ganz mit Lichtenbergen zugebracht. ... Er wollte mir sogar seine Schrift wider Zimmermann vorlesen, die er schon lange hat drucken lassen. Ich wollte sie aber nicht anhören und er billigte meine Gründe.«

539 *2 Conrad Photorin:* Zu diesem Pseudonym vgl. zu 205, 9; s. auch 552, 34. – *2 Tobias Göbhard:* Über ihn vgl. zu F 143; im übrigen s. oben S. 95 f. – *2 des letztern Einleitung:* Johann Georg Ritter von Zimmermann hatte im Märzheft des »Deutschen Museums« 1778 (I, S. 193 ff.) eine anonyme Vorrede zu dem Aufsatz von Mendelssohn erscheinen lassen. Vgl. auch 551, 12 ff. 553, 25. 565, 29 ff. 569, 20. – *3 mendelssohnischen ... Abhandlung:* Gemeint ist »Über einige Einwürfe gegen die Physiognomik und vorzüglich gegen die von Herrn Lavater behauptete Harmonie zwischen Schönheit und Tugend«, erschienen ebenda;

im übrigen vgl. S. 543–544. 551, 12. 556, 7. 565, 30. S. ferner Briefe (IV, Nr. 165, S. 311) an Schernhagen vom 8. Februar 1778; (IV, Nr. 170, S. 313) vom 15. Februar 1778 und am gleichen Tage an Nicolai (IV, Nr. 171, S. 314). – *3 lavaterischen Abhandlung:* Der vierte Band der »Physiognomischen Fragmente«, deren Vorrede vom 18. November 1777 datiert ist, erschien Leipzig 1778 und begann mit »Anmerkungen zu einer Abhandlung über Physiognomik im Göttinger Taschen-Kalender aufs Jahr 1778«, woraus im »Deutschen Museum«, April 1778 (I, 289) ein Auszug erschien. Vgl. Lichtenbergs Urteil an Hindenburg (IV, Nr. 166, S. 311) vom ca. 10. Februar 1778 und an Schernhagen (IV, Nr. 168, S. 312) vom 10. Februar 1778. S. auch 547, 35. 551, 15f. 559, 14f. 567, 29. – *4 stürmischen Monaten des deutschen Museums:* Diese Formulierung begegnet auch 551, 5. – *5ff. Herausgebers ... F.E.:* Die Initialen bedeuten: Friedrich Eckard; über ihn vgl. zu 237, 26. – *11f. galanten Literärgeschichte unserer Zeit:* Zu Lichtenbergs negativer Verwendung der Vokabel ›galant‹ vgl. zu 311, 8. – *13 lecteur penseur ... lecteur seigneur:* »der Leser als Denker ... der Leser als Hoheit«; zu dieser Wendung vgl. zu 95, 30; s. auch 571, 14. – *16 sub dato:* Vgl. zu 406, 21. – *16 Bamberg:* Wohnsitz des – fingierten – Absenders Tobias Göbhard. – *16 6ten April:* Zu diesem Datum vgl. Lichtenbergs Brief an Schernhagen (IV, Nr. 180, S. 319) vom gleichen Tage. – *18 mein Timorus:* Dazu vgl. oben S. 82f. – *19 obligeant:* Vgl. zu 308, 8. Lichtenberg persifliert hier mit den eingestreuten Gallizismen und den Anrede-Floskeln den altfränkischen Kurial- und Kaufmannsstil wie im »Sendschreiben der Erde an den Mond«. – *24 Gloire:* Ruhm. – *26 considerable Ordres:* erkleckliche Bestellungen. – *27 Proschubladen:* Der offenbar aus der Kaufmannssprache stammende Ausdruck war von mir nicht nachweisbar. – *30 tela:* Geschosse.

540 *1 ex actis:* aus den Akten. – *2 telorum:* Geschosse (Gen. P.). – *16 den trockenen Weg abzukommen:* Zu dieser Wendung vgl. zu J 653. – *21 Ihren letzten Brief an Eckard:* Dazu vgl. oben S. 95. – *23 bostonische Urbanität:* »Der Verfasser scheint hier, wie an ein paar späteren Stellen, das Ereigniß im Auge gehabt zu haben, welches im Jahre 1773 zu Boston Statt hatte, und den förmlichen Bruch Englands mit seinen amerikanischen Colonieen bezeichnete. Bekanntlich wurden damals (21 December) drei englische, mit Thee beladene Schiffe im Hafen von Boston von verkleideten Bostonianern überfallen, und für 18,000 Pf. Sterl. Thee, in 327 Kisten, ins Meer geworfen.« (Anm. der Herausgeber in den »Vermischten Schriften«, Bd. 4, S. 82.). Lichtenberg zitiert diese Wendung auch 552, 21. 553, 20. 562, 15. 568, 6. An Schernhagen schreibt Lichtenberg (IV, Nr. 182, S. 320–321) am 12. April 1778: »Ich merke wohl, es wird in diesem Streit

gehen wie in Amerika, er fängt mit Tee an und endigt in Königreichen.« – *23 f. Konventionsrhythmus:* Diese Wendung begegnet auch 553, 21. – *24 expressiones heroicae:* »heldische Ausdrücke«; die Wendung, F 601 entlehnt, begegnet auch 553, 22; s. auch 570, 14 f. – *25 f. unter Pauken und Trompeten ... predigen:* Lichtenberg gebraucht die Wendung auch 552, 13.

541 *3 f. man nennt Sie öffentlich hier den Museumschänder:* Die in Göttingen vorherrschende negative Meinung über Zimmermann referiert Lichtenberg in den Briefen (IV, S. 318. 320. 321. 324. 326). – *7 berühmter Mann in Hannover:* Gemeint ist natürlich Zimmermann. – *8 Lavater:* Über ihn vgl. zu A 129. – *21 kleinen Antiphysiognomik:* Gemeint ist Lichtenbergs Kalender-Abhandlung; er gebraucht diesen Ausdruck auch 551, 6. 555, 13 f. – *21 f. die besten Freunde:* Auf seine Freundschaft mit Zimmermann kommt Lichtenberg auch 567, 18 f. zu sprechen. – *23 durch Briefe beweisen:* Briefe Zimmermanns an Lichtenberg sind im Nachlaß in Göttingen nicht erhalten; im übrigen s. 567, 22 f. – *30 f. sich deutliche Begriffe von Berlin zu verschreiben:* Diese Wendung gebraucht Lichtenberg auch 555, 34 f. 565, 28 ff.

542 *2 Marvilles Mikroskop:* »Unter diesem Mikroskope zeigten die Ausdünstungen Derjenigen, welche mit einander sympathisirten, Häkchen, die leicht und schnell in einander einhakten; dagegen Derjenigen, zwischen denen Antipathie Statt fand, kleine Spieße, die sich nicht anschmiegten, sondern gegenseitig empfindlich verwundeten.« (Anm. der Herausgeber der »Vermischten Schriften«). – *5 den Text ... umdrucken lassen:* Lavater deutet zwei Profilumrisse von Z. (Zimmermann) im »Fünften Fragment« seiner »Physiognomischen Fragmente«, Dritter Versuch, Leipzig und Winterthur 1777, S. 337–341. – *14 Horaz:* Über ihn vgl. zu KA 152. – *14 Kästner:* Über ihn vgl. zu A 179. – *14 Lessing:* Über ihn vgl. zu KA 63. – *14 Rabener:* Über ihn vgl. zu D 382. – *14 Swift:* Über ihn vgl. zu KA 152. – *15 Churchill:* Über ihn vgl. zu F 123. – *15 Boileau:* Über ihn vgl. zu KA 203. – *17 f. Satyre ... Torheiten in allgemeinen Ausdrücken bestrafen:* Über Lichtenbergs Auffassung der Satire vgl. zu B 136; vgl. auch 661, 15 f. – *34 soulaschiere ...:* Gallizismus: trösten; erleichtern. Anspielung auf Zimmermanns Abhandlung im Maistück des »Deutschen Museums« 1778, die den Titel trägt »Warnung an Eltern, Erzieher und Kinderfreunde wegen der Selbstbefleckung zumal bei ganz jungen Mädchen«. Eine ausführliche Schilderung des Verfahrens der Onanie bei einer Fünfjährigen schließt ebenda mit dem Satz: »Die Kinder haben sich dadurch auch immer sehr soulaschiert«. »Was sagen Sie zu Zimmermanns Abhandlung im neuesten Stück des Museums, wo er den kleinen Mamsells öffentlich Anleitung

gibt, wie sie sich *soulaschieren* sollen? Die Aufseher über die Mamsells werden ohnehin schon seine Vorsorge gebraucht haben, also profitiert niemand als die Mamsells selbst dabei«, schreibt Lichtenberg an Schernhagen (IV, Nr. 189, S. 326) am 5. Mai 1778. – *36 in Schweinsleder hinter den Portier des Chartreux:* Diese Wendung begegnet ähnlich 554, 28 f. Gemeint ist hier der erotische Roman »Histoire de Gouberdon portier de chartreux«, erschienen Paris 1745, von Gervaise de Latouche; über ihn und seinen Roman vgl. D 519 und die Anm. dazu.

543 *7 f. der Grundgrundsatz ... Laßt's laufen:* Zu dieser Wendung vgl. zu 375, 33. – *14 Vergehen aufrücken und Gebrechen:* Zu dieser Wendung vgl. B 321 (S. 130). – *15 Boston:* Vgl. zu 540, 23. – *16 Despotismus der guten Sitten:* Ein ähnliches Bild gebraucht Lichtenberg auch 574, 14 f. – *25 Mendelssohns Abhandlung:* Vgl. zu 539, 3. – *32 berühmten berlinischen Gelehrten:* Gemeint ist Friedrich Nicolai, der am 15. April 1778 an Lichtenberg geschrieben hatte. Der Brief ist in den »Vermischten Schriften«, Bd. 8, Göttingen 1847, S. 116 ff. abgedruckt. Lichtenberg erwähnt den Brief auch 551, 20 f. 565, 26. – *33 ff. »Die Abhandlung ... geträumet hat«:* Diese Zeilen zitiert Lichtenberg getreu aus Nicolais Brief in einem Schreiben an Schernhagen (IV, Nr. 187, S. 325) am 27. April 1778 und kommentiert das Zitat mit den Worten: »Ich werde gewiß Gebrauch davon machen, doch ohne die Wörter *Nicolai, Tor, Geschwätz* und *radotiert* zu gebrauchen, damit ich mir nicht mehr Feinde mache.« – *35 f. der Mann ... es steht ein anderes da:* Nicolai hatte geschrieben: *der Tor.*

544 *1 der Dietrichsche Kalender:* Gemeint ist der »Göttinger Taschen Calender« für 1778, erschienen Herbst 1777, der Lichtenbergs Artikel »Über Physiognomik« enthielt. – *4 Lavaters Behauptung:* von Lichtenberg geändert; Nicolai hatte stattdessen geschrieben: *Geschwätz.* – *9 geträumet hat:* Nicolai hatte geschrieben: *radotirt hat.* – *16 ff. Einleitung, worin weder Philosophie ... noch Verstand ist:* Diese Wendung begegnet auch 551, 14 f. 554, 17 f. – *19 f. simple Sprache der gesunden Vernunft:* Eine ähnliche Wendung begegnet 554, 19. – *22 Witzzwang:* Dieser Ausdruck begegnet auch 554, 21. – *22 ausländischer Prunk sich bewußter Impotenz:* Diese Wendung begegnet auch 554, 21 f.; zur Verwendung des Wortes »Impotenz« vgl. zu D 268; Lichtenberg gebraucht den Ausdruck auch F 1092 in Bezug auf Zimmermann. – *23 Sprache der ... Mäklerei:* Lichtenberg gebraucht den Ausdruck auch 555, 27. Von »physiognomischen Mäklern« spricht Lichtenberg in einem Brief an Stroth (IV, Nr. 200, S. 336) vom 6. Juli 1778. – *24 Philosophen ... der in Europa niemand über sich hätte:* Dieser Satz ist Zitat aus Zimmermanns Einleitung zu dem zu 539, 3 nachgewiesenen Aufsatz

von Mendelssohn im »Deutschen Museum« 1778, I, S. 194.
Lichtenberg zitiert den Satz auch 554, 23 f. 574, 29 f. – *26 f. als
wenn Sie ... keinen unter sich hätten:* Dieser Satz begegnet auch
554, 24 f. – *30 tela:* Vgl. zu 539, 30. – *34 ff. Denn nach ... bewirkt werden soll:* Diese Passage kehrt fast wörtlich 553, 8 ff.
wieder. – *38 Menschenliebe ... die der Titel verspricht:* Vgl. zu
257, 27 f.

545 *5 Philanthropia:* Vgl. zu 375, 20 f. – *7 f. Wildemannsgulden:* früher auf dem Harz geprägte hannöversche und braunschweigische Silbermünze, auf der ein wilder Mann mit einer Tanne
in der Hand dargestellt war. – *9 f. nisi fingerent, non sic dicerent:*
Wenn sie nicht heuchelten, sprächen sie nicht so. – *10 kleine
Antiphysiognomik:* Zitat von Zimmermann im »Deutschen
Museum«, 3. Stück, März 1778, S. 194. 195. – *11 Schartekchen:*
Zu diesem Ausdruck vgl. zu 241, 9. – *13 der Ausdruck kleines
Gift des göttingischen Gegners:* Zitat von Zimmermann, der
übrigens »den kleinen Gift« schreibt, in der Fußnote zu dem
Lavater-Extrakt im »Deutschen Museum« 4. Stück, April 1778,
S. 289. – *22 f. Oh le joli Scholiaste:* O der drollige Gelehrte. –
23 Que des Hottentots parmi vous: »Was gibt es unter euch für
Hottentoten«; Lichtenberg zitiert diesen Satz nach Helvétius:
vgl. zu E 168. Über Helvétius vgl. zu KA 117. – *31 f. da lach'
ich ... weinen möchten:* Diese Wendung ist E 471 entlehnt.
Lichtenberg gebraucht sie auch 571, 19. – *38 f. Er schreibt ... zweiten
Teil seiner Fragmente:* Zu diesem Vorhaben Lichtenbergs s.
unten S. 265; vgl. auch 551, 28 f. 563, 11.

546 *5 f. unerlaubte Erweiterung eines lavaterischen Grundsatzes:* S. auch
572, 17. – *7 ff. Erweiterung ... bestehet:* Dieser Satz ist fast wörtlich F 942 entlehnt. – *8 6 Fuß:* Vgl. zu 25, 16. – *9 papiernen
Quaderstücken:* Anspielung auf Lavaters »Physiognomische
Fragmente«, die Großquart-Format besaßen: vgl. 257, 23: zu
der Wendung vgl. zu 340, 22. – *12 Nonsense:* Zu diesem Ausdruck vgl. zu 326, 19 f. – *15 Duodezblättchen:* In diesem Format
– vgl. zu 315, 3 – erschien der »Göttinger Taschen Calender«. –
23 ff. sein Name ... verlieren: Dieser Satz ist fast wörtlich F 934
entnommen. – *23 Nichtdenkern:* Diesen Ausdruck gebraucht
Lichtenberg auch 556, 8. – *28 f. gelehrten Stockjobberei:* stockjobbery: Börsenspekulation. Von »Physiognomische Stock Jobbers« spricht Lichtenberg F 926; s. auch F 942. Er gebraucht
den Ausdruck auch 557, 2 f. – *29 ff. den Profit ... schon bar in der
Tasche:* Diese Wendung begegnet auch 557, 7 f. – *38 Unterricht
für Vorteile hielte:* Diese Wendung begegnet sinngemäß auch
557, 12 ff. 566, 4.

547 *1 f. Belehrung ... Unterdrückung:* Diese Wendung gebraucht
Lichtenberg auch 551, 35. – *8 f. sich gekränkt glaubenden Stolzes:*
Diese Wendung, F 942 entlehnt, begegnet auch 566, 9 f. – *24*

Ehe der Kalender heraus kam: Herbst 1777. – *28 da habt ihrs endlich:* Diese Wendung begegnet auch 559, 20 f. – *34 f. sein Kupfer stechen lassen:* Vgl. 262, 31 und die Anm. dazu. – *35 Lavater ... in seinem Aufsatz im IVten Teil:* Vgl. zu 539, 3.
548 *4 f. Heuschreckenheer von Physiognostikern:* Diese Wendung findet sich auch 552, 8. 558, 29. – *8 Kollisionen:* Die Erläuterung dieses Begriffs – gleichbedeutend mit: Störung der Gesichtszüge durch äußere Einflüsse und Kräfte – gibt Lichtenberg in einem Brief an Schernhagen (IV, Nr. 178, S. 318) am 19. März 1778: »Ich sage ja ausdrücklich: wenn es keine Kollisionen gäbe (ich nenne es in reiner Himmelsluft erzeugt sein), so wäre Physiognomik wahr«; er spielt damit auf 266, 10 ff. an; im übrigen vgl. F 942. 950. 952. 960. – *12 Physiognomik für den Maler lehren:* Vgl. Lichtenbergs Ausführungen S. 294–295. – *15 pathognomischen ... Zügen:* Vgl. zu 283, 6 f. – *15 f. Gradationen:* Zu diesem Ausdruck vgl. zu 278, 4. – *22 ihm gehen, wie dem Propheten:* Vgl. zu 266, 1. – *22 mutatis mutandis:* Vgl. zu 226, 20. – *24 f. Gleichnis von Steinarten und Salzen:* Gemeint ist 266, 17 f. – *25 Figura determinata:* genau umrissene Figur. – *29 ist äußerst unsicher:* »Physiognomik ist also äußerst trüglich« schreibt Lichtenberg in der 9. und letzten Schlußfolgerung seiner »Antiphysiognomik« (s. 293, 3). – *31 Lavater sagt: nur beobachtet:* Vgl. F 1137 und die Anm. dazu. – *33 f. nur eure Regeln ... einen Treffer:* Dazu vgl. 288, 19 f. – *34 f. Beantwortung dieses lavaterischen Aufsatzes ...:* Dazu vgl. 551, 15 f. 552, 1 ff.; ferner unten S. 265. – *36 f. dem zweiten:* vermutl. Druckfehler für: den... – *39 Anm. des Herausgebers:* Gemeint ist: Friedrich Eckard; s. zu 539, 5 ff.
549 *3 in der 2ten Auflage:* Gemeint ist »Über Physiognomik; wider die Physiognomen«. – *7 f. Physiognomica inversa:* umgekehrte Physiognomik. – *10 f. Zeichne mir das Gesicht dessen ...:* Gemeint ist abermals Zimmermann. – *14 Weltweisen:* Vgl. zu 226, 14. – *18 Scharwächters:* Zu diesem Ausdruck vgl. zu 245, 9. – *19 sein ehemaliger Freund:* Das betont Lichtenberg auch 562, 14. – *29 Kollisionen:* Vgl. zu 548, 8. – *36 Mendelssohns Abhandlung:* Über sie vgl. zu 539, 3.
550 *5 nötig:* Danach bricht der Text ab; in der Satzvorlage durch Striche angedeutet.

AN DIE LESER DES DEUTSCHEN MUSEUMS

Erstveröffentlichung: »Hamburgischer Correspondent«, Nr. 89, vom 8. Juni 1778.

Satzvorlage: »Zweite Beilage. An die Leser des deutschen Museums.« In: »Vermischte Schriften«, Band 4, Göttingen 1844, S. 103–106. Eine Handschrift des Avertissements ist im Nachlaß nicht überliefert.

Zur Entstehung: Das Datum der Abfassung dieser Anzeige ergibt sich aus dem Schlußsatz: *21. Mai 1778.* Lichtenberg entwarf das »Avertissement« in dem Augenblick, da er sich endgültig entschlossen hatte, gegen Zimmermann nichts zu publizieren (s. auch 567, 36): »Es geht mir in der Tat hart ein, einem Mann, gegen den ich nie etwas öffentlich unternommen haben würde, nun grob zu begegnen«, schreibt er am 18. Mai 1778 an Schernhagen (IV, Nr. 192, S. 328; im übrigen vgl. meine Ausführungen oben S. 255 f.). Das Avertissement bekräftigt diesen Standpunkt, besitzt aber darüberhinaus ganz zweifellos Ventil-Funktion. Aus Hamburg teilt Lichtenberg am Tage des Erscheinens der Anzeige Schernhagen (IV, Nr. 195, S. 330) mit: »Mein Avertissement ist doch gedruckt. Was mir am unangenehmsten ist, ist die sonderbare Steif- und Festlichkeit womit es geschrieben ist. Auch sind ein paar derbe Druckfehler drin. Vermutlich wird er [Zimmermann] nunmehr seinen ganzen Vorrat von grobem Geschütz auf mich loslassen; hierauf werde ich noch eine General-Salve geben, und dann gewiß ruhen, er mag auch machen was er will, oder wenigstens soll er es nur bei Gelegenheit genießen.«

Zimmermann reagierte, indem er Lichtenbergs Erklärung im 7. Stück des »Deutschen Museums«, Juli 1778, 2, S. 88–91, vollständig wiederholen ließ: »An den Herausgeber des Deutschen Museums« (s. auch 568, 2) und sich mit voller Namensunterschrift als Verfasser der Einleitung zu Mendelssohns Aufsatz und den Noten zu Lavaters Auszug bekannte (vgl. auch an Schernhagen am 21. Juli 1778 und Boie an Bürger am 19. Februar, 12. und 19. März, 19. April und 3. Mai 1778 (Briefe von und an Bürger, Bd. 2).

Es bleibt zum Schluß zu fragen, warum Lichtenberg seiner Anzeige diesen Titel und jenen Druckort gab. Es hätte nahegelegen, das Avertissement in *der* Zeitschrift zu veröffentlichen, in der Zimmermann seine Invektiven gegen Lichtenberg hatte veröffentlichen können und dessen Lesepublikum er ja mit dem Titel ansprach. Wenn Lichtenberg den »Hamburgischen Correspondenten« wählte, geschah es vermutlich deshalb, weil er für seine abschließende Entgegnung die breitere Öffentlichkeit suchte, die ihm nur die vielgelesene Hamburger Zeitung garantieren konnte. Hinzu kommt womöglich, daß die Zeitung Lichtenbergs Anzeige kurzfristiger veröffentlichen konnte als die Monatsschrift Boies. Denkbar ist jedoch auch ein Zufallsmoment: Lichtenberg entschloß bei Gelegenheit seines Hamburg-Besuchs sich kurzerhand zur Insertion an Ort und Stelle. Im übrigen war die Entfremdung zwischen Boie und Lichtenberg durch die Affaire mit Zimmermann im Frühsommer 1778 offenbar auf einem Punkte, der es Lichtenberg verbot, in einer Zeitschrift zu inserieren, die den Mitarbeiter Lichtenberg derart unqualifizierten Artikeln ausgesetzt hatte.

551 *1 Leser des deutschen Museums:* Dazu vgl. oben S. 263. – *5 stürmischen Monaten des Museums:* Zu dieser Wendung vgl. zu 539, 4. – *6 kleine Antiphysiognomik:* Vgl. zu 541, 21. – *8 die Unpolierten:* die Unhöflichen. – *12 f. Abhandlung ... von Herrn Mendelssohn:* Vgl. zu 539, 3. – *14 nebst ... Einleitung dazu:* Vgl. zu 539, 2. – *14 f. worin weder Philosophie ... noch Verstand:* Zu dieser Wendung vgl. zu 544, 16 ff. – *16 Abhandlung von Herrn Lavater wider mich:* Vgl. zu 539, 3. – *17 Noten von Tobias Göbhard dazu:* Dazu vgl. oben S. 256. – *20 f. Freund des Herrn Mendelssohn ... mir dieses selbst berichtet:* Gemeint ist Friedrich Nicolai; vgl. zu 543, 32. – *26 f. Lavaters Gedanken über ... Schönheit:* Zu diesem Zitat vgl. 544, 4 f. – *28 f. zweiten Teil meiner Schrift ... künftige Messe erscheinen:* Vgl. zu 546, 1. – *34 f. nicht ... Belehrung ... als ... Unterdrückung:* Zu dieser Wendung vgl. 547, 1 f.

552 *8 Heuschreckenheer von Physiognostikern:* Zu dieser Wendung vgl. zu 548, 4 f. – *9 f. seine polternden Apostel:* Von »physiognomischen Aposteln« redet Lichtenberg F 666. – *10 f. im sechsten Jahr der ... Physiognomik:* gerechnet von 1772 an, dem Erscheinungsjahr von Lavaters erstem Entwurf zur Physiognomik; vgl. zu 261, 9 f. – *11 f. Unterschied ... wie zwischen Großinquisitor und Paulus:* Diese Wendung begegnet auch 559, 16. – *13 unter Pauken und Trompeten ... predigen:* Zu dieser Wendung vgl. zu 540, 25 f. – *15 f. Satyre muß sich jeder gefallen:* Diesen Satz verwendet Lichtenberg auch 554, 33 f. – *17 f. Tho' pointed ... pain to me:* »Frei sei Satire, zielt sie auch auf mich/Für sie ist's Spaß, und keine Pein für mich.« Zitat aus »The Author«, V. 209, von Churchill; über ihn vgl. zu F 123. Lichtenberg zitiert den Zweizeiler auch 555, 1 f. – *21 bostonische Urbanität:* Vgl. zu 540, 23. – *29 ein gewisser berühmter Mann:* Gemeint ist selbstverständlich Zimmermann. – *34 bekannten Verteidiger der Unschuld:* Gemeint ist ›Photorin‹; vgl. 539, 2 und zu 205, 9.

WIDER PHYSIOGNOSTIK

Erstveröffentlichung und Satzvorlage: »Wider Physiognostik. Eine Apologie von G. C. L.« In: Aus Lichtenbergs Nachlaß, Weimar 1899, S. 84–98.

Zur Entstehung: Die Partien S. 553–558, Z. 3: *aufhängen will*, sind auf zwei ganzen und einem halben Foliobogen überliefert und entstammen vermutlich der Zeit zwischen dem Erscheinen des März- und Aprilhefts des »Deutschen Museums« von 1778, da darin nur auf Mendelssohns im Märzheft erschienene Abhandlung Bezug genommen wird. Für diese Entstehungszeit spricht auch die Formulierung 553, 14: »nunmehr für die Ostermesse 1778 fertig geworden«. Schon vor dem Ende dieses ersten Stücks, bei 555, 34, setzt das zweite bis S. 562 reichende und dann abbrechende Stück ein, das auf drei Foliobogen überliefert und also mehr als zwei Seiten mit dem ersten Stück textidentisch ist. Entsprechend der Übung Leitzmanns ist die Kontamination der beiden Partien beibehalten worden. Das zweite Stück ist ersichtlich später und stammt vermutlich aus dem Jahre 1780: es wird darin auch gegen Lavaters von Zimmermann glossierten Aufsatz im Aprilheft des »Deutschen Museums« polemisiert, und die zweimalige Erwähnung der Jahreszahl 1778 (559, 14. 561, 12) deutet darauf hin, daß bereits eine erhebliche Spanne Zeit seitdem verstrichen war; s. auch die Formulierung 554, 7: »Irrtum von 8 Jahren«.

Lichtenberg hat höchstwahrscheinlich selbst die Aneinanderfügung der beiden Partien für den zweiten Teil seiner »Antiphysiognomik« beabsichtigt. Wäre dieser zweite Teil jemals öffentlich erschienen, so hätte Lichtenberg zweifellos die kleinen durch die Kontamination notwendig entstehenden Diskrepanzen ausgeglichen, was dem Herausgeber nicht zustand.

Daß Lichtenberg schon in der Zeit, als die zweite Auflage seiner »Antiphysiognomik« erschien, eine Schrift plante, die sich mit Lavater wissenschaftlich fundierter auseinandersetzen sollte, geht aus zahlreichen Arbeitsnotizen im hinteren Teil von Sudelbuch F und den Briefen hervor (vgl. IV, S. 300. 310. 312. 313. 314; s. ferner S. 546. 557. 563). Die Polemik mit Zimmermann war schuld, daß diese Arbeit Projekt blieb. Als Lichtenberg sie 1780 wieder aufnahm, war der physiognomischen Raserei bereits eine neue Mode gefolgt: die der orthographischen Welterlöser à la Klopstock – und Lichtenberg hatte seinen neuen Streitpunkt. Ich denke an die Auseinandersetzung mit Voß (s. S. 296 ff.).

Literatur: Leitzmann in: Aus Lichtenbergs Nachlaß, Weimar 1899, S. 217-222; derselbe in: Aphorismen-Heft F, S. 433.

553 *3ff. Quid ... lubet. Terentius:* »Was du mit jenen treibst, die nicht Recht noch/Güte und Billigkeit kennen:/Besseres, Schlechteres, was frommt, zuwider ist, nichts sehen sie,/außer es beliebt.« Zitat aus »Heautontimorumenos«, IV, 1, 29 von Terenz. Publius Terentius Afer (ca. 195-159 v. Chr.), neben Plautus berühmtester röm. Komödiendichter. – *8f. Nach den wiederholten ... Beweisen ... befördern soll:* Diese Passage begeg-

net fast wörtlich 544, 34 ff. *– 9 ff. Menschenkenntnis ... Menschenliebe ... befördern:* Zu dieser Wendung vgl. zu 257, 27 f. *– 16 von einem Manne geliefert:* Gemeint ist Zimmermann; vgl. oben S. 255 f. *– 20 Bostonischer Urbanität:* Zu dieser Wendung vgl. zu 540, 23. *– 21 hohle Festlichkeit in der Sprache:* Ähnlich schreibt Lichtenberg 326, 20 f.; s. die Anm. dazu. *– 21 f. Konventions-Rhythmus unserer Zeit:* Die gleiche Wendung begegnet auch 540, 23 f. *– 22 heroische expressiones:* Vgl. zu 540, 24. *– 25 ff. Einleitung zu einer Abhandlung ... im März des Deutschen Museums:* Zimmermann–Mendelssohns Artikel ist zu 539, 2 genauer nachgewiesen. *– 29 Segensformuln:* Zu dieser Wendung vgl. zu 58, 15 f. *– 30 Salbung:* Diesen Ausdruck gebraucht Lichtenberg auch 712, 38.

554 *4 f. O J'aime ... Suisses:* wörtliches Zitat aus dem unten zu Z. 36 nachgewiesenen Schreiben von Johann Georg Zimmermann (lediglich das Wort *bien* vor *ces braves* fehlt), wo auch die Übersetzung steht: »ich liebe dieses empfindsame Herz, ich habe diese brave Schweitzer gerne.« *– 5 f. der König von Preußen:* Über Friedrich II. vgl. zu KA 140. *– 6 einem gewissen Schweizer:* Gemeint ist natürlich Johann Georg Zimmermann. *– 7 Irrtum von 8 Jahren:* von Lichtenberg verb. aus: *20;* 1772 hatte Lichtenberg in Hannover Zimmermann persönlich kennen und schätzen gelernt (s. IV, S. 74, vom 12. 6. 1772). *– 12 meines Weimarschen Rezensenten ...:* Vgl. zu 262, 17. *– 17 f. Einleitung, worin weder Philosophie ...:* Zu dieser Wendung vgl. zu 544, 16 ff. *– 19 simple Sprache der Wahrheits-Liebe:* Diese Wendung begegnet ähnlich 544, 19 f. *– 21 f. Witz-Zwang ... Prunk der sich bewußten Impotenz:* Diese Wendung begegnet auch 544, 22. *– 23 Weltweisen, der niemand in Europa über sich:* Vgl. zu 544, 24. *– 23 Weltweisen:* Vgl. zu 226, 14. *– 28 f. Bibel hinter einen Eulenspiegel gebunden:* Ähnlich formuliert Lichtenberg auch 566, 26 f.; vgl. ferner 542, 36 f. *– 33 f. Satyre muß sich jeder gefallen lassen ...:* Dieser Satz begegnet auch 552, 15 f. *– 35 ff. Churchill: Tho' ... to me:* Zu diesem Zitat vgl. zu 552, 17 f. *– 36 Schreiben ... an einen seiner Freunde:* Gemeint ist »Schreiben des Herrn Leib Medieus Z** in H. an einen seiner Freunde: die Unterredung mit Sr. Majestät dem König in Preussen während seines Aufenthalts in Berlin betreffend«, Amsterdam 1773.

555 *5 f. Gegner benässen ... wenn man nicht kann:* Diese Wendung geht auf F 962 (Mai 1778) zurück. *– 9 Göbhard:* Über ihn vgl. zu F 143. *– 9 Swift:* Über ihn vgl. zu KA 152. *– 9 Horaz:* Über ihn vgl. zu KA 152. *– 11 unter die Sterne aufzuknüpfen:* Dieses Bild ist D 665 entnommen; Lichtenberg verwertet es auch F 430. *– 13 die kleine Antiphysiognomik:* Vgl. zu 541, 21. *– 21 die Fackel der Wahrheit ...:* Zu diesem Bild vgl. zu 385, 12. *– 26 Machtsprüche:* Zu diesem Ausdruck vgl. zu B 321. *– 27 Mäk-*

lerei: Zu diesem Ausdruck vgl. zu 544, 23. – *28f. alte Aussichten ... durch neue Löcher:* Diese Wendung ist F 879 entlehnt; s. auch 571, 22 ff. – *30f. physiognomischen Welt-Erlöser:* Zu diesem Ausdruck vgl. zu 302, 32. – *34f. sich deutliche Begriffe von Berlin zu verschreiben:* Zu dieser Wendung vgl. zu 541, 30f. – *37f. Beförderung von Menschenliebe und Menschenkenntnis:* Vgl. zu 257, 27f.

556 *4 Kommerz-Traktat:* Handels-Vertrag. – *7 Mendelssohns Name ... Verfasser jenes Aufsatzes:* Vgl. zu 539, 3. – *8 prächtigen Nichtdenkern unserer Zeit:* Vgl. zu 546, 23. – *11 bei ... Welt:* von Lichtenberg verb. aus: *dem gantzen venerabeln Corpus deutscher Gelehrten.* – *30 festlichen:* Zu diesem Ausdruck vgl. zu 326, 20f. – *30 Kompilationen:* Vgl. zu 87, 24.

557 *2f. gelehrten Stockjobberei:* Zu diesem Ausdruck vgl. zu 546, 28f. – *4f. schon 1772 ... gewünscht:* Vgl. C 39. – *4f. berüchtigten Bekehrungs-Werk:* Dazu vgl. oben S. 182f. – *7 Den Profit für meine Physiognomik ...:* Diese Wendung begegnet auch 546, 29f. – *12 Überführung eines Irrtums:* Vgl. 546, 38. – *19 Bitterkeit belehrte:* danach von Lichtenberg gestrichen: »Allein alle Polter und Plunder Köpfe, die verlangen man soll niederknien so bald sie ihren Götzen in die Höhe halten, blos weil tausende niederfallen, sie seyen nun Stammbetrüger oder betrogene Betrüger.« – *20 betrogene Betrüger:* In englischer Version findet sich dieser Ausdruck F 920 (Frühjahr 1778); die deutsche Prägung entstammt sicher Lessings »Nathan der Weise« (1779) III, 508. Lichtenberg gebraucht den Ausdruck auch 749, 30. – *20f. Plauder- und stolze Polter-Köpfe:* In E 504 findet sich der Ausdruck »Plunder-Köpfe«; so wohl auch hier zu lesen, »Plauder« vermutl. Lesefehler Leitzmanns. »Polter-Köpfe« gebraucht Lichtenberg auch 559, 21. – *23 begehen:* danach von Lichtenberg gestrichen: »Es wäre aber vielleicht besser auch diesen mit Huld zu begegnen. Ich weiß nicht.« – *26 Gegickel:* Zu diesem Ausdruck vgl. zu 459, 36. – *29 schmecken können:* danach von Lichtenberg gestrichen: »Ich fürchte keinen grosen Weltweisen, aber der Welt Unweisen, die wenn sie nicht widerlegen können schaden.« – *30f. die langen Arme der Großen ...:* Zu dieser Wendung vgl. zu 385, 28f.

558 *7f. Dietrichen 3000 Kalender liegen geblieben:* Diese Äußerung in gleichem Zusammenhang begegnet auch in einem Brief an Schernhagen (IV, Nr. 174, S. 317) vom 9. März 1778. Über den Verkaufserfolg des Kalenders vgl. oben S. 109; über Johann Christian Dieterich vgl. zu B 92. – *10f. meine Abhandlung durch meine Kupferstiche widerlegt:* Dazu vgl. Lichtenbergs Ausführungen 295, 29f. – *12f. Ich sage mit ... Mendelssohns Worten:* Lichtenberg bezieht sich auf Mendelssohns zu 539, 3 genauer nachgewiesene Abhandlung im »Deutschen Museum« 1778,

III. Stück, S. 198. »Tugend macht schöner, Laster macht häßlicher« äußert Lichtenberg in der »Antiphysiognomik« (s. 282, 2 f.). – *13 f. ich sage, wüchsen unsere Körper:* Gemeint ist 266, 10 f.; vgl. die Anm. dazu. – *18 Anspielungen:* Zimmermann schreibt im Märzstück 1778, S. 194, daß der »Herr Timorus« alias Lichtenberg »Gott weis warum, so keichend und bitterböse gegen die von Lavater behauptete Harmonie zwischen Schönheit und Tugend anläuft« und S. 195: »man errathe ... an irgend einem schäzbaren Gelehrten irgend einen Abgang von Verhältnisschönheit, aus seinem Zorn gegen Physiognomik«. – *23 ff. Ich wende ... gepflanzt hat:* Dieser Satz ist fast wörtlich F 934 entlehnt. – *24 f. polternde ... Hellebarte des Trabanten:* Dieses Bild gebraucht Lichtenberg auch in einem Brief an Schernhagen (IV, Nr. 174, S. 317) am 9. März 1778. – *26 vor die Tür gepflanzt:* Zu diesem Bild vgl. zu 208, 5. – *28 Lavater:* Über ihn vgl. zu A 129. – *29 Heuschrecken-Heer von Physiognostikern:* Vgl. zu 548, 4 f. – *37 Lavater sagt:* An der von Lichtenberg genannten Stelle heißt es wörtlich: »Man setze doch nur das Gegentheil ... daß Gott der Tugend alle Schönheit versage, um sie ja nicht zu empfehlen, daß die ganze Natur darauf eingerichtet sey, das, was der Gottheit das Liebste, und an sich das Liebenswürdigste ist, gleichsam mit dem Siegel seines Mißfallens zu stempeln. – Wer, Brüder, Freunde der Tugend, Mitanbeter der höchsten Weisheit, die lauter Gute ist – wer kann diesen – beynah' hätt' ich gesagt, gotteslästerlichen Gedanken ertragen? –« Vgl. auch 272, 27 f. Lichtenberg zitiert diese Stelle auch F 942.

559 *10 Unterscheidung zwischen häßlicher und leidender Tugend:* Diese Unterscheidung trifft Lavater in den »Physiognomischen Fragmenten«, Vierter Versuch, Leipzig und Winterthur 1778, S. 10. Lichtenberg spielt darauf auch UB 50 an. – *13 superfizielle:* Zu diesem Ausdruck vgl. zu F 622. – *14 ff. Unterschied ... zwischen Paulus und einem Groß-Inquisitor:* Diese Wendung begegnet auch 552, 12. – *20 f. da habt ihrs nun endlich:* Diese Wendung begegnet auch 547, 28. – *21 die Polter-Köpfe:* Vgl. zu 557, 20. – *25 f. mein Kalender-Blättchen:* von Lichtenberg verb. aus: *mich.* – *26 im 4ten Teil seiner Physiognomik:* Vgl. zu 539, 3. – *27 groß 4to:* Vgl. zu 257, 23. – *33 Wenn ein Kopf und ein Buch ...:* Zu diesem Satz vgl. zu 380, 22. – *37 f. Physiognomik ... Prophetik:* Vgl. zu 266, 1.

560 *3 nach dem:* danach von Lichtenberg gestrichen: *9ten oder.* – *6 Sie sagen S. 195:* wörtliches Zitat aus Mendelssohns Aufsatz im »Deutschen Museum«, 3. Stück, März 1778. – *8 f. Zwei ... Million auch:* Dieser Satz ist wörtlich F 952 entlehnt. – *10 Kollisions-Fälle:* Vgl. zu 548, 8. – *15 Pathognomik:* Vgl. 278, 12. – *17 Palasch:* langer, als Hieb- und Stichwaffe geeigneter schwerer Säbel mit nur leicht gekrümmter, meist gerader Klinge. –

29 Vollmacht ... hat: von Lichtenberg verb. aus: *im Stande ist.* – *33 f. diese Abhandlung ... Einfluß auf den Amerikanischen Krieg:* Vgl. zu 269, 3.

561 *12 f. 1778 sagen konnte:* S. 270, 8 ff. – *15 Ceulens Verhältnis:* Ludolf van Ceulen (1540–1610), holländ. Mathematiker, Prof. der Kriegsbaukunst zu Breda, Amsterdam und Leiden, berechnete 1596 die nach ihm benannte Kreiszahl π auf 36 Dezimalstellen. – *17 ff. Ich sagte ... dafür geben:* Dieser Satz ist fast wörtlich F 937 entlehnt. – *19 Scheidekünstler:* Zu diesem Ausdruck vgl. zu 199, 29. – *21 gefällt:* von Lichtenberg verb. aus: *Auge reizt.* – *24 Sokrates:* Über ihn vgl. zu KA 9; im übrigen vgl. 271, 21.

562 *5 wenn ich so gradeweg fragte:* Vgl. 270, 8 ff. – *10 f. mit Schwabacher drucken:* Gemeint ist der Satz: »Tugend macht schöner, Laster häßlicher« – s. 282, 2 f. Schwabacher ist eine deutsche Schriftart, die im 15. Jh. als Druckschrift entwickelt wurde, gekennzeichnet durch einfache, derbe Buchstaben, bis Ende des 18. Jh. gern als Auszeichnungsschrift benutzt. Der Ursprung des Namens ist ungesichert; mit dem Namen der Stadt hat er wohl nichts zu tun. – *14 seinen ehemaligen Bekannten:* Vgl. 549, 19. – *15 Bostonischer Urbanität:* Vgl. zu 540, 23. – *21 Schlagfluß ... Hand Gottes nennt:* »Sollten wir dem Manne, der am Schlagfluss niederfällt, nicht zur Ader lassen, weil abergläubische Leute noch jetzt den Schlagfluss die Hand Gottes nennen?« heißt es in einer Rezension Lichtenbergs in den »Göttingischen Anzeigen von gemeinnützigen Sachen« 1780 (7, S. 278, Anm.; vgl. Lauchert, S. 58). – *21 κατ' εξοχην:* vorzugsweise, schlechthin. – *23 Thomas a Kempis:* Mystiker (1379–1471), wirkte als Seelsorger und geistl. Schriftsteller; die unter seinem Namen gehenden 4 Bücher »De Imitatione Christi« wurden das nach der Bibel verbreitetste Buch der Weltliteratur. – *23 Habermann:* Titel volkstüml. Gebet- und Zauberbücher, so genannt nach dem bis in unser Jahrhundert verbreiteten »Betbüchlein« von 1567 des luth. Theologen Johann Habermann (1516–1590), genannt Avenarius. – *23 f. Kuhbach:* Über Michael Cubach vgl. zu J 261; über Lichtenbergs Schreibweise dieses Namens vgl. die Anm. dazu; s. auch 666, 8.

BERICHT VON DEN ÜBER DIE ABHANDLUNG
WIDER DIE PHYSIOGNOMEN ENTSTANDENEN STREITIGKEITEN

Erstveröffentlichung und Satzvorlage: »Anhang, enthaltend einen Bericht von den über die vorhergehende Abhandlung entstandenen

Streitigkeiten, nebst Beilagen.« Veröffentlicht in den »Vermischten Schriften«, Band 4, Göttingen 1844, S. 73–83. Eine Handschrift dieser Abhandlung ist im Nachlaß nicht erhalten.

Zur Entstehung: Die Abfassung des Berichts fällt mit Sicherheit in das Jahr 1780, wie aus 563, 3 hervorgeht, wo Lichtenberg selbst von einer Pause von »zwei Jahren und drüber« spricht und die Veranlassung zu seiner neuerlichen Abhandlung über Physiognomik in der Rezension seines Kalender-Traktats durch die »Allgemeine deutsche Bibliothek« 1780 sieht. Auch die Erwähnung der »Tischreden« von Zimmermann (568, 22) erlaubt eine annähernde Datierung.

Mit diesem Bericht endet Lichtenbergs Auseinandersetzung mit der Mode-Erscheinung Physiognomik, sieht man von gelegentlichen Eintragungen im Sudelbuch G, vor allem einer dort in Anfängen entworfenen Satire (G 12) ab: »Physiognomische Missionsberichte«. Gelegentliche Anspielungen auf Physiognomik und Scherze darüber finden sich im »Göttinger Taschen Calender« für 1780, S. 123, innerhalb des Artikels »Über die Kopfzeuge«, wo es heißt: »Seit dem die Menschen nicht mehr nackend gehen, und Physiognomick die Lieblings-Wissenschaft der Zeit geworden ist, hat die Beobachtung überdas auf dem einzigen jezt nackenden Fleck von Bedeutung, dem Gesicht, mehr Stärcke zusammen gezogen als er verträgt.« Eine weitere Anspielung macht Lichtenberg im gleichen Kalender in der Erklärung der Monats-Kupfer; die betreffende Passage ist oben S. 253 wiedergegeben. Ebenfalls aus dem Jahre 1780 stammen das physiognomische Charakterporträt in dem Aufsatz über Cook (s. 57, 31–58, 27) und die Anspielung im »Sendschreiben der Erde an den Mond« (s. 408, 37). Aus dem Jahre 1783 stammt die Anspielung in Lichtenbergs »Antwort auf das Sendschreiben eines Ungenannten« (s. 418, 29); im »Göttinger Taschen Calender« für 1784, S. 89, steht am Ende des Artikels »Kurze Erklärung einiger physikalischen und mathematischen Instrumente, die sich in *-meter* endigen« folgende Notiz:

»Um diesen Artikel nicht allzusehr zu dehnen, haben wir einige minder gewöhnliche und minder nützliche weggelassen. Noch müssen wir Hr. Lavaters gutgemeinten Stirnmessers Erwähnung thun, den man Metopometer, Prosopometer oder der Einrichtung nach wohl am besten Transometer, Schädelmesser nennen könnte, aus dessen Form und Inhalt man freylich, sobald ausgemacht seyn wird, wie Geistesanlage und Schädelform von einander abhängen, große Schlüsse ziehen können wird. Alsdann wird es aber auch diesen körperlichen Namen ablegen, und in dem weit verklärterten von Psychometer und Seelenmesser hervorgehn. Bisher ist dieses Instrument noch nicht sehr im Gebrauch, wozu allerdings das sinnreiche Ovometer oder der Eymesser, den der Verfasser der physiognomischen Reisen ausgebrütet hat, nicht wenig mag beygetragen haben.«

Letztmals erwähnt Lichtenberg die »Physiognomischen Fragmente« und Lavater in der Ausführlichen Erklärung von »Fleiß und Faulheit«, Fünftes Blatt (s. 1035, 30).

563 *3 Pause von zwei Jahren und drüber:* gerechnet vom Erscheinen der Zweiten Auflage der »Antiphysiognomik« im Februar 1778; also: 1780. – *11 künftigen Fortsetzung:* Vgl. zu 546, 1. – *12f. Aufforderung eines ... Rezensenten:* Die Rezension von Lichtenbergs Schrift »Über Physiognomik; wider die Physiognomen« erschien im Anhang zu dem 25. bis 36. Band der »Allgemeinen deutschen Bibliothek«, 1780, 2. Abt., S. 1273–1276. Verfasser der unsignierten Rezension ist womöglich Nicolai selbst, der sich auch andernorts als Experte in Sachen Physiognomik geäußert hat. – *14 Er wünscht ...:* »In dieser Absicht ersuche ich Hrn. *Lichtenberg* sehr angelegentlich, seine sämmtlichen *physiognomischen Beobachtungen*, die Widersprüche mit eingeschlossen, wodurch Er gegen sie, und *gegen die Physiognomik überhaupt, mißtrauisch* geworden ist, bekannt zu machen.« (AdB, a.a.O., S. 1275). – *25 Mendelssohn:* Über ihn vgl. zu C 39. – *25 Lavater:* Über ihn vgl. zu A 129. – *26 Zimmermann:* Über ihn vgl. zu C 115.

564 *5 nach ... Erxlebens Tode:* Johann Christian Polycarp Erxleben – über ihn vgl. zu E 451 – war am 19. August 1777 gestorben; Lichtenberg hatte erstmals den Taschenkalender für 1778 zu »dirigieren« (IV, S. 282). – *12 ff. der Mensch ... verschlimmert und verbessert werden:* Zur Perfektibilität und Korruptibilität des Menschen vgl. zu 266, 34 f. – *15 weissagen:* Zu Lichtenbergs Definition der Physiognomik als einer Prophetik vgl. zu 266, 1. – *18 das Pathognomische:* Vgl. 278, 11 ff. und die Anm. dazu. – *22 monströse Genies und monströse Dummköpfe:* Zu dem Gedanken vgl. 292, 31. Zu dem Begriff: monströs vgl. F 789. 1224. – *28 f. eine neue Physiognomik ... neue Befestigungskunst:* Diesen Gedanken äußert Lichtenberg 294, 1 f. – *30 f. an Torheit grenzenden Einfall:* Vgl. 270, 3 f. und die Anm. dazu. – *33 in einigen Morgenstunden:* Dazu vgl. oben S. 108; s. auch Briefe (IV, S. 314). – *38 sprach ich von Schwärmern:* Dazu vgl. 277, 32; s. auch in Briefen (IV, S. 157).

565 *1 f. einen gewissen Mann:* Gemeint ist Lavater. – *5 Brief von Hannover nach Zürich:* Das heißt: von Zimmermann an Lavater. – *6 von einer dritten Hand:* Vermutlich ist Boie gemeint: s. an Schernhagen (IV, Nr. 163, S. 309) vom 2. Februar 1778; s. auch IV, S. 298 und 307: »derbe Schriften, womit mir Armen gedroht worden ist«. – *8 erhielt Herr Dieterich ...:* Zimmermanns Brief ist nicht erhalten. – *14 f. herkulische Laune ... Rohrsperlingische:* Diese Wendung geht auf F 1146 zurück; s. auch

570, 3. »Über Vossens Verteidigung« und Briefe (IV, S. 618). – *17f. Februar 1778, bekam ich ... Nachricht:* durch Boie (s. IV, S. 310. 311). – *18f. im deutschen Museum:* Dazu vgl. oben S. 255. – *26f. Ein Freund ... schrieb mir:* Nicolai; vgl. zu 543, 32. – *30 Mendelssohns Abhandlung ...:* Vgl. zu 539, 3. – *36 Prachtphrasen:* Zu diesem Ausdruck vgl. zu 370, 16. – *38f. sich deutliche Begriffe von Berlin zu verschreiben:* Zu dieser Wendung vgl. zu 541, 30f.

566 *4 daß ich etwas lernte ...:* Diese Passage findet sich fast wörtlich 557, 14; vgl. auch 546, 38. – *5f. Der März des Museums erschien:* Vgl. Lichtenbergs Eindrucksschilderung in einem Brief an Schernhagen (IV, Nr. 174, S. 317) vom 9. März 1778. – *8 Schweizerprose:* Zu diesem Ausdruck vgl. zu F 781; Lichtenberg gebraucht ihn auch in den Briefen (IV, S. 323); zu den Wortbildungen mit *Schweizer-* vgl. die Anm. dazu. Zu den Wortbildungen mit *-Prosa* vgl. zu 65, 4. – *9 roten Kamm:* »Unter der Zeit des roten Kamms verstehe ich den *Augenblick* des roten Kamms, ich meine, er habe es in einem Anfall von physiognomisch-patriotischer Hitze geschrieben, denn der Mann denkt alle Stunden anders«, schreibt Lichtenberg an Schernhagen (IV, Nr. 358, S. 486) am 19. Dezember 1782; s. auch 570, 6f. und »Über Vossens Verteidigung«. – *9f. sich gekränkt glaubenden Hochmut:* Vgl. zu 547, 8f. – *11 Primaner:* Zu diesem Ausdruck vgl. zu 345, 31. – *13 Göbhard, Timorus und Philadelphia:* »Nach seinem niemals beantworteten *Timorus;* nach den Lorbeern, die er durch seine grosse Siege über den Buchhändler Göbhard, und den Taschenspieler Philadelphia erworben ...«, schreibt Zimmermann im »Deutschen Museum«, 3. Stück, 1778, S. 194. Über Philadelphia vgl. zu 253, 5f.; s. auch 572, 33f. – *13ff. die Wörter Maulaufsperren ... Kalendermacher ... Knips:* Die ersten beiden Ausdrücke gebrauchte Zimmermann in seiner Einleitung im »Deutschen Museum«, 3. Stück, 1778, S. 193, und S. 194 das Wort *Knips.* Zu *Kalendermacher* vgl. F 931. – *17 Wirrwarre von Abhandlung im Merkur:* Vgl. zu 262, 17. – *26f. Psalter hinter einem Eulenspiegel gebunden:* Zu dieser Wendung vgl. zu 554, 28. – *35 Wieland ... hat:* Gemeint ist die im »Teutschen Merkur«, April 1778, S. 80–81, mit M. unterzeichnete Rezension der in Buchform erschienenen Antiphysiognomik, die jedoch nicht von Wieland, sondern von Johann Heinrich Merck stammt.

567 *4 Journal- und Zeitungslesergeist:* Über den Lesegeist der deutschen Zeitgenossen mokiert sich Lichtenberg E 245; s. auch Briefe (IV, S. 307). Zu seiner Stellung zum zeitgenöss. Journalismus vgl. zu D 431. – *6 panegyrischen:* von mir verb. aus: panepyrischen. – *6 Prachtbriefen:* Diesen Ausdruck gebraucht Lichtenberg auch 575, 38; zur Wortprägung vgl. zu 370, 16.

– *7 erwerben sich Tausende …:* Diese Wendung ist F 971 entlehnt. – *8f. schönen Geistes:* Zu diesem Begriff vgl. zu 273, 26. – *9f. heißen Tausendfüße …:* Diese Wendung ist E 47 entnommen; Lichtenberg notiert sie auch E 70. F 1126. – *19 ehemals seinen Freund nannte:* Vgl. zu 541, 21 f. – *19f. einmal zu seinem Vertrauten machte:* Worauf Lichtenberg anspielt, ist mir nicht bekannt. – *20f. dich ehemals so impertinent lobte:* aus welchem Anlaß, ist mir nicht bekannt. – *22f. Briefen, die er dir … schrieb:* Vgl. zu 541, 23. – *27 ein Pajazzo seinen Herrn:* Diese Wendung ist G 216 entlehnt. – *28 es wäre Göbhard:* Vgl. zu 539, 2. – *29 Noten zum ersten Stück im April:* Vgl. zu 539, 3. – *30f. meinen dritten Brief … ließ ich drucken:* Dazu vgl. oben S. 256f. – *32 Boie:* Über ihn vgl. zu B 16. – *34 Mitarbeiter am Museum:* Über Lichtenbergs Beiträge am »Deutschen Museum« vgl. oben S. 151. – *36 Avertissement:* s. S. 551–552.

568 *2 in das deutsche Museum … einrücken:* Dazu vgl. oben S. 263. – *2f. gestand, Er, Er sei der Verfasser:* Dazu vgl. oben S. 263. – *3f. im Avertissement gesagt:* S. oben 551, 14f. – *6 Bostonische Laune:* Vgl. 540, 23 und die Anm. dazu; S. 552, 21 spricht Lichtenberg von »bostonische Urbanität«. – *11 Quod erat demonstrandum:* Was zu beweisen war; im übrigen vgl. dazu G 7. – *18 Vorgänger des jetzigen Herrn Leibarztes:* Gemeint ist Paul Gottlieb Werlhof; über ihn vgl. zu 574, 25. – *22 Tischreden:* Vgl. zu 576, 7. – *27 Matronen:* Diesen Ausdruck gebraucht Lichtenberg auch 570, 18. 573, 27; im übrigen vgl. zu F 165. – *27 Kraftbarden:* Zu diesem Ausdruck vgl. zu 380, 5 f.; s. auch 570, 18; zu »Barden« vgl. zu 303, 7. – *28 Ordokrafen:* Darüber vgl. zu 300, 12 ff.; den Ausdruck »Ordokrafi« gebraucht Lichtenberg 881, 30. E 407 und in den Briefen (IV, S. 351. 387). S. auch 570, 20. – *28f. noch Jünglinge sind, oder … anfangen:* Lichtenberg gebraucht diese Wendung auch 570, 34f. 573, 27f.

FÜR DAS GÖTTINGISCHE MUSEUM

Erstveröffentlichung und Satzvorlage: »Für das Göttingische Museum.« In: Aus Lichtenbergs Nachlaß, Weimar 1899, S. 99–110. Der fragmentarische Aufsatz ist auf drei ganzen und einem halben Foliobogen überliefert.

Zur Entstehung: Im Jahrgang 1779 des »Hannöverschen Magazins« veröffentlichte Johann Georg Zimmermann 47 »Kleine Aufsätze über verschiedene Gegenstände«, Artikel, die im gleichen Jahr in einer zweiten Auflage als Buch erschienen unter dem Titel »Versuch in anmutigen und lehrreichen Erzählungen, launigten Einfällen und philosophischen Remarquen über allerlei Gegenstände«. Leitzmann, dessen Ausführungen (Aus Lichtenbergs Nachlaß, S. 225–230) ich hier im wesentlichen folge, wies als erster darauf hin, daß diese zweite Auflage nicht von Zimmermann selbst autorisiert sein kann. Die sechs Zeilen lange Aufzählung der Titel des Verfassers, die Aufnahme der Gegenantwort Kästners und der Druckort Göttingen legen den Gedanken nahe, daß die Buchausgabe von einem Göttinger Gegner Zimmermanns, sprich: Lichtenberg, veranlaßt wurde. Leitzmann fand in seinem Nachlaß unter anderen auf Zimmermann bezüglichen Papieren ein Blatt, auf dem der Titel der Buchausgabe mit geringen Abweichungen von seiner Hand verzeichnet ist, die beweisen, daß es sich um einen Entwurf dieses Titels handelt. Und im »Verzeichniß derjenigen Bücher ...« werden mehrere Exemplare des Buches aufgeführt: offenbar Belegexemplare des Herausgebers! Im übrigen schreibt Lichtenberg noch am 2. August 1784 an Schernhagen (IV, Nr. 458, S. 571) in Zusammenhang mit neuen Bostoniaden Zimmermanns: »man könnte, glaube ich, bald eine gute Kollektion machen und als einen Anhang zu der Sammlung von schnackischen Einfällen herausgeben.«

Einer der Artikel im »Hannöverischen Magazin«, 39. Stück, 14. Mai 1779, Sp. 613–614, von Zimmermann (»Versuch«, S. 33) war »Liebe für Kästnern« überschrieben, worin es hieß, die Gottschede liebten Kästner, weil er zuweilen nach würdigen Männern schlage. Kästner verlangte mit Datum vom 16. Mai 1779 eine Erläuterung dieses Ausspruchs, worauf Zimmermann mit Datum vom 19. Mai 1779 erwiderte, der Gottschede sei Legion und der Geschlagene sei der Naturforscher Deluc in einer von Kästner stammenden Rezension. Beide Inserate, am 21. Mai 1779 im »Hannöverischen Magazin«, 41. Stück, Sp. 648, erschienen, sind im »Versuch« (S. 77. 78) abgedruckt. Kästner richtete darauf unter dem Mai 1779 eine Gegenantwort an Zimmermann (»Versuch«, S. 81). Auf diese Streitschrift Kästners erschien zunächst keine Entgegnung, sondern Zimmermann versandte unter dem 1. Juni eine auf die Rückseite einer Spielkarte gedruckte Erklärung (einem in Lichtenbergs Nachlaß aufgefundenen Exemplar zufolge): »Der gedruckte Brief, womit Herr Hofrat Kästner den 24. Mai mich beehret hat, macht mir eine unbeschreibliche Freude. Ich werde con amore [s. 573, 24] antworten, aber der Himmel weiß *wann*. Anitzt habe ich nötigere und nützlichere Dinge zu tun und dann gehe ich nach Pyrmont [s. 571, 6], wo ich weder lese noch schreibe.« Erst unter dem 28. Oktober (s. S. 571) erschien die 24 Seiten starke Antwort »An Herrn Hofrat und Professor Kästner in Göttingen« (s. S. 569). Auf sie bezieht sich Lichtenbergs abgedruckter Aufsatz. Zimmermanns Schlußworte lauten: »Posaunen Sie, was Sie wollen. Beifall wird man heute bellen zu allem Ihrem Lärm und morgen wird man gähnen bei aller Ihrer Bosheit«. Kästner ergriff darauf nochmals im Januar 1780 das Wort. Weiteres erschien öffentlich in dieser Auseinandersetzung nicht.

Lichtenberg dagegen beschloß, die kleinen Aufsätze, deren Buchausgabe er besorgt hatte, und die Streitschrift gegen Kästner zum Ausgangspunkt zu nehmen und damit auch dasjenige aus seinen physiognomischen Papieren zu verschmelzen, was sich mit Zimmermann als Mensch und Schriftsteller beschäftigte. Zimmermann blieb, wie sein ungedruckter Brief an Boie vom 23. Juni 1779 beweist, das Vorhaben Lichtenbergs nicht unbekannt: »Lichtenberg hat«, schreibt er, »eine kleine Schrift gegen mich unter der Presse und eine große gegen mich folgt nächstens«. Bis zur Drucklegung war es aber schwerlich schon gekommen, denn die Schrift ist überhaupt niemals erschienen und niemals vollendet worden. Im Nachlaß befindet sich ein größeres Konvolut von Zetteln in einem mit der Aufschrift »Zimmermann« und dem Motto aus Ovids »Ars amatoria« 2, 1:

> Dicite io pacan et io bis dicite pacan:
> Decidit in casses praeda petita meos

versehenen Umschlag. Es enthält teils kleine aphorismenartige Sätze, teils kurze zusammenhängende Partien der geplanten Satire. War Zimmermann recht unterrichtet, wenn er von einer kleineren und einer größeren Streitschrift sprach, so wird man in dem abgedruckten Aufsatz ein Fragment der kleineren, in den übrigen Papieren Materialien zu der größeren Streitschrift vermuten dürfen.

Die eigenartige Überschrift »Für das Göttingische Museum« läßt sich mit Hilfe zweier Briefstellen annehmbar deuten. In Bezug auf sein mit Georg Forster für 1780 vorbereitetes »Göttingisches Magazin« schreibt Lichtenberg an Schernhagen am 1. November 1779 (IV, Nr. 241, S. 373): »Im Vertrauen muß ich Ihnen sagen, was mir im Vertrauen ist gesteckt worden, daß nämlich Zimmermann sehr bange vor diesem Journal sein soll. So ganz unrecht hat er auch nicht, allein der friedliebende Forster ist sehr darwider und will wenigstens in die ersten Stücke nichts Anzügliches eingerückt haben«. Weiter am 8. November (IV, Nr. 242, S. 373): »Gestern ist mir erzählt worden, Zimmermann habe gesagt, er wolle warten mit seiner Antwort, bis mein Journal heraus sei. Er glaubt vermutlich, er würde die Hauptrolle im ersten Stück spielen. Du gerechter Himmel! das wäre ein schöner Anfang«. Zeitweise war es also doch Lichtenbergs Absicht, sein neues Journal, das vielleicht erst »Göttingisches Museum« statt »Göttingisches Magazin« heißen sollte, zum Kampfplatz mit Zimmermann zu machen. War der in die Form einer anonymen Rezension gekleidete Aufsatz ursprünglich für eins der ersten Stücke dieser Zeitschrift bestimmt, so erklärt sich die Überschrift ungezwungen.

Den Gedanken einer Ironisierung Zimmermanns hat Lichtenberg niemals ganz aufgegeben. Etwa 1780 schrieb er den Anfang einer Satire »Physiognomische Missionsberichte oder Nachrichten von dem

Zustand und Fortgang der Physiognomik zu Tranquebar« (vgl. G 12) nieder, in der Zimmermann als Don Zebra Bombast geführt wird. Unter diesem Namen figuriert Zimmermann seitdem verschiedentlich in Lichtenbergs Schriften: so in dem großen 1783 gedruckten Alexandrinergedicht (s. S. 423) und in dem geplanten Roman vom Doppelten Prinzen (s. S. 615). In dem oben erwähnten Konvolut »Zimmermann« findet sich schließlich ein allerdings ganz trümmerhafter Anfang einer poetischen Epistel mit dem Titel: »Heroische Epistel an Don Zebra Bombast, als er zum Großinquisitor beim physiognomischen Departement zu Madrid gnädigst ernannt wurde, von C. P.«

569 *1 Museum ... Dezember 1779 eingelaufen:* Dazu vgl. oben S. 275. – *2f. Weidmanns Erben und Reich:* Über die bedeutende Verlagsbuchhandlung Philipp Erasmus Reichs vgl. zu B 102. In diesem Verlag erschienen in der Tat Werke Lavaters – z. B. 1772 »Von der Physiognomik« – und Zimmermanns »Über die Einsamkeit«; s. auch F 695. 725, Briefe (IV, S. 317) und 602, 25 f. – *3 8vo:* Vgl. zu 23, 26. – *4 An Herrn Hofrat Kästner:* Dazu vgl. oben S. 274. – *12 Lucians von Brugg:* Über den röm. Satiriker Lukian vgl. zu J 352; Brugg in der Schweiz ist der Geburtsort Zimmermanns. – *17 vielmehr:* danach von Lichtenberg gestrichen: *einen so klassischen Mann.* – *19 Unsterblichkeit:* von Lichtenberg verb. aus: *Ewigkeit.* – *20 aus dem deutschen Museum bekannt:* Vgl. zu 539, 4. – *29 Geläute von Prose:* Diese Wendung gebrauchte Lichtenberg bereits D 153. 539 und in einem Brief an Boie bezüglich Zimmermanns (IV, Nr. 185, S. 323) vom 23. April 1778. – *31f. Kernwörter:* Vgl. zu 528, 5. – *32 Prunkzötchen:* Ein ähnlicher Ausdruck begegnet 423, 17. – *33 Kandidaten:* Zu dem Ausdruck vgl. zu 261, 30 f.

570 *3 aus dem Herkulischen ins Rohrsperlingische:* Vgl. zu 565, 14 f. – *4 Poetischen Freiheits-Geist ... Oden der Dependenten:* Zu dieser Wendung vgl. F 204. 262. – *7 roten ‹Kamm› des beleidigten Hochmuts:* Vgl. zu 566, 9. – *11 Pfauheit:* Dieser Neologismus Lichtenbergs ist die Inkarnation der Eitelkeit. – *12 Jupiters Vogel:* der Adler; über Jupiter vgl. zu 421, 33. – *14 Lauwinen:* Vgl. F 910 und die Anm. dazu. – *14 Kernwörtern:* Zu diesem Ausdruck vgl. zu 528, 5. – *14f. phrasibus heroicis:* Zu dieser Wendung vgl. zu 540, 24. – *15f. Teufel ... Esel:* Die hier zitierten Worte stammen größtenteils aus den kleinen Aufsätzen Zimmermanns: dort findet sich »Teufel« Versuch, S. 32. 39. 41. 48. 64; »pissen«, S. 29; »Hölle«, S. 32. 76; »Tunpahl« (»Zaunpfahl«), S. 30; »Esel«, S. 53. Das »Händeküssen« stammt aus seinem Aufsatz über diese Sitte im »Hannöverschen Magazin« von 1773, »speien« den Noten zu Lavater (Deutsches Museum 1778,

1, 317). »Wanst« habe ich bei ihm nicht gefunden, doch findet sich »Bauch« Versuch, S. 59. – *17 Aphorismen:* Diesen Ausdruck gebraucht Lichtenberg sonst nur H175. – *17 Apophthegmen:* kurzer treffender Sinnspruch, ›Geflügeltes Wort‹; s. auch 575, 24. – *18 Matronen:* Zu diesem Ausdruck vgl. zu 568, 27. – *18 Kandidaten:* Zu diesem Ausdruck vgl. zu 261, 30 f. – *18 Kraft-Barden:* Zu diesem Ausdruck vgl. zu 380, 5 f.; s. auch 568, 27. – *18 Hasen-Primaner:* Zu dem Ausdruck »Primaner« vgl. zu 345, 31. – *19 Orthographen:* Vgl. zu 568, 28. – *20 Sei mir ein Bild der Ewigkeit:* »Seid mir ein Bild der Ewigkeit«. Zitat aus dem »Unvollkommenen Gedicht über die Ewigkeit«, V. 10, von Albrecht von Haller. – *24 Superlativos gebrauchen wo eigentlich der Positivus hingehört:* Zu diesem Gedanken vgl. F 825. – *26 f. deutschen Prose ... tausend Jahre zu Fuß gegangen:* Diese Wendung ist F 22 (23. Mai 1776) entlehnt. – *28 spanischen Krönungs-Trab:* Zu dieser Wendung vgl. G 12: »Krönungsmäßigem Wesen«; s. auch 423, 11 und 662, 16 f. – *31 in diesen Dingen:* von Lichtenberg verb. aus: *des Stils:* ›Physiognomik des Stils‹ wird auch in »Ein Wort über Ziehens Weissagung« erwähnt. – *33 f. noch als Jüngling ... geschrieben:* Zu dieser Wendung vgl. 568, 28. – *36 sermo pedestris:* In F 22 heißt es: *pedestris oratio;* vgl. die Anm. dazu.

571 *1 Ruinen von Lissabon:* Über das Erdbeben von Lissabon vgl. zu 429, 1 f. – *5 f. Dero Reise mit dem Engel Gabriel:* Anspielung auf Zimmermanns Aufsatz »Engel Gabriel und ich« im »Versuch« S. 63; s. auch 572, 4 und oben S. 274. – *6 Pyrmont:* im 18. Jh. ein von der zeitgenöss. deutschen Prominenz stark frequentiertes Modebad; s. auch oben S. 274. – *8 antworteten erst auf Simon Judä:* Gemeint ist Simon Kananäus, ein Apostel (Mark. 3, 18), der in Persien gewirkt und den Märtyrertod durch Zersägtwerden erlitten haben soll; daher sein Attribut die Säge; Patron der Holzfäller; sein Tag 28. 10. – *13 Staatsprose:* Zu dieser Wortbildung vgl. zu 65, 4. – *14 ff. Auteur Seigneur ... Auteur penseur:* Zu dieser Wendung vgl. zu 95, 30; s. auch die ähnliche Wendung 539, 13. – *19 da lach ich dazu wenn ...:* Zu dieser Wendung vgl. zu 545, 31. – *20 f. Durch Rache ... kalt:* wörtliches Zitat aus »An Herrn Hofrath und Professor Kästner«, S. 3. – *23 f. kühnsten Blicke ... durch ein bisher noch nie geöffnetes Loch:* Zu dieser Wendung vgl. zu 555, 28 f. – *26 f. gerühmte ... Beobachter des Menschen:* Dazu vgl. »Physiognomische Fragmente«, S. 337; s. auch 574, 3. – *33 der ... unerlösten Juden wegen eine Anmerkung:* Anspielung auf das von Lavater propagierte ›Bekehrungs-Werk‹; vgl. 557, 4 f. und oben S. 82 f. – *36 Schwärmer:* Zu diesem Ausdruck vgl. zu 277, 32.

572 *4 Umgang mit dem Engel Gabriel:* Vgl. zu 571, 5 f. – *4 armen Teufeln:* Vgl. zu 214, 31. – *5 reellen Messiade:* im Gegensatz zu

der fiktiven von Klopstock; als »physiognomischen Messias«
bezeichnet Lichtenberg in den Briefen (LB I, S. 284) Lavater. –
5f. Braunschweiger Messe: Diese Messe hatte im 18. Jahrhundert
nach der in Frankfurt und Leipzig die größte wirtschaftliche
Bedeutung. S. auch IV, 118. – *12f. im Musäum ... versichert:*
Gemeint ist der Artikel »Über den Herrn von Haller. Aus
Linguets Annalen, übersezt und mit Anmerkungen begleitet
von Herrn Hofrath Zimmermann« im »Deutschen Museum«,
5. Stück, May 1778, S. 430–433, wo Zimmermann S. 431
schreibt: »Haller war äußerst reizbar, cholerisch, nicht leicht
versöhnlich ...« – *17 In Göttingen ... Mann von 6 Fuß Länge:*
Dazu vgl. 546, 8. – *18 Herzhaftigkeit:* von mir verb. aus:
Hertzafftigkeit. – *20 purgieren:* säubern. – *21 Dritten-Feiertags-
Andachten:* Vgl. zu 407, 34. – *29f. liederlichen Maßstäbe für
Verdienst und Würdigkeit:* Zu dieser Wendung vgl. zu 190, 34f.
– *31 Phantast ein Original-Kopf:* Den Ausdruck »Phantast«, der
im aufgeklärten 18. Jh. sowohl ästhetische wie politische und
religiöse Irrgeisterei denunzierte, gebraucht Lichtenberg auch
905, 2; zu »Original-Kopf« vgl. zu 331, 2f. – *32 Bengel:* Zu
diesem Ausdruck vgl. zu D 281. – *33f. Philadelphiascher Fertigkeit:* Über Philadelphia vgl. zu 253, 5f.; s. auch 566, 13. –
34 ein Odium zuzuspielen: Zu dieser Wendung vgl. auch 574,
7f. – *36 ich erhielt einen Brief aus Kew:* Zitat aus »An Herrn
Hofrath und Professor Kästner«, S. 15. – *36 Kew:* die Sommerresidenz des engl. Königs. – *37f. Herr von Wüllen:* Lebensdaten
unbekannt.

573 *6 hofpoetenmäßige Seitenblicke:* Zu dieser Wendung vgl. zu
262, 21 f.; zu dem Wortfeld vgl. zu 60, 35. – *8ff. Wir holen ...
Befehle nicht aus Göttingen:* Zitat aus »An Herrn Hofrath und
Professor Kästner«, S. 7. – *12 Wir?:* danach von Lichtenberg
gestrichen: *Wir holen unsre Befehle nicht von Göttingen?* – *12
sind denn die Wir?:* danach von Lichtenberg gestrichen: *könnte
hier ein Göttinger fragen.* – *12f. in Göttingen:* danach von Lichtenberg gestrichen: *könnte hier ein Göttinger antworten.* – *14f.
Repräsentanten unsers ... Königs:* In Hannover, das seinerzeit zu
England gehörte, befand sich der Sitz der Regierungsbevoll-
mächtigten der engl. Krone. – *19 Dransfeld:* Städtchen westlich
von Göttingen. – *24 con amore:* Dazu vgl. oben S. 274. – *27
Krafthase:* Zu diesem Ausdruck vgl. zu 384, 33. – *27 Matronen-
seele:* Zu diesem Ausdruck vgl. zu 568, 27. – *27f. der wieder-
werdende Jüngling:* Vgl. zu 568, 28 f. – *33f. seinen Aufsatz im
Magazin:* S. oben S. 274.

574 *3 nach Herrn Lavatern:* Vgl. zu 571, 26 f. – *7f. ein Odium zuzuspielen:* Vgl. 572, 34. – *10f. das Wort ... individualisieren:* Zu
diesem Ausdruck vgl. zu 377, 15. – *10 Göttingische Zeitungs-
Direktion:* So schreibt Zimmermann in »An Herrn Hofrath und

Professor Kästner«, S. 13. – *13 Anekdoten-Krämer:* Einen ähnlichen Ausdruck gebrauchte Lichtenberg 950, 35; s. auch J 1028. – *15f. bürgerlichen Despoten:* Zu diesem Ausdruck vgl. zu 543, 16. – *16ff. dürfen drucken lassen, was ihnen ... beliebt:* Tatsächlich gehörte die Preßfreiheit zu den 1737 von der engl. Regierung den Professoren der Georgia Augusta verliehenen Privilegien. – *19 Herrn ... der die Gracchen zitierte:* »Eben darum sagte ein Herr in Hannover, als er dieses unbedachtsame Kartell las: Quis tulerit Gracchos de seditione querentes?« ebenda, S. 11. Das Zitat stammt aus Juvenals Satiren, 2, 24. – *20 die beeidigten Männer:* Anspielung auf Zimmermanns Worte, a. a. O., S. 11: »das hier liegende Archiv der Göttingischen Universität«. – *25 1000 Fuß:* Vgl. zu 25, 16. – *25f. Werlhof ... zitiert:* Anspielung auf »An Herrn Hofrath und Professor Kästner«, S. 11: »des seligen Röderers, nach dem Urtheil unsers Werlhofs, Sie unübertrefflich züchtigende Vertheidigung«. Paul Gottlieb Werlhof (1699–1767), Leibarzt in Hannover und Vorgänger Zimmermanns daselbst. Lichtenberg erwähnt ihn auch 568, 18. 618, 22. – *29f. Der Mann der in Europa ...:* Zu dieser Wendung vgl. zu 544, 24. – *30f. Mendelssohn:* Über Moses Mendelssohn vgl. zu C 39. – *34f. Hofbrille:* Zu dieser Wortbildung vgl. zu 60, 35.

575 *3f. Hofmann ... das angenehmste Geschöpf:* Zu Lichtenbergs wirklicher Meinung vgl. 698, 3f. 703, 14f. – *16 Pedanten:* Zu diesem Ausdruck vgl. zu 297, 17. – *17 Renommisten:* Zu diesem Ausdruck vgl. zu 600, 28. – *21 haben müssen:* danach von Lichtenberg gestrichen: *Kan man schon allein daraus sehen, daß.* – *21f. Ihr Leben des Herrn von Hallers studentisch:* »Das Leben des Herrn von Haller« erschien Zürich 1755. »Sein Avertissement von Hallers Leben ist, nach aller Kenner Zeugnis hier, die scheußlichste Probe von affektiertem demütigen Hochmut, die man sich denken kann. Es ist *kein Mensch* hier, der nicht darüber gelacht hätte, ich sage mit Fleiß *kein einziger Mensch.* Sein erstes Leben von Haller war kindisch und dieses wird studentisch werden, geben Sie nur acht«, schreibt Lichtenberg an Boie (IV, Nr. 185, S. 323) am 23. April 1778. Die nach Hallers Tod von Zimmermann geplante Neubearbeitung kam nicht zustande. Vgl. auch F 1207. – *24 Apophthegmen:* Vgl. zu 570, 17. – *30f. Gesundbrunnen für den Geist:* In den Briefen äußert sich Lichtenberg dagegen äußerst kritisch über das Niveau der Göttinger Studenten (s. IV, 663); vgl. auch 418, 19ff. – *34 Prachtphrases:* Vgl. zu 370, 16. – *38 Kraft- und Pracht-Briefe:* Zu der Wortprägung »Kraft-Briefe« vgl. zu 380, 5 f.; zu »Pracht-Briefe« vgl. zu 567, 6.

576 *7 Tischreden:* »Tischreden« nennt Lichtenberg nach dem gleichnamigen Werke Luthers Zimmermanns »Kleine Aufsätze«.

Nach einem Briefe Zimmermanns an Karoline Herder (Aus Herders Nachlass, 2, 380) schrieb Lichtenberg voll Zorn darunter: »Ist 51 Jahre alt!« S. auch 568, 22. – *9 Brief an ... Kästner:* Gemeint ist die oben S. 274 als letzte zitierte Schrift Zimmermanns; die Äußerung findet sich ebenda, S. 18.

VERSCHIEDENE ARTEN VON GEMÜTSFARBEN

Erstveröffentlichung und Satzvorlage: »Verschiedene Arten von Gemüthsfarben.« In: Paul Requadt, Lichtenberg. Zum Problem der deutschen Aphoristik. Hameln 1948, S. 144–147. Das Fragment ist auf einem Foliobogen im Nachlaß der Göttinger Staats- und Universitätsbibliothek (Kasten V, Abt. I, s) erhalten. Auf dem Bogen befindet sich übrigens ein dem hier abgedruckten Fragment vorausgehendes Bruchstück, das Requadt unter dem annähernden Titel »Verschiedene Arten von Wahnsinn«, a.a.O., S. 143 abgedruckt hat. Es hat folgenden Wortlaut:

»von denen er aber seit langer Zeit im vernünftigen Zustande keine Sylbe mehr gewußt hatte. Man bedenke, was sogar in einem Bauernkopfe betont seyn kann! Wie lange mogten nicht diese schönen griechischen Verse neben Dreschflegeln und Ochsenziemern geschlummert haben, bis sie endlich bei jener vulkanischen Eruption urplötzlich den Gelehrten zum Trotz und gleichsam gegen alle Gesetze der Natur wie der berühmte Sienische Steinregen.

Es giebt eine besondere Art von Wahnsinn, wobei die Leute bis auf eine einzige sonderbare Idee, von der sie sich durchaus nicht losreißen können, völlig vernünftig sind. Man erzählt von Personen, die ihre posteriora für gläsern hielten und deswegen so viel möglich alles a priori zu behandeln suchten. Andere hielten sich für todt und sprachen in der That so pathetisch und so rührend, daß man würklich dann und wann einige Resonanzen vom Erzengel Michael durchzuhören glaubte. Noch andere bildeten sich ein, sie seien der König David und gingen in ihrer Thorheit so weit, nicht blos an Psalmen, sondern auch an – Bathsebas zu denken. Was nun den letztern Punkt betrifft, so meinten zwar die Philosophen, dies geschähe blos per associationem idearum und sei durchaus etwas Accidentelles; hingegen die Ärzte waren der entgegengesetzten Meinung und behaupteten, daß gerade in dieser Bathseba die prima et proxima mali causa zu suchen sey und der König David und die Psalmen vielmehr als etwas Accidentelles betrachtet werden müßten.

Außer diesen angeführten Gattungen von Wahnsinn giebt es noch einige andere, die aber zu sehr zu den gelehrten Merkwürdigkeiten gehören, als daß sie hier beschrieben werden könnten. Übrigens wäre es wohl der Mühe werth, den Vorschlag zu einem gelehrten

Bedlam, der vor mehreren Jahren von einem unserer wizigsten Köpfe gethan wurde, bei der immer mehr überhand nehmenden Luftspringerei und ätherischen Schiffarth einmal wieder in Anregung zu bringen.«

Zur Entstehung: Während Requadt, a.a.O., S. 170, dieses Fragment auf das Fragment »Von Gemütsfarben« bezieht, obgleich dafür kein inhaltlicher Anlaß besteht, möchte ich eher annehmen, daß es sich hier um eine geplante ›Ausschweifung‹ in Zusammenhang mit dem Bedlam-Blatt von »Der Weg des Liederlichen« (Achte Platte) handelt, an dem Lichtenberg am 1., 2., 11. und 12. April 1796 arbeitet (s. SK 885. 886. 889. 890). Das Fragment ist zeitlich hier anzusiedeln, wobei allerdings der Hinweis auf Lichtenbergs Formulierung eines »Vorschlag zu einem gelehrten Bedlam, der vor mehreren Jahren von einem unserer wizigsten Köpfe gethan wurde« weniger belangvoll ist. Wenn auch der Aufsatz »Bedlam für Meinungen und Erfindungen« im »Göttinger Taschen Calender« für 1792 zweifellos Lichtenbergs Werk ist, so entspricht es doch nicht im mindesten seiner Haltung, von sich selbst als von einem »unserer wizigsten Köpfe« zu sprechen! Er spielt dabei vielmehr auf Georg Forster an, der – Lichtenberg apostrophierend – in seiner »Geschichte der Englischen Litteratur vom Jahre 1791« den Ausdruck »literarisches Bedlam« prägte (Georg Forsters Werke, Bd. 7, Berlin 1963, S. 260).

Einen exakteren Hinweis auf die Entstehungszeit des hier zitierten Fragments gibt die Erwähnung des »Sienischen Steinregens«. Requadt erwähnt ihn nicht, da er irrtümlich ›Sirnische‹ gelesen hat. Der Steinregen von Siena fand 1794 als Folge eines Vesuv-Ausbruchs statt, und Lichtenberg berichtete darüber im Taschenkalender für 1797, das heißt, der Aufsatz entstand im Spätsommer 1796.

Was das Fragment »von Gemütsfarben« betrifft, gibt es nur einen chronologischen Hinweis: den auf die Belagerung von Kehl (s. 580, 27). Die viermonatige Belagerung dieser Reichsfeste durch Erzherzog Karl, bei der durch 100000 Kanonenkugeln und 25000 Bomben die Hälfte der Stadt zerstört wurde, begann Anfang Oktober 1796.

Nach diesem Zeitpunkt also ist das Fragment entstanden, womöglich bald nach diesem Termin, wie Requadt (a.a.O., S. 170) für denkbar hält. In den Sudelbüchern und Briefen wird es nicht erwähnt, so daß man auch nur mutmaßen kann, ob es Lichtenberg für eine Veröffentlichung im Taschenkalender konzipiert hatte.

577 *2 Unsere Seele ... ein Chamäleon:* Zu diesem Ausdruck vgl. zu 258, 8. – *7 Spiritus animales:* Lebensgeister. – *13 Kamisöler:* von lat. camisia ›Hemd‹: ein kurzärmeliges Unterwams. – *15f. in diesem Geniedrange ... Fenster eingeworfen:* Zu dieser Wendung vgl. E 297. 298. Zu »Geniedrang« vgl. zu 370, 12ff. – *22 Buce-*

phalus: das Lieblingspferd Alexanders des Großen. – *23 impavidum ferient ruinae:* »(Wenn der Erdkreis zerschmettert zusammenstürzt,) werden die Trümmer einen Furchtlosen treffen.« Zitat aus Horaz, »Oden«, III, 3,8. Lichtenberg zitiert die Worte auch 672, 35. Über Horaz vgl. zu KA 152. – *24 Veni, vidi, vici:* »Ich kam, ich sah, ich siegte.« Ausspruch Cäsars, nachdem er Pharnakes, den König von Pontus, 47 v.Chr. besiegt hatte. Lichtenberg zitiert die Worte auch 790, 27. – *29 Raffaelsgesichter:* Über Raffael vgl. zu D 537; über die Wortbildung vgl. zu 371, 26. – *29f. Mozartsche Harmonien:* Über Mozart vgl. zu K 343. – *31f. eine gewisse Sekte ... das Summum Bonum:* Gemeint sind die Stoiker; vgl. zu B 204; s. auch 612, 27f. 701, 26. – *33 Konterbande:* spätlat., frz., ital. ›gegen die Verordnung‹, im Völkerrecht ältere Bezeichnung für Banngut; zu dem von Lichtenberg gern gebrauchten Ausdruck vgl. zu B 284; s. auch 587, 29.

578 *1 Jakobsleiter:* Vgl. zu 835, 19. – *19 Modecouleur:* Zu dieser Wortbildung vgl. zu 377, 10. – *28 gedrechselt:* Zu diesem Ausdruck vgl. zu 438, 16. – *28 gebürstet:* Zu diesem Ausdruck vgl. zu 417, 29f. – *28f. spanischen Gravität:* Zu dieser Wendung vgl. zu 423, 4. – *31 Hiatus:* Kluft, Gähnen; in der Sprachwissenschaft das Zusammentreffen von Vokalen in der Wortfolge, das in der normativen Ästhetik als Verstoß galt. – *33 Gelehrten von Profession:* Zu diesem Ausdruck vgl. zu 190, 38.

579 *9 Samaritergesichter:* Zu dieser Wortprägung vgl. zu 371, 26. – *14 notiones:* Begriffe. – *11 hebräische Buchstaben ohne Vokale:* Über das Hebräische äußert sich Lichtenberg auch 691, 17. 858, 7. – *11f. Kanzleistil:* fast sprichwörtlich für umständlich verschnörkelte und vertrackte, ›barocke‹ Sprache. Lichtenberg parodiert ihn etwa 308, 8f. 411, 36. – *22f. hüte man sich ... die Wanduhr aufzuziehen ...:* S. »Tristram Shandy«, Kap. 1, S. 10 (Winkler Verlag, München 1969); Tristrams Vater pflegte am ersten Sonntagabend eines jeden Monats eine große Wanduhr aufzuziehen und zu dem gleichen Termin seinen ehelichen Pflichten nachzukommen, was zu Tristram Shandys Zeugung Anlaß gab (s. Kap. 4, S. 13–14).

580 *27 Bombardement von Kehl:* Dazu vgl. oben S. 281. – *33 Schattierung:* Zu diesem Ausdruck vgl. zu 243, 36. – *35 Parentation:* Totenpredigt.

581 *19 Petrefaktenzustand:* Petrefakten: Versteinerungen; zum Gebrauch dieses Ausdrucks vgl. zu 155, 29. – *30 Trepanationsinstrumenten:* Trepanation: das Öffnen der Schädelkapsel z.B. bei Gehirngeschwülsten oder zur Freilegung des Gehirns. – *31 Catonen ... Brutusse ... Friedriche:* Über Cato vgl. zu KA 85; über Brutus vgl. zu J 564; über Friedrich II. vgl. zu KA 140.

582 *16 weil:* danach bricht das Manuskript ab.

FRAGMENTE VON ERZÄHLUNGEN

Unter diesem Titel vereinige ich erstmals *sämtliche* aus Lichtenbergs Nachlaß überlieferten Entwürfe zu Erzählwerken, unter die ich hier auch die von ihm geplanten Romane rechne: die diversen Fragmente zu dem Roman für Europa »Kunkel« und die mehreren ›Romagnoli‹ zu dem Roman vom »Doppelten Prinzen«. Für den von Lichtenberg 417, 3 f. erwähnten Roman-Plan, in dessen Mittelpunkt ein Alchemist stehen sollte und der zeitlich das früheste erzählerische Vorhaben Lichtenbergs darstellt, waren im Nachlaß keinerlei Arbeitsnotizen auffindbar.

Es ist hier nicht der Ort, die literarische Qualität der erzählerischen Versuche Lichtenbergs und die Gründe seines Scheiterns in der Gattung des Romans zu erörtern. Ich verweise in diesem Zusammenhang auf die Ausführungen Leitzmanns in »Aus Lichtenbergs Nachlaß«, S. 188–184.

ZUR BIOGRAPHIE KUNKELS GEHÖRIGES

Erstveröffentlichung und Satzvorlage: »Fragment 1« (585, 1–586, 33) in: »Vermischte Schriften«, Göttingen 1844, Band 3, S. 15–18. »Fragment 2« (586, 34–588, 5): von Leitzmann in den Anmerkungen zu Aphorismenheft B, S. 216–218, mitgeteiltes ungedrucktes Blatt aus dem Nachlaß, das sich nach seiner Ansicht »vielleicht unmittelbar an Schriften 3, 18 anschließen sollte« und von mir entsprechend eingeordnet ist. »Fragment 3« (S. 588): »Vorrede zu der Rede« in: »Vermischte Schriften«, Göttingen 1844, Band 3, S. 18–19. »Fragment 4« (S. 589–603): »Rede dem Andenken des sel. Kunkels gewidmet. In einer Versammlung von Studenten gehalten. Worin vieles zur gelehrten Geschichte der letzten Monate Gehöriges vorkommt.« In: »Vermischte Schriften«, Göttingen 1844, Band 3, S. 20–44. »Fragment 5« (S. 604): ›Kunkeliana‹ (von mir so genannt) in: »Vermischte Schriften«, Göttingen 1844, Band 3, S. 46–47. Die ebenda, S. 44–46, abgedruckten Kunkeliana sind den Sudelbüchern entnommen, und zwar D 177. 206. 516. 517. E 79.

Außer von Fragment 2 haben sich Handschriften zu den hier abgedruckten Entwürfen im Nachlaß nicht auffinden lassen.

Zur Entstehung: Jonas Kunkel, Trödler und Antiquar in der Gothmarstraße in Göttingen, war im Dezember 1768 gestorben. Daß

Lichtenberg an ihm nicht nur humoristisch-satirisches Interesse nahm, zeigt die Bemerkung A 57, die noch zu seinen Lebzeiten aufgezeichnet wurde. Nach seinem Tode wurde er für Lichtenberg Jahre hindurch eine Art Kristallisationspunkt für satirische Gedankenreihen und humoristische Einfälle. Zwei Pläne schwebten ihm offenbar vor, von denen nur der eine zur Ausführung gekommen ist, eine Gedächtnisrede auf den Verstorbenen und eine Lebensbeschreibung. Die »Rede dem Andenken des sel. Kunkels gewidmet« wurde im Frühjahr 1769 niedergeschrieben. Das »Leben Kunkels«, das im Stile der englischen Humoristen gehalten werden sollte und an dem Lichtenberg die folgenden Jahre und noch im August 1771 (vgl. TB 25) schrieb, ist nie vollendet worden. Auf diese geplante Biographie beziehen sich die Passagen S. 585–588.

In den Rahmen dieser beiden Pläne gehören ferner Arbeitsnotizen in Sudelbuch B 102. 103. 104. 105. 114. 119. 122. 125. 135. 142. 144. 145. 146. 149. 151. 155. 158. 193. 195. 196. 200. 255. 408. 409. 410. 417. 418. 419. 420. Mit größerer oder geringerer Sicherheit gehören wohl auch dazu B 108. 121. 124. 127. 160. 161. 163. 166. 170. 177. 191. 192. 221. 243. 258. 261. Wahrscheinlich schwebte auch bei mancher anderen Notiz, die mit einfachem »er« anhebt, Kunkel vor. Vgl. ferner D 179. 209. 212. 520. 521. 524. 610. E 80. 367. 522 und 528, 33. 622, 20.

585 *2 Antiquarius Jonas Kunkel:* Über ihn vgl. zu A 57. – *6 vorigen Jahrs:* 1768; Kunkel starb am 24. Dezember. – *6f. Bis auf heut gerechnet ... vier völlige Monate:* März/April 1769; das ist gleichzeitig das Datum der Niederschrift; s. auch 589, 4. – *8 Machtspruch:* Zu diesem Ausdruck vgl. zu 555, 26. – *11 Gegend, wo der point d'honneur sitzt:* Zu dieser Wendung vgl. zu 528, 6. – *17 in unserer Stadt:* Göttingen. – *20 eine gute Haut:* Diese Wendung begegnet auch B 32.

586 *2 9 Musen:* Töchter des Zeus und der Mnemosyne, die Göttinnen des Dichtersanges: Klio, Kalliope, Melpomene, Thalia, Urania, Erato, Euterpe, Terpsichore, Polyhymnia. In ihrer Neunzahl erscheinen sie erstmals bei Hesiod. – *2f. vom Adel, physice:* Diese Wendung begegnet auch 623, 22. – *34ff. Ich habe es ... drucken lassen:* Diese Passage ist zweifellos B 114 entnommen. – *34f. Grönder Tor:* eigentl. Groner Tor: ehemals die westliche Zufahrt Göttingens in Richtung auf das Dorf Grone, das seit 1964 eingemeindet ist. – *35 80 Fußen:* Vgl. zu 25, 16. – *38 Erde:* von Lichtenberg verb. aus: *Europa.*

587 *3f. in meinem Bette ... gegen die Wand zu, gedacht:* Ähnlich schreibt Lichtenberg TB 12 (S. 608) »When he is in his bed, his face turned to the wall in a privy council with himself.« – *5 ging nicht an:* von Lichtenberg verb. aus: *dazu habe ich keine*

Lunge. – 10f. drucken lassen: danach von Lichtenberg gestrichen: *Auch ist sonst keine Eitelkeit dahinter. – 12f. in den Zeiten des ersten Barts ... Trieb Bücher zu zeugen:* Zu dieser Wendung vgl. zu 208, 13. – *14 zeugen:* danach von Lichtenberg gestrichen: *ich habe ihm aber allezeit widerstanden. – 16f. Philippis Märtyrer Geschichte:* Christian Ludwig Liscow richtete drei satirische Angriffe gegen den Professor Philippi, der 1734 zu Göttingen den »Freidenker« herausgab. Vgl. zu B 19; s. auch 590, 26–27. – *17 zuschreiben muß:* danach von Lichtenberg gestrichen: »Aber, nun kan ich mich kaum mehr halten, nun sind es zehn gantzer Jahre da ich ein Gedicht in Hexametern in der Schule schrieb, und das ich damals für eben so schön hielt, als die Messiade, die ich mir zum Muster genommen hatte, ohnerachtet mein Gedicht nur die Beschreibung eines Küchengartens war, das also mit der Messiade sich gar in keine Vergleichung ziehen ließ. Wäre unser Jonas Kunckel nicht gestorben oder die Nachwelt nicht so über seinen Credit hergefallen, so hätte ich villeicht, wie die Leute zu reden pflegen, meine Jungfernschafft mit ins Grab genommen.« – *17 Hubertsburger Friede:* Der am 15. Februar 1763 auf dem Jagdschloß Hubertusburg bei Leipzig unterzeichnete Friedensvertrag beendete den Siebenjährigen Krieg. – *21 kurz:* danach von Lichtenberg gestrichen: *anno 1763.* – *26 sagte Cervantes:* Das Zitat war von mir nicht aufzufinden; zur Lektüre des »Don Quichote« vgl. zu 417,1f. – *28 eine Satyre schreiben:* Zu diesem Gegenstand vgl. zu 542,17f. – *29 Schleichhandel mit der Wahrheit:* Diesen Ausdruck gebrauchte Lichtenberg auch 857, 4. 1004, 18f. – *30 Contrebande:* Zu diesem Ausdruck vgl. zu 577, 23. – *31 denken Sie hin:* danach von Lichtenberg gestrichen: »Daß aus nichts nichts wird, und das 2 mal 2 4 ist kan man jetzt auf mehr als 40 Stätten von Deutschland überall um ein billiges à 1/2 Louisd'or öffentlich und privatim demonstrirt mit und ohne Versuche haben.« – *32 aus nichts wird nichts:* Zitat nach Lukrez, »De rerum natura«, I, 149. 205; II, 287; ein Gedanke Epikurs. – *33 2 mal 2 pp:* Vgl. B 130. – *36 sagen will:* danach von Lichtenberg gestrichen: »Von drey Bogen im Manuscript von einer freymüthigen Erinnerung muß der Verfasser in kühleren Augenblicken wieder abrechnen 3 pro Cent für die ..... liche Landes Regierung, wenigstens 5 für den Herrn von .... weil er alles gilt, 10 procent für das Consistorium oder Bannstrahlsteuer, dann noch für die Dicasteria Gönner-Abgaben zusammen 8 pro Cent. Am Ende bleibt dem Verfasser ein kaltes unschmackhafftes Ding, ein Caput mortuum von einer Satyre übrig, das kein Mensch mehr auf sich deutet und deuten kan, der nur über 200 Thaler Besoldung hat, und was ist das für eine Satyre, die schon da *aufhört,* wenn alle Narren in der Welt nur eine Macht

von 200 Thalern hätten; die rechte solte noch um 800 Thaler höher *anfangen*.« Vgl. B 136; zu »Bannstrahlsteuer« vgl. zu 338, 10 f. – *37 libri unici:* einzige Bücher.
588 *2 Bayle:* Über ihn vgl. zu KA 47. – *2 Jurieu:* Pierre Jurieu (1637–1713), frz. ref. Theologe, Bayles Hauptgegner auf protestantischer Seite in den nach der Aufhebung des Edikts von Nantes (1685) entstandenen Streitigkeiten, der auch seine Anklage als Gottesleugner veranlaßte, infolge deren Bayle seines philosophischen Lehramts entsetzt wurde. – *7 ff. Nachstehende Rede ... Kunst:* Diese Passage ist wörtlich B 103 entnommen. – *23 Ja, so ist's keine Kunst:* Diese Wendung ist B 103 entlehnt. – *24 ff. Was ... andere:* Diese Passage ist fast wörtlich B 105 entnommen. – *32 f. le philosophe bienfaisant:* Stanislaus I. (Leczinski) König von Polen (1677–1766), nachher Herzog von Lothringen. »Oeuvres du Philosophe bienfaisant«, Paris 1765. Über ihn vgl. auch zu B 105. – *34 La modestie ... manquent:* Bescheidenheit sollte die Tugend derer sein, die der anderen ermangeln.
589 *7 Nun schon April:* Zu diesem Datum vgl. zu 585, 6 f. – *15 Mayer:* Über Tobias Mayer vgl. zu B 237. – *16 Heilmann:* Johann David Heilmann (1727–1764), Prof. der Theologie in Göttingen 1758–1764. – *18 Grau:* Über Johann David Grau vgl. zu B 227. – *18 Butschany:* Matthias Butschany (1731–1796), aus Ungarn; Privatdozent für Mathematik in Göttingen 1758 bis 1761; mußte seine Vorlesungen aus unbekanntem Grund aufgeben. Lichtenberg spielt darauf auch in dem »Schreiben an einen Freund« an (s. zu 623, 14). – *28 Boerhaave Medicus in Europa:* Über ihn vgl. zu A 174. – *29 Maß von Verdienst:* Über diese Wendung vgl. zu 190, 34 f. – *32 Voltaire:* Über ihn vgl. zu KA 28. – *33 Schmid:* Christian Friedrich Schmid (Lebensdaten unbekannt), Prof. der Philosophie in Leipzig, dann in Wittenberg, veröffentlichte Leipzig 1766 »La philosophie de l'histoire de feu l'abbé Bazin critiquée«. – *33 Bazin:* Abbé Bazin war ein Pseudonym Voltaires! – *33 f. en l'illustre Université:* an der berühmten Universität. – *34 Wilke:* Über Christian Heinrich Wilke vgl. zu B 9. – *35 Wichmann:* Über Christian August Wichmann vgl. zu B 16.
590 *2 Ausschweifung:* Zu diesem Ausdruck vgl. zu 65, 1. – *14 meine ganze Rede für Satyre halten:* Darüber vgl. zu 542, 17 f. – *19 Epaminondas:* Über ihn vgl. zu L 68. – *26 Liscow ... versichert:* Anspielung auf »Briontes der jüngere, oder Lob-Rede / auf den Hoch-Edelgebohrnen und Hoch-Gelahrten Herrn, Hrn. D. Johann Ernst Philippi, öffentlichen Professoren der Deutschen Beredsamkeit auf der Universität Halle ... gehalten in der Gesellschaft der kleinen Geister in Deutschland«, o. O. 1732. In dieser Satire gegen Philippis »Sechs deutsche Reden«, erschienen Leip-

zig 1732, schreibt Liscow S. 9: »Dieser große Mann hat mir durch sein Beyspiel gewiesen, wie ich und meines gleichen kümmerliche Redner es machen müssen, wenn wir etwas sagen wollen, und nicht wissen was es seyn soll. Er hat die Kunst erfunden, wie ein Redner das, was ihm mangelt, geschickt von seinen Zuhörern entlehnen kan.« – *27 Philippi:* Über ihn vgl. zu B 19; s. auch 587, 16. – *35f. Esel ... burleske Figur ...:* Vgl. zu 527, 37f.

591 *7ff. In Arabien ... der Esel heißt ... der Aufgeweckte, der Pfiffige:* Das Zitat ist den »Göttingischen gelehrten Anzeigen« 1767, 98. Stück, S. 784, entnommen; die Stelle wird KA 131 exzerpiert.

592 *4f. schon ein Kunkel ... hervorgetan:* Gemeint ist Johannes Kunckel (von Löwenstein), Chemiker und Alchimist, gest. um 1702. Er schrieb »De arte vitriaria experimentale oder vollkommene Glasmacherkunst«, Frankfurt und Linz 1679. Lichtenberg erwähnt es auch KA 182. – *27 Adel der Seele:* Zu dieser Wendung vgl. zu 519, 35. – *31 Hier war mehr als Junker:* Vgl. zu 329, 21f. – *34 Zufall:* im 18.Jh. gebräuchlich im Sinne von: Unfall.

594 *6f. ein Philosoph behauptet:* Der Philosoph konnte von mir nicht ermittelt werden. – *24 das Fortrücken der Titel:* Über die zeitgenössische Titelsucht der bürgerl. Gesellschaft mokiert sich Lichtenberg auch 825, 6. 847, 25. 886, 5; vgl. ferner C 256 und die Anm. dazu. – *29 medio aevo:* Mittelalter. – *32 Winckelmanns:* Über ihn vgl. zu B 16. – *33f. Favoritstudium:* Zu dieser Wortprägung vgl. zu 401, 21. – *34 Stutzer:* Zu diesem Ausdruck vgl. zu 312, 10. – *36 belles lettres:* ›Schöne Wissenschaften‹; vgl. dazu 608, 14f.

595 *5f. Bücher-titul – ... kenntnis:* Diese Wendung begegnet auch F 153. – *12 Endzweck:* Zu diesem Begriff vgl. zu 12, 18. – *24 Apoll:* Über ihn vgl. zu 498, 37. – *26 dieselbe:* Diese ungewöhnliche Plural-Endung findet sich in Lichtenbergs Orthographie häufig, wie Lauchert, a.a.O., S. 167–169, zusammengestellt hat. – *28 die schönste Göttin:* Aphrodite bzw. Venus; über sie vgl. zu 362, 15. – *29 Pandekten:* Vgl. zu 408, 19. – *31 taumelnden Gott:* Bacchus; über ihn vgl. insbesondere 638, 1. – *33 Göttin der Jagd:* Gemeint ist Diana; über sie vgl. insbesondere 626, 4. – *34 Agathon:* Vgl. zu 512, 5. – *38 italienisches Lexikon:* Daß Lichtenberg italienische Sprachkenntnisse besaß, geht aus A 186 und 650, 4ff. hervor.

596 *26 popularis aura:* Volksgunst. – *27 Göttin Fama:* die ›tausendzüngige‹ Göttin des Gerüchts; s. auch 597, 9f. – *29f. wie Butler glaubt:* zit. nach »Hudibras« 2, 1, 69; über Butler vgl. zu B 49; seinen »Hudibras« zitiert Lichtenberg auch 772, 36. Butlers »Fama« erwähnt Lichtenberg auch L 398. – *32 accidens ... Substanz:* Diese Wendung ist B 343 entlehnt.

597 *1 Zeit des letzten Schützenhofs:* Den »Schützenhof« in Göttingen, den Lichtenberg offenbar regelmäßig besuchte, erwähnt er auch B 114. 237. – *1¼ Jahr vor seinem Tode:* Vgl. 585, 6 und die Anm. dazu. – *6 Partikularitäten:* Besonderheiten, Sonderfälle. – *9f. Fama hundert Zungen:* Vgl. zu 596, 27. – *19 Vorschriften einer gesunden Pinik:* Über Lichtenbergs Plan einer deutschen Trink-Kunst vgl. oben S. 144 f.; 320, 4. – *20 jenseits der Bouteille:* Zu dieser Wendung vgl. zu 320, 15. – *24 Judex competens:* kompetenter Richter. – *27f. platonische Liebe ... platonisches Trinken:* Den Vergleich zwischen Liebe und Trinken notiert B 73; vgl. auch 510, 34 und die Anm. dazu. – *30f. meinen Entwurf dazu ... anderswo mitteilen:* Gemeint ist doch wohl die »Methyologie«; s. oben S. 144 f. – *33 ihren Agathon:* Zu Wielands Roman vgl. zu 512, 10; zur Verwendung des besitzanzeigenden Fürwortes vgl. zu 297, 35. – *37 die Zauberer, Empedokles, Faust und Roger Baco...:* Zu diesem Gedanken vgl. zu 529, 17 f.

598 *13 Thomasius:* Christian Thomasius (1655–1728), berühmter Jurist und Philosoph, Vorkämpfer der Aufklärung, seit 1694 Prof. an der Universität Halle, veröffentlichte 1704 »Kurze Lehrsätze von dem Laster der Zauberei mit dem Hexenprozeß«. – *17 Il boit comme un Allemand:* »Er trinkt wie ein Deutscher«; s. auch 318, 33 f. – *18 he drinks like a German:* Er trinkt wie ein Deutscher. – *19f. hierin der Grund unserer Empfindsamkeit:* Dazu vgl. 318, 33 ff. – *20 philosophicis:* den philosophischen [Materien]. – *20f. Martialischen Kritik:* Marcus Valerius Martialis (ca. 40–ca. 100 n. Chr.), der Klassiker des lat. Epigramms, das bis in die Neuzeit vorbildlich wirkte und dessen kritische Schärfe sprichwörtlich wurde. Womöglich meint Lichtenberg aber auch nur das vom Kriegsgott Mars abgeleitete Adjektiv; s. B 147 und 602, 36. – *31 zwischen ... aussehen:* Diese Wendung begegnet auch B 32. – *34 gebt uns deutsche Charaktere:* Vgl. zu 527, 3. – *38f. C'est ... Allemand:* Dieser Mann da ist ein armer, elender Kerl, er trinkt wie ein Deutscher.

599 *6 Batteux:* Über ihn vgl. zu 430, 30. – *15 drap d'argent:* Silberstoff. – *15 brocade:* Brokat, früher ausschließlich aus Naturseide und Metallfäden gewebt. – *16 30,000 £:* Abkürzung von: Pfund (pound) Sterling; Goldmünze, die seit 1462 geprägt wird; 1 Pfund = 20 Schilling.

600 *28 Renommisten:* Gemeint ist das komische Heldengedicht »Der Renommiste«; veröffentlicht 1744, von Just Friedrich Wilhelm Zachariae (1726–1777), der darin das Leipziger Studentenleben persiflierte; zu dem Ausdruck vgl. auch 329, 22. 575, 17. – *29 im Young:* Gemeint sind die berühmten »Nightthoughts« von Edward Young; über ihn vgl. zu B 65. – *30 zu mathematisch:* Vgl. dazu B 145.

601 *3 hic murus aheneus esto:* »Ja, das sei die eherne Schutzwehr«; zit.

nach Horaz, »Episteln« 1, 1, 60. Lichtenberg zitiert die Worte auch in den Briefen (s. IV, 1003, 7). – *12 Swift nennen:* Über ihn vgl. zu KA 152. – *13 Lamettrie:* Über ihn vgl. zu A 56. – *20f. wie Scipio ... sagte:* Vgl. zu TB 4; im übrigen s. zu F 442. – *28 Cato:* Über ihn vgl. zu KA 85. – *30f. da mihi ... movebo:* »Gib mir [einen Punkt,] wo ich hintreten kann, und ich werde die Erde bewegen.« Ausspruch von Archimedes (überliefert von Simplicius oder Tzetzes); über Archimedes vgl. zu A 198. Lichtenberg zitiert den Ausspruch auf deutsch auch 939, 29. – *32 Epiktet:* stoischer Philosoph (um 50–140 n. Chr.), der die Philosophie in den Dienst der prakt. Lebensweisheit stellte; »Encheiridion«.

602 *3 Contenance:* Haltung. – *4 platonischen Trinkers:* Zu dieser Wendung vgl. zu 510, 34; s. auch 597, 28. – *4f. Hochheimer:* Dazu vgl. zu RT 11; s. auch in den Briefen (IV, 925). – *6 curas inanes:* unnützen Sorgen. – *10 schleifen lassen:* Zu dieser Wendung vgl. zu B 36. – *21 Epiktete:* Vgl. zu 601, 32. – *22 Senecas* – über Seneca vgl. zu B 188. – *23ff. Ja, meine Herren ... Obrigkeit zu verwandeln:* Diese Passage ist eine Umarbeitung von B 102. – *24f. Witz ... wie ihn Kästner schreibt:* Über ihn vgl. zu A 179. – *25f. Reich in Leipzig gerne verlegt:* Dazu vgl. zu B 102; s. auch 569, 3. – *30 Skurrilische Briefe:* Gemeint sind die »Briefe skurrillischen Inhalts«, eine satirische Schrift von Klotz oder Riedel, die 1769 erschien. – *30 Bibliothek der elenden Skribenten:* Dazu vgl. zu B 45. – *32 daß truncus ein Klotz heißt:* Vgl. B 102 und die Anm. dazu. – *32 Klotz:* Über ihn vgl. zu KA 40. – *33 Burmann:* Über ihn vgl. zu KA 40. – *33 Wilken:* Über ihn vgl. zu B 9. – *36 die kriegerische Kritik:* Vgl. zu 598, 20. – *36 Favoritdiscours:* Zu dieser Wortprägung vgl. zu 594, 33f. – *37 nach dem Krieg:* Gemeint ist der Siebenjährige Krieg, der 1763 durch den Frieden zu Hubertusburg beendet wurde; vgl. auch 587, 17.

603 *1 Paoli:* Über Pascal Paoli vgl. zu E 269. – *1f. die Hamburger:* Gemeint ist wohl der »Hamburgische Correspondent«. Über diese Zeitung vgl. zu J 15. – *3 Antikritikus:* Dazu vgl. zu B 16. – *3 Grabensteiner:* Über ihn vgl. zu B 102. – *4 Geismartore:* die südl. Zufahrt Göttingens aus der Richtung der Ortschaft Geismar. – *4 Klotzische Partei:* Darüber vgl. zu KA 40. – *12 Beruf:* Zu diesem Ausdruck vgl. zu 506, 31. – *18f. Seine Frau ... prügelte er:* Dazu vgl. noch J 448. – *25 per se ... a se:* um seinetwillen ... von sich aus. – *25 was Mandeville geglaubt:* Bernhard von Mandeville (1670–1733), niederländ. Arzt in Dordrecht, seit 1696 in London, berühmt durch »The fable of the bees«, erschienen London 1714, in der er gegen A. Shaftesburys Idealismus die fördernde Kraft der menschl. Ichsucht zu beweisen suchte. – *28 Halbgelehrsamkeit:* Zu dieser Wortprägung vgl. zu B 192; von »Halbwissen« spricht Lichtenberg noch J 1160. –

31 *Poggius:* Guccius Poggius (1380–1459), ital. Humanist, als Staatsmann und Philologe ausgezeichnet, starb 79 Jahre alt, angeblich infolge seiner Verheiratung mit einer jungen Frau.
604 *4f. das Leben ... ein Marionettenspiel:* Dieses Gleichnis, aus dem Barock überkommen, wird erst eigentlich von den Romantikern literarisiert. – *6f. Seifenblase ... mit Gras ... Wind verglichen:* Die Bilder sind typ. Barock-Metaphern. »Alle Menschen müssen sterben, alles Fleisch vergeht wie Heu«, heißt die Eingangszeile eines Sterbe- und Begräbnisliedes von Johann Georg Albinus. – *25f. arme Teufel:* Vgl. zu 214, 31.

DER OBERFÖRSTER

Erstveröffentlichung und Satzvorlage: »Der Oberförster.« In: Aus Lichtenbergs Nachlaß, Weimar 1899, S. 11–14.

Zur Entstehung: Das Bruchstück ist laut Leitzmann, a. a. O., S. 188, in frühen Schriftzügen mit einer stark verblichenen Tinte auf einem Quartbogen geschrieben. Seine Entstehungszeit setzt Leitzmann wie die der Fragmente von »Christoph Seng« in die zweite Hälfte der sechziger Jahre.

Wie stark Lichtenberg das ›Förstermäßige‹ beschäftigte, geht aus mehreren Zeugnissen hervor, ohne daß sich daraus Rückschlüsse auf den Handlungsverlauf der geplanten Erzählung ableiten und gewinnen ließen. So notiert er etwa D 633: »Satyre auf ... einen Oberförster«. In einem Brief an Dieterich (IV, Nr. 7, S. 18) vom 19. April 1770 aus London schreibt Lichtenberg: »ohnerachtet ich so recht lebe was ein Darmstädtischer Oberförster glückselig nennen würde«. Seinem Bruder Friedrich Christian gegenüber spricht er (IV, Nr. 78, S. 163) am 13. August 1773 von »Oberförsters-Buben« und schreibt in dem gleichen Brief (IV, S. 164) bezüglich der Königin von Dänemark, daß sie dick sei, »doch ohne in das schmalzigte Forstmeistermäßige zu fallen«. S. ferner J 993. 1122.

605 *2 1500 deutsche Meilen:* Vgl. zu 44, 1. – *4 Schneeberger ... schnupfen:* Diese Wendung ist B 319 entlehnt. – *5f. Punktierbücher:* Vgl. zu 399, 22. – *6f. Papillon-Sammlungen:* Papillon: Schmetterling; zum Gedanken vgl. auch F 262. 156. – *7 Kameralisten:* Verwaltungsbeamte; Wortprägung des 18. Jh. entsprechend der neubegründeten Disziplin der Kameralwissenschaften. – *7f. Gespräche im Reich der Toden:* Anspielung auf das aus der Antike überkommene lit. Genre, das bes. im 18. Jh.

außerordentlich beliebt war; s. auch 884, 10. – *8 Kartoffeln-Zehnden:* Zu dieser Wortprägung vgl. zu D 56. – *11ff. Der Verstand ... eine Art von Biegsamkeit:* Zu diesem Ausdruck vgl. zu 266, 34. – *15 nachgibt:* danach von Lichtenberg eingeklammert, also wohl zur Ausscheidung bestimmt: »Man glaubt Hexen und Gespenster und läugnet Saamenthiergen, schilt die Leute Freydencker, die sagen Gott könne nicht das vergangene ungeschehen machen, und daß der Mensch ein Thier sey. Alle Curen hält man für erlaubt nur das Einpropfen der Blattern nicht, und zwar weil es sichrer hilfft als andere.« – *17 Samentiergen:* die von Leeuwenhock entdeckten Infusionstierchen; vgl. zu A 109. – *18 Naturalisten:* Zu diesem Begriff vgl. zu C 338; s. auch 864, 8 f. – *19 vor uns:* statt: für; zu dieser Schreibweise vgl. zu 312, 13. – *19f. Separatisten:* Zu diesem Ausdruck vgl. B 16. – *22 verba valent sicut nummi:* »Worte haben ihren Wert wie Geldstücke.« Vgl. auch F 142. – *23 f. Der Adel ... für vom Himmel eingesetzt gehalten:* Zu Lichtenbergs antifeudalistischer Haltung vgl. zu C 256. – *28f. Junker ... kein Verdienst ... als daß er Junker ist:* Vgl. zu 329, 21 f. – *35 Richtung des Mittelpunkts der Schwere:* Zur belletristischen Verwendung math. Begriffe durch Lichtenberg vgl. zu 314, 26. – *35 6 Zoll:* Vgl. zu 25, 16.

606 *1f. Oberförster:* Dazu vgl. oben S. 290. – *2 tausend Gulden:* Vgl. zu 14, 34. – *9 vor sich:* Zu dieser Schreibweise vgl. zu 312, 13. – *18 Leidensche Flasche:* Vgl. zu 24, 15. – *24ff. (Die Kinder ... Ausgangs ließe.):* Diese Passage ist von Lichtenberg durch große Klammern eingeklammert, also wohl nachträglich zur Ausscheidung bestimmt. – *25f. einen Jungen von 11 Jahren:* Leitzmann (Aus Lichtenbergs Nachlaß, S. 188) meint, »es wäre nicht unmöglich, daß Christoph Seng« der hier erwähnte Sohn des Oberförsters wäre, beide Fragmente also zu ein und demselben Roman oder ein und derselben Erzählung gehören. – *35 Scharwächter:* Zu diesem Ausdruck vgl. zu 245, 9.

607 *3f. des Försterischen das in der ganzen Welt so ziemlich einerlei:* Ähnlich äußert sich Lichtenberg über den Berufsstand der Barbiere: s. Briefe (IV, S. 714–715. 716). – *6 Sympathien:* in der Magie und parawissenschaftlichen Psychologie des 18. Jhdts. üblicher Begriff für die zwischen Mensch und Mensch wirksamen Heil-Kräfte. – *8 dezisiver:* entschiedener, bestimmter. – *14 circumflex:* griech. Dehnungszeichen von Vokalen: ~. – *16f. Casu ... Nominativus:* Darüber belustigt sich Lichtenberg noch L 456.

CHRISTOPH SENG

Erstveröffentlichung und Satzvorlage: »Aus Lichtenbergs Nachlaß«, Weimar 1899, S. 16-18. Albert Leitzmann hat ebenda S. 15-16 weitere zu diesem Fragment gehörige Textpartien abgedruckt, die aber den Entwürfen in B 319. 320 entsprechen, während B 321 von ihm irrtümlich auf »Christoph Seng« bezogen worden war.

Die hier abgedruckten Bruchstücke finden sich auf dem ersten Blatt eines zur andern Hälfte leeren Quartbogens, zu dem der inliegende Bogen mit der Fortsetzung verloren ist, in der Weise, daß 609, 7-11 am Rande neben dem Anfang von S. 608 steht.

Zur Entstehung: Vgl. meine Ausführungen zu »Der Oberförster«. Allerdings scheint mir »Christoph Seng« auf Grund der aus dem Sommer 1770 stammenden Entwürfe in Sudelbuch B später entstanden zu sein als der erstgenannte Roman-Entwurf.

608 *1 Christoph Seng:* Die Herkunft dieses Namens ist unbekannt. – *3ff. verkauft die besten Bücher ... zu studieren:* Ähnlich schreibt Lichtenberg B 145 bezüglich Kunkels. – *8 Corpus juris:* Gesetzes- und Rechtssammlungen, umfassend das bürgerliche und das kanonische Recht; Lichtenberg erwähnt es auch B 200. – *14f. die schönen Wissenschaften im bequemen Verstand:* Den Ausdruck »Schöne Wissenschaften« – Eindeutschung von: Belles Lettres – gebraucht Lichtenberg auch A 81. B 41. 297 (S. 125). Im übrigen vgl. dazu 273, 21. – *15f. verliert über ein Mädgen den Verstand:* Dazu vgl. B 320; s. auch 904, 17f. – *18 Neperische Stäbgen:* John Neper (Napier) ist der Haupterfinder der Logarithmen, durch welche seine Rechenstäbchen zur mechanischen Ausführung der Multiplikation und Division allen Wert verloren; über ihn vgl. zu B 87. – *27f. nur sehr selten eines Vergnügens fähig:* Dazu vgl. Lichtenbergs Selbstcharakteristik B 81.
609 *2 vor sein:* Vgl. zu 312, 13. –

LORENZ ESCHENHEIMERS EMPFINDSAME REISE NACH LAPUTA

Erstveröffentlichung und Satzvorlage: »Lorenz Eschenheimers empfindsame Reise nach Laputa.« In: »Vermischte Schriften«, Göttingen 1844, Band 2, S. 199-202, Fragment 18. Zu diesem Fragment hat sich eine Handschrift nicht erhalten.

Zur Entstehung: Es ist wahrscheinlich 1768 oder 1769 entstanden und nach Schneider (o.c. I, p. 155) die zeitlich früheste humoristische Erzählung Lichtenbergs.

610 *1 Eschenheimers:* Womöglich ist der Name nach der Ortschaft Eschersheim bei Frankfurt geprägt. – *2 empfindsame Reise:* Diese Wendung geht selbstverständlich auf Laurence Sternes Roman »The sentimental journey« zurück, der 1768 erschienen ist und im gleichen Jahr unter dem Titel »Empfindsame Reise« in deutscher Sprache herauskam. »Empfindsam« ist bekanntlich ein Wortvorschlag Lessings; vgl. zu B, S. 45. – *2 Laputa:* fliegende Insel, die Gulliver auf seiner Dritten Reise entdeckt; s. »Gullivers Reisen«, 3. Teil, 1.–3. Kap. Über Swift vgl. zu KA 152. Einfluß von Swift beweist Lichtenberg auch in dem Schreibplan der »Insel Zezu« (s. C 372. D 19. 605); s. ferner 71, 35. 451, 8. S. oben S. 103 ff. – *4 Herrn* $\sqrt{x^3 + dx^5}$ *ddy Trullrub:* Was die mathem. Begriffe bedeuten sollen, war nicht zu ermitteln. – *5 Lagado:* von mir verb. aus: Lago*d*a; in Swifts »Gullivers Reisen« die Hauptstadt des Festland-Staates Balnibarbi; s. »Gullivers Reisen«, 3. Teil, 4.–7. Kap. – *6f. das Empfindsame ... betreffend:* Gegen diese Zeiterscheinung schreibt Lichtenberg noch 618, 19; im übrigen vgl. zu 264, 13 f. – *8 Hochbalnibarbischen:* von Swift fingierte Sprache der Bewohner von Balnibarbi; vgl. »Gullivers Reisen«, 3. Teil, 4. Kap. – *9 M.S.:* Diese Initialen waren nicht zu entschlüsseln. – *17 Universalkurbelmethode:* Diese Erfindung ist den »Gullivers Reisen«, 3. Teil, 5. Kap. entnommen; s. auch 613, 10 f. – *23 Transaktionen:* Anspielung auf die »Philosophical Transactions«; zu dieser Zeitschrift vgl. zu 226, 1. – *32 Jubilatemesse:* Vgl. zu 321, 18.

611 *2 Michaelis:* Vgl. zu 668, 1 f. – *28f. wie verschieden ... die Bedeutungen der Wörter:* Diese ganze satirische Philologie erinnert an A 59, wo Lichtenberg eine Sprache nützlich findet, »die allemal die Verwandtschaft der Dinge zugleich ausdrückte«.

BEITRÄGE ZUR GESCHICHTE DES ✱✱✱

Erstveröffentlichung und Satzvorlage: »Beiträge zur Geschichte des ✱✱✱.« In: »Vermischte Schriften«, Göttingen 1844, Band 2, S. 203–206, Fragment 19. Eine Handschrift des Fragments ist im Nachlaß nicht erhalten.

Zur Entstehung: Vorarbeiten zu diesem Schreibplan liegen in B 204 vor, entstanden Juli oder August 1769.

612 *2ff. Gegen das Ende ... in demselben aufhält:* Dieser ganze Absatz basiert auf B 204. – *4 Tiber-Athen:* Dazu vgl. B 204 (S. 102). – *27 Bisektion des Winkels:* Diesen Begriff verwendet Lichtenberg auch B 363; vgl. die Anm. dazu. – *27f. summum bonum:* Vgl. zu 577, 31f. – *29 Titus Feldzügen:* Titus Flavius Vespasianus (39–81), röm. Kaiser seit 79, Sohn des Vespasian, der ihm die Fortführung des Jüd. Krieges übertrug; im Herbst 70 erfolgte die Zerstörung von Jerusalem; s. auch 999, 9. – *29f. Es las sehr viel, doch ohne viel ... zu wissen:* Zum ›Viellesen‹ vgl. zu 508, 34. – *30f. viel essen, und dennoch ... auszehren:* Dazu vgl. B 204.

613 *5 schönen Geister:* Vgl. zu 273, 26. – *10f. berühmte Kurbelmethode:* Vgl. zu 610, 17. – *11 Lagado:* von mir verb. aus: Lagoda; im übrigen vgl. zu 610, 5. – *12f. Man schrieb und las ... Rezensionen:* Von diesem »Trieb« spricht Lichtenberg auch D 498; s. auch C 23. – *13f. sprach nur, anstatt zu wissen und zu denken:* Zu dieser Wendung vgl. B 82 (S. 69); s. auch D 273. – *14f. Gedächtnis ... die Haushaltung für Vernunft und Geschmack:* Zu diesem Gedanken vgl. B 264. – *14 Haushaltung:* Zu diesem Ausdruck vgl. zu 80, 24. – *19 Namen des Halbköpfigen:* Dazu vgl. B 204; *des:* von mir verb. aus: die; zu der Wortbildung vgl. zu 603, 28. – *21f. Mendoza den Namen des Siebenköpfigen:* Vgl. zu KA 154. – *23 desjenigen unsichtbaren Wesens:* Diese Passage ist fast wörtlich B 204 entnommen. – *25 Neigung zu regen anfing:* Zu dieser Wendung vgl. zu 208, 11f. – *35 Liederchen:* Vgl. zu 508, 35f. – *36 Tiber-Athen:* Vgl. zu 612, 4.

614 *1f. Der muntern Kleinen ... Diminutivchen:* Diese zwei Zeilen sind eine Variante zu B 178; sie sind dem »Schreiben an einen Freund« (s. S. 624) entnommen. – *5 Yameos:* Vgl. zu 406, 14. – *7 Nachtgedanken:* Gemeint ist das berühmte Werk von Edward Young; vgl. über ihn zu B 65. – *10 mit der linken Hand arbeiten:* Dieser Gedanke ist B 1 entnommen. – *13 Schreiben omnium contra omnes:* Vgl. zu 318, 6. – *15f. aristotelische Philosophie:* Vgl. zu 509, 13. – *17 unter dem Namen Barbarei:* Vgl. zu 269, 30.

DER DOPPELTE PRINZ

Erstveröffentlichung und Satzvorlage: I. »Zu dem geplanten Roman.« In: Aus Lichtenbergs Nachlaß, Weimar 1899, S. 111–113; II. »Bemerckungen, Einfälle, abzuhandelnde Materien, Ausdrücke pp.« In: Aus Lichtenbergs Nachlaß, Weimar 1899, S. 273. Ein Einzelblatt aus dem Nachlaß. III (617, 11–618). »Unveröffentlicht.« Ms XXV im Lichtenberg-Nachlaß der Universitäts- und Staatsbibliothek Göttingen. Die Handschrift, insgesamt fünf Seiten mit vielem leeren Raum, ist zum Teil sehr verblaßt und unleserlich. Mautner (Gedankenbücher, S. 265) setzt dieses Manuskript (»Unveröffentlicht«; 617, 11–618) in die »Mitte der 70er Jahre«. Diese zeitliche Ansetzung erscheint mir zu früh. Der darin erwähnte »Siegwart« erschien erst 1776; vor allem erlaubt jedoch die Formel »Freiheit, Gleichheit und ...« (617, 22) nur eine Entstehung nach 1789, weshalb ich das Manuskript mit Vorbehalten den Arbeitspapieren zum »Doppelten Prinzen« zurechne.

Zur Entstehung: Am 7. Oktober 1785 notiert Lichtenberg (H 136) den Entschluß, einen Roman zu schreiben, ein Entschluß, der offenbar unmittelbar nach einer Lektüre von Smollets »Roderick Random« gefaßt wurde. Und an Sömmerring äußert er am 26. Dezember 1785 (IV, Nr. 506, S. 657), daß er zum Schreiben eines Romans »einige natürliche Neigung bei mir fühle.« Ob es sich dabei bereits um die Idee eines Romans von dem Doppelten Kronerben gehandelt hat, wie Leitzmann, Aus Lichtenbergs Nachlaß, S. 232, ohne weiteres voraussetzt, scheint sehr zweifelhaft. Zwar beschäftigt Lichtenberg schon früh das Phänomen des Doppelten oder gar der Mißgeburt: vgl. KA 187. B 138. RA 173; s. ferner das Beispiel von den beiden zusammengewachsenen Mädchen« im »Timorus« (225, 36 ff.) und die Anspielungen auf Mißgeburten 455, 7 und 472, 1. 944, 1. 1034, 20. Aber die von mir dem verschollenen Sudelbuch H zugeschriebenen Notizen zu »Roman-Ingredienzien« haben mit dem zentralen Motiv nicht das mindeste zu tun. Erst J 1136, geschrieben Ende Dezember 1792 und Anfang Januar 1793 (vgl. auch SK 420 vom 1. Januar 1793), äußert Lichtenberg: »Der Roman muß notwendig der zusammengewachsene Mensch werden.«
Etwa um die Mitte der neunziger Jahre begann Lichtenberg seine Einfälle für den Roman nicht mehr regelmäßig in die Sudelbücher J, K, L – s. die Zusammenstellung im Kommentarband zu den Sudelbüchern – verstreut einzutragen, sondern sammelte sie auf besonderen Bogen in bestimmten Rubriken. Sie befanden sich, wie Leitzmann (Aus Lichtenbergs Nachlaß, S. 233) erwähnt, in einem Umschlag mit der Aufschrift »Romagnoli«. Ich bin geneigt, auch die Notizen des hier erstmals veröffentlichten Manuskripts den Vorarbeiten zu diesem Roman zuzurechnen.

Obgleich eine relativ große Zahl von Romagnoli zum Doppelten Prinzen überliefert ist, wird ein Handlungsgerüst daraus nicht ersichtlich. Einen kurzen Inhaltsabriß eines Teils der projektierten Erzählung hat Lichtenberg selbst noch im »Göttinger Taschen Calender« für 1799 im Eingang des Aufsatzes »Daß du auf dem Blocksberge wärst« mitgeteilt (s. S. 471–472).

»Er hat mir viel Male von einem Roman ... gesagt, woran er jahrelang gearbeitet hätte und woran ich was verdienen sollte«, schreibt Dieterich am 18. März 1799 an Ludwig Christian Lichtenberg (LB III, S. 344), um fortzufahren: »Es zeigt sich aber noch nichts, habe aber auch noch nicht nachgesehen, als was sogleich nur ins Auge fällt.« Am 30. März 1799 muß er mitteilen (LB III, S. 345): »Von dem versprochenen Roman ... finde auch nichts« – ein Befund, den er am 8. April 1799 (LB III, S. 345) vollends bekräftigt: »von dem Roman ... finde ich im Ganzen nicht viel«.

Dabei ist es denn auch geblieben.

615 *2 Romagnoli:* ›Roman-Splitter‹. – *5 Maximen des Rochefoucauld:* Über den frz. Aphoristiker vgl. zu E 218. – *7f. Ohne einen solchen simpeln Zweck ...:* Dieses kunsttheoretische Prinzip entwickelt Lichtenberg auch in den Briefen an Hollenberg (IV, S. 398); s. auch H 68. – *12 Tom Jones:* Über den berühmten und von Lichtenberg überaus geschätzten Roman von Henry Fielding vgl. zu KA 256; s. auch zu 329, 36. – *16 Chenius, den ich kenne:* Mit diesem Wort – sicher dialektbedingte Aussprache von ›Genius‹ –, das Leitzmann nicht eruieren konnte, ist m. E. Dieterich bezeichnet. Vgl. K 280. L 390. – *18 Büttner in Jena:* Gemeint ist Christian Wilhelm Büttner; über ihn vgl. zu A 30. Er übersiedelte 1783 nach Jena. – *18 Zimmermann Don Zebra:* Zu diesem Ausdruck vgl. zu 423, 3; über Johann Georg Zimmermann vgl. zu C115. – *21f. einen Brief in eines andern Namen ... diktieren:* Zu diesem Gedanken vgl. H 79. – *32 Macartney:* George Maccartney (1660?–1730), engl. General und Freund Lord Mohuns, dem er in Duell mit dem Herzog von Hamilton sekundierte; die – unwahre – Behauptung, er habe den Herzog erstochen, stammt von dessen Sekundanten: Colonel Andrew Hamilton; diese Version griff u. a. Swift auf. Aus dessen »Journal to Stella« wird Lichtenberg vermutlich auch die verbürgte Anekdote kennen. – *32 Lord Mohun:* Charles 5. Baron Mohun (ca. 1675–1712), berüchtigt wegen seiner Duelle, starb im Duell mit James Douglas, 4. Duke of Hamilton. – *32f. Duke of Hamilton:* James Douglas, 4. Herzog von H. (1658–15. Nov. 1712 im Duell mit Lord Mohun, auf Grund von Erbstreitigkeiten).

616 *11 Die Planeten durch ... Reuter vorstellen zu lassen ... J. S. 140:* Gemeint sind J1228 (S. 828) und 1229, geschrieben ca. März 1793. – *13 Der Alte ... Ru ruh:* Die Notiz findet ihre Erklärung in L 337. – *14 Der gute Zug ... J.p. 106:* Gemeint ist J 950; vgl. ferner L168. – *15 Ein sehr guter Zug ... J.p. 101:* Gemeint ist J 905. – *15 Gräfin Salmour:* Über sie vgl. zu J 905. – *18 Ich bin ein Mensch ... Lessing:* »*Werner:* Herr Major, ich bin ein Mensch. *Tellheim:* Da bist du was Rechts.« Zitat aus »Minna von Barnhelm«, V. 11, von Lessing. – *19 Die eine Hand hat die andere ...*

geschnitten. Swift.: Das Zitat war nicht auffindbar. Über Swift vgl. zu KA 152. – *20 Allmächtiges Latein, sagt ... Blumauer:* Das Zitat war nicht auffindbar; über Johann Alois Blumauer vgl. zu J 486. – *21 Die Esel ... auf die Kunst geführt ...:* Über dieses Tier vgl. zu 527, 37f. – *25ff. Beschreibung der Gemälde ... à la Hogarth:* Interieurs mit Gemälden begegnen bei Hogarth z. B. in »Der Weg der Buhlerin«, Zweites. Drittes Blatt; in »Der Weg des Liederlichen«, Erstes. Zweites. Drittes Blatt; in »Die Heirat nach der Mode«, Erstes. Zweites. Viertes. Fünftes. Sechstes Blatt. Über William Hogarth vgl. zu KA 277. – *27 connoisseurs:* Kenner; Lichtenberg gebraucht den Gallizismus stets ironisch abwertend auch 749, 36. 822, 13; s. auch E 210, Briefe (IV, S. 499) und GTK 1797, S. 208. – *30f. Die geschnitzten Heiligen ... mehr ... ausgerichtet, als die lebendigen:* Diese Wendung begegnet auch K 20. – *32 Dieses ist wohl Ihre Frau Liebste ...:* Diese Wendung begegnet ähnlich auch 617, 17. 953, 27f. – *33 Lion:* von mir verb. aus: *ion*, was Druck- oder Lesefehler Leitzmanns sein muß; über dieses Pseudonym Lichtenbergs vgl. zu F 249. – *33 whom I know better:* den ich besser kenne.

617 *1ff. jemandes Schrift ... mit Anmerkungen ... versehen:* Diese satirische Technik erwägt Lichtenberg gegen Gumbrecht, Göbhard und Zimmermann. – *2 in Versen (mitunter Knittel):* Über die Verwendung von Knittelversen äußert sich Lichtenberg auch 661, 26f. 710, 12f. und in den Briefen (IV, S. 62). – *4 armer Teufel:* Vgl. zu 214, 31. – *9 Büchse der neuen Pandora:* Darüber vgl. zu L 398. – *11f. Brief des Mädchens ... danke es dem Lieben Gott tausendmal:* Vgl. zu 403, 1f. – *13 Thomson:* Ist der engl. Lyriker gemeint? Über ihn vgl. zu H 74. – *13 den Hayde Snugger:* Die Bedeutung der im Original fast völlig verblaßten Wörter ist unklar. – *14 Zimmermann:* von Lichtenberg gestrichen; gemeint ist selbstverständlich Johann Georg Zimmermann; über ihn vgl. zu C 115. – *16 Ach Papa ... weiße Flöhe:* Diese Wendung begegnet ähnlich auch F 1100. – *17 werteste Liebste ... meine Frau:* Zu dieser Wendung vgl. zu 616, 32. – *19 Brief mit Kaffee:* Dazu vgl. F 282; s. auch 618, 11f. – *21 Eindeutige Zweideutigkeit:* Dazu vgl. auch 730, 9. 763, 32. 797, 9ff. – *22 Freiheit, Gleichheit ...:* Diese Eindeutschung der frz. Revolutionsparole: Liberté, Egalité (und Fraternité) spricht für eine Entstehungszeit dieses Entwurfs nach 1789. – *23 Seitenhieb auf die histor. Romane:* Gemeint sind vermutlich die zeitgenössischen »Ritterromane«, über die sich Lichtenberg auch 832, 31 ausläßt. – *24 p. 512:* Worauf sich diese und die unten aufgeführten Seitenzahlen beziehen, war nicht zu ermitteln; ein Sudelbuch scheidet aus. – *24 Gedächtnis-Übung:* Dazu vgl. zu J 392. – *25 Bull p. 535:* Gemeint ist vermutlich John Bull; über diese Inkarna-

tion des Briten vgl. zu RA 23. Die Seitenzahl war nicht zu ermitteln. – *26 Bodens Wünsche 556:* Womöglich ist der bekannte Übersetzer gemeint; über ihn vgl. zu B, S. 45 (I). – *27 Argumente von [?]:* Die Wendung ist im Original unleserlich. – *28 Fixsterne verschenken:* Dieses Motiv notiert Lichtenberg L 160. 175. 541. – *30f. Reisen nach der Schnupftabaksdose:* Die Anspielung ist unklar; von »Andachten über eine Schnupftabaksdose« spricht Lichtenberg D 610; s. aber auch L 638. – *33f. Stockhaus-Szene ... disputiert wird:* Zu diesem Gedanken vgl. H 67.

618 *1ff. einer spielt ein andrer ...:* Diese Szene ist ähnlich bereits in D 622 fixiert. – *5f. der Barometer-Macher:* Womöglich ist der Göttinger Universitäts-Optikus Gotthard gemeint; über ihn vgl. zu J 550; s. auch F 74. – *9 Officin-Briefe:* Gemeint sind vermutlich die »Briefe von Mägden über Literatur«; s. oben S. 244. – *9 tut mich auf Parole weh:* Diese Wendung wurde von Lichtenberg vermutlich zunächst in Zusammenhang mit dem »Orbis pictus« notiert. – *9 kruel:* grausam; von Lichtenberg vermutlich in Zusammenhang mit dem »Orbis pictus« erstmals notiert. – *10 Die Menscher:* Zu diesem Wortgebrauch vgl. zu 747, 32f. – *11 Gleich mit einem Steckbrief angefangen:* Der Gedanke ist nirgends belegt; vgl. aber J 561. – *11f. Billet mit Kaffe geschrieben:* Zu dieser Wendung vgl. zu 617, 19. – *17 gekämmt:* Zu diesem zeitgenössischen Rezensenten-Ausdruck vgl. F 141; s. auch 417, 29. – *17 Klopstockianer:* Über Klopstock und seine Anhänger vgl. zu B 63. – *18 Siegwart:* Vgl. zu 379, 20f. – *19 Die Empfindsamen:* Vgl. zu 264, 13f. – *21 dortigen Leib-Medicus:* Gemeint ist Johann Georg Zimmermann; über ihn vgl. zu C 115. – *22 Werlhof:* Über ihn s. zu 574,25. – *24 Impromptu in müßigen Stunden ...:* Dieser Einfall ist D 289 entnommen. – *26 nitimur in fötidum:* »Wir drängen nach dem Stinkenden.« Diese Verballhornung Ovids ist D 551 entlehnt; s. die Anm. dazu. Lichtenberg zitiert sie auch in einem Brief an Blumenbach (IV, 397).

GEDICHTE, STAMMBUCHSPRÜCHE, FABELN

GEDICHTE

Unter dieser Überschrift sind sämtliche poetischen Texte Lichtenbergs in chronologischer Ordnung vereinigt, die außerhalb der Sudelbücher und der Briefe und unabhängig von den zu Lebzeiten des Autors veröffentlichten großen Gedichten veröffentlicht worden sind, und zwar zumeist zerstreut und in heute wenig zugänglichen Editionen. Hinzu kommt überdies ein bislang größtenteils unveröffentlichtes Gedicht: das reizende »Geburtstagslied«.

Über Lichtenbergs poetische Ader informiert im allgemeinen Leitzmann in »Aus Lichtenbergs Nachlaß«, S. 236–239. Hier sei lediglich zitiert, was Lichtenberg über Hogarths Poeten auf der zweiten Platte von »Der Weg des Liederlichen« (847, 33 – 848, 4) äußert: »Wer die Seligkeit dieses Mannes, der sich hier seine eigenen Verse vielleicht zum hundertsten Male vorliest, nicht mitschmeckt und mitfühlt, der ist gewiß nie selbst Vater von Versen gewesen und kennt folglich alsdann eine der größten häuslichen Glückseligkeiten nicht, womit der Himmel das Leben alles dessen zu erweitern gewußt hat, was dichtet oder reimt, es sei nun auf einem Dachstübchen oder zu Ferney und Twikkenham.« S. auch 114, 20ff.

So sehr diese Sätze Lichtenberg aus dem Herzen zu kommen scheinen, so wenig darf man andererseits seine lebenslange Antipathie gegen den ›Poetaster‹, das ist den Dichter aus Profession, aber ohne Berufung, außer acht lassen: vgl. dazu 421, 22ff.

Wenn in dem Nichts der Eitelkeiten

Erstveröffentlichung und Satzvorlage: Promies, Georg Christoph Lichtenberg. Reinbek 1964, S. 20–21.

Das Gedicht befindet sich in fremder Schrift auf einem Zettel notiert im Nachlaß des Göttinger Handschriften-Archivs. Zur Erklärung ist dem Gedicht eine Anekdote beigefügt, die in meiner Lichtenberg-Monographie, a.a.O., S. 20–21 wiedergegeben ist. Das Gedicht ist während Lichtenbergs Schulzeit, also zwischen 1752 und 1761, womöglich eher Ende der fünfziger Jahre entstanden und stellt damit die früheste überlieferte ›poetische‹ Äußerung Lichtenbergs dar.

Schreiben an einen Freund

Erstveröffentlichung und Satzvorlage: Aus Lichtenbergs Nachlaß, Weimar 1899, S. 117–120. Das Gedicht befindet sich auf zwei ineinanderliegenden Quartbogen mit am Rande beigefügten Verszahlen. Entwurfspartien finden sich im Sudelbuch B in einer Fassung, die zum Teil von 1768 datiert: B 49. 51. 56. 176. 178.

621 *8 Freund:* Falls es sich nicht um eine fiktive Anrede handelt, käme nur ein Schulkamerad Lichtenbergs aus Darmstadt in Frage. – *10ff. Seitdem ... Groschen:* Diese Zeilen begegnen in einer ersten Fassung B 176. – *14ff. Berühmt in allerlei Bedeutung ... Wochenblätter:* Diese vier Zeilen zitiert Lichtenberg als aus einem »alten Gedicht auf die Stadt« an Amelung (IV, Nr. 449, S. 561) am 6. Mai 1784. Vgl. auch RA 82. – *15 Würste:* Zu dieser Göttinger Spezialität vgl. zu 210, 7f. – *20 Du kennst ... aus einem Bändgen:* Gemeint ist vermutlich Johann Stephan Pütters »Versuch einer akademischen Gelehrtengeschichte von der Georg-Augustus-Universität«, Göttingen 1765–1788. – *29 Vier Taler:* So viel betrugen seinerzeit die Immatrikulationsgebühren.

622 *3 qua tales:* als solche. – *9 Pursche:* Vgl. zu 438, 16. – *11f. Ein Völkgen ... Gumprecht:* Die zwei Zeilen sind fast wörtlich B 49 entlehnt. – *12 Gumprecht:* Über Moses Gumprecht vgl. zu B 49. – *14 Oligarchie:* danach von Lichtenberg gestrichen: »Zu alten Männern und zu Affen / Galant / Und bald als wärn sie umgeschaffen / Wo nicht zu Sclaven doch zu Affen.« Die Zeilen 37–40 am Rande nachgetragen. – *19 wie gedrechselt:* Zu dieser Wendung vgl. zu 438, 16. – *20 Gunkel Bücher wechselt:* Über Kunkel vgl. zu A 57; zur Sache s. oben S. 283. – *21 Backhaus:* Über Paul Ludwig Backhaus vgl. zu B 156. – *24 Mattierbrod:* billiges, schlechtes Brot; Mattier: kleine niedersächs. Münze, ursprünglich ›Matthiasgroschen‹. – *26 Rauschenwasser:* seinerzeit Lustort nahe Göttingen. – *28 Cincinnatus:* Lucius Quinctius Cincinnatus, röm. Staatsmann des 5. Jh. vor Chr., soll 458 v. Chr. vom Pflug weg zum Diktatoramt berufen worden sein.

623 *3 Nonsense:* Zu diesem Ausdruck vgl. zu 326, 19f. – *5 Ideen:* die Zeilen 65–68 am Rande nachgetragen. – *7 Sadon:* »Sa donk! sa donk! so leben wir alle Tage / In dem allerschönsten Saal-Athen ...«: Anfang eines berühmten Studentenliedes; vgl. E 303 und die Anm. dazu. – *7 Gellert:* Über ihn vgl. B 95. – *11 Pandekten:* Vgl. zu 408, 19. – *13 Ammen:* danach von Lichtenberg gestrichen: *Vermischt mit Kästners / Epigrammen Kästners Ph.* – *14 Kästners Epigrammen:* danach von Lichtenberg ge-

strichen: *Butschanys Fall, Flucht, Blitz und Richmann / Herrn Hausens Tod, Gleim Klotz und Wichmann.* – *22 physice von Adel:* Ähnlich formuliert Lichtenberg 585, 2 f. – *25 ff. Dazwischen ... Dummheit:* Diese vier Zeilen sind wörtlich B 51 entlehnt. – *36 Affen-Stutzer:* Zu diesem Ausdruck vgl. zu 312, 10. – *38 legibus:* Gesetzen (Dativ).

624 *1ff. Dabei ... Frankenfeld:* Diese Zeilen sind wörtlich B 51 entnommen. – *3 Northeim:* Dazu vgl. zu B 51. – *3 Nörten:* Dazu vgl. zu B 51. – *6 Wackern:* Über ihn vgl. zu B 51. – *6 Frankenfeld:* Über Johann Philipp Frankenfeld vgl. zu B 51. – *13ff. Sonst reimt ... Anakreon:* Diese Zeilen sind fast wörtlich B 178 entlehnt. – *14 Nachtgedankenfeind Jacobi:* Anspielung auf das die »Nightthoughts« von Young parodierende Gedicht »Die Nachtgedanken«, erschienen Halberstadt 1769, von Johann Georg Jacobi; über ihn vgl. zu B 47. – *15 Wittenberg:* Über Albrecht Wittenberg vgl. zu B 59. – *16 Festtags-Prose:* Diesen Ausdruck gebrauchet Lichtenberg auch B 178. E 209. F 676 und Materialheft II, Nr. 49. Zu dieser Wortbildung vgl. zu 65, 4. – *17f. Seufzt ... Diminutivgen:* Diese beiden Zeilen zitiert Lichtenberg selbst mit dem abweichenden Anfang: »Der muntern Kleinen« 614, 1 f. im übrigen vgl. zu B 178. – *24 Gleim:* Über ihn vgl. zu B 16. – *24 Anakreon:* Über ihn vgl. zu A 59. – *25f. Oft ist ... sens:* Diese Zeilen sind fast wörtlich B 176 entlehnt. – *26 bon sens:* gesunder Menschenverstand. – *33 dieses Üb'l her:* neben dieser Zeile von Lichtenberg am Rande: »Wir leben hier unter traurigen Aspeckten, Epigrammen die wie Sternschnuppen durch die Statt schiesen, Liedgen die gleich Irrwischen aus einer vermoderten Einbildungskrafft entspringen, langgeschwänzte Elegien verkündigen deinen Untergang o arme Prose. Wer nur einen deutschen Poeten bezahlen kan, schreibt gleich einen Gleim oder Yorick travesti (bon sens travesti).« – *34 Schiebler:* Über Daniel Schiebeler vgl. zu C 360.

625 *10 Zukunft:* Die Zeilen 145–146 lauteten ursprünglich: »Drohn nicht viel Gutes für die Zukunfft / Für euch, o Prose, o Vernunfft!«

Verse unter die Kupfer des Gothaischen Kalenders vom Jahr 1772

Erstveröffentlichung und Satzvorlage: »Unbekannte Verse Lichtenbergs.« Mitgeteilt von Professor Dr. Albert Leitzmann in Jena. Zeitschrift für Bücherfreunde. NF 13/1921; H. 6, S. 129–131.

Als Leitzmann zum Säkulartage von Lichtenbergs Tod im Jahre 1899 aus seinem Nachlaß unter andern unbekannten Stücken auch eine Anzahl von Gelegenheitsversen veröffentlichte, ließ er eine Gruppe gereimter Epigramme vorläufig beiseite, die Lichtenberg wohl im

November 1771 (s. IV, 108) auf die Kupfer des »Gothaischen Hofkalenders zum Nutzen und Vergnügen eingerichtet auf das Jahr 1772« gedichtet hat. Die Verse schienen Leitzmann damals »aus einer psychologischen Erwägung heraus, die ich heute nicht mehr vertreten würde, nicht recht geeignet, dem Kranze der übrigen eingeflochten zu werden«. Seine psychologische Erwägung lautet explizit (Aus Lichtenbergs Nachlaß, S. 239): »Vom Abdruck ausgeschlossen habe ich außer einigen unbedeutenden Gelegenheitsgedichten und -scherzen nur eine Reihe von 18 meist zwei- oder dreizeiligen Epigrammen, die den Gesamttitel führen »Verse unter die Kupfer des gothaischen Kalenders vom Jahr 1772«. In ihnen sind die Kupferstiche dieses Kalenders, meist antike Götter- und Heroengestalten, auf eine so derb-zynische Weise interpretiert, daß eine Wiedergabe derselben trotz höchst geistreicher Wendungen nicht gut möglich war.« Wohl aber überließ Leitzmann seinem Freund Schüddekopf das Veröffentlichungsrecht, zu dessen Ausübung er aber nicht mehr gekommen ist.

Nach seinem Tode ist das Blatt wieder an Leitzmann zurückgelangt, und er publizierte (versteckte) endlich 1921 in der »Zeitschrift für Bücherfreunde« die Verse, leider der allzu hohen Herstellungskosten wegen ohne die Kupfer, die erstmals in unserer Edition vorgestellt werden. Die zwölf Monatskupfer sind von dem Zeichner und Kupferstecher Johann Wilhelm Meil (1733–1805) gearbeitet, der unter anderm auch Gellerts Fabeln, Nicolais »Sebaldus Nothanker«, Engels »Mimik« und Lichtenbergs »Methyologie« illustriert hat. Lichtenbergs Reihenfolge weicht von der des Kalenders (Diana, Prometheus, Higia, Venus, Flora, Leda, Amazon, Euterpe, Erato, Meleager, Baccha, Bacchus) in einigen Fällen ab.

626 *1 Gothaischen Kalenders:* Der »Gothaische Hofkalender zum Nutzen und Vergnügen« erschien bis 1775 in Dieterichs Gothaer Verlag. – *4 Diana:* altital. Göttin der Wälder, identifiziert mit der griech. Artemis: Göttin der Jagd und des Mondes, Beschützerin der Jungfräulichkeit, dargestellt als die Doppeltgegürtete. S. auch 595, 33. 670, 26. 673, 16. 697, 4. 772, 30. 773, 10.

627 *1 Prometheus:* Über ihn vgl. zu 421, 33.

628 *4 No 3:* aus folgender quer durchgestrichener Fassung: Die Fackel in der lincken Hand / Heißt doch mit Recht ein Götter Brand, / Man siehts er hat sie Jupitern entwandt. / Allein die andre, so versteckt / Und so erbärmlich zugedeckt, / Die hat er sonst wo angesteckt.

629 *1 Hygeens Schälgen:* Hygieia, griech. Göttin der Gesundheit, galt daher später als Tochter des Heilgottes Asklepios.

630 *5 Mediceischen Venus:* Vgl. zu 362, 15. – *6 Der Künstler ... Brand:* von Lichtenberg verbessert aus: »Praxiteles gab von der Liebe Brand.« – *14 sehen:* von Lichtenberg verb. aus: »uns alle denkken«. – *14 können:* danach von Lichtenberg gestrichen und fast

unleserlich gemacht: »Wie weiß hat Zeus die Mädchen ausgedacht, / Halb für den Tag – halb für die Nacht.« Vgl. den ähnlichen Gedanken des Neujahrswunsch 10 in C 63.
631 2 *Den ... Amazonen fehlte eine:* Von »Amazonen-Habite« redet Lichtenberg in dem Kalender-Artikel »Über die Kopfzeuge« (Vermächtnisse, S. 193).
632 1 *Leda:* Gemahlin des spartanischen Königs Tyndareos, der sich Zeus in Gestalt eines Schwans näherte, worauf sie der Sage nach Helena bzw. die Dioskuren Castor und Pollux gebar.
633 1 *Flora:* röm. Frühlingsgöttin des blühenden Getreides und der Blumen; vgl. auch 670, 26. 734, 8.
634 1 *Euterpe:* ›die Freudenspendende‹: eine der 9 Musen, meist der Tonkunst und des lyrischen Gesangs. – 7 *das Mädchen:* von Lichtenberg verb. aus: »das Musgen«, aus: die Muse.
635 1 *Erato:* eine der 9 Musen, galt meist als Muse der erotischen Poesie.
636 1 *Meleager:* Meleagros, im griech. Mythos Sohn des Oineus und der Althaia, erlegte den von Artemis gesandten Kalydonischen Eber, seit dem 6.Jh. v. Chr. war die Kalydon. Jagd in der bildenden Kunst ein beliebtes Thema.
637 1 *Baccha:* von mir verb. aus: Ba*ch*a.
638 1*ff. Bacchus ... Gott des Fusels:* Darauf spielt Lichtenberg in einem Brief an Kaltenhofer (IV, Nr. 51, S. 108) vom 1. Dez. 1772 an: »Gesicht wie der Bacchus in Dieterichs Kalender von diesem noch laufenden Jahr im Dezember, dem ich schon im vorigen November den Namen Fusel-Gott gegeben habe ...« Über Bacchus vgl. zu 595, 31. – 3 *Fusels aus:* Hier ist eine Namensunterschrift so gestrichen, daß sie nicht mehr lesbar ist; zu erkennen ist nur: G.C.L... Aber es stand nicht »Lichtenberg« da, sondern wohl ein mit L anlautendes Pseudonym.

Die Reise nach Gotha

Erstveröffentlichung und Satzvorlage: »Aus Lichtenbergs Nachlaß«, Weimar 1899, S. 132–133. Das Gedicht ist im Nachlaß auf einem Foliobogen überliefert und weist zwischen Vers 48 und 49 einen größeren Zwischenraum auf.
Zur Entstehung: Am 7. September 1772 schreibt Lichtenberg an Dieterich (LB I, Nr. 42, S. 82): »Dieses Journal oder was es ist, drückt die mannigfaltigen Vergnügungen und das mannigfaltige Herzeleid dieser Reise so wenig aus, als wenn jemand, der unsre Reise von Langensalza nach Gotha beschreiben wollte, sagte, wir fuhren etwas langsam, weil der Weg nicht sonderlich war«.
Eine Anspielung auf diese Reise findet sich ferner in einem Brief an Dieterich (IV, Nr. 71, S. 145) vom 8.Juli 1773, wo er schreibt:

»Alles in der Welt, nur keine Affäre wie bei Wiegleben, da sollten uns keine 20 Hengste wieder heraus kriegen.« Eine Anspielung darauf findet sich ferner in einem Brief an Christiane Dieterich (IV, Nr. 23, S. 40) vermutlich vom 28. Februar 1772 und an Dieterich (LB I, S. 18) vom 2. März 1772: »Herr Boie hat den Eingang zur Reise Beschreibung, das andere habe ich abgeschnitten, und muß erst vermodestirt werden.« Auf eine Stelle aus der Reisebeschreibung kommt Lichtenberg in einem Brief an Dieterich (IV, Nr. 30, S. 55) am 19. März 1772 zu sprechen; vgl. ferner C 47.

Als Abfassungszeit kommt wohl das Frühjahr 1772 infrage. Lichtenbergs obiger Äußerung möchte man entnehmen, daß die »Reisebeschreibung« von ihm in einer ersten Fassung vollständig vorlag. Wenigstens schreibt Dieterich noch am 18. März 1799 an Ludwig Christian Lichtenberg (LB III, S. 344): »Er hat mir viele Male ... von einer Reisebeschreibung gesagt, woran er jahrelang gearbeitet hätte und woran ich was verdienen sollte. Es zeigt sich aber noch nichts ...« Und am 8. April 1799 schreibt er an denselben (LB III S. 345): »Von denen Reisen ... wovon er immer gesprochen, finde ich im Ganzen nicht viel ...«

639 *2ff. Auszug:* danach von Lichtenberg gestrichen: *zum singen.* –
3 Kützel: danach von Lichtenberg gestrichen: *und Muthwillen.* –
4 zum Singen in der Stube: Möglicherweise ist daher diese Reisebeschreibung identisch mit der von Lichtenberg an Dieterich (IV, Nr. 45, S. 96; Sept./Okt. 1772) erwähnten Kantate: »Herr Boie hat also meine Kantate abgelesen. Ich hätte wohl zuhören mögen.« – *15 Langensalza:* Kreisstadt im Bezirk Erfurt, an der Salza. – *20 Dieterich:* Über ihn vgl. zu B 92. – *21 zwo junge Frauen:* Gemeint ist Christiane Dieterich, des Obgenannten Frau; über sie vgl. zu C 306. Die zweite Passagierin ist nicht zu ermitteln. Vielleicht handelte es sich um deren Mädchen, die von Lichtenberg hofierte »Marie«. Am 2. März 1772 schreibt er wenigstens an Dieterich (LB I, Nr. 11, S. 18): »Frage die Marie ob sie nicht mit reisen wolte.«

640 *15 Batavia:* Vgl. zu 44, 22. – *27 Wir staken da in Sachsen ...:* Diese Zeilen greift Lichtenberg leicht abgewandelt in E 169 wieder auf.

Die Hexe die ich meine

Erstveröffentlichung: »Göttinger Musenalmanach« 1779, S. 12 bis 14.
Satzvorlage: Lauchert, a.a.O., S. 184–186.

Es handelt sich bei dem Gedicht um eine Parodie von Bürgers Lied »Die Holde die ich meine«. Bürger und Lichtenberg teilen sich in die Verfasserschaft der Parodie, weshalb sie in unsere Auswahl aufgenommen wurde. Bürger schrieb am 22. Oktober 1778 (Bürgers Briefe, II,

313) an Boie: »Zu der Parodie: Die Hexe die ich meine, hat Lichtenberg blos die Idee und Grundlage hergegeben. Die ganze Ausführung bis auf ohngefähr 2 Strofen gehört mir.« Boie erwiderte am 30. Oktober 1778: »Dietrich hatte mir schon von Lichtenbergs Parodie erzählt, und daß du sie umgearbeitet. Sie ist herrlich.« Von Lichtenberg selbst sind Äußerungen bzw. Arbeitsnotizen dazu nicht überliefert.

640 29 *Hexe die ich meine:* »Hexe« nannte Lichtenberg im Scherz die Stechardin; es erscheint denkbar, daß die Apostrophe des Liedes auf sie Bezug hat. Zu diesem von Lichtenberg häufig gebrauchten Ausdruck vgl. zu 306, 33.

Die Champagner-Bouteille im Kühlfaß

Erstveröffentlichung: »Göttinger Musenalmanach.« 1784, S. 48. *Satzvorlage:* Lauchert, S. 186.

Das Epigramm trägt die Unterschrift: G.C.L. Daß das Epigramm wesentlich früher entstanden ist, geht aus F 1140 hervor, wo Lichtenberg die ersten beiden Zeilen des Epigramms notiert.

An die liederliche Thais

Erstveröffentlichung: »Göttinger Musenalmanach.« 1784, S. 75. *Satzvorlage:* Lauchert S. 186.

Das Epigramm trägt die Unterschrift: G.C.L. Über dieses und das zweitfolgende Epigramm, die, wie es scheint, die ersten waren, die Lichtenberg an Bürger sandte, schrieb Bürger am 12. Okt. 1782 an Dietrich (Bürger's Briefe III. 98): »Ist mir kürzlich recht wahres Epigrammensalz vor die Nase gekommen, so sind es die beiden Lichtenbergischen Einfälle. Ach, daß er doch nicht mehr dergleichen gibt! Denn sie kommen ihm wahrlich nicht saurer, als das Ausspucken an, und so oft er des Tags ausspuckt, so viel hat er auch solcher Einfälle.« – Und am 1. Nov. 1782 (ebenda, S. 102) empfiehlt er Dietrich, Lichtenberg auszurichten: »Er möchte nur fein mehr Scipios und Thaides fabriciren.«

643 5 *Quecksilber innerlich:* seinerzeit zur Behandlung der Syphilis gebräuchlich; s. auch 799, 34. 821, 18. 857, 3f. 968, 5 und in den Briefen (IV, 53!).

Als der Wirt zum goldnen Fisch zum Schild einen Regenbogen wählte

Erstveröffentlichung: »Göttinger Musenalmanach«. 1784, S. 75. *Satzvorlage:* Lauchert, S. 186.

Opim und Nachbar Seip

Erstveröffentlichung: »Göttinger Musenalmanach«. 1784, S. 78. *Satzvorlage:* Lauchert S. 187.
Das Epigramm trägt die Unterschrift: G.C.L. Im übrigen vgl. oben S. 305.

Noah der Stifter einer zweiten Sündflut

Erstveröffentlichung: »Göttinger Musenalmanach«. 1784, S. 80. *Satzvorlage:* Lauchert S. 187.
Das Epigramm trägt die Unterschrift: G.C.L.

Der Seelenarzt zu N. an seine Gemeinde

Erstveröffentlichung: »Göttinger Musenalmanach«. 1784, S. 100. *Satzvorlage:* Lauchert S. 187.
Das Epigramm trägt die Unterschrift: G.C.L.

Thraso und der Astronom

Erstveröffentlichung: »Göttinger Musenalmanach«. 1784, S. 125. *Satzvorlage:* Lauchert S. 187.
Das Epigramm trägt die Unterschrift: G.C.L.

644 *1 Einfall des Shakespear:* »All's well, that ends well«, I. Akt, 1. Szene, Zeile 186; über Shakespeare vgl. zu A 74.

Dusch-Cantate auf dem obersten Altane abzupauken

Erstveröffentlichung: »Göttinger Musenalmanach« 1784, S. 209. *Satzvorlage:* Lauchert, S. 187–188.
Über diesen anonym gedruckten Scherz schrieb Bürger an Dieterich am 28. Aug. 1783 (Bürgers Br. III. 119): »Von allen noch mitgeschickten Gedichten, ist Lichtenbergs Cantate das beste, worüber ich herzlich gelacht habe.«

644 *6 Dusch-Cantate:* Dusch: Tusch; die in den Briefen (IV, 96) erwähnte »Kantate« ist aus zeitlichen Gründen keinesfalls mit die-

ser identisch. – *13 Bratenwender:* Vgl. zu 212, 20. – *17 fertig ist der Kalender:* Gemeint ist der Göttinger Taschen Calender, den Lichtenberg nach dem Tode Erxlebens 1777 herausgab; seine Fertigstellung pflegte er Jahr für Jahr in seinen Tagebüchern 1789 bis 1799 nachdrücklich zu vermerken. – *18 Johannis-Turm:* Vgl. zu 254, 12.

Grabschrift auf einen wichtigen Mann

Erstveröffentlichung: »Göttinger Musenalmanach«. 1785, S. 57. *Satzvorlage:* Lauchert, S. 188.
Das Epigramm trägt die Unterschrift: G.C.L.

644 *20 Grabschrift:* Ähnliche gereimte satirische Nachrufe verfaßt Lichtenberg auch B 90. 208. 400. 401; s. auch D 647.

Auf die Montgolfieren

Erstveröffentlichung: »Göttinger Musenalmanach«. 1785, S. 112. *Satzvorlage:* Lauchert, S. 188.
Das Epigramm trägt die Unterschrift: G.C.L.

645 *1 Montgolfieren:* Über die Brüder Montgolfier und ihre Erfindung vgl. zu H 180; s. auch S. 63–75.

Als einige glaubten von dem Verfasser Pedanten gescholten zu sein

Erstveröffentlichung und Satzvorlage: »Aus Lichtenbergs Nachlaß«, Weimar, 1899 S. 129.
Mit dem folgenden Epigramm auf einem Quartblatt überliefert. Undatierbar. Die hier folgenden sieben Epigramme gehören, mit Ausnahme dieses und des nächsten Epigramms vielleicht, vermutlich alle in Lichtenbergs Studentenzeit.

645 *8ff. Pedanten ... gelehrt:* Zu diesem Ausdruck vgl. zu 297, 26.

An Herrn Tischbein

Erstveröffentlichung und Satzvorlage: »Aus Lichtenbergs Nachlaß«, Weimar 1899, S. 129.
Mit dem obigen Epigramm auf einem Quartblatt überliefert. Undatierbar.

645 *13 Tischbein:* Über ein Lichtenbergportrait Tischbeins ist sonst nichts bekannt; natürlich ist der ältere der beiden bekannten Maler gemeint, Johann Heinrich T. (1722–1789), der seit 1754 in Kassel als Hofmaler lebte, wo er seit 1776 auch Akademiedirektor war.

Trostgründe für Clemens wegen dem Tode Theodors

Erstveröffentlichung und Satzvorlage: »Aus Lichtenbergs Nachlaß«, Weimar 1899, S. 129.
Mit den drei folgenden Epigrammen auf einem Quartblatt undatierbar überliefert.

645 *16 f. Clemens … Theodors:* Das Sinngedicht bezieht sich auf Schiebelers in Göttingen 1764 gedrucktes Gedicht »Clemens an seinen Sohn Theodorus, eine Heroide« (Auserlesene Gedichte, S. 12), einen Ermunterungsbrief eines alten Christen an seinen jungen Sohn, der eben vor dem Vater, dem das gleiche Los bestimmt ist, den Märtyrertod sterben soll. Über Daniel Schiebeler vgl. zu C 360.

Auf die Weiber in Göttingen

Erstveröffentlichung und Satzvorlage: »Aus Lichtenbergs Nachlaß«, Weimar 1899, S. 129.
Mit dem vorigen und den beiden nachfolgenden Epigrammen auf einem Quartblatt überliefert. Undatierbar.

Auf eben dieselben

Erstveröffentlichung und Satzvorlage: »Aus Lichtenbergs Nachlaß«, Weimar 1899, S. 130.
Mit den beiden vorhergehenden und nachfolgenden 2 Epigrammen auf einem Quartblatt überliefert. Undatierbar.

646 *5 Göttingen … Eifersucht:* von Lichtenberg verb. aus: »Aus gleichem Grund läßt sie Göttingen offen stehen«.

Auf einen gewissen Herrn

Erstveröffentlichung und Satzvorlage: »Aus Lichtenbergs Nachlaß«, Weimar 1899, S. 130.

Mit den drei vorliegenden Epigrammen auf einem Quartblatt überliefert. Undatierbar.

Geburtstagslied für den Sohn Wilhelm

Dieses Gedicht ist bislang ungedruckt; auszugsweise mitgeteilt bei Promies, a.a.O., S. 136. Es befindet sich im Nachlaß des Göttinger Hs-Archivs, Kasten IV, 2b. Zur Datierung vgl. SK 545, vom 22. Oktober 1793: »Wilhelmchen Burztag. Gedicht von mir.«

646 *21 Geschwisterchen:* Bis Oktober 1793 zählte Lichtenbergs Familie an Kindern: Georg Christoph (geb. 1786), Luise Wilhelmine (geb. 1789), Luise Agnese Wilhelmine (geb. 1.3.1793).
647 *3 Wilhalmchen:* Gemeint ist Christian Wilhelm, geboren 22. Oktober 1791; über ihn vgl. zu SK 233.

Ode an mein Vaterland

Erstveröffentlichung und Satzvorlage: »Aus Lichtenbergs Nachlaß«, Weimar 1899, S. 257.
Dieses Gedicht ist mit den vorhergehenden vier Epigrammen auf einem Quartblatt überliefert. Undatierbar.

647 *21f. Vaterland ... mein Darmstadt:* im 18.Jhdt. noch zur Bezeichnung des Geburtsortes und nicht als politische Staatszugehörigkeit in Gebrauch; vgl. auch 694, 2. 818, 21.

Ew. Wohlgeboren schicke hier

Erstveröffentlichung und Satzvorlage: Ebstein, »Lichtenbergs Mädchen«, München 1907, S. 63–65.
Es handelt sich dabei, ähnlich wie bei dem »Sauerkraut-Gedicht« (IV, Nr. 155, S. 305), um einen Brief in Reimen. Unterschrift: G.C.L. Der Adressat ist nicht feststellbar; die Zeit der Abfassung zwischen 1776–1779 – s. »Hieb auf HE.Lavater« –, womöglich November 1778.

648 *2 Ew. Wohlgeboren:* In Frage kommt wohl eher Albrecht Ludwig Friedrich Meister als Kästner. – *3 versprochene Bier:* Dazu s. F, S. 642 (I): »Den 5ten Nov. 1778. bekam ich mein Bier«: Burton und Dorcester; sollte der Brief in Zusammenhang stehen? – *10 Hieb auf Herrn Lavater:* Über Lavater vgl. zu A 129. – *24 Burton-Ale:* berühmtes engl. Bier, das in Burton-upon-Trent,

einer mittelengl. Stadt in Staffordshire, seit Jahrhunderten gebraut wird. – *28 Nit'r:* Salpeter. – *28 Sulphur:* Vgl. zu 428, 29. – *29 fließend Pulver:* Als »fließendes Brot« bezeichnet Unzer das Bier; Lichtenberg notiert die Metapher KA 199. – *34 Ratio:* Vernunft; hier: Nutzanwendung. – *35 Mathesin:* Mathematik (Akk.).

649 *4 Praeter propter:* Vgl. zu 464, 15.

STAMMBUCHSPRÜCHE

Der Wert dieser Texte liegt in dem Selbstzeugnis, nicht in ihrer etwaigen poetischen oder inhaltlichen Originalität. Lichtenberg folgte ja auch hierin nur der Sitte seiner akademischen Zeit. Mit den hier in chronologischer Ordnung abgedruckten Stammbuchsprüchen ist lediglich zum ersten Mal das versammelt, was inzwischen da und dort und zumeist an entlegener Stelle von Lichtenbergs Eintragungen gedruckt worden ist. Man kann mit Sicherheit annehmen, daß Lichtenbergs Name und probate Devise in einer weit größeren Zahl zeitgenössischer Stammbücher aufzufinden wäre. Man kann mit gleicher Sicherheit davon ausgehen, daß diese Eintragungen, wenn es sich nicht um solche des Studiosus Lichtenberg handelt, den gleichen formelhaften Charakter aufweisen wie die hier abgedruckten Stammbuchsprüche des Herrn Hofrats und Professors Ordinarius Publicus.

Stammbuchspruch 1

Erstveröffentlichung und Satzvorlage: Leitzmann-Schüddekopf, »Lichtenbergs Briefe«, Band 1, S. 394.

Das Stammbuchblatt befand sich 1844 im Besitz des Oberbibliothekars Falkenstein in Dresden und eine diplomatisch genaue Abschrift von seiner Hand im Nachlaß. Empfänger unbekannt.

650 *3ff. Felici ... Scienze:* Glücklich preise ich, die gern sich belehren lassen und Genuß darin finden, ihren Verstand in den Wissenschaften zu üben. – *6 25. Marzo 1764:* Dieses Datum markiert, sieht man von Lichtenbergs Eintragung in der Göttinger Matrikel ab, die früheste erhaltene Selbstäußerung Lichtenbergs.

Stammbuchspruch 2

Erstveröffentlichung (mit Abweichungen): Herbst, »Goethe in Wetzlar«. S. 88. *Satzvorlage:* LB I, S. 394, nach der Abschrift aus Johann Christian Kestners Stammbuch in der Universitätsbibliothek Leipzig.

650 *8 Kestner:* Johann Christian Kestner (1741–1800), studierte 1762–1766 Jurisprudenz in Göttingen, Reichskammergerichtssekretär in Wetzlar, dann Archivsekretär und Hofrat in Hannover, seit 1773 mit Charlotte Buff verheiratet, befreundet mit Hennings und Johann Georg Jacobi. Zu Lichtenbergs Verhältnis zu ihm vgl. seinen Brief an Kestner (IV, Nr. 2, S. 7–9) vom 30. März 1766. – *17 Lichtenberg der jüngere:* So bezeichnet sich Georg Christoph zur Unterscheidung von seinem Bruder Ludwig Christian Lichtenberg, der seit dem 25.11.1763 für ein Jahr in Göttingen studiert hatte.

Stammbuchspruch 3

Erstveröffentlichung und Satzvorlage: Ebstein, »Aus Lichtenbergs Correspondenz«, S. 9. (S. 80) Queroktav-Blatt, 1905, im Besitz Ebsteins.
Adressat unbekannt.

650 *20f. das Weintrinken auf einen besseren Fuß zu bringen:* interessant, daß Lichtenberg bereits 1765 einer ›Pinik‹ das Wort redet, wie er sie dann in der »Methyologie« verwirklichte; s. oben S. 144. – *25 guten Groschen:* Vgl. zu 239, 12. – *26 3ten 8bris 1765:* Diese Eintragung liegt zeitlich zwischen dem ersten und zweiten Heft von Sudelbuch A.

Stammbuchspruch 4

Erstveröffentlichung und Satzvorlage: LB I, S. 394. Stammbuchblatt, queroktav, in der ehem. Königl. Bibliothek Berlin, Sammlung Radowitz, Nr. 7376.
Ist Radowitz der Adressat? Ein Joseph Radovitz immatrikulierte sich am 3. Okt. 1768 in Göttingen als Jurastudent aus Ungarn.

651 *5f. Herrn der Erde, Des Weisen:* Zu dieser Metapher vgl. zu 137, 13. – *7 4ten Octobris 1765:* Vgl. zu 650, 26.

Stammbuchspruch 5

Erstveröffentlichung: Mitteilungen an die Mitglieder des Vereins für Geschichte und Altertumskunde, Frankfurt am Main April 1866, Bd. 3, Nr. 2, S. 114. *Satzvorlage:* LB I, S. 394.
Eintragung aus dem Stammbuch von Friedrich Maximilian Moors (S. 128). Im Original, das mir nicht zugänglich war, ist die Stammbuch-

eintragung mit einer Handzeichnung Lichtenbergs verziert, die ein Grabmal darstellt, auf dem die Worte stehen: »Hier ruht Schilf', Klinge, Bal, Music und Schützenhof.«

651 *15 Moors:* Über Friedrich Maximilian Moors vgl. zu J 319. Er immatrikulierte sich am 2. Okt. 1765 als Jurastudent. – *16 Amico Aspectus:* dem Freunde zur Obacht. – *21 zuweilen jetzo an den Tod denke:* Über Lichtenbergs Selbstmord-Gedanken vgl. zu A 126. – *24f. Campher-Pulver:* Destillat aus dem Holz des in Südostasien heimischen Kampferbaums, galt seit dem Mittelalter als Heilmittel gegen Entzündungen, Durchblutungsstörungen und auch gegen Syphilis. – *25 mit ... Seitenstichen:* Auf diese Krankheit »als Pursch 1766« kommt Lichtenberg noch in einem Brief an Heyne (IV, Nr. 319, S. 450) am 2. Juli 1782 zu sprechen.

Stammbuchspruch 6

Erstveröffentlichung und Satzvorlage: LB I, S. 395. Abschrift aus dem Stammbuch von Johann Christian Polykarp Erxleben, UB Leipzig.

651 *30 Erxleben:* Über Lichtenbergs Studienfreund Johann Christian Polycarp Erxleben vgl. zu E 451. – *32 Pflichten ... die Lessing selbst nur denkt:* Die Anspielung ist unklar. – *33 wenn die Erde bebt:* In der Nacht vom 12. zum 13. April 1767 gab es in Göttingen wie auch an vielen anderen Orten Deutschlands ein Erdbeben, über das, vermutlich von Kästners Hand, ein Bericht in den »Göttingischen Anzeigen von gelehrten Sachen«, 51. Stück, S. 401, vom 27. April 1767 erschien, der zum Teil auf den »Nachrichten zweier hier Studierender, Hr. Erxleben und Hr. Lichtenberg« basiert (s. Deneke, S. 64–65).

Stammbuchspruch 7

Erstveröffentlichung und Satzvorlage: LB I, S. 395. Stammbuchblatt seinerzeit im Besitz von Pastor Belthke in Berlin.

652 *14 Kleist:* Über Ewald Christian von Kleist vgl. zu J 239. Der von Lichtenberg als Stammbuchspruch benutzte Vierzeiler ist die fünfte Strophe des Gedichts »Liebslied an die Weinflasche«, erschienen in »Neue Gedichte vom Verfasser des Frühlings«, Berlin 1758. – *17 Cider:* Dazu macht Kleist selbst die Fußnote: »Ein altes deutsches Wort, das Äpfelmost bedeutet.« – *19 angehenden Hauswirte:* Im Sommer 1767 verließ Lichtenberg sein

bisheriges Studenten-Quartier bei Knauer in der Pauliner-
Straße 3 und zog zusammen mit seinem Zögling Swanton zu
Professor Johannes Tompson in die Weender Straße, weshalb
ich in dem Adressaten Tompson vermute. Über ihn vgl. zu TB
11. – *25 18. Julius 1767:* Vom gleichen Tage ist Lichtenbergs
Schreiben an Hermann Freiherr von Riedesel (IV, Nr. 3, S.9–11)
datiert.

Stammbuchspruch 8

Erstveröffentlichung und Satzvorlage: Ebstein, »Miszellen über Lichtenberg und Bürger.« III. Was schrieb G. C. Lichtenberg in Stammbücher?
In: Zeitschrift für Bücherfreunde. NF VI, 1914. Beilage S. 278–279.

652 *27 Wagner:* Thomas Wagner (gest. 1817), schrieb sich am
9. Okt. 1779 als Jurastudent aus Leipzig an der Georgia Augusta ein, wurde Meusel zufolge 1812 Freiherr, 1816 Ritter des
Königl. Sächs. Civil-Verdienst-Ordens. – *28 Viribus:* Lies im
Text: Vivitur. – *28ff. Viribus ... scribebat:* »Man lebt im Geistigen nur, alles übrige ist des Todes. Ehrenhalber und zur Erinnerung schriebs.« Den gleichen Spruch schrieb Lichtenberg unter
»Göttingen d. 28. Mart. MD.CC.L.XXX« in das Stammbuch
eines Ungenannten. Der Spruch, dessen Herkunft mir unbekannt
ist, findet sich auf dem Porträtkupferstich Dürers von dem Nürnberger Humanisten Pirkheimer 1524, dessen Devise er offenbar
war (Hinweis von Dr. med. Berthold Kern, Stuttgart). – *31
P.P.P.O.:* Abkürzung von: Professor Philosophiae Publicus
Ordinarius (Ordentlicher öffentlicher Prof. der Philosophie);
vgl. auch 653, 6. 13. 22. 30. – *32 MD.CC.L.XXX:* Die Jahres-
zahlen bedeuten: 1780.

Stammbuchspruch 9

Erstveröffentlichung und Satzvorlage: Ebstein, o.c., p. 278.

653 *2 Paulmann:* Johann Ernst Ludwig Paulmann (1760–1830),
imm. am 19. Nov. 1781 als Theologiestudent aus Braunschweig,
Kommissionsrat und Vicarius beim Domstift zu Halberstadt
und St. Cyriaci Vicarius in Braunschweig; war auch schriftstellerisch tätig. Das Stammbuch befindet sich im Städt.
Museum Quedlinburg. – *3ff. Innatum ... scribebat:* »Innewohnt
allen, das Höchste und alles zu wissen, / Um zu wissen, ist kurz
die Regel: habe den Willen zu wissen! / Zu ehrender Erinnerung schriebs.« Das gleiche Zitat schrieb Lichtenberg unter

»Göttingen IV. Cal. Mai MD.CC.LXXVI« in das Stammbuch eines Ungenannten. – *7 P.P.O:* Professor Philosophiae Ordinarius; vgl. zu 652, 31. – *8 Martii:* März.

Stammbuchspruch 10

Erstveröffentlichung und Satzvorlage: »Göttinger Studenten-Stammbuch aus dem Jahre 1786.« In Auswahl herausgegeben und mit einem Vorwort versehen von Wilhelm Ebel. Göttingen 1966, Nr. 35. Das Stammbuch befindet sich in der UB Göttingen.

653 *10 Podmaniczky:* Alexander Baron von Podmaniczky (Lebensdaten unbekannt) aus Ungarn, stud. iur., immatrikuliert am 25.10.1784 in Göttingen bis Herbst 1786. – *11ff. Nunquam ... scribebat:* Niemals ein anderes die Natur, ein andres die Weisheit sagt. / Seiner geneigten Erinnerung sich empfehlend schriebs. – – *14 P.O.:* Professor Ordinarius; vgl. zu 652, 31.

Stammbuchspruch 11

Erstveröffentlichung und Satzvorlage: Ebstein o.c., p. 279. Stammbuch bei C. G. Boerner Auktion Februar 1900.

653 *17 Carus:* Friedrich August Carus (1770–1807), immatrikulierte sich am 2. Mai 1791 in Göttingen, 1795 Baccalaureus der Theologie in Leipzig, später Prof. der Philosophie ebenda; schrieb über philosophische und psychologische Themen. – *18f. Non fingendum ... patiatur:* »Nicht erdichtet oder ersonnen, sondern durch Erfahrung gewonnen werden muß, was Natur schafft oder leidet.« Das Zitat war von mir nicht auffindbar. – *20 Baco de Verul:* Über Francis Bacon vgl. zu C 209. – *21f. Benevolam ... scribebat:* »Seinem geneigten Andenken sich empfehlend schriebs«; vgl. zu dieser Formel auch Stammbuchspruch 10. – *23 Cons. aul. et Prof. Philos. publ. ord.:* Hofrat und ordentlicher öffentlicher Professor der Philosophie. Zu dieser Formel vgl. zu 652, 31.

Stammbuchspruch 12

Erstveröffentlichung und Satzvorlage: Ebstein, o.c., p. 279. Stammbuch seinerzeit im Besitz der Städt. Altertumssammlung in Göttingen. Wiederabgedruckt in: Alt-Göttinger Stammbuchblätter. Ausgewählt und eingeleitet von Walther Hellige. Göttingen 1957.

653 *26 Kayser:* Über Karl Philipp Kayser vgl. zu SK 536. – *27f. Si ad naturam ... opinio:* Wenn du naturgemäß lebst, wirst niemals du arm sein; lebst du nach Meinung der Welt, / wirst du nie reich: weniges nämlich begehrt Natur, Unermeßliches Weltsinn. – *29 Seneca:* Das Zitat war von mir nicht auffindbar. Über ihn vgl. zu B 188. – *30 Memoriam ... scribebat:* Zu dieser Formel vgl. Stammbuchspruch 10. – *31 Cons. ... Ord.:* Zu dieser Floskel vgl. zu Stammbuchspruch 11 (653, 22). – *32 26ten Sept. 1793:* Am gleichen Tag nahm Kayser von Lichtenberg Abschied: s. SK 536.

Stammbuchspruch 13

Erstveröffentlichung und Satzvorlage: Ebstein, »Aus Lichtenbergs Correspondenz«, Stuttgart 1905, S. 2. Nach den »Mitteilungen des Vereins für Anhaltische Geschichte« Bd. V, 1888.

654 *2 Matthisson:* Über ihn vgl. zu SK 592. Die Stammbucheintragung erfolgte vermutlich am 23. April 1794: s. SK 593. – *3 Vere scire est per causas scire:* »Wahres Wissen ist ein Wissen durch Ursachen.« Zitat aus Bacons »Novum Organon«, Aph. 2, Zweites Buch. Über Bacon vgl. zu C 209. Den gleichen Satz schrieb Lichtenberg auch in das Stammbuch eines Unbekannten s. Ebstein, Neue Briefe Lichtenbergs. In: Süddeutsche Monatshefte, 5. Jg. Bd. 2, 1908, p. 317. In den Sudelbüchern zitiert er den Satz J 573; s. auch J 1279.

FABELN

Die hier abgedruckten Fabeln Lichtenbergs stellen keine Auswahl dar, sondern sind die einzigen Exempel seiner Beschäftigung mit einem Genre, das im achtzehnten Jahrhundert in Blüte stand. Lichtenberg versuchte sich in dieser Gattung, wie er sich als Lyriker versuchte. Der geringe Umfang seiner Fabel-Arbeiten erlaubt keinerlei abschließende Wertung über sein Talent. Doch sollte man denken, daß die durch Lessing vorgeführte Pointierung der Prosa-Fabel dem witzigen Kopf Lichtenberg hätte ebenso musterhaft wie nachahmenswert erscheinen müssen. Seine Kenntnis der einschlägigen Literatur ist jedenfalls verbürgt. Er zitiert Lessing, Gellert, Lichtwer, Pfeffel, Äsop, Phädrus und Hyginus, und er reflektiert überdies die Vorzüge der Gattung: s. etwa J 713. 1030. L 418; vgl. ferner 439, 16ff. 692, 40. 697, 13. 830, 1 ff. 853, 13.

Drei Prosaische Fabeln

Erstveröffentlichung: »Göttinger Musenalmanach« 1785, S. 128–131.
Satzvorlage: Lauchert, S. 188–190.
Unter der dritten Fabel stehen in der Druckvorlage die Initialen: G.C.L.

655 *4 Iriarte:* Tomàs de Iriarte – Yriarte schreibt Lichtenberg – (1750–1791), klassizist. spanischer Fabeldichter: »Fábulas literarias« in Versen, erschienen Madrid 1782. Lauchert (a.a.O., S. 188) merkt dazu an: »Mit diesem Hinweis auf Iriarte will Lichtenberg nicht sagen, daß die Stoffe aus diesem entnommen seien, sondern daß er sich an die Art von dessen Fábulas literarias anschließt, und zwar in der Weise, wie F.J. Bertuch dieselben im »Teutschen Merkur« 1784 (2. Vierteljahr, S. 86 ff. 3. Vierteljahr, S. 59 ff.) in Prosa zu übersetzen begonnen hatte. (Dessen Übersetzung der sämmtlichen Fabeln erschien später, Leipzig 1788).«

Der Schuh und der Pantoffel

Im Ausdruck etwas abweichend, wohl im früheren Entwurf, begegnet die Fabel G 145.

655 *15 ff. Gimpels Kommentar ... Truthahns Werke:* In der Anwendung der G 145 abgedruckten Fabel stehen stattdessen die Namen Cramer und Klopstock.

Die beiden Magnetnadeln

656 *10 ff. ungleichnamigen ... gleichnamig:* Dieses Wortspiel und der Vergleich von Magneten mit Liebe und Ehe wird auch von Johann Bernhard Hermann mitgeteilt; s. Eduard Berend, Eine Charakteristik Lichtenbergs von Johann Georg Hermann im März 1789. In: Zeitschrift für Bücherfreunde. NF V, 1914, S. 392.

Das Demantene Halsband und der Strick

Erstveröffentlichung: »Göttinger Musenalmanach« 1787, S. 14.
Satzvorlage: Lauchert, S. 190.
Die Fabel trägt am Ende die Initialen: G.C.L.

656 *23 von dem Europa spricht:* Anspielung auf die ›Halsband-Affäre‹, ein Skandalprozeß (1785/1786), in den der Kardinal L. Prinz von Rohan, Jeanne Gräfin de La Motte-Valois und Cagliostro verwickelt waren. Durch die Affäre wurde der Ruf der Königin Marie Antoinette sehr geschädigt.

Ausführliche Erklärung
Der Hogarthischen Kupferstiche

»Was für ein Werk ließe sich nicht über Shakespear, Hogarth und Garrick schreiben. Es ist etwas Ähnliches in ihrem Genie, anschauende Kenntnis des Menschen in allen Ständen, anderen durch Worte, den Grabstichel, und Gebärden verständlich gemacht.« Diese Eintragung (F 37) datiert vom 8. Mai 1776. Lichtenberg bringt sie sinngemäß in die »Briefe aus England« (s. 330, 13 ff.) ein. Was die Notiz so wichtig macht, ist, daß sie beweist, daß Lichtenberg aus gleichem Anstoß und gleicher Überzeugung hier über Garrick reportierte und da Hogarth kommentierte. Und die Erkenntnis ihrer identischen künstlerischen Potenz erfolgte sozusagen gleichzeitig: in London 1774 bis 1775. Zuvor ist von Hogarth in den Briefen gar nicht und in den Sudelbüchern sehr summarisch einmal von seiner Popularität (KA 277), von Hogarths Schlangenlinie (B 131), von seinen »unverbesserlichen Köpfen« (C 107) die Rede. In London jedoch muß sich Lichtenberg die Werke von Hogarth »ganz vollständig« angeschafft haben (s. IV, S. 284; vgl. auch 989, 14 ff.), und er empfiehlt dem ›deutschen Hogarth‹ Chodowiecki, als er Lavaters Physiognomik konterkarieren will, »nach Hogarths Art das Leben von Liederlichen sowohl als Tugendhaften beiderlei Geschlechts vorzustellen« (s. IV, S. 283, vom 23. Dezember 1776). Diese unausgesprochene Auseinandersetzung mit dem Physiognomen Lavater schwingt in Lichtenbergs ›Besserdeuterei‹ am Beispiel des »Gesichtsmalers« (1040, 32) Hogarth von vornherein mit (s. 295, 2).

Erst im Jahre 1785 hatte Lichtenberg den Plan zu einer ausführlichen Erklärung der Hogarthischen Kupferstiche gefaßt, die in der damals von ihm beabsichtigten Ausgabe seiner »Vermischten Schriften« erscheinen sollte. So wenigstens äußert er sich am 23. März 1785 an Ebert (IV, Nr. 489, S. 633), auch an Johann Gottwert Müller (IV, Nr. 490, S. 634) am 31. März 1785 und ausgiebig am 8. April 1787 an Eschenburg (LB II, Nr. 502, S. 297): »Vielleicht erhalten Sie noch vor Michaelis etwas umständlicheres von mir über diese Wercke, wobey ich Ew. Wohlgeboren und Herrn Hawkin's Bemerckungen mit Danck nutzen werde. Die Schrifft wird sehr frey werden. Haben ja doch *Ehrwürdige* Männer über den Juvenal commentirt.« Lichtenberg verwirklichte diesen Plan einstweilen jedoch so wenig wie die Ausgabe seiner »Vermischten Schriften«. Statt dessen erschienen weiterhin Jahr für Jahr im »Göttinger Taschen Calender« mehr oder minder kurzgefaßte Erklärungen Hogarthischer Kupferstiche, die ich der besseren Übersicht wegen an dieser Stelle aufzählen möchte: es erschien im »Göttinger Taschen Calender« für

1784: »Das Leben einer Liederlichen«
»Herumstreifende Comödianten, die sich in einer Scheune ankleiden«
1785: »Hogarths Leben des Liederlichen, mit Zeichnungen der vorzüglichsten Köpfe erläutert«
1786: »Hogarths Heyrath nach der Mode, mit 33 der interessantesten Köpfe von Hr. Riepenhausen erläutert«
»Hogarths Mitternachts-Club, gemeiniglich die Punsch-Gesellschaft genannt, mit den Köpfen aller eilf Mitglieder von Hr. Riepenhausen erläutert«
1787: »Leichtgläubigkeit, Aberglauben und Fanatismus. Eine gemischte Gesellschaft«
»Ein Wahlschmaus«
1788: »Das Thor von Calais oder der englische Rinderbraten«
»Die Parlaments-Wahl. Zweyte Scene«
»Die Parlaments-Wahl. Dritte Scene. Die Stimmensammlung (polling)«
»Die Parlaments-Wahl. Vierte Scene. Der Aufzug im Triumphsessel (Charing)«
1789: »Ausmarsch der Truppen nach Finchley«
»The laughing audience. Das lachende Parterre«
»Das Collegium medicum. (Consultation of Physicians.)«
1790: »Die Tageszeiten in vier Blättern«
»The sleeping Congregation. Die schlafende Versammlung«
»The distress'd Poet. Der Dichter in der Noth«
1791: »Das Hahnen-Gefecht«
»Finis«
1792: »Die Folgen der Emsigkeit und des Müßiggangs«
1793: »(Columbus breaking the Egg). Eigentlich, Columbus wie er ein Ey auf die Spitze stellt«
»Die Vorlesung. (The Lecture)«
»Southwark-Fair. Der Jahrmarkt von Southwark«
1794: »Frankreich und England«
»Der aufgebrachte Musiker (The provoked musician): Auch, wie auf unserm Exemplar, der Musiker in Wuth (The enraged musician)«
1795: »Die Biergasse und das Branntwein-(Genever-)Gäßchen. (Beerstreet und Gin-lane.)«
1796: »Ein Blättchen von Hogarth (Eine Scene aus Pope's Lockenraub.)«

Wie stolz Lichtenberg auf seine Hogarthischen Kalender-Erklärungen war, geht noch aus 662, 2 hervor, wo er sich rühmt, der erste gewesen zu sein, »der sich auf diesem Wege versucht hat.«

Aus räumlichen Gründen war es nicht möglich, der Empfehlung Laucherts zu folgen und die Kalender-Erklärungen zugleich mit der Ausführlichen Erklärung abzudrucken. In den Anmerkungen wurde aber jeweils genau registriert, wo Lichtenberg in der Ausführlichen Erklärung auf Formulierungen der Kalender-Erklärung zurückgriff, und verschiedentlich auch auf die durch die Zeitumstände veranlaßte geänderte Deutung hingewiesen.

Von 1794 an erschienen die 5 Lieferungen der Ausführlichen Erklärung der Hogarthischen Kupferstiche, welche Lichtenberg noch selbst bearbeiten konnte. Die Einrichtung der graphischen Vorlagen lag in den Händen Ernst Ludwig Riepenhausens, dessen Kunstfertigkeit Lichtenberg überaus rühmte. Wir haben dennoch bei der vorliegenden Ausgabe auf die Kopien nach Riepenhausen verzichtet: zugunsten der eigentlich getreuen Reproduktionen nach Hogarth selbst. Die größere Nähe zum Original erbringt allerdings nicht nur den Vorzug der akkurateren Wiedergabe, sondern auch den durch Hogarths Umzeichnung bedingten Schönheitsfehler, daß zwölf von insgesamt 38 Kupfern im Sinne von Lichtenbergs Erklärung seitenverkehrt sind. Es handelt sich um »Herumstreichende Komödiantinnen«; »Die vier Tags-Zeiten. Der Morgen. Der Abend«; »Der Weg des Liederlichen. 3. 4. 8. Platte«; »Die Heirat nach der Mode. 1.–6. Platte.«

Über sein Kommentier-Werk schrieb Lichtenberg am 20. Februar 1795 (IV, Nr. 680, S. 916) an seinen Vetter: »Ich habe mich zu dieser Arbeit entschlossen meiner Familie wegen. Hiervon künftig mehr. Ich weiß meine müßigen Stunden nicht besser anzuwenden, wie Du mir gerne zugeben wirst, wenn ich Dir im VERTRAUEN sage, daß ich für das erste Heft 30 Louisd'or erhalten habe; ich glaube nach eurem Gelde 720 fl., und das habe ich spielend an etwa 20 Sommer-Morgen zusammengeschrieben. Soll man so etwas nicht tun?« (S. auch 763, 27 ff.). So spielend, wie Lichtenberg es hier tut, kann der Gelderwerb jedoch in Wirklichkeit nicht gewesen sein; wenigstens äußert er andernorts (IV, Nr. 650, S. 870), daß »der Lohn für meine Mühe kontraktmäßig von dem Abgang des Werks« abhänge und er daher auf positive Besprechungen angewiesen sei. Bis zum 31. Juli 1794 sind übrigens bereits gegen 600 Exemplare der Ersten Lieferung verkauft, wie Lichtenberg an Ebert (IV, Nr. 665, S. 893) mitteilt. Ähnliche wie die oben zitierten Äußerungen begegnen häufig in Lichtenbergs Briefen (s. LB III, Nr. 655, S. 109, vom 22. Mai 1794 an Ramberg; IV, Nr. 656, S. 878, vom 29. Mai 1794 an Eschenburg; IV, Nr. 660, S. 884, vom 16. Juni 1794 an Archenholz).

Sie definieren das Hogarth-Unternehmen einerseits als schieres Profit-Geschäft: »Wäre es nicht das geringe Erwerb-Mittel, das es ist, und hinge auf diese Weise nicht die ganze Sache mit der französischen Revolution zusammen, so hätte ich sie schon längst wieder aufgegeben.« Noch am 31. Januar 1799 notiert er in SK 1030, daß Dieterich für die noch nicht vollendete Folge von »Fleiß und Faulheit« im voraus »80 St. Louisd'or« gezahlt habe. Andererseits ist sich Lichtenberg seiner Schreib-Leistung sehr wohl bewußt und für jeden Lobspruch dankbar: »Der Beifall, den Du dem Operi geschenkt hast, ist für mich der größte Triumph. Wahrlich ich verlange keinen größern Lohn ...«, schreibt er am 15. Juni 1795 an seinen Bruder Ludwig Christian (IV, Nr. 692, S. 931).

Was hat Lichtenberg eigentlich zu dieser engen und langjährigen Beschäftigung mit Hogarth veranlaßt? Es gibt eine Passage in der Kalender-Erklärung von »Leichtgläubigkeit, Aberglauben und Fanatismus« (GTK 1787, S. 225), die darüber Auskunft zu geben scheint: »Was den Erklärer dieser Blätter hier vorzüglich aufmerksam gemacht hat, ist das weiche, gestreckte Haar des armen Sünders hinter die Ohren gestrichen. O! er hat diesen so oft gesehen, bey Köpfen die der Kühlung von innen bedurften, daß dieser Zug einer von denen war, die ihn zuerst auf Hogarths Skakespearisch-triebmäßige Beobachtung aufmerksam gemacht haben.« Es ist bezeichnend für Lichtenberg, daß er, um Hogarth positiv zu charakterisieren, ihn in seiner Beobachtungsgabe Skakespeare verwandt hieß – so wie Garrick andernorts. In der Tat verkörpern der englische Dramatiker, der Schauspieler und der Illustrator für Lichtenberg das Kennzeichen des Genies, dessen Welt- und Menschenkenntnis es seinerseits zu einer Art Natur macht, die es zu studieren, auszulegen lohnt – von Kopie ist nicht die Rede. »Naturprodukte« nennt Lichtenberg denn auch 667, 36 Hogarths Werke und vergleicht sie 794, 15 abermals den Werken der Natur.

Aber Lichtenberg beläßt es nicht bei solcher pauschalen Eloge. Er versucht, während er die epischen Bilderbogen Hogarths nacherzählt, zugleich und jeweils eine Beschreibung des Original-Genies Hogarth mitzuliefern. Und die ist so eigenwillig, daß es an dieser Stelle gestattet sei, Lichtenbergs Interpretation von Hogarth – seinen Beitrag zu einer, wie er 1028, 6f. sagt, »künftigen Theorie der hogarthischen Romane« – allein durch die Zusammenstellung des Wortfeldes zu verdeutlichen, das er mit Vorliebe auf diesen Künstler anwendet.

Der »unsterbliche Geist« (877, 31 f.) Hogarths in den »merkwürdigsten Produkten des Genies« (820, 33) offenbart ihn weder als »Schönheitsmaler« (733, 11. 814, 37. 824, 21 f. 897, 4) noch als »Karikatur-Zeichner« (690, 8 ff. 749, 10f. 779, 25. 1022, 18. 1056, 7), wie Lavater behauptet hatte, sondern als »Geschichtsmaler« (1040, 32) und »Seelenmaler«. Seine Ausdrucksweise bezeichnet Lichtenberg gern als »drolligt« (708, 37. 833, 34. 857, 15). Er nennt ihn einen »drolligten Künstler« (971, 37), rühmt seine »drolligten Einfälle, Züge, Gedanken« (702, 3. 685, 12. 831, 4. 833, 34. 1001, 32. 1020, 23), seinen »drolligten Spott« (669, 10). Denn Spottsucht wird Hogarth nicht abgesprochen, wenngleich ebenfalls in gesitteter Form: der »Spötter« Hogarth (816, 33. 831, 6. 944, 30) verfügt demnach über »gutmütigen« Spott (944, 30), »feinen Spott« (834, 18), »launigen Spott« (661, 22. 820, 7). Und das Adjektiv »launig« verweist seinerseits auf ein weiteres von Lichtenberg ebenso häufig gebrauchtes Wortfeld. Dem »launigen Briten« (734, 36) attestiert Lichtenberg »Laune« ganz allgemein (821, 4. 856, 27), insbesondere aber »muntere Laune« (669, 7. 964, 31),

»sonderbare Laune« (968, 35), »mutwillige Laune« (857, 18), »satyrische Laune« (731, 24). Um diese Lichtenbergschen Kernbegriffe gruppieren sich analoge Umschreibungen, wenn er etwa von dem »sonderbaren, dem seltsamen Genie« (665, 15. 805, 19. 994, 8.) und seinen »seltsamen Einfällen« (716, 29) spricht, den »Schöpfer von Witz« (771, 36) als »verschmitzten Mann« (765, 35), als »Schalk« (722, 39. 786, 20. 810, 12. 907, 16) und gar als »Schelm« (816, 37) apostrophiert, dessen »Schalkheit« (715, 27. 805, 23 f.) und »Schelmenaugen« (785, 12) betont und »Mutwillen« immer wieder hervorgehoben wird (687, 12. 729, 4. 734, 37. 770, 7 f. 810, 1. 857, 13. 864, 22. 879, 30. 930, 6. 1050, 27). Andere Charakteristika Hogarths, wie sie Lichtenberg erkannte oder wenigstens zu erkennen glaubte, sind jeweils in den Anmerkungen mitgeteilt. Auf ein Charakteristikum sei jedoch an dieser Stelle hingewiesen, weil es ebenso bezeichnend für den Beobachter Lichtenberg wie den besichtigten Hogarth ist: wiederholt weist Lichtenberg auf die Hogarths Genie vorzüglich beweisenden Details seiner Bildgeschichten hin, jene scheinbar belanglosen Nebensächlichkeiten, die aber sehr bewußtes Kunstmittel sind und die Lichtenberg andernorts als »weggeworfen« positiv notiert: s. auch 783, 14 ff. 828, 2 f. 834, 18 f. 1036, 21 ff.

Wenige Monate vor seinem Tode zog Lichtenberg Bilanz über die von ihm zeither geleisteten Beiträge zur Kenntnis des Menschen aus nichts beschönigender Beobachtung und inspirierter Beschreibung. Er tat es, wie üblich, in sich selbst ironisierender Distanz. Aber die Fakten sprechen für sich und ihn: »Der wie vielte Calender ist das wohl, den Sie da schreiben, und dessen Monathskupfer Sie erklären? ICH. Es ist der zwey und zwanzigste netto. ER. Warten Sie einmahl, 12 mahl 21 ist 252, und die zwey Bildchen da von diesem mitgerechnet, macht 254. Sie haben also 254 Monathskupfer beschrieben und erklärt, und dazu noch die vielen hogarthischen Köpfe gerechnet, macht numero rotundo 300. ICH. Was wollen Sie damit sagen? ER. Damit sagen? Hm: Ich will damit sagen, daß Sie 580 Kupferstiche, und wenigstens 1500 Physiognomien erklärt haben, und am Ende nicht eihnmahl einen Affen von einer kleinen Frölen unterscheiden können.« So weit der Dialog aus der »Erklärung der Kupferstiche« im »Göttinger Taschen Calender« für 1799, S. 219. Wenn Lavater einen Mörder für ein Urgenie erkannte, ist Lichtenbergs Versehen immerhin verzeihlich. Was bleibt, ist die von ihm gewiß nicht ohne – berechtigten – Stolz genannte Summe physiognomischer Steckbriefe, die Lichtenberg nun in der Tat auch diesem Umfang nach Lavater vergleichbar machen und darüber hinaus verdeutlichen, daß die Erklärungen der Hogarthischen Bilder-Romane so gut wie der »Orbis pictus« noch immer in der Auseinandersetzung mit der physiognomischen Schöngeisterei seiner Zeit zu lesen sind, aber gesehen werden wollen als das positive Anschauungsmaterial dessen, was Lichtenberg am Beispiel Shakespeares, Garricks und Hogarths verwirklicht fand.

Schließlich sei noch erwähnt, daß Lichtenbergs Ausführliche Erklärungen – zumindest mit der Ersten Lieferung – gleich denen im »Göttinger Taschen Calender« von Lamy ins Französische übersetzt wurden und in Dieterichs Verlag erschienen.

Für die hiermit erstmals vollständig durchgeführte Kommentierung von Lichtenbergs Hogarth-Erklärungen konnte ich zum Teil auf Vorarbeiten von Wensinger und Coley sowie von Kurt Böttcher zurückgreifen, der 1968 im Buchverlag Der Morgen, Berlin, vier der Ausführlichen Erklärungen mit Ausnahme von »Fleiß und Faulheit« herausgab.

HERUMSTREICHENDE KOMÖDIANTINNEN
DIE PUNSCH-GESELLSCHAFT. DIE VIER TAGS-ZEITEN

Erstveröffentlichung und Satzvorlage: »G.C. Lichtenbergs ausführliche Erklärung der Hogarthischen Kupferstiche, mit verkleinerten aber vollständigen Copien derselben von E. Riepenhausen. Erste Lieferung. Göttingen im Verlag von Joh. Christ. Dieterich 1794.« XXVIII und 270 Seiten. Diese Lieferung umfaßt die Erklärungen des Kupfers »Herumstreichende Komödiantinnen, die sich in einer Scheune ankleiden«, des Kupfers »Eine gesellschaftliche Mitternachts-Unterhaltung im neuesten Geschmack oder die Punsch-Gesellschaft« und der vier Kupfer von »Die vier Tags-Zeiten«.

Zur Entstehung: »Da ich so entsetzlich aufgefordert werde meine Beschreibung heraus zu geben, so bin ich auch jetzt unter der Hand daran, und zwar bloß in der Absicht mir etwas zu verdienen à la Bertuch. Ich werde alles verbessern, das Temporelle und Lokale, das ich eingemischt habe, ausmerzen und vieles zusetzen«, schrieb Lichtenberg am 30. Juni 1792 an Blumenbach (IV, Nr. 619, S. 820). Unter dem 24. und 25. August 1792 (SK 366. 367) liest man von Arbeiten am Hogarth, die aber offenbar nicht von der Stelle kommen. Tatsächlich finden sich bis Februar 1794 im Tagebuch keinerlei Eintragungen, die auf eine Fortsetzung der begonnenen Unternehmung schließen lassen; lediglich von Riepenhausens Kopien ist die Rede. Erst unter dem 14. Februar 1794 – fast anderthalb Jahre später – liest man in SK 588: »zum erstenmal seit langer Zeit viel für Hogarth gesammelt.« Diese Eintragung wird durch eine briefliche Äußerung Lichtenbergs an Eschenburg (IV, Nr. 647, S. 865) vom 25. Januar 1794 bestätigt, wenn er schreibt, daß seine Arbeit *»endlich endlich* ihren Anfang genommen« habe; die darin geäußerte Hoffnung, daß das erste Blatt, das die Komödianten vorstellt, in 14 Tagen vollendet sein werde, erwies sich augenscheinlich jedoch als voreilig: will man eine Eintragung vom 4. März 1794 (SK 597) auf Lichtenbergs Erklärung und nicht auf

Riepenhausens Kupfer beziehen, wozu ich eher neige, so wäre dieses Datum der frühest genannte Zeitpunkt der Fertigstellung der Ersten Platte: »Brief an Kästner nebst strolling actresses«. Es spricht mehr dafür, daß Lichtenberg im März erst die eigentliche Schreib-Arbeit an dem Komödianten-Blatt aufnahm. Am 18. März 1794 (SK 601) notiert er: »viel Hogarth«, am 19. März (SK 602) abermals: »Viel Hogarth geschrieben«, am 24. März (SK 606) dagegen: »Hogarth rückt nicht vor.« Erst am 3. April erfolgt die nächste Eintragung (SK 611): »Viel Hogarth«. Und diese Notiz möchte ich nunmehr schon auf die Arbeit an der »Punsch-Gesellschaft« beziehen, wozu Lichtenbergs Brief an Eschenburg (IV, Nr. 650, S. 869 bis 870) vom 12. April 1794 Anhaltspunkte bietet. »Es sind nun 3 Platten fertig und die 4te erwarte ich alle Tage«, heißt es darin zunächst; gemeint sind die Kupfer der Komödiantinnen, der Punsch-Gesellschaft und »Morgen« und »Mittag« der »Tags-Zeiten«. Lichtenberg fährt fort: »Alsdann müssen noch 2 vor der Messe gemacht werden. Wenns nur nicht zu spät wird und Riepenhausen und ich gesund bleiben.« Die Blätter »Abend« und »Nacht« der »Tags-Zeiten« waren demnach Mitte April noch nicht gestochen. Dafür kann Lichtenberg aber mitteilen: »Von meiner Erklärung [scil. der Punsch-Gesellschaft], die sehr umständlich ausfallen wird, sind auch schon 2 Bogen abgedruckt.« Unter dem gleichen Datum notiert Lichtenberg im Tagebuch (SK 615), daß der erste Bogen von Hogarth aus der Druckerei gekommen sei, nachdem am 9. April (SK 614) das erste Manuskript zum Hogarth in den Satz gegangen war. Am 16. April (SK 617) erfolgt der »erste würkliche Abdruck«, was doch wohl bedeuten soll, daß Lichtenberg die ersten Bogen imprimiert hat, während er noch bis Ende April weiterhin an der »Punsch-Gesellschaft« schreibt. Denn erst am 1. Mai (SK 626) kann er vermerken: »Ich viel Hogarth und Punschgesellschaft geschlossen«! Gesetzt den Fall, daß Lichtenberg kontinuierlich gearbeitet hat, bleiben demnach für die Ausarbeitung der vier »Tags-Zeiten« acht Tage, denn bereits am 9. Mai (SK 628) meldet Lichtenberg: »Hogarth geendigt ohne die Vorrede«, die er offenbar am 12. Mai fertigstellt. An diesem Tag auf jeden Fall ist, wie SK 631 mitteilt, »Hogarth ganz vollendet!!«

Hält man sich diese Daten vor Augen, die den Schluß nahelegen, daß die eigentliche Schreibarbeit Lichtenbergs sich auf knapp zwei Monate zusammendrängte, versteht man sein eigenes nachträgliches Urteil, das er am 29. Mai 1794 Eschenburg mitteilte (IV, Nr. 656, S. 878): »Die Materialien waren da, aber das ganze Leimwerk, der Mörtel, wurde im Garten in der Eile angemacht, und so ging es zettelweise nach der Druckerei.« Dennoch war die Erste Lieferung noch nicht fertig, als Dieterich auf die Frühjahrsmesse nach Leipzig fuhr (s. IV, S. 892).

Auch wenn Lichtenberg »viel schalen Witz darin« bemängelte (IV, 877) und sich am liebsten »auf dem Titul für einen Dorfpastor adjunctus« ausgegeben hätte (s. IV, S. 874), versendet er eine Reihe von Dedikationsexemplaren: am 20. Mai (SK 635) an Kästner und Blumenbach (die einzigen Bekannten, denen in Göttingen die Ehre zuteil wird: s. IV, 881, LB III, Nr. 659, S. 114–115, vom 14. Juni 1794, an Dieterich), am 22. Mai an von Ende und Ramberg (SK 637), dem er (LB III, Nr. 655, S. 109) gesteht: »Meine gantze Absicht bey diesem Ding ist, mir etwas zu verdienen, das ich sehr nöthig habe. Nichts weiter. Schlägt mir dieses Fehl, so setze ich keine Feder weiter an. Können Sie es also einigermaßen empfehlen: so thun Sie es, liebster Freund, mir zu Liebe. Das Bißchen Profit, das heraus kömt, ist größtentheils mein.« (S. auch IV, Nr. 657, S. 880, vom 8. Juni 1794). Ramberg sandte Lichtenberg daraufhin – ein peinliches Mißverständnis – offenbar ein Geld-Präsent von einem Dukaten (s. LB III, Nr. 658, S. 114, vom 12. Juni 1794). Weitere Exemplare des »Früchtchen« (IV, S. 877) schickt Lichtenberg an Goethe, Kant, Archenholz (IV, S. 885), Weiße »wegen der Bibliothek der schönen Wissenschaften«, an Ebert (s. IV, Nr. 665, S. 893, vom 31. Juli 1794) und Eschenburg (s. IV, Nr. 650, S. 870, vom 12. April 1794; Nr. 656, S. 877, vom 29. Mai 1794).

Insgesamt sandte Lichtenberg Freiexemplare an »einige Verwandte« wie seinen Bruder Ludwig Christian und seinen Vetter und hauptsächlich an Gelehrte, »die mich ebenfalls mit ihren Operibus beehren, die ich offt gar nicht einmal lese. Es versteht sich, daß ich nur blos die sogenannten *schönen* Geister unter diesen versorgt habe.« (an Ramberg, LB III, Nr. 662, S. 119, vom 19. Juni 1794).

Rezensionen: Eschenburg in der »Allgemeinen Literatur-Zeitung« 1794, III, S. 162–167; Kästner in den »Göttingischen Anzeigen von gelehrten Sachen« 1794, S. 889–892.

Lichtenberg las Eschenburgs Rezension am 3. August 1794 laut Tagebuch. An Ebert schrieb er (LB III, Nr. 668, S. 127) am 4. oder 5. August 1794: »Herrn HofRath Eschenburg sagen Sie nur, ich würde es ihm gedencken, daß er mich im Angesicht von Deutschland in der Literatur Zeitung so fürchterlich *gestriegelt* hätte.« (Vgl. auch IV, S. 870, 878.)

659 *2f. Hogarth ... distant age:* »Hogarth steht unerreicht, und noch in fernster Zeit soll ungeschmälert Lob zuteil ihm werden.« Die beiden Zeilen entstammen der poetischen »Epistle to William Hogarth«, v. 567–568, geschrieben Juli 1763. Lichtenberg gebraucht den Zweizeiler auch bei der Zweiten und Dritten Lieferung als Motto (s. S. 727. 819). Das Motto steht in der Druckvorlage auf einer Extraseite hinter dem Titelblatt. – *4 Churchill:* Über Charles Churchill vgl. zu F 123.

660 *6f. den besten ... Auslegern:* Lichtenberg zählt sie S. 665–666 auf. –

8 Bemerkungen einiger Freunde: Unter den Londoner Freunden ist in erster Linie an Irby zu denken, vielleicht auch an Greatheed (s. auch S. 663. 667); einen Fall für sich bildet der Engländer Hawkins, den Lichtenberg in Deutschland kennenlernte: »Von den mir ehedem von ... Herrn Hawkins mitgeteilten Bemerkungen werde ich, als wahren Mustern von Erinnerungen Gebrauch machen« (IV, Nr. 650, S. 870, vom 12. April 1794). In Deutschland ist vornehmlich an Eschenburg zu denken, den Lichtenberg 667, 10 namentlich erwähnt. – *11f. Erklärungen dieser Werke im hiesigen Taschen-Kalender:* Lichtenbergs Erklärungen der Hogarthischen Kupferstiche erschienen seit 1783 im »Göttinger Taschen-Kalender«; eine Aufstellung habe ich oben in der Einleitung S. 319 gegeben. – *13f. von mir weggeworfen erschienen:* Zu diesem Ausdruck, mit dem Lichtenberg kreativen Einfallsreichtum zu definieren pflegte, vgl. zu 281, 2f. – *26 Antichambre:* Vorzimmer. – *26f. mein heil. Christ:* So pflegt Lichtenberg scherzhaft seinen »Göttinger Taschen Calender« Bekannten und Freunden gegenüber zu bezeichnen, denen er ihn gern als Weihnachts-Präsent übersandte: s. etwa in den Briefen (IV, 633. 804). – *31 incuriae:* incuria: Nachlässigkeit, Sorglosigkeit. Lichtenberg gebraucht den Ausdruck in gleichem Zusammenhang auch in den Briefen (IV, S. 879). – *31f. curas posteriores:* spätere, nachträgliche Sorgfalt.

661 *9f. eine gewisse Laune:* Zu diesem Begriff vgl. zu 410, 6. – *11ff. Was der Künstler da gezeichnet ...:* Diesen Gedankengang greift Lichtenberg 820, 11 ff. wieder auf. – *15ff. Hieben ... auf Klassen:* Zu diesem satirischen Grundsatz vgl. 542, 17f. – *20 Alltags-Moral:* Ähnliche Wortbildungen begegnen D 90. C 330. F 106 und 770, 13 f. – *21 Trankenbarische Missions-Prose:* Trankebar, an der Ostküste Indiens gelegen, war von 1616 bis 1845 dänische Kolonie. 1705 wurde dort von Friedrich IV. von Dänemark eine protestantische Mission errichtet, in der zum großen Teil deutsche Geistliche aus dem Halleschen Waisenhaus ihren Dienst ausübten. Zahlreiche Erbauungsschriften wurden in dieser Mission verfaßt. Lichtenberg gebraucht den Ausdruck: *Tranquebar* auch G 12, wo er von »Physiognomischen Missionsberichten« redet. – *21f. Hogarths launigem Spott:* Dazu vgl. oben S. 321. Lichtenberg zitiert diesen Satz ungenau auch 820, 7f. – *24f. in Knittel-Versen sehr viel Gutes sagen:* Dazu vgl. zu 617, 2 und ferner 710, 12 ff. zu Butlers und Ansteys Versart. – *35f. Hinc illae lacrimae:* »Daher jene Tränen«; Zitat nach Terenz, »Andria« I, 1, 19. Lichtenberg zitiert die Worte auch in den Briefen (IV, 600. 625). – *37 Sukzeß:* Erfolg.

662 *4f. Ireland ... sieben Jahre neuer:* Lichtenbergs erste Erklärung Hogarthischer Kupferstiche war Herbst 1783 im »Göttinger Taschen Calender« für 1784 erschienen; über Ireland vgl. 666, 28

und die Anm. dazu. – *7f. ehe ich sein Werk ... gesehen:* Darüber vgl. zu 666, 28. – *9 seine englischen Vorgänger:* Vgl. S. 666. – *14 in seinem Vortrage ... zu festlich:* Zu diesem Ausdruck vgl. zu 326, 20 f. – *14 Pegasus:* im griech. Mythos das aus dem Rumpf der Medusa entsprungene Flügelroß, das bei neueren Dichtern seit der Renaissance als Musen- oder Dichterroß erscheint; s. auch 796, 37. – *16 f. festlich-spanischen Kron-Marschalls-Trab:* Eine ähnliche Wendung begegnet 423, 4; s. ferner 578, 28 f. – *19 f. in meinen Erklärungen ... ausgeschweift:* Über den Begriff vgl. zu 65, 1; im übrigen s. auch 944, 34. 1006, 5. – *23 Garten von Herrenhausen und ... Theater:* Der Große Garten der ehemaligen Sommerresidenz des Hauses Hannover, ein Musterbeispiel barocken frz. Gartenstils, in Hannover wurde 1709 vollendet, das noch heute bespielte Gartentheater entstand 1683 bis 1693. – *30 ff. Plinius ... nicht Zeit einen kurzen Brief zu schreiben:* Die Stelle konnte von mir nicht ausfindig gemacht werden. Lichtenberg zitiert die Worte in einem Brief an Girtanner (IV, Nr. 290, S. 413) vom 9. Mai 1781 als Bonmot Schlözers! Über Plinius den Jüngeren vgl. zu F 646.

663 *3 ich, mit der Achtung:* von mir verb. aus: *ich, mit mit der Achtung.* – *10 Ziererei:* Zu diesem Ausdruck vgl. F 1112; Lichtenberg gebraucht ihn auch 705, 20. 855, 18 – *10 f. nicht auf eigenen Antrieb:* Vgl. zu dieser Äußerung noch S. 797 und an Blumenbach (IV, Nr. 619, S. 820) am 30. Juni 1792. – *18 nur gewisse Dinge sagen:* Dazu vgl. 757, 12. – *21 häufiger Umgang mit Engländern:* nämlich als Hofmeister engl. Studenten in Göttingen und auf seinen beiden England-Reisen; s. auch 660, 8. 667, 7 ff. – *27 schwankenden Gesundheits-Umständen:* Dazu vgl. Briefe (IV, S. 860. 865. 883) und ganz allgemein SK. – *32 f. meine Freunde mögen zusehen ...:* Laut Brief an Eschenburg (IV, Nr. 656, S. 878) vom 29. Mai 1794 gehen »die merkwürdigen Worte« Lichtenbergs »namentlich auf Sie« (im Original fettgedruckt). – *34 f. Hogarth ... Zweideutigkeiten:* Dazu vgl. Briefe (IV, S. 572. 688).

664 *2 in usum Delphini:* für den Gebrauch des Dauphins (des frz. Kronprinzen); Ausgaben der alten Klassiker, in denen auf Geheiß des von Ludwig XIV. 1668 zum Gouverneur des Dauphins ernannten Herzogs von Montausier die anstößigen Stellen aus dem Text eliminiert waren; danach im übertragenen Sinne gebräuchlich. Lichtenberg gebraucht die Wendung auch K 215 und GTK 1788, S. 118, »Das Thor von Calais«, wo er schreibt: »in usum delphini übersetzt«; s. ferner 1060, 34. – *5 f. die armen autores classicos zu kastrieren:* An dieser Einrichtung klassischer Autoren waren Bossuet, Huet und Mme. Dacier beteiligt. – *7 in eundem usum:* zu demselben Gebrauch. – *15 docendo ... dedocendo:* durch Beibringen ... Abgewöhnen. – *17 der selbst Vater ist:* Über Lichtenbergs ›Vater-Ideologie‹ der neunziger Jahre

geben die Briefe jenes Jahrzehnts hinlänglich Auskunft. – *26 eine kleine Erkenntlichkeit zufließen zu lassen:* Zu dieser Redewendung ›offensiver Kritik‹ vgl. F 141; s. auch 417, 29f. – *28f. Handwerks-Phrase der Klotzischen Schule:* Über Christian Adolf Klotz und seine gelehrten Händel vgl. zu 602, 32; s. auch 853, 13. – *32f. Worten des Erasmus ... Si quis ... certe metum:* »Sollte es jemanden geben, der sich getroffen fühlt, der verrät entweder sein schlechtes Gewissen oder sonst sicherlich Furcht.« Zitat aus »Lob der Torheit«, Brief des Erasmus an seinen Freund Thomas Morus (Reclam UB 1907/08, 1949, S. 12); geschrieben 1508. Über Erasmus vgl. zu 306, 23. – *35f. Vorwurfe ... den man mir schon ehemals gemacht:* Von wem dieser Vorwurf stammt, ist nicht bekannt; s. auch 772, 11ff.

665 *7f. auf dem 6ten Blatt dem Schermesser die Figur gab:* Vgl. dazu 724, 17f. – *9f. die Vergleichung zu machen:* Das Winkeleisen ist das Zeichen des Freimaurers. – *14 gesucht:* Diesen Ausdruck gebrauchte Lichtenberg auch 770, 12. 994, 12f. und K 200. – *15 sonderbaren Genies:* Dazu vgl. oben S. 322. – *17 Kopien unsers Herrn Riepenhausen:* Die Arbeit Riepenhausens rühmt Lichtenberg auch an Eschenburg (IV, Nr. 650, S. 869–870) am 12. April 1794; an Goethe (IV, Nr. 653, S. 874) am 18. April 1794; an Ramberg (LB III, Nr. 655, S. 109–110) am 22. Mai 1794. Über Ernst Ludwig Riepenhausen vgl. zu J 913. – *32f. oft auf meine Vorgänger bezogen:* Vgl. das Personenregister.

666 *2 Roucquet:* André Rouquet (1701–1758), frz. Miniaturbildnismaler und Kunstschriftsteller, lebte ca. 30 Jahre in London, genannt »Le Raphael de l'émail«. Übrigens trägt das in der Staats- und Universitätsbibliothek Göttingen befindliche Exemplar – Signatur 8° Art. plast. VI, 35 – auf dem Schmutzblatt vor der Titelseite handschriftliche Eintragungen zur Verfasserfrage dieser Broschüre unter Bezugnahme auf Walpole, der abermals ebenda, S. 45, am Rand angeführt wird. Die Handschrift habe ich einwandfrei als die Lichtenbergs identifizieren können! Vermutlich gelangte das Exemplar aus seinem Besitz auf der Versteigerung nach seinem Tode in die Bibliothek. – *3 Marschall Belleisle:* Charles Louis Auguste Fouquet, (1684–1761), seit 1748 Herzog von Belle-Isle, frz. Marschall und Befehlshaber der frz. Armee im Österreichischen Erbfolgekrieg, befand sich 1744 bis 1745 in engl. Kriegsgefangenschaft. – *5 Erklärungen ... von 4 Hogarthischen Werken:* Es handelt sich um: The Harlot's progress; The Rake's progress; Marriage à la mode; The Marsh to Finchley. – *8 verkuhbacht:* in Lichtenbergs Sprachgebrauch so viel wie: verballhornt; abgeleitet von dem Namen: Cubach, vgl. über ihn zu J 261. Lichtenberg gebraucht die Namensabwandlung 562, 23. – *8 Trusler:* John Trusler (1735–1820), engl. Geistlicher, Mediziner, Buchdrucker und vielseitiger Schrift-

steller. Der Titel lautet: »Hogarth Moralized. Being a complete Edition of Hogarth's Works ...«, London 1768. Mit 78 Tafeln; eine deutsche Übersetzung erschien Hamburg und Leipzig 1769 unter dem Titel: »Die Werke des Herrn William Hogarth in Kupferstichen Moralisch und Satyrisch erläutert«. – *11 Essay on Prints. By ... Gilpin:* William Gilpin (1724–1804), engl. Geistlicher, Reiseschriftsteller und Zeichner, Verfasser theolog. und biographischer Schriften. Der »Essay upon [wie es richtig heißt] Prints« erschien London 1768 in zweiter Auflage. – *12f. Ich besitze ... deutsche Übersetzung:* »Abhandlung von Kupferstichen, worin die allgemeinen Grundsätze der Regeln der Malerey abgehandelt werden«, übersetzt von Johann Jacob Volkmann, erschienen Frankfurt und Leipzig 1768. Das Exemplar befindet sich nicht in der Staats- und Universitätsbibliothek Göttingen. – *16f. Anecdotes of Painting ... Walpole:* Die 5 Bände erschienen 1762, 1763 und 1777. Über Hogarth wird in Band 4 (Strawberry Hill 1777), Kap. IV, S. 68–83 berichtet. Über Horace Walpole vgl. zu D 666. – *16f. George Vertur:* bedeutender engl. Kupferstecher und Antiquar (1684–1756); aus seinen Materialsammlungen zu einer Geschichte der Künste in England kompilierte Horace Walpole die »Anecdotes«. – *20ff. Biographical Anecdotes ... Nichols:* Gemeint sind die »Biographical Anecdotes of William Hogarth; and a Cataloque of his Works chronologically arranged; with occasional Remarks«, London 1781; die zweite und verbesserte Auflage erschien 1782; die dritte, vermehrte und verbesserte Auflage 1785; eine vierte Auflage konnte ich nicht nachweisen. Verfasser sind: George Steevens, Isaac Read und John Nichols (1745–1826), engl. Buchdrucker und Schriftsteller in London, Verleger und u. a. Drucker der »Philosophical Transactions«; seit 1792 Herausgeber des »Gentleman's Magazine«. Lichtenberg erwähnt ihn in einem Brief (IV, 688) vom 12. Nov. 1786: »Er gibt gute kritische Nachrichten von Hogarths Werken, aber in dessen Geist und Laune dringt er selten ein.« – *23 An Explanation ...:* Der Verfasser war auch im »Dictionary of Anonymous and Pseudonymous English Literature« von Kennedy, Smith, Johnson nicht zu ermitteln. – *28 Hogarth illustrated by John Ireland:* Am 30. Juni 1792 notiert Lichtenberg in SK 347 »Irelands Hogarth durchgesehen.« S. auch SK 435 und 662, 4. Sein Urteil über das Werk erhellt aus dem am gleichen Tage an Blumenbach geschriebenen Brief (IV, Nr. 619, S. 820), der ihm das Exemplar geliehen hatte. Über John Ireland vgl. zu J 1060. – *31 zweite Ausgabe:* Sie erschien London 1793; ein Supplementband erschien 1798. – *31f. aus Journalen ersehe:* An welche Zeitschrift Lichtenberg denkt, war nicht zu ermitteln. In Frage kommen etwa das »Gentleman's Magazine« oder das »European Magazine«.

667 *7 ff. Engländern ... mit denen ich ... durchgeblättert:* Vgl. zu 660, 8; s. auch 663, 21. – *10 Eschenburg:* Über ihn vgl. zu F, S. 455 (I). Wie sehr Eschenburg die Hogarth-Erklärungen Lichtenbergs mit seinen einschlägigen Kenntnissen unterstützte, geht bereits aus Lichtenbergs Brief an ihn (IV, Nr. 494, S. 638–641) vom 13. Juni 1785 hervor; vgl. ferner an Eschenburg (LB II, Nr. 502, S. 297) vom 8. April 1787: »Da Ew. Wohlgebohren Anmerckungen und Verbesserungen sich für mein Gefühl so ausnehmend auszeichneten, so bitte ich inständigst, wenn noch etwas zurück ist, es mir gütigst mitzutheilen, ohne Einleitung, schlechtweg, denn selbst Verweiße, uneingekleidet, nehme ich von einem Manne von Ihren Talenten danckbarlich an, ...«. S. ferner die Briefe vom 25. Januar 1794 (IV, Nr. 647, S. 865); vom 12. April 1794 (IV, Nr. 650, S. 870); vom 29. Mai 1794 (IV, Nr. 656, S. 877–879). – *25 ff. Werken des Witzes ... Unverwesliches:* Dazu vgl. Lichtenbergs Reflexion in K 177; s. auch 690, 9 ff. – *36 Hogarths Naturprodukten:* Dazu vgl. oben S. 321.

668 *1 f. Künftige Michaelis-Messe ... Heirat nach der Mode:* Entgegen dieser Ankündigung, die Lichtenberg auch gegenüber Eschenburg (IV, Nr. 656, S. 879) am 29. Mai 1794 macht, erschien »Marriage à la mode« erst als Vierte Lieferung 1798. Die Gründe für diese Verzögerung sind unten S. 410 mitgeteilt; s. auch 728, 2 ff. – *1 Michaelis-Messe:* Um den Michaelistag (29. September), der in verschiedenen Landschaften als Sommerende und Ernteschluß galt, pflegten Kirchweihen und Herbstmessen stattzufinden. Hier ist die Herbstmesse des Buchhandels in Leipzig gemeint. S. auch 611, 2. 728, 5. – *3 im Mai 1794:* Laut SK 631 wurde die Vorrede am 12. Mai 1794 vollendet.

669 *7 muntere Laune:* Dazu vgl. oben S. 321. – *9 Lombre-Karte:* Vgl. zu 454, 10. – *10 drolligsten Spottes:* Dazu vgl. oben S. 321. – *11 Ceres:* altital. Göttin des Wachstums der Ackerfrüchte, insbesondere des Getreides; s. auch 685, 18. – *12 füßelt, schwänzelt:* Vgl. zu dieser Wortbildung C 185 und Lichtenbergs Ausführungen F 1026; s. auch 701, 4: *schwänzelt.* – *15 lachenmachender Materie:* Diesen Ausdruck gebrauchte Lichtenberg schon an Kaltenhofer (IV, Nr. 51, S. 108) am 27. Nov. 1772; von »Lachen erregender Materie« spricht er in »Bemerkungen über ein paar Stetten in der Berliner Monathsschrift für den Dezember 1783« im »Gött. Magazin« 1784. Die Prägung ist vermutlich von Muschenbroeks Begriff: *kaltmachende Materie* beeinflußt. Lichtenberg gebraucht den Ausdruck auch 729, 8. – *17 des Armuts:* Im Mhd. war das Wort sowohl als Femininum wie als Neutrum gebräuchlich, das Grimms Deutsches Wörterbuch noch bei Rabener, Gellert, Lessing, Tieck nachweist.

670 *1 Mamsell d'Eon:* vermutlich nicht, wie Lichtenberg annimmt, eine Frau, sondern der Chevalier d'Eon (1728–1810); Diplomat

unter Ludwig XV., der oft in Frauenkleidern auftrat und über dessen wahres Geschlecht Wetten abgeschlossen und Prozesse geführt wurden; s. auch 194, 24. 678, 25. – *4f. unerbittlichen Zensor:* entsprechend Lichtenbergs Druckfehlerverzeichnis am Schluß der Druckvorlage verb. aus: *unerbittlichen, Zensor.* – *10 Strichvögelchen:* Diesen Ausdruck gebraucht Lichtenberg auch 478, 20. – *16 Quadratfuße:* früheres Flächenmaß unterschiedl. Größe zwischen 8 und 10 dm². – *19 Quadratruten:* altes Längenmaß, 10 bis 18 Fuß: etwa 3 bis 5,4 m. – *22 Elsasser Capwein:* Kapweine, Weine von der Südwestküste der Kapprovinz in Südafrika, hauptsächlich Weißweine; der Weinbau wurde 1653 von den Hugenotten eingeführt. – *23 The devil to pay in Heaven:* Vgl. zu 371, 11 f. – *26 Jupiter:* Vgl. zu 421, 33. – *26 Juno:* in der röm. Mythologie Gattin Jupiters, die Göttermutter; ihr Symboltier: der Pfau. – *26 Diana:* Vgl. zu 626, 4. – *26 Flora:* Vgl. zu 633, 1. – *26 Sirene:* Meerjungfrau. – *26 Aurora:* Göttin der Morgenröte. – *27 Cupido:* röm. Liebesgott. – *30 Coffey:* Über Charles Coffey vgl. zu RA 205. – *30 Mottley:* John Mottley (1692–1750), engl. Dramatiker; die Comic opera »The Devil to pay« wurde am 6. August 1731 in Drury Lane uraufgeführt. Mottley ist übrigens auch der Verfasser von »Joe Miller's Jests«; s. dazu 858, 5. – *31 Jevon:* Thomas Jevon (1652–1688), engl. Schauspieler und Dramatiker; Lichtenberg verwechselt die Farce von Coffey und Mottley mit Jevons erfolgreichem »The Devil of a Wife«, uraufgeführt 1686, der zu der Farce lediglich den Grundstock lieferte. – *33 f. auf unser Theater verpflanzt:* Die engl. Vorlage wurde unter dem Titel »Der Teufel ist los« mit dem Libretto von Weiße und in der Vertonung von Hiller einer der größten Publikumserfolge des dt. Theaters im 18. Jh. Eine Aufführung des Singspiels am 17. Juli 1776 in Bovenden erwähnt Lichtenberg in den Briefen (IV, S. 270); die Arie »Ohne Lieb' und ohne Wein« gehörte zu seinen Lieblingsweisen. – *38 Companion to the Playhouse:* »The Companion to the playhouse, or, an historical account of all the dramatic writers (and their works) that have appeared in Great Britain and Ireland, from the Commencement of our theatrical exhibitions, down to the present year 1764: composed in the form of a dictionary ...«, erschienen London 1764 in 2 Bdn., wurde verfaßt von David Erskine Baker.

671 *2 Parlaments-Akte:* Die Verordnung gegen Wanderschauspieler wurde 1737 erlassen. – *5 drei bis viermal ... zum letzten Male spielten:* Dieser Gedanke ist F 1134 entlehnt. – *6 armen Teufel:* Über diesen Ausdruck vgl. zu 214, 31. – *16 f. unrecht tun zu können, muß man die Rechte studieren:* Ähnlich schreibt Lichtenberg auch 244, 36 f.; vgl. die Anm. dazu.

672 *1 Welgerholz:* Klopfholz, Walzholz, Stößel. – *3 Antichamber:* Vgl. zu 660, 26. – *6 f. Hogarth ... in seinem Jahrmarkt zu Southwark:*

Den berühmten Kupferstich Hogarths erklärte Lichtenberg unter dem Titel »Southwark-Fair. Der Jahrmarkt von Southwark« im »Göttinger Taschen Calender« für 1793, S. 180–196. Auf S. 195 der Erklärung schreibt er: »Bey diesem Umsturz kommt eine Salzbüchse und ein Welgerholz (rolling pin) zum Vorschein, womit man bey manchen Gelegenheiten in England eine Art von Janitscharenmusic macht.« – *12 Contre-Rolle:* svw. Kontrolle. – *21 Exklamationszeichen:* Diesen Ausdruck gebraucht Lichtenberg auch 884, 25f. 887, 9. 957, 9. 966, 10. Ähnliche Wort-Bildungen begegnen auch 700, 3. 1011, 23. – *24 der Bourbonschen Linie zu Ehren:* Hogarths ›Gallophobie‹ findet sich auf fast allen Werken ins Bild gebracht und wird von Lichtenberg im allgemeinen zeitpolitisch nutzbar gemacht. Auf das hier vorliegende Blatt kommt Lichtenberg noch einmal S. 711 zu sprechen und teilt dort die – aktualisierte – Deutung eines Freundes mit, der das Blatt auf die Französische Revolution hin auslegt. S. auch 710, 32. 816, 35ff. 950, 16ff. 1043, 35f. Zu diesem Thema vgl. auch Lichtenbergs Erklärung von Hogarths »Southwark-Fair« (GTK 1793, S. 196), wo er bemerkt: »Auf dem Original befinden sich noch einige muthwillige Ausfälle auf das damahlige Frankreich und seinen Hof. Der Erklärer dieser Blätter kann sich aber unmöglich überwinden auch nur ein Wort davon zu sagen, so sehr auch die gewiß unschuldige Absicht dieses Aufsatzes so etwas entschuldigen würde. Frankreich ist jetzt kein Gegenstand für die Satyre mehr!« Bemerkenswert ist ferner sowohl Hogarths wie Lichtenbergs Wahl des Themas »Frankreich und England« im »Göttinger Taschen Calender« für 1794, S. 194–207. – *24f. französischen Haarbeutel:* schwarzseidenes Säckchen für den gepuderten Zopf der männlichen Frisur oder das Hinterhaar einer Beutelperücke im 18.Jh. S. auch 696, 7. 712, 19. 739, 14. 838, 29. – *26 Alexanders Helm:* Der Helm Alexanders des Großen (über ihn vgl. zu KA 140) wird auch in »Southwark-Fair. Der Jahrmarkt von Southwark« (GTK 1793, S. 183) als Schauspieler-Requisit spöttisch erwähnt. – *27f. den Erdkreis beben machte:* Diese Wendung, bezogen auf Alexander den Großen, begegnet auch in der oben zitierten Kalender-Erklärung (GTK 1793, S. 183). – *32 neufränkische Grundsätze:* Vgl. zu 463, 38f. – *35 impavidum ... ruinae:* Vgl. zu 577, 23.

673 *17f. velut ... minores:* »wie der Mond aus kleineren Lichtern«; Zitat aus Horaz, »Oden«, I, 12, 47; Lichtenberg zitiert die Zeilen auch J 838 als Charakteristik Kästners. – *19ff. Insignien ... halbe Mond:* Diana war als Mondgöttin verehrt; vgl. zu 626, 4. – *24 eine verkehrte Welt:* Dazu vgl. zu B 170. – *30f. Fahne der Kapitulation ... diese weißen Straußfedern:* Diese Wendung ist J 162 entnommen. Der »Schalk« ist demnach Lichtenberg selbst. – *31f. die doppelt Gegürtete:* Vgl. zu 626, 4.

674 *4 antiquarisches Erstaunen:* Zu diesem Ausdruck vgl. zu 349, 16. – *21 Kopf und Herz kommen ... eine ganze Spanne näher:* Zu dieser Wendung vgl. C 20 und die Anm. dazu. – *31 Blick-Ableiter:* Über Lichtenbergs Neigung, neue Wörter mit dem Begriff: *Ableiter* zu bilden, vgl. zu 130, 10. – *37 Dorf-Aktäons:* Aktäon, griech. Sagengestalt, die Diana im Bade belauscht; er wird von ihr zur Strafe in einen Hirsch verwandelt und von seinen Hunden zerrissen. S. auch 682, 5. 684, 35. 953, 36. 956, 32. Zu Wortbildungen mit *Dorf-* vgl. auch 847, 21. Im übrigen s. zu B 41.
675 *10 Malter:* altes Getreidemaß, etwa 100–150 Liter. – *16 nach den neusten Versuchen:* Vgl. J 2120 und die Anm. dazu. – *17 Pantheon:* ursprünglich Kultbau zur Verehrung der Götter; später Gedenkhalle berühmter Männer in Rom, Paris; s. auch 766, 34. – *22 katoptrische Bruchstück:* Vgl. zu 480, 10. – *23 dioptrische Stellen:* dioptrisch: durchsichtig. – *23 das bekannte Instrument:* Den Kamm als Waffe gegen Kopfläuse erwähnt Lichtenberg auch im Dritten Blatt der Ausführlichen Erklärung von »Der Weg der Buhlerin«, 760, 24, wo er ausdrücklich auf diese Passage verweist.
676 *4 Porter:* engl. alkoholreiches obergäriges Bier, das ursprünglich bes. von Londoner Lastträgern (Porters) getrunken worden sein soll; das brit. Nationalgetränk erwähnt Lichtenberg auch 896, 12. 994, 33. – *9 deren Naturgeschichte:* Mit den ›bekannten Geschöpfen‹ sind die Mönche gemeint; über Lichtenbergs Einstellung zu ihnen vgl. zu 478, 29; zu dem Ausdruck vgl. zu 497, 26f. – *18 Ara: Altar;* hier: heidnischer Opfertisch; s. auch 686, 36. – *31 Lachzähnchen:* So nennt man die vordersten Schneidezähne, die beim Lachen hauptsächlich entblößt werden. – *35ff. Joannis Physiophili specimen Monachologiae...:* Verfasser des von Lichtenberg genau angegebenen Werks ist Ignaz Edler von Born; über ihn und seine von Lichtenberg sehr gerühmte Satire vgl. zu F 407; s. ferner J 1172. Lichtenberg erwähnt ihn auch GTK 1794, S. 201. – *35f. methodo Linnaeana:* Über Linné, der erstmals eine wissenschaftliche Systematik des Pflanzen- und Tierreichs erstellte, vgl. zu A 22. Übrigens plante auch Lichtenberg eine Satire nach ›Linnéscher Methode‹: s. J 1148; s. auch 735, 32. – *37f. Histoire naturelle des Moines...:* Verfasser dieser Paris 1790 erschienenen Naturgeschichte der Mönche ist Barbier zufolge: P.-M.-A. Broussonnet. Broussonnet (1761–1807) war Botanikprofessor an der Ecole de médecine in Montpellier und Mitglied der Royal Society in London. Im übrigen vgl. zu GH 28. – *38 la méthode de Buffon:* Über Buffon und seine »Histoire naturelle« vgl. zu C 291.
677 *7 regionem hypogastricam:* Unterleibs-Partie. Lichtenberg gebraucht diesen Ausdruck auch 1048, 24. – *10 Laokoon:* Darüber vgl. zu A 18; s. auch 808, 31. – *11 Belvedere:* ein an hochgelege-

ner Stelle des Vatikan im 15.Jh. errichteter Bau, von Bramante umgestaltet; in ihm wurden bekannte antike Skulpturen aufgestellt, u.a. der Apollo von Belvedere, der Belvederische Torso, der Laokoon; s. auch 749, 37. – *13 Laokoon ... durch Affen parodiert:* Vgl. zu 354, 18. – *21 ehrenvolle Trusler:* Lies im Text: lehrenvolle. Über diesen moralisierenden Ausleger vgl. zu 666, 8. – *34 Phöbus:* Vgl. zu 409, 27. – *35 Jupiter pluvius:* der regenspendende Jupiter. Die Worte gehen auf Tibull 1, 7, 26 zurück: Pluvio Jovi. Über Tibull vgl. zu D 17. Über Jupiter vgl. zu 421, 33.

678 *1 als Stier erscheint:* Nach dem griech. Mythos verwandelte sich Zeus aus Liebe zu der phönikischen Königstochter Europa in einen Stier und entführte sie auf seinem Rücken nach Kreta, wo er mit ihr 3 Söhne zeugte. Die Entführung ist seit dem 7.Jh. vor Chr. immer wieder dargestellt worden; s. auch 691, 29f. 910, 1f. – *1 Numen:* das Göttliche, Gottheit. – *9 Flügeln der Liebe:* Eine ähnliche Wendung begegnet 680, 25; s. ferner 1012, 37f. und auch A 120. – *19 Nickhaut:* Blinzhaut, Membrana nictitans, ein drittes, bei fast allen Wirbeltieren vorhandenes Augenlid, bei den Menschen zu einer kleinen halbmondförmigen Falte zurückgebildet. – *22 Desinit ... superne:* »Er läßt in einen Fisch die oben wohlgeformte Frau sich enden«; Horaz, De arte poetica (Ep. II, 3). Über Horaz vgl. zu KA 152. – *25 Mamsell d'Eon:* Vgl. zu 670, 1. – *27 epineusen:* kitzligen, dornigen. Lichtenberg gebraucht dieses Adjektiv auch 765, 2. 1031, 30; s. ferner K 270 und GTK 1787, S. 240. – *34 mit Butlern zu reden:* Die Stelle konnte von mir nicht ausfindig gemacht werden. Über Samuel Butler vgl. zu B 49.

679 *6 Schönpflästerchen:* Schönheitspflästerchen, frz. mouche, Pflästerchen aus gummiertem schwarzen Taft, im 17. und 18.Jh. von den Damen zur Hervorhebung der Zartheit des Teints getragen. Lichtenberg erwähnt sie auch A 47; s. ferner 695, 11. 704, 26. 838, 29f. 872, 17. 918, 6. – *13 armen Teufel:* Vgl. zu 214, 31. – *14 Dekorum:* Anstand, Ansehen. – *16 hermaphroditische:* doppelgeschlechtliche. – *28f. die fasces im Römischen Staat:* ein Rutenbündel, aus dem ein Beil herausragt: eines der ältesten Insignien der röm. höheren Magistrate; später Symbol des ital. Faschismus. – *32 Das so genannte Bierschild:* Über Schilder an Gasthäusern sinniert Lichtenberg 718, 30 ff. – *34f. freundschaftliche Benehmen zwischen Wasser und Wein:* Bonmots Lichtenbergs darüber begegnen auch GH 48, E 394, J 587.748. – *38f. Mendelssohns Thetis, die einen Bacchus umarmt:* Diese Wendung ist F 966 entlehnt. Lichtenberg entnahm sie dem Aufsatz »Über die Hauptgrundsätze der schönen Künste und Wissenschaften« von Mendelssohn, der seinerseits die Anekdote aus Winckelmanns »Erläuterung der Gedanken von der Nachahmung der griechischen

Werke in der Malerei und Bildhauerkunst« anführte. Über Moses Mendelssohn vgl. zu C 39. Über *Thetis* vgl. zu 98, 12. Zu der Wendung vgl. auch 375, 20.

680 2 *Ganymed:* Mundschenk der Götter im Olymp, Liebling des Zeus. – *19 pro tempore:* für den Augenblick. – *25 Flügel der Liebe:* Vgl. zu 678, 9.

681 *18 amour à la Grenadière:* Liebe auf Landsknecht-Art; diese Wendung gebraucht Lichtenberg in einem Brief an Sömmerring (IV, Nr. 477, S. 605) vom 7. Januar 1785 in Bezug auf – Therese Heyne, als Verlobte Forsters!

682 *5 Dorf-Aktäon:* Vgl. zu 674, 37. – *12 Nichols:* Über ihn vgl. zu 666, 22. – *17 Entrevüe:* Zusammenkunft. – *18 Der ungenannte Erklärer:* Über ihn vgl. zu 666, 24. – *37 a pulpit-cushion:* ein Kanzel-Polster.

683 *4 dark lanterns:* Lichtenberg erwähnt sie auch RA 126. – *7 Mischung von Licht und Finsternis:* »Kampf zwischen Licht und Finsterniß« formuliert Lichtenberg in der Miszelle »Etwas von Jesuiten« (GTK 1795, S. 166). – *9 Diogenes:* Über ihn vgl. zu KA 13. – *12 Haarwolken:* Umschreibung für: Perücke. – *25 Aiche:* Eichstempel, mit dem vom Eichamt die Richtigkeit der verwendeten Maße und Gewichte bescheinigt wird.

684 *5 Circenses:* (öffentliche) Lustbarkeiten; Lichtenberg gebraucht diesen Ausdruck auch J 1103. – *15 Cochonnerie:* Sauerei; Unsauberkeit. – *26 Mare pacificum:* friedliches Meer; der von Magelhäes so genannte »Stille Ozean«. – *33 wogedonnernden Meeres:* Zitat aus »Ilias«, 2, 209, in der Übersetzung des Grafen zu Stolberg (Ges. Werke, 11, 52; 1820), bei dem es heißt: »rauschend wie das Wasser des wogedonnernden Meeres«. – *35 Aktäon:* Vgl. zu 674, 37. – *38 Senatus populusque Romanus:* Senat und Volk von Rom; abgekürzt S.P.Q.R. Berühmte Formel auf Feldzeichen, Gebäuden usw., die ausdrückte, daß der röm. Staat auf dem Zusammenwirken von Senat und Volk beruhte. S. auch 774, 3.

685 *8 Medea:* legendäre Königstochter aus Kolchis, die Jason zum Goldenen Vließ verhalf und, von ihm verstoßen, ihre Kinder tötete. – *12 drolligen Einfall:* Dazu vgl. oben S. 321. – *18 Triptolemus:* Geliebter der Ceres und ihrer griech. Schwester Demeter – *19ff. gleich beim Eingange ... Heiligtum der Ceres genannt:* Vgl. 669, 11. – *24 wenn die Götter ankommen:* Als »Götter der Erde« bezeichnet Lichtenberg J 1150. 1227 die Könige; oder denkt er an die Verleger und Buchhändler als die Hauptpersonen der Leipziger Messe? Im übrigen vgl. zu 137, 13. – *30 Ödipus mit seiner Jacosta:* nach der Sage ein griech. Königssohn, dem geweissagt wurde, er werde seinen Vater erschlagen und seine Mutter Jocasta heiraten.

686 *5f. Ödipus des Lee:* Nathanael Lee schuf 1679 zusammen mit Dryden die Tragödie »Ödipus«. Über Lee, der auch 910, 9 er-

wähnt wird, vgl. zu B 368. – *10 Oedipus und Jocasta:* »wenn es ein Unglück gibt: so sage ich der ganzen Welt im Intelligenz-Blatt, und zwar in lauter Kapitälchen, wie S. 82 die Wörter *Oedipus* und *Jocasta: der Herr Hofrat Eschenburg zu Braunschweig ist an allem schuld*«, schreibt Lichtenberg an denselben (IV, Nr. 656, S. 878) am 29. Mai 1794. – *13 immer mit Absicht wegwirft:* Zu dieser Wendung vgl. zu 281, 2f. – *30 Alexanders Helm:* Vgl. zu 672, 26. – *35 damn ye:* seid verdammt! Lichtenberg reflektiert über diese ›Fluchpartikel‹ TB 30. – *36 Ara:* Vgl. zu 676, 18.

687 *4 Favoritkätzchen:* Zu dieser Wortprägung vgl. zu 594, 33f. – *12 Mutwillen:* Dazu vgl. oben S. 322. – *14 Es betrifft ... eine kleine Insel:* Auf welches Detail Lichtenberg anspielt, ist nicht ersichtlich, falls er nicht den offenbar gefüllten Nachttopf meint. – *18 Wood zu Littelton:* Lebensdaten unbekannt. Das Originalgemälde von 1738 verbrannte 1874. – *1826 Guineen:* Vgl. zu 40, 18. – *19 Riepenhausen:* Vgl. 665, 17 und die Anm. dazu. – *19f. Hogarths Kopie ... nicht umgezeichnet:* Darüber und über die sich daraus für die Bildkomposition ergebenden Konsequenzen äußert sich Lichtenberg fast wörtlich gleich an Eschenburg (IV, Nr. 650, S. 869–870) am 12. April 1794. – *32 Bonsens:* gesunder Menschenverstand. – *32f. Partial-Hyphotheschen:* Teil-Vermutungen. – *34f. auf manchen seiner Blätter Personen ..., die den Degen auf der Rechten hängen haben:* zum Beispiel »Weg des Liederlichen«, Drittes Blatt, und »Marriage à la mode«, Fünftes Blatt; vgl. 859, 21f. 969, 32ff. – *38f. dem zweiten Blatte dieses Heftes:* Gemeint ist die »Mitternachtsunterhaltung«. »Die Punsch-Gesellschaft, die vortrefflich geraten ist, ist von Riepenhausen umgezeichnet worden: da ist ein Degen, der sonst auf die Rechte gekommen wäre«, schreibt Lichtenberg am 12. April 1794 an Eschenburg (IV, Nr. 650, S. 870).

688 *3f. in seinem Faulen und Fleißigen, legt ein Kerl ... die linke Hand auf die Bibel:* Gemeint ist das Zehnte Blatt jener Folge; vgl. 1056, 17.

689 *1 Conversation:* »Auf 60 bis 70 der besten Abdrücke der Punsch-Gesellschaft steht Conuersation statt Conversation. Ob nun gleich Hogarth selbst Conuersation setzt, so habe ich es doch ändern lassen. Also Abdrücke mit dem u sind in dubio besser als die mit v«, schreibt Lichtenberg an Eschenburg (IV, Nr. 656, S. 879) am 29. Mai 1794. – *7f. einem beträchtlichen:* von mir entsprechend Lichtenbergs Druckfehlerverzeichnis am Schluß der Druckvorlage verb. aus: *einen beträchtlichen.* – *9 eines der bekanntesten Werke:* Ähnlich schreibt Lichtenberg bereits in der Erklärung des »Göttinger Taschen Calenders« für 1786, S. 152: »wohl dasjenige unter Hogarths Werken, das am meisten in Deutschland bekannt geworden ist«. Auch Chodowiecki hat es übrigens für einen Stich zum Vorbild genommen. – *13f. Gedicht: The Bacchanalians ...:* Womöglich ist dieses Gedicht iden-

tisch mit »The Bacchanalian sessions; or, the contention of liquors: with a farewel to wine«, London 1693, von Richard Ames. – *15 Banks:* John Banks (1709–1751), engl. Schriftsteller und Lyriker, wurde durch Pope zum Schreiben ermutigt. – *22f. einige Gruppen durch Wachsfiguren ... vorgestellt:* Ähnlich schreibt Lichtenberg bereits in der Erklärung des »Göttinger Taschen Calenders« für 1786, S. 152: »die bekannten herumziehenden Wachsfiguren, die einige Gruppen daraus darstellen.« – *26ff. Es ist nämlich ... herab zu steigen:* Dieser Satz ist wörtlich der Erklärung im »Göttinger Taschen Calender« für 1786, S. 153, entnommen. – *28 Meisterstück der Schöpfung:* Zu diesem Ausdruck vgl. zu 286, 20 f. – *31ff. Gemischter ... Repräsentanten:* Auch diese Passage ist fast wörtlich aus der Erklärung im »Göttinger Taschen Calender« für 1786, S. 153, übernommen. – *36f. Pasquillant ... Spitzbube:* Aufschlußreich für den Versuch Lichtenbergs, Hogarth zeitpolitisch aufzubereiten, ist die geänderte Wortwahl gegenüber der Erklärung im »Göttinger Taschen Calender« für 1786, S. 153, wo es heißt: »Poëtaster, Criticaster, Zollbediente oder Spitzbuben.« – *36f. Poëtaster:* Vgl. zu 212, 29.

690 *2f. Gradationen:* Zu diesem Ausdruck vgl. zu 278, 4 – *3f. Vigilien:* Nachtwachen; in der kathol. Liturgie Vorfeier eines Festes und Stundengebet und Messe am Vortage; s. auch 807,5. 890, 5. – *6ff. Menschen, denen man Messer und Degen ...:* Diese Wendung notiert Lichtenberg ähnlich K 222. – *10f. Werken der Kunst ... Eigentliche Karikaturen ...:* Zu dieser unterscheidenden Erörterung vgl. 667, 25 ff. – *28f. die Unzeit ... nach der richten sich – die Menschen:* Über die engl. Essenszeiten äußert sich Lichtenberg auch 702, 26. 714, 34. 761, 15 ff. 986, 14 ff.; vgl. auch E 116. 117. 119. – *33f. 1735, da dieser Kupferstich erschien:* Tatsächlich erschien der Kupferstich wie auch das Gemälde bereits 1733.

691 *4f. Folgende Anekdote ... von einem Freunde verbürgt:* Gemeint ist Blumenbach, wie aus J 904 hervorgeht, wo diese Anekdote notiert ist. Blumenbach befand sich von November 1791 – April 1792 in England. – *6f. Der gegenwärtige Minister Pitt:* William Pitt (1759–1806), der Jüngere, engl. Premierminister 1783–1801 und von 1804 bis zu seinem Tode; vgl. über ihn die Anm. zu J 904. – *9 Herzogin von D**:* Gemeint ist, wie aus J 904 hervorgeht, die Duchess of Dorset; vgl. über sie zu J 904. – *14 Fox:* Über Charles James Fox vgl. zu E 73. – *14 Sheridan:* Richard Brinsley Sheridan (1751–1816), engl. Dramatiker und Politiker (Staatssekretär im Ministerium Fox). Seine berühmten gesellschaftskritischen Komödien zeichnen sich durch schneidenden Witz aus; berühmt auch als polit. Redner; übernahm als Garricks Nachfolger 1776 die Leitung des Drury Lane Theatre. – *17 derbes, schwarzes Hebräisch:* Im »Göttinger Taschen Calender« für 1786, S. 153, schrieb Lichtenberg stattdessen: »derbes,

schwarzes Schwabacher«. Über das Hebräische vgl. zu 406, 5 f. – *18 mit Didotischen Bleichern gedruckt:* Gemeint sind Lettern aus der berühmten Schriftgießerei der frz. Buchdruckerfamilie Didot; vgl. zu L 197. Im »Göttinger Taschen Calender« für 1786, S. 153, hatte Lichtenberg stattdessen geschrieben: »unter blasser Perlschrift«. Sollte »Bleicher« ein terminus technicus à la Bleichholländer sein, ist er in den einschlägigen Handbüchern nicht verzeichnet. – *18 ff. der Pastor ... erscheinen:* Die Passage ist wörtlich aus dem »Göttinger Taschen Calender« für 1786, S. 153, übernommen. – *22 ff. Es ist nicht unangenehm zu sehen ...:* Es ist aufschlußreich, daß Lichtenberg gegenüber der Kalender-Erklärung 1786, S. 153–154, wesentlich vorsichtiger und gelinder Hogarths Porträt eines trunkenen Geistlichen umschreibt. Über Hogarths Darstellung von Theologen äußert sich Lichtenberg grundsätzlich 812, 12 ff. – *29 f. Jupiters ... als Liebhaber der Europa vorgestellt:* Vgl. zu 678, 1. – *38 wie ... Dragonerpferde:* eine Wortbildung mit »Dragoner« z. B. auch F 260: »Dragonerpoesie-prose«.

692 *11 Pastor Ford:* Über Cornelius (Parson) Ford vgl. zu J 199; vgl. auch J 812. – *11 Henley:* John Henley (1692–1756), ein zu seiner Zeit gefeierter engl. Prediger und Erbauungsschriftsteller, bekannt als »Orator Henley«; hatte 1726 in London eine »Rednerschule« errichtet, in der er an den Werktagen Vorträge über Weltweisheit und an den Sonntagen über Grundbegriffe des Christentums hielt. Fielding griff ihn 1732 in der Groteske »The Pleasures of the Town« und in »Joseph Andrews« (1742) an, Pope satirisierte ihn in seiner »Dunciad« (1728). – *13 Lord Chesterfield:* Über Philip Dormer Stanhope, 4. Earl of Chesterfield, der 1728–1732 brit. Gesandter in Den Haag war, vgl. zu D 554. Vgl. in diesem Zusammenhang auch J 199. – *14 D. Johnson:* Über ihn vgl. zu C 119. – *17 f. mit viel hält man Haus ...:* Diese Wendung notiert Lichtenberg K 212. – *18 Sir John Hawkins:* Über ihn vgl. zu J 199; sein Werk »The Life of Samuel Johnson«, erstveröffentlicht London 1787, zitiert Lichtenberg auch 701, 30 f. 846, 5 ff. – *21 eine Art von Sackmann:* Jobst Sackmann (1643–1718), Pfarrer in Limmer bei Hannover; seine volkstümlichen plattdeutschen Predigten waren weit bekannt und wurden nach seinem Tode gedruckt. – *31 f. Think ... spare:* Glaubt nicht, beabsichtigte Ähnlichkeiten dort zu finden; wir geißeln Laster, aber schonen die Person. – *33 ff. Boswell's Life of Dr. Johnson ...:* Die hier gemachten Angaben zu Pastor Ford notiert Lichtenberg J 812. Über Boswell vgl. zu KA 200. Lichtenberg zitiert das Werk auch 859, 8. 998, 25. – *37 Betbruders:* Zu diesem Ausdruck vgl. zu 76, 29. – *38 f. I have ... impious:* »Man hat mir gesagt, er wäre ein Mann von großen Anlagen und sehr verschwenderisch gewesen; doch hörte ich niemals, daß er gottlos gewesen wäre.«

Diese Zeilen zitiert Lichtenberg J 199 nach Hawkins; s. zu 692, 18. – *40f. Wolf ... Schafs- oder Schäferkleid:* Diese Wendung geht auf Matth. 7, 15 zurück: »Sehet euch vor den falschen Propheten vor, die in Schafskleidern zu Euch kommen, inwendig aber sind sie reißende Wölfe.« S. auch 233, 34f. 697, 13.

693 *10f. Vorsänger und -Vortrinker a latere:* Zu dieser Wendung vgl. J 67 und die Anm. dazu; s. auch J. 70. *a latere:* von der Flanke. – *14 die doppelte Bischofsmütze:* In der Kalender-Erklärung 1786, S. 154, gibt Lichtenberg der »dreifachen Crone« eine andere Deutung: »denn ob er gleich jetzt allen einschenkt, so ist doch eine eminente Anlage im Falle der Noth auch für alle zu trinken, in seinem Gesicht nicht zu verkennen.« – *17 marchand de Droit:* Rechtsverdreher. – *17 Jus utrumque:* beiderlei Recht: geistliches (kanonisches) und weltliches (römisches) Recht. – *23 Buridans Esel:* Vgl. zu 230, 36. – *31 Lord Northington:* Robert Henley Lord Northington (1708–1772), engl. Politiker und Jurist. – *32 Kettleby:* Lebensdaten unbekannt. – *38 Causidicade:* Diese Satire ist in dem »Dictionary of Anonymous and Pseudonymous English Literature« von Kennedy, Smith, Johnson, London 1926ff., nicht aufgeführt.

694 *1f. in ... Wetzlar einer deutschen Bearbeitung und des Drucks in Germanien oder Altona würdig:* Anspielung auf den Sitz des Reichskammergerichts (Wetzlar) und der kaiserlichen Gerichtsbarkeit (Wien) und auf gebräuchliche Druckortangaben in der Zeit der Gegenrevolution: fingierte (Germanien) oder unter dänischer Preßfreiheit (Altona) stehende Druckorte. – *6f. hängt ... welches:* Diese Passage ist fast wörtlich aus dem »Göttinger Taschen Calender« für 1786, S. 154, übernommen. – *9 Terra firma:* festes Land. – *12ff. diese beiden Knoten ... Medizin und Chirurgie, bedeuten:* Diese Deutung ist bereits im »Göttinger Taschen Calender« für 1786, S. 184, gegeben. – *19 Schußwein:* Schoßwein; Bedeutung nach Grimms Deutschem Wörterbuch unklar: »Wein der als abgabe überliefert wird(?)«; Lichtenbergs Annotat ist dort nicht vermerkt. – *25 Memento mori:* »Denke daran, daß du sterben wirst«. Die Quelle des Wortes ist unbekannt. Lichtenberg zitiert es auch 882, 10. 938, 10. 1022, 17. – *26 Hic jacet:* Hier liegt (ruht). – *27 Kokarde:* Abzeichen am Hut, im 18. Jh. noch in Form einer Schleife getragen; s. auch 712, 30. 717, 27. 755, 26. 954, 29. Im übrigen vgl. zu E 121. – *28f. Kokarden in England ... Offizier:* Vgl. auch 954, 29f. – *32 in meinem Vaterlande:* Gemeint ist Darmstadt; zu dem Bedeutungswandel vgl. zu 647, 21f. – *32 Römer-Monate:* So hieß der finanzielle Beitrag der Reichsstände an den Kaiser, der seit Maximilian I. die Vasallenpflicht der Reichsfürsten zur Heeresfolge beim Romzug zur Kaiserkrönung durch den Papst ablöste. In Grimms Deutschem Wörterbuch, Bd. 8, Sp. 1100, wird unter ›Rockaufschlag‹

diese Stelle aus Lichtenberg als einziger Beleg mitgeteilt; s. auch 695, 22. – *34f.* ein durchreisender Engländer: Aus Lichtenbergs Briefen und Tagebüchern geht nicht hervor, wer gemeint sein könnte: Hawkins, Howard?

695 *2f. es studierten hier viele Offiziere:* Zu dieser Bemerkung vgl. zu 418, 19ff. – *10 Schmarren pour le mérite:* ironische Abwandlung Lichtenbergs von »Orden pour le mérite«, den Friedrich II. 1740 gestiftet und nur für Offiziere seiner Armee für Verdienste vor dem Feinde bestimmt hatte. – *11 Schönpflästerchen:* Vgl. zu 679, 6. – *20f. die Flußgöttin Cloacina:* »die Najade Cloacina« formuliert Lichtenberg in der Kalender-Erklärung »Leben des Liederlichen«, Drittes Blatt (GTK 1785, S. 139). S. ferner 702, 16. 831, 10 und in den Briefen (IV, S. 654). – *22f. die Römermonate:* Vgl. zu 694, 32. – *28f. Prinzen von Wallis, nachherigen König Heinrich den V:* Heinrich v. (1387–1422), seit 1413 König von England; als Thronfolger wegen seiner Zügellosigkeit berüchtigt. Vgl. auch das Drama von Shakespeare, 1599 (s. 860, 37). Lichtenberg erwähnt ihn auch 1007, 36. – *34 Old Bailey:* der berühmte Kriminalgerichtshof in London, zwischen Ludgate Hill und Newgate Street; s. auch 762, 25 und RA, Seite 640 (II).

696 *12 The London Journal:* Gemeint ist vermutlich die »London Gazette«, die zweimal wöchentlich seit dem 5. Februar 1666 erschien: das offizielle Organ der Regierung. – *12 The Craftsman:* Zeitschrift, die London 1731–1737 erschien und von Nicholas Amhurst unter dem Pseudonym Caleb D'Anvers herausgegeben wurde. Sie war ein Sprachrohr der Opposition gegen Walpole, geschrieben von Lord Bolingbroke, Mr. Pulteney und anderen. Beide Zeitschriften erwähnt auch die Kalender-Erklärung 1785, S. 156. – *15f. Zier-Affe ... mit Haarbeutel:* Vgl. zu 672, 24f. – *16 Solitäre:* einzeln gefaßter Brillant; s. auch 712, 19. – *21f. der so genannte große oder doppelte Hieb:* Zu dieser Redewendung vgl. zu 321, 26. – *31 die Gärung:* Zu diesem Begriff vgl. zu 108, 7.

697 *4 Endymion:* in der Sage ein griech. Schäfer auf dem Berge Latmos, der von Selene-Diana in Schlaf versetzt wurde, damit sie ihn ungestört küssen könne. Als Motiv der Schäferdichtung wiederholt behandelt: s. etwa Wielands parodistische Erzählung »Diana und Endymion« (1762). S. auch 773, 10. – *4 Phöbe:* Beiname der Artemis bzw. Diana (in ihrer Eigenschaft als Mondgöttin); über sie vgl. zu 626, 4. – *5 Phöbus:* Vgl. zu 409, 27. – *8f. Nase ... Klarinetten-Stück:* Zu dieser Wendung vgl. 93, 21 und die Anm. dazu. – *13 Wolf im Schäferkleid:* Vgl. zu 692, 40f. – *17 Sagen der Zeit:* Diese Wendung ist J 1224 entlehnt; Lichtenberg gebraucht sie auch J 1238 und in einem Brief an Ebell (LB III, S. 88) vom 19. Sept. 1793. – *20 die herrlichen Verse Meiboms:*

Heinrich Meibom (1638–1700), Prof. der Medizin, Geschichte und Poesie in Helmstedt. Er wird von Lichtenberg sonst nirgends erwähnt. Welchem Werk sie entnommen sind, war nicht feststellbar. – *25 ff. Somne ... mori:* »Leichter Schlaf, wohl bist du das deutlichste Abbild des Todes, dennoch wünsche ich dich mir zum Genossen des Betts. Liebliche Ruh', ich wünsche dich herbei, denn wie angenehm ist es, so ohne Leben zu leben, sterben ohne den Tod.« Zu dem Bild von Schlaf und Tod vgl. im übrigen zu 80, 31. – *30 ausgebrannten Räucherkerzchen:* Diesen Vergleich notiert Lichtenberg K 245. – *33 f. leichter fühlen, als beschreiben läßt:* Zu dieser Formulierung vgl. 330, 20 ff.

698 *2 künftigen Ausgabe vom Orbis pictus:* Aus dieser Bemerkung geht nicht eindeutig hervor, ob Lichtenberg an seinen eigenen »Orbis pictus« (vgl. S. 377 ff.) denkt oder ob das Werk gleichen Titels von Comenius (hg. 1658) gemeint ist. – *3 ff. Hofleute ... natürlichen Menschen:* Auf den Unterschied zwischen künstlichem und natürlichem Menschen kommt Lichtenberg auch B 138 zu sprechen; s. auch die Anm. dazu. Über den Hofmann reflektiert Lichtenberg auch 703, 13 ff.; vgl. ferner 957, 18. – *6 f. Herzen ... ziehen ... mit diesen Polen:* Über Liebe und Magnetismus vgl. zu 656, 10 ff. – *15 f. so geht es gewiß nach: Sechs mal sechs ist sechs und dreißig:* Diese Wendung begegnet ähnlich auch in einem Brief an Albrecht Ludwig Friedrich Meister (IV, Nr. 565, S. 742), geschrieben nach dem 15. September 1788. S. auch 699, 8. – *27 Justitiarium ad pacem:* Friedensrichter (Akk). – *29 Buchbinder, namens Chandler:* Richard Chandler (gest. 1744), engl. Drucker und Buchhändler in London.

699 *6 f. könnte es wohl die Philosophie sein:* Die Vermutung äußert Lichtenberg auch in der Kalender-Erklärung 1786, S. 155, wo er sie »unter der Figur eines französischen Hof-Atheisten« prätendiert. – *8 f. sechs mal sechs ist sechs und dreißig:* Vgl. zu 698, 15. – *20 ff. Es waren zwei Juden ...:* Dieser Exkurs, den die Kalender-Erklärung von 1786 nicht enthält, ist ein Beispiel Lichtenbergischer Beobachtungskunst und seines – Antisemitismus; vgl. zu 366, 23 f.

700 *1 Deltoides:* Oberarmmuskeln. – *3 Ratifikationszeichen:* Zu dieser Wortbildung vgl. zu 672, 21. – *21 Protest:* – öffentl. Beurkundung einer vergeblichen Präsentation eines Wechsels zur Annahme oder Zahlung. Lichtenberg gebraucht den Begriff auch 750, 1. 825, 17. 895, 2. – *23 res integra:* unberührte Sache. – *26 sind wir nicht allzumal arme Sünder:* »Denn es ist hier kein Unterschied: sie sind allzumal Sünder«, heißt es im Römerbrief 3, 23. – *32 ad pias caussas:* zu frommen Zwecken. – *33 Piket:* früher kleine Abteilung meist berittener Soldaten. – *37 f. die Stelle, wo ...:* Zu dieser Wendung vgl. zu 528, 6.

701 *1 ff. liederlicher Gestus, den Arm, so ... hoch einzuknicken:* Zu diesem

Gestus vgl. 376, 11f. – *4 schwänzelt:* Vgl. zu 669, 12. – *4ff. manche Leute ... mit dem Schwanze greifen:* Diese Wendung notiert Lichtenberg K 221. – *22 Freeman's Best:* S. auch C 96; in der engl. Kulturgeschichte gibt es mehrere namhafte Träger des Namens Freemann, von denen aber wohl niemand für eine Anspielung in Frage kommt. – *23 Freemanni Optimum subter Solem:* Diese Formulierung gebraucht Lichtenberg bereits in der Erklärung des »Göttinger Taschen Calenders« für 1786, S. 157. *Optimum subter Solem:* Das Beste unter der Sonne. – *25f. Motto des Wappens: Summum bonum freigeborner Briten:* Die Erklärung des »Göttinger Taschen Calenders« für 1786, S. 157, sagt es deutlicher: »da aber Hogarth gewöhnlich mit einer Klappe zwei oder mehr Fliegen schlägt, so könnte es gar wohl zugleich eine kleine Parentation auf den übel balancirten Officier seyn, vor dessen Platz der Zettul liegt, und da hieße es denn: bestes Prärogativ freigeborner Britten.« – *26 Summum bonum:* Vgl. zu 577, 31. – *28 Tabaksrauchen:* Über das Rauchen reflektiert Lichtenberg auch H 135. K 101. 110. – *30ff. Johnson machte ... die wichtige Bemerkung:* Diese Bemerkung ist J 254 entlehnt; s. auch 720, 33. – *31 Hawkins in dessen Leben meldet:* Das Zitat ist zu J 254 genauer nachgewiesen; über Hawkins vgl. zu J 199; s. auch zu 692, 18. – *32 Selbstmord:* Zu Lichtenbergs eigener Affinität und Reflexion dazu vgl. zu A 126.

702 *1 Würfelszene ...:* Gemeint ist S. 884ff. – *3 drolligen Zug:* Dazu vgl. oben S. 321. – *10 konvexen ... konkaven:* nach außen gewölbt; nach innen gekrümmt. – *11f. Sonnenlicht aus der zweiten Hand:* Diese Wendung ist J 330 entlehnt. – *16 Cloacinens Urne:* Diesen Ausdruck gebrauchte Lichtenberg schon in der Kalender-Erklärung für 1786, S. 157; im übrigen vgl. zu 695, 20f. – *26 Unzeit:* Vgl. zu 690, 28f.

703 *1 Vier Tags-Zeiten:* Dieses im 18. Jahrhundert vor allem in der Folge der Jahreszeiten ungemein beliebte Thema der Malerei, Musik und Dichtung wird von Lichtenberg auch in der Erklärung der Monatskupfer jeweils aus der Sicht des Landmanns, Städters und der feinen Welt im »Göttinger Taschen Calender« für 1797, S. 211–218, behandelt. – *9f. seiner Auferstehung entgegen schläft:* Diese Wendung gebraucht Lichtenberg auch 823, 19f.; s. ferner G 191. – *11 Coventgarden:* Vgl. zu 337, 19. – *14f. Nachtigallenfänger mit ... Höflings-Gesichtern:* Zu Lichtenbergs negativem Urteil über den Höfling vgl. 698, 3 ff. – *29 im Jahr 1738:* Das ist das Jahr, in dem die Kupferstichfolge »Four times of the day« erschien; s. auch 704, 24. 712, 26. – *30 Londonschen Fußbänken:* Fußbänke dienten seinerzeit dazu, die noch unbefestigten Straßen trockenen Fußes zu überqueren. – *32 wie gewöhnlich, die Fußgängerinnen schön:* Über die Schönheit des engl. Frauenzimmers äußert sich Lichtenberg auch TB 1 (S. 604) und

an Dieterich (IV, Nr. 104, S. 229) am 4. Februar 1775; s. ferner 811, 33f. 855, 8.

704 *5 Betschwesterei:* Zu diesem Ausdruck vgl. zu 452, 36. – *23f. im Jahre 1738:* Vgl. zu 703, 29. – *24ff. eine Mamsell, die jetzt noch scheinen will ...:* Dazu vgl. die Formulierung J 1133. – *26 Schönpflästerchen (mouches):* Vgl. zu 679, 6. – *27f. Wie Mücken um eine Lichtflamme:* Dasselbe Bild gebraucht Lichtenberg auch 890, 16f.

705 *1 Zierlächeln:* Zu diesem Ausdruck vgl. zu 663, 10. – *7f. Flug der Wimpel:* Gemeint sind die Schleiertücher am Hut. – *20 Zierereien:* Vgl. zu 663, 10. – *24f. Cagliostro, fünfhundert Jahre lebte:* Alessandro Graf von Cagliostro, eigentlich Josef Balsamo (1743–26. 8. 1795), sizilianischer Bauernsohn, seinerzeit berühmt-berüchtigter Abenteurer, Alchimist und Spiritist; als Ketzer in Rom zu lebenslängl. Haft verurteilt, starb er im Gefängnis. Lichtenberg schöpft seine Kenntnis, wie aus dem – sehr negativen – Artikel »Cagliostro« im »Göttinger Taschen Calender« für 1792, S. 171–175, hervorgeht, aus dessen Rom 1791 erschienener Lebensbeschreibung. Er schreibt ebenda, daß Cagliostro »eigentlich verdient hätte, die vier bis fünfhundert Jahre, die er höchstens noch zu leben hat, auf der verworfensten Galeere zuzubringen«. – *26 Recommendations-Gesicht:* ›Recommendation‹: Empfehlung; zu dieser Wortbildung vgl. zu 371, 26. – *32 Les beaux esprits se rencontrent:* »Die schönen Geister begegnen sich.« Über »Bel Esprit« vgl. zu 273, 26. Die Herkunft des Zitats ist mir nicht bekannt. – *35ff. Nichols nennt sie sogar ...:* Diese Worte kann ich bei Nichols nicht finden. – *38 vestalischen:* von Vesta, der röm. Göttin des Herdfeuers; Vestalinnen hießen die jungfräulichen Priesterinnen des Vestatempels, in dem sich das »ewige Feuer« des Staatsherdes befand.

706 *1 Hüttenkatze:* chronische Bleivergiftung. – *6 Tom Kings Kaffeehaus:* seinerzeit berüchtigter Treffpunkt am Coventgarden in London, der 1739 gerichtlich geschlossen wurde. – *7 Resonanzböden:* Lichtenberg gebraucht den Ausdruck auch L 596; von »Resonanz-Nase« redet er 753, 7. – *8f. Reprochen-Gemurmel:* reproche: Vorwurf. – *9f. Gardinen-Predigten:* Eine abgewandelte Formulierung begegnet 786, 30. – *25 Matronelle:* altes Dämchen. – *30f. Fielding, wo er die Mutter ... schildert ...:* »Ich würde versuchen, ihr Porträt zu entwerfen, wenn das nicht bereits von einem geschickteren Meister, vom großen Hogarth selbst, geschehen wäre, dem sie vor mehreren Jahren Modell saß. Kürzlich nun hat sie dieser Herr auf einem Stich vorgestellt, betitelt »Wintermorgen«, für den sie kein übles Sinnbild ist, und man kann sie da sehen, wie sie zur Covent Garden-Kirche schreitet (denn sie schreitet im Stich) mit einem ausgehungerten Bedienten hinter sich, der ihr Gebetbuch trägt«, schreibt Fielding

in »Tom Jones«, Erstes Buch, Elftes Kapitel (S. 50 der Hanser-Ausgabe) von Miß Bridget; vgl. auch F 85. Über Fielding vgl. zu A 99. – *36f. Auch der Hofmeister ... kömmt im Hogarth vor:* Vgl. 778, 26 ff. und die Anm. dazu.

707 *1f. arme Teufel:* Zu diesem Ausdruck vgl. zu 214, 31. – *3 donatio inter vivos:* Schenkung zwischen Lebenden. – *3f. in linea recta descendente:* Vgl. zu 369, 4f. Lichtenberg gebraucht den lat. Ausdruck auch J 1165. – *6 Im Taschenkalender ... gesagt:* Gemeint ist der »Göttinger Taschen Calender« für 1790, S. 180 oben. – *7 einem gesetzten Engländer:* Aus Lichtenbergs Briefen und Tagebüchern geht nicht hervor, wer gemeint sein könnte; 1789/90 war Howard in Göttingen. – *17ff. St. Paul's Coventgarden:* Diese Kirche, errichtet von Inigo Jones (1573–1652), brannte 1797 ab. – *18 nicht mit der bekannten verwechseln:* St. Paul's Cathedral; über diese Kirche vgl. zu 193, 2. – *20 Tom King's Kaffee-Haus:* Vgl. zu 706, 6. – *23 Architrav:* Querbalken antiker Tempel. – *32f. Doppelmayrsche Himmels-Atlas:* Über Doppelmayr und seinen »Atlas coelestis« vgl. zu B 195; auf die Gesichtsbildungen darin kommt Lichtenberg auch B 419 und im Materialheft I, Nr. 174, zu sprechen. – *37 Lowes berühmtes Hotel:* Nähere Angaben konnten nicht ermittelt werden. – *40 Irelands Werk:* Vgl. 666, 28 und die Anm. dazu.

708 *1f. herrlicher Prospekt für den satyrischen Künstler:* Vgl. zu 542, 17 f. – *6f. ihre Bedienten taugen ...:* Über Lichtenbergs Beobachtungen von Dienstpersonal vgl. 385, 20. – *10f. diese Blätter erschienen ... 1738:* Vgl. 703, 29. – *13 Newgate:* berühmt-berüchtigtes Strafgefängnis in London; Lichtenberg erwähnt es auch 741, 2. 1008, 26. 1058, 1; im übrigen vgl. B 399 und die Anm. dazu. – *15 cavieren:* Bürgschaft leisten, haften. – *36f. etwas sehr Drolliges:* Dazu vgl. oben S. 321.

709 *1 Minervens Vogel:* Minerva, altital. Göttin, die Beschützerin des Handwerks und der gewerblichen Kunstfertigkeit; später, gleichgesetzt mit Athene, Göttin der Weisheit; ihr Attribut: die Eule. – *2 wie Spencers Harfe:* Gemeint ist die folgende Stelle aus den »Ruins of time«, 604. 610–613, von Edmund Spenser: »Er sah Orpheus Harfe nach dem Himmel steigen, und hörte in diesem Fluge die Saiten von dem Winde gerührt himmlische Töne verbreiten«, wie Lichtenberg in dem Artikel »Von der Aeolus-Harfe« (GTK 1792, S. 137–138) übersetzt, wo er auch die engl. Verse zitiert. Vgl. auch J 672; über Edmund Spenser vgl. zu J 352. – *3 Vortrab:* Lichtenbergs Eindeutschung von: Avantgarde; s. auch 712, 31. *Nachtrab* bildet er 465, 24. – *7f. Bortenhut:* Vgl. zu 351, 31. – *13 nasales:* Nasallaute. – *22 der berüchtigte Franzosen-Doktor Rock:* Lebensdaten unbekannt. – *29f. Bei jeder Gelegenheit empfiehlt er ihn der – Nachwelt:* S. etwa 799, 33. – *37 Creeping ... school:* Das Zitat ist »As you like it«,

II, 7, 139 entnommen; Lichtenberg hat es übrigens aus Ireland, o.c. I, p.137, entlehnt. Über Shakespeare vgl. zu A 74.

710 *4 Sic transit gloria mundi:* »So vergeht die Herrlichkeit der Welt«; Zitat nach Patricius »Ritus ecclesiasticorum SS. Romanae Ecclesiae«, Venedig 1516: Mahnung an den neugewählten Papst unter Verbrennung eines Bündels Werg. – *7 Topmast ... mit den Wimpeln:* Vgl. 705, 7ff. – *9f. Cowper's poems ... Beschreibung der alten Jungfer:* William Cowper (1731–1800, gest. in geistiger Umnachtung), engl. Dichter; trotz seiner nüchternen Lehrhaftigkeit ein Wegbereiter der Romantik. – *12 einige Züge daraus benützt:* Die Ausgabe, London 1782, war mir nicht zugänglich. – *12f. die Butlerische bekannte Versart:* In seinem satirischen Epos »Hudibras«, an das Lichtenberg hier doch wohl denkt, verwendet Samuel Butler Knittelverse. Über ihn vgl. zu B 49. Zur Sache vgl. 661, 24. – *13 Verfasser des Bath guide:* Christopher Anstey, Verfasser der Verssatire »The New Bath Guide«, erschienen 1766; über Anstey vgl. zu B, S. 45 (I). – *18 St. Giles':* Über dieses Londoner Viertel vgl. zu 333, 21. – *23 religiösen Sturm:* Gemeint sind die Verfolgungen franz. Hugenotten. – *31f. einen abgesagtern Feind ... Frankreich nie gehabt:* Über Hogarths Gallophobie vgl. zu 672, 24.

711 *1 Lutetia minor:* Klein-Paris; im übrigen vgl. zu 437, 20. – *21 Tanzmeistern:* Diesen Typus von Franzosen stellt Hogarth auch im »Leben des Liederlichen« (s. S. 838–39) dar. – *22 reich galonierten Kleide:* mit Gold- oder Silbertressen bestickt. – *23 Schabrackenpracht:* Schabracke: verzierte Satteldecke. – *25 Menuet-Pas:* Tanzschritt im 3/4-Takt. – *33ff. mit diesen Fingern die Worte ... feiner spinnen:* Diese Wendung notiert Lichtenberg ähnlich schon im Materialheft I, Nr. 95 zu »Orbis pictus«.

712 *14 Das Kleid verträgt sich mit jeder Taille:* Von kaschierten Schwangerschaften ist auch 717, 2 die Rede. – *19 Haarbeutel:* Vgl. zu 672, 24f. – *19 Solitaire:* Vgl. zu 696, 16. – *23 Heroum filii nequam:* »Der Helden Söhne taugen nichts«. Die Herkunft des Zitats ist nicht bekannt; im »Oxford Book of Quotations« als sprichwörtliche griech. Redewendung zitiert. – *24 Silberblick:* im Hüttenwerk beim Silberschmelzen der mit Erstarrung des Silbers hervorbrechende Glanz desselben (Heyne); s. auch 829, 35. – *26 die Moden von 1738:* Vgl. zu 703, 29. – *30 dreifarbigen Gleichheits-Kokarden:* »Dreifarbige Kokarden« erwähnt Lichtenberg auch L 480; zu »Kokarde« vgl. zu 694, 27; zu »Gleichheit« vgl. zu 492, 8f. – *31 Vortrab:* Vgl. zu 709, 3. – *38 Salbung:* Vgl. 553, 30.

713 *1f. die Flut ... zurückwedeln:* Diese Wendung begegnet auch C 334, D 533, E 257. 387, F 2. 860. – *3 Versteinerung:* Zu diesem Ausdruck vgl. zu 155, 29. – *5 Domine:* Stiftsvorsteher. – *5f. Kopfhängerin:* Zu diesem Ausdruck vgl. zu 282, 27f. – *13f. See-*

len ... ineinander geflossen: Diese Wendung begegnet ähnlich auch 814, 22f. – *29 in corpore:* insgesamt. – *34 englisch-melancholische Schwärmer:* Über die Methodisten vgl. zu 193, 21f.; zu »Schwärmer« vgl. zu 252, 4. – *34 Tabernakel:* methodistisches Bethaus.

714 *16f. In London ... ehemals die meisten Häuser Schilder:* Vgl. auch 1048, 8ff. – *19 Traiteur:* Stadtkoch. – *33f. nach wahrer Zeit speiset:* Dazu vgl. zu 690, 28f.

715 *16f. armen Teufels:* Zu diesem Ausdruck vgl. zu 214, 31. – *17f. aus einem Gemälde von Poussin genommen:* Nicolas Poussin (1594 bis 1665), franz. Maler; wichtigster Vertreter des klassischen Figurenbildes und heroischer Landschaften im 17.Jh. Das heute in der Sammlung Cook, Richmond, befindliche Gemälde »Raub der Sabinerinnen« entstand ca. 1637/39. Lichtenberg erwähnt Poussin auch in dem Kalender-Artikel »Der Harz« (GTK 1780, S. 107). – *18f. Sammlung des Herrn Hoare zu Stourhead:* Gemeint ist wohl Sir Richard Colt Hoare (1758–1838), engl. Kunsthistoriker und Kunstmaler, mit berühmter Bibliothek und Sammlung, oder Henry Hoare (1705–1785), Bankier und Kunstliebhaber. – *23 platonischen Geflüster:* Zu dieser Wendung vgl. zu 510, 34. – *27 Hogarths Schalkheit:* Zu diesem Ausdruck vgl. oben S. 322. – *31 Hoglane:* Vgl. 710, 18.

716 *3 Islington:* heute Stadtteil Londons. – *5 Sadlers Wells:* Eine von einem gewissen Sadler 1683 im Norden Londons eingerichtete Brunnenkuranstalt, wo nachmals Konzerte und andere Unterhaltungen stattfanden; 1765 wurde dort auch ein Theater eröffnet. – *8 Leiter-Tanz:* Davon berichtet Lichtenberg RA 9. 134. – *10f. gesehen zu werden ... sehen:* Zu dieser Wendung vgl. auch 787, 15. – *12 Galakleid:* Zu dieser Wortbildung vgl. zu 223, 15; s. auch 863, 23. 881, 5. – *14 Komplimentenwelt:* Zu dieser Wortbildung vgl. zu B 201. – *16f. Zurückerinnerung an die wenigen Sommer-Abende:* Im GTK 1790, S. 189, schreibt Lichtenberg konkreter: »Obgleich der Erklärer dieser Blätter nur etwa drey Abende an diesem Ort zugebracht hat, so glaubte er sich dennoch wie zu Hause, als er diesen Kupferstich zum erstenmahl erblickte: er scheint ihm daher auch in einer Camera obscura gezeichnet.« Lichtenberg notiert Besuche ebenda in RA 9. 37. 134; s. auch 721, 24. – *21 Blaufärber:* Beim Blaufärben verwandte man früher Waid, bzw. ostindischen Indigo; die Stoffbahn erhielt erst beim Aufhängen an der Luft den blauen Ton. – *23 unsere ersten Eltern:* Adam und Eva. – *29 Hogarth ... seltsamen Einfall:* Dazu vgl. oben S. 322.

717 *1f. Gorge à la Montgolfière:* Brüste wie ein Luftballon; über die Brüder Montgolfier und ihre Erfindung des Heißluftballons vgl. 65, 5. »Taille à la Montgolfièr« schreibt Lichtenberg GTK 1785, Weg des Liederlichen, 7. Blatt, S. 158. Zu der kaschierten

Schwangerschaft vgl. 712, 14. – *3f. Shakespeare läßt ... einen Frühlings-Morgen ...:* Gemeint sind die Zeilen: »I must go seek some dewdrops here, / And hang a pearl in every cowslip's ear« aus »A Midsummer Night's Dream«, I, 2. 14. – *8 redressieren:* zurechtrücken. Lichtenberg gebraucht den Ausdruck auch IV, 143, 24. – *15 Bortenhut:* Vgl. zu 351, 31. – *16 Venus und Adonis mit dem Amor:* Über Venus vgl. zu 362, 15; über Adonis zu 535, 16. Amor: der Sohn der Venus und Gott der Liebe. – *17f. City-Amor:* Zu dieser Wortbildung vgl. 674, 37. – *27 Kokarde auf dem Hut:* Vgl. zu 694, 27. – *32 Sakrament der roten Halsbinde:* Diese Wendung gebraucht Lichtenberg auch J 716 und schon in einem Brief an Friedrich August Lichtenberg (IV, Nr. 442, S. 553) vom 8. März 1784. Das Land, in dem Neugeborene schon zum Militär eingezogen werden, ist Preußen. – *35 Eiter à la Montgolfière:* Vgl. zu 717, 1f. Eiter: mundartlich für Euter: s. Südhess. Wörterbuch, Bd. II, Sp. 303, Marburg 1972. – *38 Diese Kuh teilt ... ihre Kopfzierde:* Auf diese Bildidee Hogarths kommt Lichtenberg in einem Brief an Eschenburg (IV, Nr. 494, S. 639) vom 13. Juni 1785 zu sprechen; vgl. auch 972, 20f. 1034, 10.

718 *14 Aushänge-Schild:* Vgl. zu 679, 32. – *16 Hugh Middleton:* Myddelton (1560?–1631); er ist übrigens nicht geadelt worden. – *21 20 englischen Meilen:* 1 engl. Meile beträgt 5000 Fuß: 1524 m. – *23 Betze:* das junge männliche Schwein, bis es zum Eber wird; wird im Hessischen aber auch für Hündin und andere Tiere verwendet (s. Südhess. Wörterbuch, Bd. I, Sp. 752). S. auch 878, 7.

719 *1 renoviert und renofiert:* Ähnlich schreibt Lichtenberg (IV, Nr. 494, S. 639) vom »renofadum« der deutschen Weißbinder; s. auch 720, 19. – *6 wahrhaft deutsches Pantheon:* vermutlich parodistische Variante auf den zeitgenössischen Vorschlag, ein »Pantheon der Deutschen« zu schaffen; vgl. K 269 und die Anm. dazu. Zu *Pantheon* vgl. zu 675, 17. – *12f. Es gibt wenig Menschen ...:* Dieser Satz findet sich wörtlich in K 138. – *14 Leibniz:* Über ihn vgl. zu A 9. – *14 Könige von Preußen:* Über Friedrich II. vgl. zu KA 140. – *23f. Lilie ... französische:* die bourbonische Lilie, das Wappenbild der Könige von Frankreich; in der Zeit der Franz. Revolution polit. Abzeichen der royalistischen Partei. – *35 des letzten Herzogs von Orleans:* Ludwig Philipp Joseph (1747-1793), Herzog von Orléans, in der Franz. Revolution Mitglied der Jakobiner (Philipp Egalité), stimmte im Konvent für den Tod König Ludwigs XVI., wurde dann aber selbst guillotiniert. Lichtenberg erwähnt ihn auch 740, 34. – *36 Orden des heil. Geistes:* der ›Orden vom Heiligen Geist‹, von König Heinrich III. von Frankreich 1578 als höchster Orden mit nur einer Klasse gestiftet: der erste nichtgeistliche Ritterorden, dessen Abzeichen ein Kreuz war.

720 *1 deutschen Howard ... für die Wirtshäuser:* Dieser Gedanke ist J 316 entlehnt; über William Howard vgl. die Anm. dazu; s. auch J 327. – *3 deutschen Pantheon:* Vgl. zu 719, 6. – *5 deutsche Gesellschaft:* Vgl. zu 213, 1 f. – *8 überhaupt andere Denkmäler ... als papierne:* »Denkmäler aus papiermaché«, formuliert Lichtenberg J 274; zum Gedanken vgl. auch F 578. – *11 Kleinhandel durch Stadt-Frau Basen:* Zu diesem Gedanken vgl. zu 182, 14. – *12ff. die ewigen Denkmäler, die sich unsre Landsleute ... erbaut:* Gemeint sind Johann Hieronymus Schröter (vgl. zu J 1884), Wilhelm Herschel (vgl. zu J 259) und Nicolaus Copernicus (vgl. zu H 148). – *15f. papierne Attestate:* von »papiernen Assignaten« spricht Lichtenberg in den Briefen (IV, S. 843); s. auch 732, 20. – *16f. Alexander ... wie jeder andere Straßenräuber:* Über Alexander den Großen vgl. zu KA 140; Lichtenberg rechnet ihn auch 462, 20 den Straßenräubern zu. – *18 Testimonium:* Urkunde, Zeugnis. – *18 Käsebier-Historien:* Über den Straßenräuber Käsebier vgl. zu 222, 14. – *19 renoviert und renofiert:* Vgl. zu 719, 1. – *25 Dinge latent sind:* Zu diesem Begriff vgl. zu J 1291. – *33f. Dr.Johnsons Mittel wider den Selbstmord:* Vgl. 701, 30ff. und die Anm. dazu. – *35 Rauch-Stadt:* i.e. London; im »Göttinger Taschen Calender« für 1797, S. 157, innerhalb der Miszelle »Vom Feuer« schreibt Lichtenberg: »Noch immer besteht die Wolke, die über London schwebt, aus Tausenden von Scheffeln von Steinkohlen, die die Ungeschicklichkeit da hinauf wegwirft, ohne den mindesten Gewinn, als etwa den, die Sonne zu verfinstern und die Häuser mit Ruß zu bepudern.«

721 *9ff. Daß doch diese Menschenklasse ...:* Die schlechten Erfahrungen, die Lichtenberg selbst mit der Neugier und Klatschsucht der Waschweiber gemacht hat, schildert er in einem Brief an Kaltenhofer (IV, Nr. 48, S.101–102) vom 12. November 1772 aus Osnabrück; s. auch 720, 11. – *13f. bis auf den einzigen Trusler:* Truslers Abhandlung war mir nicht zugänglich. – *18f. Bei den Engländern ... Hufeisen, ein Pferdeschuh:* horse-shoe. – *21 eine gewisse im Deutschen sehr gemeine Redensart:* »Sie hat ein Hufeisen verloren« besagt, ein Mädchen hat ein uneheliches Kind geboren. – *24 Sadlers Wells:* Vgl. 716, 16.

722 *6 lukubriert:* lukubrieren: bei Nacht (Licht) – geistig – arbeiten; Lichtenberg gebraucht den Ausdruck auch in den Briefen (IV, S. 937). – *12f. Bourseault, wenn er seiner Babet ...:* Edme Bourseault (1638–1701), frz. Dichter, bekannt durch seine literarischen Fehden mit Molière und Boileau; in seinen »Lettres de respect, d'obligation et d'amour« (Paris 1666) befinden sich die für die Geschichte der frz. Briefliteratur und des psychologischen Romans bedeutenden »Lettres à Babet«. Lichtenberg erwähnt sie auch in einem Brief an Blumenbach (IV, Nr. 525, S. 687) vom

12. Nov. 1786. – *16 29ten Mai:* Oak Apple Day, wird noch heute zur Erinnerung an den Geburtstag Karls II. von den Veteranen des von ihm gegründeten Royal Hospital gefeiert. Karl II. gelangte durch die Restauration von 1660 auf den engl. Thron. Über Karl II. vgl. zu D 647. – *21 berühmten Karls-Eiche:* Nach der von Cromwell gewonnenen Schlacht von Worcester (1651) versteckte sich Karl II. in einer Eiche vor seinen Verfolgern und rettete sich so. – *22 unter den Sternen:* »Manchem unserer Leser wird es nicht unangenehm seyn hier zu erfahren, daß Halley eben diesen Schild am Himmel aufgehängt hat. Auch da giebt es unter den Sternen eine Carls-Eiche (Robur Carolinum), die auf englischen Sterncharten auch sehr gut gedeiht. Indessen aber haben französische Reuter den englischen König darin entdeckt, und die Eiche auf die Seite geschoben, wo sie aber auf dem Felsen, auf welchen sie sie verpflanzt haben, auch selbst in Frankreich fortkömmt.« So schreibt Lichtenberg in der Hogarth-Erklärung »Die Parlaments-Wahl. Zweyte Scene« im »Göttinger Taschen Calender« für 1788, S. 143, und fährt in einer Fußnote ebenda fort: »de la Caille gab nemlich dem Sternbilde des Schiffes [gemeint ist Argo] die Sterne wieder, die Halley demselben für die Carls Eiche geraubt haben soll. Aber aus Respect gegen diesen König sowohl, als den großen Astronomen, behielt er die Eiche bey, verpflanzte sie aber auf den Felsen an welchem das Schiff vor Anker liegt.« – *34 f. Ireland ist hier sehr richtig:* »a man with a pipe in his mouth is filling a capacious hogshead with British Burgundy«, heißt es bei Ireland, o. c. I, p. 154. – *39 man kennt den Schalk:* Zu diesem Ausdruck vgl. oben S. 322. – *41 f. Von dieser Eiche ... an einem andern Orte ... mehr gesagt:* Gemeint ist Hogarths Gemälde- bzw. Kupferstichfolge »Die Wahl«, Zweites Blatt, zu deren Ausführlicher Erklärung Lichtenberg nicht mehr gelangt ist. Im »Göttinger Taschen Calender« für 1788, S. 142–143, hatte er bei Erklärung dieses Blattes folgendes ausgeführt: »Neben dieser Annonce sieht man das Schild des Hauses, die Königs-Eiche, nemlich König Carl II. in der bekannten Eiche, mit drey Cronen, England, Schottland und Irland um sich, und unten, einigen Reutern, die ihn suchen. Nicht ohne Lächeln hat der Erklärer dieser Blätter, öfters diese Wirthshauszierde, die in England sehr gemein ist, ansehen können. König Carls Kopf wird nemlich gemeiniglich in der Mitte des Busches einer Eiche gezeichnet, und zwar in einem solchen Verhältniß zu dem Busch selbst, daß man, ohne sich Gewalt oder den Perücken ein Leid anzuthun, ganz füglich die Eiche für die Perücke Carls des Zweyten halten kann.«

723 *1 die Gegend von Charing-Cross:* zwischen dem westl. Ende von The Strand und dem nördl. Ende von Whitehall in der City von Westminster, heute eins der wichtigsten Verkehrszentren

Londons. – *2f. Bildsäule ... Karls I.:* Vgl. auch RA 1. Über Charles I. vgl. zu KA 163. Das Reiterstandbild von Hubert Le Sueur wurde 1675 an der Spitze von Whitehall errichtet. – *5ff. Welcher unter unsern Lesern ...:* Über Lichtenbergs politische Haltung und öffentliche Parteinahme gegenüber der Frz. Revolution vgl. zu 477, 25; über Ludwig XVI. vgl. zu J 564. – *19f. Freimäurer ... mit Winkelhaken und Schurzfell:* Insignien der Freimaurer; vgl. auch D 597 und die Anm. dazu. – *22 Pissevache:* einer der schönsten Wasserfälle in der Schweiz, Kanton Wallis, durch die Salance gebildet, die aus den Gletschern des Dent-du-Midi entsteht, ca. 70 m hoch. – *28 Veil:* Sir Thomas de Veil (gest. 1748), Friedensrichter in London und Amtsvorgänger Henry Fieldings. – *29 Hawkins:* Über ihn vgl. zu J 199. – *29 Nichols:* Gemeint ist o.c.p. 211; über Nichols vgl. zu 666, 20 ff. – *30 versichert Herr Ireland:* Gemeint ist o.c. I, p. 152. – *32 Grammatici certant:* Vgl. zu 300, 27. – *33f. Satyre auf den Orden ... nicht auf den wahren:* Gemeint ist das zeitgenössische Geheimbund- und Logenwesen im Gegensatz zu dem Freimaurerorden, wie Lichtenberg es etwa Cagliostro vorwarf.

724 *1 den Gasthof:* von mir entsprechend Lichtenbergs Druckfehlerverzeichnis am Schluß der Satzvorlage verb. aus: *dem Gasthof.* – *2 das ... Schild:* von mir entsprechend Lichtenbergs Druckfehlerverzeichnis am Schluß der Satzvorlage verb. aus: *der ... Schild;* vgl. auch zu 477, 34. – *3 Bagnio:* Zu diesem Ausdruck vgl. zu 195, 4. – *9 Ecce signum:* Siehe das Zeichen. – *17f. in einen rechten Winkel gebogenes Schermesser:* Vgl. 665, 7 f. – *23 Dormitorium:* Schlafsaal. – *25f. mit Hühner-Gleichheit und Hahnen-Rechten:* Vgl. zu 458, 11. – *31f. deutsche Diligence (Negligenzen sollte man sie ... nennen):* Über das Leidwesen der deutschen Postkutschen beklagt und mokiert sich Lichtenberg, der eine Zeitlang eine Satire darüber plante, auch 526, 1; s. die Anm. dazu. *Diligence:* Emsigkeit, Schnelligkeit, im übertragenen Sinne: Postkutsche; *Negligence:* Saumseligkeit. – *34 so kann man auch auf flying rechnen:* S. Lichtenbergs Urteil über die Geschwindigkeit der engl. Postillone in TB 1 (S. 604–605). – *34 cito, citissime:* schnell, sehr schnell; s. auch 748, 9.

725 *21f. Earl of Cardigan:* Thomas Brudenell (Lebensdaten unbekannt). – *24 Epitaphium:* Grabschrift, Grabmal. – *27f. marmornen Pantheon:* Vgl. zu 719, 6. – *31 der Statüe:* Vgl. 723, 2.

726 *2 Restoration:* Anspielung auf die Wiederherstellung (der Monarchie) durch Karl II; s. auch 722, 17. – *3 Herzog von Ancaster:* Peregrine Bertie, 3. Duke of Ancaster (1714–1778); s. auch Briefe (IV, S. 258. 262). Nach Konrad Haemmerling, Hogarth, Dresden 1950, S. 199, befinden sich die Originalgemälde »Mittag« und »Abend« in Grimsthorpe Castle, Lincolnshire, in der Sammlung des Earl of Ancaster. – *4f. 57 ... 64 Guineen:* Vgl.

zu 40, 18. – *4 William Heathcote:* Lebensdaten unbekannt; es handelt sich vermutlich um den Enkel des berühmten Lord Mayors von London: Sir Gilbert H. Nach Haemmerling, a. a. O. Seite 199, befinden sich im Besitz der Lady Heathcote die Gemälde »Morgen« und »Nacht«.

DER WEG DER BUHLERIN

Erstveröffentlichung und Satzvorlage: »G.C. Lichtenbergs ausführliche Erklärung der Hogarthischen Kupferstiche, mit verkleinerten aber vollständigen Copien derselben von E. Riepenhausen. Zweyte Lieferung. Göttingen im Verlag von Joh. Christ. Dieterich 1795.« XV und 376 Seiten. Auch hier folgt die S. 727 wiedergegebene Devise von Churchill im Original auf einer Extraseite nach dem Titelblatt.

Zur Entstehung: Über die Wahl des »Wegs der Buhlerin« anstelle der zunächst als Zweite Lieferung angekündigten »Marriage à la mode« habe ich unten S. 410 genauer unterrichtet. An dieser Stelle sei eine Äußerung Lichtenbergs aus einem Brief an Ramberg (LB III, Nr. 662, S. 119) vom 19. Juni 1794 mitgeteilt: »Das Leben einer Liederlichen ist von Hogarth selbst geäzt, enthält nicht so viele ausgearbeitete Figuren [scil. wie »Marriage à la mode«] und ist daher für Herrn Riepenhausen leichter. Sub rosa: Herr Riepenhausen ist selbst ein Bischen nach der Mode verheyrathet, und verschmäht mitunter auch die Heldinnen des zweyten Stücks nicht. Er wird also von dem einen Süjet gerade nach der Seite hin abgestoßen, nach der ihn das andere zieht. So etwas würckt, zumal in den Sommer Monaten.«

Nach einem Brief an Friedrich August Lichtenberg (IV, Nr. 672, S. 903) vom 22. Dezember 1794 ist »das zweite Heft in Arbeit«; vgl. auch SK 729 vom 27. Dezember 1794: »Viel an Hogarth geschrieben, und gut[e] präparatoria«; am 31. Dezember 1794 (SK 731) heißt es dagegen: »Noch will es mit Hogarth nicht gehen!!« Am 4. Januar 1795 (SK 733): »viel Hogarth rein geschrieben abends Fini«. Am 8. Januar 1795 sind vier Blätter der Zweiten Lieferung fertig und zwei Bogen von Lichtenbergs »Zerklärung« bereits »abgedruckt« (IV, Nr. 675, S. 909). Diese Mitteilung an Ebert wird durch SK 735 vom gleichen Tage bestätigt: »Erster Bogen von Hogarth aus der Druckerei.« Am 12. März 1795 (SK 754) korrespondiert Lichtenberg mit Prof. Arnemann »wegen Hogarth« – der Briefwechsel ist nicht erhalten. Am 9. April endigt Lichtenberg die Fünfte Platte der Zweiten Lieferung (SK 761) und kann am 18. April 1795 (SK 763) – dem Datum, das die Vorrede der Zweiten Lieferung trägt – feststellen: »Hogarth ganz geendigt«.

Am 10. Mai 1795 kann Lichtenberg (s. IV, Nr. 688, S. 925 bis 926, und SK 773) Eschenburg die Zweite Lieferung übersenden. Weitere Dedikationsexemplare gehen an Eberts Witwe (s. IV, Nr. 690, S. 927) am 4. Juni und an Goethe (s. IV, Nr. 697, S. 934, und SK 822) am 12. Oktober 1795. Erst am 25. Juni 1795 (SK 792) geht ein Exemplar an von Trebra ab, und erst am 23. Dezember 1796 schickt Lichtenberg auch seinem »Vetter« Friedrich August (IV, Nr. 717, S. 958) ein Exemplar – zusammen mit der Dritten Lieferung.

Rezensionen: Eschenburg in »Allgemeine Literatur-Zeitung« 1795, II, S. 596–599; Kästner in »Göttingische Anzeigen von gelehrten Sachen« 1795, S. 857–859.

Lichtenberg bedankt sich für Eschenburgs »aufmunternde« Besprechung mit Brief (LB III, Nr. 698, S. 162) vom 30. Juli 1795.

727 *2 ff. Hogarth ... age. Churchill:* Vgl. zu 659, 2 ff.
728 *3 Weissagungen:* Vgl. 668, 1 f. – *5 Michaelis-Messe vorigen Jahres:* Sept. 1794; vgl. zu 668, 1. – *26 Krankheit:* Von Riepenhausens Erkrankung ist sonst nichts bekannt. – *27 Kränklichkeit:* Vgl. Lichtenbergs Begleitschreiben an Eschenburg (IV, Nr. 688, S. 925) vom 10. Mai 1795. »Machwerk« nennt er seine Arbeit an Eschenburg (IV, Nr. 690, S. 928) am 4. Juni 1795.
729 *4 launigen Mutwillen:* Zu diesem Ausdruck vgl. oben S. 322. – *8 lachenmachender Materie:* Zu dieser Wendung vgl. zu 669, 15. – *20 in der Vorrede ... Ireland vorwarf:* Vgl. 662, 4 ff. – *24 in modo:* in der Art und Weise. – *38 f. Restaurations-Besen auf dem dritten ... Blatt:* Vgl. 763, 5, wo ihn Lichtenberg allerdings »Edukations-Besen« nennt.
730 *1 einiges ... sechsten Blatt:* Darauf kommt Lichtenberg auch 797, 11 f. zu sprechen. – *9 ff. Eine gemalte Zweideutigkeit ... simple Zote ... über sie spricht:* Vgl. auch 763, 32. 797, 11 f. – *20 sit venia verbo:* man verzeihe das Wort. – *25 Algeber:* Algebra. – *28 obiter:* ungefähr; s. auch 801, 12. – *30 f. Beifall ... Erinnerungen, womit es die erste Lieferung beehrt:* Lichtenberg denkt vermutlich vor allem an Eschenburgs Rezension, die oben S. 325 angeführt ist.
731 *4 Forster:* Gemeint ist Reinhold Forster; über ihn vgl. zu G 104. Sein Sohn Johann Georg Forster war 1794 gestorben. – *4 Wendeborn:* Über ihn vgl. zu J 306. – *5 Archenholz:* Über ihn vgl. zu J 47; im übrigen s. 189, 4. 198, 9. – *5 Küttner:* Karl Gottlob Küttner (1755–1805), vielseitiger Reiseschriftsteller, schrieb u. a. »Beyträge vornehmlich zur Kenntnis des Innern von England«, 16 Stücke, Leipzig 1791–96. – *9 f. geistich:* Zu dieser Schreibweise vgl. zu A 139. – *22 Shakespears Enter three witches solus:* »Drei Hexen treten auf alleinig«. Diese Bühnenanweisung ist aus »Macbeth«, I, 1. – *22 f. Die nächste Lieferung ... das Leben des*

Liederlichen: Die Dritte Lieferung »Der Weg des Liederlichen« erschien genau ein Jahr später im April 1796. – *23f. Meisterstück von satyrischer Laune:* Zu diesem Ausdruck vgl. oben S. 322. – *25 Die erste Platte ... ihrer Vollendung nah:* »Erste Platte von Rake« notiert Lichtenberg am 23. April 1795 (SK 765). »Von dem dritten Heft ist das erste Blatt nunmehr ganz fertig und recht gut geraten«, schreibt Lichtenberg an Eschenburg (IV, Nr. 688, S. 926) am 10. Mai 1795. – *26 18. April 1795:* Vgl. SK 763.

732 *15 Cibber:* Theophilus Cibber (1703–1758), engl. Theaterdichter und Schauspieler. – *17f. den Menschen in dieser ... Camera obscura nachzuzeichnen:* Diesem Prinzip huldigte Lichtenberg selbst, als er Garricks Menschendarstellung als eine andere Natur studierte und beschrieb und nach diesem Konzept den »Orbis pictus« entwarf (vgl. S. 337. 345. 380). Im übrigen ist es interessant, daß Lichtenberg hier von Hogarths Bilderfolge wie von einem Film spricht; die Camera obscura, mit der er sich selbst experimentell beschäftigte, erwähnt er auch D 739; s. die Anm. dazu. – *19 Prärogativ:* Zu diesem Ausdruck vgl. zu 344, 27. – *20 papiernen Alters der Welt:* Zu dieser Wendung vgl. zu 720, 6. Bemerkenswert ist, daß Lichtenberg noch 1795 den deutschen Schriftstellern den alten Vorwurf macht, nicht nach der Natur zu arbeiten. – *23 von einem Bogen Papier reflektiert:* Zu diesem Gedanken vgl. Materialheft I, Nr. 158. 159. E 406. F 513. – *29f. die etwas biblische Form:* »Harlot« heißt, wörtlich übersetzt: Hure; im übrigen ist Hogarths Titel sicherlich bewußte Parodie des berühmten Titels von Bunyans »The Pilgrim's Progress«. In der *Kalender*-Erklärung hat Lichtenberg das Wort *Hure* durchaus benutzt!

733 *10f. Hogarth ... kein Schönheits-Maler:* Zu diesem Ausdruck vgl. oben S. 321. – *13 seine selige Frau:* 1728 heiratete Hogarth Jane Thornhill (ca. 1709–1789), die Tochter des engl. Historien- und Hofmalers Sir James Thornhill. Lichtenberg erwähnt sie auch 989, 14. Offenbar hat er sie 1775 persönlich kennengelernt. – *19 Dienst der Ceres und Pomona:* d.h. als Bauernmagd; über Ceres vgl. zu 669, 11; *Pomona:* altröm. Göttin der reifenden Früchte. – *28 wie ... Johnson das Wort definiert:* Gemeint ist »A Dictionary of the English Language: In which the words are deduced from their Originals, And Illustrated in their Different Significations by Examples from the best Writers. To which are prefixed a History of the Language and an English Grammar«, 2 Bde., London 1755. Das Wort *Curate* definiert Johnson in Bd. 1; die Spalten sind unpaginiert: »A clergyman hired to perform the duties of another.« Johnsons Wörterbuch zitiert Lichtenberg auch 781, 30. 821, 21. Im übrigen vgl. zu J 811. – *38f. Miss in her Teens ... Schauspiel von Garrick:* Über dieses Stück, das Lichtenberg Anfang März 1775 in London sah, vgl. zu RT 19; über Garrick vgl.

zu KA 169. Zu der englischen Redewendung vgl. auch 750, 23 f. 782, 16. 897, 29.

734 *1 Schnürleibchen:* Schnürbrust: so hieß im 18. Jh. das – gesundheitschädigende – Korsett; s. auch 896, 3. 967, 30 und L 309. – *8 Flora:* Über sie vgl. zu 633, 1. – *10 Fortifikation:* Befestigungs-, Festungswerk. – *12 parallelen Füßchen:* Zu dieser Wendung vgl. zu 328, 13 f. – *20 f. en rapport:* in Beziehung. – *33 Roucquet sagt:* S. o. c. p. 3; über Roucquet vgl. 666, 2 f. – *36 f. der launige Brite ... aus Mutwillen:* Dazu vgl. oben S. 321. 322.

735 *18 Decus et tutamen:* Zierde und Schutz. – *24 f. die Perücke des Geistlichen (The Clergyman's Wig):* Diese Wendung begegnet auch J 1049. – *27 was Perücken sind:* Über diesen Artikel äußert sich Lichtenberg auch 923, 36 ff.; im übrigen vgl. zu D 256. – *32 Linneisch:* Über Linné vgl. zu A 22; über die satirische Anwendung seiner Klassifikation vgl. zu 676, 35 f.

736 *1 f. Clergyman's Wig:* Dazu vgl. 735, 24. – *3 Metastase:* wörtlich: (krankhafte) Veränderung; hier: Redefigur, durch die der Redner die Verantwortung für eine Sache auf einen andern überträgt. – *19 wie Lenorens Wilhelm beim Gattertor:* Gemeint ist der tote Grenadier aus Bürgers berühmter Ballade »Lenore«, der seine Braut auf den Friedhof reitet; im übrigen vgl. zu 473, 25 f. – *20 f. Te Deum ... schmausen:* Eine ähnliche Wendung begegnet F 1071; über Karl Heinrich Graun vgl. zu B 191; über sein berühmtes Tedeum (laudamus) s. F 1071. L 282. 456; s. auch 792, 25. – *35 Woodstreet:* Das Wirtshaus zur Glocke wird auch 804, 2 und die Woodstreet auch 1057, 20 erwähnt.

737 *28 Konjunktion:* Zu diesem Ausdruck vgl. zu 156, 35.

738 *17 das geschachte Feld:* »geschacht«: diese Schreibweise findet sich bei Lichtenberg regelmäßig für: gescheckt. – *21 Familie Warren:* Gemeint sind vermutlich die Nachfahren des berühmten engl. Kaufmanns und Lord Mayors von London, Sir Ralph Warren (1486?–1553). – *24 Taxensammler:* Steuereinnehmer. – *37 f. Gentleman's Magazine:* Gemeint ist eine von »Candide« unterzeichnete Zuschrift an »Mr. Urban«, den pseudonymen Herausgeber der Zeitschrift, vom 4. September 1794; über die Zeitschrift vgl. zu A 55.

739 *5 in limbo:* im Umkreis. – *7 f. Steifstrümpfe:* Diese Stelle dient in DWB X, 2, 2 als einziger Beleg des Wortes. – *14 Haarbeutel:* Vgl. zu 672, 32. – *19 cul de Paris:* Steißpolster, welches im 18. Jh. bei Damenkleidern modern war. – *24 f. Obrist Charters:* Über Francis Charters vgl. zu B 399; s. auch 782, 29. 812, 5. 833, 20. – *31 hängenswert:* Als Fremdwort »pendabel« gebraucht Lichtenberg diesen Ausdruck 740, 36. 744, 35. 941, 12. – *35 schnellen:* im Sinne wie ›prellen‹, übervorteilen, wie aus DWB hervorgeht, noch im 18. Jahrhundert üblich und auch bei Immermann belegt; s. auch 743, 33. – *37 Pope:* Vgl. 740, 33. – *37 Swift:*

Die Stelle über Charters war von mir nicht auffindbar. – *37f.*
Arbuthnot: Zu seinem Beitrag über Charters s. 741, 6; über
Arbuthnot vgl. zu B 399.

740 *3f. Monstrositäten ... studieren, die ihre Kriminalgerichtshöfe ...
aufstellen:* Wie aus den Briefen hervorgeht, hat Lichtenberg eine
Zeitlang die »Old Bailey Trials« studiert; vgl. Briefe (IV, S. 410).
– *12 Briefe auf Nantes und Bordeaux:* Die Anspielung ist unklar. –
15f. kalter Prose: Zu diesem Ausdruck vgl. zu 65, 4. – *23 Interessen:* Vgl. zu 74, 4. – *31ff. Zweimal ... bezahlen:* Diese Passage
notiert Lichtenberg auf englisch in einer Fußnote zu B 399. –
33 Moral Essays: Die Dritte Epistel »To Lord Bathurst« hat das
Thema: »Of the use of Riches«, wo Pope auch die Grabinschrift
von Arbuthnot zitiert; über Pope vgl. zu A 94. Pope schreibt
übrigens: Chartres. – *34 Herzog von Orleans, vorher Duc de Chartres:* Über ihn vgl. zu 719, 35. – *34 Nomen est Omen:* Der Name ist
Geschick, sagt alles. – *35 den Herzog Regenten:* Philipp von Orléans (1674–1723), Herzog von Chartres, war nach dem Tode
Ludwigs XIV. 1715 Regent von Frankreich für den noch unmündigen Ludwig XV. – *35f. roué ... rouable:* nicht übersetzbares Wortspiel: la roue: das Rad; roué (davon abgeleitet):
Wüstling; rouable: wert, gerädert zu werden; das Wortspiel
ist J 1251 entlehnt. – *36 pendable:* hängenswert; vgl. zu 739, 31.
Lichtenberg gebraucht den Ausdruck auch 744, 35. 941, 12.

741 *2 Newgate:* Vgl. zu 708, 13. – *6 Grabschrift ... der berühmte D.
Arbuthnot:* Diese Grabschrift notiert Lichtenberg bereits B 399;
vgl. die Anm. dazu. Über Arbuthnot vgl. zu B 399.

743 *19 Sit tibi terra levis:* Möge dir die Erde leicht sein. – *23 Arbuthnot:* Über ihn vgl. zu B 399. – *24 Phrases-Handel:* Ähnliche
Wortbildungen begegnen J 466: »Phrases-Sucher« und GTK
1792, S. 212: »Phrases-Künstler«. – *33 schnellen:* Vgl. zu 739, 35.

744 *4 Tout comme chez nous:* »Ganz wie bei uns«. Zitat aus »Arlequin,
Empereur dans la Lune« von Nolant de Fatouville, aufgeführt
1684. – *24 Revenüen:* Vgl. zu 245, 25. – *26 John Gourlay:* Seine
Lebensdaten waren nicht zu ermitteln. – *34 Gentleman's
Magazine:* Über diese Zeitschrift vgl. zu A 55. – *36 pendabler:*
Vgl. zu 740, 36.

745 *3 Aneignungsmittelchen:* Zu diesem Begriff vgl. zu K 322; s. auch
1029, 4. – *12f. Madam Needham:* Lebensdaten unbekannt. –
15 St. James's street: Lichtenberg erwähnt die Straße auch 860, 9.
– *18 Pope verewigt ... Dunciad:* »Pious Needham« schreibt Pope
an der von Lichtenberg genannten Stelle der »Dunciad«. Über
diese Satire vgl. zu 299, 4. – *27f. Hurenwirtinnen, die Betschwestern sind:* Zu dieser Wendung vgl. J 544. 545; zu dem Ausdruck
»Betschwester« vgl. zu 452, 36. – *29 differentia specifica:* spezifischer Unterschied.

746 *1 Ich liebe den Verrat und hasse den Verräter:* Auf diesen Satz spielt

Lichtenberg auch F 1054 an und zitiert ihn auf französisch; Briefe (IV, Nr. 681, S. 917) am 26. Februar 1795. – *23f. armen Teufels:* Vgl. zu 214, 31. – *25f. Recommendations-Schreiben:* Empfehlungsschreiben. – *35 to hack:* Johnson schreibt im »Dictionary«, Bd. 1, dazu: »to hackney, to turn hackney or prostitute«.

747 *12f. die Susanna ... auf den Koffer genagelt:* Anspielung auf Kap. 13 des Buches Daniel: Susanna, eine durch Schönheit und Gottesfurcht berühmte Jüdin in Babylon, im Bade von zwei ungerechten Richtern des Ehebruchs bezichtigt, die jedoch von Daniel entlarvt wurden. – *16f. Doktor und Magister ... Taufnamen:* Diese Wendung notiert Lichtenberg K 210; vgl. auch J 1096. – *17 Theophilie:* griech.: Gottliebe. – *19 Benedictus:* der Gesegnete. – *19 Spinoza:* Über ihn vgl. zu H 143. – *32 Kate Hackabout:* Vgl. auch 804, 9. – *32f. ein ... öffentliches Mensch:* Die Neutrum-Form des Substantivs *Mensch,* im 18. Jh. auch mit dem Plural *Menscher* (s. 618, 10) häufig und stets pejorativ verwandt, bezeichnete die niedere Person, wenn nicht gar das der gesellschaftlichen Ehre verlustig gegangene weibliche Geschöpf; vgl. auch 756, 2. 785, 19. 787, 30. 811, 23. 814, 14. 857, 23. 921, 2. 972, 26. 1055, 15. 1056, 20. »Die Sprache in der Pfalz ist ... nicht eben delikat; eine Geliebte heißt da, auch unter den Honoratioren, *Mensch*«, schreibt Laukhard in »Sein Leben und seine Schicksale«, Neuausg. München 1911, S. 33 (Fußnote). – *38 Venus Pandemos ... Venus Urania:* Aphrodite Pandemos, nach Homer Tochter des Zeus und der Diane, in Athen verehrt, nach Platon (Symposion) die »irdische« (käufliche) Liebe im Gegensatz zu Aphrodite Urania: die ›Himmlische‹, nach Hesiod aus der ins Meer geworfenen Scham des Uranos entstanden, in Korinth mit Tempelprostitution geehrt; s. auch 771, 26. 787, 3.; im übrigen vgl. zu 362, 15.

748 *9 cito, citissime:* Vgl. zu 724, 34. – *21 Philosophen-Assignaten:* Assignaten: Inflations-Papiergeld während der Franz. Revolution 1790–1796; verlor schnell seinen Wert. Diese Wendung gebraucht Lichtenberg ähnlich auch in einem Brief an Jacobi (IV, Nr. 631, S. 843) vom 6. Februar 1793; s. auch 773, 29. – *24 Rechenpfennigen:* münzähnliche Metallscheiben, im MA ein Hilfsmittel zum Rechnen, die auf linierten Rechenbrettern hinundhergeschoben wurde. – *25 Charters:* Über ihn s. 739, 24. – *26f. Pharao-Bänken:* Vgl. zu 100, 24. – *29f. Juden aus dem Portugiesischen Tempel:* womöglich Anspielung auf die Marranen: Juden, die, aus Spanien bzw. Portugal vertrieben, in England unter Cromwell 1655 Niederlassungsrecht erhalten hatten; s. auch 750, 21. 770, 20f. 804, 3.

749 *10f. nennt man dich den Karikatur-Maler:* Vgl. oben S. 321; s. auch 1056, 7. – *27 Chapeau bas zu Fuß:* Chapeau bas: ein unter dem Arm getragener Hut; s. auch 757, 16. 1041, 30. – *30 der be-*

trogene Betrüger: Zu dieser Wendung vgl. zu 557, 20. – *31 Sicht:* kaufmännischer Ausdruck für: Laufzeit eines Wechsels; seit dem 15. Jh. gebräuchl. Eindeutschung des ital. vista. – *35 Raffaels:* Über Raphael vgl. zu D 537. – *35 Domenichinos:* eigentlich Domenico Zampiari (1581–1641), ital. Maler, neben Reni der wichtigste Meister der Carracci-Schule von entschieden klassizist. Haltung, die im 17. Jh. zum Vorbild wurde, insbesondere Poussin. – *35 da Vincis:* Über Leonardo da Vinci vgl. zu C 107. – *35 Guidos:* Gemeint ist Guido Reni; über ihn vgl. zu J 283. – *36f. Connoisseur-Schnupfen ... gefangen:* Über die klassizistische Kunstkennerschaft in der Nachfolge Winckelmanns mokiert sich Lichtenberg bereits B 17; den Ausdruck »Connoisseur« gebraucht Lichtenberg auch E 210; s. auch 822, 13 und Briefe (IV, 499). – *36f. Schnupfen ... gefangen:* Dieser Anglizismus begegnet auch E 267. – *37 Belvedere:* Vgl. zu 677, 11.

750 *1 Protest:* Zu diesem Ausdruck vgl. zu 700, 21. – *5 nicht hosenlos:* Anspielung auf Sansculotte; vgl. zu 104, 38. – *6 nach der bösen Seite öffnet:* Dieser Sprachgebrauch ist im DWB nicht belegt. – *12 debet und credit:* Schulden und Haben; von »Debitor und Kreditor« spricht Lichtenberg 885, 33; s. auch E 46. – *16 Zona torrida:* heiße Zone. Lichtenberg gebraucht den Ausdruck auch 908, 27. – *19 Homer:* Über Homer und sein Epos »Ilias« vgl. zu A 135. – *21 Portugiesischen Tempel:* Vgl. zu 748, 29. – *23f. in ihren Zehnen:* Vgl. 733, 38f. und die Anm. dazu. – *28 Mauschel:* s.w. Jude: abgel. von ›Moses‹; s. auch 756, 32f. – *29 Plunder:* Zu diesem Ausdruck vgl. zu 298, 30. – *30 Schnippchen:* Bewegung und knipsendes Geräusch, wenn man den Mittelfinger gegen den Daumen stemmt und dann losschnellt: Zeichen der Geringschätzung einer Person oder Sache. – *34 Finte:* im Fechten: Scheinangriff, die Andeutung eines Stoßes.

751 *2 Quart:* im Fechten: ein Hieb nach der gegnerischen Innenseite; eine der 5 Einladungs-Positionen. – *6 Ausfall:* Angriffs-Bewegung im Fechtsport. – *9 irgendwo gelesen:* Die Quelle konnte von mir nicht ausfindig gemacht werden. – *31f. Et neglecta ... modo est:* »Auch ungeordnet Haar ist schön, sofern es, liebe Schwestern, / Gekämmt ist: Nur so aussehen darf's als schlief't ihr darin schon gestern«. S. auch 753, 13. Über Ovid vgl. zu KA 207; seine »Liebeskunst« zitiert Lichtenberg auch B 406. – *35 Ruinen, die man in englischen Gärten ... neu baut:* Zu diesem Gedanken vgl. J 1170. Lichtenberg spielt auf die beginnende Baumode des »Gothic style« an, etwa Walpoles Landhaus Strawberry Hill, das er am 23. Mai 1775 besichtigte (s. RA 38).

752 *7 Intelligenzblättern:* amtl. Publikationsorgan im Dienst der absoluten Fürsten, in dem alle Anzeigen veröffentlicht werden mußten. – *11f. Schwarz und Flor bei jungen Witwen:* Zu diesem Gedanken vgl. F 399. – *13 Illumination:* Beleuchtung, Feuerwerk.

– *26 Bilinguis:* zweizüngig, zweisprachig. Das Wortspiel geht vermutlich auf Fielding zurück, der in »Tom Jones«; 11. Buch, 8. Kapitel, S. 98 (Hanser-Ed. Bd. 3) schreibt: »bei jenem Tor, das seinen Namen von einer Doppelzüngigkeit herzuleiten scheint«. – *27 Billingsgate–language:* Dazu vgl. schon B 64; den gleichen Ausdruck gebraucht Lichtenberg D 148; s. auch in den Briefen (IV, S. 720). – *33 Climax:* rhetor. Figur: Steigerung. – *28 Schnippchen-Takt:* Vgl. zu 750, 30. – *31 f. Diskant-Nötchen ... Nasal-Baß:* Zu dieser Wendung vgl. J 1211. – *36 Poissarden:* Fischweiber. – *37 Volubilität:* Geläufigkeit. Lichtenberg gebraucht den Ausdruck auch 782, 26. 787, 11 f. – *38 das stumme Fischgeschlecht:* Zu diesem Gedanken vgl. K 267.

753 *2 Leib- und Lieb-Rente:* Dieser Ausdruck ist J 795 entlehnt. – *2 Interessen:* Vgl. zu 74, 4. – *4 f. Kleists: Man sieht die Stimm':* Zitat aus dem Sinngedicht »Über die Statüe der Venus an die sich Amor schmiegt; von den von Papenhoven, in Sanssouci« II mit der Überschrift: »Auf eben dieselbe Statüe« (1755). RUB 211–14, S. 85. Lichtenberg zitiert, erwähnt ihn auch J 239 und in »Vossens Verteidigung«. – *7 Resonanz-Nase:* Über Lichtenbergs Physiognomik und Wortschatz zur Nase vgl. zu 93, 2. – *13 Hesternam credas:* Vgl. zu 751, 31 f. – *15 verlizenteter Ware:* versteuerter Ware; Lizent: Steuer im 18. Jh. – *18 f. Ephraims ... des Berlinschen Juwelierers:* Veitel Ephraim, Münzpächter in Berlin; nach ihm nannte der Volksmund minderwertige Silbermünzen, die von Preußen während des Siebenjährigen Kriegs geprägt wurden, Ephraimiten. – *21 Prärogativ:* Vgl. zu 344, 27. – *31 f. Shop-Bills für Kaufleute:* etwa für Ellis Gamble und Hardy. – *32 f. eine Figur ... mit sechs Fingern gezeichnet:* Laut Ronald Paulson, Hogarth's Graphic Works. New Haven 1965, S. 92, Bd. 1, trägt der Engel auf »Ellis Gamble's Shop Card« (ca. 1720?) sechs Finger (Large Shop Card Plate 6) an der rechten Hand.

754 *6 recta:* geraden Weges. – *16 verstümmelt:* Aus einem Brief an Ludwig Christian Lichtenberg (IV, Nr. 692, S. 931) vom 15. Juni 1795 geht hervor, daß dieses Wort eine »Verbesserung« von Lichtenbergs Frau ist: »S. 102 Z. 4 hatte ich *beschnitten* statt verstümmelt gesetzt, und sie fand es unanständig«. – *20 Versteinerung:* Zu diesem Ausdruck vgl. zu 155, 29. – *34 arme Teufel:* Vgl. zu 214, 31. – *35 f. das griechische Ideal, wovon er der Affe:* Amor-Adonis; s. auch 354, 18: *Affen-Laokoon.* – *36 Krieges-Gottes:* Ares, der Liebhaber der Aphrodite.

755 *1 das Schicksal seiner westindischen Brüder:* Anspielung auf den Sklavenhandel und die Ausbeutung der Neger, auf die Lichtenberg auch F 1046. L 389 zu sprechen kommt; s. auch 773, 35 ff. – *4 f. Garrick, dessen Figur mehr zu den niedlichen ... gehörte:* Vgl. Lichtenbergs Personalbeschreibung 331, 8 ff. und die Anm. dazu; über Garrick vgl. zu KA 169. – *6 ff. Shakespears Mohren von Ve-*

nedig ... auf dem Theater vorzustellen: Garricks »Othello«-Repräsentation fand 1746 in Coventgarden statt. – *13 Quin:* Über James Quin vgl. zu F 975. – *26 Kokarde:* Vgl. zu 694, 27.
756 *2 Menscher:* Vgl. zu 747, 32 f. – *4 f. Wir hoffen alle auf Gleichheit:* Vgl. zu 458, 11. – *13 Jona der Stadt Ninive gegenüber:* Anspielung auf Jona, 4. Kap. v. 7–8: »Aber der Herr verschaffte einen Wurm des Morgens, da die Morgenröte anbrach; der stach den Kürbis, daß er verdorrete. Als aber die Sonne aufgegangen war, verschaffte Gott einen dürren Ostwind; und die Sonne stach Jona auf den Kopf, daß er matt ward. Da wünschte er seiner Seele den Tod, und sprach: »Ich wollte lieber tot sein, denn leben.« S. auch 757, 7 f. – *15 f. Fäuste ... den Wert von Worten:* Zu diesem Gedanken vgl. auch 1011, 26 ff. – *16 ff. König David ... vor der Bundeslade hertanzt ... Michal, der Tochter Sauls:* Gemeint ist 2. Samuelis, Kap. 6, v. 16: »Und da die Lade des Herrn in die Stadt Davids kam, kuckte Michal, die Tochter Sauls, durch das Fenster, und sahe den König David springen und tanzen vor dem Herrn, und verachtete ihn in ihrem Herzen.« Für ihren Hochmut wurde sie von Gott mit Unfruchtbarkeit gestraft. – *17 Bundeslade:* Wanderheiligtum der israel. Stämme, eine Art Schrein, der zur Aufbewahrung von Gesetzestafeln diente. Lichtenberg erwähnt sie auch L 268. – *19 f. Rindern ..., die austreten, wie es in der Bibel heißt:* Gemeint ist 2. Samuelis, 6. Kap., v. 6: »Und da sie kamen zur Tenne Nachons, griff Usa zu und hielt die Lade Gottes, denn die Rinder traten beiseit aus.« – *22 f. In der Bibel steht bloß: Und der Herr schlug ihn ...:* Gemeint ist 2. Samuelis, 6. Kap., v. 7: »Da ergrimmte des Herrn Zorn über Usa, und Gott schlug ihn daselbst um seines Frevels willen, daß er daselbst starb bei der Lade Gottes.« – *26 Werktags-Vernunft:* Zu dieser Wortbildung vgl. zu 108, 19. – *32 f. Mauschel:* Vgl. zu 750, 28. – *34 Bleibe bei deinem Leisten:* Wie Plinius d. Ä. in seiner »Naturalis historia« § 12 berichtet, pflegte Apelles hinter den von ihm vollendeten Gemälden versteckt die Urteile der Vorübergehenden zu hören. Ein Schuhmacher tadelte nun einmal, daß die Schuhe auf dem Bilde eine Öse zu wenig hätten, und Apelles brachte dieselbe an. Als dann aber der Schuster auch den Schenkel zu bemängeln sich unterfing, rief Apelles hinter dem Bilde hervor: »Was über den Schuh hinausgeht, muß der Schuster nicht beurteilen.« (Zit. nach Büchmann S. 344) Lateinisch: Ne sutor supra crepidam (vgl. auch S. 826); »Ultracrepidamie« bildet Lichtenberg danach J 952. Apelles, griech. Maler des 4. Js. vor Chr., Freund Alexanders des Großen, galt als der größte Maler der Antike; Werke von ihm sind nicht erhalten. Lichtenberg erwähnt ihn als »Apelles post tabulam« auch in den »Geologisch-meteorologischen Phantasien« (GTK 1798, S. 106, wieder abgedruckt in: Vermächtnisse, S. 217–229). S. auch

1040, 34. – *35 den Lesern unser Manuskript zeigen:* Im Nachlaß des Handschriften-Archivs der Göttinger Staats- und Universitätsbibliothek ist lediglich ein Manuskript Lichtenbergs zu »Marriage à la mode« erhalten.

757 *12 ein herzhafterer Erklärer ... mehr sagen könnte:* Zu Lichtenbergs Vorsicht in öffentlichen Äußerungen vgl. 663, 9ff.; s. auch 773, 19. – *13 f. das 4te Kap. des Propheten Jona:* Vgl. 756, 13. – *14 2. Sam. Kap. 6:* Zu letzterem wäre vielleicht nachzutragen, warum Lichtenberg sich genötigt fühlte, »die Absicht des andern Bildes schier ganz zu übersehen«: es ist offenbar eine Mahnung an den Hochmut der Könige, der vor dem Fall kommt, wenn sie sich nicht selbst erniedrigen wie König David. S. 2. Samuelis 6. Kap., v. 20–22: »Da aber David wiederkam, sein Haus zu segnen, ging ihm Michal, die Tochter Sauls, heraus entgegen, und sprach: Wie herrlich ist heute der König von Israel gewesen, der sich vor den Mägden seiner Knechte entblößet hat, wie sich die losen Leute entblößen! David aber sprach zu Michal: Ich will vor dem Herrn spielen, der mich erwählet hat vor deinem Vater und vor allem seinem Hause, daß er mir befohlen hat ein Fürst zu sein über das Volk des Herrn, über Israel; und will noch geringer werden, denn also, und will niedrig sein in meinen Augen, und mit den Mägden, davon du geredet hast, zu Ehren werden.« – *16 Chapeau-bas:* Vgl. zu 749, 27. – *17 f. der berühmte Dr. Clarke:* Samuel Clarke (1675–1729), engl. Theologe in London und Hofprediger; Anhänger von Newtons Naturphilosophie, in Korrespondenz mit Leibniz. – *18 Woolston:* Thomas Woolston (1669–1731), engl. Philosoph, neben Tolland führender Vertreter des engl. Deismus, erklärte die Wunder des NT als Allegorien und Gleichnisse. – *18 f. Verteidigung der christlichen Religion ... geschrieben:* Gemeint ist »The old Apology for the Truth of the Christian Religion against the Jews and Gentibs«, erschienen Cambridge 1705. – *29 scandaleuse Chronik:* vermutlich Anspielung auf die Mätressen der franz. Könige: Dubarry und Pompadour. »Chronique scandaleuse« nannte ein frz. Buchhändler die »Chroniques du très-chréstien et victorieux Louys de Valois, unziesme de ce nom« von Jean de Troyes bzw. Denis Hesselin, wiederabgedruckt 1611. – *32 f. Vice-Königinnen:* vermutlich Anspielung auf die Vertraute der Königin Caroline von Neapel, Emma Harte (Lady Hamilton), die Nelsons Geliebte wurde. Der ironisch gemeinte Ausdruck: »Vize-Königin«(für: Mätresse) ist J 852 entnommen; s. auch 833, 11.

758 *1 f. was Basedow ... von sich selbst sagte:* Das Zitat konnte von mir nicht nachgewiesen werden; über Johannes Bernhard Basedow vgl. zu C 209. – *4 Lösch-Anstalt für brennende Herzen:* Zu diesem Bild vgl. 630, 9; s. auch 762, 6 f. – *5 Fuimus, überall!:* »Fuimus Troes«: »Trojaner sind wir gewesen«: Zitat aus Vergil, »Aeneis«

II, 325. Lichtenberg zitiert die Worte auch Briefe (IV, S. 93. 937) und auf dem Bilderbrief (IV, Nr. 534); s. auch 761, 3. – Über Vergil vgl. zu A 82. – *19 Mutter Needham:* Vgl. zu 745, 12f. – *34 Drurylane-Fieber:* Dazu vgl. auch J 419. Über Drurylane s. zu 224, 19.

759 *5 ad interim:* Vgl. zu 112, 21. – *31f. Pastoral-Briefe ... des Bischofs von London, Gibson:* Edmund Gibson (1669–1748), engl. Geistlicher, Bischof von London, verfaßte eine Fülle von geistlicher Erbauungsliteratur, 1745 etwa den »Pastoral Letter for Reformation of Life«.

760 *1f. die Gewürzkrämer sich ... vereinten, sie zu frankieren:* das heißt, daraus »Gewürzduten« machten; ähnlich scherzt Lichtenberg auch E 312. F 330. K 169. 201; s. auch 377, 26f. – *35 Wachs-Obst:* in Wachs nachgebildetes und mit den natürlichen Farben bemaltes Obst. DWB zitiert als Beleg lediglich Campe.

761 *3 Auch ein Fuimus:* Vgl. zu 758, 5. – *16f. Unzeit:* Vgl. zu 690, 28. – *23 Repetier-Ohren:* Dieser Ausdruck ist J 462 entlehnt; zu der Wortbildung s. auch 452, 21. – *28 Sir John Gonson:* Über ihn vgl. zu J 1104; s. auch 785, 31. 805, 7. – *37 wie ... Ireland immer schreibt:* Die korrekte Schreibweise des Namen Gonson erfuhr Lichtenberg, wie aus J 1104 hervorgeht, aus dem »European Magazine« September 1792, p. 209. Über Ireland vgl. 666, 28 ff. – *39 bekleidete:* von mir verb. aus: *begleitete;* s. auch S. 762 Fußnote. – *40 wichtige Stelle:* das Amt des Friedensrichters. – *40 der berühmte Fielding:* Henry Fielding war vom 30. Juli 1748 bis 1755 Friedensrichter von Westminster in London und 1749 an auch der Grafschaft Middlesex; über ihn vgl. im übrigen zu A 99. – *41 Sir John Fielding:* Über ihn vgl. zu RT 20.

762 *6f. Herzens-Angelegenheit durch inneren Brand:* doch wohl Anspielung auf die Syphilis, die auch andernorts bezichtigt wird, Nasen zu zerfressen: vgl. 1055, 15 ff. und K 144; s. auch 758, 4. – *7 affaire d'honneur:* Ehrenhandel. – *9 armen Teufel:* Vgl. zu 214, 31. – *11f. Partridge (Rebhuhn) in Fieldings Tom Jones:* Über diese Figur vgl. zu 329, 36. – *12f. wie Fielding versichert:* »Diese Gattin war nicht von sehr liebreizender Erscheinung. Ob sie wirklich meinem Freund Hogarth saß, lasse ich dahingestellt sein, aber sie glich aufs Haar jener jungen Frau, die auf dem dritten Blatt vom »Weg der Buhlerin« ihrer Herrin den Tee einschenkt.« Zit. nach Fielding, »Tom Jones« 2. Buch, 3. Kap. S., 68 (zit. nach Hanser-Ausgabe, Bd. I). Lichtenberg notiert den Hinweis F 85. – *19 Infandum ... dolorem:* »Du befiehlst, Königin, den unsäglichen Schmerz zu erneuern«. Zitat aus Vergils »Aeneis«, II. 3. Über Vergil vgl. zu A 82. Das Zitat begegnet in Fieldings »Tom Jones«, 8. Buch, 6. Kap., S. 445 (Hanser-Ausgabe, Bd. II). – *21 Sir Samson Wright:* Lebensdaten unbekannt. – *25 Old Bailey:* Vgl. zu 695, 34. – *28 Sapphischen Ode:* ein dreizeiliges Gedicht in

sapphischen Strophen mit schließendem kurzen Glied (Adonischer Vers). – *28f. Loveling:* Vorname und Lebensdaten dieses engl. Dichters, der 1738 lateinische und englische »Poems« veröffentlichte, waren nicht feststellbar. – *30ff. Pellicum ... alumnis:* »Hitziger Feind aller Huren, Gonson, in den minder keuschen Kneipen Drurylanes stellst du den Kupplerinnen nach und gehst den Jüngerinnen der Venus gleichmütig aus dem Wege«. – *42 Vergleichung mit einem Rochen:* Über Steinbutt und Rochen korrespondiert Lichtenberg mit Blumenbach (IV, Nr. 497, S. 644) am 31. Juli 1785 betreffs Hogarths »Tor von Calais«.

763 *5 Edukations-Besen:* Zuchtrute; auf diesen Besen spielt Lichtenberg in der »Vorrede« 729, 38f. an; im übrigen vgl. zu 425, 5. – *11f. wie Newton gemutmaßet ...:* Darüber läßt sich Lichtenberg auch in dem Artikel »Von Kometen« im »Göttinger Taschen Calender« für 1787, S. 111–113, aus; s. ferner Kästners »Philosophisches Gedicht von den Kometen« (1744). Über Newton vgl. zu A 79. – *17 Wellenholz:* Reisig, Reiserholz; Lichtenberg gebraucht den Ausdruck auch 968, 18; vgl. auch F 718. – *20 Faschinen:* meist aus Weidenruten hergestellte Reisigbündel zur Uferbefestigung. – *24 Staupbesen:* Zu diesem Ausdruck vgl. zu 215, 16. – *28 Schriftsteller, die nach Bogen bezahlt werden:* Zu Lichtenbergs Honorar s. oben S. 320. – *29 Kubik-Fußen:* Zu diesem Längenmaß vgl. zu 411, 17. – *32 zum erstenmal an einer Stelle:* Vgl. 729, 31f. 730, 9. – *33 in diesen Blättern noch zweimal:* Gemeint ist insbesondere 797, 9ff. – *35 Hermeneutik:* die Kunst, ein Schrift- oder Kunstwerk sinnvoll auszulegen; s. auch 771, 23f. 827, 29.

764 *1 Weltweisen:* Vgl. zu 226, 14. – *1f. Erblinden die Hälfte des Todes:* Zu dieser Wendung vgl. zu 80, 31. – *5f. Hülfsmittel ... gegen das nicht sehen können:* Dazu vgl. S. 80–94. – *9 Myops:* Kurzsichtiger. – *10 Presbyt:* Kirchen-›Ältester‹. – *13 Triple-Allianz:* Dreier-Verbindung. Lichtenberg gebraucht den Ausdruck auch GTK 1793, S. 188. – *15ff. defensive ... offensive:* Diese Antithese verwendet Lichtenberg auch J 786. F 1214. B 16. – *19f. Telegraphik:* Zu dieser zeitgenössischen Erfindung vgl. zu Bd. 1, S. 838; s. auch 1035, 19f. 1039, 32. 1048, 10. – *22 monte nuovo:* neuer Berg. – *22f. ein Lissabon oder Messina sein Ende erreicht:* Messina wurde 1783 durch ein Erdbeben zerstört; über das Erdbeben von Lissabon vgl. zu 429, 1f. – *23f. Brillen für die übrigen fünf Sinne:* von mir entsprechend Lichtenberg verbessert, der in einem Brief an Eschenburg (IV, Nr. 688, S. 925–926) vom 10. Mai 1795 zu dieser Stelle anmerkte: »Es muß nämlich statt Telegraphen Teleskope heißen. Wenigstens habe ich gewiß so schreiben wollen. Da aber doch nun einmal korrigiert werden soll, so will ich lieber *Brillen* setzen, das eigentlich meine Meinung ausdrückte.« Zum Gedanken vgl. J 671. – *26ff. Wer da ...*

eine Brille schleifen könnte: Zu dieser Wendung vgl. zu 79, 5. – *28 Stein der Weisen:* Vgl. zu 415, 35. – *30 f. Der Geist ... willig, und das Fleisch ... schwach:* Dieses Zitat geht auf Matthäus 26, 41 beziehungsweise Markus 14, 38 zurück. – *36 Edukations-Besen:* Vgl. zu 763, 5.

765 *2 epineuse:* Zu diesem Adjektiv vgl. zu 678, 27. – *4 loco:* Ort, Stelle (Dativ). – *9 f. James Dalton:* hingerichtet 1730. – *14 Highwaymen:* Vgl. zu 195, 23 f. – *14 f. ihre Ahnen bis auf Alexander hinauf zählen:* Zu dem Vergleich Alexanders mit Straßenräubern vgl. zu 462, 20; über Alexander den Großen vgl. zu B 408. – *22 f. Yahoo ... Houyhnhnm:* Anspielung auf Swifts »Gullivers Reisen«, Vierter Teil: »Eine Reise in das Land der Houyhnhnms«; Yahoos sind dort eine sonderbare Tierart namens Mensch; die Houyhnhnms die ihnen überlegenen, vorbildlichen Pferde. Den Ausdruck «Yahoo« gebraucht Lichtenberg auch Briefe (IV, S. 83); über Swift vgl. zu KA 152. – *35 verschmitzter Mann wie Hogarth:* Vgl. oben S. 322.

766 *10 in effigie:* im Bilde; diese Worte gebraucht Lichtenberg auch 768, 14. 853, 18. 857, 9. 904, 23. 1019, 32; s. ferner F 517 und GTK 1787, S. 135. – *10 Mac Heath:* Über ihn vgl. zu 248, 23. – *13 der berühmte Gay:* Über ihn vgl. zu RT 4. – *13 Curtius:* Rufus Curtius (nach Jöcher im 1.Jh. n. Chr.), römischer Geschichtsschreiber, schrieb 10 Bücher »von den Geschichten Königs Alexandri Magni«. – *22 statuas pedestres und equestres:* Standbilder zu Fuß und zu Pferde. – *26 Statua pensilis:* hängendes Standbild. – *26 f. contradictionem in adjecto:* Widerspruch in sich selbst. – *31 cum grano salis:* in etwa; nicht wörtlich zu nehmen. – *34 Pantheons:* Vgl. zu 675, 17. – *34 f. die geheimen Gießereien zu Meudon:* In dem »Château Vieux« zu Meudon, einer kleinen Stadt südwestlich von Paris, befand sich während der Revolution ein Betrieb, der sich mit der Verbesserung von Kriegsmaterial beschäftigte.

767 *1 Windmonat (Ventôse):* Bezeichnung des 6. Monats im Französ. Revolutionskalender, der von 1793 bis 1806 gültig war. – *2 Hitzemonat (Fervidor):* Bezeichnung des 10. Monats des Frz. Revolutionskalenders. – *6 Dr. Sacheverel:* Henry Sacheverell (1674?–1724), berüchtigter engl. polit. Prediger insbes. gegen Dissenters und Whigs, kam 1710 wegen neuer Angriffe auf die Regierung vor Gericht, was in London große Unruhen auslöste. – *11 f. in einigen deutschen Zeitungen:* An welche Zeitungen Lichtenberg denkt, war nicht feststellbar. – *12 Hardy:* Thomas Hardy (1752–1832), Schuhfabrikant in London; engl. Politiker und Vorkämpfer der Parlamentsreform mit Hilfe der 1792 von ihm gegründeten »The London Corresponding Society«, wurde 1794 wegen Hochverrats verhaftet und in den Tower geworfen, am 28. Okt. des gleichen Jahres wurde ihm

der Prozeß gemacht und am 5. Nov. wurde er freigesprochen – unter dem Jubel der Londoner Bevölkerung. – *20 f. einer von den Zionswächtern, von denen Lessing sagt:* Anspielung auf »Eine Parabel ... Nebst einer kleinen Bitte, und einem eventualen Absagungsschreiben an den Herrn Pastor Goeze, in Hamburg«, erschienen 1778 (s. Hanser-Lessing, Bd. 3, S. 187). Den Ausdruck *Zionswächter* in übertragenem Sinn gebraucht auch Rebmann in den »Wanderungen und Kreuzzüge durch einen Teil Deutschlands von Anselmus Rabiosus dem Jüngeren«, Altona 1795–1796 (S. 276 der Auswahl-Edition Rütten & Loening, Berlin 1958); er dient ihm außerdem als Titel der Halle 1796 veröffentlichten Schrift »Die Wächter der Burg Zion. Nachricht von einem geheimen Bunde gegen Regenten und Völkerglück und Enthüllung der einzigen wahren Propaganda in Deutschland«. Über Lessing vgl. zu KA 63. – *29 ff. toryisch ... whiggisch:* Whig., engl. Partei der Liberalen, Gegenpartei zu den Tories; über letztere vgl. zu 505, 24. – *32 tolerierten Brüder:* Die 1689 durch Wilhelm III. erlassene Toleranzakte sicherte allen Gläubigen außerhalb der anglikanischen Staatskirche, den sogen. Dissenters, Religions- und Straffreiheit zu, falls sie dem engl. König Treue schworen und die päpstl. Gewalt ableugneten. – *37 Paulskirche:* Vgl. zu 193, 2. Sacheverells Predigt fand daselbst am 5. November 1709 statt; 40000 Kopien dieser Predigt sollen damals im Volke umgelaufen sein. – *37 die Worte des Apostels:* Gemeint ist die »Zweite Epistel S. Pauli an die Korinther«, Kap. II, v. 26: »Ich habe oft gereiset; ich bin in Gefahr gewesen zu Wasser, in Gefahr unter den Mördern, in Gefahr unter den Juden, in Gefahr unter den Heiden, in Gefahr in den Städten, in Gefahr in der Wüste, in Gefahr auf dem Meer, in Gefahr unter den falschen Brüdern; ...«.

768 *2 f. den damaligen Lord Schatzmeister:* Gemeint ist Sidney Godolphin, 1. Earl of G. (1645–1712), brit. Staatsmann, war von 1679–1710 mit nur geringfügigen Unterbrechungen im Schatzmeisteramt tätig und trat unter der Königin Anna als Lordschatzmeister (1702–1710) an die Spitze der Regierung. – *3 Volpone:* »Volpone or the Fox«, Titel einer berühmten Komödie von Ben Jonson, geschrieben 1606, deren Hauptfigur sprichwörtlich wurde. – *7 f. Gedächtnis-Tag ... der Pulververschwörung:* Guy Fawke's Day zur Erinnerung an den – mißlungenen – Versuch der kathol. Partei in England, 1605 den calvinistischen König Jacob I. und das Parlament in die Luft zu sprengen. – *9 die wohltätige Revolution:* Die »Glorious Revolution« ersetzte die dem Katholozismus zuneigenden Stuarts durch Wilhelm von Oranien, der am 5. Nov. 1688 in England gelandet war. – *11 auf der Hefe gelegen:* Die übertragene Bedeutung von der Wein-Hefe als Gärungsmittel begegnet in der gleichen Wendung bereits in

der Bibel (Jeremias 48, 11. Zephanja 1, 12). – *14 in Effigie:* Vgl. zu 766, 10. – *24 angezogen das Gewand der Fröhlichkeit ...:* Diese wie ein Bibel-Zitat wirkende Wendung ließ sich in den einschlägigen Konkordanzen so nicht nachweisen; s. aber Jesaia 61.10: »er hat mich angezogen mit Kleidern des Heils«; vgl. noch Baruch 4.20: »Ich habe mein Freudenkleid ausgezogen, und das Trauerkleid angezogen ...« – *26 der damalige Lord-Mayor:* Gemeint ist Sir Samuel Garrard. – *27 Schwefel-Heiliger:* Diese Wortbildung ist im DWB nicht nachgewiesen. – *35 Westmünsterhall:* 1097 erbaut, erhielt Westminster Hall 1397 seine heutige Form, gilt als die größte Halle der Welt, deren Dach nicht mit Säulen gestützt wird. Seit dem 13.Jh. tagten hier die Obersten Richter Englands (bis 1882). – *35 Temple-Bar:* einst das Stadttor zur City von London eingangs der Fleetstreet. – *35f. dissentierenden Gemeinde:* Dissenters, auch Nonconformists heißen alle nicht zur Anglikan. Staatskirche Gehörenden, insbes. die Anhänger Calvins: Quäker, Methodisten. – *37 des Groß-Kanzlers Lord Whartons:* Thomas Wharton (1648–1715), bedeutender engl. Whig-Politiker. Aufgrund seines Engagements im Sacheverell-Prozeß wurde sein Haus in der Dover Street am 10. Februar 1710 von der Volksmenge beinahe gestürmt. – *37f. Bischofs von Sarum:* Gilbert Burnet (1643–1715) berühmter schott. Geistlicher, Politiker und Gelehrter, seit 1688 Bischof von Salisbury (Kloster Sarum). Burnet, von Sacheverell angegriffen, sprach gegen ihn 1710 im Oberhaus.

769 *1 Misdemeanors:* »Misdemeanour is a kind of indefinite crime, not capital, but punishable at the discretion of the court«. Diese Definition notiert sich Lichtenberg J 811 aus Johnsons Wörterbuch. – *6 Opus:* Werk. – *12 Illuminationen:* Vgl. zu 752, 13. – *20 in pontificalibus:* mit großem Amtsgepränge; s. auch 1015, 31. – *28 Sic pagina jungit amicos:* So fügt eine Seite Freunde; der Satz ist J 622 entlehnt; Lichtenberg verwertet ihn auch 930, 12. – *36f. die Memoirs of the Kings ... by W. Belsham:* Mit Sacheverell befaßt sich Belsham o.c. I, p. 60–68; auf dieser letzten Seite steht der von Lichtenberg deutsch zitierte Ausspruch: »The Church and Sacheverell!« William Belsham (1752–1827), engl. Essayist und Historiker.

770 *7f. Hogarth bei allem seinem Mutwillen:* Vgl. oben S. 322. – *12 gesucht:* Zu diesem Ausdruck vgl. 665, 14 und die Anm. dazu. – *13 Alltags-Finesse:* Zu dieser Wortbildung vgl. zu 395, 18. – *20f. Portugiesischen Tempel:* Vgl. zu 748, 29f. – *26 der Herr siehet:* Gemeint ist 1. Moses, 22. Kap (das die Schilderung der »Aufopferung Isaaks« enthält), v. 14: »Und Abraham hieß die Stätte: der Herr siehet. Daher man noch heutiges Tages saget: Auf dem Berge, da der Herr siehet.«

771 *9 Hermeneutik:* Vgl. zu 763, 35. – *14 die Stellung des Tieres:* Die Haltung der Katze ist, was dem Katzenkenner Lichtenberg entging, echt hogarthisch: sie pißt (scheißt). – *26 Altar der Venus Pandemos:* das Bett; im übrigen vgl. zu 747, 38. – *34 Ne quid nimis:* »Nichts zu viel«. Zitat von Terenz, »Andria« I, 1, 34; ein Wort, das auf Sokrates, Solon, Chilon oder die Sieben Weisen zurückgeführt wird. – *36 Schöpfer von Witz:* Dazu vgl. oben S. 322.

772 *2 Prophetinnen der neuern Zeit:* Die »Bemerkung über den Kaffeesatz« wird 781, 6. 784, 26. 805, 26. abermals angespielt. – *12 Saillies:* Einfälle, Funken. – *14f. worüber wir uns in der Vorrede ... erklärt:* Vgl. S. 664–665. – *15 gestempeltes Eigentum:* Ähnliche Wendungen begegnen auch 935, 14f. J 467 und in den Briefen (IV, 423). – *29 die Götter-Oper:* Vgl. 670, 36f. – *29f. Diane den Hirsch ... jagt:* Über Diana vgl. zu 626, 9ff.; s. auch 670, 26. – *34 Konventions-Fuß:* Zu dieser Wortbildung vgl. zu 377, 12; Bildungen mit *Fuß* begegnen auch 1019, 3 und L 70. 268. – *36 beim Hudibras:* Über diese Satire und ihren Verfasser Samuel Butler vgl. zu B 49. Hogarth schuf zu dem burlesken Heldengedicht »Hudibras« zunächst 16 kleinere Kupferstich-Illustrationen; 1726 entstanden zwölf große Kupferstich-Blätter einschließlich des Titelkupfers. Mit diesen Illustrationen betätigte sich Hogarth zum erstenmal als politischer Satiriker.

773 *3f. Bewußtsein seiner inneren Stärke:* Vgl. zu 493, 29. – *4f. Kontrakt ... den die rohe Wildheit ... mit dem verfeinerten Menschen jetzt eingehen muß:* Über diesen ›Kontrakt‹ reflektiert Lichtenberg schon H 16. 17; vgl. die Anm. dazu. – *9f. Liebschaft zwischen Endymion und Dianen:* Über Endymion vgl. zu 697, 4; über Diana vgl. zu 626, 4. – *11 Einer meiner Freunde:* Aus Lichtenbergs Briefen und Tagebüchern geht nicht hervor, wer gemeint sein könnte; vielleicht der erzreaktionäre Kästner. – *12 Gefühl wahrer Superiorität:* Zu dieser Wendung vgl. zu 493, 29. – *19 solcher Witz jetzt, öffentlich geäußert, leicht mißgedeutet ...:* Zu Lichtenbergs politischer Haltung vgl. zu 757, 12. – *21 je weniger wir heute wissen ...:* zweifellos Anspielung auf die Hinrichtung des frz. Königspaares. – *24 luce meridiana clarius:* klarer als die mittägliche Sonne. Im übrigen vgl. 731, 20. – *24f. Den verlornen Seehandel:* England eroberte in den neunziger Jahren im Seekrieg gegen das revolutionäre Frankreich außer den holländ. Kolonien auch die frz. Besitzungen in ›Westindien‹. – *28 Malterkörbe:* Vgl. zu 675, 10. – *29 Assignaten:* Vgl. zu 748, 21. – *31 Sansculotterie:* Vgl. zu 104, 38. – *33 Robespierres:* Über Robespierre vgl. zu K 295. – *36 Sansculotten:* Vgl. zu 104, 38. – *38 Pallas:* Beiname der griech. Göttin Athene.

774 *3f. Senatus populusque Romanus:* Vgl. zu 684, 38. – *6 drei Stufen von Gärung:* Vgl. zu 108, 7; von der »jetzigen Gährungszeit der

gesellschaftlichen Verfassungen« spricht Lichtenberg in GTK 1792, S.172. – *10 volatilem Je ne sçai quoi:* flüchtiges Ich weiß nicht was. – *28 wie Shakespeare sagt, sans every thing:* Diese Worte sind dem Monolog in »As You Like it«, II, 7, 139, entnommen, wo die Zeile vollständig lautet: »Sans teeth, sans eyes, sans taste, sans everything«. Über Shakespeare vgl. zu A 74. – *29 die letzte Gärung zum Faulen:* Zu diesem Begriff vgl. zu 108, 7. – *30 f. Resurrektions-Acker:* Auferstehungs-Acker: Friedhof.

775 *4 Lord Rochester:* Über John Wilmot, nachmals Earl of Rochester, vgl. zu D 647. – *6 Lebens satt:* Zu diesem Ausdruck vgl. zu 506, 1. – *7 f. Konstitution, die auf ein Jahrhundert angelegt war:* Vgl. zu 506, 14 f. – *9 fünf Jahre hinter einander betrunken:* Rochesters Leben beschreibt Johnson in Bd. 4, S. 1–20, des zu 775, 37 genauer nachgewiesenen Werkes; auf S. 4 ebenda schreibt Johnson: »as he confessed to Dr. Burnet, he was for five years together continually drunk«. – *11 Biometer:* griech. Lebensmesser; vermutlich von Lichtenberg geprägt; vgl. auch 983, 15: »Meridometer«. – *13 f. Staaten ... Weingärung, zwei Jahre Essiggärung:* Dieser Gedanke ist J 1249 entlehnt. – *14 f. einem stolzen und hitzigen Volk:* Gemeint ist das französische Volk nach der Revolution von 1789. – *21 nach dem Zuchthause gebracht:* Nach Fielding, »Tom Jones«, 3. Buch, 6. Kapitel (Hanser-Ausgabe, Bd. II, S. 129) ist Bridewell gemeint. – *22 Refektorium:* eigentlich Speisesaal eines Klosters. – *23 Motions-Saal:* Raum eines Klosters, der den Insassen zur Bewegung dient. – *27 wie einmal ein Knabe glaubte:* Sollte Lichtenbergs Sohn gemeint sein? – *37 f. Johnson's ... Leben der englischen Dichter:* Gemeint sind die »Prefaces, Biographical And Critical, To The Works Of The English Poets«, 10 Bände, London 1779–1781, von Samuel Johnson. Lichtenberg plante ihre Übersetzung, kam aber über die von »Popes Leben« nicht hinaus.

776 *4 en Gala:* im Festgewand; im übrigen vgl. zu 223, 15.

777 *2 Nonfakultisten:* die nicht der – in diesem Fall: juristischen – Fakultät Angehörenden. Zu Lichtenbergs Wort-Prägungen mit: *Non-* vgl. zu 223, 35. – *12 Mrs. Rudd:* Lebensdaten unbekannt. – *12 f. Zwillings-Brüder Perreau:* Lebensdaten unbekannt. – *20 Siddons:* Über Sara Siddons, die berühmte Shakespeare-Darstellerin, vgl. zu J 1039. – *31 die Grazie Julie Potocki:* Gattin des poln. Schriftstellers, Historikers und Archäologen Jan Potocki (1761–1815); ihre Lebensdaten konnte ich nicht ermitteln. Schulz schreibt an der von Lichtenberg angegebenen Stelle (o.c.p. 197–198): »Julie Potocki war die Grazie selbst. Wenn ihr kleiner, netter Fuß den rundlichen, elastischen Körper, in der Masurka, schwebend umhertrug, und kaum die Erde zu berühren schien; wenn sie aus den Armen des einen Mannes in die Arme des andern hinüberflog, von diesem geführt, von jenem

geschwenkt wurde; wenn sie endlich in die Arme ihres eigentlichen Tänzers zurückschwebte, der sie mit stürmischer Eil auffaßte und sich mit ihr herumwirbelte, während ihr Kopf sich läßig und wie in Erschöpfung nach der Schulter neigte, oder ihr anmuthsvolles Gesicht sich mit wollüstiger Grazie, über die noch ein Flor von Sittsamkeit schwamm, auf den Busen senkte, oder ihr Auge sich plötzlich mit dem Ausdrucke der fliegenden Leidenschaft in das Auge ihres Tänzers ergoß – so standen die Männer in Gruppen, kaum athmend, die ganze Lebenskraft im Auge, umher, sprachen bloß mit ihren Blicken, die sie von ihr abmäßigen konnten, über so viel Reize zu einander, und hier und da preßte sich aus einer übervollen Brust ein: grand Dieu! que Julie est belle! laut oder leise hervor.« – *39 Reisen eines Livländers ...:* Gemeint ist die »Reise eines Liefländers von Riga nach Warschau, durch Südpreußen, über Breslau, Dresden ... nach Botzen in Tyrol«, erschienen Berlin 1795–1797 in 4 Bänden, von Joachim Christoph Friedrich Schulz (1762–1798), bedeutender Romanschriftsteller der Spätaufklärung.

778 *6f. Bortenhut, der kein Livreestück:* Vgl. zu 351, 30f. – *19 gravi:* von Gravis: schwer; Akzentzeichen. – *22 Daphnis:* Sizilischer Hirte, myth. Erfinder des griech. Hirtenliedes, erfuhr nach Vergil nach seinem Tod eine Vergöttlichung. – *22 Virgil:* Über Vergil vgl. zu A 82. – *27f. Fielding sagt es ausdrücklich:* »der Pädagoge hingegen hatte in seiner Gestalt viel Ähnlichkeit mit jenem Herrn, den man im »Weg der Buhlerin« als Zuchtmeister der Damen in Bridewell sehen kann« – zit. nach Henry Fielding, Sämtliche Romane, Band II, München 1966, S. 129. Lichtenberg erwähnt ihn auch 706, 35. 784, 31. 805, 7. – *28 Departement:* Gebiet, Fach. Lichtenberg gebraucht den Ausdruck auch 793, 21. 801, 10. 808, 23f. – *34 Territion:* Drohung, Schreckmittel; s. auch 941, 23.

779 *21f. Kann man sich eine teuflischere Physiognomie denken?:* Dazu vgl. 1035, 33. – *25 noch nicht Karikatur:* Dazu vgl. oben S. 321; s. auch zu 1035, 33.

780 *3 Ut, Re ... Si:* Tonsilben, die den Halbzeilenanfängen eines Johannes-Hymnus entsprechen und bis ins 19. Jh. die Stufen der mit G beginnenden Sechstonreihen zu bezeichnen pflegten (Solmisation); s. auch 1004, 11. – *25 wie der Chinesische Kaiser das Pflügen:* Diese Wendung ist J 867 entnommen; zu den »Chinesen« vgl. zu 440, 1. – *36 Ryßwickischen Frieden:* Gemeint ist der Abschluß des großen Koalitionskrieges (Pfälzischer Erbfolgekrieg) gegen Ludwig XIV. im Jahre 1697. – *37 Krönung Franz des Iten:* Herzog von Lothringen (1708–1785), heiratete 1736 Maria Theresia und wurde 1745 als Franz I. zum deutschen Kaiser gekrönt.

781 *4f. alterum tantum:* noch einmal soviel. – *11 Pointieren:* Fachaus-

druck beim Glücksspiel: setzen. – *12 f. Die Seichtigkeit der englischen Kommentatoren:* Zu diesem Urteil vgl. 834, 15 ff. 950, 10 ff. 1026, 26. – *20 Spieler von Profession:* Zu diesem Ausdruck vgl. zu 190, 38. – *29 Swindler:* Schwindler im Sinne von: Betrüger, Industrieritter ist nach DWB 9, 2677 offensichtlich erst neuerdings gebräuchlich: Belege bei Campe und Freytag. – *30 f. Johnson in seinem ... Wörterbuche:* Darüber vgl. zu 733, 28. Über Johnson vgl. zu C 119.
782 9 *Distinktion:* Auszeichnung. Lichtenberg gebraucht den Ausdruck auch 790, 15. – *13 Bortenhut:* Vgl. zu 351, 31. – *16 in die Zehne getreten:* Zu dieser Wendung vgl. 733, 38 f. und die Anm. dazu. – *20 f. Wohnsitz der Tugend ... kleinen Städten Deutschlands:* Hier lügt Lichtenberg wohlmeinend: s. Erich Ebstein, Zur Geschichte der venerischen Krankheiten in Göttingen. In: Janus 10, 1905, S. 178–196. – *22 ff. von solchen Geschöpfen von zwölf, dreizehn Jahren ... angefaßt und ... aufgehalten:* »Man wird alle 10 Schritte angefallen, zuweilen von Kindern von 12 Jahren, die einem gleich durch ihre Anrede die Frage ersparen, ob sie auch wüßten, was sie wollten ... Sie packen einen zuweilen auf eine Art an, die ich Ihnen dadurch deutlich genug bezeichne, daß ich sie Ihnen nicht sage«, schreibt Lichtenberg am 10. Jänner 1775 aus Kew an Ernst Gottfried Baldinger (IV, Nr. 102, S. 212). – *23 herausgekleidet wie Balletschäferinnen:* »die meisten wie Christtagspuppen gekleidet«, heißt es ein paar Zeilen weiter in dem oben zitierten Brief. – *26 Volubilität:* Vgl. zu 752, 37. – *29 f. Charters oder der Teufel:* Vgl. oben 739, 25. »Ich habe von einigen, die wie Fräuleins aussahen, Fragen an mich tun hören, bei welchen ein junger Student durch ein sohlendickes Fell rot geworden wäre«, schreibt Lichtenberg auf der gleichen Seite des oben zu 782, 22 zitierten Briefes. – *36 Unserer Königin:* Gemeint ist Sophie Charlotte, die Gattin Georges III., über sie vgl. zu RA 14. – *39 von neuem erzogen werden:* danach von Lichtenberg, wie aus seinem Brief an Ludwig Christian Lichtenberg (IV, Nr. 692, S. 931) vom 15. Juni 1795 hervorgeht, auf Rat seiner Frau aus politischen Gründen gestrichen: »Hier ist mehr als Trianon (auf welches bekanntlich die *selige* Königin von Frankreich Millionen verschwendet hat)«.
783 *15 f. einen von den Zügen ... die ihn ... charakterisieren:* Dazu vgl. oben S. 321. – *19 f. der bekannte Pfahl mit der eisernen Halsbinde:* Vgl. zu 215, 22. – *21 idleness:* Vgl. Lichtenbergs spätere Eindeutschung in »Fleiß und Faulheit« S. 993, 2.
784 *5 ägyptischer Parallelismus:* Zu Lichtenbergs Gebrauch des Ausdrucks »parallel« vgl. zu 328, 13. – *10 Herr Thwackum:* Vgl. 778, 26. – *12 Armer Teufel:* vgl. zu 214, 31. – *14 ff. Eingekerkert in eine Mutter ...:* Zu diesem Gedanken vgl. D 322: »Über den Neger-Embryo in Spiritus«. – *18 Ananas Troglodytes:* Diese

Wendung ist J 14 entlehnt; vgl. die Anm. dazu. – *21 although our last, not least:* »Obwohl unsere letzte, nicht die schlechteste«. Zitat aus: »King Lear«, I, 1, von Shakespeare. Über Shakespeare vgl. zu A 74. – *25 kleinen Moral aus dem Kaffee-Satze:* Dazu vgl. 772, 2 und die Anm. dazu.

785 *9 Phosphoreszenz:* Leuchten nicht glühender Körper im Dunkeln als Folge vorangehender Belichtung. – *12 Schelmen-Augen des Künstlers:* Dazu vgl. oben S. 322. – *19 ein anderes Mensch:* Vgl. zu 747, 32f. – *20 einer der ägyptischen Plagen:* Dazu vgl. 2. Moses 7, 14–12, 30; s. auch 786, 24. Während Kurt Böttcher diese Stelle für eine Umschreibung von Geschlechtskrankheit hält, ist m. E. gemeint: sie knackt Flöhe. – *26 Kreite:* Vgl. zu 434, 4. – *31 John Gonson:* S. 761, 28; im übrigen vgl. zu J 1104. – *37 in Kupfer gestochen:* Ähnliche Wendungen begegnen K 13. L 682; s. auch 1021, 29. 1046, 34.

786 *4f. vor ein Schulbüchelchen in Kupfer stechen:* Worauf Lichtenberg anspielt, konnte von mir nicht ermittelt werden. – *6f. So etwas, wie diese Figur ...:* Ein ähnliches Strichmännchen zeichnete Lichtenberg in Zs. mit Hogarth in einem Brief an Ramberg (IV, Nr. 657, S. 880) am 8.Juni 1794. – *10 Der Kerl, der Sperlings-Nester holen ...:* S. 775, 27f. – *20 Schalke, wie Hogarth:* Dazu vgl. oben S. 322. – *21 Volontär:* Freiwilliger. – *24 ägyptischen Plage in secunda:* S. 785, 20 und die Anm. dazu; im übrigen vgl. zu 978, 22. – *30 Gardinen-Eklogen:* Dazu vgl. zu 706, 9f. – *30f. Was lernt ein Hund nicht:* Über die Fähigkeiten von Hunden reflektiert Lichtenberg im »Göttinger Taschen-Kalender« für 1795, S.195–198. Vgl. ferner H 203. J 1270. K 416. 137. 258 und 877, 29. – *35 hier ist alles gleich, und auch frei:* fatale Anspielung auf die Devise der frz. Revolution; vgl. auch zu 458, 11.

787 *2 letzten Gärung:* Vgl. 774, 6; im allgemeinen vgl. oben zu 108, 7. – *3 pandemischen Liebe:* Vgl. 747, 19 und die Anm. dazu. – *11 Fluchpartikelchen:* Lichtenberg gebraucht den Ausdruck auch 1045, 2; zu der ähnlichen Wortbildung: Segenspartikelchen s. 58, 15f. – *11f. Volubilität:* Vgl. zu 752, 37. – *15 minder zum Sehen als zum Gesehenwerden:* Zu dieser Wendung vgl. 716, 10f. – *21 Quiescat:* Sie möge ruhen. – *30 Das Mensch:* Vgl. zu 747, 31f.

788 *7f. einem gewissen Vorfall im Paradies:* Gemeint ist der Sündenfall: 1. Mosis 3. Kap. v. 1–24. – *18 Mortalitäts-Tabellen:* Vgl. zu 268, 14; s. auch J 495. – *23f. Addison und Steele ... Spectator:* Über die beiden Schriftsteller und ihre Zeitschrift vgl. zu C, S. 155 (I). – *31 im Paradies von Europa:* Gemeint ist natürlich die französ. Republik. – *33 Profos-Rang:* Profos hieß der Vollstrecker der in einem Regiment verhängten Militärstrafen (bis um 1800).

789 *1 Altfranke:* im Gegensatz zu den ›Neufranken‹ die Franzosen

des ›ancien régime‹. – *1 Misaubin:* Jean Misaubin (gest. 1734), aus Frankreich stammend, berühmt-berüchtigter Wunderdoktor in London, den auch Fielding in »Tom Jones«, 5. Buch, 7. Kap. (Hanser-Ausgabe, S. 242) erwähnt. – *4 Fargatsch in Hamburg:* Lebensdaten unbekannt. – *5f. wegen seiner Zahnpulver:* Im 18. Jh. war die Verbindung des Wander-Doktors (Zahnarztes) – Harlekins aus Werbegründen nicht ungewöhnlich. – *10 privilegium ... tuendi:* Vorrecht, Abführmittel zu geben, zur Ader zu lassen und zu töten. – *13 Lusus naturae:* Spiel der Natur. – *14 offiziell:* Lies im Text: offizinell; zu diesem Ausdruck vgl. zu C 28. – *16 M'Gennis:* Lebensdaten unbekannt. – *38 armen Teufel:* Vgl. zu 214, 31. – *38 Embonpoint:* Wohlbeleibtheit.

790 *1 Rat d'Eglise:* Kirchenmaus. – *12f. griechischen Trichuriden:* Vermutlich sind die Trichinen gemeint. – *14 Verfasser des Gil Blas:* Über Lesage und seinen berühmten pikarischen Roman vgl. zu F 69. Lektüre des Romans bezeugen SK 492. 513 (20. 6. 1793 bis 1. 8. 1793). – *14f. Execution de la Haute Médecine:* Ausübung der höheren Medizin: »L'Exécuteur de la haute Médicine, je veux dire le Chirurgien« heißt es in »Gil Blas«, Livre Second, Chapitre II, p. 133, Bd. 1 der Ausgabe: Walther Dresden 1798. – *15 Distinktion:* Vgl. zu 782, 9. – *23 23jähriges Mägdchen:* S. 805, 13 und die Anm. ebenda. – *27 Veni, Vidi, Vici:* Vgl. zu 577, 24. – *36 Conflictus pronominum:* Streit der Fürwörter.

791 *2 den Gesetzen des Stoßes gemäß:* Vgl. zu K 74. – *4 Ich des Altfranken:* Vgl. 789, 1 und die Anm. dazu. – *7 Seelen-Speise:* Dieser Ausdruck begegnet auch in den Briefen (IV, 614). – *18 Hektik:* Schwindsucht. – *18 opak:* undurchsichtig. – *21f. Apparat des Blutsfreundes – Stunden-Glas und Hippe:* Gemeint ist der Tod mit seinen Insignien.

792 *11 Dürftigkeit unsers individuellen Sprachschatzes:* Dazu vgl. etwa G 207; im übrigen s. zu 377, 13 ff. – *14 Stoß-Ableitung:* Zu dieser Wortprägung vgl. zu 130, 11. – *15 Wermut-Gesicht:* Ähnliche physiognomische Wortbildungen sind zu 371, zusammengestellt. – *18 hätte ich deine Feder ... Müller:* Gemeint ist der Romanschriftsteller Müller von Itzehoe; über ihn und Lichtenbergs Wertschätzung des »deutschen Fielding« vgl. zu SK 365. – *22 Murky:* die fortgesetzte Begleitung in gebrochenen Baßoktaven, erstmals bei Tanzliedern der Leipziger Studentenlieder-Sammlung »Die singende Muse an der Pleiße« von Sperontes (1736) nachweisbar. Lichtenberg gebraucht den Ausdruck auch E 69 und in den Briefen (IV, S. 66). – *25 unser himmlisches Te Deum:* Gemeint ist vermutlich nicht das alte Kirchenlied, sondern das Tedeum von Graun: vgl. darüber zu F 1071; s. auch 736, 20 f. – *25f. Stabat Mater:* »Es stand die (schmerzensreiche) Mutter«: Marienhymnus, vielleicht von Jacopone da Todi, ins 13. Jh. zurückreichend, 1727 endgültig ins röm. Brevier und

Missale aufgenommen. – *26 Alexanders Fest:* Gemeint ist Drydens Ode »Alexander's feast«, die von Händel 1736 vertont wurde. Lichtenberg erwähnt sie auch im GTK 1798, S. 171. Laut »Verzeichniß derjenigen Bücher ...«, S. 9, Nr. 110, besaß Lichtenberg Drydens – über ihn vgl. zu KA 133 – »Alexander's Feast, or the Power of Music«. – *26 sogenannten Halb-Romanen:* Zu diesem Begriff vgl. zu K 217. – *27 Maultrommeln:* Vgl. zu 422, 10. – *27 Polnische Böcke:* Vgl. zu 307, 14. – *30 Enveloppe:* Hülle, Umhüllung. – *33 diesen Marsyassen:* Der Faun Marsyas, von Apollo im Flötenwettstreit besiegt, wurde an einem Baum aufgehängt und enthäutet. – *35 Dumouriez:* Charles François Dumouriez (1739–1823), frz. General, im März 1792 Außenminister der Republik, im August Führer der Nordarmee, siegte bei Valmy und Jemappes und eroberte die österreich. Niederlande. Mit Anklage bedroht, plante Dumouriez den Sturz des Konvents, trat auf die Seite der Koalition gegen die Revolution; lebte später in England.

793 *7f. Zerbrochen, zerbrochen ... Geßner, Idyllen:* Gemeint ist die Idylle »Der zerbrochene Krug« (S. Gessners Schriften. III. Theil, Zürich 1762, S. 41–46), worin der gefesselte Faun mehrfach die Zeilen wiederholt: »Er ist zerbrochen, er ist zerbrochen, der schönste Krug. Da liegen die Scherben umher.« Über Salomon Geßner vgl. zu F 944. – *15 armen Teufel:* Vgl. zu 214, 31. – *21 Departement:* Vgl. zu 778, 28. – *23 stilum vertas:* saepe stilum vertas: wörtlich: »wende häufig den Griffel«; d. h.: Streich das Geschriebene immer wieder aus. Zitat nach Horaz, »Sermones« (Satiren) I, 10, 72. – *25 mißliche Südsee-Aktien:* Anspielung auf den Skandal, betreffend die »South Sea Bubble«, im Jahre 1720; die Südsee-Gesellschaft in England hatte durch Aktien-Ausgaben eine Spekulationswut unter der engl. Bevölkerung hervorgerufen, die sich aber um ihr Geld geprellt sah. Die Bubble Act machte dem ruinösen Treiben ein Ende. Hogarth hat es übrigens in einem Kupferstich 1721 festgehalten.

794 *15 Hogarth in seinen Werken ... wie die Natur in den ihrigen:* Lichtenbergs größtes Kompliment an den Künstler; vgl. dazu oben S. 321. – *28 Long-Acre:* Verbindungsstraße zwischen Charing Cross und Kings Way in London. – *40 Manser:* Dieses Wort ist im DWB nicht aufgeführt; offenbar leitet es sich von *Manz* her, laut »Oberhessisches Wörterbuch«, 2. Bd. Darmstadt 1899, S. 577, in der Gegend von Nidda, Scholfen, Laubach, Lich, Butzbach und an der Ohm gebräuchlich für: Mutterbrust; s. auch 815, 14.

795 *13f. laqueus anodynus:* wörtl. schmerzstillender Strick; s. auch 815, 16. – *18 Chaperon:* Anstandsdame, Tugendwächterin. – *36 Highwaymen:* Vgl. zu 195, 23f.

796 *1 nativen:* angeborenen. – *34 Drurylane:* S. 758, 27; im übrigen

vgl. zu 224, 19. – *37 geflügeltes Pferd:* Pegasus; vgl. zu 662, 14. – *38 Paradies-Vögel ohne Füße:* Dieses Bild notiert Lichtenberg K 241. Die aus Neuguinea und Nachbarinseln stammenden Singvögel wurden zuerst im 16.Jh. nach Europa als Bälge gebracht. Da die Eingeborenen ihnen die Füße abschnitten, um sie zu präparieren, nahm man lange Zeit ernstlich an, daß die Paradiesvögel keine Füße hätten, da sie ständig in der Luft weilten. Noch Linné gab dem großen Paradiesvogel den wissenschaftl. Namen: Paradisea apoda, der Fußlose.

797 *11 f. ein einziger auf der sechsten ..., vor welchem wir ... zittern:* Gemeint ist 813, 38; vgl. auch 730, 1. – *15 nicht ganz ohne Zureden:* S. Lichtenbergs Ausführungen in der »Vorrede« zur Ersten Lieferung 663, 10 ff. – *37 Ritter Linné:* Über ihn vgl. zu A 22.

798 *6 Mammalien:* Säugetiere. – *9 Grane:* früheres Apothekergewicht: 0,06 gr. – *18 f. die schweren Sorgenstühle:* Diesen Ausdruck gebraucht Lichtenberg auch 863, 19. – *20 Bergèren:* ein gepolstertes Sitzmöbel mit geschlossenen Armlehnen, kam um 1735 in Frankreich auf. – *23 adlichen ... Bänke:* Bei Vorlesungen erhielten im 18.Jh. Adelige reservierte Vorzugsplätze, wie aus Lichtenbergs Tagebüchern sehr genau hervorgeht. – *23 gelehrten Bänke:* Zu diesem Ausdruck vgl. zu E 245. – *24 so genannte faule Bank:* Dieser Ausdruck ist im DWB nicht belegt; sollte er identisch sein mit: *fauler Gang* der Bergwerkssprache für: schlüpfriges Gestein? – *26 Sella curulis:* der Kurulische Sessel; der mit Elfenbein ausgelegte und wie ein Feldstuhl gestaltete zusammenlegbare Amtsstuhl der höchsten obrigkeitlichen Personen im alten Rom. – *27 sogenannte Kammer-Post:* offenbar eine Art Rollstuhl; »Kammerpostill«, führt DWB 5, 128 für eine Pfarrköchin aus Fischart an. – *28 Cabriolet:* frz. cabriolet, Einspänner, ursprüngl. ein leicht gebauter, zweirädriger, einspänniger Gabelwagen, der meist ein Verdeck hatte. – *29 Phaeton:* Vgl. zu 71, 12. – *30 Kaleschen:* von tschech. Kolesa ›Räder‹, leichter ein- oder zweispänniger Reisewagen mit Lehnsessel und Faltverdeck. – *30 f. Postwagen vom deutschen Rippenbrecher an:* Über die deutsche Postkutsche vgl. zu 526, 1. – *32 Reichs-Prozessions-Wagen:* Anspielung auf die Zurüstungen zur in Frankfurt am Main stattfindenden Kaiser-Krönung. – *33 die Tore weit und die Türen ... hoch:* Parodie auf die Anfangszeile des bekannten Kirchenliedes von Georg Weissel (1590–1635) nach Psalm 24, 7–10. – *35 Dieses gründet sich auf einer Volkssage:* Die Herkunft dieser Sage war nicht zu ermitteln.

799 *5 Winter-Zephyrs:* Eine ähnliche Wortbildung begegnet 873, 16. – *7 f. Genus sellarum:* Gattung Sessel. – *9 Pegasus:* das Dichterroß; Anspielung auf die zeitgenöss. weibl. Schriftsteller; im übrigen vgl. zu 662, 14. – *12 Accouchieren:* Entbinden, Gebären.

– *15 Cabinet zu Rom ... dessen Namen uns entfallen:* womöglich Anspielung auf die Verliese des Vatikan. – *17 Desobligeant:* unfreundlich, ungefällig: ein Reisewagen, den man deswegen in Frankreich so nennt, weil nur eine Person darin sitzen kann. – *18 Göttin der Nacht:* Gemeint ist zweifellos das Nachtgeschirr. – *18 Ah! quel bruit pour une omelette:* »Ach! So viel Lärm um einen Eierkuchen.« Das Wort wird auf den französischen Schriftsteller Desbarreaux († 1675) zurückgeführt. – *20f. mit Respekt zu sagen ... also ... ohne allen Respekt:* Zu dieser Wendung vgl. zu 387, 11. – *31f. das holländische Spucknäpfchen (Quispedorje):* Diese Bemerkung ist J 172 entlehnt. – *33 Avertissement:* Vgl. zu 253, 3. – *33 ewigen Dr. Rock:* Vgl. 709, 22. – *36 Merkurial-Pillen:* Quecksilber-Pillen; sie dienten seinerzeit zur Kur gegen Geschlechts-Krankheiten; vgl. zu 643, 5. – *37 Yoricks Wagen:* Anspielung auf Sternes »Sentimental Journey«, erschienen London 1768. Sterne-Yorick macht seine Reise im Desobligeant, in dem er auch seine »Vorrede« zu dem Reise-Bericht schreibt. Über Sterne vgl. zu KA 272.

800 *1 Salivation:* Speichelfluß. – *3 Merkurial-Kanaster:* Quecksilber-Tabak. – *5 Lande der Reinlichkeit:* Gemeint ist Holland; über die sprichwörtliche Sauberkeit dieses Landes vgl. TB I und zu 231, 31.

801 *10 Departement:* S. zu 778, 27. – *12 obiter:* Vgl. zu 730, 28. – *15 die Blase von bekannter Form:* Klistierspritze. – *21 Vomitiv- und Lavement-Weg:* Brechmittel ... Klistier. – *27f. Starb doch zu Warschau ... Jablkowsky:* Diese Anekdote ist J 869 entlehnt. – *28ff. Demonstration, die eigentlich von Dr. Swift ... herrührt:* Gemeint ist »Gullivers Reisen«, 4. Teil, 6. Kapitel: »Da die Natur, wie der Arzt behauptet, die obere Öffnung nur für das Einführen fester und flüssiger Nahrung, die untere aber nur zum Ausscheiden bestimmt hat, so stellen diese Künstler den genialen Grundsatz auf, die Natur, die mit jeder Krankheit ihren richtigen Sitz verlassen habe, müsse dadurch wieder an die rechte Stelle gerückt werden, daß man den Leib in einer durchaus entgegengesetzten Weise behandle, indem man die Funktionen der beiden Leibesöffnungen vertausche, feste und flüssige Substanzen durch den After einführe und Entleerung durch den Mund bewirke.« Zit. nach Swift, Gulliver, Berlin 1964 (Rütten u. Loening), S. 359–360. Über Swift vgl. zu KA 152. – *32 Büchersprache:* Ähnliche Wendungen sind von mir zu D 122 zusammengestellt. – *37 das Frankfurter Staats-Ristretto:* Über diese von Lichtenberg regelmäßig gelesene Zeitung vgl. zu J 869.

802 *8 in dubio:* Vgl. zu 300, 13. – *10 rebus sic manentibus:* unter diesen Umständen. – *15 id est:* das ist. – *15 Lavements:* S. 801, 21. – *15 vomieren:* erbrechen. – *18 Ameublement:* Möbeleinrichtung. – *24 Os sublime:* »erhobenes Antlitz«. Zitat von Ovid, »Metamor-

phosen« I, 84. Lichtenberg zitiert die Worte auch J 229. 230 und GTK 1791, S. 197. – *28 Penates:* römische Hausgötter; s. auch F 1121. – *29 die Parzen:* die antiken Schicksalsgöttinnen Klotho, Lachesis und Atropos. – *30 Necklaces:* S. 795, 13. – *38* ἑαυτον κλυστηρούμενος: ›Selbst-Klistierer‹: scherzhafte Abwandlung von »Heautontimoroumenos« des Terenz. Zu dem Gedanken vgl. J 165 und die Anm. dazu.

803 *2 sub Dio:* unter freiem Himmel. – *4f. traurige Haushaltungen:* Zu diesem Ausdruck vgl. zu 80, 23 ff. – *16 Trompeuse:* wörtlich: Betrügerin; hier: falscher Busen. – *20 Mazzen oder Mazkuchen:* Mazza, vulgär Mazze: das ungesäuerte Brot oder der Osterkuchen der Juden, meist nur aus Mehl und Wasser. – *24 Embleme:* Sinnbilder. – *25 die Rechtgläubigen vom vierten Stande:* Gemeint sind jüdische Handwerker. – *32f. deren ganzes Christentum ... ein Bißchen Juden-Verachtung:* Zu Lichtenbergs eigenem Antisemitismus vgl. zu 366, 23 f. – *38 Hesperus:* der Abendstern.

804 *2 Wirtshause zur Glocke:* S. 736, 35. – *3 Portugiesischen Tempel:* S. 748, 30. – *9 das bekannte M.H.:* Mary Hackabout; vgl. 747, 32. – *12 Inskriptionen:* Inschriften. – *12 Bel-Esprit:* Vgl. zu 273, 26. – *19f. die lateinische Übersetzung ... in Horazens dritter Satire:* Gemeint ist sicherlich das Wort »cunnus«: Horaz, »Satirae«, 1. Buch, III, v. 107. – *22 verquickte Patientin:* Dieser ungewöhnliche Wortgebrauch ist sonst nirgends belegt; im übertragenen Sinne bedeutet *verquicken:* Metall durch Versetzung mit Quecksilber gleichsam lebendig machen.

805 *4 Où peut-on ... famille:* »Wo weilt man besser wohl als in dem Kreis der Seinen«. Zitat aus Marmontels Oper »Lucile«, die mit der Musik von Grétry am 5. Januar 1769 uraufgeführt wurde. – *7 Gonsons Trabanten:* S. 761, 28. – *7 Thwackums Hieben:* S. 778, 26. – *8 Misaubins:* S. zu 789, 1. – *12 aged 23:* In einem Brief an Eschenburg (IV, Nr. 494, S. 639) vom 13. Juni 1785 bezeichnet es Lichtenberg als »Unterlassungs-Sünde«, in seiner Kalender-Erklärung darauf nicht näher eingegangen zu sein; s. auch 790, 23. – *15f. Betschwestern aus dieser Schule:* Vgl. zu 452, 36. – *19 sonderbaren Genie:* Dazu vgl. oben S. 322. – *21 Gentleman's Magazine:* Über diese Zeitschrift vgl. zu A 55. – *22 Betty Fish zu Enfield:* sonstige Lebensdaten unbekannt. – *23f. Eine solche Schalkheit:* Vgl. oben S. 322. – *25 Julianischen Kalender:* der von Julius Caesar 46 vor Chr. eingeführte Kalender, der das reine Sonnenjahr benutzt und aus dem ägypt. Kalender die Schaltung eines Tages in den durch vier teilbaren Jahren übernahm, so daß das Jahr im Durchschnitt 365, 25 Tage lang wurde. – *26 Mansuetus:* kathol. Heiliger. – *26f. Weissagerin aus dem Kaffee-Satz:* Zu dieser Wendung vgl. zu 772, 2. – *27 Im Gregorianischen:* die von dem Papst Gregor XIII. im Jahre 1582 angeordnete Kalender-Reform, betreffend die Neufestsetzung der Schaltung, der

durchschnitt. Jahreslänge und des Osterdatums. Der gregorian. Kalender wurde von den kathol. Ländern sofort, von den evangelischen dagegen nur zögernd, zum Teil erst im 18. Jh. angenommen. In England geschah es 1752 (11 Tage wurden gestrichen); s. auch GTK 1787, S. 240, und zu 407, 30f. – *28 Euphemia:* griech.: gutes Reden, Andachtsstille, Gebet. Euphemia von Calcedonien: christl. Märtyrerin unter Diokletian und Heilige. – *31f. Das große Feuer in London (1666):* Dazu vgl. die Ausführungen Lichtenbergs 1050, 28 ff. und die Anm. dazu. – *33 setzt ... Hume auf den 3ten:* In der »History of Great Britain. From the Accession of James I. To the Revolution in 1688«, erschienen London 1754–1763, 8 Bde, schreibt David Hume in Bd. 7, S. 443, in einer Randnote: »3d of September. Fire of London.« Über ihn vgl. zu C 193. – *36 Cromwelln:* Über Oliver Cromwell vgl. zu KA 2. – *37 seine beiden großen Siege:* Am 3. September 1650 besiegte Cromwell bei Dunbar die Schotten, am 3. September 1651 bei Worcester den in England eingedrungenen König Carl II.

806 *3 Assemblee:* Versammlung. – *9 Rosmarin:* Die Teilnehmer eines Begräbnisses trugen seinerzeit Rosmarin, weil sein starker Geruch nach dem Volksglauben Übel abwehren soll; s. auch 816, 6. – *16 Pasquill:* Spottschrift. – *22 Küster-Gesicht:* Zu dieser ›physiognomischen‹ Wortbildung vgl. zu 371, 26. – *24f. sein erstes, so merkwürdiges Parlament:* d.h. jenes Parlament, das auf Grund der von Cromwell diktierten neuen Verfassung vom Dez. 1753 gewählt worden war. – *25ff. an dem er ... starb:* Cromwell starb am 3. Sept. 1658 in London. – *25f. dieses Schwärmers:* Zu diesem Ausdruck vgl. zu 277, 32. – *29f. Waller in seiner berühmten Ode:* Gemeint ist wohl das Gedicht »Upon the Death of the Lord Protector«, abgedruckt in »The Works of Edmund Waller«, London 1758, S. 117–118. Edmund Waller (1605–1687), berühmter engl. Dichter. Lichtenberg erwähnt ihn auch in den Briefen (IV, S. 203). – *30 hofpoëtice:* nach Weise eines Hofdichters; zu ähnlichen Wortbildungen vgl. zu 60, 35; s. auch 262, 21f. – *34 Nickel ... Nikolaus:* Dieser Gedanke ist J 763 entlehnt; vgl. die Anm. dazu. Lichtenberg gebraucht den Ausdruck auch D 544. 667 und 896, 33. – *38 Undertakers:* Beerdigungs-Unternehmer.

807 *3 Drurylane:* Vgl. zu 224, 19. – *5 Vigilien:* Vgl. zu 690, 3f. – *7 Jacksons-Bay:* Port Jackson: Bucht, an der die australische Stadt Sidney liegt; dorthin wurden seinerzeit engl. Strafgefangene deportiert. – *21 Chapeaux:* Vgl. zu 254, 30. – *28 Tränen-Fläschchen:* Zu diesem Ausdruck vgl. zu 454, 13f. – *31 Nants:* Name eines franz. Likörs. Lichtenberg gebraucht den Ausdruck auch F 1166.

808 *17 tragicus boatus:* tragisches Gebrüll. – *18f. Illumination:* Vgl.

zu 752, 13. – *20 Konstablerin:* Aufseherin. – *23f. Departement:* Vgl. zu 778, 28. – *31 Laokoon:* Über ihn vgl. zu 677, 10. – *36 Feuerlands-Gesichtchen:* Die Physiognomien der Eingeborenen von Tierra del Fuego erwähnt Lichtenberg als abschreckend häßlich auch F 1204. Im »Deutschen Museum« 1777, 2. Stück. Februar. S. 190–192, gab Lichtenberg Beschreibungen solcher Köpfe nach Zeichnungen von Hodges. Zu der physiognomischen Wortbildung vgl. zu 371, 26.

809 *2 Supplik:* Bittschrift. – *6 Supplikanten:* Bittsteller. – *15 Spiritus rector:* der leitende Geist, die Seele der Sache. – *15 Assemblée:* S. zu 806, 3. – *17 armen Teufels:* Dazu vgl. 214, 31. – *18 Drurylanerinnen:* S. 807, 3; im übrigen vgl. zu 224, 19. – *21 die Hexe:* Zu dieser Lichtenberg geläufigen Umschreibung vgl. zu 362, 1. – *24 das große wird sich finden:* Gewiß Anspielung auf das »große Souvenir« einer Geschlechtskrankheit. – *36f. ist ... bedeutet:* Zu dieser Anspielung auf die Wort-Klauberei zwischen Luther und Calvin vgl. zu 273, 38. – *38f. esoterischen ... exoterischem:* geheim ... allgemeinverständlich.

810 *1 Mutwillen:* Dazu vgl. oben S. 322. – *6f. auf Warzen-Vertreiben verstehen sich ... die Toden besser:* Lichtenberg meint den Volksglauben, daß Warzen, mit den Gliedmaßen von Gehenkten bestrichen, heilen. Er beobachtet ein Beispiel dieses Aberglaubens in Tyburn am 25. Okt. 1775: s. RA 183. – *12 was für ein Schalk unser Künstler ist:* Dazu vgl. oben S. 322. – *22f. Moral, die sich ... an Splitter und Balken ... anschließt:* Gemeint ist Matthäus 7, 3–5. – *37 wir selbst ... einmal geglaubt:* In der Kalender-Erklärung (GTK 1784, S. 27) erwähnt Lichtenberg in der Tat »Trauerringe« und Handschuhe als Insignien einer Huren nicht zustehenden »Staatstrauer«.

811 *2f. nicht ein Bohnenfleckchen:* Diese Redewendung wird weder in Grimms Deutschem Wörterbuch noch im Südhess. Wörterbuch angeführt. – *20f. Herr Urian:* Bezeichnung für den Teufel, z.B. in Goethes »Faust« und bei Claudius; der Ursprung des Wortes ist dunkel. – *21 ein bloßes T ...:* Vgl. zu 60, 31. – *23 ein berüchtigtes Mensch:* Vgl. zu 747, 32f. – *23 Mary Adams:* Lebensdaten unbekannt. – *29 diese Blätter ... 1734 erschienen:* Tatsächlich erschienen die Kupferstiche dieser Folge bereits im November 1732 von fremder Hand gestochen und im April 1733 von Hogarth ausgeliefert. – *33f. britischer Teint und britische Zähne:* Vgl. zu 703, 17. – *36f. Der Mann ... kein Geistlicher:* In der Kalender-Erklärung (GTK 1784, S. 26) hatte Lichtenberg wesentlich zweideutiger geschrieben: »... der Geistliche, ein damals bekannter Bösewicht, der in dieser Maske herumschlich ...«.

812 *5 ein Charters in seiner Art:* S. 739, 25 und die Anm. dazu. – *6 der Künstler doch besser getan, wenn er ...:* Von Lichtenbergs – zeitbedingter – Bänglichkeit gegenüber etwaigen Satiren auf Theolo-

gen zeugt schon 691, 22 ff. – *37 Einmal in der Punschgesellschaft:* Vgl. 691, 20. – *38 zum dritten Mal in seinem Wahlschmaus (Election dinner):* Eine Erklärung dieses Kupfers gab Lichtenberg im »Göttinger Taschen Calender« für 1787, S. 232–244; der Pfarrer wird ebenda S. 237 beschrieben: »Hier strahlt, wie der volle Mond inter minora sidera (4), der Herr Pastor. Er hat gegessen und getrunken, daß ihm selbst der rasirte Kopf davon raucht. Er nimmt daher die Perücke in die Hand, und wischt sich den Schädel mit dem Schnupftuch. Er ist keiner von hohem Rang, wie ich aus der Perücke zu sehen glaube, die allmählig anfängt, den Mangel selbst zu leiden, den sie verdecken soll. Da bey einem so jungen Candidaten die Gelegenheit so zu schmausen vermuthlich erst nach siben magern Jahren (so lange steht bekanntlich ein Parlament gewöhnlich) wieder kommen möchte, so nutzt er sie äußerst, und auf eine sich auszeichnende Weise: denn er ist würklich der einzige, der in der ganzen Gesellschaft, die nur noch trinkt, noch allein ißt, und zwar hat er mit leckerhafter Apicischer Vorsicht, ein Feuerbecken vor sich, auf welchem er sich den Rest einer Rehkeule aufwärmt. Zur Rechten steht eine Bouteille Champagner und zur Linken eine Sauciere.« Kirchenszenen finden sich aber in Hogarth dagegen häufiger; s. etwa »Die schlafende Gemeinde« (GTK 1790, S. 198–200). – *15 f. Unter diesen dreien ... zwei, Porträte von bekannten Personen:* in der »Punschgesellschaft« Pastor Ford oder Orator Henley. – *22 Gourmand:* Schlemmer, Vielfraß. – *23 regulariter:* in der Regel. – *23 alle sieben Jahre:* So lange dauerte seinerzeit eine Wahlperiode des engl. Parlaments; vgl. auch »Der Wahlschmaus« (GTK 1787, S. 235): »Leider muß oft die Nation nachher sieben Jahre hindurch entgelten, was hier ein Paar Minuten erlitten wird.«

813 *8 Bilder-Jagden:* Zu dieser Wendung vgl. zu 184, 18. – *14 Spadille:* Vgl. zu 442, 29. – *15 die Basta:* der dritt- oder der zweithöchste Trumpf im Kartenspiel, im L'hombre Treff-As. – *15 f. Trümpfchen in Coeur:* Herz-As. – *17 kopulierte:* eine außerkirchliche Trauung vollziehen, zusammenkuppeln. – *17 f. die Erklärer Hogarths:* Vgl. die Vorrede zur Ersten Lieferung 666, 34. – *22 f. wie der Doge von Venedig mit dem Adriatrischen Meer:* Der Gedanke und die folgende Passage sind J 1020 entlehnt; vgl. die Anm. dazu. – *26 der Liturgie Beflissener:* Ähnliche Bildungen begegnen J 514. – *30 Stol-Gebühren:* Gebühren, die die Kirche für Trauungen, Taufen usw. erhebt, Amtshandlungen, bei denen der Pfarrer die Stola trägt; seit dem 4.Jh. nachweisbar. S. auch 877, 2 und J 1205. – *37 Manille:* der zweithöchste Trumpf im L'hombre-Spiel. – *38 locum difficillimum:* höchst schwierige Stelle (Akk.). In der Kalender-Erklärung (GTK 1784, S. 26) schreibt Lichtenberg wesentlich drastischer: »Ich wähle statt der

deutschen Erklärung dieser Scene, lieber ein Paar englische Verse aus einem übrigens schlechtem Gedicht: His left hand spills the wine; his right – I blush to add – is out of sight.« S. auch 797, 11f.

814 *11 Tigerkatzen-Gesicht:* Zu dieser ›physiognomischen‹ Wortbildung vgl. zu 371, 26. – *12f. die Steine darüber schreien ... machen:* Dieses Zitat geht auf Lukas 19, 40 zurück und begegnet in anderem Zusammenhang in der »Legenda aurea« des Jacobus a Voragine. – *14 dieses Mensch:* S. zu 747, 32f. – *22f. wenn man diese Herzen zusammenfließen sieht:* Diese Wendung begegnet ähnlich auch 713, 13f. – *28 Scharwächter:* Vgl. zu 245, 9. – *36f. das Mägdchen ... eine von Hogarths Schönheiten:* Dazu vgl. oben S. 321.

815 *4ff. Was du bist ... in kurzer Zeit:* Zu dieser Wendung vgl. Jesus Sirach 38,23: »Gedenke an ihn wie er gestorben, so mußt du auch sterben. Gestern war es an mir, morgen ist es an dir.« S. auch »Trost bei trauriger politischer Aussicht« (GTK 1796, S. 197): »hodie mihi, cras tibi«. – *14 Manser:* Vgl. 794, 24 und die Anm. dazu. – *14 Spitzkräusel:* Zu dieser Schreibweise vgl. zu S. 254. »Brummkräusel« schreibt Lichtenberg in GTK 1784, S. 27. – *16 die anodyna:* S. 795, 13f. – *34 anodyne necklaces:* Vgl. 795, 13f. und die Anm. dazu.

816 *6 Teller mit Rosmarin:* S. 806, 9 und die Anm. dazu. – *18 unserm heraldischen Scharfsinn:* Ihn hat Lichtenberg auch GTK 1789, S. 209–211, in der Erklärung von Hogarths »Collegium medicum« bewiesen; s. auch 831, 6ff. – *32f. unser Spötter:* Dazu vgl. oben S. 321. – *35f. die drei französische Lilien:* Vgl. zu 672, 24. – *36f. das französische Wappen:* Anspielung auf die Franzosenkrankheit, die Syphilis. – *37 der Schelm:* Dazu vgl. oben S. 322.

817 *2f. Hogarths englischen Kommentatoren:* Über sie vgl. 666, 34. – *15f. Roucquets Urteil von diesem Blatte:* Gemeint ist o. c. p. 10. – *19f. c'est ... cause:* »das ist eine Posse, wozu die Tote mehr Anlaß als Ursache ist.« Lichtenberg zitiert diese Passage auch in der Kalender-Erklärung (GTK 1784, S. 25). Bei Rouquet steht übrigens: le *sujet* statt: *cause.* – *20f. von den Franzosen schon gewohnt:* Zu Lichtenbergs Ressentiment gegenüber den Franzosen vgl. zu 75, 7ff. – *29f. was Gray ... so schön gesagt:* in der berühmten »Elegy written on a country churchyard«, erschienen London 1750; Lichtenberg denkt vermutlich an die Verse: Far from the madding crowd's ignoble strife, / Their sober wishes never learn'd to stray; / Along the cool sequester'd vale of life / They kept the noiseless tenor of their way. / Yet ev'n these bones from insult to protest / Some frail memorial still erected nigh, / With uncouth rhimes and shapeless sculpture deck'd / Implores the pressing tribute of a sigh. Lichtenberg erwähnt die »Elegy« auch F 1046 und zitiert die Passage in der Kalender-

Erklärung (GTK 1784, S. 25). Über Thomas Gray vgl. zu
D 643. – *37 bei einem spätern Werk:* Gemeint ist Blatt 1 der
Kupferstichfolge »The Election« (1755): »Ein Wahlschmaus«,
das Lichtenberg in GTK 1787, S. 232–244, kommentiert. Zu
dem Backstein-Wurf s. speziell S. 244.
818 *21 des Erklärers Vaterland:* Gemeint ist Darmstadt; vgl. zu 647,
21 f. – *21 f. Kindermörderinnen:* Über dieses Thema äußert sich
Lichtenberg auch in den Briefen (IV, S. 410).

DER WEG DES LIEDERLICHEN

Erstveröffentlichung und Satzvorlage: »G.C. Lichtenbergs ausführliche
Erklärung der Hogarthischen Kupferstiche, mit verkleinerten aber
vollständigen Copien derselben von E. Riepenhausen. Dritte Lieferung. Göttingen im Verlag von Joh.Christ. Dieterich 1796.« VI und 368
Seiten. Auch hier folgt auf einer Extraseite im Original nach dem Titelblatt die S. 819 mitgeteilte Devise von Churchill.

Zur Entstehung: Lichtenbergs »Vorerinnerung« ist vom April 1796
datiert. Aus SK 890 erfahren wir das genaue Datum der Fertigstellung dieser Lieferung. Es ist der 12. April 1796. Am 14. April 1796
(SK 892) wird das Dritte Heft bereits gebunden und ein Vorausexem-
plar an Kästner übersandt. Der Beginn der Arbeit fällt offensichtlich
in den Januar 1796. Am 18. Januar (SK 867) findet sich die im »Staatskalender« dreimal unterstrichene Eintragung: »Schreibe am Hogarth«.
Am 25. Januar geht bereits ein Manuskript in die Druckerei (SK 868),
am 19. Februar macht Lichtenberg sich an die Erklärung der Vierten
Platte, die er am 1. März endigt (SK 872. 875). Eine Woche später, am
8. März (SK 876), ist auch die Fünfte Platte ins Reine gebracht; am
23. März wird die Siebte, am 1. April die Achte und letzte Platte in
Angriff genommen (SK 882. 885), die nach Lichtenbergs Geständnis
noch einmal viel Mühe bereitet.

Trotz seines angegriffenen Gesundheitszustandes – vgl. an Eschenburg (IV, Nr. 705, S. 946) am 8. Mai 1796 – hat Lichtenberg die Arbeit
demnach in der Zeit von knapp zwei Monaten geleistet – eine respek-
table Tatsache. Allerdings ist diese Lieferung mit ihren acht Platten
weniger umfangreich als etwa die Zweite Lieferung, die ihrerseits nur
sechs Platten aufwies. Lichtenberg nahm dazu in dem oben genannten Brief an Eschenburg Stellung: »Meiner ersten Anlage nach hätte
die Erklärung sehr viel umständlicher werden müssen, weil es 8 Platten sind, ich wollte sagen sehr viel voluminöser. Dietrich fürchtete
dieses und so brach ich immer ab.« Auf diese Furcht des Verlegers –
bedingt wohl durch ökonomische Gesichtspunkte und die sattsam er-
fahrene Säumigkeit seines Autors – kommt Lichtenberg auch in einem

Brief an Blumenbach vom 24. März 1796 zu sprechen. Da dieser Brief (Georg Christoph Lichtenberg, Briefe an J. F. Blumenbach. Herausgegeben und erläutert von Albert Leitzmann. Leipzig 1921, Nr. 67, S. 62 bis 63) nicht in unsere Auswahl aufgenommen und von Leitzmann irrtümlich auf Lichtenbergs Darstellung gegen die Preisschrift von Zylius bezogen wurde, sollen seine hier interessierenden Partien wiedergegeben werden: »Verzeyhen [Sie] mir, theuerster Freund, daß ich wenigstens einen Theil meines gestrigen Versprechens wieder zurück nehme. Ich schicke Ihnen hier bloß den ersten [Erste Platte, S. 1-16 der Druckvorlage] und den letzten abgedruckten Bogen. Es ist der eilfte [Vierte Platte, S. 161-176 der Druckvorlage] und nicht der 13, wie ich bona fide sagte. Dieser Irrthum rührt daher, daß vor Weyhnachten zwischen mir und Dieterich viel von 13 gesprochen wurde, daß aber, wie ich nun glaube, bloß meine Versicherung galt, daß das opusculum, ohne die Vorrede, 13 Bogen praeter propter betragen würde. Der 12te ist größten Theils abgesetzt. Aber warum schicke ich die andern nicht? Dieser Entschluß gründet sich auf ein nochmaliges Durchlesen. Ich kan es unmöglich jemanden lesen lassen, der nicht die Vorrede gelesen hat. Ich kan es nicht über mich bringen. Verzeyhen Sie mir. Sie werden schon aus dem Anfange selbst ersehen daß ich mich auf die Vorrede beziehe. Mündlich einmal mehr, jetzt sizt mir der Setzer von Hogarth so auf der Haube daß mir grün und gelb vor den Augen wird, am grünen Donnerstage. Hier lege ich den Herrn James Figg bey, den Sie Ihrer lieben Jugend überlassen können [vgl. S. 849], die Bogen erbitte ich mir nach Durchlesung wieder zurück aus.«

Die hier geäußerten Skrupel Lichtenbergs finden in der »Vorerinnerung« abermals Ausdruck, ohne daß man entscheiden könnte, ob die Bedenklichkeit des Verfassers eher politischer oder moralischer, wenn nicht ästhetischer Natur war.

Dedikationsexemplare gehen außer an Kästner auch an Blumenbach (5. Mai 1796: SK 905), an Eschenburg und Eberts Witwe (IV, Nr. 705, S. 946, am 8. Mai 1796), an Pfaff (16. Juni 1796: SK 918), an Goethe (IV, Nr. 711, S. 952, am 17. Sept. 1796) und an Friedrich August Lichtenberg (IV, Nr. 717, S. 958, am 23. Dez. 1796).

Rezensionen: Rezensiert wurde die Dritte Lieferung von Eschenburg in der »Allgemeinen Literatur-Zeitung« 1796, 3, S. 241-244; von Kästner in den »Göttingischen Anzeigen von gelehrten Sachen« 1796, S. 865-866.

819 *2ff. Hogarth ... age. Churchill:* Vgl. zu 659, 2ff.
820 *2f. in den Vorreden ... zu meiner Entschuldigung gesagt:* Vgl. S. 661-663. 729, 26ff. In einem Brief an Loder (LB III, Nr. 701, S. 166) vom 20. November 1795 schreibt Lichtenberg: »In der Vorrede zu dem Leben des Liederlichen, das künftige Ostern

erscheinen wird, werde ich alles entschuldigen was eine Entschuldigung verdient.« – *7f. Hogarths launigem Spotte ... predigen zu wollen:* Der Satz ist ungenaues Eigen-Zitat aus der Vorrede zur Ersten Lieferung; s. oben 661, 21 f. – *11 ff. wo möglich ... geschrieben hätte:* Auch dieser Satz ist eher Paraphrase als Eigen-Zitat aus der Vorrede zur Ersten Lieferung; s. oben 661, 11 ff. – *20 ff. einige Wortspiele ... wegwünschte:* Zu Lichtenbergs hier geäußerter und ja in der Erklärung geübter Bedenklichkeit vgl. seine Äußerung an Wolff (IV, Nr. 459, S. 572) am 12. August 1784 bei Gelegenheit der Kalender-Erklärung: »In eben dem Kalender habe ich Hogarths Leben des Liederlichen beschrieben. Sorgen Sie doch dafür, daß das Konsistorium nicht darauf blitzt, denn ich habe es so ganz ohne Ableiter drucken lassen. Indessen ist es doch noch keine Anweisung für Kinder, Kinder zu m-ch-n.« – *23 Errata:* Irrtümer. – *27 die mir gemachten Erinnerungen:* Auf wen Lichtenberg anspielt, ist unklar: Kästner kann nicht gemeint sein, und Eschenburg kommt wohl nicht in Frage. – *28 einsichtsvollen Anonymen:* Womöglich handelt es sich hierbei um den »unbekannten Verfasser des Bleystifft-Strichs«, den Lichtenberg in folgender Nachricht apostrophierte:

»Für das Intelligenz-Blatt der Jenaischen Litteratur-Zeitung. In dem Gentleman's Magazine vom Januarius dieses Jahres steht S. 59, unter der Rubrik: *Foreign literary intelligence,* folgender Artickel, der meine Erklärung der *Hogarthischen* Kupferstiche betrifft:

›A *German* commentary on Hogarth, which appeared first in the Gottingen Packet, must be deemed a curiosity. The plates are well copied, and the inscriptions given in English. It remains to be seen, whether it is, or is not of a similar kind with a French commentary on Shakespeare.‹

Gantz mit *eben denselben Worten* wird alles das *noch einmal* im *August* dieses Magazins S. 682 wiederum abgedruckt. In dem Exemplar des *Gentleman's Magazine,* das ich hier lese, und welches nur *sehr wenigen* Personen vor mir zu Händen kömmt, war diese Stelle *beyde Mahle* mit Bleystifft der Länge nach vorgestrichen, und sonst weiter in dem gantzen Stücke nichts. Da nun dieser Strich unmöglich eine andere Absicht haben kan, als das lesende Publicum auf diesen Artickel vorzüglich aufmercksam zu machen: so habe ich dem mir *unbekannten* Verfasser des Bleystifft-Strichs einen Dienst zu erzeigen geglaubt, wenn ich jenen Artickel in diesem allgemein gelesenen Intelligenz Blatt abdrucken ließe.

Göttingen im November 1795. G. C. Lichtenberg.«
Diese Nachricht, die übrigens nicht im Druck erschien, war dem obengenannten Brief an Loder (LB III, Nr. 701, S. 166) vom 20. November 1795 beigefügt und mit den Worten begleitet: »Ich

habe hier eine Nachricht für das dortige Intelligenzblatt eingeschlossen, und ersuche Sie, bester Freund, es doch schleunigst zu besorgen; es liegt mir, gewisser Umstände wegen, sehr viel daran, daß es *bald* abgedruckt wird. Ich hoffe, es wird keine Schwierigkeit haben, da mein Name deutlich darunter steht. Klatscherey soll es nicht werden, denn ich bekenne mich frey zu allem, was verlangt werden könte. Die Bekanntmachung kan Nutzen stiften und manchen kleinlichen Cabalen vorbeugen.« – *32f. eines der merkwürdigsten Produkte des Genies:* Dazu vgl. oben S. 380. – *37 im April 1796:* Zu der Zeitangabe vgl. oben S. 321.

821 *4 Laune:* Dazu vgl. oben S. 321; im übrigen s. zu 410, 6. – *4f. Weltkenntnis:* Vgl. zu 330, 5f. – *14 Sulzern ... Art Lyrisch:* Dieser Artikel findet sich in der »Allgemeinen Theorie der Schönen Künste in einzeln, nach alphabetischer Ordnung der Kunstwörter auf einander folgenden, Artikeln abgehandelt«, Dritter Theil, S. 299–305 (linke Spalte); zitiert nach der 2. Auflage Leipzig 1793. Auf S. 299, linke Kolumne, schreibt Sulzer: »Lyrische Gedichte werden deswegen allemal von einer leidenschaftlichen Laune hervorgebracht; wenigstens ist sie darin herrschend; der Verstand oder die Vorstellungskraft aber sind da nur zufällig.« Über Johann Georg Sulzer vgl. zu D 190, wo ebenfalls aus dessen »Theorie« zitiert wird. – *18 galanten Pillen:* d.h. Quecksilber-Pillen zur Bekämpfung der Geschlechtskrankheit: vgl. zu 643, 5. Zu dem Ausdruck vgl. zu 311, 8. – *18 Bougies:* eigentlich: Kerzen; hier: weiche Sonde zur Erweiterung der Harnröhre. – *21 Dr. Johnson definiert das Wort:* Die Definition findet sich in dem »Great English Dictionary«, Bd. 2 (unpaginiert). Im übrigen vgl. zu 732, 28. – *21f. a loose ... fellow:* »ein lockerer, liederlicher, lasterhafter, wilder, ausschweifender, unbesonnener Bursche«. Johnson fügt noch an: »a man addicted to pleasure«. – *22f. das holländische Rekel ... auch in Deutschland:* Im »Hessen-Nassauischen Volkswörterbuch«, Marburg 1943, Bd. 2, Sp. 839, bezeichnet *Rekel* einen sich faul reckenden, dehnenden Menschen und im übertragenen Sinn einen Flegel, Lümmel, ungeschliffenen Menschen. Vgl. auch D 667 (S. 338). – *25 Racaille:* Lumpenpack. – *26 canis:* Hund. – *28 The Rake of taste:* Den Verfasser konnte ich nicht ermitteln. – *29 The female Rake ...:* Den Verfasser konnte ich nicht ermitteln. – *30 Pope sagt:* Das Zitat ist den »Moral Essays«, Epistle 1, To Lord Cobham, I, 213, entnommen; über Alexander Pope vgl. zu A 94. – *30f. every ... Rake:* »jede Frau ist insgeheim ein Wüstling«. Die Zeile zitiert Johnson als Beleg.

822 *1 Aktiv- und Passivprügelei:* Zu dieser Wendung vgl. zu 443, 33 ff. – *12 korrigiert die Begebenheiten ... wie die ★★★ Zeitung:* Auf welche Zeitung Lichtenberg anspielt, ist nicht zu ermitteln; vielleicht ist die von Aloys Hoffmann herausgegebene erzreaktionäre

»Wiener Zeitung« gemeint. – *23f. Milchsuppen-Gesichtchen:* Zu ähnlichen ›physiognomischen‹ Wortbildungen vgl. zu 371, 26. – *25f. bon vivant:* Lebemann. – *29 Märchen von der Tonne:* In der »Tale of a Tub« von Jonathan Swift (über ihn vgl. zu KA 152) vermacht der Mann seinen 3 Söhnen 3 Röcke mit der Weisung, sie stets sauber zu halten, damit es ihnen immer gut ergehe. Lichtenberg erwähnt Swifts Märchen auch D 214. 666, L 61. – *31f. Species ... Genus:* Art ... Gattung. – *36 Ora et labora-Stand:* Diesen Gedanken notiert Lichtenberg K 256; vgl. ferner J 919. Lichtenberg definiert somit die 3 Stände: *Ora et labora* (bete und arbeite; eigentlich Wahlspruch der Benediktiner): Bürgerliche Klasse. *Ora et non labora* (arbeite nicht und bete): Geistlicher Stand. *Neque ora neque labora* (bete weder noch arbeite): Feudalklasse.

823 *1 + 37 Et cetera II ... Ein Swiftischer Ausdruck:* Die Stelle konnte von mir nicht ausfindig gemacht werden. – *6 Lombard:* ursprüngl. Bezeichnung für privilegierte christl. Kaufleute aus lombardischen Städten, die Geld gegen Zins leihen durften; später allgem. Bezeichnung für Kreditgeschäft der Banken. Lichtenberg wortspielt mit dem Begriff L 433. 521; s. auch 891, 13. – *14 Art von Sakristei-Meubel:* Dieser Ausdruck ist J 237 entnommen. – *18 Plunder:* Vgl. zu 298, 30f. – *19f. seiner Erlösung entgegenschlief:* Zu dieser Wendung vgl. zu 703, 9f.; s. auch 828, 33f. – *33f. Überrock nach Dr. Johnsons Muster:* Johnson kleidete sich sprichwörtlich nachlässig und schlampig. – *37 N.N.:* Abk., die irgendeinen Namen ersetzen soll; vermutlich entstanden aus der im röm. Recht üblichen Abk. für Numerius Negidius (Name des Beklagten in strafrechtl. Beispielen); s. auch 937, 13.

824 *2f. mehr dupe als fripon:* Diese Wendung gebraucht Lichtenberg auch in der Hogarth-Erklärung »Der Jahrmarkt von Southwark« (GTK 1793, S. 186). *dupe:* Betrogener, einfältiger Gimpel; *fripon:* Gauner. – *5 Duo ... idem:* »Wenn zwei dasselbe tun, ist es nicht dasselbe«; Zitat nach Terenz, »Adelphoe« v. 823 ff. – *6 Oxford:* eine der berühmtesten engl. Universitäten, gegr. im 13. Jh. – *8 Schall der letzten Trompete:* Zu dieser Wendung vgl. D 530 und J 380; s. auch 1025, 15f. – *10 opusculis academicis:* akademischen Werklein. – *15 gerade absteigender Linie:* Vgl. zu 369, 4f. – *21 die Zeichnung der Schönheit, war nicht die Sache ...:* Dazu vgl. oben S. 321. – *22 Zergliederers derselben:* Anspielung auf Hogarths »Analysis of beauty«, vgl. zu 352, 28. – *34 Nichols sagt ...:* o.c.p. 91. – *35f. verschlimmbessert:* laut DWB 12, 1, 1106 »ein von Lichtenberg gemachtes Wort«, das Campe übrigens nicht aufnahm, ›weil es zu schlecht sei‹, und stattdessen ›zerbessern‹ vorschlug.

825 *5 Oxford:* S. 824, 6. – *6 praemissis praemittendis:* unter Vorausschickung des Vorauszuschickenden (unverbindliche Anrede). – *6 Hochedelgeboren:* eine der im Briefstil des 18. Jh. gebräuchlichen

Anredeformeln. – *17 Protest:* Vgl. zu 700, 21. – *18 Guineen:* Vgl. zu 40, 18. – *22 Nimm:* von mir entsprechend dem Druckfehlerverzeichnis der Satzvorlage verb. aus: *Nimmt.* – *32f. Repulsion:* Abweisung. – *36 Segenswünschen:* Zu dieser Wortbildung vgl. zu 58, 15f.

826 *15 theosophisch-apokalyptischem Licht:* Anspielung auf die Affinität der Schusterzunft zur Mystik: Jakob Böhme. – *17 Beatifikation:* Hier ist ähnlich wie F 1037 wohl nicht der Begriff des kathol. Kultus: Seligsprechung gemeint, sondern die physikalische Licht-Erscheinung, die der dt. Physiker Bose bei Versuchen mit dem elektr. Schlag um die Köpfe seiner Versuchspersonen zu gewahren glaubte und mit diesem Wort charakterisierte. – *18 ultra crepidam:* Vgl. zu 756, 34. – *33 pro tempore:* Vgl. zu 680, 19. – *35f. Auf dem dritten Blatte von Hogarths Heira nach der Mode ... ein ... ähnliches Gesicht:* Vgl. 935, 17. – *37 Mittler:* Lichtenberg gebraucht den Ausdruck auch 889, 10.

827 *11 Gilpin:* Über ihn vgl. zu 666, 11. – *13 Attorney:* allgemein: Sachwalter, Beistand; im besonderen: Rechtsanwalt. – *13 Prokurator:* Bevollmächtigter. – *14 Boy:* flanellartiger Stoff. – *27 Rabulistenaugen:* Rabulist: spitzfindiger Wort- und Rechtsverdreher; im übrigen s. auch 871, 38f. – *29 Hermeneutik:* Vgl. zu 763, 35. – *31 Guineen:* Vgl. zu 40, 18.

828 *2f. durch einen kleinen Zug ... angezeigt:* Dazu vgl. oben S. 321. – *9 Hemiplegie:* halbseitige Lähmung. – *17 Profitchen:* »Lichtsparer, Lichtendchen auf Stacheln, (Profitchen heißt man sie in einigen Gegenden Deutschlands)«, schreibt Lichtenberg in der Kalender-Erklärung des gleichen Blattes (GTK 1785, S. 129). – *25 brannte alles auf Profitchen:* Zu dieser Wendung vgl. K 163. 164. 165. – *35 en bas relief:* in flachem Relief.

829 *1 Cornische:* Gesims. – *16 Profitchen:* S. zu 828, 17. – *17 alten Danae:* etwas gezwungene Anspielung auf die griech. Sage von Danaë, der Tochter des Akrisios von Argos, zu der Zeus, da sie in ein ehernes Gemach eingeschlossen war, als Goldregen kam und diese zur Mutter des Perseus machte. – *33f. Tag der Erlösung:* Vgl. 823, 19f.; im übrigen s. zu 703, 9f. – *35 Silberblick:* Vgl. zu 712, 24.

830 *1 Rips:* Zu diesem Katzennamen vgl. auch 1031, 26; die »verhungerte Katze« (829, 34f.) war, wie aus einem Brief an Eschenburg (IV, Nr. 494, S. 639) vom 13. Juni 1785 hervorgeht, eine der von Eschenburg bemängelten »Unterlassungs-Sünden« der Kalender-Erklärung. – *1 ff. Wem fällt ... nicht der Araber ein ...:* Die Herkunft dieser Fabel konnte nicht ermittelt werden. – *8 ne musculus quidem:* nicht das kleinste Mäuschen. – *9 Bratenwender:* Vgl. zu 212, 20. – *18 opus posthumum:* nach dem Tode erschienenes Werk. – *20f. die Parze ... abschnitt:* Von den drei Parzen (s. zu 802, 29) war es Atropos, die den Lebensfaden abschnitt. –

28f. Krähenaugen: mundartlich früher für: *Hühnerauge* gebräuchlich. – *30ff. einmal jemand ... gestund, ... bis in die Schultern:* Diese Wendung begegnet schon 389, 17ff.; vgl. die Anm. dazu; den Bortenhut erwähnt Lichtenberg 351, 31; vgl. die Anm.

831 *3f. dieser drollige Zug:* Dazu vgl. oben S. 321. – *4f. mit der Heraldik Englands ... zu wenig bekannt:* Vgl. zu 816, 18. – *6 der unergründliche Spötter:* Dazu vgl. oben S. 321. – *8f. Mr. Tw ... in seinen gedruckten Reisen:* Gemeint ist die »Tour in Ireland in 1775«, erschienen London 1776; über Richard Twiss vgl. zu G 218. – *10 Opferschalen zum Dienste Cloacinens:* Vgl. zu 695, 20f. – *13f. Come ... Tw...:* »Kommt, laßt uns pissen / auf Herrn Twissen«; die Anekdote berichtet Lichtenberg bereits G 218. – *17f. Journal des Alten (Memorandum-Book):* »Ledger« nannte es Lichtenberg in GTK 1785. Zu diesem von ihm übernommenen Verfahren vgl. zu E 46. – *23 Universal-Gönners:* Zu dieser Wortbildung vgl. zu 462, 4f. – *29 so genannter Termin:* Zeitpunkt, zu dem ein Wechsel fällig wird. – *32 herrlicher Gebrauch ... auf dem zweiten Blatte:* Vgl. 842, 4ff.

832 *6 Soup meagre:* dünne Suppe; Lichtenberg erwähnt sie auch in der Hogarth-Erklärung von »England und Frankreich« (GTK 1794, S. 198. 202). – *8f. von welchem Glauben auch unser ... Künstler ... war:* Vgl. Lichtenbergs Kalender-Erklärung von Hogarths »Thor von Calais« (GTK 1788, S. 105–127). – *15 Bratenwender:* S. 830, 9; im übrigen vgl. zu 212, 20. – *17 bösen Schilling:* Böse im Sinne von: ›schlecht, unecht, außer Umlauf gesetzt‹ ist, wie aus DWB II, 251–252, hervorgeht seit dem MA in Bezug auf Geld gebräuchlich, etwa: böser Taler, Kreuzer. – *31 modischen Ritter-Romans:* Zu diesem Begriff vgl. zu 417, 5f.

833 *2 Profitchen:* Vgl. zu 828, 17. – *5f. Plunder:* S. 823, 18; im übrigen vgl. zu 298, 30f. – *11ff. Vice ... Laster:* Vgl. auch zu 757, 32. – *16ff. Die natürlichen Anlagen eines Volks ... in Wortspielen:* Einen ähnlichen Gedanken notiert Lichtenberg K 252. – *20 Obrist Charters:* Vgl. 739, 24f. und die Anm. dazu. – *23 Glauben, Liebe und Hoffnung:* Diese Formel entstammt 1. Korinther 13, 13. – *28 3000 Guineen:* Vgl. zu 40, 18. – *29f. Mit einem Dukaten, sagt man ...:* Einen Beleg für dieses Sprichwort konnte ich nicht ermitteln. – *34 Drollig ist ...:* Dazu vgl. oben S. 321.

834 *2 Cabinets-Chaussüre:* Haus-Schuhe. – *3 ad interim:* Vgl. zu 112, 21. – *3 Plunder:* Vgl. zu 298, 30f. – *8 Contenta:* Inhalte. – *14 Garnbocke:* Bock zum Stützen der Garnweife; DWB führt lediglich einen Beleg aus Jean Paul an. – *15ff. Die englischen Ausleger ...:* Zu Lichtenbergs Urteil vgl. 781, 12ff. – *18 feinen Spott:* Vgl. oben S. 321. – *18f. vermeintliche Nebendinge:* Vgl. oben S. 321. – *23 Oxfordische Block:* S. 824, 6. – *25 Anstand etwas links:* Links im Sinne von *linkisch* wird im DWB mit H. P. Sturz belegt.

- *26 Schlangen-Linie:* Zu diesem Begriff vgl. zu 352, 28. – *32 Ein gewisser John Clarke:* John Clarke (1687–1734), engl. Pädagoge und Altphilologe, seit 1720 Master an der Public Grammar School in Hull, danach in Gloucester. Die von Lichtenberg erwähnte Schrift erschien zuerst London 1740; die 36. Auflage erschien 1831! – *32 Schule zu Hull:* Gemeint ist das 1485 von Ferens gegründete College in Kingston upon Hull, einer Hafenstadt im East Riding der engl. Grafschaft York.

835 *2 Cassaquin:* kurzer Oberrock; von mir entsprechend dem Druckfehlerverzeichnis der Satzvorlage verb. aus: *Cassaqiun.* – *3 Lever:* im 18.Jh. Morgentoilette (des Adels), bei der Besucher empfangen wurden; s. auch 947, 6. – *4 Aurora:* Vgl. zu 670, 26. – *11 Enzyklopädizität:* Universalgelehrtheit. – *17 ff. schlafender Jacob ... von der Himmelsleiter träumt:* Anspielung auf 1. Mosis 28, 10 ff.; s. auch 578, 1. – *20 f. Weigels Bilder-Bibel:* Christoph Weigel (1654–1725), Kupferstecher, Kunsthändler und Verleger; 1707 erschien seine Bilderbibel in Nürnberg. Lichtenberg erwähnt sie auch in den Briefen (IV, Nr. 196, S. 331). Zu ›Bilder-Bibeln‹ vgl. auch zu 1010, 18. – *29 versieren:* verkehren. – *30 in Limbo:* Vgl. zu 739, 5. – *38 filous:* Gauner. – *40 Chevaliers d'industrie:* Glücksritter; s. auch 993, 18 f.

836 *5 Kartaunen:* schwere Geschütze. – *6 so genannter Bravo:* gedungener Mörder, Bandit. – *21 f. Kommittenten:* Auftraggeber. – *24 Sitze des Mutes:* das Herz oder, wie Lichtenberg es sonst nennt, der point d'honneur; s. 528, 6. – *25 f. Roucquet ... in seiner Broschüre:* Gemeint ist o. c. p. 17. – *30 Kommissär:* hier: der den Auftrag ausführt. – *35 Nichols:* Über ihn vgl. 666, 22; die dritte Auflage erschien London 1785.

837 *1 Poltronerie:* Zu diesem Ausdruck vgl. zu 278, 30. – *16 deux courages comme deux coeurs:* »zwei Beherztheiten wie zwei Herzen«; die Quelle dieses Zitats konnte von mir nicht ermittelt werden. – *17 locum:* Stelle (Akk.). – *26 Ehen werden im Himmel geschlossen:* Vgl. zu 129, 26 f. – *31 einen Mann so blasen gesehen:* S. auch 855, 12 f.

838 *6 Welschen-Hahnen-Pas:* Truthahn-Schritt. Den »Welschen Hahn« erwähnt Lichtenberg auch H 101. – *9 f. die inflammable Luft seiner Nation:* Zu diesem Begriff vgl. 65, 31. Anspielung auf die von den Franzosen erfundenen Luftballons, die mit ›inflammabler Luft‹ gefüllt wurden. – *16 Syntaxis ornata:* ›geschmückte‹, d.h. geschraubte Schreibweise. – *19 Wellenlinien der Bewegungen:* Vgl. zu 352, 28. – *25 der berühmte Tanzmeister Essex:* John Essex (Lebensdaten unbekannt), berühmter engl. Tanzlehrer in London; seine im Text erwähnte Abhandlung erschien London 1722; zum Motiv des (französischen) Tanzmeisters vgl. zu 711, 21. – *29 Haarbeutel:* Vgl. zu 672, 24 f. – *29 f. Schönpfläsierchen:* Vgl. zu 679, 6. – *35 f. Fielding ... sagt von*

diesem Essex: Gemeint ist »Tom Jones«, Vierzehntes Buch, Erstes Kapitel (Bd. 3, S. 255 der Hanser-Ausgabe). Über Fieldings »Tom Jones« vgl. zu A 99; s. ferner zu 329, 36. – *36 Homer:* Vgl. zu A 135. – *37 Virgil:* Vgl. zu A 82. – *37 Aristoteles:* Vgl. zu KA 80. – *37 Cicero:* Vgl. zu B 125. – *37 Thukydides:* griech. Historiker (um 460– um 400 vor Chr.), verfaßte eine »Geschichte des Peloponnesischen Krieges«. – *37 Livius:* Vgl. zu KA 152. – *42 Tanzmeister von Profession:* Zu diesem Ausdruck vgl. zu 190, 38.

839 *5 Pas frisé:* Zu diesem Ausdruck vgl. zu 323, 8. – *12 Du Bois:* Lebensdaten unbekannt. – *14 Rapier:* Fechtdegen. – *16 Irländer gleiches Namens:* Lebensdaten unbekannt. – *29f. deutliches Bewußtsein hoher Überlegenheit:* Zu dieser Wendung vgl. zu 493, 29; s. auch 773, 12. – *31f. Bengeln im Arme:* Zu diesem Ausdruck vgl. 343, 25ff. – *33 Figg:* James Figg (Geburtsdatum unbekannt), gest. 1734, war ein so berühmter engl. Faustkämpfer, daß ihn sogar das »Dictionary of English Biography«, Vol. XVIII, S. 437–438, aufführt. – *33 Klopf-Fechter:* berufsmäßige Fechter, die wandernd wie Handwerksburschen ihre Kunst lehrten und sich für Geld sehen ließen; im 17. und 18. Jh. werden sie unter betrügerischen Landstreichern genannt. – *35f. von Ellis gemalt:* John Ellys (1701–1757), engl. Porträtmaler, Studienkollege von Hogarth, Schützling von Robert Walpole. – *36 Faber:* John Faber (ca. 1684–1756), engl. Kupferstecher, gebürtig aus Den Haag; stach über 500 Blätter in Schabkunstmanier. – *36 schwarzer Kunst:* Vgl. zu 361, 37. – *36 Overton:* Vermutlich ist Henry Overton gemeint, Sohn und Nachfolger des namhaften Kupferstichhändlers John Overton (gest. 1708) in London. – *37 Samuel Irelands:* Über ihn vgl. zu J 1071; Lichtenberg erwähnt ihn auch GTK 1796, S. 203. 204. – *37 der ... Erklärer des Hogarth:* Vgl. zu 666, 28. – *38 Graphic:* von mir entsprechend dem Druckfehlerverzeichnis der Satzvorlage verb. aus: *Ggraphic.*

840 *13 Konjunktion:* Zu diesem Begriff vgl. zu 156, 35. – *13 Venus:* Vgl. zu 362, 15. – *14 Kunstgärtner Bridgeman:* Charles Bridgeman (gest. 1738), engl. Kunstgärtner unter Georg I. und Georg II., gegen 1720 Aufseher der königl. Gärten. – *16 utili ... dulce:* Nützlichem ... Angenehme; »qui miscuit utile dulci«, sagt Horaz vom Dichter, »De arte poetica«, v. 343; s. auch D 666. – *20 Adreß-Karte, die Hogarth ... verfertigt:* Sie ist abgebildet in Haemmerling, Hogarth, Dresden 1950, S. 25. – *34ff. Riepenhausen ... darzustellen:* Vgl. S. 849. – *40 Scotin:* Gérard Jean-Baptiste Scotin (geb. 1698), aus der frz. Stecherfamilie, arbeitete seit 1733 in England u. a. für Hogarth.

841 *7f. holländische Symmetrie:* In den Niederlanden des 18. Jh. wurde der frz. Garten-Stil zu kleinräumigen, ebenen, regelmäßig geometrischen Formen abgewandelt, die durch Gräben und Kanäle

begrenzt wurden. Ein wichtiges Gestaltungsmittel waren zu Spindeln und Figuren geschnittener Buchsbaum und Taxus. Über Lichtenbergs Urteil betreffs Holland vgl. zu TB 1. – *19f. Bild-Scherkunst:* von mir entsprechend dem Druckfehlerverzeichnis der Satzvorlage verb. aus: *Bildscher-Kunst.* – *22f. kniet ein Jockey ... in dessen Dienst:* Über diesen Punkt hatte Lichtenberg eine Diskussion mit Eschenburg (vgl. IV, Nr. 494, S. 639, vom 13. Juni 1785). – *27 Walpole's Anecd. of. Paint.:* Vgl. 666, 16ff. – *39f. dem Herausgeber selbst begegnet:* in Kew oder Luton Hoo oder Wrest? In den Tagebüchern ist dieses Erlebnis nicht überliefert.

842 *4 Epsom:* Lichtenberg hat dortselbst mehrere Pferderennen besucht, wie aus RT 5 hervorgeht. – *5f. Anwendung ... auf die wir oben gezielt:* Gemeint ist 831, 32ff. – *12f. Thomase ... Thumme genannt:* in den Hessischen Wörterbüchern nicht nachweisbar – *16 der Herausgeber selbst im Oktober 1774 ...:* Vgl. D 750, RT 5. – *37f. 16 englische Meilen ... etwas über 3 deutsche:* Vgl. zu 44, 1. 718, 21. – *38 dortiger Postillionszeit:* Über die Geschwindigkeit der engl. Postillione vgl. TB 1; im übrigen vgl. 724, 28 und zu 526, 1. – *39 2 Stunde Weges:* von mir entsprechend dem Druckfehlerverzeichnis der Satzvorlage verb. aus: *2 1/2 Stunde Weges.* Lichtenberg: »Seite 90 in der letzten Z. wäre 2 schon genug«.

843 *6 Streithahnen:* der Hahnenkampf, eine bes. in England beliebte Volksbelustigung, die 1849 gesetzlich verboten wurde. Eine Erklärung von Hogarths Blatt »Das Hahnen-Gefecht« (The Cockpit) gibt Lichtenberg im »Göttinger Taschen Calender« für 1791, S. 193–206. – *7f. Streithennen ... Paris:* Anspielung auf die griech. Sage von dem Streit der Göttinnen Hera, Athena und Aphrodite um den Preis der Schönheit, bei dem Paris als Schiedsrichter erkoren wurde, der sich für Aphrodite entschied. Das »Urteil des Paris« wurde seit dem 7. Jh. vor Chr. häufig in der bildenden Kunst dargestellt. S. auch 848, 21. – *12 neue Oper: Der Sabiner-Raub:* Von wem diese Oper ist, konnte von mir nicht ausfindig gemacht werden; der »Companion to the Play-House« führt sie nicht auf. – *14 Farinelli:* eigentlich Carlo Broschi (1705–1782), ital. Sänger aus Neapel, 1734–1736 in London; Umfang, Atemkraft, Biegsamkeit seiner Stimme sollen ohne Beispiel gewesen sein. Fieldings Spott im »Pasquin« und in den »Denkwürdigkeiten« machte ihn in London unmöglich, und er reiste ab. – *14 Bistouri:* Operationsmesser mit beweglicher Klinge. – *21 gemachte Diskantisten:* d.h.: Kastraten. – *35 Signora Str...dr, Signora Ne-gr-:* Die Anspielungen sind unklar.

844 *6 Symbol der fatalen Geschichte:* vermutlich Anspielung auf Geschlechtskrankheiten. – *7 Agro Sabino:* Sabinisches Feld. – *10 Bittschrift an ein gewisses Haus:* Die Anspielung ist unklar. – *13*

Farinelli: S. zu 843, 14. – *18 Oper Artaxerxes:* Der Text stammt von Metastasio, geschrieben 1724, die Musik laut »Companion to the Play-House« von Dr. Arne. Die Oper wurde im Theater am Haymarket aufgeführt. – *23f. Orpheus, wo er die Bestien bezaubert:* Orpheus, nach dem griech. Mythos Sohn des Apoll und der Muse Kalliope, thrakischer Sänger und Leierspieler, der die wilden Tiere, Steine und Bäume zu bezaubern vermochte. Seit dem 6.Jh. vor Chr. erscheint Orpheus in bildlichen Darstellungen als Sänger unter den Tieren. – *26 Pretiosa:* Kostbarkeiten, Geschmeide. – *27 Guineen:* Vgl. zu 40, 18. – *37 Ireland versichert es:* o.c. Vol. I, p. 231. – *38f. vierten Platte der Heirat nach der Mode:* Vgl. 951, 7ff.

845 *5f. one G.d, one Farinelli:* ein Gott, ein Farinelli. – *7 Tarantismus:* Tobsucht, Raserei. – *8 Hämlings:* Vgl. zu 365, 21. – *9 die Strafe des Midas:* Dem sagenhaften phrygischen König Midas wuchsen Eselsohren, als er Pans Gesang dem Apollos vorzog; im übrigen vgl. zu 421, 26. – *16f. Satyre ... auf die Raserei für die Italienische Oper:* Der Kampf gegen die denaturierte, in Solonummern zerfallende ital. Oper, die an den europ. Höfen bis weit ins 18.Jh. bevorzugt wurde, wird in England repräsentiert durch Händel und – die »Beggar's Opera«. S. auch 362, 31. – *23 Proclama:* Bekanntmachung.

846 *1 Händel:* Über Georg Friedrich Händel vgl. zu J 1051. – *1 Trusler sagt es:* Seine Abhandlung war mir nicht zugänglich. – *1f. noch vor wenigen Wochen ... Versicherung erhalten:* Lichtenbergs Gewährsmann konnte nicht ermittelt werden. – *4 Nichols ist darwider:* Gemeint ist o.c. p. 177, wo Hawkins zitiert wird. – *5 Argumentum a priori:* ein Beweis, welcher sich nicht auf Erfahrungen, sondern nur auf theoret. Überlegungen gründet. – *5 Sir John Hawkins:* Über ihn vgl. zu J 199; im übrigen s. 692, 18 und die Anm. dazu. – *11 dieses wiederholt ... Ireland:* S. o.c. Vol. I, p. 33: »It seems not to mean any particular person, but *generally* a professor of music.« – *13 Hogarths eigene Erklärungen:* Erklärungen von Hogarth sind nicht überliefert, lediglich autobiograph. Notizen. – *23 Rebus:* Bilderrätsel. – *24 Bridgemans Kopf:* S. zu 840, 14. – *35f. elende Hämlinge:* Vgl. zu 365, 21.

847 *5 Hawkins' Urteil:* Vgl. 846, 5ff. – *21 Dorf-Theosophen:* Zu dieser Wortbildung vgl. zu 674, 37. – *22 Gala-Tag:* Diesen Ausdruck gebraucht Lichtenberg auch 433, 23. 917, 11; im übrigen vgl. zu 223, 15. – *25 Titular-Etatsrat:* Zu diesem Ausdruck vgl. L 565. 571; über die zeitgenössische Titelsucht vgl. zu 594, 24. – *35f. nie selbst Vater von Versen gewesen:* Vgl. dazu oben S. 299. – *36f. Händels »Give them Hail-stones for Bread«:* Zu diesem Ausspruch vgl. zu 133, 3.

848 *4 Ferney:* Voltaire lebte in Ferney, einer Gemeinde im frz. Département Ain, von 1758–1778. – *4 Twickenham:* Stadt in der

engl. Grafschaft Middlesex an der Themse, heute südwestl. Vorort Londons, seinerzeit Lieblingsaufenthalt engl. Schriftsteller; Pope wohnte dort von 1719-1744. – *9f. die Perücke ... ganz vom seligen Voltaire:* Über Voltaire vgl. zu KA 28; gemeint ist wohl die altmodische Haartracht der Allonge-Perücke. – *12 Poetasterkopfe:* Vgl. zu 212, 29. – *21f. das Urteil des Paris:* Diese Stelle ist auf Anregung Eschenburgs gegenüber der Kalender-Erklärung von 1785 erheblich erweitert und vertieft worden (vgl. IV, Nr. 494, S. 639, vom 13. Juni 1785); im übrigen vgl. zu 843, 7f. – *27f. Kopie von dem ..., das ... Franz I. besaß:* Von welchem Maler dieses »Urteil des Paris« stammt, konnte ich nicht ermitteln. Über den frz. König Franz 1. vgl. zu KA 160. – *29ff.* »*François 1. ... plaire*«*.:* »König Franz ›. von Frankreich besaß ein Gemälde, von dem man sagte, daß es ohne Fehler sei; er erlaubte jedermann, es zu betrachten, und befahl, man solle ihm denjenigen melden, der irgendwelche Fehler darin fände. – Auf dem Bild waren Juno, Venus, Pallas und Paris, alle nackt, dargestellt. Nachdem Rabelais es lange Zeit aufmerksam betrachtet hatte, sagte er, daß er einen großen Irrtum entdeckt habe. Man brachte ihn zum König, der ihn fragte, welches der Fehler sei, und er antwortete Seiner Majestät, daß Paris inmitten der drei schönsten Göttinnen des Himmels nicht so kaltblütig hätte dargestellt werden dürfen; man könne sich schwer vorstellen, daß der junge und kraftvolle Prinz angesichts dreier nackter Göttinnen, die sich alle Mühe gaben, ihm zu gefallen, nicht ein Zeichen seiner Männlichkeit gegeben haben sollte.« (Übers. Böttcher). – *33 Rabelais:* Über François Rabelais vgl. zu E 3.

849 *4 der anonyme Erklärer Hogarths:* S. o. c. p. 15. – *4f. Ireland hat sie aus ihm:* Vgl. o. c. Vol. I, p. 35 (Fußnote). – *7 Burke:* Über Edmund Burke vgl. zu E 8. Seine »Philosophical Enquiry into the origin of our Ideas of the Sublime and Beautiful« erschien in erster Auflage London 1737; 1773 in deutscher Übersetzung von Garve unter dem Titel »Über den Ursprung unserer Begriffe über das Erhabene und Schöne«. – *8ff. Philosoph. Enquiry ... 7th Edition:* Die Siebte Auflage des Werks erschien London 1773; an der von Lichtenberg genannten Stelle o. c. p. 286-289: »The physical cause of *Love*« heißt es: »When we have before us such objects as excite love and complacency; the body is affected, so far as I could observe, much in the following manner. The head reclines something on one side; the eye-lids are more closed than usual, and the eyes roll gently with an inclination to the object; the mouth is a little opened, and the breath drawn slowly, with now and then a low sigh; the whole body is composed, and the hands fall idly to the sides. All this is accompanied with an inward sense of melting and langour. These appearances are always proportioned to the degree of beauty in the object, and of sen-

sibility in the observer. And this gradation from the highest pitch of beauty and sensibility, even to the lowest of mediocrity and indifference, and their correspondent effects, ought to be kept in view, else this description will seem exaggerated, which it certainly is not. But from this description it is almost impossible not to conclude, that beauty acts by relaxing the solids of the whole system. There are all the appearances of such a relaxation; and a relaxation somewhat below the natural tone seems to me to be the cause of all positive pleasure. Who is a stranger to that manner of expression so common in all times and in all countries, of being softened, relaxed, enervated, dissolved, melted away by pleasure? The universal voice of mankind, faithful to their feelings, concurs in affirming this uniform and general effect: and although some odd and particular instance may perhaps be found, wherein there appears a considerable degree of positive pleasure, without all the characters of relaxation; we must not therefore reject the conclusion we had drawn from a concurrence of many experiments; but we must still retain it, subjoining the exceptions which may occur according to the judicious rule laid down by Sir Isaac Newton in the third book of his Optics. Our position will, I conceive, appear confirmed beyond any reasonable doubt, if we can shew that such things as we have already observed to be the genuine constituents of beauty, have each of them, separately taken, a natural tendency to relax the fibres. And if it must be allowed us, that the appearance of the human body, when all these constituents are united together before the sensory, further favours this opinion, we may venture, I believe, to conclude, that the passion called love is produced by this relaxation. By the same method of reasoning which we have used in the enquiry into the causes of the sublime, we may likewise conclude, that as a beautiful object presented to the sense, by causing a relaxation in the body, produces the passion of love in the mind; so if by any means the passion should first have its origin in the mind, a relaxation of the outward organs will as certainly ensue in a degree proportioned to the cause.« – *12 durch Affinität ein Drittes bilden:* Zu diesem Begriff vgl. zu J 376. – *17 J. Makoon:* Lebensdaten unbekannt. – *17 fecit:* hat es gemacht (gebaut). – *19 die englischen Ausleger:* Dazu vgl. 666, 8 ff. – *24 Hier ist der versprochene Franzosen-Fresser Figg:* Vgl. 840, 37 und an Blumenbach (s. oben S. 381).

850 *15 f. geilen Wuchs:* Zu diesem Ausdruck vgl. zu C 209. – *16 Scheffel:* früheres dt. Hohlmaß mit Inhalten zwischen 30 und 300 Litern. – *18 unserm jetzigen Treibhaus-System:* Vgl. zu 338, 8. – *19 Treibstoff:* In DWB 11, 1, 2, 95 ist diese Stelle als einziger Beleg für diese Wortbildung aufgeführt; vermutlich handelt es sich um eine Neubildung Lichtenbergs nach *Lachstoff* (vgl. L

246); s. auch 952, 10. – *21 Bet-Brüdern und Schwestern:* Vgl. zu 76, 29 und 452, 36.

851 *2 ex tempore:* aus dem Augenblick. – *19 sechs Sinnen:* Zu diesem Ausdruck vgl. D 639. – *34 Ehrenzeichen:* Zu diesem Ausdruck vgl. GH 5 und 867, 32 f. – *38 zwei Buch:* Buch: alte Mengenbezeichnung im Papierhandel; 24 bis 25 Bogen = 1 Buch.

852 *5 Quarter – staff:* Vgl. 840, 24 ff. – *6 Figgs Zögling:* Vgl. 839, 33 und die Anm. dazu. – *8 f. Julius Cäsars:* Über ihn vgl. zu KA 12. – *9 Kaiser-Schnitt:* Der Name wird auf die angebliche Schnittentbindung Julius Caesars zurückgeführt. – *14 Jakobiner:* Vgl. zu 460, 20 f. – *14 f. Kaiser-Zodiakus des ersten Jahrhunderts:* Zodiakus: Tierkreis der 12 Sternbilder; vgl. auch 411, 9 ff. – *17 Mobilien und Moventien:* totes und lebendes Inventar; s. auch 891, 15 f. – *18 Sunt: Aries ... Taurus etc.:* Es sind: Widder, Krebs, Jungfrau, Zwillinge, Löwe, Stier usw. Im übrigen vgl. zu 411, 9. – *20 Nero:* röm. Kaiser 54–68 n. Chr. (geb. 37 n. Chr.), Inbegriff des vom ›Cäsarenwahnsinn‹ besessenen Despoten, der öffentlich als Sänger, Schauspieler und Wagenlenker auftrat, Christen grausam verfolgte und durch Selbstmord endigte. – *25 August:* Über Augustus vgl. zu KA 168. – *26 f. Vitellius:* Aulus Vitellius (15–69 n. Chr.), 69 von allen Legionen Germaniens zum röm. Kaiser ausgerufen; von Vespasian und dessen Truppen beseitigt. – *29 Vespasian:* Titus Flavius Vespasianus (9 n. Chr. bis 79), seit 69 röm. Kaiser, erhielt 67 den Oberbefehl im Krieg gegen die Juden. – *30 Zerstörer Jerusalems:* Im Jahr 70 n. Chr. zerstörte Titus Jerusalem; über Titus vgl. zu 612, 29. – *33 f. äußerte ich ...:* »Den Löchern, worin die Köpfe saßen, hat der Drollige Künstler wiederum lächerliche Kopfformen gegeben ... Eine Suite von Kaisern ohne Köpfe ist übrigens in der Geschichte selbst nicht so unerhört als an der Wand«, heißt es an der von Lichtenberg im Text genannten Stelle (GTK 1785, S. 139) im »Leben des Liederlichen«. – *35 Beifall eines Kenners:* Gemeint ist Johann Joachim Eschenburg (s. IV, Nr. 494, S. 639, 13. Juni 1785). – *36 ein Engländer:* Gemeint ist, wie aus einem Brief an Eschenburg (IV, Nr. 494, S. 639) vom 13. Juni 1794 hervorgeht, Hawkins; über ihn vgl. zu 692, 18. – *37 f. 1792 ... kam ... der anonyme Erklärer auf einen ... ähnlichen Einfall:* Gemeint ist o. c. p. 17 (Fußnote). – *39 bringt eine Stelle bei:* Die Vespasian-Anekdote ist den »Fables, Lettres et Variétés Historiques«, p. 343, entnommen. Sie endet mit dem von Lichtenberg deutsch zitierten Satz: »Je le vois bien, dit l'esclave, le renard change de poil, mais non de caractère.«

853 *1 An Cäsars Stelle:* Vgl. 852, 9. – *4 orbis terrarum:* Erdkreis. – *4 f. Der Mann heißt Pontac:* Pontack (1638?–1720?), Sohn des Parlamentspräsidenten von Bordeaux, sein Lokal »Pontack's Head« (nach dem Aushängeschild, dem Porträt seines Vaters) in Ab-

church Lane, Lombard Street, war seinerzeit das berühmteste Eßlokal Londons; s. auch SK 916. – *5 nach ... Irelands Versicherung:* Die Stelle findet sich o.c. Vol. I, p. 40. – *7f. niedersächsischen Pontac-Brauer:* Pontacks Vater Arnaud de Pontac war Besitzer vorzüglicher Weinberge in Pontac und Obrien; sein Sohn importierte die Weine, so daß der Name Pontac zur Bezeichnung für exquisite Bordeaux-Weine wurde. – *8 Der Anonymus weiß nicht recht:* »I don't know who this *Pontac* was – probably a noted keeper of some noted and, perhaps, infamous ale-house.« (o.c. p. 16). – *12 Tyran ... Maître:* »Tyrann, steige vom Thron und mach deinem Meister Platz«; die Herkunft des Alexandriners konnte nicht ermittelt werden. – *13ff. Klotz I ... Storch I, Storch II:* Dieser Scherz ist F 97 entnommen; vgl. die Anm. dazu. Über Christian Adolph Klotz vgl. zu KA 40. – *15f. Sueton das weitere erzählt:* Gemeint sind die berühmten »vitae Caesarum« von Gaius Suetonius Tranquillus; über ihn vgl. zu D 629. – *17 Universal-Porträt:* Zu dieser Wortbildung vgl. zu 415, 36. – *18 in effigie:* Vgl. zu 766, 10. – *26 und Creme-Gläschen:* von mir entsprechend dem Druckfehlerverzeichnis der Satzvorlage verb. aus: um Creme-Gläschen. – *36ff. sieht man ... eine Silhouette in jedem Dintenfleck:* Ähnlich schreibt Lichtenberg bereits 283, 36 ff.; s. auch die Anm. dazu.

854 *34f. wenn sich Menschen ... die Uhren nach ihnen:* Diese Wendung notiert Lichtenberg K 209. – *37 Arrière-Garde:* Nachhut, ›Nachtrab‹.

855 *8 britisches Milch und Blut:* Vgl. zu 703, 32. – *12f. Stellung des Trompeters auf dem zweiten Blatte:* Vgl. 837, 19f. – *13f. unzüchtige Ballade, the black Joke:* Eine ähnliche Charakteristik einer Figur begegnet 1002, 10. – *18 Schamhaftigkeits-Ziererei:* Zu dem Ausdruck »Ziererei« vgl. zu 663, 10. – *23 Segens-Partikelchen:* Zu diesem Ausdruck vgl. zu 58, 15f.

856 *9 den Dichter Griechenlands:* vermutlich Anspielung auf Anakreon; über ihn vgl. zu A 59. – *9 Chier:* Wein von der griech. Insel Chios. – *18 Orbis Terrarum:* Vgl. zu 853, 4. – *18 totus mundus:* die ganze Welt. – *22 Einer von Hogarths Kommentatoren:* Gemeint ist Ireland, der o.c. Vol. I, p. 39 schreibt: »A third, enraged at being neglected, holds a lighted candle to a map of the globe, determined to *set the world on fire, though she perish in the conflagration.*« – *26 Divinationsgabe:* Seher-Gabe. – *26f. Hogarths Laune:* Dazu vgl. oben S. 321. – *27 Monsieur Pontac:* Vgl. 853, 4f. und die Anm. dazu. – *35 in dubio:* Vgl. zu 802, 8.

857 *3 die Spanier eine Ware nach Europa gebracht:* Gemeint ist die Syphilis, die sogenannte »Venus-Seuche«; ihren (geschichtlich nicht verbürgten) Import durch Spanier vermerkt Lichtenberg bereits KA 233. – *4 Art von Schleichhandel:* Zu diesem Ausdruck vgl. 587, 28 und die Anm. dazu. – *9 in effigie:* Vgl. zu 766, 10. – *10*

in natura: in Wirklichkeit, leibhaftig. – *11 Amalgamation:* Quecksilber-Verbindung; Anspielung auf die gegen Geschlechtskrankheiten angewandte Kur. – *13 Mutwillen:* Dazu vgl. oben S. 321. – *15 drollig genug:* Dazu vgl. oben S. 321. – *15 König David:* Über ihn vgl. zu B 402. – *17 Nero:* Vgl. zu 852, 20. – *18 Hogarths mutwillige Laune:* Dazu vgl. oben S. 322. – *20 Musik zu machen, wie jener zu dem von Rom:* Nero soll Rom in Flammen gesteckt und dabei gesungen haben. – *23 berüchtigtes Mensch:* Vgl. zu 747, 32 f. – *23 f. wie Trusler versichert:* Seine Abhandlung war mir nicht zugänglich. – *24 Aratine (... Aretine):* Anspielung auf den ital. Schriftsteller Pietro Aretino (1492–1556), dessen »Kurtisanengespräche« ihn jahrhundertelang in den Ruf der Obszönität brachten.

858 *4 Ein gewisser Herr Pawson:* Hier irrt Lichtenberg: Herausgeber von »Joe Miller's Jests« war John Mottley; über ihn vgl. zu 670, 30. – *5 Joe Millers Späße (Joe Miller's Jests):* Joe Miller (1684–1738), engl. Schauspieler, angeblich Hogarths Freund. Unter dem Titel »Joe Miller's Jests; or the wit's vademecum ...« erschien London 1739 nach seinem Tode eine Sammlung alter und neuer Schwänke und Witze. Die Sammlung hatte großen Erfolg: 1743 erschien bereits die sechste Auflage. – *6 f. ein Eulenspiegel mit hebräischen:* Den »Eulenspiegel« erwähnt Lichtenberg auch 554, 28; zum »Hebräischen« vgl. zu 406, 5 f. – *11 Aretinens Geschichte:* Vgl. 857, 24. – *18 Pontacs:* Vgl. 853, 4 f. – *18 ein Ecce Homo:* »Siehe, welch ein Mensch«, figürlich: Christus als Schmerzensmann. – *22 Betschwester-Gegickel:* Zu dem Ausdruck: *Betschwester* vgl. zu 452, 36, zu dem Ausdruck: *Gegickel* zu 459, 36. – *25 Drurylane:* Vgl. zu 224, 19. – *30 ff. Fielding ... auf die Bühne gebracht:* Über Henry Fielding vgl. zu A 99.

859 *8 Johnsons ... Bemerkung:* Diese Bemerkung ist J 813 entnommen; über Johnson vgl. zu J 254. – *15 Riepenhausen:* Über ihn vgl. zu J 993. – *16 f. Hogarths Kupferstiche ... Kopien von größern Gemälden:* Die acht Gemälde dieses Zyklus entstanden 1735; die Kupferstichfolge erschien noch im gleichen Jahr. – *21 f. Rakewells Degen hängt an der Rechten:* Auf dem Originalgemälde trägt ihn Rakewell auf der Linken; im übrigen vgl. 687, 34 f. und die Anm. dazu. – *28 Planiglobium:* karthograph. Wiedergabe der Erdoberfläche in zwei Kreisflächen (Erdhalbkugelkarten). – *29 f. die Inspektion des Original-Gemäldes:* Auf dem Originalgemälde zündet das Mädchen die westl. Hemisphäre an. Im übrigen vgl. zu dem Problem der Umzeichnung oben S. 320. – *31 Boswell's Life of Dr. J.:* Über Boswell und seine von Lichtenberg häufig zitierte Johnson-Biographie vgl. zu KA 200; s. auch zu 692, 33 ff.

860 *9 St. James:* Vgl. zu 333, 20. – *9 St. James's street:* Vgl. 745, 15. –

15 Königin Carolina: Wilhelmina Caroline (1. 3. 1683–1737), Tochter des Markgrafen Johann Friedrich von Brandenburg, heiratete 1705 Georg Augustus, den Prinzen von Hannover, den späteren Georg II. von England (seit 1727). – *17 praesens Numen:* Praesentia numina sentit: »spürt die gnadenreiche Nähe der Allmacht«. Zitat nach Horaz, Epistolae, 2, 1, 134. Dasselbe Zitat begegnet auch F 184 und in der Kalender-Erklärung von Hogarths »Jahrmarkt von Southwark« (GTK 1793, S. 185). – *23 St. Davids-Tag:* 1. März, Namenstag des Schutzheiligen von Wales, weshalb Walliser an diesem Tag einen »Leak« (Lauch) im Knopfloch tragen. – *24 Welscher (a Welshman):* Walliser. – *27 Dicier Hic est:* pulchrum est digito monstrari et dicier: hic est – »schön ist es, wenn die Leute mit Fingern auf dich zeigen und rufen: er ist es.« Zitat nach Persius, »Satirae«, I, 28. Lichtenberg zitiert die Worte auch in den Briefen (IV, S. 410); über Persius vgl. zu D 115. – *30 Georgs II.:* Über ihn vgl. zu A 119. – *32 Cadwallo:* Caedwalla, 685–689 König von Wessex, der zeitweilig über ganz Südengland herrschte. Er starb kurz nach seiner Taufe in Rom. – *37 Shakespeare (Henry V....):* Vgl. zu 256, 8f.; über Heinrich v. vgl. zu 695, 28f.

861 *8f. Die Schachtel ... auf dem zweiten Blatte:* Vgl. 847, 11 und 20. – *10 Figg:* Vgl. 839, 33. – *10 Essex:* Vgl. 838, 25. – *10 Du Bois:* Vgl. 839, 12. – *11 Pontac:* Vgl. 853, 4f. – *11 Galatag:* Zu diesem Ausdruck vgl. zu 433, 23. – *14f. das ... vierbeinige Haustier, die Portechaise:* Diese Wendung ist J 1018 entnommen. *Portechaise:* Tragsessel, Sänfte; s. auch 868, 34. – *16 St. James:* S. zu 333, 20. – *23 aktives ... passives Aussteigen:* Ähnliche Wendungen Lichtenbergs sind zu 443, 33 ff. zusammengestellt. – *31ff. Pistol ... day: Pistol:* Kennst du Fluellen? *König Heinrich.* Ja. *Pistol.* Sag ihm, ich will sein'n Lauch ihm um den Kopf / Am Davids-Tag schlagen. .... – *36f. Do... Yours:* »So tragt nur euren Dolch nicht an der Mütze, / Damit er den nicht um den eurigen schlägt.«

862 *4 foudres de poche:* Taschen-Blitze. Ähnliche Wendungen Lichtenbergs sind zu 421, 11 zusammengestellt. – *7f. Hamlet, wenn ihm der Geist ... erschiene:* Zu dieser Szene vgl. 334, 35 und die Anm. dazu; s. auch 889, 33.

863 *17 St. James:* Vgl. zu 333, 20. – *19 Sorgsessel:* Vgl. 798, 19. – *23 Galakleide:* Vgl. zu 716, 12; zu der Wortbildung vgl. zu 223, 15. – *24 da noch aufsucht:* Gemeint ist in Bedlam (s. S. 901 bis 910); über Bedlam vgl. zu 292, 31.

864 *5 eine Art von Figg:* Vgl. 839, 33. – *8f. Naturalisten:* Zu diesem Ausdruck vgl. zu 605, 18. – *19 ein Wouwerman ohne Pferde:* Philips Wouwerman (1619–1668), holländ. Maler, berühmt wegen seiner Landschaften mit Jagdgesellschaften und Reiterszenen; seine Figuren gruppierten sich immer um Pferde. – *22 bitterm Mutwillen:* Dazu vgl. oben S. 322. – *26f. Whites ... berüch-*

tigtes Kaffee-Haus: eigentlich »White's Chocolate-House«; den seinerzeit beliebten Treffpunkt der vornehmen Welt in London erwähnt etwa Fielding in »Amelia«, Drittes Buch, Zehntes Kapitel; Achtes Buch, Neuntes Kapitel (IV, S. 154. 417 der Hanser-Ausgabe). – *35 vor einigen Jahren ein berühmtes Beispiel:* Worauf Lichtenberg anspielt, ist unklar. – *35 FINIS:* Ende.

865 *2 Basilisken-Schwanze:* Basilisk: altertümliches Schlangenfabeltier mit dreispitzigem Schwanz. – *4 f. Blitz-Zuleiter, die herausgesteckte Stange:* Vgl. 136, 12 f. und die Anm. dazu. – *17 St. James:* Vgl. zu 333, 20. – *21 seine Königin:* Vgl. zu 860, 15. – *28 f. Whites Kaffeehaus:* S. 864, 26 f. – *37 f. 1735 ... längst im Gange:* Franklin erfand den Blitz-Ableiter 1752.

866 *6 Continuum:* ein zusammenhängendes Ganzes. – *15 Virgil, wo er den Äneas ...:* Gemeint ist »Aeneis«, Buch VIII, v. 626–731; Aeneas hatte den von Vulcanus gefertigten Schild von seiner Mutter Venus erhalten. Über Vergil vgl. zu A 82. – *16 Pabst Peter I.:* Petrus. – *17 f. mutatis mutandis:* Vgl. zu 227, 20. – *18 White:* S. 864, 26. – *21 Kenntnis von plus und minus:* Zu dieser Wendung vgl. F 1201 und die Anm. dazu.

867 *3 Pharao:* Vgl. 100, 24 und die Anm. dazu. – *11 f. sublime Art von Livree-Bedienten:* Vgl. 313, 32 f. und die Anm. dazu. – *32 f. viel Fremdes zwischen Ehrenzeichen und Ehre:* Ähnlich formuliert Lichtenberg schon GH 5. Von Ehrenzeichen spricht Lichtenberg auch 851, 34.

868 *5 ok Seepe gesaden:* auch Seife gesotten. – *7 Sarah-Youngs:* von mir entsprechend dem Druckfehlerverzeichnis der Satzvorlage verb. aus: *Sahrah Young.* – *8 Weißens Blitz:* Vgl. 865, 28. – *19 Riemenstechen:* ein altes betrügerisches Glücksspiel, das auf Jahrmärkten im Schwange war: ein Riemen mit »gemachten Krümmen« wird so zusammengerollt, daß jeder Stich neben den Riemen geht (s. DWB 8, 928). – *26 Wahlherr:* Über die im engl. Parlamentarismus verbreitete Methode, vor Wahlen Stimmen zu kaufen, äußert sich Lichtenberg ausführlich in der Kalender-Erklärung von Hogarths »Die Parlaments-Wahl« im »Göttinger Taschen Calender« für 1788, S. 128–145. – *32 Honneurs:* die höchsten Karten in der Trumpffarbe. – *34 Portchaise:* S. 861, 14 f. und die Anm. dazu. – *36 Pfennigs-Moniteur:* Anspielung auf »Le Moniteur universel«, 1789 von Charles-Joseph Panckoucke gegründet, die führende frz. Zeitung im Jahrzehnt der Frz. Revolution. Lichtenberg war selbst ihr aufmerksamer Leser. Zu der Wortbildung vgl. im übrigen zu 528, 29.

869 *6 Notabeln:* angesehene, vornehme Personen. – *9 auf der sechsten Platte ... geschieht:* Vgl. 883, 2 ff. – *10 Welschen:* Vgl. 860, 24. – *11 etwas hierüber in der Folge gesagt:* Vgl. 878, 34 ff. – *19 Statua equestris:* Reiterstandbild. – *22 f. So wählte sich bekanntlich ...:* An welche Person Lichtenberg denkt, ist mir nicht bekannt. –

23 Mediceische Venus: Vgl. zu 362, 15. – *28 Der Anonymus:* Über ihn vgl. zu 666, 23.

870 *3f. Er besserte so lange daran ...:* Zu dieser Wendung vgl. MH 13. – *9 St. James:* Vgl. zu 333, 20. – *12 Ireland mutmaßt:* Diese Mutmaßung findet sich o.c. Vol. I, p. 45 (Fußnote): »he [Hogarth] might in the number of the chair, 41, mean that four to one was the odds against the poor gentleman; for he is at the same moment attacked by four *cardinal curses,* two bailiffs, a piekpocket, and a lamplighter.« – *14 gezwungener Einfall:* Vgl. zu 665, 14. – *18 Die Königin:* Vgl. 860, 15. – *27 Gilpins Abhandlung von Kupferstichen:* Die deutsche Übersetzung war mir nicht zugänglich; in der englischen Ausgabe (vgl. 666, 11) ist S. 219 von einem »Chairman« die Rede.

871 *35 Summum Jus summa Injuria:* Vgl. zu 408, 28. – *38f. wie ein anderes Paar auf dem ersten Blatte ...:* S. 827, 27.

872 *2 Guineen:* Vgl. zu 40, 18. – *3f. um den Damen-Putz ... besser ... stehen:* Über dieses Thema reflektiert Lichtenberg in dem Kalender-Artikel »Ein neuer Damenanzug, vermuthlich in Indien« (GTK 1796). – *7 Hexe:* Vgl. zu 306, 33. – *17f. Schönpflästerchen:* Vgl. zu 679, 6; über Augen-Fehler und Schönpflästerchen äußert sich Lichtenberg auch in »Der Fortgang der Tugend und des Lasters« (GTK 1778, S. 28). – *18 Errata:* hier Anspielung auf das Druckfehler-Verzeichnis am Schluß eines Buches. – *20 Jambus:* Versfuß aus kurzer (unbetonter) und langer (betonter) Silbe. – *21 Kunst-Spondäus:* Versfuß aus zwei langen Silben. – *22f. der englische Aristophanes:* Vgl. zu dieser Einschätzung Lichtenbergs Äußerung 299, 4ff. Über Foote vgl. zu D 648, über Aristophanes zu J 355. – *23f. Auge von Lady Pentweazles Großtante:* »I have a Great Aunt among the Beauties at Windsor, [...] she had but one Eye, indeed, but that was a Piercer; that one Eye got her three Husbands«, sagt Lady Pentweazle in »Taste«, Erster Akt, Erste Szene (p. 10, zit. nach: The Dramatic Works of S. F., Bd. 1, London 1778). – *29 Foote in seinem: Taste:* »Taste. A Comedy of Two Acts«, uraufgeführt in Drury Lane 1753; die Lady Pentweazle spielte Foote übrigens 1756 selbst. – *30f. sich ... über einen Naturfehler ... lustig macht:* Lichtenbergs nicht zuletzt durch seine eigene Konstitution bedingte Empfindlichkeit gegenüber derartigen Darstellungen erhellt bereits aus einem Brief an Chodowiecki (IV, Nr. 243, S. 375–76) vom 13. November 1779.

873 *4ff. das Lange ... bezeichnet:* Diese Reflexion über die metrischen Zeichen ist J 874 entnommen. – *14 Gala-Länge:* Zu dieser Wortbildung vgl. zu 223, 15. – *15 Stickluft:* Vgl. zu 74, 33: *fixe Luft.* – *16 Park-Zephyr:* Zu dieser Wortbildung vgl. 799, 5. – *17f. Pfauen-Pracht ... des Kopfzeugs:* Zu diesem Bild vgl. F 807 und die Anm. dazu. – *20 Juno:* Vgl. zu 670, 26. – *21f. »Und er soll*

dein Herr sein«: Zitat nach 1. Moses 3, 16; dieser Satz gehört in die Liturgie der »ehelichen Copulation« der ev. Kirche. – *32ff. eine richtige Nomenklatur ... von einigen Naturforschern ... gezeigt worden:* Gemeint ist die durch Lavoisier eingeführte revolutionierende wiss. Terminologie der »antiphlogistischen« Chemie. Über Wert und Unwert neuer Nomenklaturen reflektiert Lichtenberg auch J 1714. K 19. 20. 21 und in der Vorrede zu dem Erxleben-Compendium 1794. – *40 Daktylen:* Daktylus: Versfuß aus einer langen Silbe und zwei kurzen Silben.

874 *13f. die Ehre der roten Buchstaben:* Dazu vgl. zu D 610. – *15 Jesuiten:* Über sie vgl. zu 63, 35. – *26 Essex:* S. 838, 25. – *28 Säkulum:* Jahrhundert. – *28f. Gefühl von Überlegenheit:* Eine ähnliche Wendung begegnet 839, 29f.; im übrigen vgl. zu 493, 29. – *34f. Cabinetstückchen:* Zu diesem Ausdruck vgl. zu 126, 30. – *36 Salvator:* Retter, Heiland. – *36 Socius:* Gefährte. – *36f. In Hoc Signo (vinces):* »In diesem Zeichen (wirst du siegen)«. Wie Eusebius Pamphili (bl. um 320) im »Leben Konstantins«, 1, 28, berichtet, erschienen Kaiser Konstantin 312 nach Chr. vor der entscheidenden Schlacht gegen Maxentius am Himmel ein Kreuz und die obengen. Worte. – *37 In Hoc Salvaberis:* In diesem wirst du erlöst werden. – *38 In Hac Salvabere:* In dieser sollst du gesunden. »wäre mir das *Salvabere* oder nur *superabis* eingefallen, ich hätte es gesetzt«, schreibt Lichtenberg an Eschenburg (IV, Nr. 494, S. 640) am 13. Juni 1785 auf dessen Verbesserungsvorschlag bezüglich der Kalender-Erklärung.

875 *7f. gewisse Worte nicht aus der Trauungsformel weggelassen:* Gemeint sind ohne Zweifel folgende Sätze innerhalb der Liturgie der »ehelichen Copulation«: »So sprach Gott zum Weibe: Ich wil dir viel Schmertzen schaffen / wenn du Schwanger wirst du solt mit Schmertzen Kinder gebären / ...« (zit. nach: Kirchen-Agenda Halle 1653, S. 164). – *15 Kempelen mit seiner Sprechmaschine:* Über Wolfgang van Kempelen und die von ihm erfundene »Sprechende Maschine« vgl. J 1055 und die Anm. dazu. – *20f. Semisäkular-Fest:* Fünfzigjahr-Fest. – *22 drückt sich Herr Gilpin vortrefflich aus:* »The clergyman's face we are well acquainted with, and also his wig; tho we cannot pretend to say, where we have seen either.« (o. c. p. 222). – *26f. sit venia verbo:* das Wort sei (mir) erlaubt. – *37 sans culotte:* Zu diesem Ausdruck vgl. zu 104, 38. – *37 Egalité:* Gleichheit, neben Liberté und Fraternité eines der Schlagwörter der Frz. Revolution; vgl. zu 458, 11.

876 *2 wie wir bald hören werden:* S. 880, 35.

877 *2 Stolgebühren:* Vgl. zu 813, 30. – *4 compelle intrare:* »Nötige sie, hereinzukommen« (damit mein Haus voll wird); Zitat aus Lukas 14, 23 nach der Vulgata. – *16 Schnepper:* Vgl. zu 491, 1. – *27 I.H.S.:* Vgl. 874, 16 und die Anm. ebenda. – *31f. Hogarths un-*

sterblicher Geist: Dazu vgl. oben S. 321. – *32 Sagazität:* Scharfsinn. – *33 f. halbdenkende Hund:* Über die Intelligenz des Hundes reflektiert Lichtenberg auch 786, 30 f.; vgl. die Anm. dazu. – *34 geometrisierende Spinne:* Hier wandelt Lichtenberg den von ihm sonst gern zitierten Satz ab: ut apes geometriam; vgl. zu 259, 24 und 399, 2 f. – *36 Tête à tête:* Zwiegespräch (unter vier Augen). – *38 Whites Kaffeehaus:* Vgl. 864, 26 f. – *38 f. Hogarths verewigter Mops:* Gemeint ist Hogarths berühmtes »Selbstbildnis mit Hund«, Gemälde von 1745 und Kupferstich von 1749. Die Umrahmung des ovalen Porträts einschließlich des Hundes, der Bücher und Palette verwendete Hogarth auf dem Spottbild auf Churchill 1763.

878 *7 Betze:* Vgl. zu 718, 23. – *7 Gorge:* Brust. – *9 Strich-Plättchen:* Was darunter zu verstehen ist, ist mir unklar; das Wort wird in DWB nicht aufgeführt. – *12 Cülotte:* Vgl. 875, 3. – *17 Essex:* S. 838, 25. – *21 f. eine Kreuzspinne ... ihr Netz:* In der Hogarth-Erklärung (GTK 1785, S. 152) hatte Lichtenberg eine zweite Deutung des Netzes gegeben: »auch vielleicht zugleich anzudeuten, daß für das, was hineingeworfen wird, schon ein anderes Netz gelegt sei.« Auf Eschenburgs Kritik hin unterblieb in der Ausführlichen Erklärung diese Deutung: »Freilich meine 2te Deutung der Spinnwebe taugt in Verbindung mit der ersten wenig, und *allein* gar nichts. Sie ist viel zu gekünstelt, ich habe eine Moral aus dem Stein schlagen wollen«, schreibt Lichtenberg an Eschenburg (IV, Nr. 494, S. 640) am 13. Juni 1785. – *27 Blatte wider den Dichter Churchill:* Gemeint ist »The bruiser, C. Churchill« – Charles Churchill als bierschwelgender Bär: Kupferstich von 1763. – *29 berüchtigten Epistle to Hogarth:* Die Angriffe Hogarths auf die Whig-Partei mit seinen Blättern »The Times« beantwortete der Journalist Churchill durch eine bittere Epistel an den Maler, die er in der Zeitschrift »North Briton« veröffentlichte. Lichtenberg erwähnt die Auseinandersetzung auch in den Briefen (IV, Nr. 111, S. 252–253) und ausführlich 933, 25 ff. – *31 Richard Parker:* Lebensdaten waren nicht zu ermitteln. – *31 f. auf dem Strande:* Dazu vgl. zu RA 8. – *32 Favorit-Hunde:* Zu dieser Wortbildung vgl. zu 594, 33 f. – *34 f. Hündchen ... auf der vierten Platte:* S. 869, 10 ff. – *39 Crayon:* Zeichenstift. – *40 Gesichter-Jagd:* Zu dieser Wortbildung vgl. zu 184, 18.

879 *13 f. jene Kirche:* Gemeint ist die anglikanische, die engl. Staatskirche. – *17 in pto sexti:* was das sechste (Gebot) betrifft: Du sollst nicht töten. Das 6. Gebot nach dem lutherischen Katechismus: Du sollst nicht ehebrechen. – *20 f. die Verbrecher gegen das siebente:* Du sollst nicht stehlen. – *29 f. Kralle des Mutwillens:* Dazu vgl. oben S. 322. – *35 f. Glaubens-Vakuum:* Ähnliche Wortbildungen gebrauchte Lichtenberg auch 1029, 32 und L 407. *Vakuum:* luftleerer Raum.

880 *30 pro nunc:* für jetzt. – *35 Marybone:* In Marylebone Parish Church, heute längst zu London gehörig, haben Francis Bacon und Sheridan geheiratet.

881 *4f. Immergrün ... Nimmergrün:* Dieses Wortspiel notiert Lichtenberg bereits E 299 und auch J 1125. – *5 Gala-Kleider:* Zu diesem Ausdruck vgl. zu 716, 12. – *7 Stückchen Wintergrün:* Diesen Ausdruck hat Lichtenberg dem »European Magazine«, Sept. 1792, p. 209, entlehnt, wie aus J 1104 hervorgeht. – *10f. This church ... Churchwardens:* Diese Kirche von Mary-le-Bone wurde verschöneriert im Jahre 1725. Thomas Sice und Thomas Horn, Kirchenvorsteher. – *11 beautified:* Diesen Ausdruck und seine Verwertung zählte Lichtenberg in einem Brief an Eschenburg (IV, Nr. 494, S. 639) vom 13. Juni 1785 zu den »Unterlassungs-Sünden« der Kalender-Erklärung von 1785: »das vortreffliche beautified in der Kirche, das würklich für Sinn und Ausdruck das ist, was das bekannte *renofadum* der deutschen Weißbinder bloß für die Rechtschreibung gewesen wäre pp.« – *19 Loretto:* Vgl. zu 74, 12. – *23 zweischläfrigen:* Zu dem Ausdruck vgl. 400, 27. – *30 Ordokrafi:* Zu dieser ›rechten Falschschreibung‹ vgl. zu 568, 28; zur Sache vgl. zu 300, 12 ff. – *30 Lapidar-Stils:* zu lat. lapis ›Stein‹: knappe, bündige Ausdrucksweise. – *34 Edward-Forset:* Lebensdaten unbekannt. – *35 Einfall von Pope:* Die Stelle ließ sich nicht ermitteln; über Alexander Pope vgl. zu A 94.

882 *10 Memento mori:* Vgl. zu 694, 25. – *13ff. Gilpin ... sagt:* »The *perspective* is well understood; but the church is too small; and the wooden post, which seems to have no use, divides the picture very disagreeably.« (o. c. p. 222). – *13 Connoisseurschaft:* Vgl. zu 749, 36f. – *24 Revenüen:* Vgl. zu 245, 25. – *32f. Herzog von Portland:* Den Titel eines Duke of Portland führte die holländ. Familie derer von Bentinck; gemeint ist hier entweder William Bentinck, zweiter Herzog von Portland, oder William Henry Cavendish Bentinck, Dritter Herzog von Portland (1738–1809), dessen Sohn. – *34f. Familie Taylor:* Über sie konnte nichts in Erfahrung gebracht werden.

883 *2 Whites Kaffee-Haus:* S. 869, 6ff.; im übrigen vgl. zu 864, 26f. – *7 Streithahnen:* S. 843, 6. – *9 Pontac:* S. 853, 4f. – *10 Kirche von Marybone:* S. 880, 35. – *12f. Caetera desunt:* Das Weitere, das übrige fehlt. – *15 Hazard:* Glück; Glücksspiel; vgl. zu 442, 22. Die Würfelszene dieses Blattes erwähnt Lichtenberg auch 702 1 f.; s. auch 1017, 10. – *18f. Sternritters sur le pavé:* Die Anspielung ist unklar; *sur le pavé:* auf dem Pflaster. – *25 kallöser Natur:* von ›Callus‹: Hornhaut, dicke Haut; vgl. auch 979, 1.

884 *1f. Guineen:* Vgl. zu 40, 18. – *8 Disputatorium:* Streitgespräch. – *10 Gespräch im Reich der bürgerlich Toden – im Tollhause:* Abwandlung des im 18. Jh. beliebten lit. Genres der »Totengespräche«; vgl. zu 605, 7f.; s. auch 901, 12. – *22f. Ketten von Bedlam:* S.

S. 901–910. Im übrigen vgl. zu 292, 31. – *25f. Zeichen der Exklamation:* Zu diesem Ausdruck vgl. zu 672, 21. – *29 Coventgarden:* Vgl. zu 337, 19. – *35 Erzählung unsers Lichtwers:* Gemeint ist die Fabel »Die seltsamen Menschen« (in »M.G. Lichtwers Fabeln in vier Büchern«, Berlin 1762, 3. Auflage, Drittes Buch, II, S. 94–95):

»Ein Mann, der in der Welt sich trefflich umgesehn,
    Kam endlich heim von seiner Reise,
    Die Freunde liefen Schaarenweise,
Und grüßten ihren Freund; so pflegt es zu geschehn,
Da hieß es allemal: Uns freut von ganzer Seele
    Dich hier zu sehn, und nun: Erzähle!

Was ward da nicht erzählt? Hört, sprach er einst, ihr wißt,
Wie weit von unsrer Stadt zu den Huronen ist,
    Eilf hundert Meilen hinter ihnen,
    Sind Menschen, die mir seltsam schienen,
    Sie sitzen oft bis in die Nacht,
    Beysammen vest auf einer Stelle,
    Und denken nicht an Gott noch Hölle.
Da wird kein Tisch gedeckt, kein Mund wird naß gemacht,
Es könnten um sie her die Donnerkeile blitzen,
Zwey Heer' im Kampfe stehn; sollt' auch der Himmel schon
    Mit Krachen seinen Einfall drohn,
    Sie blieben ungestöret sitzen.
Denn sie sind taub und stumm; doch läßt sich dann und wann
Ein halbgebrochner Laut aus ihrem Munde hören,
Der nicht zusammen hängt, und wenig sagen kann,
Ob sie die Augen schon darüber oft verkehren.
Man sah mich oft erstaunt zu ihrer Seite stehen,
    Denn wenn dergleichen Ding geschieht,
    So pflegt man öfters hinzugehen,
    Daß man die Leute sitzen sieht.
Glaubt, Brüder! daß mir nie die gräßlichen Geberden
    Aus dem Gemüthe kommen werden,
Die ich an ihnen sah; Verzweiflung, Raserey,
    Boshafte Freud' und Angst dabey,
    Die wechselten in den Gesichtern.
    Sie schienen mir, das schwör ich euch,
An Wut den Furien, an Ernst den Höllenrichtern,
    An Angst den Missethätern gleich.

Allein, was ist ihr Zweck? so fragten hier die Freunde,
Vielleicht besorgen sie die Wohlfahrt der Gemeinde?
Ach nein! So suchen sie der Weisen Stein? Ihr irrt,
So wollen sie vielleicht des Zirkels Viereck finden?

Nein! so bereun sie alte Sünden?
Das ist es alles nicht. So sind sie gar verwirrt,
Wenn sie nicht hören, reden, fühlen,
Noch sehn, was thun sie denn? Sie spielen.«

Magnus Gottfried Lichtwer (1719–1783), Konsistorialrat und Kriminalrichter in Halberstadt; bekannter Fabeldichter in der Nachfolge Gellerts; gab 1748 »Vier Bücher Aesopischer Fabeln« heraus.

885 *1 Pleureusen (weepers):* Vgl. zu 190, 11. – *8 Knalluft:* Knallgas. – *27 500 Pfund:* Vgl. zu 599, 16. – *28 Interessen:* Vgl. zu 74, 4. – *33 Kreditor ... Debitor:* Vgl. zu 750, 12.

886 *4f. Labial- und Brachial-System:* Lippen- und Armsystem. – *5 Ihro Hochwohlgebornen:* Zu dieser Titulatur vgl. zu 825, 6. – *25 das häßliche griechische* π: Diese Umschreibung des Galgens ist F 122 entlehnt. – *32f. an die Pistole und Maske denkt er nicht:* »Die Maske in der Tasche des Räubers hatte ich ganz übersehen«, schreibt Lichtenberg an Eschenburg (IV, Nr. 494, S. 640) am 13. Juni 1785 aus Anlaß der Kalender-Erklärung. – *37 Butler:* Der zitierte Zweizeiler ist »Hudibras«, Second Part, Canto III, Z. 1–2, entnommen. Dort heißt es allerdings: »Doubtless the pleasure is as great ...« Lichtenberg zitiert und übersetzt den Zweizeiler auch in der Hogarth-Erklärung »Die Parlaments-Wahl. Zweyte Scene« im »Göttinger Taschen Calender« für 1788, S. 137. Über Samuel Butler vgl. zu B 49.

887 *3ff. Was der weiße Strich bedeutet ...:* In der Kalender-Erklärung hatte Lichtenberg von einem »Strick« gesprochen; im zu 886, 32f. zit. Brief schreibt er dazu: »Ich bin zuweilen geneigt gewesen zu glauben, der Strick sei nichts weiter als eine Borte am Überrock, denn für einen Strick ist mir das Ding zu flach, oder ist der Schelm gar ein Schneider, doch dafür ist er zu schwerfällig.« – *6 Garde-Feu:* Ofenvorsatz, Kamingitter. – *7 Garde-Fou:* Geländer. – *9f. Exklamations-Zeichen:* Vgl. zu 672, 21. – *17f. jedes Schlüsselloch ... Pasquill auf den Adel der menschlichen Natur:* Dieser Satz ist ein abgewandeltes Zitat aus Wilsons Reisebeschreibung »An account of the Pelew islands«, die Hamburg 1789 in Forsters Übersetzung erschien. Das Zitat (o.c. p. 445) ist von Lichtenberg GH 22 und J 533 notiert. – *20 Antichambre:* Vgl. zu 660, 26. – *25 zweisitzigen Herrn:* Zu diesem Ausdruck vgl. zu 400, 27; s. auch 966, 17.

888 *13 Vakuum:* Vgl. zu 879, 35. – *22 bei Whites:* S. 864, 26f. – *34 Moitié:* Hälfte.

889 *4f. quod ... Ulubris:* »Was du begehrst, ist hier, Ist in Ulubrä«. Zitat nach Horaz, »Epistulae«, I, 11, 29–30. Ulubrä war ein elendes Dorf nahe den Pontinischen Sümpfen. Über Horaz vgl. zu KA 152. – *6 (bei Whites):* S. 864, 26f. – *7 armen Teufel:* Zu diesem

Ausdruck vgl. zu 214, 31. – *10 Mittler:* Vgl. zu 826, 37. – *32 f. Stellung von Hamlet, wann ihm der Geist erscheint:* Zu dieser Szene und Stellung vgl. 334, 35 und die Anm; s. auch 862, 7 f. – *34 Markeur:* Anschreiber, Aufseher am Spieltisch. – *35 f. Karnies:* S-förmige Leiste.

890 *4 Mr. Justian:* Lebensdaten unbekannt. – *4 Intelligenz-Blättchen:* Vgl. zu 752, 7. – *5 Vigilien:* Vgl. zu 690, 3 f. – *6 f. Hof-Kartenmacher:* Zu diesem Ausdruck vgl. zu 60, 35. – *10 Hamilton in seiner Nachricht:* Gemeint ist Hamiltons Bericht in den »Philosophical Transactions«, Vol. XVII, 1795, p. 492–506. Lichtenberg selbst gab im »Göttinger Taschen Calender« für 1797, S. 111–126, auf der Grundlage von Hamiltons Bericht eine »Kurze Zusammenstellung der vorzüglichsten Ereignisse bey dem ungewöhnlichen Ausbruche des Vesuv im Sommer 1794«. Über Sir William Hamilton vgl. zu B 56. – *13 f. achtehalb deutschen Meilen:* Vgl. zu 44, 1. – *16 f. wie Mücken um eine Lichtflamme:* Dieses Bild gebraucht Lichtenberg auch 704, 27 f. – *23 Votum obedientiae passivae et frugalitatis:* Gelübde unbedingten Gehorsams und der Genügsamkeit: Kernsatz der für das Mönchstum vorbildlichen Benediktiner-Regel.

891 *3 Säculo:* Jahrhundert (Dativ). – *12 Pater Cubicularius:* Schlafsaalaufseher. – *12 Rakewell sitzt:* Zu den engl. Redensarten über das »Sitzen« schreibt Lichtenberg an Eschenburg (IV, Nr. 705, S. 947) am 8. Mai 1796: »Bei den verschiedenen Graden der Gefangennehmung hätte ich auch noch das being taken into custody anführen können. So spricht man, wenn man vom Rathause herunter geht.« – *13 im Fleet:* Vgl. zu 195, 4. – *13 Lombard:* Vgl. zu 823, 6. – *15 f. Mobilien ... Moventien:* Vgl. zu 852, 17. – *21 tout beau:* ganz schön.

892 *9 Orpheus, der die Bestien zähmte:* Vgl. 844, 23 f. und die Anm. dazu. – *9 f. O hätte man die Dose noch:* Anspielung auf 844, 23. – *12 Akquisition:* Erwerbung. – *12 f. Kirche zu Marybone:* S. 880, 35. – *19 Knarpeln:* s.v.w. mit den Zähnen knirschen, nagen; zu diesem Verbum vgl. die interessanten Ausführungen in DWB 5, 1352, wo übrigens diese Stelle aus Lichtenberg nicht vermerkt ist. – *28 Kapillär-Systems:* ›Ordnung der Haare‹. – *35 f. armen Teufel:* Vgl. zu 214, 31.

893 *6 f. Fielding ... merkt an:* In »Tom Jones«, Neuntes Buch, Drittes (nicht 8., wie Lichtenberg schreibt) Kapitel (Bd. II, S. 531–532 der Hanser-Ausgabe), schreibt Fielding von der »Waffe« der Wirtin in der Stadt Upton, daß sie »von vielen weisen Männern gar sehr gefürchtet und gescheut wird; ja nicht nur von sehr weisen, sondern selbst von sehr tapferen Männern, so daß einige, die Mut genug hatten, in die Mündung einer geladenen Kanone zu blicken, es nicht wagen mochten, in einen Mund zu sehen, in dem diese Waffe geschwungen wurde.« Über Henry Fielding

vgl. zu A 99. – *20 f. Sokrates:* Über ihn vgl. zu KA 9. – *21 Carl XII.:* Über König Karl XII. von Schweden vgl. zu B 23. – *23 Insolenz:* Unverschämtheit. – *36 Insolvenz:* Zahlungsunfähigkeit.

894 *2 in forma Juris:* in juristischer Form. – *3 armer Teufel:* Vgl. zu 214, 31. – *4 ff. vergingen sich bekanntlich vor ein paar Jahren die Franzosen an ... Worms:* S. L 512 und die Anm. dazu. – *13 J. Rich:* Über ihn vgl. zu RT 4; John Rich war seinerzeit geschäftsführender Direktor des Theaters in Lincoln's Inn Fields, an dem die »Beggar's Opera« uraufgeführt wurde. – *20 Paupertas audax:* kühne Armut; die Worte sind Horaz, »Epistulae«, II, 2, 51 entnommen. – *22 splendida miseria:* glänzendes Elend. – *26 Road to Ruin:* »The road to ruin« ist der Titel einer London 1792 erschienenen Komödie von Thomas Holcroft; Lichtenberg erwähnt sie auch J 997 (über den Verfasser vgl. die Anm. dazu) und SK 326. – *28 f. nie über Dinge ... schreiben könnte:* Dazu vgl. G 123. – *40 schwarzer Kunst:* Vgl. zu 361, 37.

895 *2 Protest:* Vgl. zu 700, 21. – *11 ff. metallischen Zeitaltern der Welt ... Tagen ihrer Verkalchungen:* Diese Wendung notiert Lichtenberg K 207. – *13 Verkalchungen:* Dieser Begriff war im 18. Jh. gebräuchlich für: Oxydation. – *16 Indigestionen:* Verdauungsstörungen. – *16 f. schwarzes ... Kommißbrot der Musen:* Diese Wendung notiert Lichtenberg K 249. – *24 Deklinier- und Konjugier-Stalle:* Zu dieser Wendung vgl. zu 527, 33 f.; s. ferner 376, 4 ff. – *24 jungen Anflug:* Vgl. zu 375, 19. – *30 Abart von Gelehrten, die man Bücherfreunde nennt:* DWB bringt zu diesem Wort keinerlei Belege bei; sollte es von Lichtenberg geprägt sein? – *37 time keepers:* wörtlich: Zeit-Halter; Uhren.

896 *2 Dezenz:* Anstand. – *3 Schnürleib:* Vgl. zu 734, 1. – *4 hyperphysisch:* übernatürlich. – *5 Fiduz:* Vertrauen. Lichtenberg gebrauchte den Ausdruck auch 942, 8. – *12 Porter:* Vgl. zu 676, 4. – *20 Küchen worin man das Gold macht:* Alchemisten-Küche. – *23 sulphurischen Merkurial-Tau:* schwefeliger Quecksilberdampf; über Alchemisten und ihre Geheimsprache vgl. 414, 21 ff. – *33 Nickel:* volkstümlich für: Hurenkind; vgl. auch zu 806, 34. – *37 f. weiter unten ... einige Bemerkungen:* S. 903, 6 ff. In der Kalender-Erklärung dieses Blatts (GTK 1785, S. 158) schrieb Lichtenberg deutlicher: »Die Taille doch nicht wieder à la Montgolfier? Das wäre von der frommen Sarah Young nicht schön.«

897 *4 Busen von ... Hogarthischer Schönheit:* Dazu vgl. oben S. 321. – *16 Mr. Richs Billet:* S. 894, 11 f. – *17 it will do no more:* »es geht nicht mehr«; s. auch 894, 25. – *22 Dezenz-Wächter:* S. 896, 2. – *25 f. vom Hazard akkommodiert:* vom Zufall geordnet; im übrigen vgl. zu 442, 22. – *27 f. Flachsdocke:* Strang von geflochtenem Flachs. – *29 in its Teens:* S. 733, 36 ff.; von mir entsprechend dem Druckfehlerverzeichnis der Satzvorlage verb. aus: *in his Teens.* – *38 Pantalons:* Hosen.

898 *3f. Kalkantenstellung:* Calcant: Bälgetreter der Orgel. – *20 T.L.:* Auf wen Hogarth mit diesen Initialen anspielt, war nicht zu ermitteln. – *20 Fleet:* Vgl. zu 195, 4. – *24f. wie der von der Spinnenwebe über der Armen-Büchse:* S. 878, 18–879, 10. – *34 mutato nomine de Te:* zu ergänzen: fabula narratur: »die Geschichte handelt von Dir, bloß unter anderem Namen«. Zitat nach Horaz, »Epoden«, I, 1, 69–70. Lichtenberg zitiert die Stelle auch 997, 3. Über Horaz vgl. zu KA 152. – *37ff. Alchymist ... Goldmachen:* Dazu vgl. 415, 10ff.

899 *21: circulus in destillando:* Kreislauf beim Destillieren.

900 *3f. einigen damaligen Werken seiner Landsleute:* Zur »spagirischen« deutschen Literatur vgl. 414, 35 und die Anm. dazu. – *17f. Adlerschwingen der Ode:* Zu diesem Bild vgl. E 282. 501. – *24 Ikarus:* Vgl. zu E 318. – *29 T.L.:* S. 898, 20. – *32 Sub umbra alarum tuarum:* unter dem Schatten deiner Flügel.

901 *10 Pontacs:* S. 853, 4f. – *10 Whites:* S. 864, 26f. – *10 Marybone:* S. 880, 38. – *10 Fleet:* Vgl. zu 195, 4. – *11 sepultura inter vivos:* Begräbnis zwischen Lebenden. – *12 bürgerlich Toden:* S. 884, 10. – *12 Bedlam:* Vgl. zu 292, 31. – *13 an Ketten gelegt:* Bis Ende des 18.Jh. war es üblich, die Insassen der Narren-Spitale anzuketten; erst der frz. Arzt Pinel brach 1795 mit dieser Übung. – *24 Leichensteine über dem Grabe ihrer Vernunft:* Zu dieser Wendung vgl. J 346, L 620. – *27 Meisterstücks der Schöpfung:* Zu diesem Bilde vgl. zu 286, 20f.

902 *8 Makrobedlam, der Welt:* Zum Bild der Welt als des großen Narrenhauses vgl. Promies, Die Bürger und der Narr, München (Hanser) 1966. – *21 Promotion:* Diesen Ausdruck gebraucht Lichtenberg auch 1002, 1. 1007, 11. 1055, 9. 1058, 15. – *23 ein Mann wie Gilpin:* »The *expression* of the figure is rather unmeaning; and very inferior to the strong characters of all the other lunatics.« (o.c.p. 228). – *25f. Ireland rechtfertigt unsern Künstler:* S. o.c. Vol. I, p. 64–65. – *26 Mortimer:* John Hamilton Mortimer (1741–1779), engl. Historienmaler, seinerzeit sehr bewundert, malte übrigens 1775 eine Folge »The Progress of Vice«. – *28f. Gray in seinem berühmten Gedicht:* Gemeint ist die »Ode on a distant Prospect of Eton College« (»Poems by Mr. Gray«, London 1768, p. 24, Z. 3–4). Die Formel *Madness laughing* ist übrigens aus Dryden entlehnt, wie Gray selbst anmerkt. Über Thomas Gray vgl. zu D 643. – *32 Moody Madness:* Dazu führt Lichtenberg in einem Brief an Eschenburg (IV, Nr. 705, S. 946) am 8. Mai 1796 aus: »Auch habe ich Grays *moody* madness durch *grämlichen* Wahnsinn übersetzt. Ich weiß, daß moody mehr ist als bloß *grämlich;* zanksüchtig, gallsüchtig pp, aber ich richtete mich bei der Übersetzung etwas nach dem Kupferstich; ärgerlich war mir teils zu prosaisch teils zu zweideutig.« – *35 Portefeuille:* Mappe.

903 *7 Gilpin findet diesen Zug unnatürlich:* Ich kann diese Äußerung in der engl. Ausgabe nicht finden. – *7f. die Moral tadelhaft:* Zu diesem Vorwurf vgl. auch 896, 36 ff. – *31 Exerzieren mit der Tugend:* Zu diesem Gedanken vgl. 417, 34 ff. – *36 praeter propter:* vgl. zu 464, 15. – *38f. Ich bin krank und gefangen gewesen:* Bibel-Zitat nach Matthäus 25, 43: »Ich bin krank und gefangen gewesen, und ihr habt mich nicht besuchet.«

904 *3 Fleet:* Vgl. zu 195, 3. – *3 Bedlam:* Vgl. zu 292, 31. – *15 der schwärmende, religiöse Aberglaube:* So umschreibt man im 18. Jh. das fanatische religiöse Sektierertum; s. auch 713, 33 f. – *17f. die unglückliche Liebe:* Beispiele von unglücklich Liebenden, die die Liebe um den Verstand gebracht, hat Christian Heinrich Spieß in den »Biographien der Wahnsinnigen« (Leipzig 1795–96, 4 Bde.) vereinigt; s. auch 608, 15. – *23 in Effigie:* Vgl. zu 766, 10. – *24 St. Laurentius:* Erzdiakon und Märtyrer in Rom; soll 258 auf einem eisernen Rost geröstet worden sein. Lichtenberg erwähnt ihn auch 923, 15 f. – *24 St. Athanasius:* Athanasius (295–373), heilig gesprochener kathol. Kirchenvater, Bischof von Alexandrien, lehrte die Wesensgleichheit Jesu mit Gott. – *24f. St. Clemens:* christl. Heiliger und Märtyrer; als Klemenz I. Bischof von Rom (88 bis 97). – *27 Unser einer liest wohl legenda, aber Legendas selten:* legenda: was gelesen werden muß; Lesenswertes. Legendas: Legenden.

905 *2 der politische Phantast:* Dieser Ausdruck bezeichnete in der innerbürgerlichen Auseinandersetzung je nachdem den gesellschaftlichen oder politischen Außenseiter; vergleichbar dem – eher religiösen – Schwärmer. – *10 was wollen diese Damen hier:* Zu der Mode des 18. Jh., Irrenhäuser zu besichtigen, vgl. Promies, Die Bürger und der Narr, München 1966, S. 271–272. – *30f. so manchen Bedlamiten in partibus ... gezeichnet:* in partibus: nach Böttcher (S. 318) »in partibus infidelium: im Lande der Ungläubigen (ursprünglich Titel jener kath. Bischöfe, deren Sprengel der kath. Kirche im Lauf der Zeit entfremdet wurde)«. – *32f. Glaube, Liebe und Hoffnung:* Vgl. zu 833, 23 f.

906 *1f. Gütiger Himmel! was ist der Mensch:* Eine ähnliche Exklamation Lichtenbergs begegnet auch 416, 38. – *15f. dreifachen Krone:* Tiara des Papstes. – *19 die melancholische Liebe:* In der Kalender-Erklärung (GTK 1785, S. 165) schrieb Lichtenberg stattdessen: »ein ... leidender Werther«! – *21 Lamento:* Weheklage, Klageruf; eigentlich musikal. Kunstausdruck der ital. Oper des 17. Jh. – *22 Schutzheiligen des Hauses, den Mond:* Lunatics nannte man die vom Mond Geschlagenen, die Verrückten; vgl. 410, 8. – *23 Strohkranz, mit dem sich der Wahnsinn ...:* Vgl. die Staffage der Ophelia 342, 19 ff. – *33 Man sagt:* Ireland teilt es in einer Fußnote (o.c. Vol. I, p. 65) mit. –

36 Kyber: Gaius Gabriel Cibber (1630–1700), dt. Bildhauer aus Flensburg, der in England arbeitete. Seine beiden berühmten Statuen »Melancholy« und »Rasing Madness« entstanden 1680. – *37 Colley Cibber:* Über ihn vgl. zu RA 184. – *37f. Pope, dessen Dunciade dieser Schriftsteller … seinen Namen …:* Tatsächlich hat Pope in der »Dunciad« dem auch von Fielding ironisierten »gekrönten Hofpoet« Colley Cibber ein satirisches Denkmal gesetzt; über Pope vgl. zu A 94, über die »Dunciad« vgl. zu 229, 4.

907 *12 Britannia:* S. zu 910, 12. – *12 Halfpenny:* engl. Kupfermünze von geringem Wert. – *16f. ein bekannter Schalk, wie wir hören werden:* S. 909, 16; gemeint ist natürlich Hogarth selbst; vgl. dazu oben S. 322. – *21 Longitude (Meeres-Länge):* Das engl. Parlament hatte 1714 einen hohen Preis für den ausgesetzt, der die beste Methode zur Findung der Meereslänge anzugeben wisse; das Ergebnis waren z. T. absurde Vorschläge, so daß das Wort sprichwörtlich wurde: vgl. L 307. 645. – *22 charming Betty:* S. 907, 37. – *37 Betty Careless:* Lebensdaten unbekannt. – *39 Fielding in seiner Amelia redet von ihr:* Gemeint ist »Amelia«, 1. Buch, 6. Kapitel, S. 37–38 (der Hanser-Ausgabe, Bd. IV), erschienen London 1751; über Henry Fielding vgl. zu A 99.

908 *19 Meisterstück der Schöpfung:* Vgl. zu 286, 20f. – *21 schönen Seele:* frz. belle âme; das Ideal der schönen Seele ist kennzeichnend für die im 18. Jh. im Zusammenhang mit Pietismus und Empfindsamkeit entwickelte Seelenkultur. Der Begriff wurde bes. bekannt durch Goethes »Bekenntnisse einer schönen Seele« im 6. Buch von »Wilhelm Meisters Lehrjahre« (1795). Möglicherweise hat Lichtenberg den Ausdruck sogar von dort entlehnt. – *23 Newtons:* Über ihn vgl. zu A 79. – *23 brotlose Künste:* Das DWB bringt als Beleg für diese Wendung ein Zitat aus Wieland bei (Geschichte des Danischmend, II, 76). – *24 arme Teufel:* Zu diesem Ausdruck vgl. zu 214, 31. – *25 Schneider … die Leute macht:* Zu diesem alten Sprichwort vgl. Wander, Dt. Sprichwörterbuch, Bd. 2, Sp. 1377, Nr. 140. – *26 Zona temperata:* gemäßigte Zone. – *27 Zona torrida:* Vgl. zu 750, 16. – *28 wie gesagt:* S. 907, 16. – *29 Halbstübers:* Stüver: nordniederländ. Billonmünze seit etwa 1450; einem halben Stüver entsprach seit dem 16. Jh. der rheinisch-westfäl. Stüber. – *30 Britannia:* Vgl. dazu Lichtenbergs briefliche Äußerung an Eschenburg, die ich unten zu 910, 12 mitgeteilt habe. – *37f. Whiston, der Versuche … zur Findung der Meeres-Länge vorgeschlagen:* Er erarbeitete und publizierte zusammen mit Humphrey Ditton 1714 chimärische Vorschläge dazu. Weitere Vorschläge erschienen 1721 und noch 1738 »The Longitude found by the Ellypses … of Jupiter's Planets«. Über Whiston vgl. zu B 43.

909 *2f. Der damalige glorreiche Friede:* Gemeint ist der Friede von Hubertusburg bzw. Paris 1763, der den Siebenjährigen Krieg beendete und England in den Besitz Kanadas brachte; s. auch 39, 5. – *11 Bastillen-Sassen auf Lebenszeit:* Diese Wendung ist GH 4 bzw. J 631 entnommen. Über die Bastille vgl. zu 190, 1. – *12 Ein Jahr vor seinem Tode:* William Hogarth starb 1764. – *32 Gänsespiel:* Vgl. zu D 381. – *37f. Wit's a feather and – POPE:* »A wit's a feather, and a chief a rod« – Zitat aus »An Essay on Man«, Epistle IV, Z. 246.

910 *1 1792, mense Fervidor:* Gemeint ist *Thermidor*, der 11.Monat des frz. Revolutionskalenders, der vom 19.7. bis 17.8. rechnete. Am 10.8.1792 wurde nach einem Volksaufstand in Paris der König Louis XVI. gefangengenommen. – *1f. zum zweiten Male mit einem Bullen durchzugehen:* Anspielung auf die zu 678, 2f. mitgeteilte griech. Sage. – *4 Brothers:* Richard Brothers (1757–1824), religiöser Schwärmer, veröffentlichte Prophezeiungen, hielt sich selbst für einen Nachkommen Davids und glaubte, daß er am 19.Nov. 1795 als Fürst der Hebräer und Herrscher über die Welt geoffenbart würde. Er wurde März 1795 verhaftet und bis 1806 in eine psych. Heilanstalt in Ilington gebracht. – *4 Brethren:* Brüder im geistlichen Sprachgebrauch. – *5 Schabbes:* Sabbath: der jüd. Ruhetag. – *7 H. S.:* Die Initialen waren nicht auflösbar. – *9f. Lee, den unglücklichen Dichter:* Über den wahnsinnig gewordenen Nathanael Lee vgl. zu B 368; vgl. auch F 965. – *12 Ich aber wage keine mehr:* Vgl. aber Lichtenbergs Brief an Eschenburg (IV, Nr. 705, S. 947) vom 8.Mai 1796: »Der König im Tollhause war ein bedenklicher Artikel! Das LE. an der Wand geht wahrscheinlich auf LEWIS. Denn Hogarth war, wie jeder redliche Mann, ein Feind von Ludwig XIV. und XV., aber so was durfte nicht gesagt werden. So ging es an mehreren Stellen. Die Britannia im Tollhause wäre eine herrliche Gelegenheit gewesen. Aber stille! stille! – Gottlob, daß meine Erklärungen noch nicht im Wienerschen Catalogo Librorum prohibitorum stehen: so was könnte Einfluß auf das *primo vivere* haben, aber auch auf das *deinde philosophari*, was freilich auch etwas einträgt.« – *15 Operibus:* den Werken. – *22 es ist mir sauer geworden:* »An Bedlam von Hogarth gearbeitet. Es will nicht gehen«, schreibt Lichtenberg am 2.April 1796 (SK 886). – *25f. Oktober 1775, nach einem kurzen Besuche:* die einzige Nachricht von Lichtenbergs Besuch in Bedlam außer RA 176. – *27 Moorfields:* Lichtenberg erwähnt diesen Londoner Distrikt auch 1003, 36f. – *30 Halhed:* Nathaniel Brassey Halhed (1751 bis 1830), engl. Orientalist und Abgeordneter. Sein öffentliches Eintreten für Brothers beendete seine lit. und polit. Karriere. – *31 in einer ... Schrift für ihn erklärt:* »A Testimony

of the Authenticity of the Prophecies of R. Brothers«, London 1795.

DIE HEIRAT NACH DER MODE

Erstveröffentlichung und Satzvorlage: »G.C. Lichtenbergs ausführliche Erklärung der Hogarthischen Kupferstiche, mit verkleinerten aber vollständigen Copien derselben von E. Riepenhausen. Vierte Lieferung. Göttingen im Verlag von Joh. Christ. Dieterich 1798.« V und 312 Seiten.

Zur Entstehung: Wie aus der »Vorrede« zur Ersten Lieferung hervorgeht (s. S. 668), sollte die »Marriage à la mode« als Zweite Lieferung zur Michaelis-Messe 1795 erscheinen. In einem Brief an Ramberg (LB III, Nr. 662, S. 119) vom 19.Juni 1794 teilt Lichtenberg den Grund der Verschiebung mit: »Wegen der Ausgabe der nächsten Lieferung habe ich mich in diesen Tagen genöthigt gesehen meinen Plan zu ändern. Die Heyrath nach der Mode ist bekanntlich nicht von Hogarth, sondern von einem andern, dessen Nahme mir jetzt nicht beyfällt, *gestochen*, und zwar mit vieler Sorgfalt von Seite des mechanischen. Dieses macht dem blos radirenden Riepenhausen viele Mühe und er declarirt, daß es ihm unmöglich wäre bis Michälis mit den VI Platten fertig zu werden. Nun wolte ich nicht gerne, daß die Sache schon beym 2ten Termin zu hincken anfienge. Wir sind daher eins geworden *das Leben einer Buhlschwester* zu nehmen, das ebenfalls VI Platten ausmacht. Das wird ja nichts thun, und zwischen hier und Ostern 1795 werden ja die Heyrathen nach der Mode hoffentlich nicht aus der Mode kommen.«

Das Erscheinen dieser Folge verzögerte sich tatsächlich abermals: erst Anfang Februar 1798 erfolgte ihre Auslieferung (vgl. an Eschenburg, IV, Nr. 736, S. 976, vom 11.Februar 1798). Da die Dritte Lieferung am 8.Mai 1796 ausgeliefert wurde, liegen mithin 21 Monate Unterbrechung in Lichtenbergs Produktion. Die Gründe nennt er selbst in der »Vorerinnerung« zur Vierten Lieferung (s. 912, 4ff.). Liest man Briefe und Tagebuch-Eintragungen dieses Zeitraums, wird man Lichtenberg aufs Wort glauben, daß diese Folge notwendig »in doloribus geschrieben« worden ist, wie er an Eschenburg in dem oben zitierten Briefe äußert.

Zum Arbeitsprozeß finden sich in Lichtenbergs Briefen und Tagebüchern nur wenige Anhaltspunkte. Im Staatskalender 1796, 1797 und 1798 begegnet kein einziger Vermerk zur Arbeit an der Vierten Lieferung, übrigens auch nicht in den unveröffentlichten Notizen.

SK 977 vom 15. Dezember 1796 notiert lediglich: »Riepenhausen bringt das zweite Blatt von Marriage«. Den Briefen und der »Vorerinnerung« entnimmt man so viel: zur Ostermesse 1797 waren die sechs Kupferplatten der Folge ohne den Kommentar von Dieterich vorgelegt worden. Bis zu diesem Zeitpunkt lag, wie Lichtenberg selbst 912, 6 angibt, erst die Hälfte des Textes geschrieben und »halb gedruckt« vor, wie er am 19. Mai 1797 an Cotta (IV, Nr. 721, S. 961) schreibt. Einen Hinweis darauf gibt übrigens auch L 222. Im Juli 1797 bearbeitete er offenbar die Vierte Platte (vgl. an Reuß, IV, Nr. 725, vom 15. Juli 1797), doch erst im November 1797 sieht man Lichtenberg mit der Fünften Platte beschäftigt (vgl. an Tychsen, IV, Nr. 729 und 730, S. 969–970, vom 21. und 22. November 1797). Da Lichtenberg in der »Vorerinnerung« (s. 912, 6) von einem halben Jahr Unterbrechung seiner Arbeit seit Ausbruch seiner Krankheit spricht, kann man folgende Arbeitsphasen annehmen: Platte 1 und 2 entstanden zwischen Oktober 1796 und Januar 1797 (entsprechend den Arbeitsnotizen im Sudelbuch L, das Lichtenberg seit dem 19. Oktober 1796 führt); die dritte bis sechste Platte in der Zeit von Juli 1797 bis Januar 1798 einschließlich, rechnet man die vermutlich wie gewöhnlich zuletzt geschriebene »Vorerinnerung« hinzu – die letzte Arbeitsnotiz im Sudelbuch: L 309 stammt vom Ende Dezember 1797.

Rezension: Eschenburg in der »Allgemeinen Literatur-Zeitung« 1798, II, S. 113–117.

Literatur: Arthur S. Wensinger: Hogarth on High Life. The Lichtenberg Commentaries on »Marriage à la Mode«. Wesleyan University Press, Middletown, Connecticut 1970. Auf den ausführlichen Kommentar dieser Ausgabe sei ausdrücklich verwiesen.

911 *2ff. Foecunda ... fluxit:* »An Sünden reich hat unsere Zeit zuerst / Den Ehebund und Haus und Geschlecht befleckt: / Aus diesem Urquell floß des Unheils / Strom auf das Land und das Volk der Römer.« Zitat aus Horaz, »Oden«, 3. Buch, 6. Ode, V. 17–20. Übers. nach der Tusculum-Horaz-Ausgabe, S. 129. Das Zitat bildet das Motto zur Vierten Lieferung und steht in der Satzvorlage auf einer Extraseite hinter dem Titelblatt. Über Horaz vgl. zu KA 152.

912 *3 der Herr Verleger:* Johann Christian Dieterich; über ihn vgl. zu B 92. – *4f. meinen mißlichen Gesundheits-Umständen:* Dem Staatskalender für 1797 entnimmt man: »Am 13[*ten* Januar] legte ich mich und lag fast beständig, an Seitenstich Fieber und Husten. Erst heute fing den 8*ten* Februar wieder an zu lesen. Befinde mich aber sehr elend.« Noch am 19. Mai 1797 (IV,

Nr. 721, S. 961) schreibt Lichtenberg an Cotta: »Ich habe vorigen Winter... vier Wochen völlig gelegen und wenigstens eine ebenso lange Zeit vorher bin ich sehr schwach gewesen. Nach meiner Krankheit fand ich mich so äußerst erschöpft, daß ich schlechterdings nichts unternehmen konnte, und als mein Kopf wieder anfing heiterer zu werden, so erlaubten mir meine körperlichen Kräfte nicht, nur etwas anhaltend zu arbeiten.« Ähnlich entschuldigt sich Lichtenberg am gleichen Tage in einem Brief an Dieterich (IV, Nr. 722, S. 963). Und an Ludwig Anton Hüpeden (IV, Nr. 723, S. 965) vermutlich ebenfalls am 19. Mai 1797 schreibt er: »Ich hatte wegen Schwäche einige Meß-Arbeiten schlechtweg liegen lassen müssen.« – *30f. hier und da merklich affiziert hätte:* Vgl. Lichtenbergs Entschuldigungen im Schreiben an Eschenburg (IV, Nr. 736, S. 976) vom 11. Februar 1798.

913   5 *»Er könne bloß Winkel-Szenen ... darstellen«:* Die Herkunft des Zitats konnte von mir nicht ermittelt werden. – *7 à son aise:* Vgl. zu 328, 5. – *11 Voyage pittoresque:* malerische Reise. – *13f. zwischen das aut, aut eingeklemmt:* Vgl. zu 534, 22f. – *15 Dortoben:* Lichtenberg deutet hier das an, was John Gay in der Bettleroper (1728) dargestellt hatte: »die moralische Identität der Unterwelt und gesellschaftlichen Oberschicht.« (Zit. Kurt Batt, S. 578.) – *29 Boeuf ... Religion à la Mode:* Rinderbraten nach der Mode.

914   *2 wie Batteux vortrefflich gezeigt:* Über Charles Batteux vgl. zu 430, 30. – *11f. Lord W... gemeint:* Der Name dieses Lords konnte nicht ermittelt werden. – *15 halbes Alphabet:* im Buchdruck seinerzeit gebräuchliche Bezeichnung der Bogen (durch die Großbuchstaben des Alphabets). – *23 Alderman:* engl. Stadtverordneter und Friedensrichter; s. auch 986, 9. 1056, 5; ferner L 84. – *24 Sheriff:* engl. höchster Vollzugsbeamter einer Grafschaft, insbesondere für die Vollstreckung gerichtl. Anordnungen und Urteile zuständig. – *24 Altstadt London (the City):* Diese Bemerkung ist L 56 entnommen. Lichtenberg gebraucht den Ausdruck auch 947, 23. 961, 39. 986, 35. 1003, 38. 1030, 20. – *24f. pro nunc:* Vgl. zu 880, 30. – *29 bankbrüchig, als ... gichtbrüchig:* Diese Wendung ist L 121 entlehnt. – *29f. pekuniäres Vermögen ... physisches:* Diese Wendung ist, geringfügig verändert, L 94 entlehnt. Entsprechend Lichtenbergs Notiz im Staatskalender 1797 wurde von mir der Druckfehler: pecuninäres verbessert.

915   *6f. Adels-Inokulation:* Zu dieser Wortbildung vgl. zu 416, 34. – *10 sogenannten Dieb:* »brennt an einem licht ein abgelöster faden als nebendocht, so dasz der talg oder das wachs abfliestz, so heizst das ein dieb« (DWB II, Sp. 1087). – *31f. Frakturschrift der englischen Schönschreiber:* Eine eigenhändige Probe

davon liefert Lichtenberg in RA 91. – *33 Viscount:* engl. Adelstitel zwischen Graf (earl) und Baron (baron). – *33 The Right Hon.:* Honourable: engl. ›Ehrenwerter‹; engl. Ehrentitel, der den Namen der Mitglieder des Hochadels vorgesetzt wird; der Titel »Right Hon.« (Exzellenz) gebührt den Marquess oder den Earls, Viscounts und Baronen.

916 *20 Mortgage:* Pfandverschreibung, Pfandbrief. – *Earl:* engl. Graf: der Titel bezeichnet seit dem 14.Jh. die dritte Rangstufe nach Duke und Marquess. – *35 Zeder vom Libanon:* Vgl. zu 308, 28. – *37 Überwucht:* Vgl. zu KA 309; s. auch 981, 21.

917 *11 Gala-Tage:* Einen ähnlichen Ausdruck gebraucht Lichtenberg auch 847, 22; im übrigen vgl. zu 223, 15. – *15 Wilhelm der Eroberer:* Zu diesem Gedanken vgl. L 48; über ihn vgl. zu F 655. – *24f. Krönchen ... Non-Krönchen:* Zu dieser Wortbildung vgl. zu 223, 35. Im übrigen vgl. L 48. – *25f. das Ästchen mit seinem Mildtau:* Dieser Gedanke geht auf L 21 zurück. – *26 Mildtau:* Entstellung von Miltau d.h. Mehltau.

918 *6 bon ton-Pflaster:* Zu dem modischen Schönpflästerchen vgl. zu 679, 6; hier ist möglicherweise aber damit eine Auflage gegen die Syphilis (vgl. 926, 31. 934, 28. 954, 19) gemeint. – *7 superfeiner:* Vgl. zu 348, 8. – *22f. Ireland glaubt:* Gemeint ist o.c. Vol. I, p. 209 (Fußnote). – *23 katoptrische:* Vgl. zu 480, 10. – *28 Hieber:* Hiebwaffe, Haudegen, in der Studentensprache seinerzeit gebräuchlich. – *30 Hymenäus:* griech. Hochzeitsgott, mit Brautfackel und Schleier dargestellter Jüngling.

919 *3 die schönste Wellen-Linie Hogarths:* Vgl. zu 352, 28. – *4 attitude à dos d'âne:* Haltung wie ein Eselsrücken: seit dem späten 14.Jh. übliche Abart des Spitzbogens mit S-förmiger Bogenführung. – *7 Antinous:* der Geliebte des Kaisers Hadrian (um 125 n.Chr.); wegen seiner Schönheit berühmt. – *7 Adonis:* Über ihn vgl. zu 535, 16. – *9 in parallele Winkel geknickt:* Zu dieser Wendung vgl. zu 328, 13 f. – *23 Debauche:* Ausschweifung; s. auch 926, 22 und H 160. – *31 boarding schools:* höhere engl. Privatschulen mit Internatsbetrieb.

920 *1f. der Mensch ... auf allen Vieren geht:* Vgl. zu 448, 1.

921 *2 das eigentliche Mensch:* Vgl. zu 747, 32f.

922 *5f. Leidtragender aus der zweiten Fakultät:* Gemeint ist die juristische Fakultät. – *8f. das goldne Vlies der englischen Themis um sein Haupt:* Gemeint sind die langen Perücken der engl. Richter. *Goldenes Vlies:* in der griech. Mythologie das goldene Fell eines Widders, das die Argonauten aus Kolchis nach Griechenland brachten. S. auch L 96. – *9 Themis:* griech. Göttin der Gerechtigkeit.

923 *9f. Heinrich IV. vor seiner Verlobung:* Über ihn vgl. zu A 171. – *12 Mariage de St.Bartelemi:* Vgl. zu 303, 2. – *15f. der heil. Laurentius:* Über ihn vgl. zu 904, 24. – *17 armer Lorenzo, mit deiner*

Dose: Vgl. zu 512, 4; über Sterne vgl. zu B, S. 45 (I). – *19f. bethlehemitischen Septembriseurs Herodes:* Über Herodes und den von ihm veranlaßten Bethlehemitischen Kindermord vgl. zu J 970. – *20 Septembriseurs:* Septemberstürmer; die an den sogenannten Septembermorden Beteiligten. Im September 1792 wurden viele politische Gefangene, die als Gegner der Jakobinerdiktatur galten, in Paris hingerichtet. – *21 Prometheus:* Über ihn vgl. zu 421, 33; s. auch 627, 1. 923, 21. – *26f. Holofernis ... Judith:* Nach dem apokryphen Buch Judith des Alten Testaments schlug Judith dem assyrischen Feldherrn Holofernes das Haupt ab, als sie nachts bei ihm schlief. – *28 St. Sebastian:* kathol. Schutzheiliger, nach der Überlieferung von Schützen des Kaisers Diokletian mit tausend Pfeilen durchbohrt. – *36ff. Art von Perücke ... Donnerwolken zählt:* Über Perücken vgl. zu 735, 19.

924 *2 wo aber diese Spitze selbst ...:* Dieser Gedanke ist L 101 entlehnt. – *20f. ad vivum:* nach dem Leben. – *25 Mittel-Dinge zwischen Tiger und Affen:* Diese Wendung geht auf Albrecht von Haller zurück, der in seinem Lehrgedicht »Über den Ursprung des Übels« (1732–1733) den Menschen als »Mittelding von Engeln und von Vieh« apostrophierte. Lichtenberg variiert diese im 18. Jh. außerordentlich populäre Formel auch 941, 26. – *28 Seestück:* Marinestück, ein Bild, dessen Gegenstand das Meer, seine Küsten, Strand- und Hafenansichten sind; Blütezeit der Marinemalerei war das 17. Jh. in den Niederlanden. – *28 Pharao mit seinem Heer:* Vgl. zu 99, 32. – *31 Ptolemäische Welt-System:* Über Ptolemäus und dessen geozentrisches Weltsystem vgl. zu L 879. – *35 Bekanntlich hat Voltaire ... gesagt:* Dieses Zitat ist J 1218 entlehnt; vgl. die Anm. dazu. Über Voltaire vgl. zu KA 28. – *38 Ludwig XIV.:* Über ihn vgl. zu F 507.

925 *25 legt ... linke Hand auf das Herz:* Vgl. auch 1011, 25 und G 74. – *32f. Wilhelm dem Eroberer:* S. 917, 27.

926 *1f. der Tod seinen 80jährigen Prozeß ... gewonnen:* Vgl. zu 460, 18f. – *3 ad interim:* Vgl. zu 112, 21. – *3f. Halbbruder, dem Schlafe:* Zu dieser Wendung vgl. zu 80, 31. – *8f. eine englische Meile:* Vgl. zu 718, 21. – *19 Cremoneserinnen:* Die ital. Stadt Cremona wurde im 17. und 18. Jh. durch den Bau der berühmten Amati- und Stradivari-Geigen ein Begriff. – *22 Debauche:* Vgl. zu 919, 23. – *30f. das schwarze Fakultäts-Siegel unter dem Ohr:* Vgl. 918, 6 und die Anm. dazu.

927 *12 Linon:* feines Leinengewebe. Lichtenberg gebraucht den Begriff auch 1039, 21. – *15 Bologneser-Sagazität:* Scharfsinn eines Bologneser Hündchens. – *27f. Pandekten des Whistspieles:* Ähnliche übertragene Kombinationen notiert Lichtenberg L 86. 129; über ›Pandekten‹ s. zu 408, 19. Über das Whist-

spiel vgl. zu 502, 27. – *28 Hoyle on Whist:* Gemeint ist »A Short Treatise on the Game of Whist ...«, erschienen London 1743, von Edmond Hoyle (1672–1769). Eine Übersetzung erschien 1768 unter dem Titel »Anweisung zum Whistspiel« in Gotha bzw. Göttingen bei Dieterich. – *36 in Miltons Leben angemerkt:* Die Quelle dieses Bonmots konnte von mir nicht ermittelt werden. In Johnsons »Preface to Milton« innerhalb seiner »Prefaces, biographical and critical, to the Works of the English Poets«, Bd. 2, London 1779, an das man zunächst denkt und in dem auch ausführlich die finanzielle Situation dargestellt wird, findet sich das Zitat offenbar nicht. Vgl. auch 989, 1.

928 *29 f. einpersönig:* Zu ähnlichen Wortbildungen vgl. zu 400, 27.

929 *9 f. das Hausbuch (Ledger):* Diese Begriffe aus der Kaufmannssprache gebrauchte Lichtenberg bekanntlich auch für seine eigenen Sudelbücher: vgl. E 46. K, S. 838 (I). S. auch 831, 17. 947, 16. 985, 21 ff. und in den Briefen (IV, S. 661. 707). – *18 die unendlich gelehrtere ... verstehe:* Dieser Gedanke ist F 272 entlehnt. – *22 Kap St.Vincent:* die äußerste Südwestspitze Portugals. – *22 f. Nova Zembla:* Vgl. zu 505, 11. – *31 Edward Swallow:* Lebensdaten unbekannt. Lichtenberg entnahm die Anekdote Ireland (o.c. Vol. I, p. 218–219) bzw. Nichols. – *31 f. damaligen Erzbischofs von Canterbury:* In der Anekdote ist Thomas Harring (1693–1757) genannt, der aber erst 1747 als Nachfolger von Potter Erzbischof von Canterbury wurde. – *37 wie ... Ireland gelesen hat:* Gemeint ist o.c. Vol. I, p. 219.

930 *5 Methodist:* Vgl. zu 193, 33. – *5 f. aus Mutwillen:* Vgl. oben S. 322. – *11 Hoyle:* S. zu 927, 35. – *11 f. Whitefield:* Über George Whitefield vgl. zu B 39. – *12 pagina jungit amicos:* Vgl. zu 769, 28. – *13 Betrüger, wozu ihn Herr Ireland macht:* Nicht wörtliches Zitat; Ireland sagt lediglich (o.c. Vol. I, p. 219, Fußnote), er könne in dem Gesicht nichts Ehrliches sehen. – *29 Beiläufer-Supernumerarius:* überzähliger Aushilfsbedienter. – *30 galonierte:* Vgl. zu 711, 22. – *36 f. Ireland hält diese für die vier Evangelisten:* Gemeint ist o.c. Vol. I, p. 219.

931 *2 der heil. Andreas mit dem Kreuze:* Apostel, Bruder des Petrus, in Patras gekreuzigt; nach der Legende wurde er an ein Kreuz mit schrägen Balken geschlagen (Andreaskreuz); s. auch 1030, 36. – *5 f. Mit dem Degen in der Faust ...:* Vgl. zu 245, 28 ff. – *25 Sottisen:* Dummheiten, Torheiten.

932 *1 Faustina:* Annia Galeria Faustina, gestorben 140/141, Frau des röm. Kaisers Antoninus Pius, der sie bei seinem Regierungsantritt (138) zur Augusta erhob; wegen ihres ausschweifenden Lebenswandels sprichwörtlich. – *18 eine Katzen-Uhr:* Dieser Gedanke ist L 111 entlehnt. – *20 f. wie mir ein Freund schreibt:* Wer gemeint ist, konnte ich nicht ermitteln. – *26 f. ein Schüler von Le Droz:* Wer gemeint ist, konnte ich nicht er-

mitteln; über Droz vgl. zu 192, 22. – *30 Pepusch:* Über Johann Christoph Pepusch vgl. zu J 113. – *31 Bassons:* Fagott, Holzblasinstrument. – *36 Memento mori-Schlag:* Vgl. zu 694, 25f.

933 *6f. Lord Oxford ... in dem IVten Teile seiner Anecdotes of Painting in England:* Gemeint ist o.c. Vol. IV, p. 72; im übrigen vgl. über ihn zu RA 42. – *13f. Anekdote, die Herr Ireland ... anführt:* Gemeint ist o.c. Vol. I, p. 226. – *15 der berühmte Dichter Churchill:* Über Charles Churchill vgl. zu F 123. – *22 Hoadleys:* Benjamin Hoadley (1676–1761), engl. liberaler Theologe. – *22 Garricks:* Über ihn vgl. zu KA 169. – *22 Townleys:* James Townley (1714–1778), engl. Pädagoge und Dramatiker. – *26 Zwist zwischen ihm und Hogarth:* Lichtenberg erwähnt ihn auch 878, 28. – *30 Wilkes:* Über John Wilkes vgl. zu B 9.

934 *8 coup de main:* Handstreich. – *38ff. Lord Oxford urteilte ...:* Der zitierte Satz findet sich o.c. Vol. IV, p. 79. – *39f. never ... dexterity:* »Noch niemals beschmutzten zwei so befähigte Männer einander im Zorn auf ungeschicktere Weise.«

935 *3 Pillule:* Pille. »Monsieur de la Pillule« erwähnt Lichtenberg auch GTK 1793, S. 188. – *4f. Art von Krankheit:* Gemeint ist die Franzosenkrankheit: vgl. zu 424, 12. – *14f. unter dem Ohre gestempelt:* Vgl. zu 918, 6; zu dem Ausdruck »gestempelt« vgl. zu 772, 15. – *17 Hexe:* Vgl. zu 306, 33. – *29 ultra dimidium:* mehr als üblich.

936 *32f. Hauptingredienz zu Pillen ... die oratorische Vergoldung:* Vgl. zu 523, 15. – *34 Ich und Nicht-Ich:* Zu diesem Ausdruck vgl. zu 469, 24.

937 *1 Betschwester:* Über diesen Ausdruck vgl. zu 452, 36. – *5 die Buchstaben F.C.:* Über diese Initialen sinniert Lichtenberg bereits in einem Brief an Eschenburg (IV, Nr. 494, S. 640–641) vom 13. Juni 1785. – *10 Filia Carissima:* Liebste Tochter. – *13 Fieri Curavit oder Faciundum Curavit N.N.:* »Die Ausführung besorgte N.N.« Über die beiden Buchstaben vgl. zu 823, 1. – *13f. Nach Herrn Nichols:* Gemeint ist o.c. p. 221. – *26 Vergolder und Vergelder:* Der Ausdruck »Vergolder« begegnet auch J 994. – *32 Fabre d'Eglantine:* Philipp François Nazaire Fabre, genannt Fabre d'Églantine (1750–1794), frz. Lustspieldichter und Revolutionspolitiker, Anhänger Dantons. – *32 Marat:* Über Jean Paul Marat vgl. zu J 1206. – *33 c'est Marat tout craché:* »Das ist Marat wie er leibt und lebt.« – *36 Die Schilderung ... in des Hrn. von Archenholz Minerva:* Gemeint ist »Marats Portrait von Fabre d'Eglantine. Übersetzt von Schink«, in der »Minerva« 1794, April, S. 8–37. Interessant ist, daß Schink selbst sich in einer Fußnote ebenda S. 15–16 von dieser »Carricaturzeichnung« distanziert und sich fragt, (S. 16) »ob selbst *Hogarths* sarcastische Laune in den Phantasiereichsten Productionen seines juvenalischen Mahlergenies je eine beißen-

dere Satyre auf irgend ein tolles Original seiner Zeit hervorgebracht hat?« In J 1206. 1213 zitiert Lichtenberg zu Marat das Februarstück 1793 der »Minerva«; über Archenholz vgl. zu J 47.
938 *4f. Corporis delicti:* Beweisgegenstand (Genitiv). – *10 memento mori:* Vgl. zu 694, 25 f. – *20 gedruckten Protokoll des Dr. Moliere:* vermutlich Anspielung auf die Parodie der Doktorpromotion in »Le malade imaginaire« (Drittes Zwischenspiel) von Molière. – *23 gelehrten Haushaltung:* Zu dieser Wendung vgl. zu 80, 24. – *40 seine Theorie des Lichts erfunden:* Diese ebenfalls der »Minerva«, Februar 1793, S. 337, entnommene Anekdote wird J 1213 notiert; demnach war Marats ohrfeigender Opponent: Prof. Charles.
939 *3 armen Teufel:* Zu diesem Ausdruck vgl. zu 214, 31. – *8f. in einer alten Rezension:* Ihre Herkunft konnte nicht ermittelt werden. – *17 points de démembrement:* Punkte der Zerstückelung. – *29 Archimedes:* Vgl. zu 601, 30. – *38 edeln Einfalt:* Den von Winckelmann geprägten Begriff verwendet Lichtenberg auch S. 1011, 17; ferner B 20. H 5 und GTK 1784, S. 91. 100.
940 *23 Justiz-Dreifuß - der Galgen:* Zu diesem Bild vgl. auch 995, 21. 1057, 26f. S. ferner GTK 1786, S. 134, und H 92. – *36f. der berühmte Medicinae practicus:* der Tod.
941 *1f. Aequo ... turres:* »Klopft doch [der Tod, der bleiche] an mit dem gleichen Fuß an Hütten / Wie Königsschloß«. Zitat aus Horaz, »Oden«, Erstes Buch, 4, 13–14. Lichtenberg zitiert die Verse auch H 6. J 838. K 213 und Briefe (IV, S. 464) vom 5.9.1782. Über Horaz vgl. zu KA 152. – *12 Pendabelste:* Vgl. zu 739, 31. – *13 Concilium medicum:* medizinische Beratung. Lichtenberg gebraucht die Worte auch als Überschrift seiner Erklärung von Hogarths »Consultation of Physicians« (GTK 1789, S. 208–218). – *14 Galgen-Berlöckchen:* Berlocke: vgl. zu 388, 11. – *23 Territion:* Vgl. zu 778, 34. – *26 Apotheke:* Vgl. L 123. – *26 Mittelding:* Vgl. zu 924, 25. – *29f. In einem Blatte des Hamburgischen Correspondenten:* Diese Zeitung war mir nicht zugänglich; über sie vgl. zu J 15.
942 *5f. bekannte Bemerkung ...:* Zu diesem Gedanken vgl. L 75. – *8 Fiduz:* Vgl. zu 896, 5. – *16f. Narwals-Zahn:* Horn vom Schwertfisch, Elfenbeinersatz. – *21 Mambrins Helm:* Anspielung auf »Don Quijote«, 1. Buch, 21. Kap., in welchem Don Quijote das von ihm für den Goldhelm des Zauberers Mambrin gehaltene Bartbecken eines Barbiers erbeutet. Über Cervantes und seinen Roman vgl. zu C 11. – *22 Aquae regiae:* aqua regia: Königswasser. – *28 neuestes Modestück, der hohe Hut:* Gemeint ist der im letzten Jahrzehnt des 18. Jh. aufkommende Zylinder. – *29 Hieb- und Prügelableiter:* Zu Lichtenbergs Zusammensetzungen mit *-Ableiter* vgl. 130, 11.
943 *4 Satyre auf gewisse Allsammler:* Zu diesem Thema vgl. 451,

12 ff. – 27 ff. In der ersten Lieferung ... Barbierstube abgebildet: S. 724, 5 ff. – *34 Newton:* Über ihn vgl. zu A 79. – *34 John Fielding:* Über ihn vgl. zu RT 20. – *34 Pringle:* Über ihn vgl. zu F 1057. – *39 Okulist Taylor:* Über ihn vgl. zu 88, 10. – *39 f. Hogarth ... in seiner consultation of physicians:* Lichtenberg erklärt dieses Blatt unter dem Titel »Collegium medicum« im »Göttinger Taschen Calender« für 1789, S. 208–218; S. 216 bis 217 schreibt er von Taylor: »Linker Hand ist der Oculist Taylor. In einer sehr guten Beschreibung heißt er der ältere; ich kann also nicht sagen, ob es der Ritter Taylor ist, den man in Deutschland sehr gut kennt. Ich selbst habe den so berühmten Taylor in meiner Kindheit gesehn, wie er sich auf die Schulter eines Knaben, wie auf eine Krücke lehnte, in einem rothen Mantel einherspazierte und seine Taxen hob. Dieser von Hogarth abgebildete, der sehr getroffen seyn soll, war ein äußerst unwissender Mensch, und ein Windbeutel im höchsten Grad. Daß dieser ein Auge im Stockknopf führt, ist sicherlich nicht übertrieben, denn selbst der bey uns berühmte Taylor führte auf der Decke seiner Carosse statt der Prachtknöpfe Augäpfel mit Staarnadeln durchspießt. Der abgebildete war viel gereiset, und versicherte seine Freunde in London, daß, als er in Petersburg gewesen sey, er um den Prinzen Herkulaneum (Heraklius) in einer gewissen Affaire zu sprechen, bis Archangel gereist sey, welches ganz am Ende des Europäischen Asien liege.«

944 *1 zwei Mißgeburten:* Über Lichtenbergs eigenes Interesse an Teratomen vgl. oben S. 295. – *2 wie Herr Ireland will:* Gemeint ist o. c. Vol. I, p. 228. – *3 Mandevilles Menschenfressern:* Sir John Mandeville (ca. 1300–1372), aus St. Albans in England, angeblicher Verfasser eines wahrscheinlich zwischen 1366 und 1371 entstandenen phantastischen Reisewerks, das sich im Mittelalter außerordentl. Beliebtheit erfreute. Mir lag vor: »The Voyage and Travaile of Sir John Maundeville, K$^{t.}$ Which treateth of the Way to Hierusalem and of Marwayles of Inde, With other Ilands and Countryes,«. London 1727. – *4 »whose ... shoulders.«:* »deren Köpfe unter ihren Schultern hervorwachsen.« In der von mir benutzten Ausgabe, o. c. p. 243, wo es von einem Menschenfresser-Stamm heißt: »that hem no Hedes: and here Eyen ben in here scholders.« – *7 zwei Köpfe:* Vgl. zu 55, 7. – *30 gutmütigen Spötter:* Vgl. oben S. 321. – *33 Fontes Nobilitatis:* Quellen des Adels. – *34 Ausschweifung über deine Ausschweifung:* Nachahmung der Sterneschen Technik der »Digression«; vgl. zu 65, 1 und 662, 19 f. – *37 Traum ... zur Geologie:* Über Lichtenbergs Verhältnis zur Phantasie als Vehikel der Wissenschaft vgl. 113, 11 ff. – *37 Baumannshöhle:* 280 m lange Tropfsteinhöhle bei Rübeland im Harz; Lichtenberg erwähnt sie auch F 1149, G 231 und

in dem Artikel »Der Harz« (GTK 1780, S. 111): »Sie besteht aus sechs bekannten und wer weiß wie vielen noch unbestiegenen Klüften, die alle mit weißem Tropfstein ausgekleidet und an der Decke und am Boden mit Zapfen, denen die Einbildungskraft und der Aberglaube allerhand Gestalt und Namen gegeben hat, bedeckt sind.«

945 *4 Janus bifrons:* altröm. Gott des Torbogens, der Tür, dargestellt nach innen und außen schauend, mit einem Doppelantlitz. – *29 noli me tangere:* »Rühre mich nicht an!« Die Worte des auferstandenen Christus zu Maria aus Joh. 20, 17 nach der Vulgata.

946 *19 numero rotundo:* rund gerechnet. Lichtenberg gebrauchte den Ausdruck auch in den Briefen (IV, S. 737).

947 *6 Lever:* Vgl. zu 835, 3. – *13f. der berühmte Kastrat Carestini:* Lebensdaten unbekannt. – *14 Weidemann:* Karl Friedrich W. (gest. 1782), dt. Flötist und Komponist, ging gegen 1726 nach England. – *16f. das Hausbuch ... auf der zweiten Platte:* S. 929, 9f. und die Anm. dazu. – *23 Altstadt (City):* Vgl. zu 914, 24.

948 *28 Avertissement:* Vgl. zu 253, 3. – *34 einigen Engländern, die ich befragt:* Briefe Lichtenbergs an seine engl. Freunde und Bekannten sind nicht überliefert. – *37 John Bulls:* John Bull: Spitzname des Engländers bzw. des engl. Volkes; erstmalig auf Lord Bolingbroke angewandt. Die Erfindung dieser Figur wird Arbuthnot zugeschrieben. Vgl. RA 23. 42; s. auch 961, 5.

949 *7 ein Buch mit der Aufschrift: Sopha:* »Le Sopha, conte moral«, erschienen Paris 1745, von Claude de Crébillon; über ihn vgl. zu J 450; vgl. auch J 451. Lektüre des Romans bezeugt der Staatskalender für 1790, wo unter dem 16. Oktober 1790 notiert steht: »Sopha«. – *8 Keiner von allen ... Auslegern ...:* Schon in einem Brief an Reuß (IV, Nr. 725, S. 968) vom 15. Juli 1797 betont Lichtenberg, daß die Anspielung »ganz in Hogarths Geist« sei, »obgleich keiner von seinen Auslegern etwas davon gerochen hat.« Lichtenberg lieh sich den Roman von Reuß aus der Göttinger Bibliothek, wie aus einem Brief an denselben (LB III, Nr. 723, S. 189–190) vom 12. Juli 1797 hervorgeht. Zu Lichtenbergs Kritik vgl. auch zu 781, 12f. – *38f. die große Konjunktion:* Vgl. zu 156, 35; s. auch 1040, 27f.

950 *11f. Menschen verschrieb ... verderben zu lassen:* Dieser Gedanke ist L 209. 210. entlehnt. – *15 Indigestionen:* Vgl. zu 895, 16. – *16ff. Hogarths Blätter ... eigne Zeichen für die Franzosen:* Zu Hogarths Gallophobie vgl. zu 672, 24. – *26 d'un mouton, qui rêve:* eines träumenden Hammels. – *30 Bemerkung über die Barbier:* Zu Lichtenbergs Reflexion über diesen Berufsstand vgl. zu C 224. – *33ff. tragen ... Familien-Anekdötchen:* Zu dieser Wendung vgl. J 1028 und die Anm. dazu.

951 *9 Hämling:* Zu »Hämling« vgl. zu 365, 21. – *10 Carestini:* Vgl. zu 947, 13f.; in GTK 1786, S. 137 schrieb Lichtenberg noch

Farinelli; s. auch 844, 16. – *13 Meisterstück der Schöpfung:* Zu diesem Ausdruck vgl. zu 286, 20 f. – *23 Pauschen:* svw. Bauschen. Der Beleg aus Lichtenberg wird im DWB nicht angeführt. – *35 Pope in s. Lockenraub:* Zitat aus »The Rape of the Lock« II, 8. Lichtenberg zitiert die zweite Zeile auch in einem Brief an Sömmerring (IV, Nr. 477, S. 605) vom 7. Jänner 1785. Über Alexander Pope vgl. zu A 94.

952 *4 Weidemann:* S. zu 947, 14. – *7 Habichtsnase:* Zu dieser physiognomischen Wortbildung vgl. zu 430, 21. – *10 Lachstoff:* Diese Wortprägung »ad modum Sauerstoff« ist L 246 entlehnt; s. auch 850, 19. – *21 f. Preußischen Gesandten Michel:* Abraham Ludwig Michell (1712–1782), gebürtiger Schweizer, seit 1741 bei der preußischen Gesandtschaft in London als Sekretär tätig, in den Jahren 1750–1764 preußischer Geschäftsträger ebenda. – *22 f. im hiesigen Taschenbuch für 1786 gesagt:* Gemeint ist die Kalender-Erklärung von »Marriage à la mode«, GTK 1786, S. 139; dort schreibt Lichtenberg übrigens, daß Nichols diese Deutung gegeben habe, und fährt fort: »Ich habe aber einmal den Nicholls im Critical Review wegen seiner Deutung dieser Gruppe getadelt gelesen.« – *35 f. Seitdem Kleider Leute machen:* Zu dieser Wendung vgl. MH 3 und 1021, 1 f. – *38 Pickling:* früher regional gebräuchliche Schreibweise für: Bückling (Hering).

953 *13 Incroyable:* ›unglaublich‹: so nannte man den Stutzer des Directoire und Empire, der sich übertrieben neumodisch in lange Hosen, Stulpenstiefel, Frack, hochgebauschtes Halstuch und Zweispitz kleidete; sein weibl. Gegenstück war die *Merveilleuse.* – *25 mutatis mutandis:* Vgl. zu 226, 20. – *27 Papilloten:* Lockenwickler aus Papier; s. auch F 1108 und 973, 19. – *27 f. seine Liebste … bloß seine Frau:* Zu diesem Wortspiel vgl. zu 616, 32. – *32 civiliter:* bürgerlich. – *33 f. das gehörnte Tier:* Hahnrei; s. auch 481, 11. – *36 Aktäons:* Vgl. zu 674, 37.

954 *4 arme Teufel:* Vgl. zu 214, 31. – *11 Herzens-Kollation:* Kollation: Sammlung, Auswahl. – *16 Palletten-Kleider:* Diesen Ausdruck gebraucht Lichtenberg auch F 476. – *19 bon-ton-Pflaster:* Vgl. zu 918, 6. – *29 Hut mit einer Kokarde:* Vgl. zu 694, 27.

955 *5 Kastraten-Kredit:* Zu dieser Wortbildung vgl. zu 259, 36. – *7 f. Tag- und Nachtgleichen des Lebens:* Zu dieser Wendung vgl. zu 364, 33. – *10 ff. Mr. Lane … Lady Bingley:* Harriet Bingley, einzige Tochter Robert Bensons, Baron Bingley; heiratete George Fox, der später den Namen Lane annahm und 1762 Baron Bingley wurde. – *22 Bergamotte:* türk.: ›Fürst der Birnen‹; Birnensorte mit fast kugeligen Früchten. – *23 St. Germain:* Birnensorte, die erst im November reif wird. – *23 Poire de beurrée blanche:* weiße Butterbirne. – *34 in corpore:* Vgl. zu 713, 29.

956 *12 Baß-Kastrat:* Dieser Ausdruck begegnet auch 400, 2. – *14 ff. Melampus ... Hylaktor:* Schwarzfuß, Regensturm, Schnellläufer, Vielfraß, Kläffer. – *20 Toiletten-Empfindelei:* Zu diesem Ausdruck vgl. zu 264, 13 f.; s. ferner H 1. – *32 Ovid in seinen Verwandlungen:* Die Sage von Aktäon berichtet Ovid in den »Verwandlungen« 1. Teil, XVI, S. 154-163 (übers. von Johann Heinrich Voß), Berlin 1798, wo es S. 159-161 von den Hunden heißt: »Ihn, den zweifelnden, schauten die Hund', und der erste Melampus / Gab, mit dem Spürer Ichnóbates gleich laut bellend das Zeichen. / Gnosier war von Geburt, Ichnóbates, Sparter Melampus. / Alle nun kamen daher wie die stürmenden Winde geflogen: / Pamphagus, Dorkeus auch, und Oribasus, Arkader alle; / Auch des Nebrosonos Kraft, und der trozige Theron mit Lälaps; / Pterelas, hurtig zu Fuß, und Agre mit witternder Schnauze; / Und Hyläus, den jüngst ein rasender Eber verwundet; / Nape, gezeugt vom Samen des Wolfs, und der Heerde Gesellin / Pömenis; auch Harpya, von Zwillingssöhnen begleitet; / Und mit schmächtiger Weiche der Sikyonier Ladon; / Dromas und Stikte zugleich, und Kanache, Tigris und Alke; / Leukon mit weißlichen Zotten, und Asbolus wallend mit schwarzen; / Auch der gewaltige Lakon, und tapferes Laufes Aëllo; / Thous zugleich, und rasch mit dem cyprischen Bruder Lyciska; / Und, an der dunkelen Stirne mit schneeiger Blasse gezeichnet, / Harpalos, Mélaneus auch, und die rauchgezottelte Lachne; / Auch, vom diktäischem Vater gezeugt und lakonischer Mutter, / Labros, Agriodos auch, und mit gellender Stimme Hylaktor; / Und die zu nennen verdreußt.« Über Ovid vgl. zu KA 207, über Aktäon vgl. zu 674, 37. – *32 f. Hyginus in seinen Fabeln:* Gaius Julius Hyginus, Freigelassener des Augustus, Bibliothekar an der palatinischen Bibliothek in Rom; verfaßte unter anderem »Fabulae«.

957 *9 f. fünf Exklamationszeichen ... mit den Fingern:* Zu diesem Ausdruck vgl. zu 672, 21. – *17 f. der künftige Naturgeschichtsschreiber:* Zu diesem Ausdruck vgl. zu 497, 26 f. – *18 erkünstelten Menschen:* Zu diesem Ausdruck vgl. zu 698, 3 ff. – *28 Solitär:* Vgl. zu 696, 16. – *32 Nachtstückchen:* eigentlich Begriff aus der Malerei: Bildliche Darstellung einer nächtl. Szene; im späten 18. Jh. aber häufig in übertragener Bedeutung gebraucht und sogar Name lit. Darstellungen. Das DWB 7, 217-218, zitiert Goethe, Jean Paul, Matthisson.

958 *14 ff. Verzeichnis der vollständigen Sammlung ...:* Vgl. dazu Lichtenbergs Artikel »Verzeichnis einer Sammlung von Gerätschaften« (451, 1 ff.), der im Herbst 1797 geschrieben wurde. – *32 Julio ... Romano:* eigentlich Giulio Pippi (1499-1546), ital. Maler und Baumeister, bedeutendster Schüler Raffaels, von dessen Spätstil er beeinflußt war. – *32 f. Raffaelschen Plunder:*

Über Raphael vgl. zu D 537; über den Ausdruck »Plunder« vgl. zu 298, 30 f. – *36 Uxorius amnis:* der Tiberstrom, als Flußgott, der seiner Gemahlin Ilia keine Bitte abschlagen kann. Zitat nach Horaz, »Oden«, 1. Buch, II, 19–20; Lichtenberg zitiert es auch F 137. – *37 Intelligenz-Blatt eines benachbarten Orts:* Die betreffende Zeitung konnte von mir nicht ermittelt werden.

959 *12 videatur:* man sehe. – *28 Jokus:* Spaß. – *31 Louisd'or:* Vgl. zu 272, 18.

960 *3 Fi donc:* Pfui Teufel. – *19 Orpheus:* Über ihn vgl. zu 844, 23. – *22 Nürnberger Ware:* Vgl. zu 192, 23. – *37 gemaultrommelt:* Zu »Maultrommel« vgl. zu 422, 10.

961 *5 John Bull:* S. zu 948, 37. – *24 so genannten Mittel-Hieb:* Zu diesem Ausdruck vgl. zu 321, 26. – *39 Altstadt:* Vgl. zu 914, 24.

962 *9 f. sehr bekannten Vorstellung ... von Michelangelo Buonarotti:* Das Gemälde »Jupiter und Jo« stammt nicht von Michelangelo – über ihn vgl. zu KA 202 –, sondern von Correggio (1494– 1534); das Gemälde, das sich heute in Wien befindet, gehört zu sechs mythologischen Bildern, die er gegen 1530 wohl für den Hof der Gonzaga in Mantua schuf; s. auch 965, 12. – *12 en masque:* als Maske, in Verkleidung. – *20 f. à cheval sur un aigle:* rittlings (zu Pferd) auf einem Adler; diese Wendung ist J 836 entlehnt. – *36 ff. das Genie eines Mannes ... der so etwas ... hinwirft:* Zu diesem beständigen Kriterium Lichtenbergs für den wahren Künstler vgl. zu 281, 2 f. – *41 Réparation d'honneur:* Ehrenrettung; diese Wendung begegnet auch 1013, 28.

964 *31 seiner muntern Laune:* Vgl. oben S. 321.

965 *13 Giulio Romano:* Über ihn vgl. zu 958, 32. – *13 Michelangelo:* Vgl. zu 962, 9 f. – *14 Zöglinge Crébillons:* Zu dieser Anspielung vgl. 949, 7. – *16 Bagnios:* Vgl. zu 195, 38. – *26 in subsidium Juris:* zur Unterstützung des Rechts.

966 *10 Exklamations-Zeichen:* Vgl. zu 672, 21; s. auch 957, 9 f. – *16 Komposition aus Beef und Pudding:* Diese Zusammenstellung als Inbegriff des engl. Charakters begegnet ähnlich in der Kalender-Erklärung von Hogarth: »Das Thor von Calais oder der englische Rinderbraten« (GTK 1788, S. 109 ff.). – *17 Zweisitzigkeit:* Zu diesem Ausdruck vgl. zu 887, 25; im übrigen s. 400, 27. – *25 f. Detachements:* Vgl. zu 45, 18.

967 *30 Schnürleiber:* Vgl. zu 734, 1.

968 *5 dem bekannten kaltflüssigen Metall:* Quecksilber; zu seiner medizin. Anwendung vgl. zu 643, 5. – *6 Diabolini:* kleine Teufel. – *9 f. Neben dem Schnürleib ... ein Bündel Wellen:* Dazu vgl. L 309; den Ausdruck »Büschel Wellenholz« gebraucht Lichtenberg 763, 16 f. – *35 sonderbaren Laune des Künstlers:* Vgl. oben S. 321. – *42 loco:* Stelle.

969 *10 f. nicht das einzige Mal, daß sich Hogarth ... der Schatten ...:* Vgl. etwa 702, 8 ff. – *30 Erinnerungen ... von einigen Freunden:*

Vermutlich ist Eschenburg gemeint. – *36f. den Degen in der Rechten:* Vgl. 687, 35. und die Anm. dazu.
970 *9 Riepenhausens Kopie:* Dazu vgl. oben S. 320. – *14f. die Sokratische Tortur:* Gemeint ist die Methode des Sokrates, das Ergebnis einer Belehrung durch geschickte Fragen von dem zu Belehrenden selbst beantwortet zu bekommen; Lichtenberg gebraucht diese Wendung auch ähnlich K 242 und in einem Brief an Wattenbach (IV, Nr. 708, S. 948) vom 6. Juni 1796. Über Sokrates vgl. zu KA 9. – *33f. haute-lisse oder basse-lisse:* Teppichgewebe mit senkrecht bzw. waagerecht aufgezogener Kette. – *34 das Urteil Salomons:* Gemeint ist die vielleicht ursprüngl. indische Erzählung 1. Könige 3, 16ff.; s. auch 1019, 35. Über Salomon vgl. zu KA 226.
971 *30f. Porträt von einer gewissen Moll Flanders:* Über sie vgl. zu L 309. Lichtenberg erwähnt sie auch 1002, 10. – *32f. Ireland nennt sie ... notified:* »notified Moll Flanders« heißt es in einer Fußnote o.c. Vol. I, p. 239. – *37 drolligen Künstlers:* Dazu vgl. oben S. 321.
972 *16f. Ireland ... sagt ausdrücklich:* Gemeint ist o.c. Vol. I, p. 239, Z. 1–2. – *18 das Mensch:* Vgl. zu 747, 32f. – *20f. das Bild dieses Weibesstücks so aufgehängt ...:* Auf diese »genialische« Bildidee Hogarths kommt Lichtenberg, grundsätzlich werdend, in einem Brief an Eschenburg (IV, Nr. 494, S. 639) vom 13. Juni und an Tychsen (IV, Nr. 730, S. 971) vom 21. oder 22. November 1797 zu sprechen; vgl. auch 717, 38. – *26 Berg-Schotten (Highlander):* i.e. Bewohner der Highlands: schott. Bergland nördlich des zentralschott. Flachlands; diese Wendung wiederholt Lichtenberg ähnlich an Tychsen (IV, Nr. 730, S. 971, vom 21. oder 22. November 1797). – *27 second sight:* zweites Gesicht; diese Wendung ist L 256 entlehnt; vgl. auch L 309.
973 *13 Lukas, bekanntlich der Patron der Maler:* Diesen Hinweis erhielt Lichtenberg, wie aus dem Brief (IV, Nr. 730, S. 970) vom 21. oder 22. November 1797 hervorgeht, von Tychsen, den Lichtenberg am 21. November zu diesem Punkt um Rat gefragt hatte. – *14 Ireland richtig bemerkt:* Gemeint ist o.c. Vol. I, p. 237. – *19 Papilloten:* Vgl. zu 953, 27. – *19 Aktäon:* Vgl. zu 674, 37. – *21 Zusatz zu dieser Erklärung ...:* Welcher von Lichtenbergs engl. Freunden – ob Greatheed, Irby oder Planta – gemeint ist, war nicht zu ermitteln. – *26 Bedlam:* Vgl. zu 292, 31. – *26f. St. Luke's ... for incurables:* Dieser Satz begegnet fast wörtlich in dem oben zitierten Brief an Tychsen (IV, Nr. 729, S. 969) vom 21. Nov. 1797. – *32 Crayon:* Vgl. zu 878, 39. – *34f. Er schreibt ... die Namen von den drei Kandidaten:* Dieser Satz begegnet ähnlich in dem oben zitierten Brief an Tychsen. Zu dem Ausdruck: *Kandidaten* vgl. zu S. 261. – *37 Domen. Manni:* Lebensdaten unbekannt.

974 *27 Urgicht:* Geständnis.
975 *3 London bridge:* Hier wurde 994 die erste Themsebrücke errichtet; bis 1749 die einzige Brücke, die über die Themse führte; verbindet die City mit den Stadtbezirken.
976 *34 arme Teufel:* Vgl. zu 214, 31.
977 *8 zwei Unzen-Gläschen:* Vgl. zu 90, 7. – *9 Laudanum:* Früher nannte man so jedes Beruhigungs- und Einschläferungsmittel (bes. aus Opium). – *28 last dying speech:* wörtl.:›letzte Ansprache eines Sterbenden‹; Lichtenberg erwähnt diese Sitte auch 980, 18. 1058, 28f. – *32 Bewandtnis wie mit den Reden:* Diese Wendung gebraucht Lichtenberg auch 1058, 35.
978 *22 secunda-Züchtigung:* Eine ähnliche Wortbildung begegnet 786, 24; ferner H 120, in den Briefen (IV, S. 41) und GTK 1786, S. 147. – *32f. kein Elefant und kein Pudelhund:* Zu dieser Wendung vgl. zu 278, 10. – *37 Sümmchen, wie es diese Leute verkleinerend nennen:* Diese Wendung begegnet auch H 37 und schon GTK 1786, S. 147.
979 *1 Kallus:* Vgl. zu 883, 25. – *4f. wie sich Swift ausdrückt:* Die Stelle konnte nicht ausfindig gemacht werden. Über Swift vgl. zu KA 152. – *8 aes triplex circa pectus:* »dreifach [wappnete] Erz die Brust«. Zitat aus Horaz, »Oden«, 1. Buch, III, 9–10. Über Horaz vgl. zu KA 152. – *8f. panno triplici circa stomachum:* dreifachen Tuch um den Bauch. – *10 al pari:* aus ital. ›pari al pari‹: gleich gegen gleich; Übereinstimmung von Kurswert und Nennwert. – *11 die Stocks:* Aktien. – *26 Julepp:* aus pers. gulab ›Rosenwasser‹, Getränk aus Spirituosen, Eis, Fruchtscheiben unter Beifügung frischer Pfefferminzblätter; 1634 von J. Milton erwähnt. – *27ff. Mit der Linken faßt er ...:* Die folgenden Passagen gehen auf L 182 zurück. – *28 Gaßner:* Über Johann Joseph Gaßner vgl. zu F 322; Lichtenberg erwähnt ihn auch 263, 7. – *30 armen Teufel:* Vgl. zu 214, 31. – *31 ad interim:* Vgl. zu 112, 30.
980 *6 apporte:* bring her. – *18 last dying Speech:* S. zu 977, 28. – *21 Ideen-Vorrat:* Diesen Ausdruck gebraucht Lichtenberg auch 412, 1. – *21f. Er tut und denkt und fühlt ... alles, was man will:* Zu diesem Gedanken vgl. 447, 15f. 448, 1. – *27ff. So sieht der Mensch ... Mülleresels steht:* Diese Passage ist fast wörtlich L 17 entlehnt. – *28 Linnés Adreß-Kalender:* Gemeint ist dessen »System der Zoologie«, das sämtliche Lebewesen wissenschaftlich mit lat. Gattungs- und Artnamen benannte; über Linné vgl. zu A 22. – *36 aktiv zu nichts, passiv zu allem entschlossen:* Zu Lichtenbergs beliebter Bildung mit »aktiv« und »passiv« vgl. zu 443, 33 ff. – *37 armen Teufel:* Vgl. zu 214, 31. – *37f. Orateur du genre humain:* Redner des Menschengeschlechts; so nannte sich Anacharsis Cloots; vgl. L 200.
981 *15 armen Teufel:* Vgl. zu 214, 31. – *21 Überwucht:* Vgl. zu 916, 37. – *35 4 Fuß 6 Zoll:* Zu diesen Längenmaßen vgl. zu 25, 1f.

982 *8 Retraite:* Rückzug. – *21 vis-à-vis:* gegenüber. – *38 Mal de midi:* wörtlich: Mittags-Übel; diese Anekdote ist H 163 entnommen und bereits in der Kalender-Erklärung von Hogarths »Heirath nach der Mode« im Göttinger Taschen Calender für 1786, S. 149, verwertet.

983 *15 Familien-Meridometer:* Diese Wortprägung geht, leicht verändert, auf L 332 zurück; eine ähnliche Wortbildung begegnet auch 775, 11. – *22f. Middlesexischer Fünf und vierziger:* reinstes Themse-Wasser. Middlesex: ehem. Grafschaft in Südengland, heute zu Greater London gehörig; s. auch E 208. L 237. – *29 arme Teufel:* Vgl. zu 214, 31.

984 *15 die Verse Churchills:* Der Zweizeiler entstammt Churchills »The prophecy of famine«, V. 328, wo es statt: *feed* heißt: *prey'd.* Lichtenberg zitiert den Zweizeiler schon F 123. Über Churchill vgl. zu F 123.

985 *11 anastomosieren:* Anastomose nennt man die Querverbindung von Blut- oder Lymphgefäßen, die zur Geflechtbildung führt. – *22 Konto-Buch (Ledger):* Vgl. zu 929, 9f. – *24 Interessen:* Vgl. zu 774, 4. – *25 Quart:* Vgl. zu 257, 23. – *30 Ipse fecit:* Er hat es selbst gemacht (gebraut).

986 *2 Punsch-Campane:* glockenförmige Punsch-Schale. – *9 Alderman:* Vgl. zu 914, 23. – *17f. speist man zu Mittage ... fünf Uhr:* Zu dieser engl. Sitte vgl. zu 690, 28f. – *22f. die Sonne in seinen Staaten nie unterginge:* Zu dieser Wendung vgl. K 151 und die Anm. dazu. – *23ff. Cockney ... Etymologie des Worts:* Die in der Fußnote angegebene Etymologie ist RA 131 notiert. – *35 Altstadt:* Zu diesem Ausdruck vgl. 914, 24.

987 *12 niederländischen Raffaels:* Über Raffael vgl. zu D 537. – *16 Teniers:* Über David Teniers vgl. zu TB 27. – *20 contenta:* Inhalte. – *25 Filtrier-Prozeß:* Zu diesem Begriff vgl. zu 442, 4. – *29 bekannten Verfahren:* Der Sage nach soll Kaiser Konrad III. im Jahre 1140 bei der Belagerung von Weinberg geschworen haben, jeden Bürger der Stadt umzubringen, der an die Wand pißt; trotzdem wurden die Männer durch die List ihrer Frauen gerettet. – *34 Bardolphs Nase beim Shakespeare:* Anspielung auf Shakespeares »Heinrich IV.«, I. Teil, III, 3, wo Falstaff den Bardolph »Ritter von der brennenden Lampe« nennt.

988 *2 Cochonnerien:* Sauereien. – *32 Madam Garrick:* Eva Maria Violetti (1724–1822), Tochter eines Wiener Bürgers, die 1746 als Tänzerin in Haymarket nach London gekommen war. Garrick heiratete sie 1749.

989 *1f. Milton war bekanntlich ...:* Anspielung auf Miltons finanzielle Notlage; vgl. 927, 36. – *3 Avertissement im daily advertiser von 1750:* Diese Zeitung war mir nicht zugänglich. – *5 Herrn Lane zu Hillingdon:* Lebensdaten unbekannt. – *5f. 120 Guineen:* Vgl. zu 40, 35. – *8 European Magaz. April 1792:* Dieser Jahr-

gang der Zeitschrift war mir nicht zugänglich; über diese Zeitschrift vgl. zu 115, 33. – *10 der berühmte Boydell:* John Boydell (1719–1804), engl. Radierer, Verleger, zuletzt Lord-Mayor von London, gab Stichfolgen nach bekannten Meistern heraus, so vor allem nach den von ihm bei engl. Malern in Auftrag gegebenen Gemälden seiner »Shakespeare Gallery«. – *11 einer Nachricht zufolge:* Lichtenberg entnahm sie, wie aus L 131 hervorgeht, dem Frankfurter »Ristretto« 1797, 34. Stück. – *13 Bankier ... Angerstein:* John Julius Angerstein (1735–1823), russ. Herkunft, kam mit 15 nach London, berühmter Kunstsammler, Bankier und Gründer der Versicherungsgesellschaft Lloyd's in ihrer heutigen Form. Die Bilder gingen 1824 mit dem Rest seiner Sammlung in den Besitz der Londoner National Gallery über. Vgl. auch L131. – *14f. bei der Witwe des Künstlers ... 1775 selbst gekauft:* Über Mm. Hogarth s. zu 733, 13.

FLEISS UND FAULHEIT

Erstveröffentlichung und Satzvorlage: »G.C. Lichtenbergs ausführliche Erklärung der Hogarthischen Kupferstiche, mit verkleinerten aber vollständigen Copien derselben von E. Riepenhausen. Fünfte Lieferung. Göttingen im Verlag von Joh. Christ. Dieterich 1799«. IV und 235 Seiten.

Diese Lieferung umfaßt die Erste bis Sechste Platte. Da die gesamte Folge von »Industry and Idleness« jedoch zwölf Platten umfaßt, habe ich für die Siebte bis Zwölfte Platte auf die Erklärungen der »Folgen der Emsigkeit und des Müßiggangs« zurückgegriffen, abgedruckt im »Göttinger Taschen Calender« für 1792, S. 196–211.

Zur Entstehung: Am 11. Februar 1798 schreibt Lichtenberg an Eschenburg (IV, Nr. 736, S. 976): »Von *Industry and Idleness* hat Riepenhausen schon 4 Blätter fertig, und zwar in dem Format der Originale, der überhaupt kleiner ist als bei den vorhergehenden Stücken. Obgleich, wie Ew. Wohlgeboren finden werden, in gegenwärtigen Blättern Riepenhausen in den *Hauptfiguren* keinen Strich verfehlt hat: so werden Sie doch in jenen den Künstler bewundern müssen. Sie lassen sich von den Originalen nicht unterscheiden. Ob die Ostern davon etwas erscheinen wird, kann ich nicht sagen. Sollte aber dieses auch der Fall sein, so werden es nur 6 Blätter von den 12 sein, aus denen die Geschichte besteht.« Dieser Hinweis ist wichtig, beweist er doch, daß zwischen Verleger und Herausgeber von vornherein geplant war, die Fünfte Lieferung mit nur 6 Platten erscheinen zu lassen, so daß – wäre Lichtenberg nicht darüberhin gestorben – die Sechste

Lieferung aller Voraussicht nach 1800 die Fortsetzung von »Fleiß und Faulheit« mit den Platten 7 bis 12 gebracht hätte. Die Gründe für diese Zweiteilung sind nicht bekannt; vermutlich waren jedoch der zu gewärtigende Umfang und die damit verbundenen Kosten dafür ausschlaggebend.

Weitere briefliche Äußerungen über die Arbeit an dieser Folge sind nicht überliefert. Dafür besitzen wir – zumindest in Bruchstükken – ein Materialheft aus dem Winter 1798 (MH), Werk-Notizen im Sudelbuch L und Vermerke, zumindest für den Januar und Februar 1799, in SK. Die Notizen im Sudelbuch L umfassen in etwa den Zeitraum Ende Januar 1798 (L 360) bis Anfang Januar 1799 (L 676). Am 6. Januar 1799 schreibt Lichtenberg – noch immer – an der Dritten Platte (SK 1005), die er am 8. Januar 1799 beendet (SK 1007). Am 29. Januar vollendet er die Fünfte Platte (SK 1028). Am 2. Februar 1799 schließlich studiert Lichtenberg Maitlands »History of London«, die er in der Sechsten Platte verarbeitet (SK 1032). Dies ist der letzte Hinweis auf Lichtenbergs Arbeit an dieser Folge, die er selbst nicht mehr gänzlich beenden konnte.

Nach Dieterichs »Vorerinnerung«, die vom März 1799 datiert ist (s. S. 992), kann man annehmen, daß die Lieferung noch im gleichen Monat – zur Ostermesse richtig – erschien.

Rezension: Eschenburg in »Allgemeine Literatur-Zeitung« 1804, Bd. 1, Sp. 11–16.

992 1 *Verlegers:* Johann Christian Dieterich; über ihn vgl. zu B 92. – 15*f. seit dreißig Jahren:* Der erste schriftlich überlieferte Hinweis auf die Bekanntschaft zwischen Lichtenberg und Dieterich findet sich TB 14 (vom 20. Juli 1771) und in einem Brief an ihn (IV, Nr. 7, S. 18–21) vom 19. April 1770. – 18*f. Diese fünfte Erklärung ... noch beinahe ganz besorgt:* Vgl. Lichtenberg an Eschenburg (IV, Nr. 736, S. 976): »... so werden es nur 6 Blätter von den 12 sein, aus denen die Geschichte besteht.« – 19*f. den letzten Bogen ... ein Freund von ihm und mir zum Druck befördert:* Der letzte Bogen, korrekt gerechnet, zählt von S. 220 der Satzvorlage, beginnend mit der Zeile: »Einer der schönsten Züge auf diesem Blatte ...« (S. 1047); vermutlich meint Dieterich jedoch nur die von dem Herausgeber hinzugefügten Partien ab S. 226 (1049). Wer der gemeinsame Freund und Herausgeber des letzten Bogens ist, läßt sich nur vermuten; da es sich mit Sicherheit um einen in Göttingen Lebenden handeln muß, wäre an Girtanner zu denken, der zunächst ja auch die Herausgabe des »Kalenders« übernahm. S. auch S. 1049. – 21*f. die Platten zur sechsten Lieferung ... von Herrn Riepenhausen schon vollendet:* Gemeint sind die Platten 7 bis 12 von »Fleiß und Faul-

heit«; über Riepenhausen vgl. zu J 993. – *23 f. die Erklärung dazu aus Lichtenbergs Nachlasse:* 1800 erschien mit Vorrede vom Februar eine Sechste Lieferung, welche die Erklärung der sechs restlichen Platten brachte, aber nur im Abdruck aus dem Taschenkalender für 1792 (mit angehängten Zusätzen eines ungenannten Herausgebers), da sich in Lichtenbergs handschriftlichem Nachlaß nichts von einer Fortsetzung fand. Die auf Veranstaltung des Verlegers Dieterich noch weiter erschienenen Lieferungen 7–12 (1801–16) enthielten den Wiederabdruck der noch übrigen in den verschiedenen Jahrgängen des Kalenders erschienenen Stücke nebst einigen beigefügten Stücken vom jeweiligen Herausgeber. 1833 folgte noch eine 13. Lieferung, verfaßt von J. P. Lyser.

993 *6 richtiger durch Emsigkeit und Müßiggang gegeben:* Entsprechend hatte Lichtenberg die Kalender-Erklärung von »Idleness and Industry« so betitelt: »Die Folgen der Emsigkeit und des Müssiggangs«; s. auch 783, 20 f. – *18 f. Chevalier d'Industrie:* Vgl. zu 835, 40. – *22 f. Horace Walpole ... in der Schrift:* Gemeint ist o. c. Vol. IV, p. 73. Lichtenberg zitiert die Worte womöglich nach Nichols a. a. O. S. 231. – *22 ff. Walpole ... zuweilen hier und da:* Diese ganze Passage ist, nur geringfügig erweitert, wörtlich GTK 1792, S. 185–186, entnommen. – *29 wie Nichols anführt:* Gemeint ist a. a. O., S. 231. – *32 Fabrikanten:* Noch im 19. Jh. als Bezeichnung der Arbeitenden, nicht der Besitzenden in bestimmten Berufszweigen gebräuchlich. – *33 Ggr.:* Abk. für: Gute Groschen; vgl. zu 239, 12.

994 *2 Paulus vor dem Felix, in Rembrandts Manier:* Hogarth hatte 1748 auf Bestellung für Lincoln's Inn in London das großformatige Historiengemälde »Paul before Felix« geschaffen, das den Apostel Paulus darstellt, wie er dem römischen Prokurator Judäas namens Felix ins Gewissen redet. Von diesem Gemälde hat Hogarth eine Kupferstichplatte graviert, die er 1752 der Öffentlichkeit übergab, vorher (1751) aber in Selbstverspottung sein Paulus-Bild ins Burleske travestiert und in der von ihm verachteten Manier der alten Meister, »in Rembrandts komischer Manier« (›in the ridiculous manner of Rembrant‹), wie er es selbst benennt, das Blatt gezeichnet und radiert. – *6 ff. Verfasser der herumstreichenden ... Bartholomäus-Markts:* Zu den »Herumstreichenden Komödiantinnen« vgl. oben S. 323; den »Ausmarsch der Truppen nach Finchley« hat Lichtenberg im »Göttinger Taschen Calender« für 1789; die »Parlaments-Wahl« in drei Szenen im »Göttingischen Taschen-Kalender« für 1788 erklärt; die erste Szene: »Der Wahlschmaus« hatte Lichtenberg bereits im Kalender für 1787 behandelt; mit dem »Bartholomäus-Markt« ist doch wohl »Southwark-Fair« gemeint, den Lichtenberg im Kalender für 1793 auslegte. – *8 f. seltsame Genie*

dieses ungewöhnlichen Mannes: Vgl. oben S. 322. – *12f. Mangel desselben ... im Gesuchten:* Vgl. zu 665, 14. – *20 eine Art von Platt reden:* Vgl. zu 397, 14. – *31 Spittalfields:* Londoner Viertel zwischen Bishops-Gate und Commercial Street. – *33 Porterkruge:* Vgl. zu 676, 4.

995 *14f. Luft-Bad-Orden:* Diese Umschreibung für Galgenbrüder ist zugleich eine scherzhafte Anspielung auf den Bath-Orden, The most honourable order of the bath: einen engl. Verdienstorden, angeblich 1399 gestiftet. S. auch 1024, 6. – *17 Lord Mayor:* Titel des Oberbürgermeisters von London. – *19 Mansion-Haus:* Amtssitz des jeweiligen Lord Mayor im Herzen der Londoner City. – *21f. dreifußförmigen, luftigen Ordens-Anstalt:* Zu dieser Wendung vgl. zu 940, 23. – *37f. Antike ... Versteinerung derselben:* Diese Wendung begegnet auch L 590; zu dem Gebrauch des Ausdrucks »Versteinerung« vgl. zu 155, 29.

997 *3 de Te fabula narratur:* Vgl. zu 898, 34 f. – *10 Alles was lebt und webt:* Anspielung auf 1. Mos. 1, 21. – *16 Vor mehr als fünf und zwanzig Jahren ...:* In den Sudelbüchern findet sich kein Hinweis auf diese Lektüre. – *17f. Apoll mit den neun Musen ... von Vanloo gemalt:* Über Jakob van Loo vgl. zu F 362. – *24 Ludwig den XV.:* Über ihn vgl. zu A 119. – *30f. anamorphisiert:* Anamorphose nennt man eine gesetzmäßig verzerrt gezeichnete Darstellung und Vorlage, die nur durch Sichtwinkelveränderung unverzerrt erscheint. In der Malerei des 17.Jhs. war sie große Mode. – *39 polyedrischen Gläser:* griech.: ›vielsitzig‹; von Vielecken begrenzte geschlossene Fläche oder der von dieser begrenzte Körper; s. auch C 311. F 72.

998 *6f. Gesichter ... wie Empfehlungsschreiben und Steckbrief:* Von »Steckbrief-Gesicht« redet Lichtenberg L 607. – *24ff. Madame Piozzi ... sagt in jenen Reisen:* Die den Frankfurt und Mainz 1790 erschienenen »Bemerkungen auf der Reise durch Frankreich, Italien und Deutschland«, Bd. I, S. 400, entnommene Passage notiert Lichtenberg J 835; über Hester Lynch Thrale Piozzi vgl. zu J 827. – *25 Boswells Leben des Dr. Johnson:* Über Boswell vgl. zu KA 200; über seine Johnson-Biographie s. zu 692, 33 ff. – *27 Caracalla:* Über ihn vgl. zu J 835. – *31 einzelne Soldaten zu ganzen Bataillons ... vervielfältigen:* Diesen Gedanken notiert Lichtenberg bereits in C 311, s. auch F 72. – *38 Sternen-Nebel und Infusions-Tierchen:* Anspielung auf die Entdeckungen vermöge des Teleskops (Herschel) und Mikroskops (Leeuwenhoeck).

999 *9 Titus:* Über ihn vgl. zu 612, 29. – *13 nach Tertullians Bericht:* Tertullian erwähnt Caracalla, d. i. Marcus Aurelius Antoninus in »Adversus Marcionem« I, 19, 2–3. Über Tertullian vgl. zu C 128. – *33f. A la Titus ... Frisuren:* Tituskopf: weibl. Haartracht der Directoire- und Empirezeit; kurz gehaltener, wirrer

Lockenkopf nach einer Büste des röm. Kaisers Titus. – *37 Tillemont:* Sebastian le Nain (1637–1698), frz. Geistlicher und Historiker.
1000 *11 Favorit-Pfeifchen:* Zu dieser Wortbildung vgl. zu 594, 33 f. – *22 dreifarbige Nase:* Dieser Ausdruck ist L 458 entnommen; im übrigen vgl. zu 93, 5.
1001 *7 ff. den wichtigsten Maschinen ... Mehl-, Papier- und Kaffeemühlen, den Staatsmaschinen und Bratenwendern:* Zu diesem Gedanken vgl. D 773. Zu dem Ausdruck »Bratenwender« vgl. zu 212, 20. – *11 f. ex officio:* Vgl. zu 183, 7. – *19 vel quasi:* Zum Schein. – *22 f. Respondenten:* wörtlich: Antwortender; bei der ma. Doktordisputation derjenige, der seine Thesen zu verteidigen hat. – *29 ff. Der Gedanke Hogarths ... etwas sehr Drolliges:* Vgl. oben S. 321.
1002 *1 den Taugenichts ... weiter promovieren:* Zu dieser Wendung vgl. zu 902, 21. – *9 Whittington:* Über ihn vgl. zu L 522, s. auch MH 2. – *10 Moll Flanders:* Über sie vgl. zu L 309; s. auch 971, 31; nach GTK 1792 hat Lichtenberg diese Kenntnis aus Trusler. – *16 f. epidemisch:* Vgl. zu 379, 32. – *17 f. D. Faust und der höllischen Katze:* Über ihn vgl. zu B 70. – *35 Franklin:* Über ihn vgl. zu A 227.
1003 *18 arme Teufel:* Vgl. zu 214, 31. – *36 f. Moorfields:* Vgl. zu 910, 27. – *38 Altstad:* Zu diesem Ausdruck vgl. zu 914, 24. – *38 Bow Church:* St. Mary-le-Bow in Cheapside verdankt ihren Namen »Heilige Maria auf den Pfählen«, daß sie vor 900 Jahren auf den ›Bow‹- oder ›Arches‹-Resten eines röm. Tempels errichtet wurde; berühmt wegen ihrer 12 Glocken, die im MA allabendlich um 21 Uhr geläutet wurden, wenn die Lehrlinge schlafen zu gehen hatten.
1004 *6 Revolution:* Vgl. zu 110, 32. – *11 ut ... la:* Der Gedanke ist MH 2 entlehnt; im übrigen vgl. zu 780, 3. – *18 Schleichhandel:* Zu diesem Ausdruck vgl. zu 587, 28. – *20 Turn again, Whittington:* Diesen Zweizeiler zitiert Lichtenberg auch MH 2. – *27 f. zu Richmond, als ich eben da war:* Gemeint sein kann nur die erste Englandreise 1770: am 22. April 1770 besuchte Lichtenberg auf Empfehlung des engl. Königs Georg III. das Observatorium in Richmond. – *28 ein gewisser Herr Gardner:* Diese Begebenheit hat Lichtenberg E 407 notiert, wo er den Namen allerdings: Gardiner schreibt. Lichtenberg erwähnt ihn auch in einem Brief an Kästner (LBl, Nr. 73, S. 130–131) vom 24. Mai 1773: »Herr Professor Kulenkamp hat mir in Hannover einen Bogen gegeben, den er aus England mitgebracht hat, der in forma patente eine Betrachtung der Bewegung des Monds um seine Axe enthält, welche von dem Verfasser, der sich Gardiner nennt und in Richmond lebt, geläugnet wird.« – *33 f. ein altes Studentenlied, das mit All mein Leben lang anfängt:* Dieses Lied

findet sich in C. W. Kindlebens »Studentenlieder«-Sammlung von 1781 nicht. – *41 Vernier:* nach dem frz. Naturwissenschaftler Pierre Vernier, der 1631 einen für die Längenmessung benutzten Hilfsmaßstab erfand, der zum Ablesen von Zehnteln der Einheiten des betreffenden Hauptmaßstabes geeignet ist; heute der Name ›Nonius‹ (nach dem Portugiesen Nuñez) gebräuchlich.

1005 *15 wer ... weiß sich so frei von ... Aberglauben:* Zu dieser Passage vgl. MH 2; zu Lichtenbergs privatem Aberglauben vgl. G 233. H 42. K 93. 121. – *38 Daktylen:* Vgl. zu 873, 40.

1006 *5 kleine Ausschweifung:* Vgl. zu 65, 1 und 662, 19f. – *36 Richards II.:* Über ihn vgl. zu E 142. – *36 Sheriff:* Vgl. zu 914, 24.

1007 *11 f. promovierten Kammer-Jäger:* Vgl. zu 902, 21. – *35 Richard II:* Über ihn vgl. zu E 142. – *35 Heinrich IV:* Über ihn vgl. zu RA 111. – *36 Heinrich V.:* Über ihn vgl. zu 695, 28 f.

1008 *26 Guildhall:* das über 500 Jahre alte Rathaus der City von London; in seiner großen Halle werden alljährlich der Lord Mayor, die Sheriffs und die Stadtverordneten gewählt; s. auch 1050, 34. – *26 Newgate:* Vgl. zu 708, 13.

1009 *8 Galgen-Boiserie:* Boiserie: Holztäfelung. – *9 ff. eine Lebensbeschreibung von ihr ... durchgesehen:* Womöglich meint Lichtenberg Defoes »Moll Flanders«, erschienen London 1722; über sie vgl. zu L 309; s. auch 971, 31. 1002, 10. – *10 Oktav-Bändchen:* Vgl. zu 23, 26. – *15 Gradus ad patibulum:* Gang zum Marterholz; diese Wendung ist L 659 entlehnt. Das »schwere Wort Patibulum« erwähnt Lichtenberg auch in ›Cagliostro‹ (GTK 1792, S. 175). – *16 Gradus ad Parnassum:* Vgl. zu 377, 35. – *19 Arnold King:* Lebensdaten unbekannt. – *21 Sprüchen Salomons:* Lichtenberg zitiert sie auch 1054, 12 ff. 1055, 37 f. 1059, 17. 1060, 36 ff. Über Salomon vgl. zu KA 226.

1010 *13 f. Das Dutzend Blätter ... erinnert an zwölf Monatskupfer:* Als Monatskupfer hat Lichtenberg in der Tat seine Folge von »Tugend und Laster« im »Göttinger Taschen Calender« für 1780 von Chodowiecki stechen lassen. – *18 Bilder-Bibel:* mit Abbildungen geschmückte Bibeldrucke, die sich im 15. Jh. aus der Biblia pauperum entwickelten. Lichtenberg erwähnt mehrfach die von Weigel; vgl. 835, 20 f.

1011 *7 f. Schlaf, der ... Halbbruder des Todes:* Vgl. 80, 31 und die Anm. dazu. – *15 Wellenlinie seines Haares:* Zu diesem Begriff vgl. zu 529, 3. – *17 edle Einfalt:* Zu diesem Begriff vgl. zu 939, 38. – *23 Submissions-Zeichen:* Zu dieser Wortbildung vgl. zu 672, 21. – *26 f. Fäuste werden ... in der Tasche gemacht:* Zu dieser Wendung vgl. G 178. J 57. – *27 f. keine Hand ... auf das Herz gelegt:* Zu dieser Wendung vgl. zu 925, 25.

1012 *2 Naturheiligen:* Dieser Ausdruck begegnet auch GH 9 bezüglich Peter des Großen. – *12 Schlagweite, würde ein Elektriker sagen:* die Entfernung, welche ein Blitz oder elektrischer Funken überspringt. Das DWB, 9, 427, führt nur Belege aus Jean Paul an. – *22 das Register vox humana:* ›menschliche Stimme‹, auf der Orgel eine Zungenstimme, die die menschl. Gesangsstimme nachahmen soll; Lichtenberg entlehnt die Wendung J 686. – *37 Linn.:* D.h. nach Linnés Klassifikation; über ihn vgl. zu A 22. – *37 f. Flügeln der Andacht:* Zu dieser Wendung vgl. zu 678, 9.

1013 *14 Non-Existenz:* Zu den Wortbildungen mit »Non« vgl. zu 223, 35. – *14 ein Du Du:* auch Pronte, Walghvogel genannt, lebte vormals nach Blumenbach auf der Isle de France und Bourbon, wegen seiner Schwerleibigkeit und Langsamkeit ausgestorben. – *18 der anonyme Erklärer:* Gemeint ist o.c., p. 50. – *27 publice:* öffentlich. – *28 Reparation d'honneur:* Vgl. zu 962, 41. – *30 f. Habichtsnase:* Vgl. zu 430, 21. – *38 Blumenbachs Naturgesch. 5te Auflage. 1797:* Gemeint ist das »Handbuch der Naturgeschichte«, das in Göttingen bei Dieterich erschien. Über Johann Friedrich Blumenbach vgl. zu D 482.

1014 *13 Sayer:* Über ihn vgl. zu 352, 14 f. – *18 Krystallisation:* Zu diesem Begriff vgl. zu J 1295. – *21 in aufsteigender Linie:* Vgl. zu 369, 4 f. – *24 f. zu einem Embryo ... zusammenschwände:* Zu diesem Gedanken vgl. J 547 und Briefe (IV, S. 792) vom 20. April 1791.

1015 *24 Zykloide:* Vgl. zu 9, 32 ff. – *29 Friktion:* Zu diesem Begriff vgl. zu 13, 3. – *30 f. Meisterstück der Schöpfung:* Vgl. zu 286, 20 f. – *31 pontificalibus:* Vgl. zu 769, 20.

1016 *27 f. Religion ... eine bloße Sonntags-Affaire:* Diese Wendung ist L 368 entnommen. – *31 ff. Außer dem seinen Nächsten lieben ... keinen Gottesdienst:* Das ist Lichtenbergs eigenes Glaubensbekenntnis, wie aus einem Brief an Amelung (IV, Nr. 508, S. 661) vom 24. März 1786 hervorgeht; s. auch H 156. – *37 heiliger Börsen-Besuch:* Zu diesem Ausdruck vgl. J 742, wo der – jüdische – Gottesdienst einem »Börsen-Geschäft« verglichen wird.

1017 *3 f. vorfährt und eine Karte ... abgibt:* Dieser Gedanke ist H 91 entnommen. – *4 pour entendre sermon:* um Predigt zu hören. – *10 Hazardspiel:* Vgl. zu 442, 22.

1018 *4 So entstanden Kirchhöfe:* »Wie Gottesäcker auf Kirchhöfen und Begräbnisse in den Kirchen entstanden sind«, lautet der Titel eines Artikels, den Lichtenberg im »Göttinger Taschen Calender« für 1790, S. 81–91, nach einer Untersuchung von Grellmann referiert; vgl. auch L 360. 624. – *16 geistischer:* Vgl. zu 228, 20. – *33 Stick-Gas:* Vgl. zu 873, 15. – *34 Wasserstoff-Gas:* Vgl. zu 65, 31: *inflammable Luft.* – *35 f. berühmten Städtchen:* Gemeint ist, wie aus J 622 hervorgeht, Göttingen.

1019 *1 Labre:* Benedict Joseph, der heilige Labré (1748–1783), ein armer Pilger und Bettler, gelobte unter Ludwig XV., als höfische Prunk- und Genußsucht ihren Höhepunkt erreicht hatten, ein Leben äußerster Entsagung zu führen. S. auch Rebmann (Insel) S. 58. – *3 Franziskaner-Fuß:* Über Franziskaner vgl. zu 478, 29; zu der Wortbildung vgl. zu 772, 34. – *27 verehrungswürdiger Z...:* Die Anspielung ist unklar: um einen Rezensenten der Hogarth-Erklärungen kann es sich schwerlich handeln; vermutlich handelt es sich um eine briefliche Äußerung, vielleicht von Zachs? – *30 Theophilanthropen:* wörtlich: Gottmenschfreunde. – *32 in effigie:* Vgl. zu 766, 10. – *34 Caracalla:* Über ihn vgl. zu 998, 27. – *35f. Salomons gerechtem Urteil gemäß:* Vgl. 970, 34 und die Anm. dazu. – *36f. oneribus entomologicis:* wörtlich: insektenkundlichen Lasten; gemeint ist: Plagen durch Ungeziefer.

1020 *6 Quadrille-Partie:* Quadrille: ein dem L'hombre vergleichbares Kartenspiel, das mit 4 Personen gespielt wurde; s. auch L 336. – *10 Hazardspielen:* Vgl. zu 442, 22. – *18 der Abbé Paris:* Gemeint ist vermutlich François de Paris (1690–1727), frommer Diakon in Paris, berühmt wegen der angeblichen Wunder und Wunderheilungen, die auf seinem Grabe bewirkt worden sein sollen. – *23 einer der drolligsten Einfälle Hogarths:* Zu Lichtenbergs Charakteristik des Künstlers vgl. oben S. 321. – *27 de mortuis... bene:* Über die Toten nur Gutes. Ein Spruch der Sieben Weisen; der Ursprung der lat. Version ist nicht bekannt. – *31 Worten unseres verewigten Henslers:* Die Worte Henslers zitiert Lichtenberg bereits in der Kalender-Erklärung (GTK 1792, S. 191), er erwähnt den Zweizeiler auch L 360; über Hensler vgl. die Anm. dazu.

1021 *1f. Im Reiche der Lumpen machen... Kleider Leute:* Zu dieser Wendung vgl. MH 3; s. auch 952, 35f. – *2 ein Herr Diener:* Zu dieser Wendung vgl. zu 352, 14ff. – *18 ad interim:* Vgl. zu 112, 24. – *22 Codille:* aus dem Spanischen stammender Begriff des L'hombre-Spiels; hier svw.: ausgestochen werden. – *27 membre de plusieurs académies:* Mitglied mehrerer Akademien. – *28 mikroskopischen Augen- und Gemüts-Weide:* Anspielung auf den Titel »Mikroskopische Gemüths- und Augen-Ergötzung ...« von Martin Frobenius Ledermüller; das Werk ist zu A 78 genauer nachgewiesen. – *29 in Kupfer stechen ... lassen:* Zu dieser Wendung vgl. zu 785, 37. – *30f. oculi... oculus:* Zwei Augen sehen mehr als ein Auge.

1022 *3 Labre:* S. zu 1019, 1. – *10 Kümmel-Ecken:* die äußerste Spitze des Ellenbogengelenks. Lichtenberg gebraucht den Ausdruck auch D 94. H 7. Diesen Beleg führt DWB, 5, 2591, an. – *17 Memento mori:* Vgl. zu 694, 25. – *18 dieser Kopf nichts weniger als eine Karikatur:* Vgl. oben S. 321. – *18f. wer London nicht kennt:* Über den dortigen Reichtum an Physiognomien berichtet Lichtenberg auch RA 7. – *33 Der Herausgeber... Ge-*

legenheit gehabt: Vgl. zu 261, 19f. – *35f. Zu solchen Noten wäre hier kein Text:* Zu dieser Wendung vgl. F 171 und die Anm. dazu; s. auch L 191, ferner 1048, 29f. 1054, 7f.

1023 *11 Diese war eigentlich nicht platt:* Womöglich ist dies die Beschreibung jenes Gesichts, das Lichtenberg RA 181 zu zeichnen versucht hat. – *14 radices:* Wurzeln. – *26 Augen, wie ein Paar Stilette:* Diese Wendung notiert Lichtenberg in K 244. – *35f. künstliche Verstümmelung:* Zu diesem Gedanken und Ausdruck vgl. J 41 und K 270; s. auch 1024, 7f. – *38f. in linea recta descendente:* Vgl. zu 369, 4f.

1024 *6 Halsband-Orden:* Zu diesem Ausdruck vgl. zu 995, 14f. – *6f. inokuliert:* Zu diesem Ausdruck vgl. zu 416, 34. – *7f. künstlichen Verstandes-Verstümmelung:* S. zu 1023, 35f. – *15 Non-Gesicht:* Zu den Wortbildungen mit ›Non-‹ vgl. zu 223, 35. – *16 odiösen:* odiös: verhaßt, widerwärtig. – *28 Biegsamkeit:* Zu diesem Ausdruck vgl. zu 266, 34. – *29 Genie dieser großen Nation:* Zu Lichtenbergs Lobpreis auf England vgl. zu 189, 14.

1025 *4 ore rotundo:* mit rundem Mund. – *11f. Pappdeckel mit der Schere schneiden:* Ein ähnlicher Gedanke begegnet L 504 und MH 15. – *15 Posaunen-Ton des letzten Tages:* Zu dieser Wendung vgl. zu 824, 8.

1026 *6 in dubio:* Vgl. zu 802, 8. – *18 Methusalem-Tees:* Über Methusalem vgl. zu L 355. – *18 Elixir proprietatis:* Elixier des Besitzes (von ewigem Leben?). – *20 Die bekannten Ausleger des Hogarth:* Über sie vgl. 666, 8ff. Zu Lichtenbergs Kritik an ihnen vgl. zu 787, 12f. – *34 der berühmte van Helmont:* Über Johan Baptista van Helmont vgl. zu E 53; ob das dort erwähnte »Feuerwasser« mit dem hier genannten Elixier identisch ist, war nicht zu ermitteln.

1028 *6f. künftigen Theorie der hogarthischen Romane:* Vgl. oben S. 321. – *8f. Übergänge von einem Folio-Blatt ... durch Duodez-Blättchen:* Ähnliche Wortspiele begegnen L 530. 534. Folio: seinerzeit gebräuchlich für das Papierformat 21 × 33 cm (Kanzleiformat). Zu Duodez-Blättchen s. zu 411, 18. – *9f. Vignetten-Form:* Den Ausdruck gebraucht Lichtenberg auch C 114; s. ferner in den Briefen (IV, S. 179): »Vignetten-Manier«.

1029 *4 Aneignungs-Mittel:* Vgl. zu 745, 3. – *7 Glückseligkeits-Triangel:* Ähnlich bildet Lichtenberg in J 518 »Religionstriangel«. – *29f. so was können wir auch, hätte es geheißen:* Diese Wendung gebraucht Lichtenberg auch in einem Brief an Goethe (IV, Nr. 700, S. 938) vom 15. Januar 1796, ferner K 263. – *32 Herzlichkeits-Vakuum:* Zu dieser Wortbildung vgl. zu 879, 35ff. – *37 Amant:* Zu diesem Ausdruck vgl. zu 410, 38f.

1030 *9 Er zog seinen rechten Handschuh ...:* Diese Anekdote ist Materialheft I, Nr. 6, notiert. – *20 Altstadt:* Zu diesem Ausdruck vgl. zu 914, 24. – *25 Ableiter gegen den ... Strahl der Zwang-Wetter:*

Zu diesem Ausdruck vgl. zu 130, 1 ff., s. auch 338, 12 und die Anm. dazu. – *35 Malteser-Kreuz:* nach dem Malteser-Ritterorden benanntes achtspitziges Kreuz, dessen Form seit 1578 zum Vorbild vieler Ordenszeichen wurde. – *36 Andreas-Kreuz:* Vgl. zu 931, 2. – *37 Haus-Kreuz:* Lichtenberg gebraucht den Ausdruck auch B 96.

1031 *3 Excrescenzen:* Auswüchse, Wucherungen. – *6 Nägel oder Schrauben-Köpfe:* Vgl. 93, 5. – *14 Nos poma:* Die Herkunft dieser Worte, die doch wohl einen Vergleich unserer Nase mit einer Frucht darstellen sollen, war nicht feststellbar. – *26 Whittingtons Rips und Glück:* Vgl. 1002, 9 und die Anm. dazu; zu dem Namen *Rips* vgl. zu 830, 1. – *30 epinösen:* Zu diesem Adjektiv vgl. zu 678, 27. – *33 Cheapside:* einst der Markt von London, heute der Name der Citystraße zwischen St. Pauls Cathedral und Bank. Lichtenberg beschreibt die Straße in einem Brief an Baldinger (IV, Nr. 102, S. 210–212) am 10. Januar 1775. – *33 Cornhill:* berühmte Verkehrsader Londons, früher Zentrum des Getreidehandels, jetzt Bankzentrum.

1032 *5 personifizierte Industrie:* Vgl. zu 993, 18 f. – *13 deutsche Übersetzerei:* Darüber mokiert sich Lichtenberg auch E 186. L 628; vgl. auch 508, 36. – *15 mit Makulatur auszustopfen:* Vgl. zu 377, 26. – *23 unser Caracalla:* Vgl. 998, 28. – *25 über den Acheron oder Styx gesetzt:* nach der antiken Mythologie der Totenfluß, über den Charon die Seelen der Verstorbenen in den Hades beförderte.

1033 *21 Definition von einem bösen Buben:* Vgl. dazu Lichtenbergs witziges Aperçu G 172. – *22 f. durch See-Reisen besser geworden ... wie bekanntlich der Madeira:* Worauf diese Meinung beruht, ist mir unbekannt; über Fliegen in Madeira Franklin zufolge handelt Lichtenberg in GTK 1780, S. 86. – *27 Cook:* Über James Cook vgl. zu D 141. – *28 unter der Linie:* D. h. unter dem Äquator.

1034 *20 Mißgeburt:* Zu diesem Ausdruck vgl. zu 225, 36 ff. – *28 das Hahnrei-Zeichen:* Vgl. auch 717, 38. – *38 f. Matrone von Ephesus:* ein Schwank, dessen Titel auf eine Erzählung des röm. Schriftstellers Petronius im »Satyricon« zurückgeht und in der europäischen Literatur wiederholt behandelt wurde (z. B. von Lessing 1781).

1035 *19 f. Telegraphe:* Vgl. zu 764, 11 f. – *22 Freiheits-Bäumchen:* Der Vergleich des Freiheitsbaums (vgl. darüber zu J 1148) mit einem Galgen findet sich L 494. 495 notiert. Zur Sache s. zu 477, 25. – *30 Lavater, in dessen physiognomischen Fragmenten:* Gemeint ist das »XI. Fragment. 8. Zugabe. Von der Harmonie«, die unter der Überschrift steht: »Der tiefste Grad der menschlichen Lasterhaftigkeit, nach Hogarth.« Zit. nach der ersten Ausgabe, Leipzig und Winterthur 1775, S. 100–101. – *34 grimmig-hä-*

mischen: Druckfehler oder Schreibfehler Lichtenbergs, der auch im übrigen nicht immer orthographisch getreu zitiert; bei Lavater steht: *grimmighönischen.*

1036 *7 moralisch-taub Gebornen:* »moralisch blind« formuliert Lichtenberg in den Briefen (IV, S. 450). – *8 Katze von neun Schwänzen:* bildliche Beschreibung einer in der Schiffszucht früher üblichen Peitsche, engl. the cat of nine tails. – *10 Whittingtons Katze:* S. 1002, 14f. – *19 Thetis:* Vgl. zu 98, 12. – *22f. der Charakter der Genies dieses Mannes in solchen Zügen:* Vgl. oben S. 322. – *32f. Ireland ... bei diesem Blatt ... Lavater zitiert:* Gemeint ist o.c. Vol. I, p. 261. Lichtenberg spricht davon abschätzig auch in einem Brief an Blumenbach (IV, Nr. 619, S. 820) vom 30. Juni 1792. – *39 Adelung (Art. Zerte):* Über Johann Christoph Adelung und dessen Wörterbuch vgl. zu 481, 11.

1037 *17 Zeichen des Krebses oder der Waage:* Anspielung undeutlich: das Tierkreiszeichen des Krebses (Sommerzeichen) wird in der Astrologie vom Mond – synonym für Wahnsinn –, das Zeichen der Waage (Herbstzeichen) von Venus beherrscht. – *21 Gemmen-Köpfchen:* Gemme: geschnittener Stein, vorwiegend Halbedelstein, mit vertieftem Bild. – *28 ein herrliches Volk:* Zu Lichtenbergs Lobpreis auf England vgl. zu 189, 14. – *29 pro Rege et grege:* für König und Volk; vgl. auch J 679.

1038 *4 am 1. August 1798:* Bei Abukir östlich von Alexandria vernichtete Admiral Nelson an oben genanntem Tag die frz. Flotte der Ägyptischen Expedition Bonapartes. Dieser Sieg machte England zum Herrn im Mittelmeer. – *28f. Der erste August ... ein merkwürdiger Tag:* Diese Zusammenstellung ist L 676 entnommen. – *30 Contades bei Minden geschlagen:* Louis Georges Erasme Marquis de Contades (1704–1795), frz. Marschall, seit Juli 1758 Oberbefehlshaber der frz. Rheinarmee im Siebenjährigen Krieg, mußte aber nach der Niederlage bei Minden durch Prinz Ferdinand von Braunschweig den Oberbefehl abgeben; vgl. auch in den Briefen (IV, S. 91–92). – *31 dephlogistisierte Luft (Gaz oxygène):* Mit dem ersten Begriff bezeichnete man nach der Phlogiston-Theorie, mit dem zweiten Begriff nach Lavoisiers Nomenklatur im 18. Jh. den Sauerstoff; über Joseph Priestley vgl. zu D 761. – *32 französischen (antiphlogistischen) Chemie:* Gemeint ist die durch Lavoisier und Fourcroy entwickelte wissenschaftliche Grundlage der modernen Chemie, die die ehemalige Phlogiston-Theorie ad absurdum führte.

1039 *21 Linon:* Vgl. zu 927, 12. – *32f. Telegraphik der Liebe:* Vgl. zu 764, 19f.

1040 *12f. Frage ... ob ein Frauenzimmer:* Diese Fragestellung ist

K 115 entlehnt; vgl. auch MH 8. – *27f. großen Konjunktionen:* vgl. zu 155, 35. – *32 unser Geschichtsmaler:* Dazu vgl. oben S. 321. – *38 des Apelles Schuster:* Vgl. zu 756, 34.

1041 *5 Hackmesser-Harmonika:* Dazu vgl. auch J 74. – *8f. Lied ... Ode:* Zu diesem Gedanken vgl. L 144. – *30 Chapeaubas:* Vgl. zu 749, 27.

1042 *15 Bauch tragen und zugleich dünne tun:* Die Wendung »dünne tun« ist F 1158 entlehnt. – *18f. Nürnberger-Ware:* Vgl. zu 192, 23. – *35 die Hämmer des Pythagoras:* Über ihn vgl. zu A 6.

1043 *1 mischen:* von mir verb. aus: mischt. – *6f. in einer italiänischen Oper eine Dido ...:* Gemeint ist die Oper »La Didone abbandonata« von Sarri; vgl. Lichtenbergs ausführlich-negative Kritik 346, 33. 363, 2. – *38 eine französische Geige ... zerknirschen:* Über Hogarths Gallophobie vgl. zu 672, 24. –

1044 *3 armen Teufels:* Vgl. zu 214, 31. – *18f. Säule ... zum Andenken des großen Londonschen Brandes von 1666:* das sogenannte »Monument«, die größte Steinsäule der Welt; weil es 202 Fuß von jenem brandstiftenden Backofen in der Pudding Lane errichtet wurde, hat es im Innern 202 Stufen. S. auch 1048, 2. 1049, 5f. – *37 No popery here:* keinen Papismus hier(zulande): Schlagruf des ›no popery riot‹, des von Lord Gordon am 2.–8. Juni 1780 erregten Aufstands in London gegen eine katholikenfreundliche Staatsakte von 1778. George Lord Gordon (1750–1793), engl. Politiker, Parlamentsmitglied in London; des Hochverrats angeklagt, 1781 freigesprochen, 1786 exkommuniziert, 1787 zum jüd. Glauben übergetreten. Lichtenberg erwähnt ihn auch im »Centifolium« 6 (GTK 1783, S. 93), in den Briefen (IV, S. 394) und J 1086; ferner in »Über Vossens Verteidigung« (a.a.O., S. 152).

1045 *2 Fluchpartikelchen:* Vgl. zu 787, 11. – *15 eingeschränkten Auster-Talente:* Von »Austerleben« spricht Lichtenberg L 483 und in einem Brief (IV, 669). – *20 Milcher:* männlicher, Milch führender Fisch. – *23ff. Hochzeiten ... unter die verbotenen Speisen gerechnet:* Diese Wendung ist K 206 entnommen. – *29 arme Teufel:* Vgl. zu 214, 31. – *29 Barden:* Vgl. zu 303, 7.

1046 *4 die sieben vereinigten Provinzen:* Vgl. zu 196, 3f. – *10 sogenannten Ohne-Hosen:* Vgl. zu 104, 38. – *12 Epithalamium:* bei Griechen und Römern ein Hochzeitslied, das junge Männer und Mädchen vor dem Schlafzimmer der Neuvermählten sangen. – *32f. plus très-humbleres und plus très obéissanteres:* très humble: untertänigster; très obéissant: gehorsamster. Parodie auf den superlativischen Stil der zeitgenössischen Dedikationen und Korrespondenz. – *33 humillimius:* ›untertänigsterer‹; Zusammensetzung von Superlativ und Komparativ. – *34 Autoren vor die Titel-Blätter ... in Kupfer stechen lassen:* Zu dieser Wendung vgl. zu 785, 37.

1048 *1 Fishstreet-Hill:* Zwischen Lower Thames Street und Eastcheap gelegene Straße in der Londoner City. – *2 Monument:* Vgl. zu 1044, 18f. – *9 schon bei ... Gelegenheit erinnert:* Daß die Schilder keine Wirtshäuser bedeuten, erwähnt Lichtenberg bereits 714, 16ff. – *10 Art von Telegraphen:* Vgl. zu 764, 19f. – *24 regionem hypogastricam:* Vgl. zu 677, 7. – *25 propositionem inversam:* umgekehrte Thema. – *29f. Note ... Text:* Vgl. zu 1022, 35f. – *30 hiermit mitten durch:* So weit hatte Lichtenberg sein Manuskript für den Druck verarbeitet, als der Tod (am 24. Februar 1799) seine Arbeit abbrach.

1049 *3f. Herausgebers dieses letzten Bogens:* Vgl. 992, 19f. – *5f. Nachricht von dem Monument:* Vgl. zu 1044, 18f. – *8 die trajanische:* Gemeint ist die berühmte Trajanssäule, 113 nach Chr. von Apollodorus von Damaskus in Rom errichtet, 30 m hoch. Über Trajan vgl. zu E 165. – *8f. antoninische zu Rom:* Vgl. zu GH 88. – *9 die theodosische zu Constantinopel:* Säule, die Theodosius I. auf dem von ihm angelegten Platz in Konstantinopel zum Preis seiner Taten errichten ließ. Flavius Theodosius (347–395), gen. der Große, seit 379 röm. Kaiser, vereinigte zum letztenmal das röm. Reich unter einheitlicher Herrschaft. – *23 Ulta:* Diesen Begriff kann ich nicht nachweisen. – *26 Wren:* Sir Christopher Wren (1632–1723), engl. Architekt und Astronom, nach Jones der größte Baumeister des engl. Klassizismus; auf ihn geht der Neubau Londons nach dem großen Brand zurück. Sein Hauptwerk: St. Paul's Cathedral (1672–1700). – *29 Karls des Zweiten:* Über ihn vgl. zu D 647. – *31 Urceus exit:* »Ein Krüglein kommt heraus«. Zitat nach Horaz, »De arte poetica«, v. 22. – *32 dorisch:* Die dorische Säule (älteste Beispiele um 625 v. Chr.), wohl mykenischer Herkunft, hat einen kannelierten Schaft ohne Basis, ein wulstförmig abgeschrägtes Kapitell (Echinus) und einfache quadratische Deckplatte (Abacus).

1050 *4 tut:* von mir ergänzt. – *19 diese Anlage:* von mir verb. aus: dieser Anlage. – *21f. Zeichnung dieses Monuments ... in Maitlands Werk:* Gemeint ist »The History of London from its Foundation to the Present Time« von William Maitland, erschienen London 1756 in 2 Bänden. Das Monument ist in Bd. 1, Tafel 33 als Kupferstich von W. H. Toms wiedergegeben.

Lichtenberg erwähnt das Werk auch SK 1032 (2. Febr. 1799); s. auch 1051, 14. Über Maitland vgl. die Anm. dazu. – *24f. der Rheinfall auf einem Lackier-Bildchen:* Vgl. 96, 6. – *27 Mutwillen:* Dazu vgl. oben S. 322. – *30 das größte Feuer:* Den Brand der Londoner City 1666 erwähnt Lichtenberg auch 192, 35. 805, 32. – *31 Herschel und Schröter im Monde ... sehen können:* Zu diesem Gedanken einer ›Telegraphik mit dem Monde‹ vgl. 764, 19 f; über Wilhelm Herschel vgl. zu J 259; über Johann Hieronymus Schröter zu J 1884. – *34 Guildhall:* Vgl. zu 1008, 26. – *34 Justicehall:* Westminster Hall, in der seit dem 13. Jh. bis 1882 die Obersten Richter Englands tagten; im übrigen vgl. zu 768, 35. – *38f. Theorien ... des Feuers:* Vgl. D 760 und die Anm. dazu

1051 *2f. mit beiden Nationen führte England damals Krieg:* Im ersten

Seekrieg gegen Holland (1665–1667) erweiterten die Engländer durch den Erwerb von Neu-Holland mit Neu-Amsterdam (New York) ihren Kolonialbesitz in Nordamerika. Durch den Verkauf Dünkirchens sicherte sich Karl II. Frankreichs Neutralität in diesem Krieg. – *4f. Cromwells so genannter Republik:* Über Oliver Cromwell vgl. zu KA 2. – *5 Karl II.:* Über ihn vgl. zu D 647. – *14 Aktenstücke, so weit sie Maitland erteilt:* Maitland berichtet über »The Fire of London« in Chapter XXXVIII, Vol. 1, p. 432–437 des zu 1050, 21 genauer nachgewiesenen Werks, wo Maitland verschiedene Zeugenaussagen und Darstellungen mitteilt. Über Maitland vgl. zu SK 1032: Lektüre des Werkes ist dort für den 2. Februar 1799 verbürgt. S. auch 1050, 21. – *19 SIEBENTES BLATT. G.:* Mit diesem Blatt beginnen die von mir aufgenommenen Erklärungen aus dem »Göttinger Taschen Calender« für 1792, S. 196–211. – *21 weltlichen Fastenschwalbe:* Zu diesem Ausdruck s. auch 1054, 31. 1056, 26 f.

1052 *3 Mosis Cap. 26. V. 36:* Gemeint ist das 3. Buch Mose, Kap. 26, V. 36: »Und denen, die von euch überbleiben, will ich ein feig Herz machen in ihrer Feinde Land, daß sie soll ein rauschendes Blatt jagen, und sollen fliehen davor, als jagte sie ein Schwerdt, und fallen, da sie niemand jaget.« – *8 Traktamente:* Bewirtungen. – *29 Spatium:* lat. Zwischenraum; im Buchdruck ein Anschlußstück von ein bis zwei typograph. Punkten Dicke zum Sperren einzelner Worte im Satz zur Hervorhebung. – *33 f. der Kuhstall ... heilsamer:* Die Kuhstalltherapie erwähnt Lichtenberg auch J 384. 385.

1053 *1 f. Sheriffsschmaus:* Vgl. zu 914, 24; s. auch 1066, 36. – *2 der französische Pastor (Platelle von Barnet):* Lebensdaten unbekannt. – *7 Studieren ... eine Art von geistischem Essen:* Zu diesem Gedanken vgl. F 203. – *7 geistischem:* Vgl. zu 228, 20. – *14 par procuration:* in Stellvertretung, im Auftrage. – *19 Pierische Quell:* In der Landschaft Pierien in Thessalien am Fuße des Olymp befand sich nach der griech. Mythologie der Sitz der Musen, dessen Quellen heilig waren. – *19 nach Popens Rat:* »Drink deep, or taste not the Pierian spring.« Zitat aus »An Essay on Criticism«, Z. 213. Über Alexander Pope vgl. zu A 94. – *22 f. Die Feinde der neuern Philosophie:* »S. 199 unten ist eine Stelle, die mich in einige Verlegenheit gesetzt hat. Im Manuskript stund *Freunde* der neuen Philosophie, allein, als ich die Stelle im Druck las, kam sie mir so beleidigend für einige meiner besten Bekannten vor, und das so ganz wider meine Absicht, daß ich, um keine Partei zu beleidigen und um kurz abzukommen, Feinde sezte, da sie denn beide wohl mit mir eins sein werden.« An Kant (IV, Nr. 607, S. 804) am 30. Oktober 1791. Zu der Wendung *neuern Philosophie* vgl. zu 200, 17. – *24 Metaphysik,*

die sich selbst auffrißt: Diese Wendung ist J 620 entlehnt. – *37 To the worshipful ...:* Euer Ehren.
1054 *1f. William Walworth:* Lordmayor von London, gest. 1385, verteidigte am 13. Juni 1381 London Bridge gegen Wat Tyler und tötete ihn am 15. Juni 1381 in Gegenwart Richards II., der ihn für diese Tat zum Ritter schlug. – *2 Richard den Zweiten:* Über ihn vgl. zu E 142. – *3 der berüchtigte Wat Tyler:* engl. Rebell gegen Richard II., am 15.6.1381 von Walworth getötet. – *6 Sayers Nachstich:* von mir verb. aus: Sayre's Nachstich; über ihn vgl. zu 352, 14f. – *7f. Noten des Übersetzers zu einem Werk:* Zu diesem Gedanken vgl. zu 1022, 35f. – *12 Sprüchw. Salom.:* Vgl. zu 1009, 21; über Salomon vgl. zu KA 226. – *22 Fleetstreet:* Eine Beschreibung dieser schon im 18. Jh. berühmten Londoner Hauptverkehrsstraße gibt Lichtenberg neben Cheapside in einem Brief an Baldinger (IV, Nr. 102, S. 210–212) vom 10. Januar 1775. – *23ff. wie Nichols ... versichert:* Gemeint ist o.c., p. 232. – *26f. auf dem dritten Blatte bei dem Grabstein:* Vgl. 1021, 10ff. – *31 Fastenschwalbe:* Vgl. 1051, 21.
1055 *2 Meisterstück der Schöpfung:* Vgl. zu 286, 20f. – *3 Pudelhunde und die Elefanten:* Zu dieser Zusammenstellung vgl. zu 278, 10. – *5f. unsre Welt für den Hospitalplaneten ... halten:* Diese Wendung ist H 161 entnommen; vgl. aber auch J 668. – *9 Promotion:* Vgl. zu 902, 21. – *15 ein damals berüchtigtes Mensch:* Ihr Name wird auch von den engl. Hogarth-Kommentatoren nicht mitgeteilt; im übrigen vgl. zu 747, 32f. – *19 habe ich einen Arzt reden hören:* Womöglich ist Marcus Herz gemeint; infrage kommen aber auch Lichtenbergs medizinische Bekannte Anschel, Girtanner, Richter, Sömmerring. Zu dem durch Syphilis verursachten Nasenfraß vgl. zu 762, 6f. – *26 der auf dem zweiten Blatt in der Kirche:* S. 1013, 10. – *28 Wolke mit Posaunen:* Dieses Bild geht vermutlich auf die Offenbarung Johannis, Achtes Kapitel, zurück, wo von den sieben Engeln mit den sieben Posaunen die Rede ist. – *30f. das Feuer seine ganze Gesellschaft:* Zu diesem Gedanken vgl. K 107 und die Anm. dazu. – *37 Sprüchw. Salom. Cap. 6:* von mir verb. aus: Sprüchw. Salom. Cap. 4, wie Lichtenberg irrtümlich schrieb, während es auf Hogarths Blatt richtig zitiert steht. Im übrigen vgl. zu 1009, 21.
1056 *1 The adulteress ... life:* »Das Eheweib wird nach dem edlen Leben jagen«. Übrigens steht bei Luther auch: *fängt das edle Leben.* – *5 Alderman:* Vgl. zu 914, 23. – *7 Karikatur-Zeichner:* Vgl. oben S. 321. – *14 im Boot gesehen:* S. 1034, 15ff. – *14 unser oft belobter Einäugiger:* S. 1021, 13ff. 1054, 26. – *17 mit der linken Hand auf der Bibel:* Vgl. 688, 4. – *20 das Mensch:* vgl. zu 747, 32f. – *24 Mittimus:* Haftbefehl. – *25 Einer von Hogarths*

Erklärern: Es ist der anonyme Erklärer o.c., p. 55; Ireland o.c. Vol. I, p. 271 Fußnote zieht es selbst in Zweifel. – *26f. Fastenschwalbe:* S. 1051, 21.

1057 *15f. ex officio ...: Ex officio-Gesicht:* Vgl. zu 183, 9. Zu der »physiognomischen« Wortbildung vgl. zu 371, 26. – *20 Woodstreet:* Vgl. zu 736, 35. – *22 Ps. 9. V. 16:* An den von Lichtenberg genau zitierten Satz schließt sich in Psalm 9. V. 16 an: »ihr Fuß ist gefangen im Netz, das sie gestellet hatten.« – *22 the wicked:* die Gottlosen. – *24 3. B. Mos.:* Gemeint ist 3. Buch Moses. V. 15: »Ihr sollt nicht unrecht handeln am Gericht und sollt nicht vorziehen den Geringen, noch den Großen ehren; sondern du sollst deinen Nächsten recht richten.« – *26 dreisäuligen Altars der Gerechtigkeit:* Zu diesem Galgen-Bild vgl. zu 940, 23.–30f. *methodistischer Prediger:* Vgl. zu 193, 33. – *31 aus dem Haarschnitt:* Ob Methodisten eine nonkonformistische Haartracht hatten, ist mir nicht bekannt. Immerhin schildert Lichtenberg in Hogarths Erklärung von »Leichtgläubigkeit, Aberglauben und Fanatismus« (GTK 1787, S. 225) einen religiösen Schwärmer folgendermaßen: »Was den Erklärer dieser Blätter hier vorzüglich aufmerksam gemacht hat, ist das weiche, gestreckte Haar des armen Sünders hinter die Ohren gestrichen. O! er hat dieses so oft gesehen, bey Köpfen die der Kühlung von innen bedurften, daß dieser Zug einer von denen war, die ihn auf Hogarths Shakespearisch-triebmäßige Beobachtung aufmerksam gemacht haben. Schade, daß die Haare hinten aufgesteckt sind; doch der Mann ist noch jung und also vielleicht ein heiliger Stutzer. Der Leser, der noch nicht Erfahrung hat, bemerke ja das weiche gestreckte Haar hinter die Ohren gestrichen. Es wird ihn nie trügen. Der Krauskopf schwärmt selten, das schlanke Haar nimmt jede Frisur an, zumal wenn die rechten Brenneisen daran kommen.« – *32 Wesley:* John Wesley (1703–1791), aus Epworth in England; neben Whitefield Begründer des »Methodismus«, verband als ambulanter Erweckungsprediger Predigtgabe mit großem organisatorischen Talent. Lichtenberg erwähnt ihn auch in der Erklärung von Hogarths »Leichtgläubigkeit, Aberglauben und Fanatismus« im »Göttinger Taschen Calender« für 1787, S. 213. 221. – *33 Zeigefinger hoch, wie einen Blitzableiter:* Zu Lichtenbergs Metaphorik des Blitz-Ableiters vgl. zu 130, 1 ff.

1058 *1 Newgate:* Vgl. zu 708, 13. – *10f. in einem schlechten Wagen ein Gesicht machen:* Diese Wendung ist J 675 entlehnt. – *15 Exspektanz:* Vgl. zu 480, 33. – *15 Promotionen:* Vgl. oben zu 902, 21. – *19f. Kerl der einen lebendigen Hund ... hält:* Dazu vgl. Lichtenbergs Gedanken L 522. – *28 the last dying speech:* Vgl. zu 977, 28. – *35 wie wir die Reden der Helden:* Zu dieser Wendung vgl. 977, 32.

1059 *3 Dispüt über das Meum und Tuum:* Zu dieser Wendung vgl. zu 469, 23 f. – *8f. die Mutter ... mit verhülltem Gesicht:* Dazu vgl. L 519. – *13 Newgate:* Vgl. zu 708, 13. – *14 Trusler nennt ...:* Truslers Werk war mir nicht zugänglich. – *17 Sprüchw. Sal.:* Vgl. zu 1009, 21. – *22f. sich ergießende Füllhörner:* Sinnbild des Reichtums; vgl. Lichtenbergs Titelzeichnung zu KA. – *23 Lord-Mayor:* Vgl. zu 995, 17.

1060 *3 Hospital-Präparate:* Dazu vgl. Lichtenbergs Reflexion über Kriegs-Invalide in L 574. – *27f. Prinz von Wallis mit seiner Gemahlin, die Eltern unsers jetzigen Königs:* Über Friedrich Ludwig, Prinz von Wales, vgl. zu RT 9. Er heiratete 1736 Prinzessin Augusta von Sachsen-Gotha. Aus ihrer Ehe ging Georg III. hervor; über ihn vgl. zu D 79. – *34f. in usum Delphini ... besonders stechen lassen:* Über diese Wendung vgl. zu 664, 2. – *36 Sprüchw. Sal.:* Vgl. zu 1009, 21.

ZUM VORLIEGENDEN BAND

Vater vieler nützlicher Erfindungen nannte Lichtenberg den Zufall. Ihm allein ist es zuzuschreiben, daß dieser Band in diesem Jahr und wie aus Anlaß des 175. Todestages von Georg Christoph Lichtenberg erscheint. Nun ist es immerhin strittig, ob ein Buch über Bücher, was ein Kommentar seiner Natur nach sein muß, unter die nützlichen Erfindungen zu zählen ist. Lichtenberg hatte in dieser Hinsicht seine Zweifel. Es läßt sich jedoch nicht bestreiten, daß der Zufall dem Kommentator ein Datum zugespielt hat, das die Veröffentlichung dieses Bandes zu einer Art persönlichen Gedenkartikels macht. Und da dies nicht beabsichtigt war, aber sehr gelegen kommt, sage ich dem Zufall dafür Dank.

Die Kommentierung der in Band 3 unserer Ausgabe vereinigten Texte stellte mich vor einige Schwierigkeiten, die weniger in der Sache als in der Schreibperson Lichtenbergs begründet liegen. Es gab bislang keine durchgehende Kommentierung der Artikel des Wissenschaftlers Lichtenberg, ebensowenig die des Satirikers, des Kalendermachers, des Poeten und Romanciers, des Hogarth-Erklärers. Ich konnte lediglich auf in der Mehrzahl isolierte Erläuterungen zu einzelnen Texten zurückgreifen. Da es sich bei Lichtenbergs Publikationen in der Regel um kurze, ihrer Erscheinungsweise nach ephemere Artikel oder aber um Werke von so eigentümlichem Gepräge wie die Ausführliche Erklärung der Hogarthischen Kupferstiche – weder Roman noch Sachtext – handelt, hat man sich in der Forschung bislang nur obenhin mit der Frage beschäftigt, wann genau jeweils aus welchen Beweggründen ein Text entstand, unter welchen Arbeitsbedingungen er angefertigt wurde und mit welcher Wirkung er erschien. Diesen Mängeln sucht mein Kommentar zu begegnen, indem er jeden einzelnen Artikel so ernst nimmt, als handle es sich dabei um ein esoterisches Stück Poesie und nicht um leserliche Aufklärer-Prosa. Zu begegnen ferner, indem ich an die Stelle isolierter Erläuterungen einen durchgängigen Kommentar setzte, der einer Eigenart der Schreibperson Lichtenbergs Rechnung trug.

Lichtenberg erwähnt in seinen Sudelbüchern häufig die Funktion regelmäßiger Eintragungen, die er bekanntlich gern scherzhaft den Einnahmen eines genau kalkulierenden Kaufmanns vergleicht, im Ernst aber als nützlichen Vorrat an Ideen und witzigen Einfällen betrachtet, aus dem er im Bedarfsfalle schöpfen konnte. So sind denn zahlreiche Bemerkungen in den Sudelbüchern nur scheinbar selbständige Gebilde, die aber womöglich oder tatsächlich in einem von Lichtenberg schon im voraus geplanten oder nachträglich genutzten

Verwertungszusammenhang zu lesen sind. Die genaue Lektüre der publizistischen Arbeiten Lichtenbergs ergab, daß er in einem unerwartet hohen Maße davon Gebrauch gemacht hat, mit Bemerkungen aus den Sudelbüchern Passagen seiner Artikel zu, wie er es nannte, »schattieren«. Ein besonderes Augenmerk dieses Kommentars galt daher dem Nachweis solcher textlicher Beziehungen und Verwertungszusammenhänge, die ein neues Licht auf die Arbeitsweise Lichtenbergs werfen.

Aus der genauen Lektüre erwuchs schließlich und ebenso folgerichtig die Beobachtung bestimmter sprachlicher Eigentümlichkeiten und Wortschöpfungen, die mir für Lichtenbergs Stil so bestimmend und für den Leser so interessant erschienen, daß ich zumindest eklatante Beispiele häufiger Wortwahl und inspirierter Wortprägungen in den Anmerkungen mitteilte.

Im übrigen umfaßt der Kommentar selbstverständlich die jeweils erforderlichen Erläuterungen zu Sachen, Begriffen und Personen – mit dieser Einschränkung: Da die Sudelbücher das Herzstück dieser Ausgabe sind, kommt dem Kommentarband zu ihnen eine entsprechend zentrale Stellung zu. Aus diesem Grunde wird im vorliegenden Band verschiedentlich auf Erläuterungen im Kommentarband zu den Sudelbüchern verwiesen, soweit es sich um auch dort gebrauchte Begriffe und erwähnte Personen handelt. Eine doppelte Erläuterung sowohl in dem einen wie in dem anderen Kommentarband erschien angesichts des gedanklichen Zusammenhangs, in dem sie zu sehen sind, und auch aus Gründen des Umfangs nicht angebracht.

Um die Benutzung des Kommentars zu erleichtern, wird auf den folgenden Seiten ein genauer Hinweis auf die verschiedenen Formen meiner Verweise innerhalb dieser Edition und des Lichtenbergschen Gesamtwerks gegeben. Ihm schließt sich ein Verzeichnis der von mir in den Anmerkungen verwandten Abkürzungen und häufig zitierter Literatur an.

Der Kommentarband enthält bis auf eine einzige Ausnahme keinerlei bildliche Erläuterungen. Die Reproduktion des Kupfers auf S. 439 – die dem Werk von Maitland entnommene Abbildung des »Monument« – erschien allerdings zum Verständnis der betreffenden Textstelle bei Lichtenberg unabdingbar. Was schließlich die Tatsache betrifft, daß die Reproduktion der Platten in Band 3 nach Hogarth und nicht nach Riepenhausen erfolgte, verweise ich auf die von mir oben S. 320 gegebene Begründung.

Wolfgang Promies

LEKTÜREHINWEISE

A. ZUR VERWEISTECHNIK

1) Die Textbände dieser Ausgabe werden durch die röm. Ziffern I–IV ohne den Zusatz »Bd.« bezeichnet.
2) Auf Bd. III dieser Ausgabe (den Textband zum vorliegenden Kommentar) wird grundsätzlich ohne Angabe der röm. Bandziffer verwiesen; es steht lediglich die Seitenzahl, also z. B. »S. 793«. Ist auch die Zeile der betreffenden Seite des Textbandes III angegeben, so wird auf die Hinzufügung der Abkürzung »S.« verzichtet, also z. B. »793, 18«.
3) Auf Erläuterungen innerhalb anderer Zeilenanmerkungen des Kommentars wird durch »s. (vgl.) zu ...« verwiesen, also z. B. »s. zu 793, 18«. Wird auf Erläuterungen innerhalb der Vorbemerkungen (»Zur Entstehung«) verwiesen, so lautet der Verweis: »s. oben (unten) S. ...«.
4) Verweise auf den Briefband dieser Ausgabe (Bd. IV) lauten: »IV, 746« bzw. »IV, S. 746« (Band- und Seitenzahl); »IV, 746, 18« (Band-, Seiten- und Zeilenzahl); »IV, Nr. 494, S. 638« (Bandzahl, Nummer des Briefes und Seitenzahl). Die unterschiedliche Verweistechnik ergibt sich aus den unterschiedlichen Zitatabsichten.
5) Verweise auf die Sudel- und Tagebücher und die Materialhefte (Bde. I und II dieser Ausgabe) erfolgen unter dem Kennbuchstaben bzw. der Kurzbezeichnung des jeweiligen Sudelbuchs etc. und der Nummer der betreffenden Notiz, also z. B.: »C 94«. Nur wenn der herangezogene Text nicht numeriert ist (etwa die Vor- und Nachbemerkungen Lichtenbergs zu den einzelnen Sudelbüchern), wird die Seitenzahl genannt, also z. B. »F, S. 455«, bzw. auch die Bandzahl, wenn das betreffende Sudelbuch nach der Konzeption der Ausgabe auf die Bände I und II verteilt ist, also z. B.: »B, S. 45 (I)«. Auf Erläuterungen (Kommentarband zu den Bdn. I und II) wird mit »s. (vgl.) zu ...« verwiesen.
6) Wird auf verschiedene Seiten der Bde. III und IV oder auf mehrere Aphorismen gleichzeitig verwiesen, so werden die Seiten- bzw. Aphorismenzahlen durch einen Punkt getrennt, also z. B.: »728, 19. 756, 30. IV, S. 645. 712. C 15. 19«.

B. ABKÜRZUNGEN

1) *Sudel- und Tagebücher* (vgl. auch »Zur Verweistechnik«, Ziff. 5):
   a) Sudelbücher:
   A = Sudelbuch A. 1765–1770 (1–141: Bd. I; 142–262 [Vermischte wissenschaftliche Notizen]: Bd. II)
   KA = Κέρας 'Αμαλθείας (Füllhornbuch). 1765–1772 (Bd. II)
   B = Sudelbuch B. 1768–1771 (Bd. I)
   C = Sudelbuch C. 1772–1773 (Bd. I)
   D = Sudelbuch D. 1773–1775 und 1772–1777 (Wissenschaftliche Notizen) (1–672: Bd. I; 673–773: Bd. II)
   E = Sudelbuch E. 1775–1776 (Bd. I)
   F = Sudelbuch F. 1776–1779 (Bd. I)
   G = Sudelbuch G. 1779–1783 (Bd. II)
   H = Sudelbuch H. 1784–1788 (Bd. II)
   GH = Goldpapierheft. Winter 1789 (Bd. II)
   J = Sudelbuch J. 1789–1793 (1–1253: Bd. I; 1254–2166: Bd. II)
   K = Sudelbuch K. 1793–1796 (1–21: Bd. I; 22–417: Bd. II)
   L = Sudelbuch L. 1796–1799 (1–707: Bd. I; 708–983 [Physikalische und philosophische Bemerkungen]: Bd. II)
   UB = Undatierbare und verstreute Bemerkungen (Bd. II)

   b) Tagebücher:
   TB = Tagebuch 1770–1772
   RT = Reise-Tagebuch 1774–1775
   RA = Reise-Anmerkungen 1775
   SK = Staatskalender 1789–1799

2) *Weitere Abkürzungen:*
   VS bzw. Vermischte Schriften = G. C. Lichtenberg. Vermischte Schriften. Hrsg. v. Ludwig Christian Lichtenberg und Friedrich Kries. 9 Bde. Göttingen 1800–1806
   VS 1844 = G. C. Lichtenberg. Neue vermehrte, von den Söhnen veranstaltete Originalausgabe. 14 Bde. Göttingen 1844–1853
   PH + M = Physikalische und Mathematische Schriften: Bd. 6–9 der »Vermischten Schriften«, Göttingen 1803–1806
   LB I, II, III = Lichtenbergs Briefe. Hrsg. v. A. Leitzmann u. C. Schüddekopf. Leipzig 1901–1904 (Bd. I, II, III)
   Rotes Buch = nach der Einbandfarbe benanntes Notizheft Lichtenbergs. Ungedruckt; Manuskript in der Universitäts- und Staatsbibliothek Göttingen.
   GTK = Göttinger Taschen Calender (1778–1799)
   AdB = Allgemeine deutsche Bibliothek. Hrsg. v. Fr. Nicolai. Bd. 1 ff. Berlin und Stettin 1765 ff.

DWB = J. u. W. Grimm: Deutsches Wörterbuch. Hrsg. v. d.
Dt. Akad. d. Wiss. zu Berlin. 16 (= 32) Bde. Leipzig 1854–1960
(die Ziffern bezeichnen die Bd.- und Spaltennummer)
SALVAT = Diccionario e enciclopédico Salvat. 12 Bde. 2. Aufl.
Barcelona 1954

C. VERZEICHNIS DER HÄUFIG UND VERKÜRZT ZITIERTEN PUBLIKATIONEN

(mit Ausnahme der unter B aufgeführten Schriften)

Archenholz, J. W. v.: England und Italien. 2 Bde. Leipzig 1785
Bopp, K.: J. H. Lamberts und A. G. Kästners Briefe aus den Gothaer Manuskripten. Sitzungsbericht der Heidelberger Akademie der Wissenschaften, Jg. 1928, 18. Abh. Berlin und Leipzig 1928
Bürger, G. A.: Briefe von und an Bürger. 4 Bde. Hrsg. v. A. Strodtmann. Berlin 1874
Copernicus, N.: De revolutionibus orbium coelestium libri VI. Thorn 1873
Deneke, O.: Lichtenbergs Leben (1742–1775). Bd. 1. München 1944
Domke, M.: Nachwort zu: »Timorus...«. Hrsg. von Herrmann Meyer. Berlin 1926
Ebstein, E.: Miszellen über Lichtenberg und Bürger. In: Zeitschrift für Bücherfreunde. N. F. 6 (1914). S. 278–279
Fielding, H.: Sämtliche Romane. 4 Bde. (dt.) München 1965f.
Forster, J. G.: Werke. Sämtliche Schriften, Tagebücher, Briefe. Hrsg. v. d. Dt. Akademie d. Wiss. zu Berlin. Bd. 1ff. Berlin 1958ff.
Gassendi, P.: Narratio prima de libris revolutionum Copernici. Danzig 1540
Gilpin, W.: Essay upon Print. Dt.: Abhandlung von Kupferstichen... Frankfurt und Leipzig 1768
Guthke, K. S.: Georg Christoph Lichtenberg's Contributions to the ›Göttingische Gelehrte Anzeigen‹. In: Libri 1963. Vol. 12. No. 4. pp. 331–340
Hahn, P.: G. C. Lichtenberg und die exakten Wissenschaften. Materialien zu seiner Biographie. Göttingen 1927
Herder, J. G.: Aus Herders Nachlaß. 3 Bde. Frankfurt/Main 1856
Heymann, F.: Der Erzmagier Philadelphia. In: Der Chevalier von Geldern. Köln 1963. S. 360–383
Ireland, J.: Hogarth Illustrated. London 1791. 1793. Supplementband 1798
Johnson, S.: A Dictionary of the English Language: In Which the Words are Deduced from their Originals, And Illustrated in their Different Significations by Examples from the Best

Writers. To Which are Prefixed a History of the Language and an English Grammar. 2 Bde. London 1755
Jung, R.: Lichtenberg-Bibliographie. Heidelberg 1972 (= Repertoria Heidelbergensia. II.)
Kästner, A. G.: Elogium G. C. Lichtenberg. Commentationes Societatis reg. Scientiarum Gottingensis. Vol. XIV. 1800
Kennedy, Smith, Johnson: Dictionary of Anonymous and Pseudonymous English Literature. London 1926ff.
Lauchert, F.: G. Chr. Lichtenberg's schriftstellerische Thätigkeit in chronologischer Übersicht dargestellt. Mit Nachträgen zu Lichtenbergs vermischten Schriften und textkritischen Berichtigungen. Göttingen 1893
Lavater, J. K.: Physiognomische Fragmente. 4 Bde. Leipzig und Winterthur 1775–1778
Leitzmann, A.: Zu Lichtenbergs Briefen. In: Euphorion XV. 1908
Lenz, J. M. R.: Nachruf zu der im Göttingischen Almanach des Jahres 1778 an das Publikum gehaltenen Rede über Physiognomik. In: Teutscher Merkur. November 1777. IV. S. 106–119
Lessing, G. E.: Werke in 8 Bänden. In Verbindung mit mehreren Fachgenossen hrsg. v. H. G. Göpfert. Bd. 1 ff. München 1970 ff.
Lichtenberg, G. C.: Aphorismen. Hrsg. v. A. Leitzmann. Heft 1–5. Berlin 1902–1908 (= Dt. Literaturdenkmale d. 18. u. 19. Jh. s. Nr. 123. 131. 136. 140. 141)

Aphorismen, Essays, Briefe. Hrsg. v. Kurt Batt. Leipzig 1963 (= Sammlung Dieterich. Bd. 260)

Aus Lichtenbergs Nachlaß. Hrsg. v. A. Leitzmann. Weimar 1899

Briefe an F. J. Blumenbach. Hrsg. u. erl. v. A. Leitzmann. Leipzig 1921

Die Heirat nach der Mode und weitere Erklärungen Georg Christoph Lichtenbergs zu Kupferstichen von William Hogarth. (Hrsg. u. mit einem Nachw. vers. v. Kurt Böttcher.) Berlin 1968

Friedrich Eckhardt an den Verfasser seiner Bemerkungen zu seiner Epistel an Tobias Göbhard. Göttingen 1776 (= Zweite Epistel an Tobias Göbhard)

Gedankenbücher. Hrsg. v. F. H. Mautner. Frankfurt/Main und Hamburg 1963 (= exempla classica. 82.)

Gesammelte Werke. Hrsg. u. eingel. v. W. Grenzmann. Frankfurt/Main 1949

Hogarth on High Life. The Marriage à la Mode. Series from Georg Christoph Lichtenberg's Commentaries. Transl. and ed. by Arthur S. Wensinger with W. B. Coley. Middleton 1970

Über Hrn. Vossens Vertheidigung gegen mich im März/Lenzmonat des deutschen Museums 1782. In: Götting. Mag. d. Wiss. u. Lit. 3 (1782). 1. Stück. S. 100–171

Vermächtnisse. Hrsg. v. W. Promies. Reinbek 1972 (= Rowohlts Klassiker. 541.)
Verschiedene Arten von Wahnsinn. In: P. Requadt: Lichtenberg. Zum Problem der deutschen Aphoristik. Hameln 1948. S. 143
Verzeichniß derjenigen Bücher, welche aus dem Nachlasse des sel. Hrn. Hofraths Lichtenberg zu Göttingen im Anfange des November dieses Jahres Nachmittags von 1 bis 2 Uhr durch den Universitäts-Gerichts-Procurator und Bücher-Auctionator F. J. Schepeler, in dem Buchhändler Dieterichschen Hause meistbietend verkauft werden sollen. Göttingen 1799
Mautner, F. H.: Lichtenberg. Geschichte seines Geistes. Berlin 1968
Nichols, J.: Biographical Anecdotes of W. Hogarth. 3. Aufl. London 1785
Philosophical Transactions. Hrsg. v. d. Royal Society. London 1665 ff.
Promies, W.: G. C. Lichtenberg. In Selbstzeugnissen und Bilddokumenten. Reinbek 1964 (= Rowohlts Monographien. 90.)
Roucquet, A.: Lettres de Mr.** à un de ses amis à Paris, pour lui expliquer les estampes de Mr. Hogarth, Paris 1746
Schneider, A.: G. C. Lichtenberg. Précurseur du Romantisme. Bd. 1: L'homme et l'oeuvre. Nancy 1954. Bd. 2: Penseur. Paris 1955
Sterne, L.: Das Leben und die Meinungen des Tristram Shandy (dt.) München 1969
Unbekannter Verfasser: An Explanation of Several of Mr. Hogarth's Prints. London 1785
Walpole, H. (Lord Oxford): Anecdotes of Painting in England ... Collected by Mr. George Vertue and Now Digested by Mr. Horace W. 5 Bde. Strawberry-Hill 1771
Zimmermann, J. G.: An Herrn Hofrat und Professor Kästner in Göttingen. Leipzig 1779
Versuch in anmuthigen und lehrreichen Erzählungen, launigten Einfällen und philosophischen Remarquen über allerley Gegenstände. Zweyte, mit einem Fragment und dem Schreiben des Hrn. Hofr. Kästners an den Verfasser vermehrte Auflage. Göttingen 1779

Personenregister zum Textband

Abernethy 127. 128
Abington, F. 192. 344. 353. 359–362. 363–364
–, deren Mann 361
Ackermann 337–338
Adam 146. 173. 176. 180
Adams, G. 82. 83. 90. 91. 92
Adams, M. 811
Addison 788
Adelung 481. 1036
Ailhaud 488
Alembert, d' 12. 15. 16. 17. 18
Aler 377
Alexander der Große 425. 462. 534. 672. 686. 720. 765
Alexander VI., Papst 500
Alphonsus der Weise 181. 182
–, dessen Onkel Emanuel 182
Álvarez de Sotomayor 428
Anakreon 624. 856
Ancaster, Herzog von 726
Andreas, St. 931. 1030
Angerstein 989
Anson 17
Anstey 710
Antinous 919
Antonius 1049
Anville, d' 56
Apelles 756. 826. 1040
Apollonius von Perge 141. 167. 233
Arbuthnot 739. 741. 743. 948. 961
Arc, d' 430
Arcet, d' 491
Archenholz 189–198. 731. 937–938
Archimedes 153. 185. 601. 939
Arcon, d' 430. 431. 432. 435. 436
Aretino 857. 858

Argand 86
Aristarch von Samos 169. 183. 185. 259
Aristarchos von Samothrake 511
Aristophanes 872
Aristoteles 153. 159. 289. 509. 614. 838
Arkesilaos 379
Arraos 53
Artaxerxes 844
Artois, Graf von 439
Athanasius, St. 904
Athol, Herzog von 194
Augustulus 504
Augustus 100. 852

Bacelli 365–366
Backhaus 622
Baco, R. 529. 597
Baco von Verulam 64. 113. 162. 320. 653. 654
Baczko 142. 144. 149
Bailly 146. 155. 167. 175
Baldinger 515–521
Ballin 209. 210. 211
Baltimore, Lord s. Calvert
Banks 689
Banks, J. 42. 46
Barclay 212. 319
Baretti 197
Barrington 53
Barry, A. S. 357–359
–, deren Mann 337. 358. 359
Basedow 758
Batteux 430. 599. 914
Baumann 944
Bayle 588
Bazin s. Voltaire
Beattie 380
Beaumarchais 196

Beaumont 327. 361. 389–391
Beccaria 217
Beguelin 12. 15. 18. 19. 21
Belle-Isle 666
Bellinkhaus 368–376
Belsham 770
Ben Jonson 326. 328. 332. 352. 356. 768
Berger 58
Berni 285
Bernoulli, D. 11. 23
Bernoulli, N. 11. 15. 16
Bessarion 147
Bethge 537
Bianchini 229
Bickerstaffe 329
Bingley 955
Birch 119
Bird 39
Blake 442
Blumauer 616
Blumenbach 691. 1013
Bode 304. 617?
Böhme 285. 419
Boerhave 589
Bohn 247
Boie 326. 327. 329. 338. 353. 355. 367. 368. 567
Boileau 542
Boissardus 175
Bonaparte s. Napoleon
Born 676
Bortin 491
Boswell 326. 692. 859. 998
Bougainville 44. 51
Bourseault 722
Bouvet 52
Boydell 989
Brahe 140. 162. 167. 171
Bransbo 336
Braun 145. 150. 151
Braunhold 387
Bridgeman 840. 846
Brothers 910
Broussonnet 676
Brudzevo (Brudzewski) 145

Bruhier d' Ablaincourt 501
Brutus 581
Brydone 346. 362
Bürger 473. 736
Büsch 81. 82. 83. 84. 86. 87. 90. 92. 94
Büsching 54. 55. 177. 180
Büttner 615
Buffon 676
Burgoyne 351. 353. 361
Buridan 230. 693
Burke 849
Burman 602
Burnet, Frl. 127
Burnet, G. 768
Butler 231. 596. 678. 710. 772. 886
Butschany 589
Byron 62

C. F. 937
Cadvallo 860
Cäsar 349. 425. 498. 526. 534. 577. 790. 805. 852. 853. 913
Cagliostro 705
Calippus 159
Calvert 197
Capella 166. 167
Caracalla 998. 1019. 1032
Cardanus 253
Cardigan 725
Careless 907
Carestini 947. 951
Carteret 62
Cartesius s. Descartes
Cartouche 530
Carus 653
Catilina 191. 497
Catley 359
Cato 581. 601
Cavaceppi 522
Cervantes 223. 388. 395. 417. 499. 587. 942
Ceulen 561
Champigny 192
Chandler 698

Charles 72. 74
Charmides 275
Charpentier 118
Charters 739. 748. 782. 812. 833
Chatham 194
Chenius 615
Chesterfield 692
Chodowiecki 256. 295. 306. 383. 391. 403
Choiseul-Amboise 211
Christon 183
Christus 273. 291. 406. 407. 466. 660
Chudleigh 194
Churchill 542. 552. 555. 659. 727. 819. 878. 933. 984
Cibber, C. 906
Cibber, Th. 732
Cicero 161. 166–167. 184. 838
Cincinnatus 622
Clarke, E. 315
Clarke, J. 835
Clarke, S. 757
Claudius 523
Clemens XI. 529
Clemens, St. 904
Clerke 54
Clive 64
Cloots 980
Coffey 371. 670. 772
Contades 1038
Cook 35–62. 64. 270. 1033
–, dessen Frau 62
Copernicus 138–188. 441
–, dessen Bruder 144
–, dessen Vater 144. 174
–, dessen Mutter 144. 174
Copley 48. 60
Cornaro 485–487
Corneille 529
Cornely 196. 198
Cowper 710
Coxe 192
Cramer 11
Cranz 49

Crébillon 949. 965
Crell 103
Crillon 428. 429. 432. 435
Cromwell, O. 223. 805. 806. 1051
Cromwell, R. 223
Cronegk 128
Croy 62
Crozet 53. 54
Cubach 562. 666
Curtis 438
Curtius, M. 425
Curtius, R. 766
Cusa 182–183

Dalton 765
Dance 58
David 756. 857. 860
Deeds 194
Deluc 118
Demokrit 425
Demosthenes 302. 425
Derby 361
Desbarreaux 799
Descartes 272
Didot 691
Dieterich 198. 239. 240. 250. 256. 261. 262. 411. 414. 470. 516. 544. 558. 565. 639. 912. 992
–, dessen Frau 636
Diogenes 411. 504. 683
Dionysius Exiguus 464
Dionysius Petavius 464
Dodd 337. 353
Dodd, W. 190. 194. 272
Dollond 479
Domenichino 749
Donatus 306. 374
Doppelmayr 706
Dorset 691
Douglas 54
Droz 192. 932
Dryden 792
Dubois (I) 839
Dubois (II) 839. 861

Dürer 420
Dumouriez 792
Dyk 189

Eberhard 184. 185
Eckard 237. 539. 540. 548
Ekhof 337
Ekphantus 161. 164
Elias 72
Elliot 427. 428. 429. 431. 434. 435
Ellis 839
Elzevier 126
Emanuel Candidus 427
Empedokles 529. 597
Engel 396
England, Elisabeth I. von 193
–, Georg II. von 860
–, Carolina, dessen Gattin 860. 865. 870
–, Georg III. von 41. 46. 59. 62. 438. 573. 1060
–, Heinrich IV. von 349. 1007
–, Heinrich V. von 695. 1007
–, Heinrich VIII. von 349. 534
–, Karl I. von 723
–, Karl II. von 192. 722. 1049. 1051
–, Richard II. von 1006. 1007
–, Richard III. von 349
–, Sophie Charlotte von 62. 782
Eon, d' 194. 670. 678
Epaminondas 590
Ephraim 753
Epiktet 601. 602
Epikur 425. 500
Erasmus 306. 664
Erxleben 564. 651
Eschenburg 667. 852
Essex 861. 874. 878
Eudoxus 159
Euklid 141. 315. 423
Eulenspiegel 554. 566. 858
Euler 64. 380. 519
Euphemia 805

Faber 839
Fabre d' Églantine 937
Fahrenheit 49
Fargatsch 789
Farinelli 843. 844. 845
Farquhar 326. 329. 351–353. 361. 389. 391
Fatouville 744
Faujas de St. Fond 68
Faust, B. Ch. 129
Faust, J. 251. 420. 529. 597. 1002
Faustina 932
Feder 239. 240. 250. 251
Fielding, H. 329. 333. 334. 355. 384. 387. 395. 396. 397. 615. 706. 761. 762. 778. 838. 858. 893. 907
Fielding, J. 761. 943
Figg 839. 840. 849. 852. 861. 864.
Fischer, J. C. 198–202
Fischer, J. Chr. 213
Fish 805
Flanders 971. 972. 1002. 1009
Fletcher 327. 361. 389–391
Foote 126. 299. 329. 350. 351. 353. 872
Ford 692
Forset 881
Forster, J. G. 36. 47. 50. 51. 196. 411
Forster, J. R. 47. 51. 54. 363. 731
Fourcroy 103. 104
Fox 195. 691
Frankenfeld 624
Franklin 112–124. 126. 338. 1002
Frankreich, Franz I. von 848
–, Heinrich IV. von 923
–, Ludwig XIV. von 924
–, Ludwig XV. von 243. 997
–, Ludwig XVI. von 62. 417. 439. 491. 723
–, Ludwig IX. von 438
Franz I., Kaiser v. Deutschland 780

Freeman 700. 701
Furneaux 46. 62

Gabrielli 346. 362–365
Galilei 10
Gallant 462
Garcäus 175
Gardner 1004
Garrard 768
Garrick 64. 196. 224. 326.
   327. 330. 331. 332. 333.
   334. 335. 336. 337. 339–342.
   343–345. 346. 347–349. 350.
   351–353. 355–357. 358.360.
   361. 389–391. 733. 755. 933
–, dessen Frau 988
Gassendi 140. 145. 146. 147.
   148. 150. 151. 167. 174. 176.
   180. 181
Gaßner 263. 979
Gay 248. 766
Gehler 177. 181. 198. 199. 200
Gellert 281. 285. 306. 521. 523.
   623
Gesner 527
Geßner 793
Gibbons 192
Gibson 759
Gideon 506
Gilpin 666. 827. 847. 870. 875.
   882. 902. 903. 949. 1026
Gleim 311. 511. 624
Godolphin 768
Göbhard 237–252. 539–552.
   555. 566. 567
Goethe 519. 520. 537. 538
Göttinger 209. 210. 219. 223
Goldsmith 355. 396
Gonson 761. 762. 785. 805
Gonzales 50
Gourlay 744
Grabensteiner 603
Gracchen 574
Graham 88. 125. 126. 192
Grau 589
Graun 133. 134. 736. 792

Gray 817. 902
Grécourt 502
Green 42
Gregor XIII. 805
Gros 34
Guerchy 194
Guericke 420
Guicciardini 500
Guido s. Reni
Guillot 491
Guillotin, J. B. 488
Guillotin, J. I. 491
Guise 303
Gumprecht 223. 622
Gunkel s. Kunkel
Gysius 142. 180. 181

Habermann 562
Hackabout 747. 804
Händel 133. 792. 844. 846. 847
Hagedorn 82. 83
Halhed 910
Haller 288. 416. 519. 570. 572.
   575. 924
Halley 63
Hamilton, Duke of 615
Hamilton, W. 890
Hardy 767
Harring 929
Harrison 64. 192
Hartknoch 149. 150. 151. 174.
   176. 177. 178. 180
Hartley 362
Hartmann 144
Hawke 42. 62
Hawkesworth 42. 43. 44
Hawkins, C. 89
Hawkins, J. 692. 701. 723. 846.
   847. 852
Heathcote 726
Heilmann 589
Hein 142
Heinel 365
Heliogabal 505
Helmont 1026
Helvetius 545

Henley 692
Henrici 346
Hensler 1020
Herakleides 161. 164
Heraklit 425
Herder 531
Herodes 923
Herodotus 302
Herschel 1050
Hesiod 377
Heß 286
Hevel 177. 179
Heyne 296. 297. 298. 301. 527
Hill, A. 326
Hill, J. 60. 529
Hiller 519
Hipparchos 153
Hippel 407
Hirsch Marcus s. Göttinger
Hoadley 933
Hoare 715
Hobbes 318. 614
Hofmann 138. 142
Hofmannswaldau 510
Hogarth 295. 330. 333. 616. 657–1060
–, dessen Frau 733. 989
Holbein 291
Holcroft 894
Holofernes 923
Home 313
Homer 196. 296. 297. 302. 304. 305. 308. 313. 384. 421. 423. 425. 538. 750. 838
Horaz 179. 297. 300. 320. 348. 377. 383. 384. 413. 422. 425. 542. 555. 577. 601. 672. 673. 678. 723. 793. 804. 840. 860. 889. 894. 898. 911. 941. 958. 979. 997. 1049
Howard 720
Howe 434
Hoyle 927. 930
Hübner 384
Hufeland 486
Hume 501. 805

Hupazoli 485–487
Hyginus 956

Ibrahim 505. 506
Ireland, J. 662. 666. 674. 680. 685. 694. 698. 705. 707. 710. 714. 722. 723. 729. 761. 770. 771. 779. 780. 781. 785. 794. 810. 813. 817. 834. 838. 844. 846. 849. 853. 856. 870. 902. 906. 918. 929. 930. 933. 944. 949. 971. 972. 973. 1026. 1036
Ireland, S. 839
Iriarte 655
Isaak 506

Jablkowsky 801
Jablonowski 179
Jacobi 212. 511. 624
Jakob 578. 835
Jenkins 485
Jevon 670
Jöcher 177. 486
Johnson 126. 692. 701. 720. 732. 775. 781. 821. 823. 859. 998
Jonas 101. 756. 757
Joseph II. 64. 245. 419
Jost 419
Judas 291
Judith 923
Judkins 361
Junctinus 173. 174. 176
Jurieu 588
Justi 312
Justian 890
Justinian 345
Juvenal 279. 375. 419

Käsebier 222. 240. 720
Kästner 23. 285. 311. 312. 314. 516? 527. 542. 569. 573. 576. 602. 623
Kallimachus 238. 528
Kant 200. 201. 202

Kayser 653
Kempelen 875
Kempis 562
Kennicot 221
Kepler 114. 115. 141. 147. 158.
    159. 162. 163. 166. 170. 172.
    173. 176. 187. 419
Kerguélen-Trémarec 54
Kestner 650
Kettleby 693
King 60
King, A. 1009
King, M. 708
King, T. 706. 707
King, Th. 337
Kingston s. Chudleigh
Kircher 192
Klaproth 199
Kleanthes 183
Kleist 652. 753
Klopstock 382. 531. 618
Klotz 602. 603. 664. 853
Küttner 731
Kuhbach s. Cubach
Kunkel, Joh. 592
–, dessen Frau 603
Kunkel, Jonas 528. 585–604. 622
Kyber 906

L., T. 898. 900
Labre 1019. 1020. 1022
Labruyère 501
Lalande 167. 177
Lambert 286. 298
Lamettrie 228. 601
Lamothe 190
Lane 955. 989
Laplace 199
Latouche 542
Laurentius 904. 923
Lavater 223. 232. 234–235.
    256–295. 346. 537. 539. 541.
    544. 546. 547. 548. 551. 557.
    558. 559. 560. 564. 571. 574.
    648. 1035
Leathercoat 858

Lee 337
Lee, General 285
Lee, N. 686. 910
Leibniz 10. 64. 175. 212. 266.
    420. 473. 719
Lenz 420? 554?
Lesage 293. 307. 790
Leß 517
Lessing 304. 330. 396. 432. 542.
    616. 651. 767
Leurechon 315
Lewis 337. 389. 391
Liborius 419
Lichtenberg, Chr. W. 646–647
Lichtwer 884
Linguet 190. 196
Linné 63. 676. 735. 797. 980.
    1012
Lion 616
Liscow 412. 528. 530. 587. 590
Livius 838
Ljungberg 261
Lohenstein 529
Loveling 762
Lowe 707
Lucas 973
Lucretius 121. 492
Lukian 569
Lusianis 151
Luther 221. 420
Lutherburg 361
Lysippus 313

Macariney 615
Macklin 271. 337. 366–367
Macpherson 384
Macrobius 166–167
Mästlin 173. 174. 175. 176. 180.
    181
Mairan 202
Maitland 1050. 1051
Makoon 849
Mandeville, B. v. 603
Mandeville, J. 944
Manni 973
Mansfield 195. 271

Mansuetus 805
Mara 44
Marat 937–938
Maria 147
Mariana 182
Marion du Fresne 53. 54
Mariotte 115. 116. 123. 124
Marlowe 451
Marmontel 805
Marpurg 308
Marville 542
Mason 362
Matthisson 654
Maxen 72
Mayer 380. 408. 589
Medici 147
Meerwein 123
Meibom 697
Meiners 518
Mendaña de Neyra 50
Mendelssohn 232. 234. 539. 543. 544. 546. 549. 551. 553. 554. 556. 558. 565. 574. 678
Mendoza 613
Mendoza, Marques 41. 50. 56
Mengs 64
Mercator 202
Mesmer 126. 491
Metastasio 346. 363
Methusalem 506. 1026
M'Gennis 789
Michaelis 221. 301. 433. 499
Michal 756
Michelangelo Buonarotti 962. 965
Michell 952
Middleton 718
Miller, J. 858
Miller, J. M. 379. 421. 519. 618
Milton 65. 71. 113. 272. 366. 371. 380. 927. 989
Minellius 315
Misaubin 789. 805
Mitchel 242. 244
Möller 252
Möser 419. 493

Mohamed (Muhammed) 72
Mohun 615. 616
Molière 938
Molitor s. Regiomontanus
Monboddo 126. 127
–, dessen Töchter 127
Monro 47
Montcalm 38
Montgolfier 65. 73. 399. 645. 717
Montmort 11
Moors 651
Morande 194
Mortimer 902
Morton 194
Morton, James Douglas Earl of 41
Moses 323
Mottley 670. 858
Mozart 577
Müller, J. s. Regiomontanus
Müller v. Itzehoe 792
Münchhausen 240. 523
Mulerius 168. 173. 180. 185
Mulgrave s. Phipps
Myron 425

N. 479
Nadir 528
Nairne 202
Napoleon 461
Needham 745. 758
Ne-gr 843
Nelson 461
Neper (Napier) 608
Nero 852. 857
Newton 63. 64. 119. 150. 162. 229. 272. 276. 285. 380. 420. 537. 543. 763. 908. 943
Nicetas 161. 164. 169. 183
Nichols 666. 682. 686. 694. 705. 710. 723. 770. 780. 781. 803. 813. 817. 818. 824. 834. 836. 838. 846. 849. 859. 881. 882. 937. 949. 988. 993. 1026. 1054
Nicolai 239. 247. 295. 531. 563? 565

Norfolk 51
Northington 693
Norworth 318. 319

Oberea 254
Obreen 389. 391
Ödipus 685. 686
Oliver 192
Omai 54
Orléans, Ludwig Philipp Joseph Herzog von 719. 740
Orléans, Philipp von 740
Ossian s. Macpherson
O-Tuh 44
Overton 839
Ovidius Naso 418. 618. 751. 753. 802. 956
Oxford, Lord s. Walpole
Ozanam 23

Pallas 54
Palliser 59
Palmer 337
Paoli 603
Paris 1020
Parker 878
Parr 485
Parreau 777
Parsons 337
Paul III. 159. 161. 184
Paulmann 653
Paulus 62. 178. 179. 552. 559. 707. 767. 994
Pawson 858
Pepusch 932
Perikles 425
Persius 860
Petronius 1034
Petrus 62. 178. 179. 866
Petrus de Natalibus 489
Peurbach 140. 145–146. 147. 153. 159. 175
Phädrus 279
Pharao 99. 924
Phidias 425
Philadelphia 253–255. 566. 572

Philippi 587. 590
Philolaus 161. 169. 184
Phipps 53
Photorin 205. 526. 539. 552
Piazzi 183
Pilâtre de Rosier 65. 71
Pilatus 341. 528
Pindar 422
Piozzi 998
Pitt 691
Platelle von Barnet 1053
Platon 153. 184. 185. 418. 421. 597. 602. 715
Plinius jr. 662
Plutarch 161. 183. 184. 185. 302. 519
Podmaniczky 653
Poggius 603
Polen, Johann I. Albrecht von 178
–, Sigismund I. von 152
–, Stanislaus Augustus von 179
–, Stanislaus I. (Leczinski) von 588
Polwarth 451
Pompeius 302. 386
Pontac 853. 856. 858. 861. 883. 901
Pope 299. 308. 380. 425. 448. 739. 740. 745. 821. 848. 881. 906. 909. 951. 1053
Portland 882
Potocki 777
Poussin 715
Praxiteles 313
Preußen, Friedrich II. von 64. 193. 231. 266. 304. 554. 581. 719
Priestley 26. 1038
Pringle 943
Ptolemäus 147. 148. 153–159. 160. 166. 172. 173. 181. 182. 924
Pütter 241
Pugatscheff 462
Pyrnesius 177. 178
Pythagoras 153. 161. 184. 1042

Quin 271. 327. 329. 755
Quiros 51

Rabelais 848
Rabener 502–507. 542
Rafaello 313. 577. 749. 958. 987
Ramus 358
Raspe 192
Reddish 358
Regiomontanus 140. 145–146. 147. 148. 150. 153
Reich 239. 247. 569. 602
Reimarus, H. S. 226
–, dessen Sohn 136
Rembrandt 994
Reni 749
Reuß 488
Reynolds 361
Rheticus 142. 144. 148. 149. 173. 180. 181
Riccioli 147. 167. 168. 174. 175. 176. 182. 183
Rich 894. 897
Richelieu 212
Richmann 261. 338
Richter, A. G. 89. 491
Richter, J. L. 242
Riedel 602
Rienner 248
Riepenhausen 665. 687. 840. 859. 970. 992
Robespierre 773
Robin Hood 197
Rochefoucault 615
Rochester 775
Rock 709. 799
Rodney 429
Römer 420
Roggewein (Roggeveen) 50
Romano 958. 965
Romas 69. 70
Roscius 232
Roscoe 147
Rosenfeld 419
Rossignol 365

Roucquet 665. 666. 694. 705. 710. 734. 770. 780. 813. 817. 836
Rozier 34
Rudd 777
Rüttgerodt 537
Runde 307
Rußland, Katharina II. von 62. 64
–, Peter I. von 63

S. H. 910
S. M. 610
Sacchini 365
Saccon 489
Sacheverel 767
Sachs 368
Sackmann 692
Saint-Martin 414
Sallin 491
Sallust 192. 261. 497
Salmour 616
Salomon 970. 1009. 1019. 1054. 1055. 1056. 1059. 1060
Samuelis 757
Sandwich, Lord 46. 59
Sappho 179. 762
Sarri 346. 363. 1043
Saul 756
Saunders 38
Saussure 118
Saverien 175
Sayer 352. 1014. 1034
Sayre 194
Schaubach 184
Schiebeler 523. 624. 645
Schmauß 507
Schmeißer 103
Schmid, C. F. 589
Schmid, I. 247
Schoner 181
Schröter 1050
Schütz 150
Schultens 221
Schulz, G. 473
Schulz, J. C. F. 777

PERSONENREGISTER 461

Schweden, Christina von 190
–, Karl XII. von 893
Schwenter 315
Scipio 601
Scotin 840
Scrobivicius 181
Sebastian, St. 923
Segner 86
Seneca 289, 602. 653
Shaftesbury 192. 492
Shakespeare 196. 222. 256. 279. 280. 281. 293. 300. 326. 330. 332. 333. 334. 335. 336. 337. 340–343.345. 347. 348. 349. 354. 356. 357. 358. 361. 362. 366–367. 371. 384. 386. 395. 396. 400. 421. 460. 528. 644. 709. 717. 731. 755. 774. 784. 860. 862. 889. 987
Sharp 441
Sheridan 691
Sherwin 58
Shuter 337. 354
Siddons 777
Silberschlag 528
Silberschlag, J. E. 433
Sind 239
Sloane 451
Smith 337
Smith, Mr. 443
Smith, Mrs. 342
Smollet 195
Sneyd 106
Sokrates 132. 271. 275. 291. 425. 561. 893. 970
Solander 42. 46
Soulavie, Abbé 115. 118. 123
Spanien, Karl III. von 432
Sparrman 51
Spenser 709
Spinoza 76. 78. 747
Starovolscius 142. 145. 176. 180
Stechard 640–642
Steele 788
Sterne 226. 229. 355. 378. 421. 422. 512. 579. 610. 799. 923
Stolberg 684
Strahan 54
Str...dr, Signora 843
Stuart 54
Sueton 853
Sulzer 821
Swallow 929
Swift 71. 272. 451. 542. 555. 601. 610. 611. 613. 616. 739. 765. 801. 802. 822–823. 979

Tacitus 499
Tamerlan 462
Taylor, Familie 882
Taylor, Ritter 88. 943
Teniers 987
Terentius 553. 661. 771. 802. 824
Tertullian 999
Tessin, Graf 261
Thales 184. 229
Theodosius der Große 1049
Thiele 192
Thomasius 598
Thomson 617
Thouret 104. 106
Thukydides 838
Tibull 677
Tillemont 999
Tischbein 645
Titus 612. 999
Todi 792
Tompson 652
Townley 933
Trajan 1049
Trattner 239. 240. 242
Trebra 118
Trusler 666. 677. 685. 694. 705. 710. 721. 770. 780. 781. 813. 817. 834. 846. 849. 857. 949. 1026. 1059
Tungen 49
Turnstall 358
Twiss 831
Tyler 1054

Ungenannt 84. 103. 112. 261.
282. 306. 330. 336. 337. 346.
347. 360. 361. 364. 367. 379.
384. 396. 414. 420. 442. 470.
479. 480. 481. 493. 500. 511.
517. 524. 531. 545. 563. 565.
574. 594. 618. 639. 648. 652.
653. 660. 663. 666. 667. 682.
684. 689. 693. 694. 705. 707.
710. 746. 770. 773. 775. 780.
813. 817. 820. 821. 830. 839.
843. 846. 849. 852. 853. 869.
882. 900. 913. 932. 948. 949.
969. 973. 992. 1013. 1026.
1049. 1055. 1056
Unger 176
Unzer 226

Vanbrugh 326. 327. 329. 332.
343–345. 361
Vandenhoeck 247
Vanloo 497
Veil 723
Veltheim 118
Venette 506
Vergilius 313. 315. 365. 430.
431. 535. 758. 761. 762. 778.
838. 866
Vernier 1004
Vertue 666
Vespasian 852
Vinci 749
Vitellius 852
Vitruvius 166
Volkmann 666
Volta 24
Voltaire 193. 302. 316. 326.
342. 380. 396. 418. 532. 589.
848. 924.
Voß, J. H. 296–308
Voß, Verleger 247

W., Lord 914
Wachter 221
Wacker 624
Wagner 652

Waisselrodt (Watzelrode) 144.
149. 151. 174
–, dessen Schwester 144. 174
Wald 142
Wales, Prinz von 1060
–, dessen Frau 1060
Waller 806
Wallis, J. 185
Wallis, S. 41. 47. 62
Walpole 666. 841. 933. 934. 993
Walther 146
Walworth 1054
Wang-o-Tang 442
Warren, Familie 738
Waser 271
Wattenbach 103?
Weidemann 947. 952
Weidler 145. 146. 167. 176.
177. 181. 182
Weigel 835
Weise 384
Wendeborn 731
Wenzel 88
Werlhof 568. 574. 618
Werner 118
Wesley 930. 1057
Weston 327. 337. 346. 347.
349–355
Westrumb 120
Wharton 768
Whiston 908
White 864. 865. 866. 868. 877.
883. 888. 889. 901
Whitefield 231. 930
Whittington 1002. 1004. 1031.
1036
Wichmann, Chr. A. 523. 603
Wichmann, J. E. 589
Wieland 380. 418. 504. 510.
511. 512. 566. 595. 597
Wiese 508
Wilcke 24. 34
Wilhelm der Eroberer 917. 925
Wilkens (Wilke) 589. 602
Wilkes 191. 933
Williams 193

Winckelmann 64. 270. 292. 594
Wittenberg 624
Wolfe 38. 194
Wolff 311
Wolfram 376
Woltmann 99
Wood zu Littleton 687
Woodcock 197
Woodward, H. 337
Woodward, J. 112
Woolston 757
Wouverman 864
Wren 1049
Wright 762
Wüllen 572

Yates, 358

–, Mrs. 339. 358. 359
Young, E. 600. 614. 624
Young, Miß 344

Z. 1019
Zachariä 600
Zernecke 143. 144. 174. 175. 176. 180. 181
Zickwolf 284
Ziegler und Kliphausen 179
Ziegra 212
Zimmermann 262. 423. 539 bis 550. 551. 552. 553. 554. 556. 558. 562. 565. 566. 567. 568. 569–576. 615. 617. 618.
Zinzendorf 213
Zopyrus 271

Alle Rechte vorbehalten
Gesetzt aus der Monotype Bembo-Antiqua
Umschlagentwurf: Eugen O. Sporer
Gesamtherstellung: Passavia Passau
Printed in Germany